JN434644

경추 도수치료 총론

평가 및 치료 접근법

1권

나의 아내 Begoña와 나의 아이들 Begoña, Rafael, Pablo, Andrés, Lidia, Ángela, Jaime, Irene, Rocío에게

경추 도수치료 총론

평가 및 치료 접근법

1권

김 명 준 외 옮김

La Columna Cervical– Volume One

Evaluación clínica y aproximaciones terapéuticas

EDITED BY

RAFAEL TORRES CUECO PhD PT

Professor, Department of Physiotherapy, University of Valencia, Spain
Director of Masters program on Manual Therapy, University of Valencia
President and founder of the Spanish Society of Physiotherapy and Pain (Sociedad Española de Fisioterapia y Dolor SEFID)
Facilitator, WCPT Physical Therapy Pain Network
Instructor, Neuro-Orthopaedic Institute (NOI)
Member of the Spanish Pain Society (Sociedad Española del Dolor SED), Spanish Society of Craneomandibular Dysfunction and Orofacial Pain (Sociedad Española de Disfunción Craneomandibular y Dolor Orofacial SEDCYDO) and the International Association for the Study of Pain (IASP)

FOREWORD BY

GWENDOLEN JULL AO, DipPhysio, GradDip ManipTher, MPhty, PhD, FACP

Emeritus Professor, Physiotherapy, School of Health and Rehabilitation Sciences, University of Queensland, Brisbane, Australia

영 문 출 판 사

■ **옮긴이** (가나다 순)

강명길 DC MS
대한 카이로프랙틱 협회 정회원 및 정책이사
강남 면역증진센터 원장

김명준 경동대학교 물리치료학과 교수
근골격물리치료종별학회 회장

김지혁 경남정보대학교 물리치료과 교수
대한정형도수물리치료학회 학술국제이사

김진영 전주비전대학교 물리치료과 교수
대한정형도수물리치료학회 출판이사

김항진 대한 카이로프랙틱 협회 국제이사
MPI 모던필라테스 대표이사

안준용 DC
보나트 청담본점 대표원장
차의과학대학교 통합의학대학원 교수

안한나 DC
대한 카이로프랙틱 협회 정회원
팔머 카이로프랙틱 교육원 강사

La Columna Cervical – Volume One
Evaluación clínica y aproximaciones terapéuticas
by Rafael Torres Cueco

〈주의〉
발행인이나 편집자는 이 책에 포함된 자료의 사용으로 인해 또는 이와 관련하여 발생하는 손실이나 부상 및/또는 인명 또는 재산 피해에 대해 책임을 지지 않는다. 환자에 대한 독립적인 전문지식 및 지식에 의존하여 환자에게 최상의 치료법과 적용방법을 결정하는 것은 임상의의 책임이다.

–발행인–

경추 도수치료 총론 ❶ 권

평가 및 치료 접근법

2022년 10월 10일 초판인쇄
2022년 10월 17일 초판발행

지은이 : Rafael Torres Cueco
옮긴이 : 김 명 준 외
발행인 : 박 병 조
발행처 : 도서출판 영문출판사
등 록 : 1987년 12월 21일 제2–419호
주 소 : 서울시 강남구 삼성동 69–1
전 화 : (02) 514–5590, 776–5590
팩 스 : (02) 756–8943
E–mail : yeongmunsa@empas.com
홈페이지 : www.ymsbook.net
정 가 : 90,000 원 (세트)
ISBN 978–89–7224–539–1 94510
978–89–7224–538–4 (세트)

※ 파본은 교환해 드립니다.

목차
CONTENTS

머리말
FOREWORD

전세계 질병부담 연구(Global Burden of Disease Study)의 2013년 최신 정보는 301개의 만성 질환에 대해 보고한다. 다양한 상태의 부담을 추정하는데 사용되는 측정기준 중 하나는 장애를 안고 산 기간이다. 목 통증은 이 301가지 상태 중 이례적으로 높은 4위를 차지한다. 이것은 첫 번째 목 통증을 겪는 사람들의 전망 뿐 아니라 이런 통계를 개선하고 부담을 줄이기 위한 도전 과제를 해결해야 하는 책임이 있는 사람들에게도 큰 관심사이다. 어떤 연령대도 목 통증에 대한 면역은 없으며 여성 및 남성 그리고 젊은이부터 노인까지 모두 영향을 미친다. 인구의 최대 절반이 1년에 약간의 목 통증을 겪을 것이며 약 10%는 일과 일상 활동에 제약을 받는 목 통증을 겪는 것으로 추정된다.

목 통증은 재발성 질환이다. 재발은 수년간 지속되며 사람이 회복하는 정도는 매우 다양하다. 이러한 재발은 목 통증 장애에 대한 장애통계로 살아온 기간에 기여하는 주요 요인이다. 재발성 목 통증은 삶의 질 손실, 생산성 손실, 치료 비용 및 피해 비용(예를 들어, 비스테로이드성 항염증제와 같은 약물 남용으로 인한 가능한 심각한 부작용) 등을 포함한 재정적, 개인적 및 사회적 비용을 초래한다.

게다가, 노령화 인구 및 기술의 발달로 인해 직장과 생활 방식(심지어 아주 어린 경우에도)이 더 많이 앉아있게 되면서 목 통증의 발생률과 부담이 증가한다. 목 통증의 부담에 대한 매우 정확한 통계는 효과적인 예방 및 관리 방법을 요한다.

우수한 임상 관행은 환자관리의 과학과 기술에 대한 깊은 이해에 달려있다. **경추 도수치료 총론 1권**은 임상평가 및 치료 접근법을 다룬다. Torres Cueco 교수는 이 책에서 경추에 관련된 자신의 풍부한 지식을 공유하고 있으며 다양한 장에 그들의 지식과 전문 지식을 제공하기 위해 해당 분야의 권위자들을 초대했다.

자료의 세부사항과 깊이는 이 교재의 모든 장의 특징이다. 예를 들어, 경추 해부학 및 생체역학에서 제공되는 포괄적인 자료는 매우 독특하다. 이 장들은 임상가들이 목에 대한 지식 및 이해를 증진시켜 환자 평가에 더 나은 정보를 제공하는데 도움이 되는 귀중한 자료들을 제공한다. 마찬가지로 '관절 기능장애'라는 논쟁의 도전적인 영역이 무엇인지에 대한 자세한 논의는 또 다른 특징이다.

경추 질환에 대한 다양한 임상치료법에 대한 기초 임상과학이 제시된다. 연구 및 근거기반 실천의 분야에서 최적의 치료전달에 필요한 임상기술 및 기술은 보통 덜 중요해 보이고 과소평가된다. 기쁘게 생각하는 것은 관절, 신경 및 신경근 손상과 관련된 기술에 대해 매우 포괄적이고 잘된 설명을 통해 실습기술이 잘 제시되어 있어 임상의가 도수 조작 기술을 연마하는데 도움이 될 수 있다는 것이다.

목 통증의 부담을 줄이려면 목 통증 장애의 예방 및 관리에 관련된 지식과 전문성을 지속적으로 개발하는 것이 중요하다. 이 책을 읽는 임상의는 건강한 상태와 건강하지 않은 상태 모두에서 경추 영역에 대해 매우 잘 이해하고 환자가 통증을 완화하고 건강한 목을 회복하는 데 도움이 될 수 있는 치료수단을 갖게 될 것이다.

Torres Cueco교수와 공헌 저자들은 목 통증이 있는 환자들에 대한 임상의 관리에 매우 긍정적 정보를 제공하는 책을 만들게 된 것을 축하한다.

Gwendolen Jull AO

서문
PREFACE

경추는 관련된 임상 조건의 복잡성과 다양성으로 인해 아마도 척추에서 가장 매혹적인 영역일 것이다.

목 통증은 비교적 흔한 증상이고, 개인의 70%가 일생의 어느 시점에서든 영향을 받는다. 목 통증은 고용인들의 연간 보상비용에서 요통 다음으로 두 번째이다(Wright 외 1999). 따라서 경추는 개인 및 사회적 관련성의 주요 문제의 원인이 된다. 따라서 이 치료 문제는 고도로 숙련된 의료 전문가, 의사 및 물리치료사가 해결해야 한다.

이 책은 나의 임상실습 동안 그리고 도수치료 분야에서 가르치는 데 전념한 수년간 관찰된 본질적인 필요에 대해 다루려고 한다. 임상실습은 특히 과학과 같이 끊임없이 변화하는 분야에서 지속적인 지식발전이 필요하다. 그러나 매년 출시되는 엄청난 양의 출판물을 감안할 때 향상된 지식에 접근하는 것은 어려운 일이 되었다. 임상의가 직면한 또 다른 문제는 기존 출판물에서 일상 업무와 진정으로 관련이 있는 정보를 추출하는 것이 어렵다는 것이다.

현재 건강과학 및 대학원 과정의 전문화는 방법론적 측면 및 치료기술을 배우는 데 지나치게 집중되어 있다. 이런 유형의 훈련은 비록 필요하긴 하지만 임상실습을 다루기에는 분명히 불충분하다. 사회가 부과한 도전에 대처하기 위해 물리치료사는 단순한 기술 시행자가 아닌 진정한 임상의가 되어야 한다. 따라서 과학적 근거 및 해부학, 생체역학, 병리학 및 생리학과 같은 기초 과학에 기반한 관련 지식의 견고한 기초가 중요하다. 또한 통증의 신경생리학에 대한 심층적 지식은 필수적이므로 조직 상태에만 초점을 맞춘 치료 모델에서 환자의 통증 모델의 기본 기전을 기반으로 하는 치료 모델로 전환할 수 있다. 도수치료에서 임상추론의 역할을 설명해야 한다. 또한 치료절차의 적합성을 결정하는 과정일 뿐만 아니라 각 환자와의 만남으로부터 반영하고 배우는 치료사의 능력은 매우 중요하다.

최근 몇 년 동안 건강의 개념적 틀은 특히 세계보건기구(WHO)가 국제기능장애건강분류(ICF)를 발표한 이후 상당한 변화를 겪었다. 병리학에 기초한 전통적인 의료모델은 개인으로서 환자 중심으로 한 새로운 생물심리사회적 모델로 자리를 내주었다. 전통적 의료 모델은 환자의 징후 및 증상은 병리학 또는 부상의 직접적인 반영이라고 말한다. 최근 수십 년간 새로운 사고 모델(A new model of thought)이 병리-해부학적 모델, 즉 환자의 임상적 표현, 발전, 예후 및 치료가 특정 신체적 병리 또는 기능장애에만 의존하지 않는 생물심리사회적 모델보다 우세했다. 따라서 생물심리사회적 모델은 기능장애의 물리적 측면뿐만 아니라 심리사회적 요인도 고려한다.

목 통증에 기본 기전을 밝히는 것을 목표로 하는 수많은 연구와 많은 조사가 있었다. 과학 문헌의 길고 심층적 종합 검토의 결과인 이 책은 임상관점에서 가장 관련성이 높은 정보를 대조하려고 한다.

섹션 I에서 이 책은 척추의 진화적 해부학에 대한 간략한 소개와 함께 경추의 해부학적 및 기능적 원리를 다루는 것으로 시작한다. 해부학 및 생체역학 모두 끊임없는 검토와 변화를 겪고 있는 학문이며 경추의 임상적 복잡성을 이해하는데 중요한 핵심 과목이다. 섹션 II에서 우리는 환자의 임상평가, 임상추론, 관절 기능장애의 병태역학 및 추가검사의 사용에 대해 필요한 절차에 대해 설명한다.

마지막으로, 섹션 III에서는 신경근육 조절, 신경역학 기술 및 가동술 및 관절 조작기술의 결합과 같이 경추의 진단 및 치료에 사용되는 다양한 치료적 접근 방식을 설명한다. 다른 혁신적 측면에서 경추의 임상조건을 식별하기 위한 도구 제공, 도수치료 및 통증 관리 방법을 배우고 회복과정에서 적극적인 역할을 하도록 환자를 교육하는 것이 포함된다. 이 모든 것들은 증거에 근거한 임상추론 및 임상실습의 틀 안에서 이루어진다.

이 책은 도수치료 분야에서 척추를 치료하는 강사, 물리치료사, 의사를 돕기 위한 참고서로 의도되었다. 독자들은 도수치료사의 기술을 숙고하도록 권장한다. 불행히도 도수치료사는 다양한 사고방식과 치료적 접근방식에 직면해있다. 여러 가지 이유로 치료사들은 많은 경우에 효과가 있지만 다른 경우에는 효과가 없는 것으로 입증된 개인적이거나 특정 학파에서 파생된 특정 이론적 모델에 자주 틀이 잡혀있는 다소 복잡한 기술을 적용하는 역할을 자주 맡게 된다. 이 전문 모델이 몇 년 동안 사회에 이익이 되었지만 기술 및 실제 문제에 초점을 맞추는 것이 물리치료사의 성장을 방해하는 경향이 있는 것도 사실이다. 따라서 이 책의 주된 목적은 물리치료사가 진단 및 치료에 필요한 능력과 책임을 지는 진정한 임상의로 성장하도록 돕는 것이다.

RAFAEL TORRES CUECO
Valencia 2016

역자서문

목 부위의 척추는 해부학적 구조적 요소로 볼 때 매우 안정적이며 기능적으로 되어 있음을 알 수 있다. 이는 해부학적 이해로 설명할 수 있으며, 특히 다른 부위의 척추와는 전혀 다른 구조이며 상당히 안전장치의 구조가 잘 만들어져 있다고 말할 수 있다. 이는 당연하게 기능적 역할을 높이고 척추의 맨 윗부분에 있고 머리를 떠 받치고 있기 때문이라고 할 수 있다. 동물도 마찬가지이지만 사람의 활동적인 운동에서 보면 머리가 항상 동작의 방향성과 균형을 유지하고, 중심이 되는 역할을 하는 부분이다. 달리기, 발레, 태권도 등등 스포츠에서 머리부분의 역할은 모든 동작의 중심에 있다.

하지만, 서서 걷는 자세의 중력힘에 의한 척추 전체의 균형은 간단하지 않고 불균형의 원인을 제공하거나, 직업 등 자세 습관에 의한 적응이 변형을 만들기도 한다. 따라서 수많은 부상과 만성적 통증을 만들어 내어 전세계적으로 통계적 발병을 보면 20명 중 1명 정도 통증을 경험하는 흔한 질환이 되고 있다. 때문에 목 통증의 원인은 다요인적이며, 다층적인 문제로 인식되고 치료적 절차에도 불구하고 지속적인 통증과 재발을 경험하고 있기 때문에 사회적, 경제적, 물리적 불이익에 노출되어 있는 것이 현실이다. 우리는 이를 위한 대책이 필요하고 긍정적 영향이 무엇인지 알아야 하며 효과적인 치료가 절실하다는 것은 의심할 여지가 없다. 때문에 상태가 심해져서 수술을 하는 의사 조차도 어려워하는 복잡한 해부학적 구조와 광범위한 위험으로 생각하고 있다.

또한 목 통증은 재발성 질환으로, 재발성 통증은 삶의 질과 경제적 손실과 피해의 비용에서 재정적, 사회적 비용을 지불해야만 하는 것이 현실이다. 고령화 인구와 직장의 특성 및 생활방식의 변화로 앉아 있는 시간이 길어 질수록 목 통증의 발생률과 고통은 증가되었기 때문에 보다 확실한 접근법과 예방 및 관리방법이 요구된다.

경추 도수치료 총론 1권에서는 3 종류의 섹션으로 나뉘어져 경추의 모든 해부학적, 기능학적 기초와 통증 패턴에 대한 이해(섹션 I)와 임상적 평가의 병리, 추론, 영상, 진단평가(섹션 II)가 구성되어 있으며, 섹션 III에서 치료 접근법을 설명하고 있다. 예를 들면, 생체역학으로 설명하는 해부학의 포괄적인 자료로 설명하고 있으며, 임상가를 위한 목에 관한 지식과 이해를 증진시키는 평가 제공하고 있다. 연구 및 근거기반을 실천하는 관절, 신경, 신경근 손상과 관련된 도수치료 기술의 방법을 익히는데 도움을 주고 있다. 따라서 목 통증에 관하여 포괄적인 지식을 근거로 하여 정보를 제공하는 이 책의 목적은 경추 영역의 이해와 통증완화를 위한 건강한 목 회복에 자신감을 심어주고 치료의 확신을 주는 것이라 할 것이다.

많은 임상의과 물리치료사들에게 비수술적 치료의 길라잡이가 될 이 책이 목 통증의 기본 기전을 밝히고 과학문헌의 참고로 심층적 종합적 높은 정보를 제공을 확인하고, 도수치료사의 테크닉을 연마하는데 있어서 다양한 사고방식과 치료적 접근방식을 제공한다고 확신한다.

근골격물리치료종별학회회장

경동대학교 물리치료학과 교수 **김명준**

감사의 말
ACKNOWLEDGEMENTS

역사는 기관이 쓰는 것이 아니라 사람이 쓰는 것이다. 이 책의 이야기는 이 책이 없었다면 불가능했을 많은 사람들의 노력이다. 무엇보다도 그들의 분야에서 명성 있는, 이 책에 기여한 모든 저자들에게 감사를 전하고 싶다.

나는 강사로서 그리고 여행 동반자로서 일하던 초창기에 나를 격려해준 Francesc Escarmís에게 수년 동안 우정, 협력 및 지원에 대해 감사한다.

나는 이 책의 서문을 쓰는데 흔쾌히 동의를 하고, 특히 근골격계 물리치료와 도수치료 연구에 대한(그녀의 연구 동료들과) 큰 기여를 해 주신 Gwen Jull에게 감사한다.

Tamara Gonzálvez, Manuela Gomez, 특히 Raquel Heredia와 같이 모델로 참여해주신 모든 분들께 감사의 인사를 전하고 또한 Yvonne Ribes에게 그녀의 사진들의 뛰어난 품질에 대해 감사드린다.

또한 Valencia 대학의 물리치료학과에 있는 동료들과 특히 이 책의 집필에 참여한 Enrique Lluch Girbés, Moises Giménez–Costa, Carlos López–Cubas에게 감사를 드리고 싶다.

매일 나와 함께 복잡한 환자들을 치료하는 동료 Jesus Aguiló–Furio, Mar Machiran–Matallín에게 감사드린다.

내가 가르치는 대학의 모든 학부생과 대학원생에게 감사한다. 그들과 함께 일하면서 내 지식을 지속적으로 발전시켜야 했다.

또한 출판사 Elsevier와 특히 이 프로젝트에 큰 관심을 보여준 Rita Demetriou–Swanwick, 그리고 그들의 신뢰와 인내에 대해 Sally Davies와 Andrew Riley에게 깊은 감사를 드린다.

그리고 마지막으로, 집에서 멀리 떨어져 일에 몰두하는 엄청난 시간에도 불구하고 지지와 격려를 아끼지 않은 나의 사랑하는 아내와 아이들에게 감사드린다.

RAFAEL TORRES CUECO
Valencia 2016

발행인의 감사의 말
PUBLISHER'S ACKNOWLEDGEMENTS

Elsevier는 Rubén Francés Garcia가 제공한 초기 스페인어-영어 번역에 감사 말씀을 드린다.

Elsevier는 또한 Nicholas Southorn이 수행한 영어 번역에 대한 동료 평가에 감사의 말씀을 드린다.

기고
CONTRIBUTORS

MARK D. BISHOP
Associate Professor, Department of Physical Therapy, University of Florida, USA
Center for Pain Research & Behavioral Health, University of Florida, Gainesville, USA
Pain Research & Investigation Center of Excellence, University of Florida, Gainesville, USA

DAVID S. BUTLER
Director, Neuro Orthopaedic Institute
Lecturer, University of South Australia, Australia

DEBORAH FALLA
Professor/Doctor, Pain Clinic, Center for Anesthesiology, Emergency and Intensive Care Medicine
Professor/Doctor, Department of Neurorehabilitation Engineering
Universitätsmedizin Göttingen, Georg-August-Universität, Germany

MOISES GIMÉNEZ-COSTA
Physical Therapy Department, University of Valencia, Spain

SANDRA GONZALEZ IBAÑEZ
Hospital Universitario de la Ribera, Radiology, Alzira, Spain

EVA LLOPIS SAN JUAN
Hospital Universitario de la Ribera, Radiology, Alzira, Spain

ENRIQUE J. LLUCH GIRBÉS
Pain in Motion Research Group
Department of Physical Therapy, University of Valencia, Spain

CARLOS LÓPEZ-CUBAS
Physical Therapy Department, University of Valencia, Spain

ORLANDO MAYORAL DEL MORAL
Physiotherapy Department, Provincial Hospital, Toledo, Spain

SILVIA PARRA ESCORIHUELA
Doctor of Medicine, Clinical Neurophysiology, University Hospital La Fe, Valencia, Spain

JOSEP MARÍA POTAU GINÉS
Professor, Unit of Human Anatomy, School of Medicine, University of Barcelona, Barcelona, Spain

DARREN A. RIVETT
Professor of Physiotherapy, School of Health Sciences, University of Newcastle, Australia

ISABEL SALVAT

Unit of Physiotherapy, Department of Medicine and Surgery, Faculty of Medicine and Health Sciences, Rovira, Virgili University, Spain

ELVIRA MILLET SANCHO

Doctor of Medicine, Clinical Neurophysiology, University Hospital La Fe, Valencia, Spain

EDUARDO ZAMORANO-ZÁRATE

Postgraduate Professor, University School of Physiotherapy, ONCE, Madrid, Spain

Postgraduate Professor, University of Alcalá, Madrid, Spain

Honorary Professor, Complutense University of Madrid, Madrid, Spain

섹션 I. 경추: 해부학적 및 기능학적 기초와 통증 패턴

THE CERVICAL SPINE : ANATOMICAL AND FUNCTIONAL BASIS AND PAIN PATTERNS

SECTION OUTLINE

1 인류척추의 진화적 해부학
EVOLUTIONARY ANATOMY OF THE HUMAN VERTEBRAL COLUMN

JOSEP MARÍA POTAU GINÉS

도입
INTRODUCTION

인간과 유인원 간의 척추 해부학에 대한 비교연구는 서로 다른 유형의 움직임에 특화된 적응과 적응 직립보행을 공유하는 유전학적으로 매우 관련 있는 종으로, 이족보행 영장류인 ***호모사피엔스***의 척추의 주요 형태와 구조적 특징을 더 정확히 이해하도록 해줄 것이다. 더불어, 이 비교연구는 현대인들의 독특한 형태의 보행에서 파생된 일부 인간 척추의 퇴행성 질환이 많이 발생하는 이유를 밝혀낼 것이다.

인간 척추의 이족보행 적응
ADAPTATION OF THE HUMAN VERTEBRAL COLUMN TO BIPEDALISM

인간은 영장류에 속하고 뇌의 크기가 크며 정면에 위치한 뛰어난 입체적 시력의 안구, 물건을 잡을 능력이 있는 손과 발, 그리고 갈고리발톱대신 손톱이 있다. 그들의 신체 자세에 따르면 영장류는 횡위보행과 직립보행으로 나눌 수 있다. 횡위보행 영장류는 지면과 평행한 횡단면에 위치해 있는 몸통이 특징이고 네발보행을 하거나 나무 위에 살거나 육상 형태의 보행으로 발달된 특징이 있다(그림 1-1). 반면에, 직립보행 영장류는 ***긴팔원숭이***(Hylobates), ***오랑우탄***(Pongo), ***고릴라***(Gorilla), ***침팬지***(Pan) 및 ***인간***(Homo)를 포함하고, 몸통이 더욱 직립한 자세(그림 1-2)로 특징되고 수직등반, 양손을 번갈아 매달리며 건너가거나, 너클보행 또는 직립보행과 같은 몸통의 이런 특유한 자세로부터 보행의 다른 형태로 발달된 것으로 특징된다.

몸통의 직립보행자세는 횡위보행동물과는 반대로 척추가 체중의 많은 부분을 지지하기 때문에 척추의 모양에 변화를 요구한다. 따라서, 사람을 포함한 직립보행 영장류의 척추에서 척추체의 배등양면과 횡단면의 지름은 상하(craniocaudal) 지름보다 더 크며, 횡위보행 영장류에서 보이는 것과는 완전히 반대이다(그림 1-3 및 1-4). 이것은 직립보행 영장류의 척추체 표면을 늘림으로써, 몸통의 직립자세로 인한 압박력의 적절한 흡수를 가능하게 한다.

모든 직립보행 영장류가 가지는 이런 해부학적 특징과 더불어, 인간의 척추는 이족보행에 적응한 결과 파생된 특징을 갖는다. 일부변화는 척추의 각 영역에 있는 척추의 갯수에서 볼 수 있다(그림 1-5). 유인원 영장류 또는 유인원(긴팔원숭이, 오랑우탄, 고릴라 및 침팬지)은 7개의 경추(거의 모든 포유류에서 일관된 숫자), 13개의 흉추, 3개나 4개의 요추, 5개나 6개의 천추를 갖고 있다. 마지막 늑골과 장골능 사이의 근접성이 더 커짐에 따라 인간보다

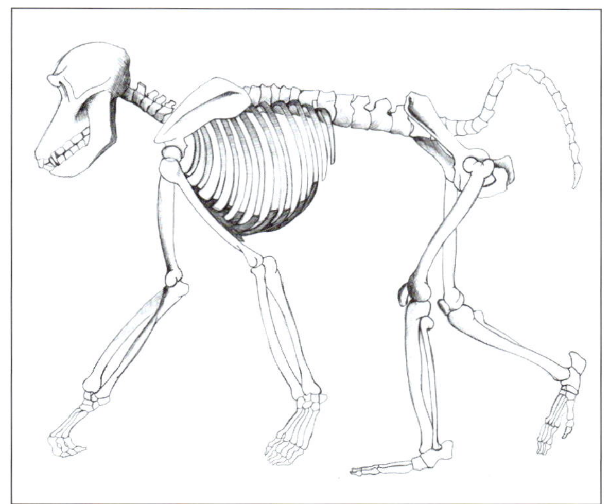

그림 1-1 ■ 네발로 육상 움직임을 하는 횡위보행 영장류의 골격 구조 패턴. [Adapted from Jones S., Martin R.D., Pilbeam D.R. The Cambridge Encyclopedia of Human Evolution. Cambridge University Press (1992).]

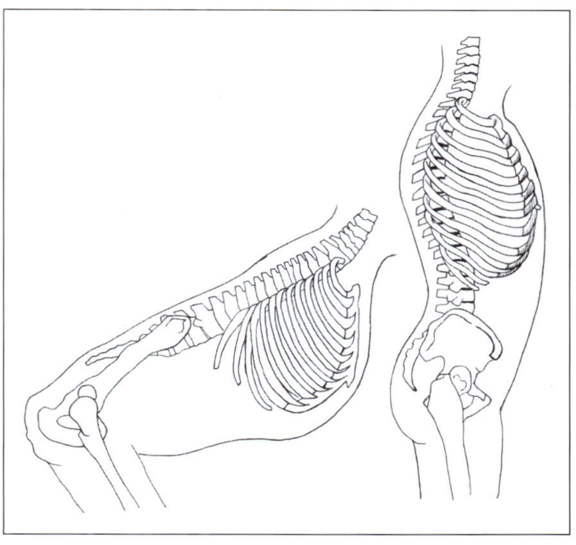

그림 1-2 ■ 두 개의 직교 영장류에서 몸통 골격의 구조적 패턴(침팬지 및 사람). [Aiello L.C., Dean C. An Introduction to Human Evolutionary Anatomy. Academic Press(1999)에서 각색. (After Schultz. The Life of Primates. London: Weidenfeld and Nicolson; 1969.)]

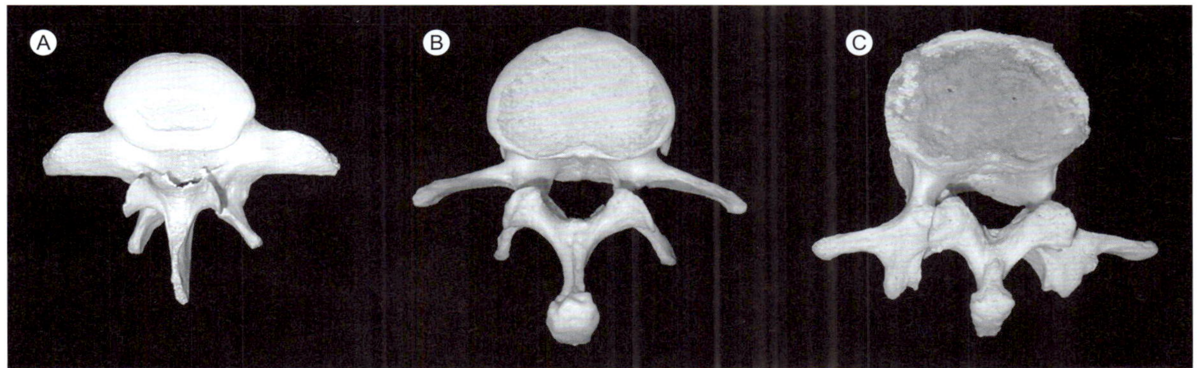

그림 1-3 ■ 횡위보행 영장류 망토개토원숭이(*papio hamadryas*)의 L2 하방시선(caudal view) (A) 및 직립보행 영장류 *pan troglodyte* (B) 및 호모사피엔스 (C).

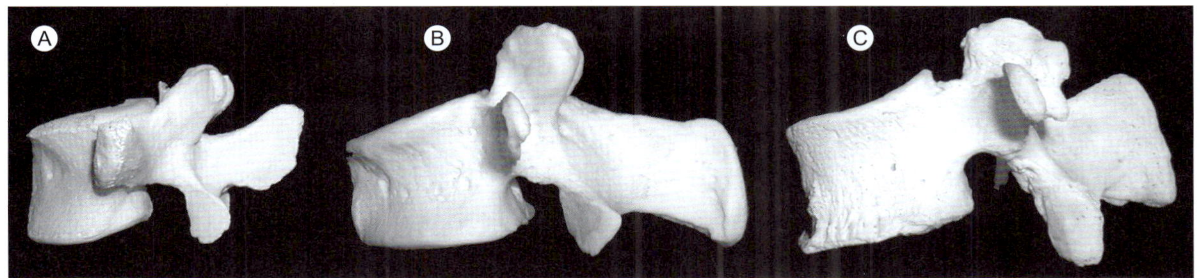

그림 1-4 ■ 횡위보행 영장류 *papio hamadryas*의 L2의 측면 (A) 및 직립보행 영장류 돼지꼬리원숭이/침팬치(*pan troglodyte*) (B) 및 호모사피엔스 (C).

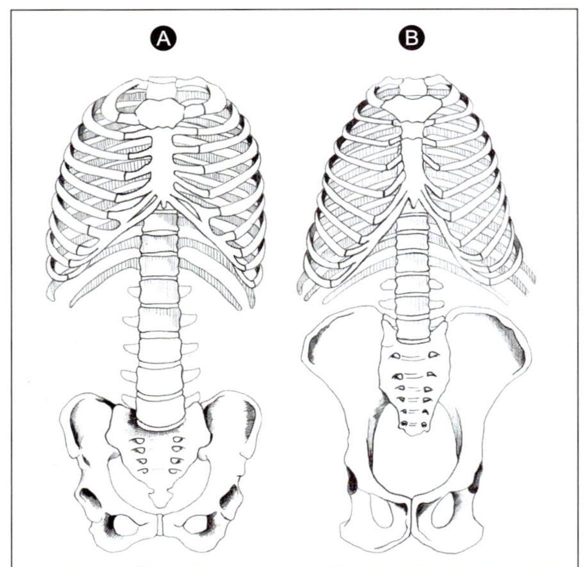

그림 1-5 ■ 인간(A)과 침팬지(B)의 척추 개수 비교. [Aiello L.C., Dean C. An Introduction to Human Evolutionary Anatomy. 에서 발췌. Academic Press (1999). (After Schultz. Proc Am Phil Soc. 1950; 94: 428-49.)].

요추의 수가 줄어들수록 구조적단위로 몸통이 움직인다는 사실로 인해 수목에 사는 동물들의 움직임에 대한 적응을 나타내는 요추 부위의 강직이 커진다. 그러나 인간에게는 13번째 흉추가 1번째 요추가 되고 5번째 요추가 1번째 천골이 되기 때문에 다른 모든 유인원과 대조적으로 더 긴 요추가 관찰될 수 있다. 그러므로 유인원에게 3개나 4개의 요추에서 인간의 경우는 5개의 요추로 바뀐다. 요추의 연장은 직립보행 시 보폭을 늘리기 위해 골반에서 만들어진 반대방향에서의 같은 움직임을 상쇄하는 횡단면에서 흉추의 회전움직임에 필요한 더 큰 몸통의 유연성을 허용하기 때문에 명확한 직립보행의 적응이다. 이런 더 유연한 구조는 마지막 늑골과 장골능 사이에 더 크게 분리되어 지원된다. 즉, 부분적으로 흉추 13번이 요추 1번으로 변형되고 그 결과 13번째 늑골의 상실이 생기고, 부분적으로는 후술하는 바와 같이 이족보행에 적응함으로서 인간의 장골의 몸체가 짧아지기 때문이다.

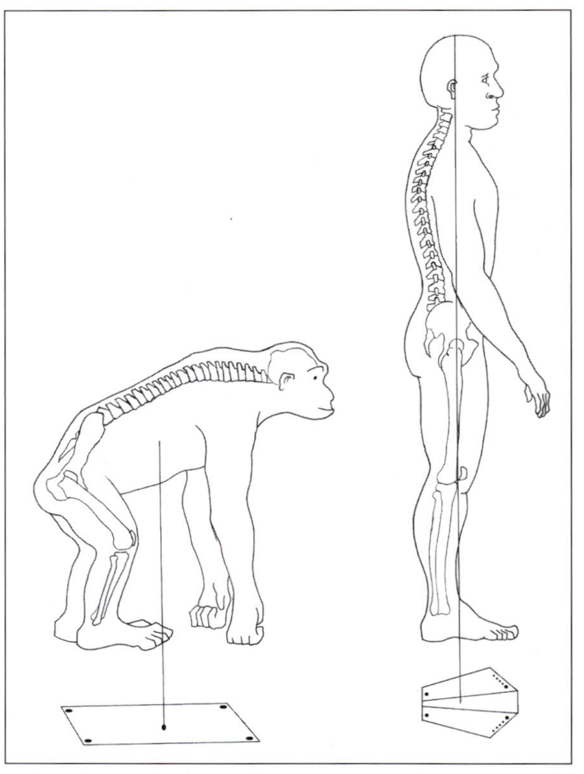

그림 1-6 ■ 이족보행 인간(호모사피엔스)과 네발 달린 영장류(범혈구)의 척추에 있는 만곡의 세부사항. [Aiello L.C., Dean C. An Introduction to Human Evolutionary Anatomy.에서 발췌. Academic Press (1999). (After Zihlman and Brunker. Yearbook Phys Anthropol. 1979; 22: 132-62.)].

의인화된 유인원은 수목에 사는 동물들의 움직임을 용이하게 하기 위해 몸통의 요추 영역이 뻣뻣해지는 경향, 그리고 이족보행을 개선하기 위해 인간에게서 보이는 경향은 의인화된 유인원의 과잉 늑골이 요추 영역에 있는 반면, 인간의 경우 경추 영역에서 나타난다는 사실로 완벽히 표현된다.

또 다른 의인화된 유인원의 척추의 형태학적 특성은 흉추의 후만뿐 아니라 경추 및 요추의 전만도 곧게 펴진다는 것이다(그림 1-6). 머리의 위치가 경추의 앞쪽보다는 위쪽에 위치해 있기 때문에 경추의 전만은 인간에게서 더 발달되었다고 알려져 있다(경추 전만은 아기가 머리를 가누기 시작하는 생후

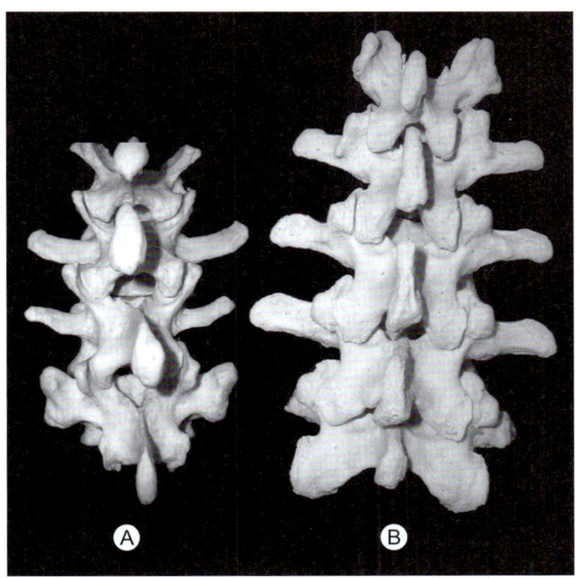

그림 1-7 ■ 범혈구 요추의 후면(A) 및 호모사피엔스(B).

3개월에 나타난다). 반면에, 요추 전만은 또한 이족보행에 대한 적응을 나타내는데 이는 무게 중심을 뒤로 이동하여 이족균형의 축 위로 투영하기 때문이다(요추 전만은 아기가 이족보행을 익히게 되는 1년 반 내에 나타난다). 마지막으로 유인원의 흉추 후만이 곧게 펴지는 정도는 요추 및 경추 전만의 정도가 낮은 결과이다.

반면에, 유인원의 요추와는 다르게 현대인들의 요추는 더 넓고 높아서 규칙적 이족보행을 유지하는데 더 튼튼하다. 추가적으로, 사람의 요추는 이족보행 영장류에서의 천골의 형태학 및 위치와 관련하여 특별한 해부학적 특징을 보인다. 따라서 유두돌기사이(intermammillary) 간격은 인간에게서는 점차적인 상하(craniocaudal) 증가를 겪지만 의인화된 유인원에서는 그렇지 않다(그림 1-7). 이는 인간에게서는 더 넓은 천골로 해석된다(그림 1-8). 게다가, 유인원의 5번 요추 하관절면은 옆으로 향하게 되는 반면, 인간의 하관절면은 정면을 향한다. 이런 특징은 유인원의 요추 축이 30° 밖에 되지 않는 반면에 요추의 축과 60°로 범위를 정하여 인간

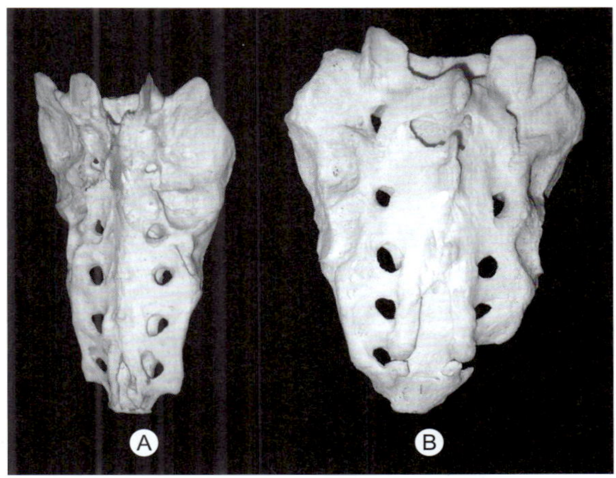

그림 1-8 ■ 범혈구 천추의 후면(A)및 호모사피엔스(B).

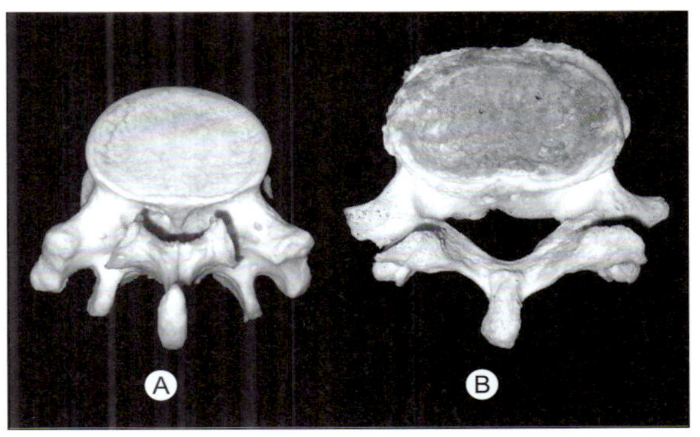

그림 1-9 ■ 범혈구(A)와 호모 사피엔스(B)의 마지막 요추의 아래쪽 뷰.

의 천골이 앞쪽으로 움직이는 것을 방지한다.

인간의 더 넓은 천골은 출산을 용이하게 하기 위해 더 큰 골반의 횡단직경을 허용한다. 이것은 이족보행에 대한 적응으로 인간에게서 발달된 짧아진 장골(ilium body)이 골반의 전후방 지름이 짧아지는 것을 보상하기 때문이다. 뿐만 아니라, 인간의 넓은 천골은 천장관절(sacroiliac joint)을 옆으로 옮겨놓고 고관절(coxofemoral articulations)의 위에 놓아서 이족보행에서 장골에 가해지는 기계적 스트레스를 줄인다. 또한 천골을 더 수평의 위치로 옮기는 인간의 천골과 요추 사이의 넓은 각도는 척추의 기립근을 최적의 삽입 플랫폼으로 변환하여 인간

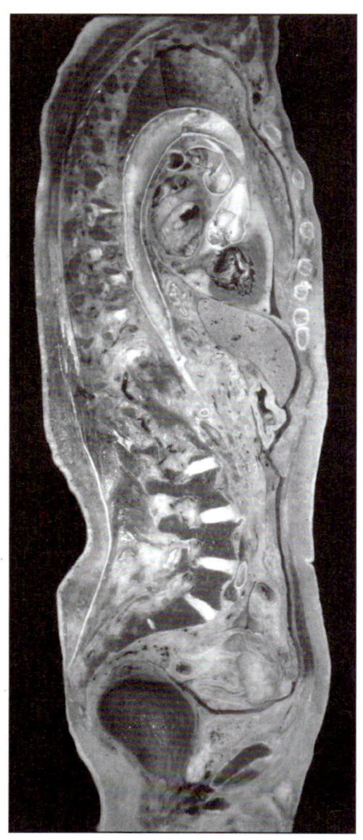

그림 1-10 ■ 호모 사피엔스의 몸통의 시상면.

의 출산길을 넓히게 한다(그림 1-10). 이런 수평 위치에서 천골의 안정화가 장력에 의해 보장되고 천골이 무너져 내리는 것을 방지하는 인간의 천골결절인대 및 천골가시인대가 대단히 발달된다(그림 1-11).

인간의 이족보행은 머리가 척추 앞쪽에 위치하는 의인화된 유인원과는 구별되게 머리가 척추의 위에 위치하여 균형을 개선하고 경추의 특별한 해부학적 특징을 결정한다는 것을 뜻한다. 따라서, 인간의 이족보행 자세는 후두공과 후두돌기가 더 앞쪽으로 위치하는 것을 뜻하고, 게다가 인간의 안면골격이 줄어들어왔다는 사실은 경추 위에서 머리가 앞뒤로 움직이고 고정되는데 필요한 힘에 영향을 미쳤다. 실제로, 머리를 직립 자세로 유지하려면 인간의 목덜미 근육은 머리 전체 무게의 22.3%

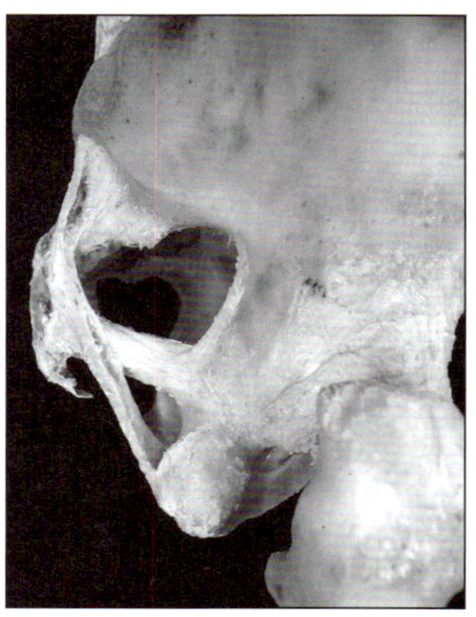

그림 1-11 ■ 호모 사피엔스의 천골결절인대 및 천골가시인대의 측면 뷰.

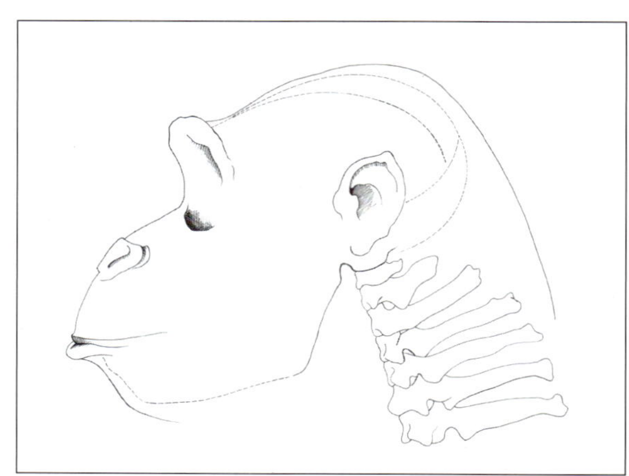

그림 1-12 ■ 목덜미 근육의 큰 크기로 해석되는 극돌기의 뚜렷한 길이를 보여주는 고릴라의 경추 척추의 세부사항. [Aiello L.C., Dean C. An Introduction to Human Evolutionary Anatomy. Academic Press(1999)에서 발췌]

에 비례하는 힘을 발휘해야 하는 반면, 유인원의 목덜미 근육은 머리 전체 무게의 120%에 비례하는 힘이 필요하다고 계산되었다. 결과적으로, 유인원보다 덜 발달된 목덜미근육을 나타내는 것이 특징이고 이것은 인간의 극돌기에서 나타난다(그림 1-12 및 1-13).

이족보행으로 개선된 머리의 균형을 반영하는 인간의 경추의 또 다른 특징은 유인원과 대조적으

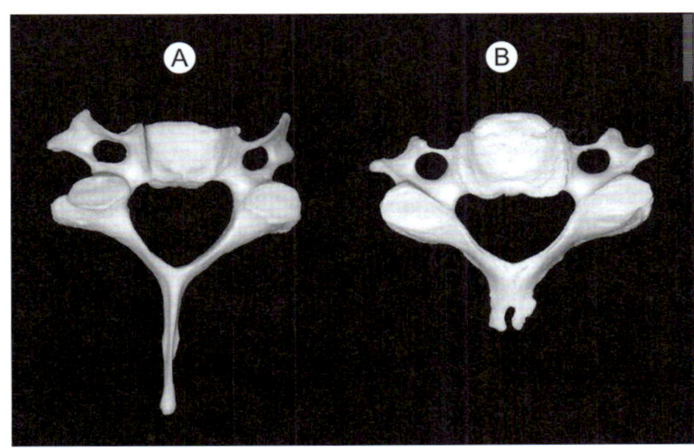

그림 1-13 ■ 범혈구(A)와 호모 사피엔스(B)의 C4의 두개 뷰(cranial view)

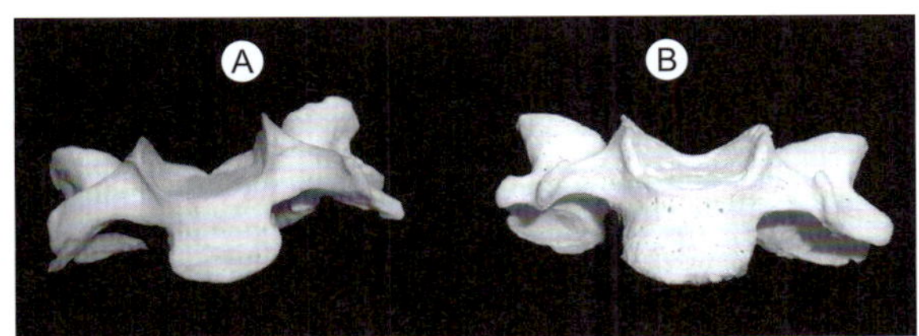

그림 1-14 ■ 범혈구(A)와 호모 사피엔스(B)의 C4의 전방 뷰.

로 갈고리돌기(유구돌기, unciform process)나 추체의 갈고리(hook of the body)가 덜 발달된 것이다(그림 1-14). 갈고리돌기는 바로 위에 위치한 척추의 몸체와 비정형화된 관절을 형성하는 경향이 있다는 점을 유의해야 한다. 말과나 소과(bovids) 같은 동물에게는 나타나지 않는 경추의 회전움직임에 적응에서 오는 것으로 믿어지는, 머리 회전은 동물의 시야를 조정하기 위해 경추의 회전보다 더 크다.

마지막으로, 경추 위에 있는 머리 위치와 이족보행 자세에서 향상된 균형은 선택적으로 처음 두개의 경추에 영향을 미치는 인간의 해부학적 변화를 결정한다. 따라서, 인간의 축은 상부 관절면이 더 오목하고 횡단면에 비교하여 각도가 더 작다는 점에서 유인원의 축추와는 다르고(그림 1-15), 인간의 치상돌기는 수직으로 배치되고 반면에 유인원의 치상돌기는 약간 뒤쪽으로 기울어져 있다.

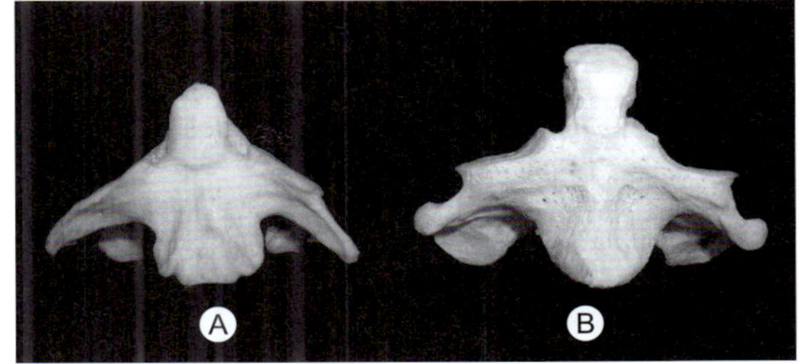

그림 1-15 ■ 범혈구(A)와 호모 사피엔스(B)의 C2의 전방 뷰.

화석기록에서의 인간 척추
THE HUMAN VERTEBRAL COLUMN IN THE FOSSIL RECORD

직립보행 영장류 경추의 취약함은 그것들이 700만에서 200만년 전 중신세 마이오세(Miocene)와 선신세 플라이오세(Pliocence)의 지질학적 기간 동안 최초의 화석기록이 거의 나타나지 않는 이유를 설명한다. 이 기간은 첫 번째로 습관성 이족보행하는 영장류가 나타났던 때인 인류과(hominine)의 시작에 의하고, 현대인들이 속하는 ***인류속의*** 조상인 ***오스트랄로피테쿠스*** 속에 속하는 다양한 종의 출현에 의해 고인류학에서 특징지어진다(그림 1-16). ***호모속****(genus Homo)*은 동아프리카에서 약 190만년 전에 ***호모하빌리스****(Homo habilis)*와 ***호모루돌펜시스****(Homo rudolfensis)* 나타나지만, 이 속에 있는 특정한 종{호모에르가스터(*homo ergaster*), 호모하이델베르겐시스(*homo heidelbergensis*), 네안데르탈인(*homo neanderthalensis*), 등}에 속한다고 알려진 경추화석은 현대인의 경추에 몇몇의 특별한 적응을 제외하고는 이미 매우 유사하다.

하지만, 요추의 견고함은 초기화석기록에서 더 풍부한 재현이 가능했고, 따라서 어떻게 인간의 이족보행이 성취되었는지 더 정확한 정보들을 얻게 되었다. 보존된 다른 후방두개골, 요추(요추 3번의 가능성), 천추와 장골(그림 1-17)들 사이에서 가장 초기로

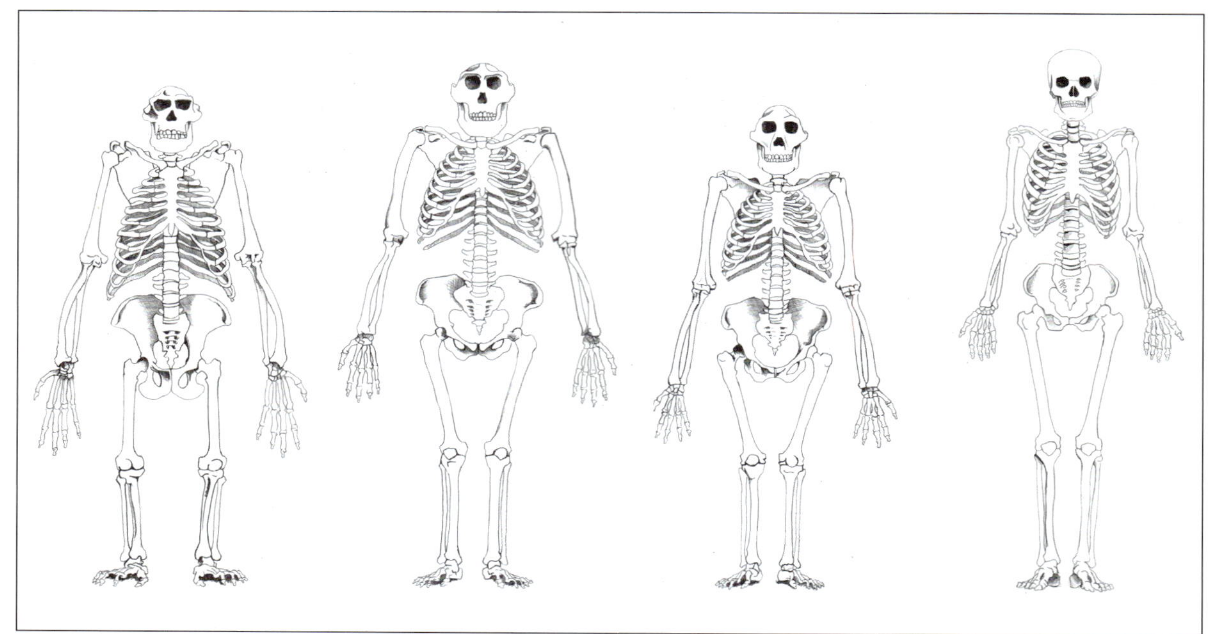

그림 1-16 ■ (왼쪽부터) 범혈구, 오스트랄로피테쿠스 아파렌시스(*Australopithecus afarensis*), 오스트랄로피테쿠스 아프리카누스(*Australopithecus africanus*) 및 호모 사피엔스의 신체 패턴 비교 다이어그램. (National Geographic Society Spain. Vol. 3. No. 2, August 1998.)에서 발췌.

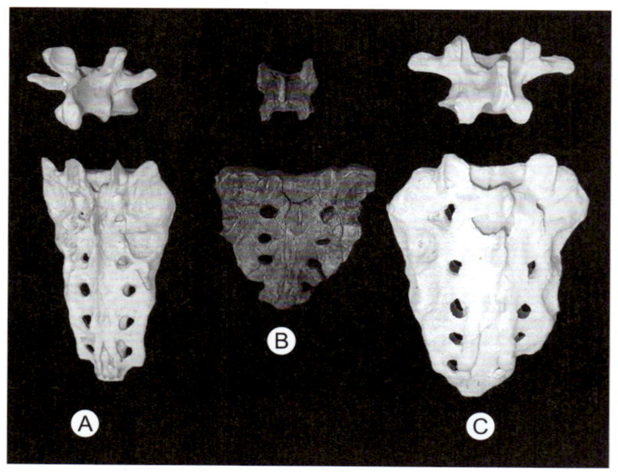

그림 1-17 ■ 범혈구(A), 오스트랄로피테쿠스 afarensis(AL-288-1) (B) 및 호모사피엔스(C)의 L3 및 천골의 후방 뷰).

잘 알려진 요추 중 하나는 350만에서 300만년 전 사이의 **오스트랄로피테쿠스 아파렌시스**(*Australopithecus afarensis*) 종의 (일반적으로 루시 "Lucy"라고 알려진) 사람과(hominid) AL-288-1에 속한다.

인간과 마찬가지로, 이 척추의 유두돌기간(intermammillary distance)의 간격은 천골의 거리보다 짧은데 이것은 상하 방향으로 유두돌기간의 간격 증가를 나타내고 천골이 더 넓어짐을 뜻한다. 이전에 언급했듯이, 이것은 이족보행에 대한 적응이다. 추가로, **오스트랄로피테쿠스 아파렌시스**(*Australopithecus afarensis*)는 아마도 요추 전방과 천골의 수평 위치 때문에 요추와 천골 사이에 큰 각도가 나타난다는 것이 입증되었다. 이 후자의 주장은 현대인들에게서 발견되는 것과 유사한 천골의 관절돌기(articular process)의 관상면의 방향에 기반으로 만들어졌다.

남아프리카에서 발견된 **오스트랄로피테쿠스 아프리카누스**(*Australopithecus africanus*) (3백만년에서 2백만년 전)종에 속하는 STS-14와 STW-431이라는 두 인류과의 요추도 알려졌다. 이보다 더 최근의 요추는 이족보행에 대한 주목할만한 적응을 보여주고, 현대인에게서도 나타나지만 의인

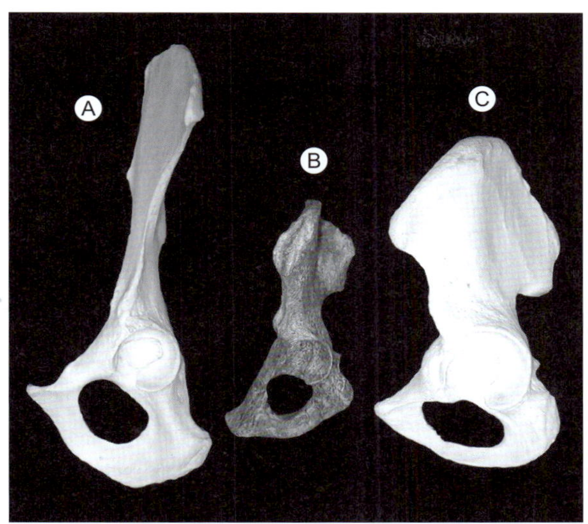

그림 1-18 ▪ 범혈구(A), 오스트랄로피테쿠스 아프리카인(AL-288-1)(B) 및 호모 사피엔스(C)의 장골의 측면 뷰).

화된 유인원에서는 그렇지 않다. 따라서 ***오스트랄로피테쿠스 아프리카누스****(Australopithecus africanus)*는 몸통의 요추 영역이 더 유연하도록 돕도록 만드는 총 다섯 개의 요추가 있다. 이 유연성은 AL-288-1과 STS-14에게서 볼 수 있듯이 장골의 몸체가 짧아지면서 장골능(iliac crest)과 늑골 사이의 거리가 증가되는 현상이 강조된다(그림 1-18).

오스트랄로피테쿠스 아프리카누스*(Australopithecus africanus)*은 또한 STS-14의 부분적으로 보존된 천골에 의해 확인된 넓은 천골에 의해 유방간의 간격이 점차적으로 상하로 증가한다. 마지막으로, STS-14에서 요추는 쐐기모양(wedging)을 나타내어 뒤쪽보다는 앞쪽이 더 높게 되는데 이것은 인간에게서도 발견되지만 의인화된 유인원에서는 나타나지 않는 요추 전만의 존재를 나타낸다.

이미 350만년 전에 ***오스트랄로피테쿠스****(Australopithecus)*에게 존재하던 이족보행에 대한 주요한 척추의 적응을 나타내는 이런 화석요추와 더불어 호모 속의 다른 종에 속하는 척추의 더 많은 화석들이 알려져 있다. 이런 화석들 중에서 가장 눈에 띄는 것은 180만년에서 140만년 전에 속한 인류과(hominin) KNMWT-15000(*homo ergaster*)과 ***호모 하이델베르겐시스***(*homo heidelbergensis*, 50만년에서 20만년 전), ***네안데르탈린***(homo neanderthalensis, 20만년에서 3만년 전)이다. 아무튼 ***호모에르가스터*** *(homo ergaster)*(180만년에서 140만년 전)의 시점에서 현대인의 두부 아래의 골격의 명확한 해부학적 특징이 확립되었고, 기능적 관련성이 거의 없는 각 종들의 해부학적 변형이 거의 없다.

참고도서

Abitbol MM. Evolution of the lumbosacral angle. Am J Phys Anthrop 1987;72:361–72.

Abitbol MM. Evolution of the sacrum in hominoids. Am J Phys Anthrop 1987;74:65–81.

Aiello L, Dean C. An introduction to human evolutionary anatomy. London: Academic Press; 1990.

Ankel-Simons F. Primate anatomy. 2nd ed. London: Academic Press; 2000.

Fleagle JG. Primate adaptation and evolution. 2nd ed. San Diego: Elsevier Academic Press; 1999.

Gebo DL, editor. Postcranial adaptation in nonhuman primates. Dekalb, IL: Northern Illinois University Press; 1993.

Haeusler M, Martelli SA, Boeni T. Vertebral numbers of the early hominid lumbar spine. J Hum Evol 2002;43:621–43.

Johanson DC, Lovejoy CO, Kimbel WH, et al. Morphology of the Pliocene partial hominid skeleton (A.L. 288-1) from the Hadar Formation, Ethiopia. Am J Phys Anthropol 1982;57:403–52.

Kardong KV. Vertebrados: anatomía comparada, función, evolución. 2nd ed. Madrid: McGraw-Hill-Interamericana; 2001.

Liem KF, Bemis WE, Walker WF, et al. Functional anatomy of the vertebrates. An evolutionary perspective. 3th ed. Belmont: Thomson Brooks/Cole; 2001.

Lovejoy CO. Histoire naturelle de la marche et de la posture humaine: colonne vertébrale et pelvis. EMC-Kinésithérapie 2005;1:129–51.

Nadal J. Vertebrados. Barcelona: Ediciones Omega-Edicions Universitat de Barcelona; 2001.

Panchen AL. The origin and early evolution of the tetrapod vertebrae. Linn Soc Symp 1977;4:289–318.

Parrington FR. The vertebrae of early tetrapods. Colloq Int Cent Nat Rech Sci 1967;163:267–79.

Penning L. Functional significance of the uncovertebral joints. Ann R Coll Surg Engl 1988;70:164.

Pirlot P. Morfología evolutiva de los cordados. Barcelona: Ediciones Omega; 1976.

Sanders WJ. Comparative morphometric study of the australopithecine vertebral series STW-H8/H41. J Hum Evol 1998;34:249–302.

Schultz AH. Conditions for balancing the head in primates. Am J Phys Anthropol 1942;29:483–97.

Schultz AH. Vertebral column and thorax. Primatologia 1961;4:1–66.

Verbout AJ. The development of the vertebral column. Advances Anat Embryo Cell Biol 1985;90:1–120.

2 경추의 임상해부학

CLINICAL ANATOMY OF THE CERVICAL SPINE

RAFAEL TORRES CUECO

이 번 장의 목표는 경추의 서술적인 해부학을 검토하는 것이 아니라, 그 형태에서 파생된 기능적이고 임상적인 의미를 더 탐구하는 것이다. 경추는 해부학적 관점에서 볼 때 인간의 척추에서 가장 뚜렷한 영역이다. 그러나, 경추의 복잡한 해부학은 요추와 동일한 깊이로 연구되어지지 않았다.[1] 한눈에 경추는 전체 척추에서 가장 좁은 부분이고, 머리무게를 균형잡아야 한다는 걸 알 수 있다. 척추체와 후궁(posterior arch) 모두의 측면에서 그 형태는 흉부 및 요추 영역과 크게 다르다(그림 2-1).

유사하게, 경추 디스크는 요추 디스크와 비교해 확연한 차이를 보였고, 더 심층적으로 연구되었다. 이러한 경추의 해부학적 차이는 두개경추의 기능적 부분을 담당하는 후두-경추1번과 경추1번-경추2번 같이 상위 분절에서 더 확연하게 나타난다. 경추에 의해 수행되는 기능적 요구는 그런 복잡한 구성을 정당화한다. 경추의 주된 기능적 책임은 감각기관, 특히 눈이 인간의 움직임 활동에 주요부분이 시각에 의해 가이드되기 때문에 눈이 다방향으로 향하도록 머리를 위치하는 것이다. 이 기능적 요구는 경추가 전체 척추에서 가장 큰 움직임의 영역이 되었다는 사실을 결정한다. 사실 인간은 수평면에서 180°, 시상면에서 120°의 시야를 향할 수 있다.[2] 안정성의 희생으로 이동성이 확보됨으로 경추는 특히 취약한 영역이 된다.

경추는 이 레벨에서 두꺼운 척수와 전체 대뇌동맥의 20%를 차지하는 척추동맥을 포함하는 다른 혈관 구조들 또한 보호한다.[3]

경추는 평가를 위해 쉽게 접근할 수 있다. 관절의 요소들은 촉진하기에 쉬워서 관절 기능장애 검사가 가능하다. 경추는 다양한 다른 임상학적 상태를 만들어낼 수 있고 이것들 모두 진단관점이 복잡하고 어떤 경우에서는 완전히 이해되지 않는다.

경추의 징후와 증상은 매우 다양하다. 경추와 관련된 임상적 증상이 있는 환자는 매우 다양한 임상 상태를 고려하여 철저하게 검사해야 한다. 목 통증, 흉추 통증, 두통, 안면통증, 어지러움 그리고 상지에서 증상이 나타날 때 경추는 체계적으로 탐색되어야 한다.

경추는 나이와 관련된 퇴행성 변화의 발병률이 특징이다. 이런 변화는 빈번할 뿐 아니라 발달 초기 단계이기도 하고, 보통 30대에 나타나며, 90% 이상이 60대에게서 나타난다. 영상검사를 통한 퇴행성 변화소견은 증상이 동반되지 않을 때는 병리학적으로 간주되지 않아야 한다.

경추의 도수치료는 이것의 구조적 취약성과 경추를 지나는 척추동맥과 관련된 특정 위험을 수반할 수 있다. 따라서, 경추의 도수치료는 도수치료에 반대할 수 있는 모든 임상 및 병리학적 실체에 대한 깊은 지식을 요한다.

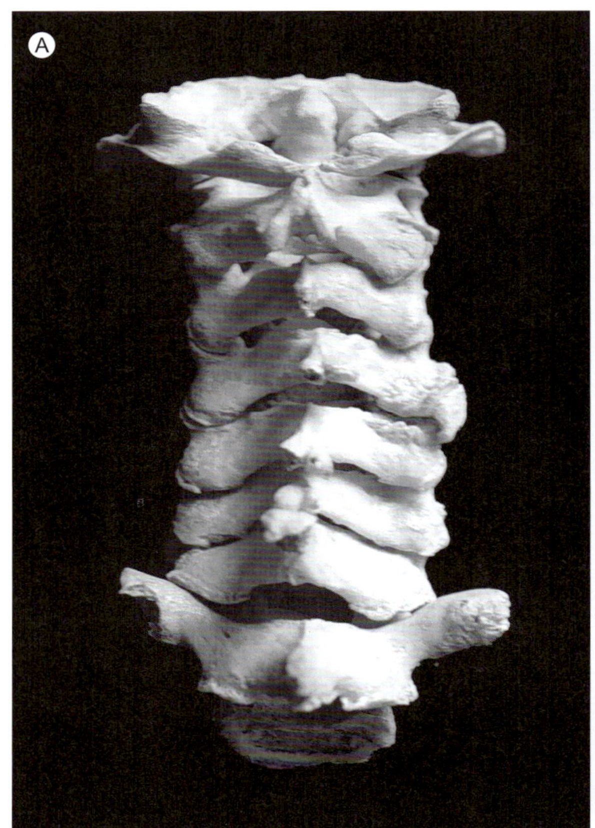

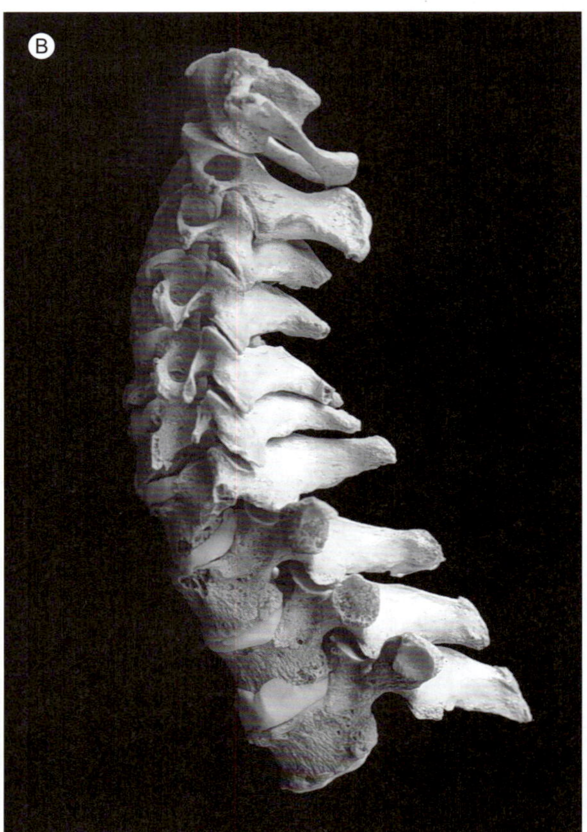

그림 2-1 ▪ 해부학적 관점으로 경추는 척추의 가장 차별화된 영역이다.

이것은 특히 고속기술(high-velocity techniques)을 사용할 때 중요하다. 게다가, 환자의 위험을 피하면서 도수치료를 시도하기 위해 상당한 기술의 습득이 필요하다.

하부경추
THE LOWER CERVICAL SPINE

경추의 해부학적 구조는 전형적인 경추 또는 하부경추 그리고 두개경추의 두 부분으로 나눠진다. 하부경추는 경추 3번에서 경추 7번으로 구성된다. 추간분절에 관해서는, 하부관절 경추 시스템은 경추2번의 하부관절면에서 흉추1번의 상부관절면까지 이어진다(그림 2-2).

경추(The cervical vertebra)

각 경추는 척추체와 후궁으로 구성된다.

위에서 본 척추체는 관상 직경으로 직사각형 모양이고, 전후방 직경의 거의 두 배이다. 경추의 특별한 특징 중 하나는 척추체가 후궁에 비해 작다는 사실과 관련되어 있다(그림 2-3). 척추 플랫폼은 다른 레벨의 척추와 달리 시상면이나 관상면에 편평하지 않으며 오목하고 볼록하다. 상부 플랫폼은 갈고리돌기(구상돌기, uncinate process)로 연장되어 횡단면에서 볼록하고 시상면에서 오목하다. 동시에, 하부 플랫폼은 갈고리돌기(구상돌기)와 연결하기 위해 횡단면, 특히 바깥쪽 가장자리가 볼록하고, 척추체의 앞쪽벽이 앞쪽과 아래쪽으로 펼쳐지는 시상면에서는 오목하다(그림 2-4).

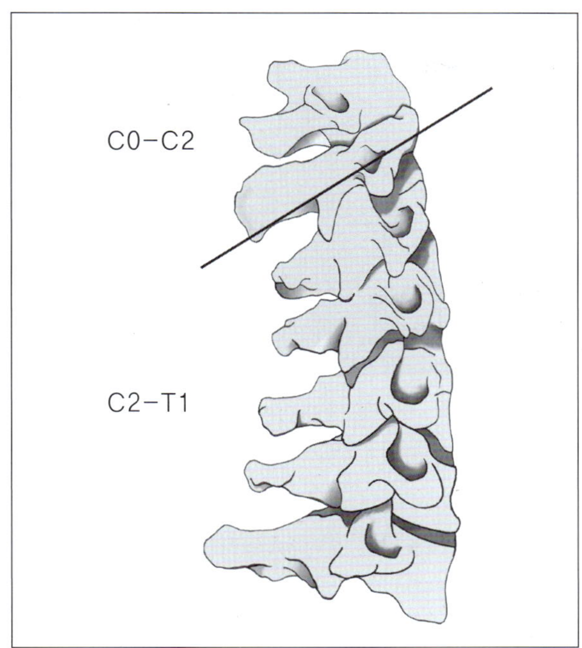

그림 2-2 ■ 하부경추는 C2의 하부 관절면에서 T1의 상부관절면까지 이어진다.

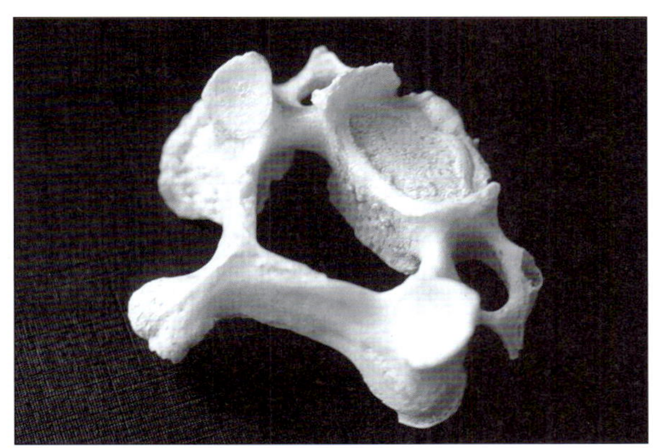

그림 2-3 ■ 다른 영역과 달리 경추의 척추체는 후궁에 비해 작고 관상 직경이 전후방 직경보다 긴 직사각형 모양이다. 상부 척추 플래폼은 갈고리돌기(유구돌기, unciform processes)로 신전되기 때문에 관상면에서 오목한 모양을 한다.

따라서, 두 척추의 플랫폼의 관계는 안장관절(saddle joint)과 유사하다. 갈고리돌기(구상돌기, uncinate processes)와 이런 하부 플랫폼의 전방 신전 모두 함께 작동해서 경추 디스크를 포함한다.

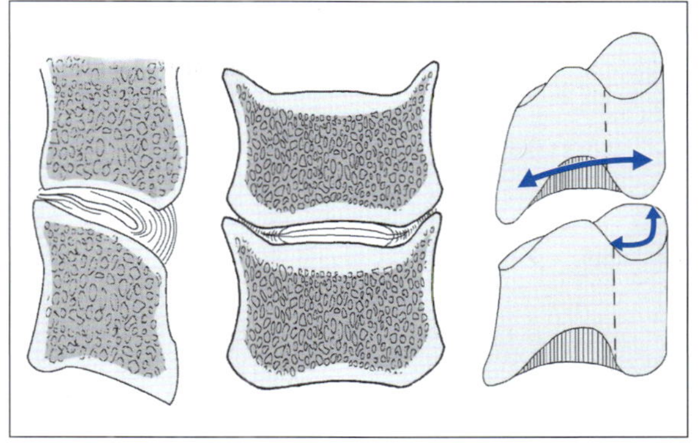

그림 2-4 ■ 두 개의 척추 플랫폼 사이의 관계는 안장관절(saddle joint)과 유사하다.

상부 플랫폼의 측면 가장자리로부터 상부척추체의 측면 가장자리와 관련된 갈고리돌기(구상돌기, uncinate processes)가 나타난다. 이러한 구조는 디스크의 후외측 부분쪽으로 연장하는 틈이 있고, 구상관절(uncovertebral joint 또는 Luschka's joint)로 알려졌다.

횡돌기는 짧고 수평이며 중간시상면에 거의 60° 각도로 전외측으로 돌출되어 있고 꼬리 방향으로 10° 기울어진다. 횡돌기는 두 가지 요소로 구성되는데, 척추체에서 나오며 늑골돌기(costal process)로부터 발생학적에서 발생하는 전방결절(anterior tubercle)과 실제 횡돌기에 해당하며 관절돌기(그림 2-5)의 전방 후관절에서 나오는 후방결절(posterior tubercle)이다. 이런 두 요소들의 각 크기는 정확히 동일하지는 않고, 전방결절이 더 작다. 이 두 요소들은 이것들이 지지하고 보호하는 후근신경절과 척추신경들이 있는 관(canal)을 형성하며 함께 결합한다. 이 관(canal)은 후근신경절과 이것들의 신경근의 너비 때문에 경추5번-7번인 하부척추에서 더 넓으며 결국 팔신경얼기(brachial plexus)를 형성한다. 횡돌기는 여러 정맥과 동맥을 따라오는 교감신경총과 함께 척추동맥이 통과하는 횡돌기공이 만들어진다(그림 2-6). 횡돌기공은 타원형, 원형 또는 모래시계 모양의 다른 형태를 가지고 있다.

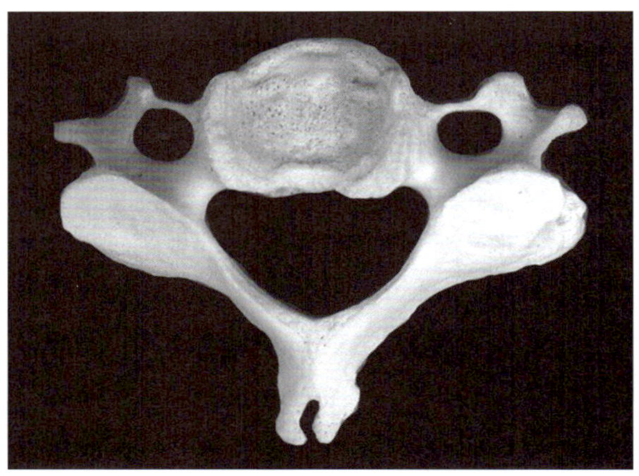

그림 2-5 ■ 횡돌기는 두 개의 결절이 있다: 척추체에서 나오고 발생학적으로 늑골돌기에서 유래하는 전방결절과 실제 횡돌기에 해당하고 관절돌기의 전방면에서 나오는 후방결절.

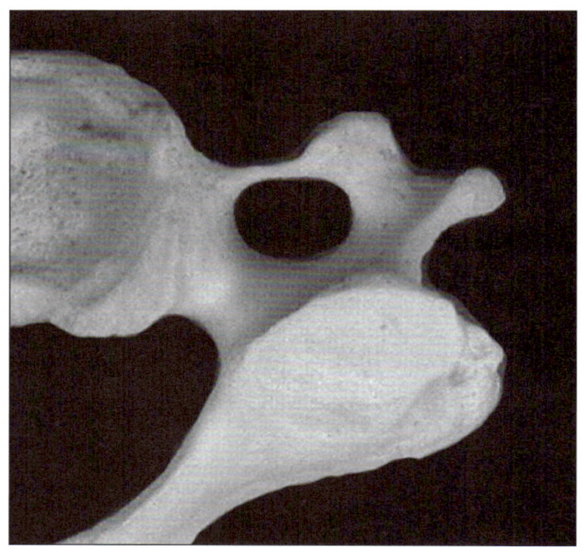

그림 2-6 ■ 횡돌기의 전방 및 후방결절은 결합되어 후근신경절 및 경추신경이 지지되는 관(canal)을 형성한다. 횡돌기는 척추동맥이 일부 정맥 및 동맥을 따르는 교감신경총과 함께 지나가는 횡돌기공을 만들기 위해 천공된다.

어떤 경우에는, 때때로 불완전할 수 있는 좁은 골성연결(bony bridge)에 의해 두 부분으로 나눠지기도 하며, 일부 저자들이 이것을 골증식증(osteophyte)[4]으로 착각하기도 한다(그림 2-7).

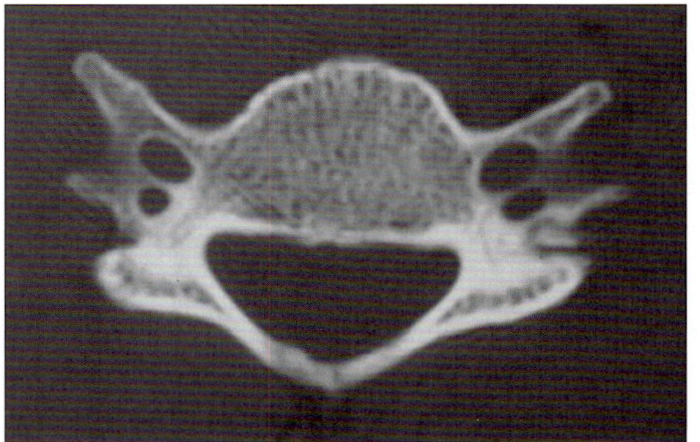

그림 2-7 ■ 이 CT 축 단면에서 횡돌기공은 골성연결(bony bridge)로 나뉜다.

횡돌기공은 후방관절로부터 2~3mm, 갈고리돌기(구상돌기)로부터 3~6mm에 위치해 있다. 척추동맥에 근접한 두 구조물은 골형성종양이 발생했을 때 압박과 자극을 결정할 수 있다. 횡돌기는 2개의 결절, 즉 전방결절 및 후방결절로 끝난다. 전방결절은 긴머리근(두장근, longus capitis), 긴목근(경장근, longus colli), 중간갈비근(중사각근, scalene medius)과 앞목갈비근(전사각근, scalenus anterior)을 부착한다. 후방결절은 뒤목갈비근(후사각근, scalenus posterior), 반가시근(반극근, semi-spinalis), 뭇갈래근(다열근, multifidus)을 받는다. 관(canal)은 횡돌기의 전방결절과 척추천근육이 위치한 척추체의 전외측 사이에 형성된다. 척추 경추6번의 전방결절은 경동맥결절(carotid tubercle)이라고 알려진다.[5] 경동맥은 이 결절, 긴목근(경장근, longus colli) 및 척추체 사이에서 손상될 수 있다.[5] 이런 결절들은 촉진에 굉장히 민감하므로 수동 평가에서 참고로 사용해서는 안된다.

경추3번-경추5번의 극돌기는 굉장히 짧고 종종 크기가 다른 두 개의 결절로 갈라진다. 경추6번과 경추7번의 극돌기는 상당히 길고 갈라져 있지 않다(그림 2-8). 중부경추와 하부경추에서 극돌기의 길이 차이는 이런 두 영역의 다른 시상면의 이동성을 결정한다. 반면에 경추3번에서 경추5번으로

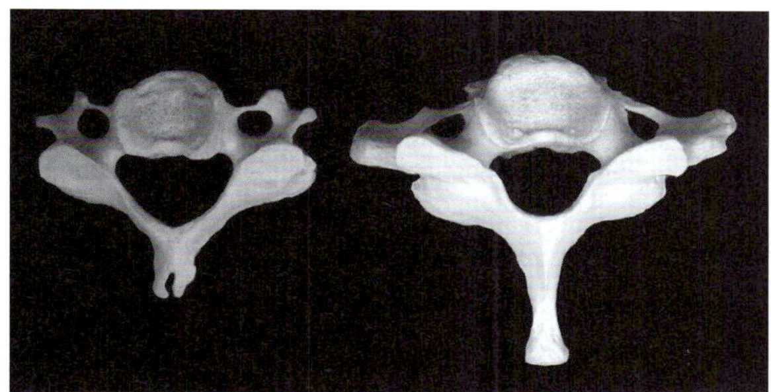

그림 2-8 ■ 중부 경추영역(C3-C5)과 하부경추(C6-C7)의 극돌기 사이에 형태학적 차이가 존재한다. 중부는 짧고 갈라지는 반면, 하부는 매우 길고 단일 결절로 끝이 난다.

극돌기의 줄어든 크기는 이 분절들의 상당한 신전이 가능하게 하고, 경추6번, 경추7번, 흉추1번 극돌기의 상당한 길이는 경추 신전을 제한한다. 극돌기는 가능한 비대칭의 평가를 위한 기준으로 사용할 수 있지만 이것을 확실히 하기 위해 후방관절의 촉진이 필요하다.

고리판(laminae)은 사각형이고 넓으며 짧다. 이것들은 중심관(central canal)의 후방 부분을 구성하고 황색인대(ligamentum flavum)로 덮여있다. 이것들의 뒤쪽표면은 심부내재척추근육으로 덮여있다. 고리판은 척추경(pedicles)과 함께 골격틀(bone case)과 같은 역할을 하기 때문에 신경축과 관련하여 명확한 보호기능을 갖는다. 하지만, 이것들은 또한 장력과 압력을 전달하는 요소로서 필도수능을 가지고 있다. 한편으로는 극돌기와 횡돌기로 삽입되는 근육에 의해 만들어진 장력을 전달하는 반면, 다른 한편으로는 관절돌기에 가해지는 압력을 다양한 위치와 생리적 움직임으로 분산시킨다. 따라서 극돌기 및 관절돌기와 상호작용하는 힘, 주로 하부 힘은 고리판에 의해 전달되어야 한다. 척추의 안정성은 고리판이 외상이나 외과적 절개수술에 의해 부상을 입었을 때 저하될 수 있다. 이런 경우, 척추 근육들의 안정효과 없이 척추체가 기능해야 한다.[6] 경추에 있는 고리판의 안정적 역할은 Pal과 Sherk[7]에 의해 입증되었다. 경추 척추후궁절제는 특히 경추2번과 경추7번에서 시행될 때 심각한 불안정성을 유발할 수 있다(그림 2-9).

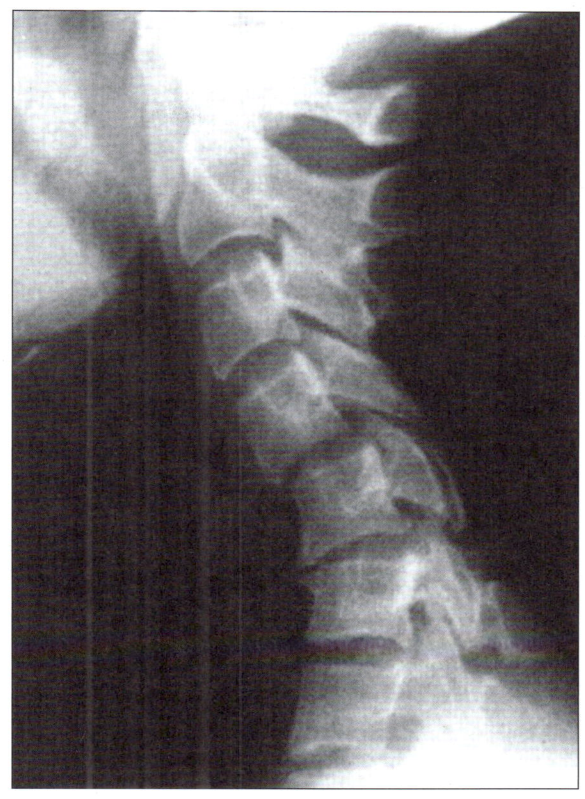

그림 2-9 ■ 척추후궁절제(laminectomy)는 경추에서 심각한 굴곡 변형을 유발할 수 있다.

척추경은 척추체를 후궁에 연결한다. 척추경의 가장자리는 직선이 아니라 곡선이다. 이것은 상대적으로 끝쪽은 넓고 중간은 좁아서 위쪽과 아래쪽 영역, 추간공 또는 측방관을 형성하는 2개의 함요부(recess), 즉 상부와 하부 함요부를 형성한다. 척추경은 상부면 옆 척추체에 있기 때문에 하부 함요부가 상부 함요부보다 깊다. 이것들은 대각선으로 뒤쪽과 바깥쪽으로 향한다. 척추경이 감소된 후방경사를 만들고 가로방향으로 향하면 중심관협착에 유리할 수 있다(그림 2-10).

고리판의 부하 전달역할이 중요하다면, 척추경은 이에 대해 훨씬 더 관련 있다. 척추체는 분절을

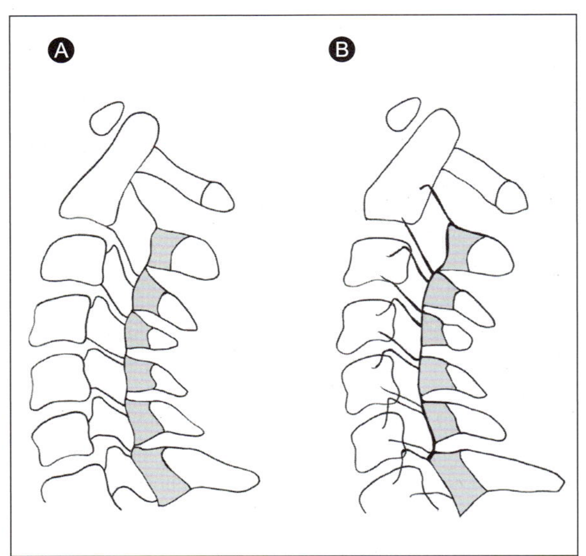

그림 2-10 ■ 척추경의 방향은 중심관의 시상 직경의 감소를 결정할 수 있다. 정상 중심관(A). 척추경의 후방경사의 감소는 중심관의 체질적 협착을 결정할 수 있다(B).

움직이는 안정성에 관여하지 않고 무게를 지탱하는데 독특한 기계적 역할이 있다. 척추 안정성은 여러 수동적인 골관절(osteoarticular) 요소와 특정 활성적인 요소들인 심부내재척추근육에 따라 달라진다. 이 역할을 충족할 수 있는 유일한 부수적인 요소들은 척추경과 고리판 사이에 위치한 관절돌기이다. 활성근육 안정기는 횡돌기와 극돌기에 삽입되므로 이런 후방요소에 의해 지지되는 모든 힘은 지레역할을 하는 척추경으로 전달된다. 척추경의 두꺼운 피질골은 관절돌기로 확장되어 굴곡 시 척추체에서 양쪽 관절주(articular pillars)로, 그리고 신전 시 관절주에서 척추체로 힘이 전달된다.[7]

척추체는 관절 분절의 안정성에 관여하지 않는다. 관절돌기는 이 기능에 관여하는 유일한 수동요소이다.

경추는 경추 척수를 포함하는 중심관과 신경근, 후근신경절, 혼합척수신경이 나타나는 측방관 또는

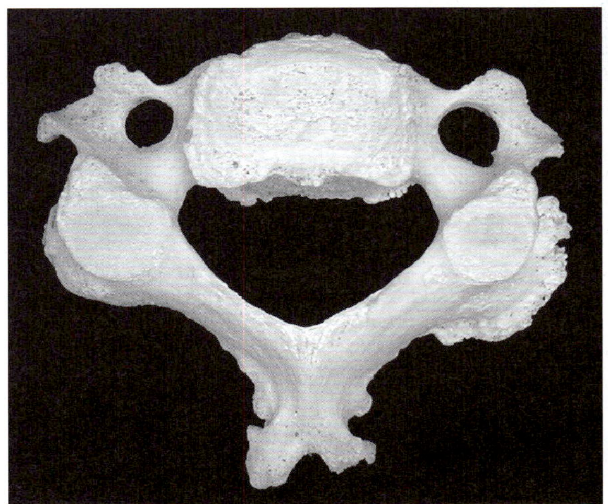

그림 2-11 ■ 경추에서 중심관은 비례적으로 크고 삼각형 모양이며 관상직경이 시상직경보다 더 크다.

추간공이 있다. 이런 신경 구조들은 뇌척수막으로 덮혀있다. 중심관과 측방관 모두 신경전도를 바꾸거나 증상이 나타나지 않고도 디스크 돌출이나 돌기사이관절의 비대와 같은 2차적 협착에 직면할 만한 충분한 공간이 있다. 경추에서 중심관은 비례적으로 더 크고, 삼각형 모양이며 관상직경이 시상직경보다 더 크다(그림 2-11). 신경축이나 신경근과 관련된 중심관 및 측방관의 크기는 문제의 경추부위에 따라 크게 달라진다. 척수가 경추1번 위치에서 관의 절반 이하로 차지하는 반면, 경추5번-경추7번 같은 하부경추 분절 레벨에서는 관의 2/3까지 채운다. 따라서 하부경추에 위치한 압박 요소는 다른 영역보다 척수에서 잠재적으로 더 공격적일 가능성이 있다. 관(canal)의 전하방 직경은 경추1번에서 대략 23.9mm이고, 경추2번에서 20.8mm인 반면에 경추3번-경추7번 위치에서는 17~18mm[8,9]이다(그림 2-12). 경추에서 이러한 값의 크기는 몸통과 상지 및 하지로 긴 상행신경로와 하행신경로의 교차로 인해 척수가 더 신전되기 때문이다.

흉추에서는 관이 동그란 모양이고 흉추6번 부분의 중간부분에서 확연하게 좁아져서 ***수동적 목 굴곡***이나 ***슬럼프 검사의*** 신경역학적 검사를 실행할 때

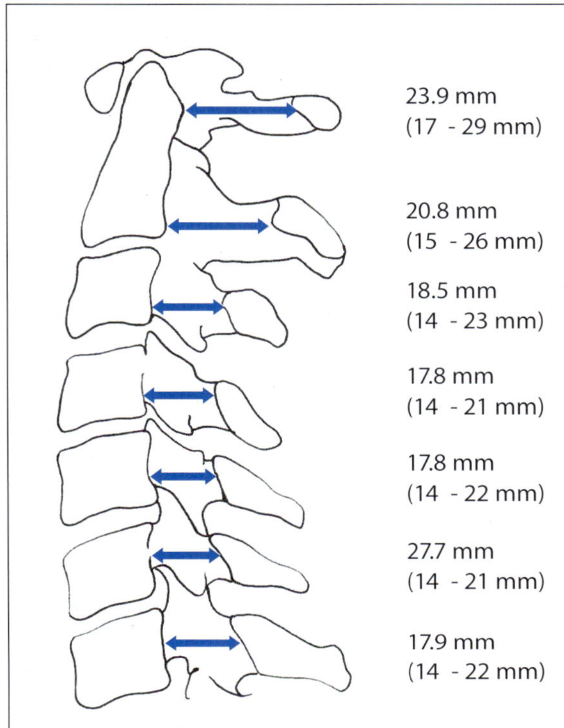

그림 2-12 ■ C1에서 전후방 직경은 23.9 mm이고 C1 및 C2에서 20.8 mm인 반면, C3-C7 레벨에서는 17~18 mm에 불과하다.

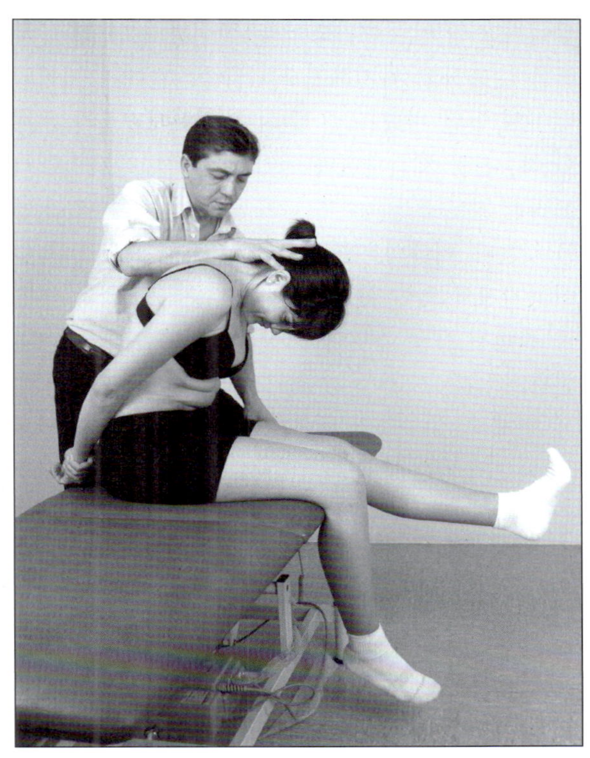

그림 2-13 ■ 슬럼프 검사 시, 환자는 견갑골 사이 흉부 영역의 굳은느낌을 자주 경험하는데, 이는 이 영역의 중심관이 좁아지기 때문일 수 있다.

많은 피험자들이 경험하는 굳은 느낌을 설명한다(그림 2-13).

Breig의 연구[10]에서 볼 수 있듯이, 중심관은 움직임에 따라 길이가 확연하게 변한다. 신전에서 굴곡으로 움직일 때 5~9cm 사이로 증가되고, 경추와 요추영역이 가장 많이 움직인다. 관의 단면적 또한 변화를 겪는데, 주로 첫 번째 단계에서 굴곡 시 증가하고, 신전 시[11]에는 감소한다(그림 2-14).

경추 굴곡 시 척수와 경막은 이것들이 최대길이에 도달할 때까지 늘어난다. 이 증가는 중심관의 후벽이 전체 척추 길이의 30%까지 늘어나는 반면에 전벽에서는 13%를 초과하지 않기 때문에 앞부분보다 뒷부분에서 더 많이 늘어난다.[12] 이 늘어남은 경추 척수의 단면적이 감소하게 되고 또한 척수가 중심관의 전벽에 도달한다. 신전 시 경추 척수는

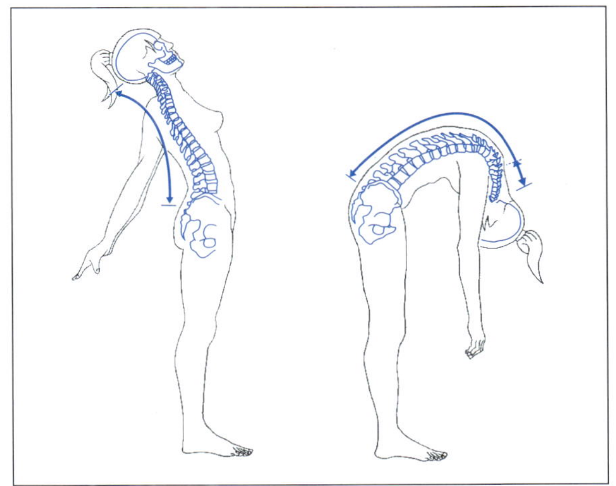

그림 2-14 ■ 중심관은 신전에서 굴곡으로 갈 때 5~9 cm로 증가되고 주로 경추와 요추 영역에서 움직임이 일어난다. [Shacklock M.O., Clinical Neurodynamics, Edinburgh: Elsevier Butterworth Heinemann(2005)에서 다시 작성.]

짧아지고 경막은 이완되어서, 중심관의 더 넓은 부분을 수축하고 차지하게 된다. 중심관에서 길이와 너비의 이런 변화는 주로 퇴행성 비대변화가 존재할 때, 전방 체간관절과 돌기사이관절, 황색인대와 고리판 같은 후방요소 모두에 중요한 임상학적 영향을 갖는다. 따라서, 경추관 협착은 흔히 고령자, 특히 여성에게서 보이고, 이것은 척추증의 변화와 연령과 관련된 흉추 후만에 보상하려는 전만의 증가와 연관이 있다.

전체 척추의 측면 굽힘은 또한 측면 굽힘의 반대쪽 척수의 15%를 증가시켜서, 오목한 부분의 신경축이 짧아지고 볼록한 부분은 늘어난다. 또한 견인은 중심관의 길이를 변경하고, 5kg의 견인력만 적용하면 10mm 길이의 증가가 관찰되었다.[10]

측방관이나 추간공은 타원형이고 다음으로 인해 제한된다:

- 두 개의 인접한 척추의 척추경에 의한 상단 및 하단
- 갈고리돌기(구상돌기, uncinate processes), 상부 척추의 디스크와 척추체에 의한 전방
- 돌기사이관절과 이것의 관절낭에 의한 후방(그림 2-15)

측방관이라는 용어는 4~6mm 사이의 상당한 길이 때문에 선호된다.[13] 척추공은 경추2번과 경추3번에서 크고 그 크기는 경추6번과 경추7번 쪽으로 감소한다. 세로 직경의 평균은 10 mm이고, 전후방 직경의 평균은 5 mm이다. 그러나, 이런 측정은 척추 움직임 중에 다양하게 변하고, 굴곡 시 증가하고 신전 시 감소한다. 측방관에서 척추신경과 후근신경절은 대부분의 경우, 하부 영역에 위치한 근동맥, 내정맥 및 외정맥 신경총과 연결하는 동맥 및 정맥, 회귀성 수막신경과 이런 구조들을 둘러싸는 지방조직과 함께 이동한다. 하부척추신경은 확연히 두껍고 척추공의 많은 부분을 차지한다는 것을 언급할 가치가 있다.

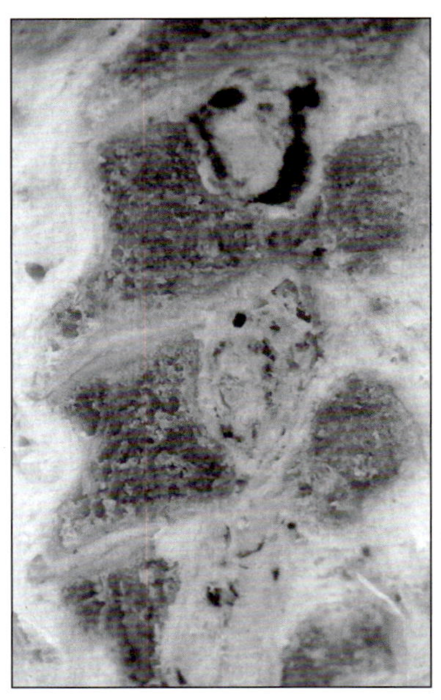

그림 2-15 ■ 측방관은 인접한 척추의 척추경, 갈고리돌기(유구돌기, unciform processes), 디스크, 상부척추체, 돌기사이관절 및 이것의 관절낭에 의해 구분된다.

측방관은 경추가 움직이는 동안 상당한 크기의 변화를 겪는다. 즉, 굴곡 시 직경이 증가하고, 신전 시 감소한다(그림 2-16). 이것은 어떻게 시상면에서 움직임이 측방관과 관련하여 경추 신경근의 위치 변화를 유발하는지도 보여줬다. 요추와는 다르게 경추에서는 신경근이 척추공의 하단부에 위치하고, 그 신경근들은 하단 척추의 척추경과 직접 닿아있다. 굴곡 시 신경근은 척추공의 머리 방향으로 이동하고 상단의 척추경과의 접촉이 증가한다. 하지만 신전 시 신경근이 꼬리 방향으로 이동하고 척추경의 하부면과의 접촉을 잃는다.[14]

비정형 척추(Atypical vertebrae)

경추는 비정형으로 여겨지는 3개의 척추가 있다: 4장에서 다룰 환추와 축추, 그리고 7번째 경추이다. 이번 장에서는 첫 번째 흉추도 포함되는데, 행동이 임상학적으로 하부경추와 유사하기 때문이다.

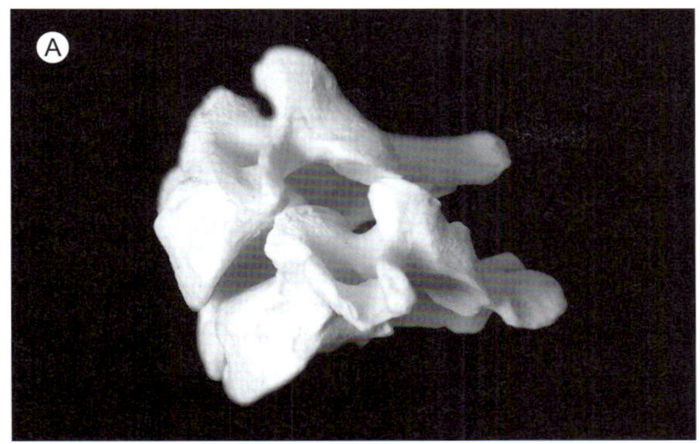

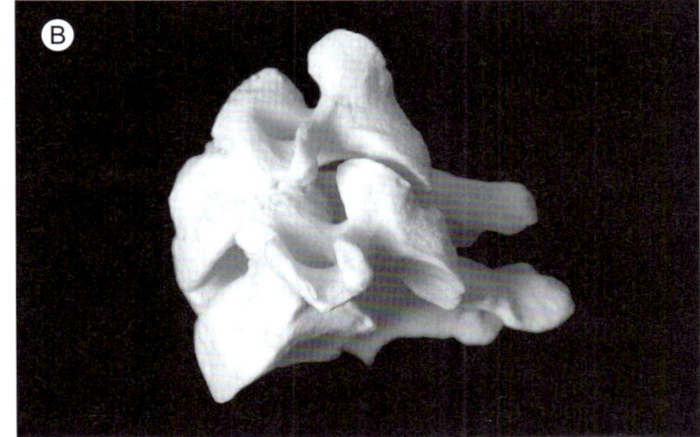

그림 2-16 ■ 측방관의 직경은 굴곡 시 증가하고(A) 신전 시 감소한다(B).

7번째 경추(*Seventh cervical vertebra*)

이 척추는 이행 척추뼈의 유사한 특징을 보인다. 7번 경추의 극돌기는 확연히 길고 흉추의 것과 닮았는데, 꼬리방향으로 경사지고 하나의 결절을 갖고 있기 때문이다. 횡돌기는 단 하나의 긴 후방결절을 갖고, 과형성은 흉곽출구증후군(thoracic outlet syndrome)의 발병과 관련이 있다. 또한 척추동맥이 통과하지 않지만 성상신경절(stellate ganglion)의 가지들을 수용하는 작은 횡돌기공이 있다. 비록 그렇다 하더라도 어떤 경우에 이것을 통과하는 유일한 구조는 보조동맥 및 정맥이다.[15] 때때로 척추체의 하부 및 측면 부분에서 첫 번째 늑골과 관절을 형성하기 위한 작은 후관절이 발견될 수 있다. 그 관절면은 점진적으로 경추의 수평 특징을 잃고, 흉추의 경우와 마찬가지로 기울어짐이 수평면에 대해 64~75°이다.

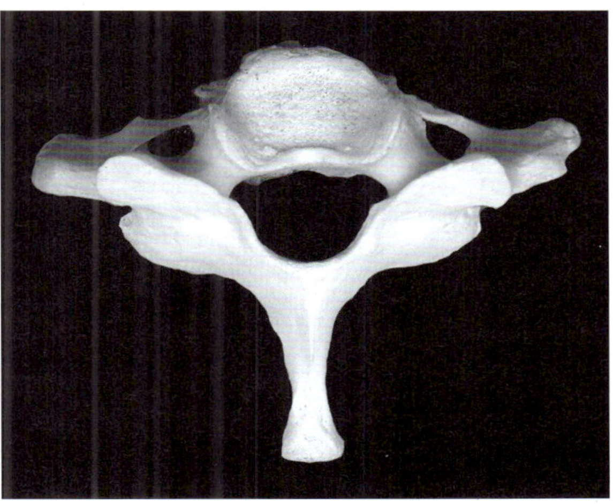

그림 2-17 ■ C7의 하부 관절면은 나머지 경추보다 횡단 면적이 더 크고 횡단 직경이 더 길다.

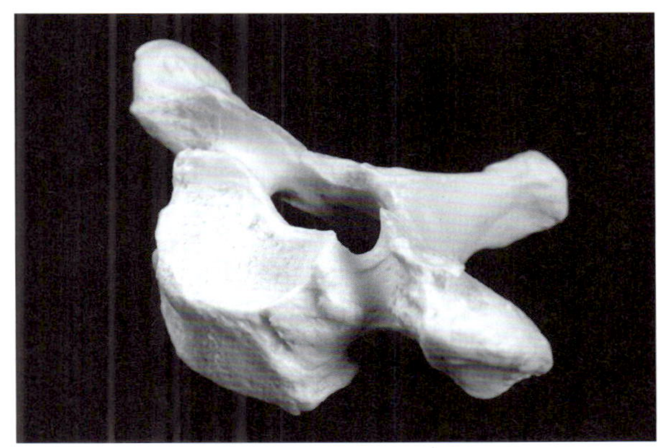

그림 2-18 ■ T1 척추체의 상부 플랫폼은 갈고리돌기(구상돌기) 관절면의 존재 때문에 관상면에서 오목하다.

경추의 나머지 척추들처럼 타원형인 대신에 경추 7번의 관절면은 면적이 더 크고 횡단 직경이 더 길다. 이런 관절면은 약간 오목하다[16](그림 2-17).

첫 번째 흉추(*First thoracic vertebra*)

흉추1번은 경추와 흉추에 모두 속하는 특징들을 갖고 있기 때문에 비정형적이다. 척추체의 상부 플랫폼은 경추와 마찬가지로 갈고리돌기(구상돌기, uncinate processes) 때문에 관상면에서 오목하다. 따라서, 경추7번-흉추1번 사이에는 갈고리돌기(구상돌기) 틈새가 있다(그림 2-18).

척추체 외측벽에는 첫 번째 늑골머리를 감싸는 2개의 완전한 후관절이 있다. 하부 플랫폼은 편평하고 두 번째 늑골머리를 수용하기 위해 후외방 부분에 반후관절면이 있다. 흉추1번의 극돌기는 굉장히 두드러지고 어떤 경우에는 경추7번보다 더 길 수도 있다.[17] 또한 횡돌기는 명확하게 길다. 이것들은 척추경과 고리판 사이의 결합에서 나오며, 첫 번째 늑골의 볼록한 후관절과 연결되는 오목한 관절면이 있기 때문에 첫 번째 늑골횡돌기관절을 만든다.

이 척추의 상부 돌기사이관절은 비교적으로 크고 관상면에 위치해 있고, 거의 척추경에 수직이다. 하부 돌기사이관절은 형태학적으로 약간 오목하고 흉추의 나머지 뼈들처럼 정중면에 위치해 있다.[16]

첫 번째 및 두 번째 늑골 (First and second ribs)

첫 번째 늑골은 매우 견고하지만 가장 작다. 또한 가장 편평하고 가장 낮은 방향이다. 늑골머리는 작고 일반적으로 흉추1번의 척추체와 연결된다. 늑골목은 척추의 횡돌기와 연결된다(그림 2-19). 흉골관절(chondrosternal joint)은 활액으로 된 다른 늑골들과는 다르게 섬유질이다.

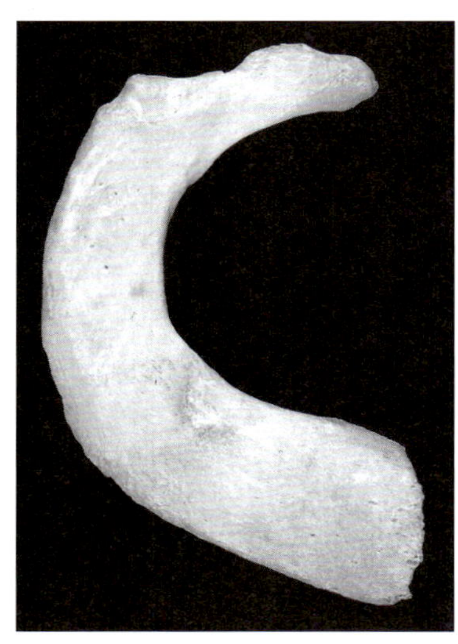

그림 2-19 ■ 첫 번째 늑골은 편평하고 매우 견고하다.

두 번째 늑골은 첫 번째 늑골의 길이에 약 두 배이다. 늑골머리는 흉추1번과 흉추2번의 척추체와 연결된다. 이것의 흉골연골은 복장뼈자루(흉골병, manubrium)와 흉골 사이 관절에 위치한 후관절과 연결된다.

경추 관절 요소 (Cervical articular elements)

경추는 추간관절, 척추 나머지 부분에 공통적인 돌기사이관절, 그리고 갈고리돌기(구상돌기) 틈새의 3개의 관절 시스템이 있다.

경추 디스크의 해부학 (Anatomy of the cervical disc)

경추는 경추2번의 하부플랫폼에서부터 흉추1번의 상부플랫폼까지 6개의 추간판이 있다. 이런 디스크들은 각각의 디스크를 공유하는 인접한 척추의 이름(C4–C5 디스크)으로 지어지거나, 디스크의 바로 위에 있는 척추의 이름(이런 경우, C4 디스크라고 한다)으로 지어진다.

요추와 달리, 경추는 해부학적 및 생체역학적 연구의 대상이 아니다. Mercer와 Jull[18]이 출판된 책과 기사에서 언급했듯이, 일반적으로 경추와 요추 디스크는 유사하다고 가정한다. 그러나 경추 디스크에 대한 연구는 특히 요추 디스크와 비교했을 때 확연한 차이가 있음을 보여주고, 이것의 형태, 생체역학, 통증 기전과 퇴행적 과정의 특성이 포함된다.[19–25] 따라서, 경추 디스크의 병리학적 및 퇴행성 변화는 요추 디스크의 변화와 관련된 임상적 및 기능적 중요성 측면에서 다르다.

경추 디스크의 병리학적 및 퇴행성 변화는 요추가 겪는 변화로부터 오는 것과 동일한 임상학적 의미를 갖지 않는다.

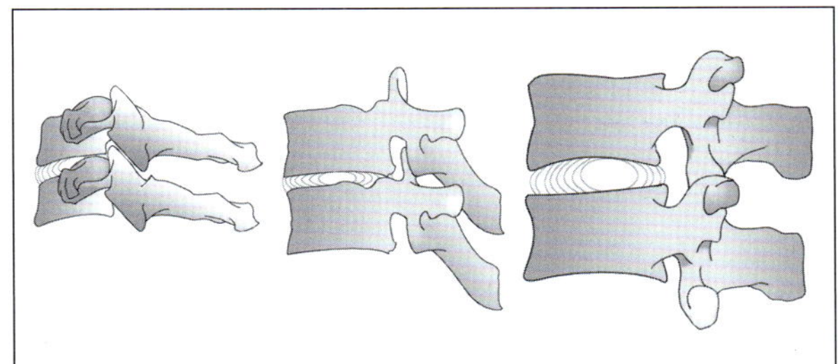

그림 2-20 ■ 경추 디스크는 흉추 디스크보다 비교적 더 두껍고, 경추 전체 높이의 대략 20% 정도를 차지한다.

경추 디스크는 흉추 디스크보다 비교적 더 두껍고, 경추 전체 높이의 대략 20% 정도를 차지한다(그림 2-20). 경추 디스크의 두께는 경추2번부터 흉추1번까지 점진적으로 증가한다. 이런 현상은 너무 일정하여 특정 분절에서 디스크 높이가 바로 위의 디스크보다 더 낮다는 것이 측면엑스레이에서 나타날 때, 이 디스크는 퇴행 과정을 겪기 시작했다고 의심한다(그림 2-21).

경추 디스크의 또 다른 흥미로운 특징은 뒤쪽보다 앞쪽이 더 두껍다는 것이다. 디스크 앞부분의 증가된 높이는 경추 전만을 결정는데, 이는 경추 척추체의 전벽은 후벽보다 짧기 때문이다. 따라서, 경추에서 발견된 전만은 주로 디스크와 연관된 현상이라고 결론내릴 수 있다. 그러므로 장기 전만 만곡은 디스크의 악화와 직접적으로 관련이 있고 '근육의 경련(spasm)이나 구축(contracture)'과는 상관이 없다(그림 2-22).

전만의 반전은 '근육 경련이나 구축' 때문이 아니라 종종 디스크 악화의 결과이다.

요추 디스크와 동일한 방식으로 추간 경추 디스크는 섬유륜(annulus fibrosus), 수핵(nucleus) 및 연골 플랫폼으로 구성된다.

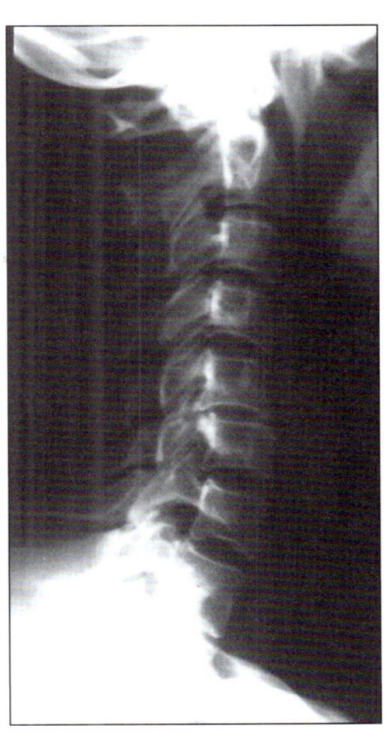

그림 2-21 ■ 이 엑스레이에서 볼 수 있듯 특정 분절에서 디스크 높이는 바로 위의 것보다 낮거나 높을 때 이 디스크가 퇴행 과정이 시작되었다고 의심할 수 있다.

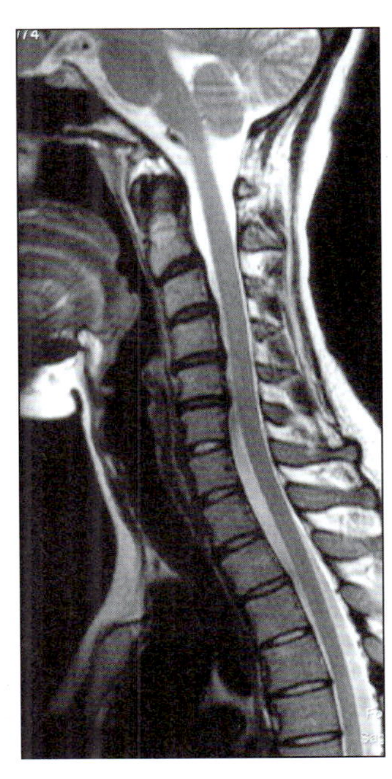

그림 2-22 ■ 경추 전만은 주로 디스크와 연관된 현상이다. 이 MRI에서 볼 수 있는 것과 같은 경추 만곡의 반전은 '근육 구축'이 아니라 디스크 퇴행과 직접적인 관련이 있다. 흉추 디스크에 비해 경추 디스크에서 더 낮은 강도의 신호를 볼 수 있다.

수핵(*Nucleus*)

경추 디스크의 병리학적 이해를 하기 위해 고려해야 할 첫 번째 측면은 수핵의 구성 및 구조와 관련이 있다.

수핵은 척삭세포와 주변 디스크의 느슨한 결합조직의 상호작용으로부터 발생한다(그림 2-23). 수핵의 구성에 대한 척삭 물질의 기여는 요추나 흉추 디스크에서보다 경추 디스크[21,22]에서 훨씬 덜 중요하다. Taylor[26]는 신생아의 수핵은 50%를 차지하는 요추 디스크와는 대조적으로 전체 경추 디스크의 25%가 넘지 않는다는 것을 입증했다. 요추 수핵의 큰 부피와 이것의 젤라틴 농도를 책임지는 높은 수화 수준은 척삭분절의 급속한 성장 때문이다. 경추 디스크에서 척삭분절은 출생 후 지속적으로 작고 제대로 발달하지 못하기 때문에 수핵의 발달은 더 낮다. 크기가 작은 경추 수핵은 흉추나 요추 디스크와 비교했을 때 콜라겐의 수치가 더 높다.[21,22]

경추 디스크에 존재하는 콜라겐의 높은 비율은 경추의 격한 이동성으로 인해 발생하는 중요한 기계적 스트레스 때문이다.

게다가, 수핵은 극도로 빠른 구성 변화를 겪어서 십대 중반에 수핵의 젤라틴농도는 줄고 섬유연골핵(fibrocartilage nucleus)이 된다.[20,22,25,27,28]

젊은 피험자에게는 섬유륜과 수핵 사이에 확연한 차이가 있는 반면에, 나이가 들면서 모양이 없고 콜라겐무리가 불규칙해서 수핵을 섬유륜과 구별하기 어렵다. 나이가 들어감에 따라 수핵[29]의 부피가 점차적으로 감소하고 이것은 요추나 흉추 디스크에 비해 성인에게서 더 낮은 예압을 결정한다. 청소년기가 되면서 젤라틴성 수핵은 사라지기 시작하고, 40세가 되면 거의 존재하지 않는다. 요추와 연관된 젤라틴성 수핵은 성인 경추의 수핵과 비교할 수 없다.

Bland과 Bousley[20]에 의해 실시된 171개의 경추 연구는 40세 이상의 사람들에게 젤라틴성 수핵디스크 탈출증은 거의 발견되지 않는다고 입증했다. 이 저자들은 성인 수핵을 섬유연골(fibrocartilage),

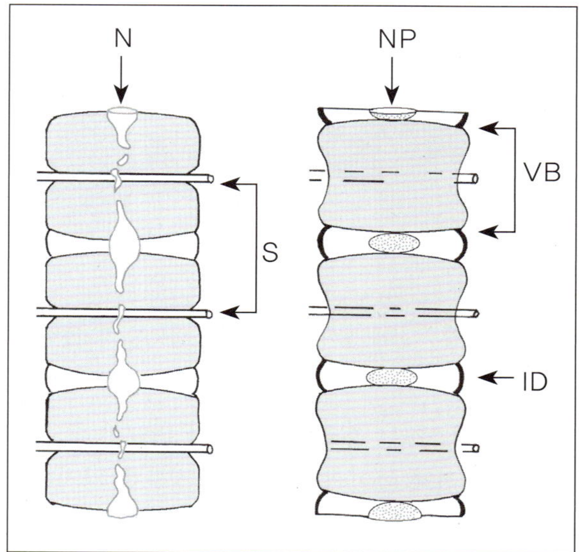

그림 2-23 ■ 수핵은 척삭세포와 이것을 둘러싼 디스크의 느슨한 결합조직의 상호작용으로 발생한다.
VB: 척추체(vertebral body), ID: 추간판(intervertebral disc), N: 척삭(notochord), NP: 수핵(nucleus pulposus), S:몸분절(somites).

유리연골섬(hyaline cartilage islets)과 힘줄 유사물질(tendon like material)로 이루어진 구조로 설명한다.

섬유륜(*Annulus fibrosus*)

경추와 요추 섬유륜의 차이 또한 중요한데, 동심원의 콜라겐층이 고르게 배열되어 있지 않기 때문이다. 경추 섬유륜은 개인의 일생에서 중요한 변화를 겪고, 이런 변화들은 경추에서 독특한 새로운 관절인 갈고리돌기(구상돌기) 틈새의 존재와 관련이 있다. 사실, 경추와 요추 디스크 사이에 가장 관련 있는 차이는 경추의 갈고리돌기(구상돌기)가 존재하고 그 결과 갈고리돌기(구상돌기) 틈새가 형성되는 것이다.

갈고리돌기(구상돌기) 틈새 및 경추 디스크 (Uncovertebral Clefts and Cervical Disc). 갈고리돌기(구상돌기, uncinate processes) 추간공 및 척추동

맥에 대한 해부학적 인접성 때문과 척추동맥과 척추 내 신경요소를 자극하거나 압박하는 능력 때문에 주로 연구되어져 왔다. 하지만, 우리의 목표는 경추 디스크의 통합성 및 구조에 미치는 영향을 연구하는 것이다.

1858년, Luschka는 갈고리돌기(구상돌기)의 발달이 경추 디스크의 후외방 부분에 균열 형성을 유도하여 결국 갈고리돌기(구상돌기) 틈새를 형성하는 방법을 설명했다. 갈고리돌기(구상돌기)는 신경궁(neural arch)에 속하는 골화점에서 척추의 측면 가장자리에서 발달한다. 신생아의 갈고리돌기(구상돌기)는 수평이지만, 7세가 되면 수직이 될 때까지 머리방향으로 향한다. 이것의 성장은 디스크의 후외측 가장자리에서 균열의 형성을 유도하며 8세에 분명해진다. 이런 균열은 청소년기에 발달의 최고단계에 도달하고, 갈고리돌기(구상돌기)가 최고 높이에 도달한다. Luschka의 설명 이후에 관절에 대한 모순되는 의견이 있다. 몇몇 저자들은 이것들을 진정한 윤활관절[30-32]이라고 단언했지만, 30~32명의 다른 저자들은 이것들을 퇴행성 현상[33,34]이라고 간주한다. 사실, 이것들은 후관절에 연골 코팅이 되어 있지만 활막이 없기 때문에 윤활관절로서 정의되어서는 안된다. 이런 관절들은 디스크 조직의 이형성과 섬유륜의 측면에 위치한 느슨한 결합 조직의 결과로 개발되어 전단력에 반응하여 윤활 관절의 모양을 제공한다(그림 2-24). 이러한 힘은 움직임 범위, 특히 척추의 이 부분에서 허용하는 축회전을 하는 동안 발생된다.[34-39]

갈고리돌기(구상돌기) 틈새는 윤활관절과 같은 유형의 퇴행성 현상을 겪는다.[30] 이런 퇴행성 변화는 후관절에 비례하여 대략 2배 더 자주 나타난다. 골극형성의 성장은 척추동맥이나 경추신경 같은 주변 구조들을 자극하거나 압박할 수 있다. 이는 갈고리돌기(구상돌기)나 이런 구조들 사이 거리가 3~6 mm 사이이기 때문이다. 사실, 신경근 자극은 돌기사이관절의 골극에 의한 것보다 갈고리돌기(구상돌기)의 골극에 의해 더 자주 발생한다.[31]

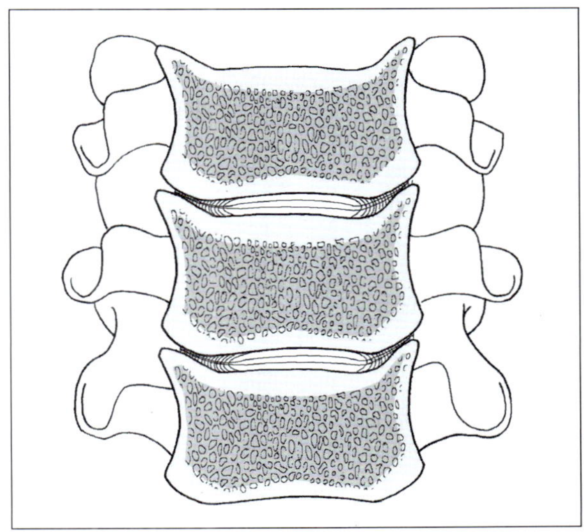

그림 2-24 ■ 갈고리돌기(구상돌기) 관절은 전단력에 대한 반응으로 섬유륜 측면에 위치한 디스크 조직과 느슨한 결합조직의 이형성의 결과로 발생한다.

기능적 측면에서, 갈고리돌기(구상돌기) 틈새는 굴곡-신전 움직임 동안 가이드로서 역할하고, 측면 병진이동을 제한함으로써 측면 굽힘을 제한하고, 이런 방식으로 경추의 결합패턴에 참여하기 때문에 관련성이 있다.[40] 이런 틈은 경추 회전의 상부 분절에서 더 수직이고, 경추의 향상된 제어가 더 많이 필요하다.

갈고리돌기관절(구상관절)은 경추의 특징적인 결합 패턴에 관여한다.

갈고리돌기관절(구상관절)은 추간판의 변화를 결정하여, 섬유륜의 후방 전체부분의 틈새와 수핵의 붕괴로 이끈다.

성인기의 시작부터 틈새가 후방 전체 부분에 수평으로 갈라서 디스크가 상단과 하단 부분으로 분리될 때까지 디스크 중앙 쪽으로 점차 파고든다(그림 2-25). 이 과정은 20세에 시작된다. 35세가 되면

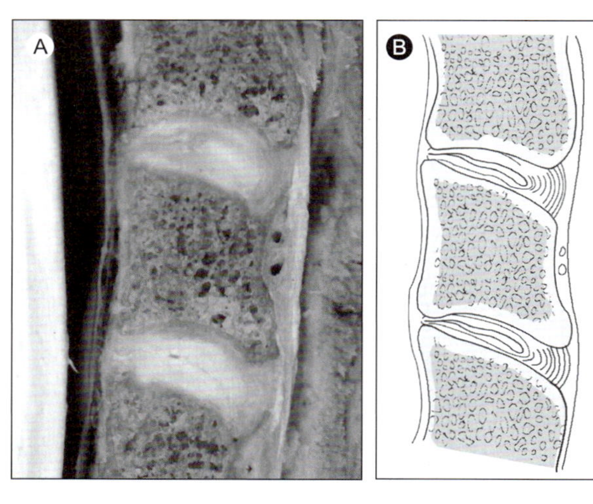

그림 2-25 ■ 갈고리돌기관절(구상관절)은 섬유륜의 후방 전체부분에 틈새를 만들고 수핵의 붕괴를 이끈다. 이미지(A)와 그림(B).

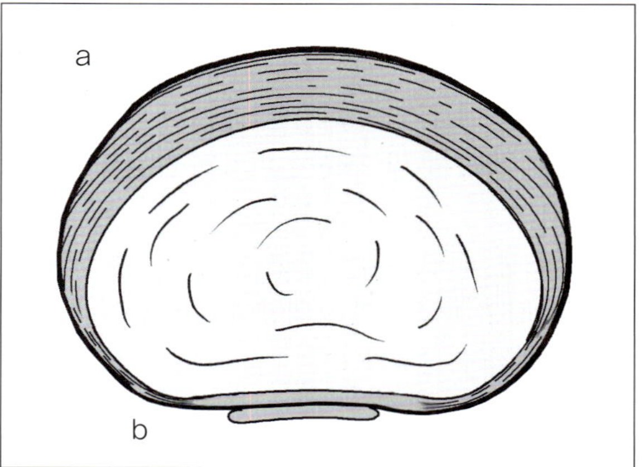

그림 2-26 ■ 경추 디스크의 섬유륜은 명확히 정의된 두 부분으로 나눠질 수 있다. 두껍고 초승달 모양이며 갈고리돌기(구상돌기) 쪽으로 좁아지는 전방 디스크(a)와 두께가 1mm 미만인 중간 시상면에 있는 몇 개의 수직 섬유로 구성된 후방 디스크(b)이다.

섬유륜의 후방 부분 전체가 갈고리돌기(구상돌기) 틈새로 나뉘고, 섬유륜의 전방 부분과 앞세로인대(전종인대) 및 뒤세로인대(후종인대)만 온전히 남는다.[23,25,41] 이 방식으로, 불투명한 방사선 조영제를 추간판의 중앙으로 주입하면 양쪽 갈고리돌기(구상돌기) 틈새에 자유롭게 퍼질 것이고, 경추디스크의 일부에서 전경막외강 공간으로 이동할 수도 있다.[42] 디스크의 이 횡단 틈새는 경추 디스크의 혁신적인 변화로 여겨진다. 나이와 연관된 디스크 틈새는 디스크의 신경이 통하는 부분과 연결되었다면 통증이 나타나는 경향이 있는 급성 디스크 파열과 대조적으로 통증이 없이 나타난다. 섬유륜 틈새가 디스크의 중앙부분에 도달했을 때 수핵의 변화가 발생하고, 궁극적으로 수핵이 분해된다. 이 현상은 방사선촬영을 통해서 볼 수 있고 진공디스크(vacuum disc) 현상이라고 알려져 있다. 디스크 틈새는 중년 후반에 종종 하부경추 디스크의 흡수와 함께 디스크 높이의 손실을 야기한다.

섬유륜의 형태학. 섬유륜은 젤라틴성 수핵을 둘러싸는 동심원의 고리판의 결합에 의해 형성되지는 않지만, 명확히 정의된 두 부분으로 나뉠 수 있다.[23,41] 전방 디스크는 두껍고 초승달 모양이며 갈고리돌기(구상돌기) 쪽으로 좁아진다(그림 2-26). 경추 섬유륜의 섬유의 방향은 요추 디스크의 섬유 방향과는 상당히 다르다. 섬유륜의 전방 부분에 있는 경추 디스크섬유는 척추체의 앞쪽 가장자리를 향해 위쪽으로 모인다.

Bogduk와 Mercerm에 따르면,[23,41,43] 앞쪽부분에 있는 섬유륜은 역 'V모양'의 골간인대로 간주되어야 한다(그림 2-27). 후외측으로 갈고리돌기관절(구상관절, uncovertebral joint)에 접근할 때 섬유륜 후방부분이 실질적으로 사라질 때까지 얇아지며 이 지점에서 두께가 1mm 미만인 중간시상면에서 수직으로 향하는 몇 개의 섬유로 구성된다.[23,25,41,43] 디스크의 뒷부분과 후외측 부분에 섬유륜의 부족과 이것의 수평 틈 또한 더 넓은 축 회전을 허용한다.[23,43]

추골종판(VERTEBRAL ENDPLATES). 연골로 된 종판은 원형돌기(ring apophysis)를 제외하고 척추 플랫폼을 덮는다. 이것들은 이전에 생각했던 것 같이,

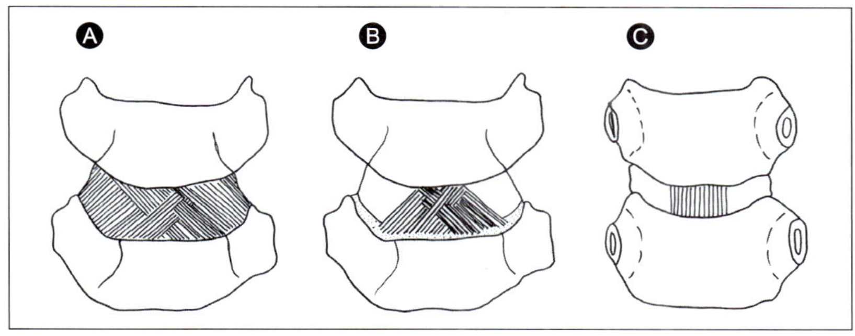

그림 2-27 ■ 섬유륜은 앞쪽 부분에서 역 'V' 모양으로 고정된 골간인대로 보여야 한다. 섬유륜의 앞쪽 부분의 표면 섬유(A) 및 심부 섬유(B). 섬유륜의 뒤쪽 부분에서 섬유의 방향(C). (Mercer and Bogduk[41]에 의해 수정됨)

척추체의 일부가 아니라 디스크의 기본 요소로 간주된다.[6,44] 각 추골종판은 0.6~1.0mm 두께의 연골의 층으로 구성되어 있고, 원형돌기에 의해 테를 두른 영역을 덮는다. 각 디스크의 두 추골종판은 수핵을 완벽히 덮지만, 섬유륜의 전체를 덮지는 않는다.

역사적 관점에서, 추골종판은 두 개의 층으로 구성되어 있다: 척추체와 맞닿아 있는 유리연골층 그리고 수핵과 맞닿아 있는 섬유연골층이다.[45] 추골종판의 섬유연골 부분은 플랫폼을 관통하는 섬유륜 섬유의 결과이다(그림 2-28). 따라서 디스크와 연골질 종판 사이에 극도의 저항력 있는 결합이 있다. 하지만, 추골종판은 척추체로 강하게 삽입되지 않으므로 이것들은 외상후 제거될 수 있다. 이 사실은 추골종판이 척추체의 일부분이 아닌 추간판의 요소로 여겨질 때 고려된다.

이런 연골질 종판은 역학적 기능 기전과 영양적 기능의 이중 기능을 갖는다. 역학적으로, 이것들은 연하골(subchondral bone)의 천공을 통한 수핵 물질들의 이동을 막고, 탄성 덕분에 디스크와 척추체에 의해 전달되는 하중의 중요한 충격 흡수제 역할을 함으로써 척추체가 지탱하는 압력을 조절한다. 연골로서 이것들은 수핵과 척추체의 혈관들 사이에 필터 역할을 하면서 디스크 영양에 중요한 역할도 한다.[46,47]

디스크의 퇴행성 변화는 세포 자멸을 겪는 수핵과 섬유륜뿐 아니라 연골질 추골종판에도 영향을 미쳐서 점차적으로 좁아진다. 이런 변화는 연하골 혈관공(vascular foramina)의 점진적인 폐색에 의해 동반된다. 연골질 골판과 연하골에서 보이는 퇴행성 변화로 영양결핍이 나타나게 되고 디스크의 나머지

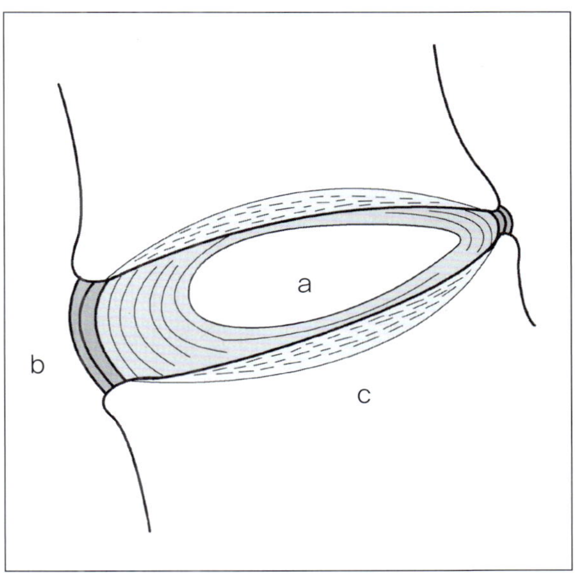

그림 2-28 ■ 추간판은 수핵(a), 섬유륜(b) 그리고 연골질의 종판(c)으로 구성된다. 섬유륜 대부분의 내부 섬유는 수핵을 포함하는 '관절낭' 기능을 갖는다. 외부 섬유는 인대역할을 하여 움직임을 제한한다. 추골종판은 유리연골과 섬유연골의 두 층으로 구성된다. 이 섬유연골 부분은 섬유륜의 섬유가 깊게 침투한 결과이다.

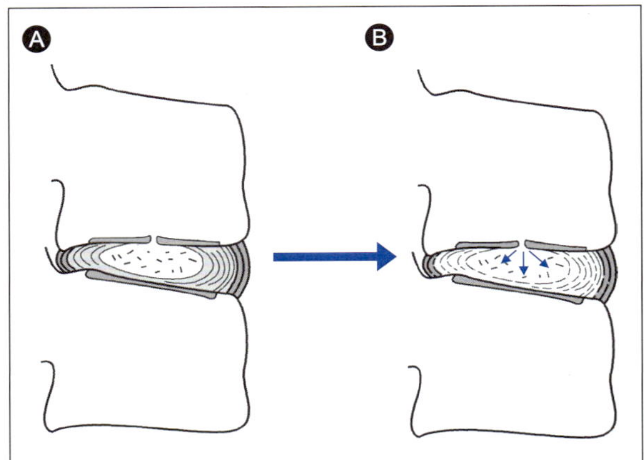

그림 2-29 ■ 척추체 디스크 기둥의 가장 취약한 부분은 연골질 종판과 밑에 있는 연하골이다. 극도로 강한 하중은 손상을 결정하고(A), 수핵의 분해(B)에 기여할 수 있다.

구성요소의 후속 퇴행을 결정한다.[48] 오늘날, 연골질 골판과 그 아래 있는 연하골은 체간 관절의 가장 취약한 부분이라고 여겨진다. 강한 하중은 이것의 손상과 디스크 조직의 퇴행을 유발할 수 있다(그림 2-29).

이제 경추 디스크의 해부학에 대한 이 개정의 결론을 논의할 것이다. 첫 번째로, 경추 수핵은 젤라틴성 농도는 없지만, 섬유연골조직핵[20,22-25,27,43]으로 구성되어 있으며, 성인의 갈고리돌기(구상돌기)의 발달로 인해 전후방 직경의 2/3로 나누어진다. 따라서, 흔히 독립된 섬유연골띠만이 섬유륜 뒷부분의 깊은 안쪽에 위치해있다.[23,24,43]

따라서 외상 사고의 경우를 제외하고 수핵탈출증은 요추 디스크의 탈출증보다 빈도가 낮다. 디스크 탈출이 발생했을 때, 대개 후내측 방향인 반면에 요추 탈출 디스크 물질은 일반적으로 후외측 방향으로 이동한다. 이것은 이 방향으로 디스크의 이동을 막는 실질적 해부학적 장벽이 되는 관상돌기의 존재 때문이다. 그러므로, 경추에서 신경근병증의 발생빈도가 낮다. 대략 40세가 되면 척수관에서 골극 성장을 동반한 섬유륜의 돌출을 감지하는 것이 일반적이다(그림 2-30). 이러한 디스크 돌출은 디스크 탈출이 아니라 정상적인 나이와 관련된 변화로 해석되어야 한다. 50~60세 사이에 디스크

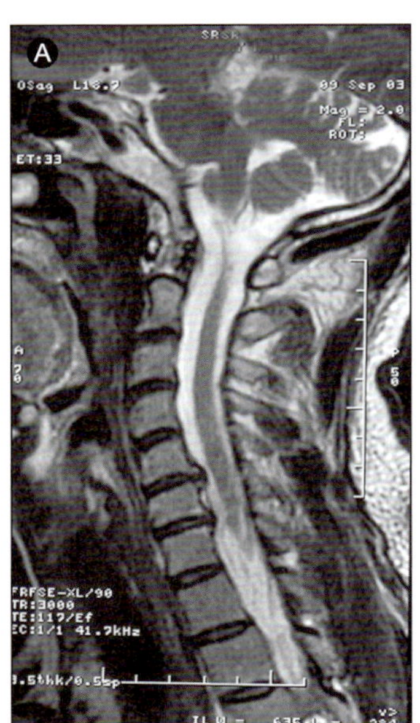

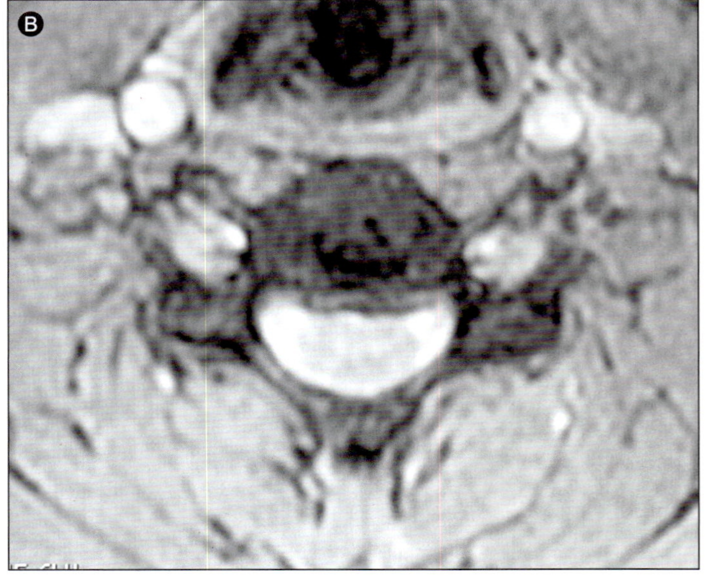

그림 2-30 ■ 40~50세 사이에서는 척수관에서 골극 성장을 동반한 섬유륜의 돌출이 보이는 것은 일반적이다. 이러한 변화는 (A)와 (B)가 표시된 MRI에서 볼 수 있듯 반드시 증상이 있는 것은 아니다.

의 얇아짐과 디스크의 흡수가 점진적으로 발전할 수 있는 변형이 주로 하부경추에서 보여질 수 있다.

경추 디스크의 특징들:

- 경추 디스크는 요추 디스크와 형태학적으로 다르다.
- 수핵은 젤라틴성 일관성은 없고, 섬유연골성 수핵으로 구성되어 있다.
- 수핵은 갈고리돌기(구상돌기)의 발달 때문에 뒷부분 전체에 틈새가 생긴다.
- 수핵 디스크 탈출은 요추 디스크보다 경추 디스크에서 빈도가 더 낮다.
- 디스크 탈출은 갈고리돌기(구상돌기)의 존재 때문에 주로 후외측이다.
- 신경근병증은 경추에서 빈도가 낮다.
- 약 40세가 되면, 골극성장과 연관된 섬유륜의 돌출을 감지하는게 일반적이다.

돌기사이관절(Zygapophyseal joints)

돌기사이관절 또는 후관절은 유리연골, 관절낭, 활막 및 관절내 반월상 구조와 같은 다른 모든 윤활관절과 동일한 성분으로 구성된 윤활관절이다(그림 2-31). 요추나 흉추와는 달리 경추 돌기사이관절은 척추체와 후궁 사이에 결합으로 외측으로 배열되어 있다. 돌기사이관절은 생체역학 및 임상적 관점에서 모두 중요하다. 경추의 관절면은 아래의 면적이 더 넓은 계란모양의 타원형(oval)이지만, 경추7번과 흉추1번은 횡단 직경이 더 크므로 위, 아래 면적이 같은 모양의 타원형(ellipse)이다(그림 2-32 및 그림 2-33). 상부면은 뒤쪽과 위쪽을 향하는 반면, 하부면은 아래쪽과 앞쪽을 향한다. 수평면과 관련하여 중부 경추에서는 45°를 형성하고, 하부 경추에서는 60°를 형성하여 상부 흉추[16,49]에서는 70°에 도달한다(그림 2-34). 이 방향은 시상면에서의 움직임을 용이하게 하고 축 회전과 측면

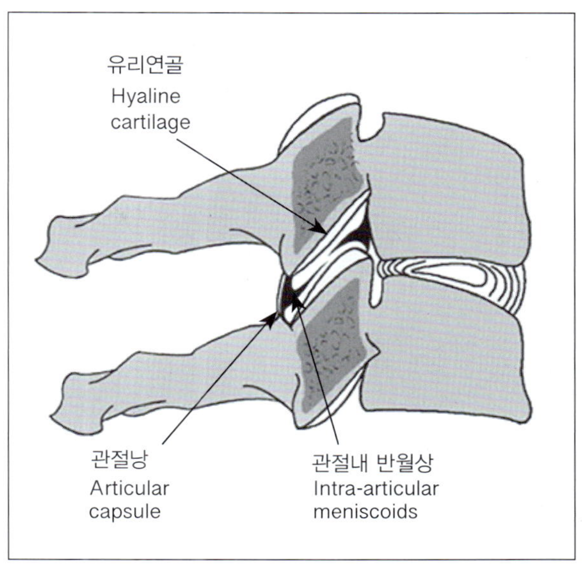

그림 2-31 ■ 돌기사이관절은 다른 윤활관절과 동일한 요소로 구성되며 유리연골, 관절낭 및 일련의 관절내 활액주름 또는 반월상 구조를 포함한다.

굽힘을 필연적으로 결합 움직임으로 바꾸는 역할을 한다. 관절면의 방향은 또한 지지 하중에 대한 참여를 결정한다.

Pal 등[16]이 시행한 조사는 횡단면과의 관계뿐 아니라 시상면이나 축면의 후관절 방향도 분석한다. 돌기사이관절은 후내측이나 후외측 방향을 갖을 수 있다(그림 2-35). 상부 레벨에서는 후내측 방향인 반면, 하부 레벨에서는 후외측 방향이다. 방향의 변화가 생기는 레벨은 일치하지 않고, 경추4번에서 흉추1번 사이에서 다양하다. 하지만 경추6번(C5-C6)에서 더 빈번히 일어난다(그림 2-36). 이 연구에서 가장 흥미로운 발견 중 하나는 같은 척추에 있는 후관절이 항상 같은 동일한 방향을 갖지는 않는다는 사실과 관련이 있다.

하나의 후관절은 후외측 방향을 갖을 수 있는 반면, 대응하는 후관절은 후외측 방향일 수 있다. 돌기사이관절에서 볼 수 있는 빈번한 굴성은 정상적인 경추 관절 이동성이 반드시 대칭적이지는 않기 때문에 관련 임상적 의미가 있다(그림 2-37).

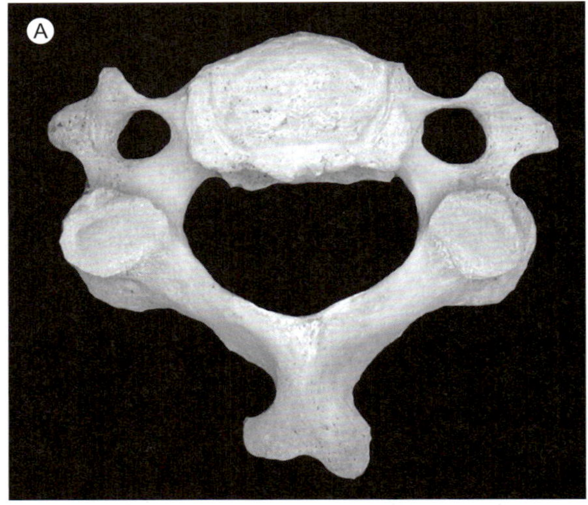

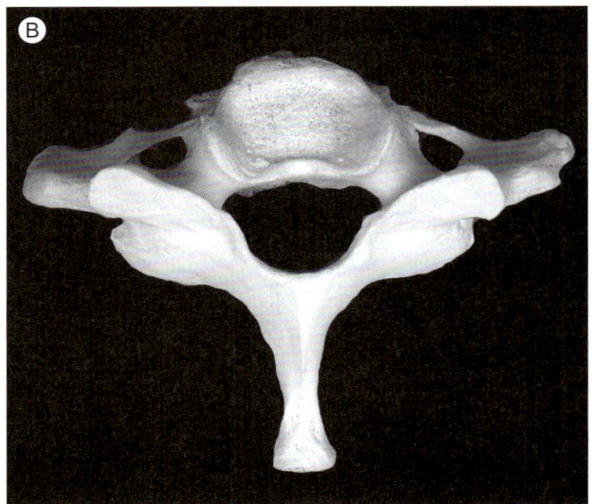

그림 2-32 ▪ 경추의 관절면은 타원형(A)이지만 횡단 직경이 더 크고 따라서 타원형이 C7(B)와 T1을 제외하고는 타원형이다.

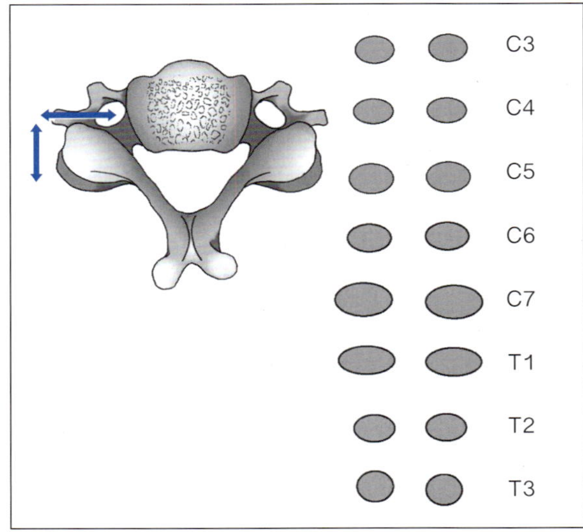

그림 2-33 ▪ C3에서 T3의 상부 관절면 다이어그램.

그림 2-34 ▪ 돌기사이관절면은 중부 경추의 수평면과 45°, 마지막 경추와 60°의 각도를 형성한다.

경추에 있는 돌기사이관절의 전체 표면은 상당하여서, 척추체의 관절 면적의 대략 2/3에 도달한다. 이 부분은 상부 경추에서 확연하게 더 크며 18mm에 도달하는 반면, 하부경추에서는 11mm에 불과하다.[50] 일부 해부학 교재에서는 이 후관절들이 기본적으로 편평하다고 설명한다. 하지만, 이것들은 시상면에서 상부관절면의 볼록한 면을 결정하는 두꺼운 유리연골로 덮여있다. 하부 관절면은 약간 오목하다.[51] 후관절 연골(facet cartilage)의 두께는 0.6~1.3mm이고, 여성이 더 작다.[50,52]

경추의 특정 움직임학과 상당한 움직임의 범위는 돌기사이관절의 모양과 방향 때문이다.[53-55] 게다가, 이런 관절들은 척추 안정성에 필수적인 역할을 하고 추간판을 보호한다. 디스크는 극도로 저항하는 구조이지만, 돌기사이관절 없이는 과도한 전단력과 지지하는 비틀림 힘에 의해 쉽게 손상될 것이다. 돌기사이관절은 디스크를 악화시키고 전체 분절을 불안정하게 만드는 과도한 기계적 기전

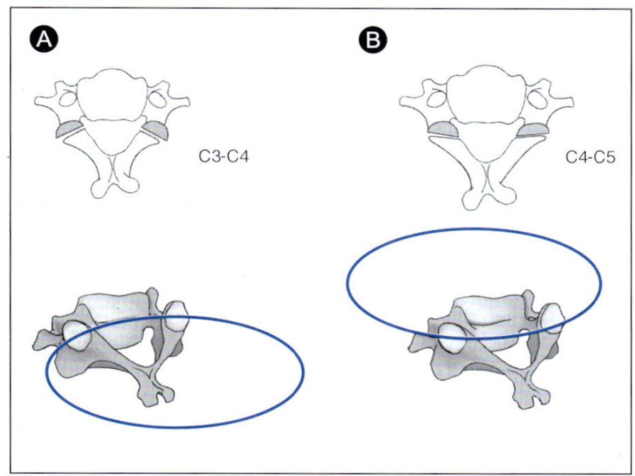

그림 2-35 ■ 상부 레벨에서 돌기사이관절면은 후내측(A) 그리고 하부 레벨에서는 후외측(B)을 향한다. 방향의 변화가 일어나는 레벨은 C6(C5-C6)이다.

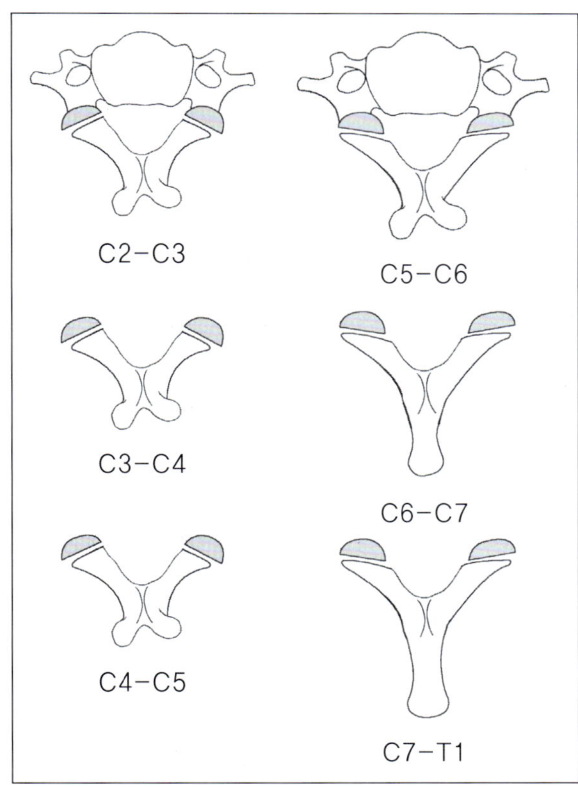

그림 2-36 ■ 다양한 경추 분절에서의 돌기사이관절면의 방향.

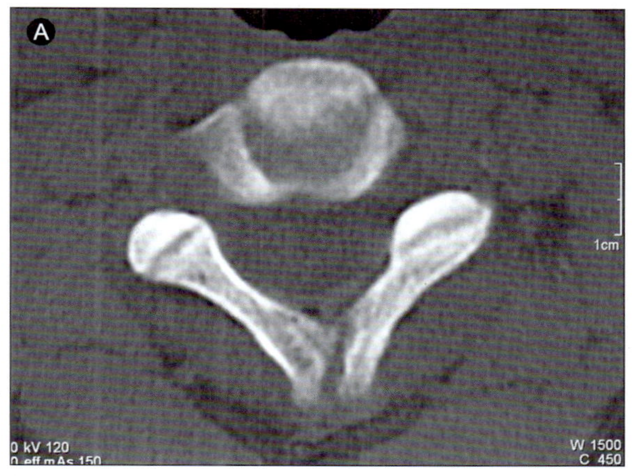

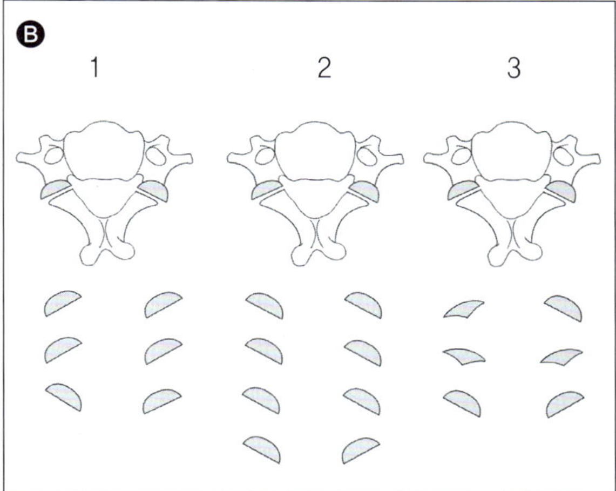

그림 2-37 ■ 이 CT 스캔(A)에서 볼수 있듯 척추 또는 후내측에서 후외측으로 방향 변화가 나타나는 척추에서 굴성 척추를 포함하는 것이 일반적이다. 도표식(B), 굴성 척추를 포함하는 후내측에서 후외측으로 방향이 점차 변하는 다양한 패턴이 있다: (1) 두 개의 분절에서 모든 후관절이 오른쪽을 향한다. (2) 왼쪽을 향한다. (3) 이중 방향을 가진 후관절.

스트레스로부터 디스크를 보호한다.

이런 관절이 척추 안정성에 수행하는 역할은 Panjabi 등[56]과 White 등[57]에 의해 수행된 연구에 의해서 입증되었다. 이런 연구들은 척추 기능 단위의 다른 구성요소들로 분류하여 굴곡과 신전의 결과 이동성을 정량화한다. 굴곡 시, 디스크와 종인대의 구획은 횡단 병진움직임에서 33% 증가시켰다.

후관절을 구획할 때, 횡단 병진움직임은 140%까지 증가한다.

임상학적 관점에서, 돌기사이관절은 가장 일반적인 목 통증의 근원이고 편타손상 이후 경추 통증에 관련될 수 있기 때문에 최근 몇 년 동안 돌기사이관절에 대한 연구에 관심이 증가하고 있다.[54,58-69]

경추후관절증후군은 가장 일반적인 경추의 임상적 통증 컨디션이다.

돌기사이관절은 경추의 특징적인 움직임을 담당하고, 척추 안정성에 중요한 역할을 하고, 추간판을 보호한다.

돌기사이관절은 중요한 신경지배 때문에 자세의 신경조절에 중요한 역할을 한다.

경추후관절증후군은 경추의 가장 일반적인 임상적 통증 컨디션이다.

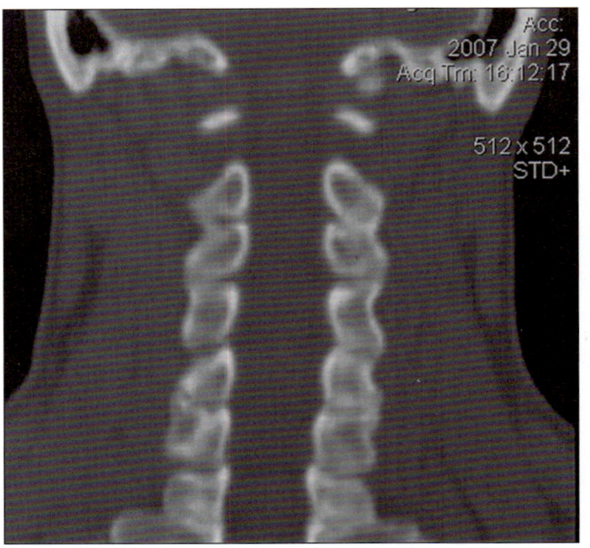

그림 2-38 ■ 관절돌기는 이 CT 관상 이미지에서 볼 수 있는 것처럼 하중지지와 관련된 두 개의 기둥을 구성한다.

경추의 관절돌기는 상대적으로 크고, 경추2번에서 흉추1번까지 하중을 지지[7,16,70]하는데 참여하는 두 개의 측방 기둥(lateral columns)을 형성한다(그림 2-38). 이것들의 크기 때문에 이런 구성요소들의 촉진은 쉽고, 도수 평가에 사용되는 해부학적 참고자료가 되는 경우도 많다.

돌기사이관절의 관절낭은 관절낭 이완 때문에 관절표면 사이에 활주 움직임을 허용하지만, 이런 특성은 과굴곡손상에서 골절의 경향에 기여한다.[55] 관절낭은 전방과 중앙부분에 있는 황색인대와 후방부분에 있는 뭇갈래근(다열근, multifidus)에 의해 강화된다. 척추의 다른 윤활관절들과 마찬가지로, 후관절은 다양한 유형의 관절내 반월상 연골 구조를 갖는다.

관절내 반월상연골(*Intra-articular meniscoids*)

활액주름이나 반월상연골 구조의 존재는 요추[71-76]나 경추[77-80]의 돌기사이관절에서 보여졌다. 이런 구조의 형태, 신경지배 및 병리는 사체나 외과적으로 제거된 조직[88]에서 주로 연구되어왔다.[20,52,63,77-79,81-87] 최근 경추의 활액주름은 자기공명영상의 발달로 생체내에서 연구되고 있다.[88-91]

Mercer와 Bogduk의 설명에 따르면[78,80] 경추의 관절내 구조에는 세 종류가 있다: 결합조직테두리, 지방조직패드와 섬유지방 반월상연골이다. Inami 등[79]은 퇴행성 변화가 있는 반월상연골이 나타나는 네 번째 유형을 설명한다(그림 2-39).

관절내 구조에서 가장 작은 ***결합조직테두리***는 관절로 들어가지 않고 상부와 하부 관절면의 가장자리 사이로 파고드는 쐐기 모양의 관절낭이 두꺼워진 것이다. 따라서, 관절 연골의 가장자리 사이 여유 공간을 차지한다.[71,78,80]

지방조직패드는 지방 조직, 느슨한 결합조직, 그리고 혈관들로 채워진 활액주름으로 기저부에 의해 관절낭에 삽입되고, 가장자리는 자유롭다. 이것들은 관절낭과 관절연골의 가장자리에 의해 제한된 공간에 위치하기 때문에 관절 공간에서 벗어나 있다. 지방조직으로 구성되어 있어, 환추후두관절

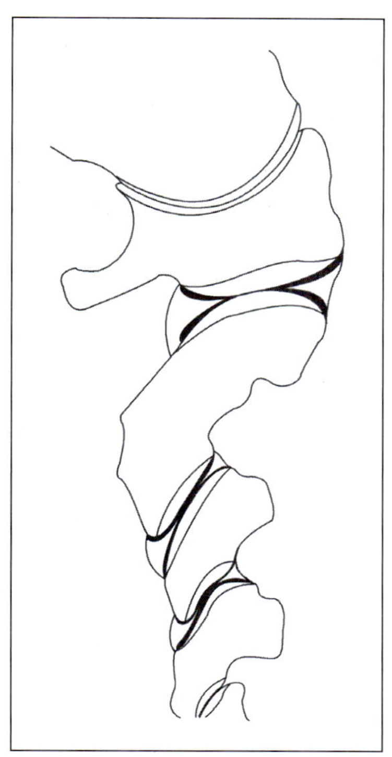

그림 2-39 ■ 섬유지방 활액주름은 관절사이돌기관절과 외측 환축관절에 위치한다.

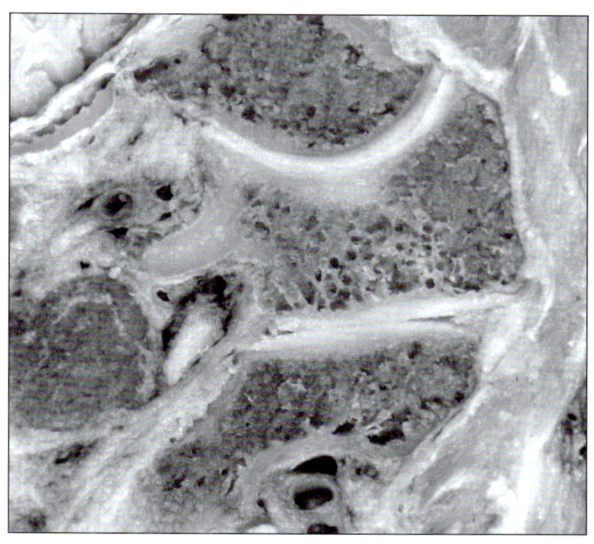

그림 2-40 ■ 외측환축관절의 섬유지방 활액주름.

같이 이동성이 큰 관절내에 위치하며 중앙과 외측면 모두에서 환추의 상부 관절에 밀접히 연결되며 돌기사이관절에서는 거의 발견되지 않는다.[78,80]

섬유지방 반월상연골은 돌기사이관절에서 더 흔히 발견되는 가장 큰 반월상 구조이다. 각 반월상은 관절낭에 삽입된 지방조직으로 구성된 두꺼운 기저부를 갖고, 관절강 내부에 2~5mm의 두꺼운 결합조직의 얇은 가장자리를 갖는다. 가장자리는 관절표면 사이에서 자유롭고 움직일 수 있다. 섬유지방 반월상연골은 관절합동을 향상시키고, 활액을 분배하고, 관절 가장자리를 보호하고, 힘을 전달하고, 관절면[78,80,82]의 움직임 동안 노출될 수 있는 공간을 채우는 역할을 한다(그림 2-40).

축소된 크기에도 불구하고 이런 구조는 경추의 임상학적 관련이 있는 것으로 보인다. 먼저, 반월상 구조는 혈관화 및 통각수용성 신경지배를 나타낸다.[92,93] 이것들은 P물질과 칼시토닌 유전자 관련 펩타이드[88]를 분비하는 신경섬유들이 있고, 경추 통증 컨디션에 관련될 수 있다. 반면에, 사경(wry neck)[78,95-97]으로 나타나는 관절내 기능장애의 원인이 될 수 있고,[75,80,94] 관절의 이동성 저하의 발달에 관여하는 것으로 보이기 때문에 이것들의 기계적 기능장애에 대한 잠재적인 역할이 추측되었다.[80,98]

늑골 관절(Rib joints)

늑골은 두 관절의 중심을 가로지르는 축을 중심으로 함께 움직일 때 생체역학적으로 연관된 두 개의 윤활관절인 늑골척추관절과 늑골횡돌기관절을 통해서 척추와 연결된다.

상부 늑골의 축은 관상면과 가까워 늑골의 높이가 흉부의 전후방 직경을 상당히 증가시킨다(그림 2-41).

늑골횡돌기관절은 활액이고 관절내 작은 함요부가 있다. 수평으로 향하는 외측 늑골횡돌기인대는 관절의 외측 경사를 지지하며 횡돌기에서 시작하여서 늑골결절의 비관절 부분으로 삽입된다. 상부 늑골횡돌기인대는 척추의 횡돌기 하부 부분에서부

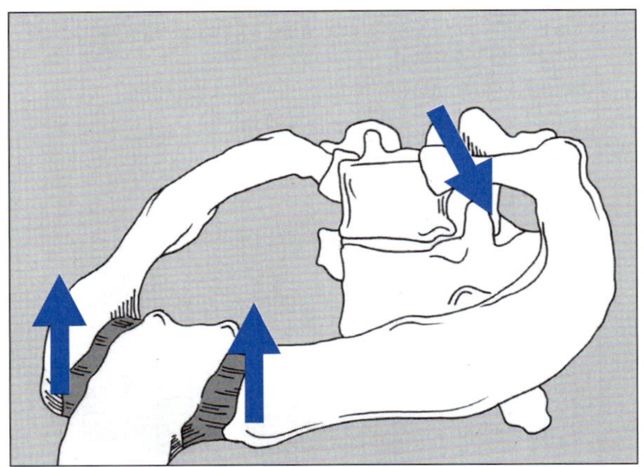

그림 2-41 ■ 상부 늑골의 상승은 흉부의 전후방 직경을 상당히 증가시킨다.

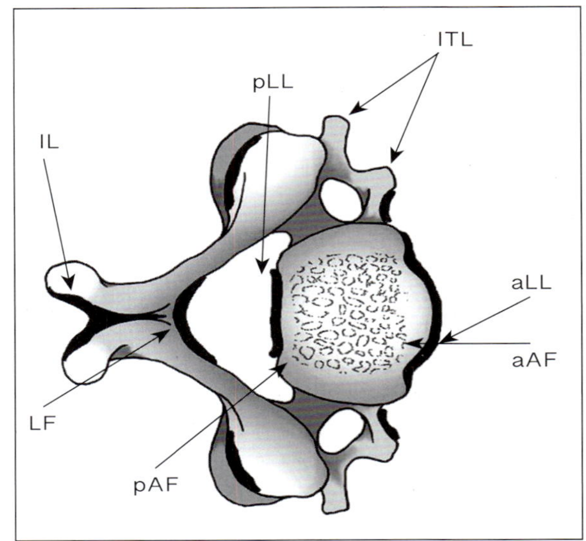

그림 2-42 ■ 경추 인대의 다이어그램.
척추체와 연결된 인대들: 앞세로인대(전종인대, anterior longitudinal ligament, aLL), 뒤세로인대(후종인대, posterior longitudinal ligament, pLL) 및 전방섬유륜(anterior annulus fibrosus, aAF) 및 후방섬유륜(posterior annulus fibrosus, pAF). 후방요소들과 연결된 인대들: 황색인대(ligamentum flavum, LF), 극간인대(interspinous ligament, IL) 및 횡돌간인대 (intertransverse ligament, ITL).

터 하부 늑골목까지 상하 방향으로 향하는 다른 섬유들이 있다. 흉추 분절의 신경혈관요소들이 인대의 밴드 사이에서 나타난다.

흉추2번과 흉추10번 사이 늑골척추관절은 관절내 인대에 의해 분리되는 두 개의 윤활강으로 나눠어진다. 관절낭은 상부 척추의 척추체, 추간판 및 하부척추의 척추체까지 전방 및 후방으로 섬유가 확장되는 부채꼴인대에 의해 안정화된다.

경추의 인대(Ligaments of the cervical spine)

경추의 인대는 두 개의 그룹으로 나누어진다: 앞세로인대 및 뒤세로인대와 같은 척추체와 또 다른 척추체로 연결되는 것과 황색인대, 극간인대, 횡돌간인대 및 항인대와 같은 후방요소를 연결하는 것이다(그림 2-42).

앞세로인대(*Anterior longitudinal ligament*)

앞세로인대는 후두골에서 천골까지 멈추지 않고 이어지는 줄무늬 모양의 저항성 있는 콜라겐성 구조이다(그림 2-43). 두개경추 영역에서 상당히 좁아지고, 환추후두(atlanto-occipital) 및 환축막(atlanto- axial membrane)으로 대체된다. 이것은 척추체의 가장자리로 삽입되는 여러 층으로 구성된다. 외부층은 4개 또는 5개의 척추를 덮고, 더 깊은 층은 두개의 인접한 척추를 연결한다. 이런 심부섬유는 종종 섬유륜의 일부분으로 여겨져왔다. 하지만 이런 인대들은 척추 플랫폼이 아니고 척추체로 삽입되기 때문에 디스크로부터 독립적이다. 세로 배열 때문에 과신전 시 척추체의 신연에 저항한다.[102]

뒤세로인대(*Posterior longitudinal ligament*)

뒤세로인대는 척추체의 후방벽과 전체 척추의 디스크를 통해 축으로 연결되고, 그 축에서 개막(tetorial membrane)으로 대체된다. 이 인대는 척추체 레벨에서 좁은 밴드 모양을 취하여 강하게 삽입된다.[99,103] 또한 중심관의 전방 후관절을 덮는다(그림 2-44).

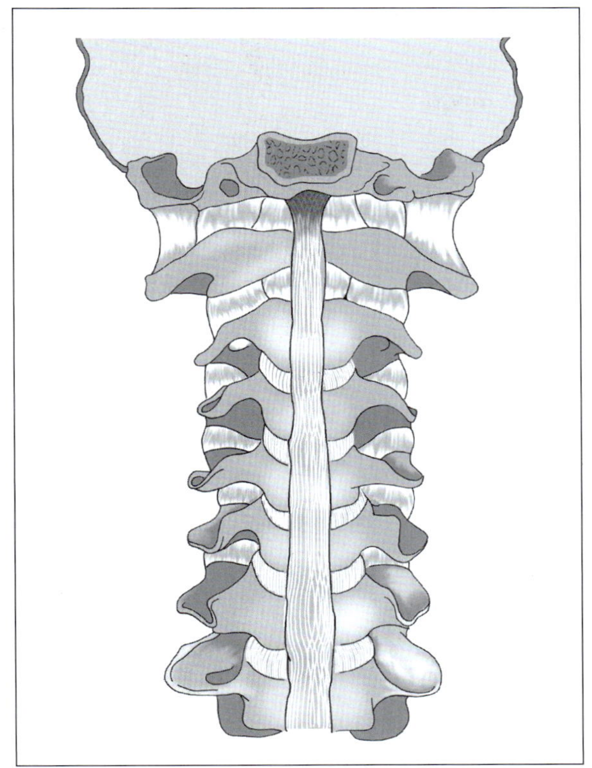

그림 2-43 ■ 앞세로인대는 C0에서 천골까지 중단없이 이어지는 줄무늬 모양의 강한 콜라겐성 구조이다.

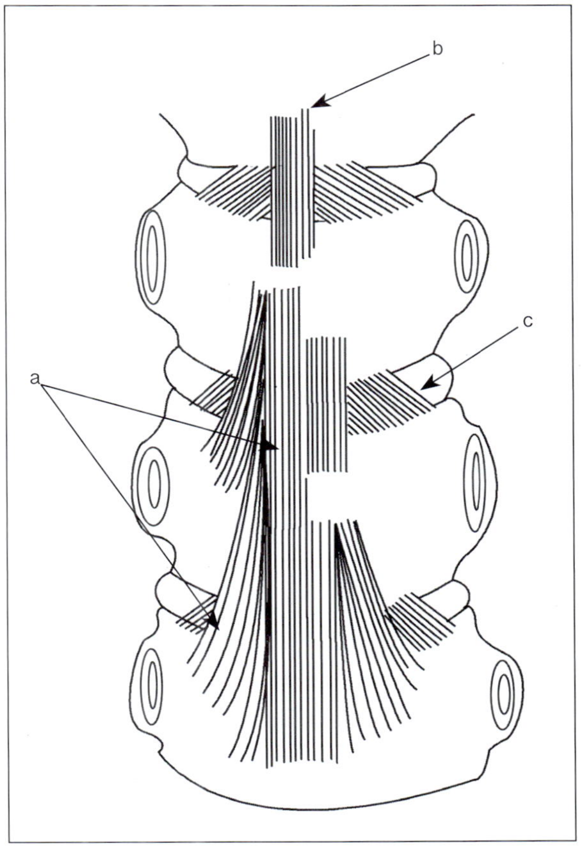

그림 2-44 ■ 뒤세로인대는 척추체 레벨의 좁은 밴드로 디스크 레벨에서 부채꼴모양으로 뻗어 있으며 단단히 삽입된다. 표면(a), 중간(b) 및 심부(c) 섬유가 표시된다. (Mercer and Bogduk.[41]에서 수정됨)

황색인대(*Ligamentum flavum*)

황색인대는 두 개의 연이은 척추의 고리판을 연결하는 짧은 인대이다. 경추에서 오른쪽과 왼쪽의 황색인대는 서로 연결되지 않는다.[103] 이것은 고리판의 전방 표면의 중하부 부분과 척추경의 하부에서 시작한다. 양측에서 인대는 내측과 외측부분으로 나누어진다. 내측부분은 뒤쪽으로 향하고 하부 척추의 고리판의 상부 모서리로 삽입된다. 외측부분은 돌기사이관절의 앞쪽에 위치하여서 전방 관절낭을 강화시킨다. 조직학적으로, 황색인대는 80%의 엘라스틴(탄력소)과 20%의 콜라겐[104]으로 구성된다. 척추의 다른 인대들과는 달리 탄성인대이기 때문에 굴곡상태에서 척추를 중립자세로 되돌리는데 협력하는 활성 인대로 간주된다.[101]

동일한 방법으로, 전방 관절낭 및 상부 섬유지방 반월상연골에 조절하는 역할을 하여서 관절면 사이에 끼게 되는 것을 막는것처럼 보인다.

Bogduk에 따르면,[101] 황색인대의 성질에 대한 타당한 설명은 생체역학적 기능보다는 이것의 위치와 관련이 있다. 황색인대는 척추관의 바로 뒤에 있기 때문에 신경 구조와 인접해있다. 탄성이 없다면 신전 시 척추관의 안쪽으로 탈출하여서 협착증을 유발할 수 있다. 사실, 퇴행성 비대와 황색인대 탄성의 손실은 경추 척수증에 기여할 수 있다.

극간인대(Interspinous ligament)

극간인대는 근접한 극돌기를 연결한다. 이것은 세 부분으로 나누어질 수 있다. 황색인대에서 시작하는 가장 깊은 부분 중 하나는 위에 있는 극돌기의 하부 모서리 쪽인 뒤쪽과 위쪽으로 향한다. 중간부분은 극돌기의 앞쪽 절반부터 위에 있는 극돌기의 뒤쪽 절반까지 대각선으로 뒤쪽과 위쪽으로 향한다.[101] 극돌기의 뒤쪽 절반에서 시작하여 극상인대의 부분이기 위해 위에 있는 극돌기의 뒤쪽모서리 아래에서부터 나오는 섬유가 있다. 따라서 이 인대의 비스듬하고 상대적으로 수평인 배열은 경추 굴곡 움직임에 대한 저항이 거의 없음을 확인시켜 준다.[101,105]

횡돌간인대(Intertransverse ligaments)

횡돌간인대는 경추에서 거의 발달되지 않아서 횡돌간 근육으로 종종 오인된다. 인대 분류는 Bogduk[101]에 의해 고안되었다. 콜라겐성 섬유는 불규칙한 지배를 보이고 층막의 모양을 나타내며 그 기능은 후방 구획으로부터 척추전근이 있는 전방 구획을 구별하는 역할을 하는 것으로 나타난다.

항인대(Nuchal ligament)

소위 항인대에 대한 설명과 경추에서의 생체역학적 역할은 최근에 재정의되었다. 이전에는 후두골의 껍질과 극돌기로 삽입될 때 후방심부근육을 두개의 반으로 나누는 두꺼운 섬유 질중격으로 설명되었다.[106] 명확히 구별되는 두 부분은 섬유단과 층부분[40,107]으로 설명된다(그림 2-45). 섬유단 부분은 외후두융기에서 시작하여 경추7번의 극돌기에서 끝나는 견고한 인대로 설명된다. 층 부분은 섬유단 부분에서 시작하고 경추의 극돌기와 극간인대 쪽으로 향한다. 이것은 경추의 생체역학에 중요한 역할을 한다고 여겨졌다.[108] 한편으로는 후방 경추 근육이 붙는 지점이 될 수 있고, 다른 한편으로는 머리와 목의 자세 안정성에 포함되는 통각수용성 수용기로

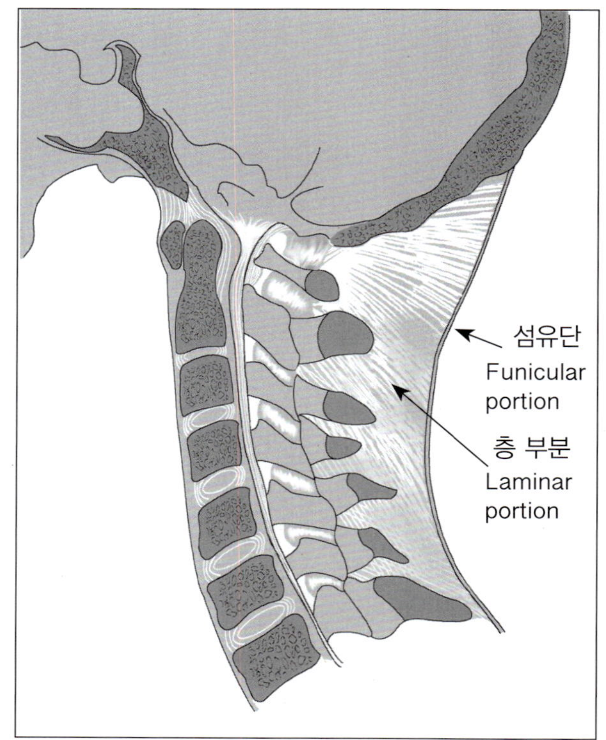

그림 2-45 ■ 전통적으로 항인대는 섬유단과 층 부분으로 명확하게 정의되는 두꺼운 섬유벽으로 설명되어 있다.

여겨진다.[108]

그러나, 최근 해부학 연구에서는 이것이 인대로 여겨져서는 안된다고 주장한다. 따라서, 섬유단 부분은 더 이상 상부 등세모근의 힘줄, 머리널판근 그리고 작은마름근 사이에 교차점으로 구성된 두꺼운 배후솔기에 불과하다. 반면, 층 부분은 뼈 삽입 없는 반가시근의 깊은 근막과 머리널판근, 그리고 극간인대와 환추후두와 환축막[109,110]으로 계속되는 지방으로 침입된 느슨한 결합조직으로 구성된 중간 중격이다(그림 2-46). 반면에 네발동물의 경우, 항인대는 머리를 매달아주는 역할 때문에 굉장히 연관이 있지만, 사람은 이런 유사한 인대 구조가 없다.[110] 하지만, 최근 인간표본에서 시행된 연구에서 인류에게서 이 인대의 절제가 경추 굴곡을 증가시키는 것으로 나타났다.[111]

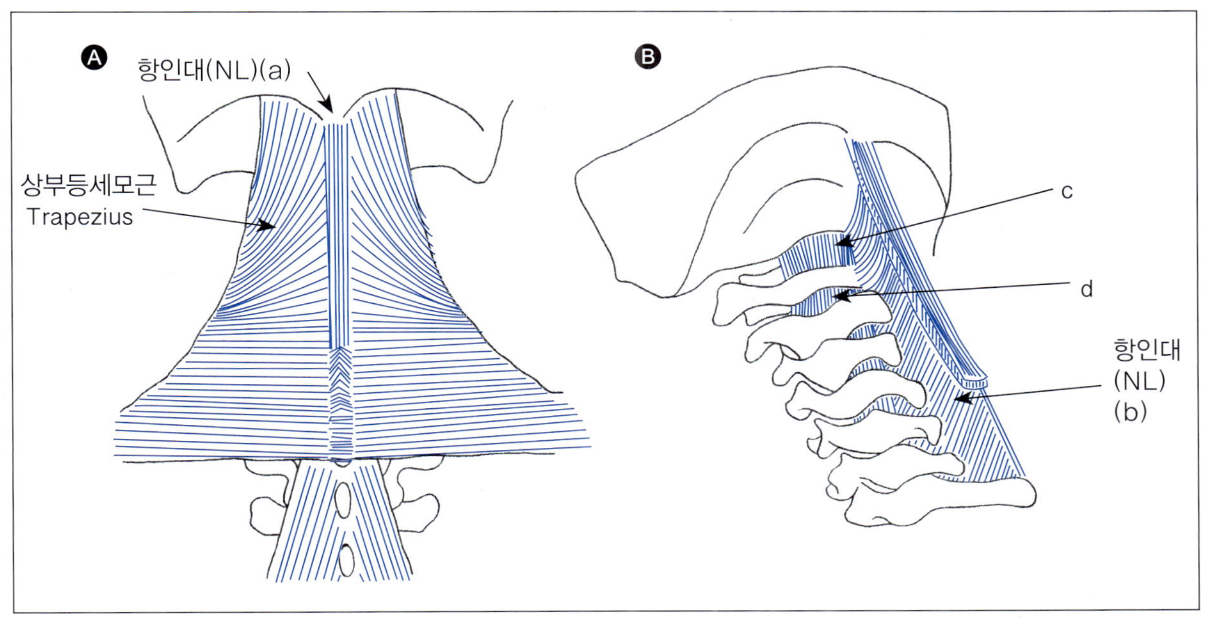

그림 2-46 ■ 항인대(NL)는 인대로 간주되어야 한다. 섬유단 부분(A)은 상부등세모근(승모근, trapezius), 머리널판근(두판상근, splenius capitis), 및 작은마름근(소능형근, rhomboideus minor) 인대의 힘줄교차로 구성된 조밀한 배후솔기에 불과하다. 층 부분(B)은 지방으로 채워진 느슨한 결합조직으로 구성되는 중간 중격이며 극간인대와 환추후두(c) 그리고 환축 (d)막의 연장이다. (Mercer and Bogduk[110]에 의해 수정됨.)

확실히 배후솔기(dorsal raphe)의 콜라겐성 밀도는 어떤 경우에서 특히 매우 발달된 표본의 경추 굴곡을 제한한다.

생체역학 기능과 연관 있는 경추 인대는 앞세로인대(전종인대, anterior longitudinal ligament) 및 뒤세로인대(후종인대, posterior longitudinal ligament)와 황색인대(ligamentum flavum)이다.

경추 근육
CERVICAL MUSCLES

경추는 가장 많은 근육이 있는 척추 부분이다; 이 근육들의 배열은 복잡하며, 머리의 균형을 유지하거나 자세 조절에 관여하는 것과 같은 역할의 복잡성을 고려할 때 놀라운 일이 아니다. 자세외부감각수용체의 대부분이 머리에 위치해 있다는 것은 주목할만한 가치가 있다.[112]

지난 몇십 년간, 관절 기능장애와 근육 기능장애 사이의 관계에 대한 이해와 함께 경추 이동성 제어에 있는 근육에 대한 이해가 상당히 발전했다. 이런 진전은 흥미있는 진단과 치료적 기여가 수반되었다. 전통적으로 매뉴얼 치료가 부수적 접근이었다. 그러나 비록 도수 테크닉이 환자의 임상적 및 기능적 컨디션을 증진시킬 수 있는 유용한 치료 도구일지라도, 이것들이 재발 없이 장기적 증진을 유지하는데 턱없이 부족하다는 것은 명백하다. 오늘날, 목통증이 있는 환자의 치료에 접근방식은 근육 재훈련 기술을 고려해야 한다.

목통증이나 기능장애가 있는 환자의 치료는 근육 재훈련을 고려해야 한다.

또한 근육은 복잡한 감각 기관으로 간주되어야 한다. 경추근육은 자세 제어에 있어서 중요한 고유수용성 기능을 갖는다. 경추 근육, 특히 내재근은 전정계, 시각 및 안구움직임 근육과 더불어 균형과 자세제어에 참여하는 많은 고유수용체를 갖는다. 모든 경추 근육들은 이런 목표를 도달하는데 참여한다. 크고 강한 근육들은 고진폭움직임을 담당하는 반면, 심부근육은 관절 분절 안정화 효과를 갖는 것으로 나타난다.[113–117] 심부근육의 기능장애는 움직임감각 결핍, 균형장애, 유사 현기증감각 및 불안정을 통해 명백해진다.[118–123] 목통증과 두통을 제어하는 신경근의 변화가 하는 역할에 대한 관심이 증가하고 있다.[124–130] 관절 기능장애는 경추근육의 비정상적 점증양상(recruitment patterns)을 확립할 수 있다.[130–138] 표재근육들이 수축을 하는 반면, 심부근육들은 제어하는 경향이 있어서 진행성 위축으로 이어질 수 있다.[139–141]

관절 기능장애는 경추근육의 비정상적 점증양상을 확립할 수 있다.

표재근육들이 수축을 하는 반면, 심부근육들은 제어하는 경향이 있어서 진행성 위축으로 이어질 수 있다.

지속적인 경추 통증과 기능장애에서 바뀐 움직임 활성화 패턴을 식별하는 것은 물리치료 분야에서 생산적인 연구 분야를 열었다. 이 부분은 13장에서 자세히 검토된다.

근육 분류(Muscle classification)

경추 근육은 기능적 관점에서 안정화 근육과 가동근육으로 분류할 수 있다. 안정화 근육은 깊고 단일관절인 반면, 가동 근육은 표면적이고, 다관절 그리고 힘과 속도를 만들게 만들어졌다.

Comeford와 Mottram[113,114,142]은 국부 안정근, 전역 안정근 그리고 전역 가동근을 구별하는 기능적 분류를 제안한다(표 2–1).

국부 안정근(*Local stabilizer muscles*)

국부 안정근의 역할은 분절 움직임을 제어하고 척추분절을 안정화하는 것이다. 이것들은 근육의 경직을 증가시키고, 관절 위치를 제어하고, 원치 않는 직선움직임을 피하는 낮은 부하 힘을 생성한다. 그들의 활동성은 움직임의 방향과 무관하고, 특별히 관절낭과 인대의 안정화하는 역할이 최소인 관절의 중립자세에서 활동한다. 게다가, 이것들은 관절 위치와 관절가동범위를 알려주고, 관절 보호와 지지를 보장하는 활동이 움직임보다 먼저 일어나기 때문에 이것들은 고유수용성 기능이 있다.

이런 근육들의 이상기능은 움직임 제어의 결함과 또한 점증의 결핍이나 지연된 활성화를 야기한다.[143] 국부 안정근들은 제한을 통해 통증과 병리학에 반응하여 중립적인 관절위치의 제어 손실이 된다.

전역 안정근(*Global stabilizer muscles*)

전역 안정근들은 관절가동범위를 제어한다. 이것들의 안정화 기능은 단축성수축, 신장성수축 및 등척성 수축을 이용하여 모든 움직임 범위 내에서 나타난다. 그들은 모든 기능적 움직임에 있어서 관절 이동성 제어에 상당히 기여한다. 그들의 움직임은 움직임 방향에 의존적이다.

이런 근육들의 기능장애는 이것들의 기능적 길이의 증가, 낮은 긴장성의 점증 한계, 신장성수축 움직임 제어의 결핍 및 회전의 분리로 인해 특징지어진다.

전역 가동근(*Global mobilizer muscles*)

전역 가동근의 역할은 특히 시상면에서 움직임을 가속화하는 동심성 활동을 통한 넓은 움직임을 생성하는 것이다. 이것들은 지속적인 활동은 하지 않지만, 그 패턴은 위상성이다. 따라서, 분절 이동성을 제한하지 않는다. 이런 근육들의 기능장애는 근육

표 2-1
경추 근육의 기능적 분류

국부 안정근	전역 안정근	전역 가동근
앞머리곧은근 (전두직근, rectus capitis anterior)	앞머리곧은근 (전두직근, rectus capitis anterior)	목빗근 (흉쇄유돌근, sternocleidomastoid)
가쪽머리곧은근 (외측두직근, rectus capitis lateralis)	가쪽머리곧은근 (외측두직근, rectus capitis lateralis)	목뿔위근 (설골상근, suprahyoid muscle)
긴목근(경장근, longus colli)	큰뒤머리곧은근 (대후두직근, rectus capitis posterior major)	목뿔아래근 (설골하근, infrahyoid muscle)
작은뒤머리곧은근(소후두직근, rectus capitis posterior minor)	위머리경사근 (상두사근, obliquus capitis superior)	앞목갈비근 (전사각근, scalenus anterior)
위머리경사근 (상두사근, obliquus capitis superior)	아래머리빗근 (하두사근, obliquus capitis inferior)	중간목갈비근 (중사각근, scalenus medius)
아래머리빗근 (하두사근, obliquus capitis inferior)	목가장긴근(위쪽빗근) (경최장근, longissimus cervicis)	뒤목갈비근 (후사각근, scalenus posterior)
심부 뭇갈래근(단분절) (다열근, multifidus muscles)	목가장긴근(아래쪽빗근) (경최장근, longissimus cervicis)	어깨올림근 (견갑거근, levator scapulae)
회전근(rotator muscles)	머리가장긴근 (두최장근, longissimus capitis)	머리널판근 (두판상근, splenius capitis)
가로돌기사이근 (횡돌간근, intertransverse muscle)	표재 뭇갈래근(다열근, multifidus)	목널판근 (경판상근, splenius cervicis)
가시사이근 (극간근, interspinales muscle)	목반가시근(경반극근, semispinalis cervicis)	경추 장늑근 (cervical iliocostal muscle)
목가장긴근(종주근섬유) (경최장근, longissimus cervicis)	목가장긴근 (경최장근, longissimus cervicis)	
상부등세모근(횡단섬유) (승모근, trapezius)	머리반가시근(하부정지) (두반극근, semispinalis capitis)	

Modified from Comerford 외[142]

신전성의 손실을 야기하고 통증이나 기능장애에 경련으로 반응한다.

경추근육의 해부학

(Anatomy of the cervical muscles)

경추의 근육은 전외측그룹과 후방그룹 두 개로 나누어질 수 있다. 이 각각의 그룹에서 근육들은 층으로 그룹지어진다. 아래에서 근육에 대해 표면층에서 심부층으로 간략하게 설명한다.

전외측 근육(*Anterolateral muscles*)

전외측 근육은 표재 목근육, 가쪽 목근육 및 척추 앞 근육으로 나누어진다.

넓은목근(광경근, platysma muscle). 넓은목근은 가슴근과 어깨세모근 부위의 상부근막에서 발생하는 넓은 근육이다. 이것은 쇄골 위에서 목 쪽으로 대각선과 상방내측으로 확장되고, 피하조직 및 하악골 주변의 피부로 들어간다. 이것의 역할은 입술과 입꼬리를 외측과 아래로 움직이는 것이다. 이 근육은 얼굴신경에 신경지배된다.

목빗근(흉쇄유돌근, sternocleidomastoid muscle). 목빗근은 쇄골부 및 복장부로 나뉜다. 쇄골부는 쇄골의 중간 1/3의 상부 가장자리에 정지가 있다. 쇄골부보다 더 표면에 있는 복장부는 흉골병의 상단부에 정지가 있다. 두 부분 모두 유양돌기의 측면 및 상항선의 측면 절반쪽으로 삽입된다(그림 2-47).

널판근(판상근) 그룹/*Group of Splenius Muscles*

- 머리널판근(두판상근, splenius capitis)
- 목널판근(경판상근, splenius cervicis)

머리널판근(SPLENIUS CAPITIS). 머리널판근은 항인대의 아래쪽 절반, 경추7번의 극돌기, 그리고 흉추의 첫 네 개에서부터 나타난다. 이것은 목을 대각선으로 가로지나고 유양돌기에 정지가 있다. 이것의 신경지배는 경추2번과 경추3번의 가쪽가지이다. 머리널판근의 한쪽 수축은 외측 측면 굴곡과 동측회전과 연관 있는 머리와 목의 신전을 야기한다. 양쪽 수축은 머리와 목의 신전을 생성한다(그림 2-53).

목널판근(SPLENIUS CERVICIS). 목널판근은 흉추3번과 흉추6번의 극돌기, 그리고 경추 첫 세 개의 횡돌기의 후방결절에 위치한다. 근육의 한쪽 수축은 동측 경사와 경추의 회전을 야기한다. 양쪽 수축은 경추 신전을 유발한다.

척추기립근/*Erector Muscles*

- 목엉덩갈비근(경장늑근, iliocostalis cervicis)
- 머리가장긴근(두최장근, longissimus capitis)
- 목가장긴근(경최장근, longissimus cervicis)

목엉덩갈비근(ILIOCOSTALIS CERVICIS). 목엉덩갈비근은 세 번째부터 여섯 번째 늑골각에서 기시하고 경추4번-경추6번의 횡돌기의 후방결절로 정지된다(그림 2-54). 후방 1차가지의 가쪽가지에 의해 신경지배된다. 목엉덩갈비근의 양쪽 수축은 척추를 신전하는 반면, 한쪽 수축은 동측굴곡을 야기한다.

목가장긴근(LONGISSIMUS CERVICIS). 목가장긴근은 흉추 첫 여섯 개의 횡돌기에서 기시하고, 경추2번-경추7번 횡돌기의 후방결절에 정지가 있다. 목엉덩갈비근과 머리가장긴근 사이에 위치해있다. 양쪽 수축은 경추의 신전을 야기한다. 한쪽 수축으로는, 목의 측면 굴곡을 시작하는 동시에 반대쪽

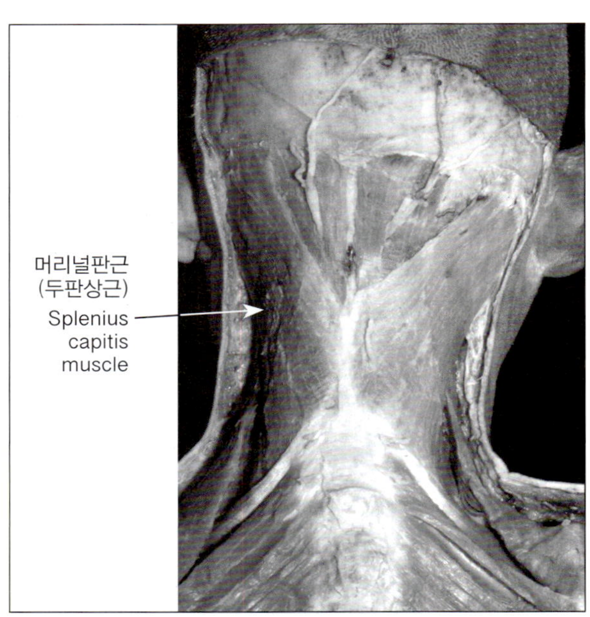

그림 2-53 ▪ 머리널판근(두판상근).

최장근과 함께 편심 수축되어서 외측화를 조절한다.

머리가장긴근(LONGISSIMUS CAPITIS). 머리가장긴근은 경추3번-흉추3번의 횡돌기에서 기시하고 유양돌기에서 정지한다. 이것은 해당하는 후방가지에 의해 신경지배된다. 이 근육의 한쪽 수축은 경추의 동측 회전을 유발하고, 양쪽 수축은 목과 관련하여 머리의 신전을 야기한다(그림 2-54 참고).

심부 근육/*Deep Muscles*

- 목반가시근(경반극근, semispinalis cervicis)
- 머리반가시근(두반극근, semispinalis capitis)
- 뭇갈래근(다열근, multifidus)
- 돌림근(Rotator muscles)
- 가시사이근(Interspinales)
- 횡돌기간근(Intertransverse muscles)

목반가시근(SEMISPINALIS CERVICIS). 목반가시근은 흉추의 첫 여섯 개의 횡돌기에 꼬리방향으로 정지되고 경추2번-경추5번의 극돌기 쪽으로 머리방향으로 기시한다. 인접한 경추와 흉추신경의 뒷가지

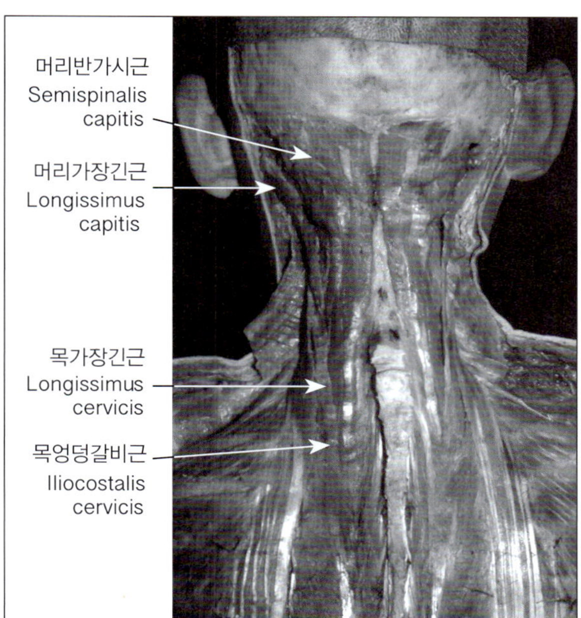

그림 2-54 ■ 목의 후방 근육: 목엉덩갈비근(**경장늑근**), 목가장긴근(**경최장근**), 머리가장긴근(**두최장근**) 및 **머리반가시근**(두반극근).

에 의해 신경지배된다. 양쪽 수축은 흉추와 경추의 신전을 야기하고, 한쪽 수축은 몸통과 목을 반대쪽으로 회전하도록 유발한다.

머리반가시근(SEMISPINALIS CAPITIS). 머리반가시근은 가장 긴 후방 경추근육이다. 이것은 경추4번-흉추6번의 횡돌기와 경추4번-경추6번의 관절돌기부터 시작한다. 후두골의 상항선과 하항선으로 정지된다(그림 2-54). 이것은 대후두신경이나 아놀드신경(Arnold's nerve)에 의해 신경지배된다. 이것은 머리를 신전하고 반대쪽으로 약간의 경추회전을 야기한다.

뭇갈래근(MULTIFIDUS). 뭇갈래근은 반가시근과 척추기립근 아래로 깊게 위치해 있다. 일반적으로 극돌기로 정지되는 네, 다섯 개의 ***다발로*** 구성되고 네 개나 다섯 개 아래에 있는 분절 쪽으로 향한다(그림 2-55). 이 신경지배는 이것들이 나누어지는 분절의 후방 1차가지의 중간신경분할(medial division)에 의존한다. 이것의 역할은 돌기사이관절을 접합시키는 것이고 이 기능은 척추 분절의 주요한 안정화 기전의 하나이다. 이것의 가장 깊은 섬유는 돌기사이관절 관절낭의 후방 부분으로 정지되고, 관절내 구조를 통제하는 것으로 나타난다.

돌림근(ROTATOR MUSCLES). 돌림근은 고리판에서 기시하고, 한 개나 두 개 아래에 있는 척추의 횡돌기에 붙는다. 그 이름에도 불구하고, 주로 분절 안정화 근육이고 또한 고유감각 수용기의 역할도 한다.

가시사이근(INTERSPINOUS MUSCLES). 가시사이근은 극간인대의 양측에 위치한 작은 근육이고 근접한두 개의 척추의 극돌기에 합쳐진다. 수축은 후방시상척추회전을 유발한다. 이것들의 행동은 움직임 대신에 주로 고유감각일 수 있다.

횡돌기간근(INTERTRANSVERSE MUSCLES). 경추에서 횡돌기간근은 각각 두 개의 근접한 척추의 전방 및 후방결절에 부착된 전속(anterior fascile)과 후속(posterior fascicle)으로 구성된다. 척수신경의 전방 1차가지는 이 두 개의 속 사이에서 나온다. 이것의 작은 크기 때문에, 주요 움직임 근육은 아니지만 척추 분절을 안정화시킨다. 근육 방추의 높은 밀도는 적절한 고유감각 기능을 제안한다.

뒤통수밑근육(후두하근, suboccipital muscles)

- 큰뒤머리곧은근(대후두직근, rectus capitis posterior major)
- 작은뒤머리곧은근(소후두직근, rectus capitis posterior minor)
- 위머리경사근(상두사근, obliquus capitis superior)
- 아래머리빗근(후두사근, obliquus capitis inferior)

뒤통수밑근육은 머리반가시근 아래에 깊게 위치한 네 개의 근육으로 구성된다. 이런 짧은 근육들은 공간에서 머리 방향에 필요한 미세한 조정을 한다. 심부근육의 관절 안정화 역할과 목의 움직임 감각에서의 영향 사이에는 그럴듯한 관계가 있다. 모든 이런 근육들은 경추1번의 후방 1차가지에 의해

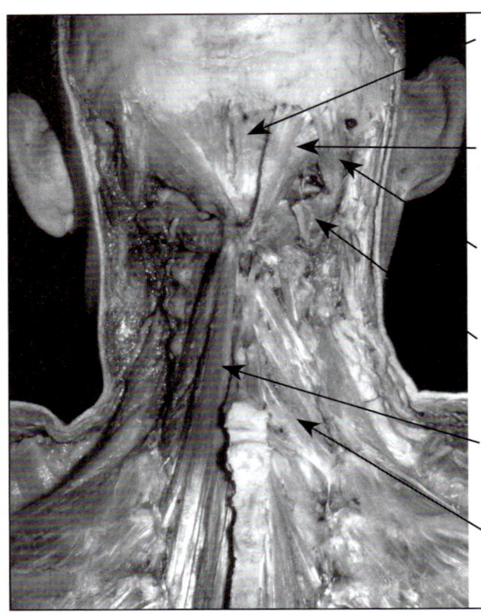

그림 2-55 ■ 뒤통수밑근육(후두하근): 큰뒤머리곧은근(대후두직근), 작은뒤머리곧은근(소후두직근), 위머리경사근(상두사근), 및 아래머리빗근(하두사근).

신경지배된다.

큰뒤머리곧은근(RECTUS CAPITIS POSTERIOR MAJOR). 큰뒤머리곧은근은 축추의 극돌기 끝에 꼬리방향으로 붙어있고 하항선에 머리방향으로 끝난다. 이것의 수축은 머리 신전을 야기하고 또한 두개경추 척추의 안정화 역할을 한다(그림 2-55).

작은뒤머리곧은근(RECTUS CAPITIS POSTERIOR MINOR). 전자의 것들보다 더 깊은 작은뒤머리곧은근은 황추의 후방결절에 정지되고, 머리방향으로 하항선 쪽으로 그리고 내측으로는 큰뒤머리곧은근 쪽으로 향한다. 이 수축은 머리를 신전하여서, 환추후두관절을 안정화한다(그림 2-55).

위머리경사근(OBLIQUUS CAPITIS SUPERIOR). 위머리경사근은 환추의 횡돌기에서부터 나오고 상항선 및 하항선으로 정지된다(그림 2-55). 이 수축은 목 위 머리의 신전, 동측 측면 굽힘과 반대쪽 회전을 야기한다. 이것은 환추후두관절의 안정화에 중요한 역할을 한다.

아래머리빗근(OBLIQUUS CAPITIS INFERIOR). 아래머리빗근은 경추2번의 극돌기에 붙고 꼬리방향으로 경추1번의 횡돌기의 후면에서 끝난다(그림 2-55). 한쪽 수축은 같은 방향으로 머리 회전을 야기하고, 반면에 양쪽 수축은 환추후두관절의 신전을 야기한다.

경추의 신경조직
NEURAL TISSUES OF THE CERVICAL SPINE

경추의 다양한 증후군의 임상학적 징후를 이해하기 위해서 말초신경계와 중추신경계의 해부학의 주제를 마스터하는 것이 중요하다. 어떤 경우에, 신체기원으로 추정되는 통증은 신경성일 수 있다. 말초 및 중추 신경계 모두 전기화학적 메세지를 전달하는 주요기능 외에 기계적 기능도 가지고 있다. 이것은 적응을 허용하는 동시에 척추의 움직임을 결정한다.

중심척수(The cervical cord)

중심척수는 꼬리방향으로 대후두공에서부터 확장된다. 그 주변의 뇌척수막과 함께 척추나 척수중심

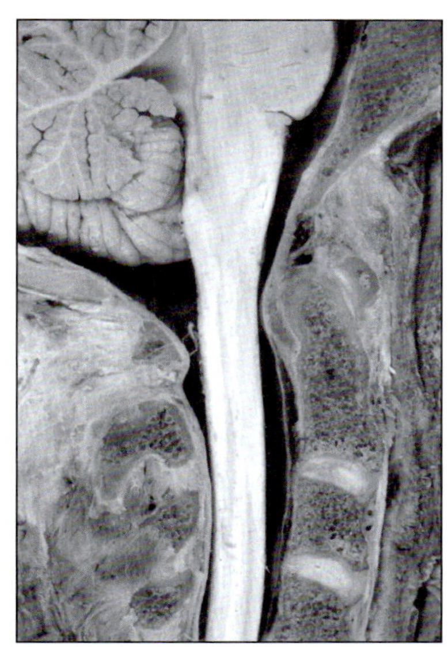

그림 2-56 ■ 척수중심관의 앞부분은 추간판의 후방 가장자리 및 경추척추체로 구성되며, 척수중심관의 뒷부분은 돌기사이관절, 황색인대(ligamentum flavum) 및 고리판으로 구성된다.

관 내에 위치한다. 척수중심관의 앞쪽벽은 추간판의 뒤쪽 가장자리와 척추 경추체로 구성된다. 외측벽은 척추경과 척수신경이 나오는 연이은 추간공으로 구성된다. 후방벽은 돌기사이관절, 황색인대와 고리판으로 구성된다(그림 2-56).

척수의 직경은 개인차가 크고, 이것의 형태 또한 레벨에 따라서 다양하다. 이것은 원통형 모양이고, 전후방 직경이 가로 지름보다 더 크다. 이것의 두께는 경추3번에서 경추6번까지 증가하고, 가로 지름은 13~14mm에 도달한다.[146-147]

척수의 후면은 후방 홈과 두 개의 후외측 홈이 있다. 후외측 홈 부분에서 레벨에 따라 5~16개의 후신경세근이 척수로 들어간다.

척수의 앞쪽면에서는 전척수동맥과 작은 정맥들, 그리고 전근이 나오는 두 개의 전외측 홈을 포함하는 전방 중앙 틈이 있다. 이 틈에서 레벨당 20개의 신경세근이 나오고, 하부경추에서 그 수가 감소한다.

횡단면에서, 척수에는 두 개의 명백히 정의된 영역이 있다. 회색질로 만들어진 중심부분은 구심성 및 원심성 뉴런과 중간뉴런의 세포체로 구성되고, 백질로 만들어진 주변부의 또 다른 부분은 신경섬유, 신경아교세포와 상행신경로 및 하행신경로로 구성된다. 척수의 각 절반에서 회색질은 앞뿔과 뒤뿔로 나누어진다. 이런 두 뿔들은 척수의 다른 절반과 연결된다. 뒤뿔은 체성감각뉴런을 포함하고, 반면에 앞뿔은 체성운동뉴런을 포함한다. 백질은 전방, 측방, 후방의 세 가지 기둥으로 구성된다.

후방백질기둥은 두 개의 뒤뿔사이에 위치하고 중간후방중격(intermediate posterior septum)에 의해 중간선에서 나뉜다.

각 방향에서 외측은 ***쐐기다발****(cuneate fascicle)*, 내측은 ***널판다발****(gracile fascicle)*로 구성된다. 고유감각, 진동 및 촉각은 후방백질기둥을 통해 올라간다. 후방백질기둥에서 신체의 꼬리부분에 해당하는 경로는 내측에 위치하고, 신체의 머리부분에 해당하는 경로는 외측에 위치한다. ***측방백질기둥***은 전방 및 후방신경근의 진입영역 사이에 위치한다. 이 부분은 ***외측피질척수로***와 ***외측척수시상로***를 포함한다. 외측피질척수로는 ***전피질척수로***와 함께 움직임 정보를 전달하는 하행신경로이고, ***피질척수계****(corticospinal system)*를 구성한다. 외측척수시상로는 반대쪽 **반신***(hemibody)*으로부터 통각 및 열 정보를 전달한다. 후방 신경근(posterior root)의 진입로의 앞에 사지의 움직임과 자세 조정에 관여하는 후척수소뇌로가 위치한다.

전방백질기둥은 중심 틈새와 전방신경근의 진입로 부근 사이에 위치한다. 이 기둥에서 ***전피질척수로****(anterior corticospinal tract)*와 ***전척수시상로****(anterior spinothalamic tract)*가 관련되어 있다.

뇌척수막(The meninges)

이런 세 개의 결합조직막은 기계적으로 척수를 보호하고 중심관에 의해 형성된 섬유골성 케이스(case)로부터 척수를 분리한다. 가장 안쪽 뇌척수막인 연막은 척수 및 신경근과 밀접하게 접촉하는

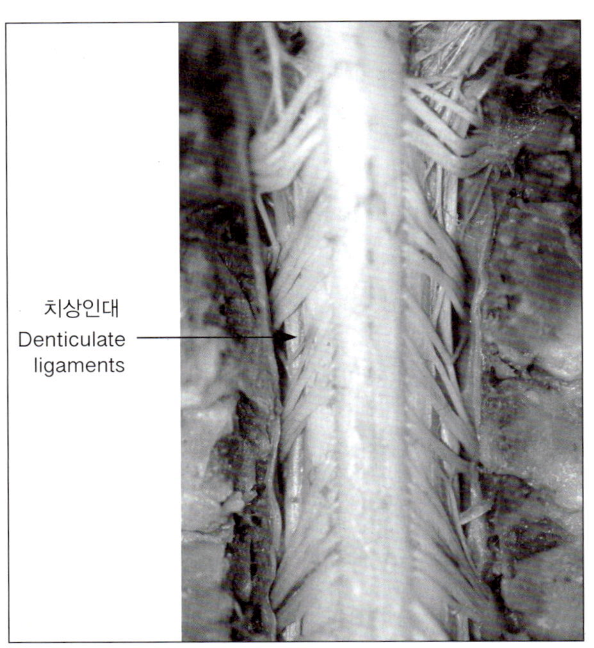

그림 2-57 ▪ 이 종단면에서 중심척수와 치상인대를 볼 수 있다.

미세하고 투명한 막이다. 연막의 말단부는 ***내부종말끝***(internal filum terminale)으로 구성되며, 경막으로부터 섬유질 척수는 꼬리뼈의 뒷면으로 삽입되는 ***외부종말끝***(external filum terminale)을 형성하기 위해 결합된다. 연막은 척수를 관개하는 혈관을 포함한다. 중간막인 지주막은 뇌척수액(CSF)을 포함하는 지주막과 연막에서 이어지는 경막의 안쪽면을 덮는다. 이 액은 주로 자양분 역할을 하지만, 척수와 신경근의 수압완충(hydraulic buffer)의 역할도 한다. 연막과 지주막 사이에 두 막 사이에 거리를 조절하는 일련의 지주막 결절이 있다. 가장 표면이면서 강한 막인 경막은 대부분 콜라겐 섬유와 일부 탄성섬유로 구성된다. 섬유의 방향은 세로이고 세로 응력에 대한 저항을 제공한다. 경막은 경막하 공간에 의해 지주막으로부터 분리되고 동맥 모세혈관의 네트워크를 포함한다. 경막에서 치상인대(denticulate ligaments)로 알려진 일련의 인대가 나타나는데 이것들은 대후두공에서부터 말단 경막낭까지 전방 및 후방 신경근 사이에 일정한 간격으로 위치한다.

총 21쌍의 ***치상인대***가 있고, 주요 역할은 몸통이 움직이는 동안 중심관의 벽에 격렬한 수축을 피해서 척수를 중앙에 위치하게 하는 것이다(그림 2-57).

이 인대들은 굴절 시 긴장되지만, 신전 시에는 이완이되어서 척수의 움직임을 야기한다. 경막과 중심관 사이에 위치한 경막바깥공간은 지방과 느슨한 결합조직으로 채워져 있고, 속정맥얼기를 포함한다. 경막은 중심관 안에서 어느 정도의 이동성을 가짐에도 불구하고 대후두공에 꼬리방향으로 강하게 고정되어 있고, 말단으로는 ***외부종말끝***(external filum terminale)에 의해 꼬리뼈에 위치한다. 이 마지막 구조는 척수보다 탄성이 더 좋고, 척추의 과굴곡에 의해 발생하는 장력을 흡수하여서 척수가 과도하게 늘어나는 것을 방지할 수 있다. 경막은 측방관에서 경막소매를 안정화시키는 역할을 하는 일련의 인대, 수막척추인대 또는 호프만 인대[148–150]에 의해 중심관의 앞면에 부착된다. 중심관의 후벽을 덮는 경질막과 황인대 사이에는 굴절과 신전의 움직임을 하는 동안 중심관에서 경막을 안정화하는 뒤정주사이막으로 알려진 콜라겐성 구조가 있다.[11] 따라서 척수는 뇌척수액(CSF)와 경막외 지방의 완충작용, 특히 경막, 그리고 치상인대가 흡수하는 장력에 의해서 보호된다.

최근에는, 근경막 연결체라고 불리는 콜라겐 구조가 설명되고 있다. 이것은 작은뒤머리곧은근(소후두직근, rectus capitis posterior minor)과 척추경막[151–155] 사이에 위치할 수 있다(그림 2-58). 이 연결체의 예상되는 기계적 기능은 경막의 접힘을 방지할 수 있는 것이다.[156]

일부 저자들은 이 근경막 연결체가 뒤통수밑근에 의해 생긴 장력을 경막[151,152,154,155,157-159] 같은 감각구조로 전달시키기 때문에 두통의 원인이 될 수 있다고 제안했다. 하지만, 이 구조가 기계적 이상기능을 겪거나 두통의 원인이 될 수 있다는 증거는 없다.[112]

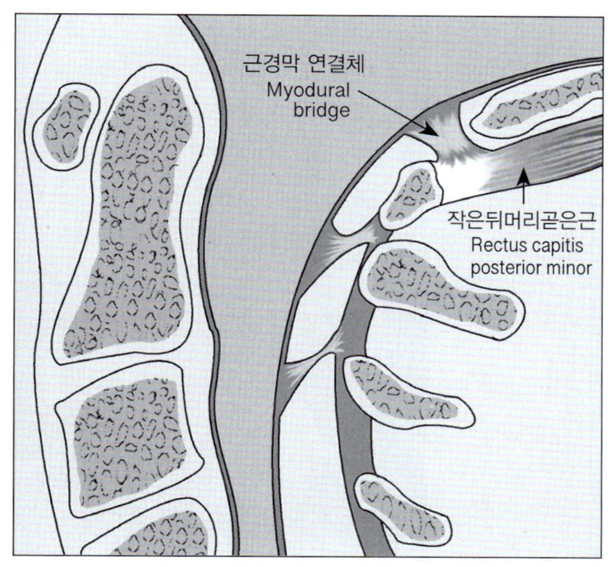

그림 2-58 ■ 경막은 C1과 C2의 후궁과 연결되고, 근경막 연결체를 통해서 작은뒤머리곧은근(소후두직근, rectus capitis posterior minor)과 연결된다.

경추신경(Cervical nerves)

각 척수신경은 주로 움직임신경인 전방신경근과 신경적 후방신경근으로 구성된다. 후근신경절에서 나오는 두 번째 구심성 뉴런의 결합으로 구성되는 후근신경은 12개 이상의 신경세근으로 나누어지며 리사웨르로(Lissauer's tract)를 관통하여 앞뿔과 뒤뿔로 수렴된다. 전근신경은 척수의 전외측 홈에서 유래하는 세근으로 구성된다. 후근신경은 경추1번과 경추2번의 후근신경을 제외하고는 전근신경보다 3배가 두껍다. 이 신경세근의 각각은 앞과 뒤 모두 연질막으로 덮혀있다. 측방관 안에서 각 신경근은 경막소매를 구성하는 지주막과 연질막으로 덮여있다. 경막소매는 신경근이 구멍에서 빠지는걸 방지하고, 신경근이 받을 수 있는 장력의 일부를 흡수한다.

구멍을 통과하는 궤적에서 전근신경은 뒤세로인대(후종인대, posterior longitudinal ligament)의 외측 부분에 의해 덮인 갈고리돌기(구상돌기) 틈새 및 디스크의 후외측 모서리에 접촉한다. 후근신경은 돌기사이관절보다 앞서있다. 후근신경절의 위치는 다양하다. 상부경추 분절에서는 척추궁 위에 있고, 하부경추 분절에서는 척추동맥옆의 측방관의 내부에 있다. 경추에서 측방관의 세로부분에 상응하는 측방홈은 요추에서보다 더 넓지만 마지막 경추 분절의 구멍은 두꺼운 후방신경절에 의해 거의 전체가 차지된다. 측방관을 구성하는 구조가 퇴행성 변화를 겪을 때, 관의 형태가 변형된다. 타원형 형태 대신에 후관절의 비대 때문에 8모양으로 바뀌는데, 측방관협착 및 신경근병증을 유발할 수 있다.

두 신경근은 척수신경을 형성하기 위해서 후방신경절 근처에서 수렴된다. 두 상부경추신경은 머리방향 및 외측방향으로 시작된다. 첫 번째 신경은 후두골과 경추1번 사이에 있고 두 번째 신경은 경추1번과 경추2번 사이에 있다. 경추2번의 후방신경절는 경막외이고, 외측 환축관절의 후면에 위치하여 이것의 관절낭에 붙는다는 점은 주목할 가치가 있다. 경우에 따라, 넓은 범위 회전 움직임은 기계적으로 이것을 자극할 수 있고 ***목-혀 증후군****(neck-tongue syndrome)*을 유발할 수 있다.[160-163]

경추2번 아래로 척수신경은 측방관 내부에 있다. 관에서 신경들이 나오자마자 각 신경들이 교감경추신경절에서 하나, 둘 또는 그 이상의 회색교통가지를 받는다. 처음 네 개의 경추 척수신경은 상부경추교감신경절로부터, 5번째와 6번째는 중간신경절, 7번째와 8번째는 하부신경절로부터 섬유를 받는다.
8번째 경추신경과 첫 번째 흉추 척수신경은
첫 번째 흉추 신경절로부터 섬유를 받는다.

척수신경은 경추에서는 굉장히 짧고 궤적은 7mm이다. 이것의 직경은 지배의 신전에 비례한다. 따라서, 상지에 할당된 마지막 네 개의 경추신경은 목 부분에 할당된 첫 번째 네 개의 경추신경보다 부피가 더 크다.

각 척수신경은 척추동맥 바로 뒤에 있는 전방 1차가지, 후방 1차가지 및 회귀성수막신경의 세 개의 가지로 나누어진다(그림 2-59). 경추1번을 제외하고 전방가지는 후방가지보다 훨씬 더 두껍다. 각

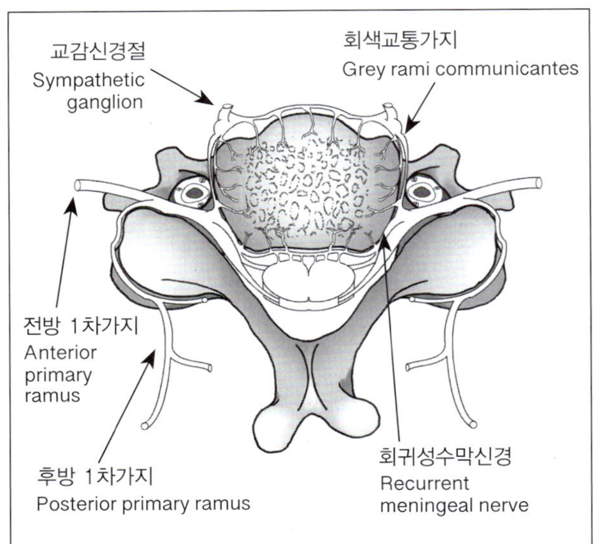

그림 2-59 ■ 척수신경은 척추동맥 바로 뒤에서 세 개의 가지로 나누어진다: 전방 1차가지, 후방 1차가지 및 회귀성수막신경

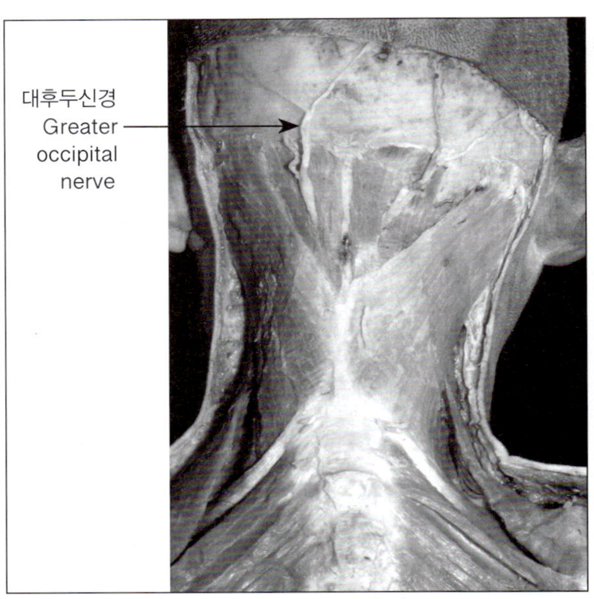

그림 2-60 ■ 두피를 신경지배하기 위해 머리반가시근(두반극근)과 등세모근(이미지에서 따로 설정)을 가로지를 때 대후두신경

경추 척수신경은 움직임, 감각 및 교감섬유가 있다.

전방 1차가지(*Anterior primary ramus*)

경추 전방 1차가지는 척추동맥 뒤, 전방 횡돌기간극 사이를 가로지른다. 경추1번의 전방가지는 환추후두관절을 신경지배한다. 경추2번의 전방가지는 내측 환축관절과 외측 환축관절을 신경지배한다. 첫 번째 네 개의 척수신경의 전방가지는 합쳐져서 목신경얼기를 형성한다. 다음 레벨들과 첫 번째 흉추 레벨의 전방가지는 합쳐지고 팔신경얼기를 형성한다.

후방 1차가지(*Posterior primary ramus*)

후방 1차가지는 관절주를 둘러싸고 뒤쪽으로 향한다. 첫 번째 경추신경을 제외하고 후방가지는 내측과 외측 신경가지로 나누어진다. 내측 신경가지는 돌기사이관절을 신경지배하는 감각신경다발과 뭇갈래근(다열근)을 신경지배하는 움직임다발이다. 경추1번의 후방 1차가지는 아래머리빗근(하두사근, obliquus capitis inferior) 신경지배한다. 경추3번의 후방 1차가지의 심부내측신경가지는 경추2번의 극돌기에서 기시하는 목반가시근(경반극근), 뭇갈래근 및 동일한 레벨의 가시사이근의 섬유를 신경지배한다. 후방 1차가지의 외측 신경가지는 가장긴근(최장근, longissimus) 및 엉덩갈비근(장늑근, iliocostalis) 같은 후방 척추기립근을 신경지배한다. 경추2번과 경추3번의 외측 신경가지는 가장긴근과 머리널판근(두판상근, splenius capitis)을 신경지배한다.

두개경추 영역에서 후방 1차가지는 관련된 임상적 의미를 가진 신경으로 이어진다: 대후두신경과 제삼후두신경.

대후두신경*(Greater occipital nerve)*이나 ***아놀드 신경***은 경추2번의 후방 1차가지의 내측가지로 구성된다. 이 신경은 환추의 후궁과 아래빗근 아래에 있는 환축의 고리판에서 나온다. 후자와 이것의 신경지배를 받는 머리반가시근 사이에서 비스듬하게

계속되고, 등세모근과 목빗근 사이에서 상승하여 두피를 관상봉합까지 신경지배한다(그림 2-60).

제삼후두신경*(Greater occipital nerve)*은 경추3번의 내측표면가지에서 기시한다. 이것은 머리널판근과 등세모근의 내측부분을 가로질러 나타나고 후두부 영역에 피부 신경지배를 제공한다.

경추4번과 경추8번의 후방 1차가지의 내측 신경가지는 바로 위와 아래에 있는 돌기사이관절의 관절낭에 대한 관절감각신경다발을 이끈다. 이것은 또한 목널판근(경판상근, splenius cervicis)과 관절분절을 통제하는 뭇갈래근을 신경지배하는 움직임 신경다발로 이어진다.

회귀성수막신경(Recurrent meningeal nerve)

경추의 임상학적 증상 이해하는데 도움이 되는 세 번째 중요한 신경은 회귀성수막신경이다. 이것은 전방 1차가지에서 발생하고 회색교통가지에서 교감신경을 받은 후 측방관을 통해서 들어가는 회귀성 신경가지이다. 비록 이것이 일반적으로 도식적으로 단독신경으로 표현되지만, 여러 개의 가느다란 미세섬유로 구성될 수 있다.[164]

중심관의 내부에서 이 신경은 뒤세로인대, 척추체의 뒷면, 그리고 해당 레벨과 바로 위의 추간판을 신경지배하는 오름가지 및 내림가지로 나누어진다. 이 신경은 경막외 공간과 경막의 혈관에 신경가지를 제공한다. 그 후에 오름 및 내림가지로 나누어져서 경막의 앞면에 조밀한 신경총을 형성하며, 측면으로 확장되고, 이것의 후면에 몇 개의 가지가 있다.[165] 경추1번-경추3번의 회귀성수막신경은 환축관절의 인대들과 중심관의 경막 및 ***사대****(clival)* 경막을 신경지배한다.

회귀성수막신경은 신경지배가 다분절 및 양측성인 중요한 교감신경성분을 갖는 감각 신경이다.

목신경얼기(Cervical plexus)

목신경얼기(경신경총)는 4개의 상부 경추신경의 전방 1차가지로 구성된다. 첫 번째 것을 제외하고, 이 전방 1차가지는 일련의 고리를 구성하는 오름가지 및 내림가지로 나누어진다. 이런 고리는 어깨올림근과 중간목갈비근의 앞쪽의 척추체 외측으로 위치하고, 목빗근에 의해 둘러 싸인다. 이 고리에서 표면과 심부 두 가지 모두의 신경가지가 발생한다. 목신경얼기는 미주신경, 혀밑신경 및 더부신경으로부터 섬유를 받는다.

목빗근 안쪽에 위치한 목신경얼기의 ***깊은가지***는 두 그룹으로 나누어지는데, 중간목갈비근, 목빗근, 등세모근과 어깨올림근을 신경지배하기 위해 후외측으로 향하는 외부 그룹과, 가로막 신경을 통해서 척추전근과 횡경막을 신경지배하는 전내측 그룹이다. 이 신경전달 미세섬유는 미주신경과 혀밑신경, 내림혀밑신경과 상부 경추 교감신경절에 연결된다. 혀밑신경의 고리를 통해서 목신경얼기의 깊은가지는 방패목뿔근(갑상설골근, thyrohyoid muscle), 어깨목뿔근(견갑설골근, omohyoid muscle), 복장방패근(흉골갑상근, sternothyroid muscle)과 복장목뿔근(흉골설골근, sternohyoid muscle)을 신경지배한다(그림 2-61).

등세모근과 목빗근의 움직임 신경지배는 더부신경에 의존하지만, 감각신경지배는 목빗근의 레벨에 있는 섬유가 더부신경에 연결된 세 개의 첫 번째 경추신경에 해당한다는 점은 주목할 가치가 있다.

표면가지는 ***표면목신경얼기***를 형성하기 위해 목빗근의 후방 모서리의 중간부분에 걸쳐 그룹화된다. 이런 신경가지들은 피하가 되기 위해 깊은근막을 관통한다. 이것들은 목빗근의 뒷부분 근처에서 곡선으로 나가고, 신경가지들로 나뉘고, 머리, 목 및 어깨의 외측부분의 피부와 얕은근막을 신경지배한다.

이 표면신경얼기의 가장 표면가지는 ***꼭지가지****(mastoid branch)*나 ***소후두신경***을 구성한다. 이 신경

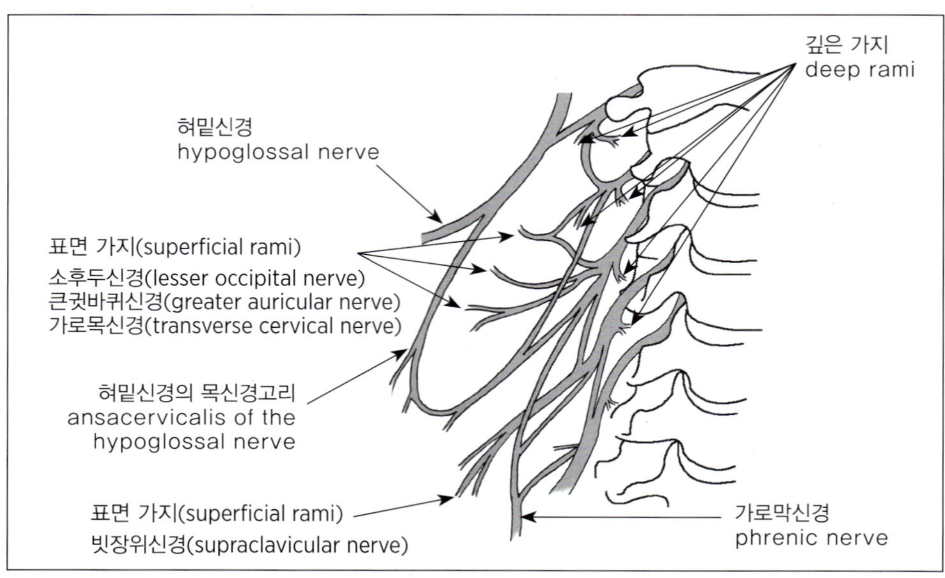

그림 2-61 ▪ 목신경얼기의 깊은가지는 중간목갈비근, 목빗근, 등세모근, 어깨올림근, 척추앞근육과 횡경막을 신경지배한다. 목신경고리를 통해서 (혀밑신경) 방패목뿔근, 턱끝목뿔근, 어깨목뿔근, 복장목뿔근 및 복장목뿔근 또한 신경지배한다.

은 두 번째 경추신경의 전방 1차가지나 두 번째 및 세 번째 경추신경에서 나온 고리로부터 유래하고, 후두부에 도달하여 두피의 후외측 영역을 신경지배한다.

두 번째 가지나 ***큰귓바퀴신경***은 두 번째 및 세 번째 경추신경에서 기시한다. 이것은 두 개의 가지로 나누어진다. 귀밑샘 위쪽부분 피부로부터 감각을 받는 전방가지와, 귓바퀴 피부와 인접한 유양돌기 부분의 피부를 신경지배하는 후방가지이다.

세 번째 가지 또는 ***가로목신경*** 또한 두 번째 및 세 번째 경추신경에서 나오고, 아래턱밑부분에서 복장뼈까지 오름가지 및 내림가지를 통해서 목의 전외측 부분을 신경지배한다(그림 2-62).

마지막 가지인 ***빗장위신경***은 네 번째 및 세 번째의 일부 경추신경에서 시작한다. 이것은 쇄골, 3번째 늑골까지 내려가는 쇄골과 흉근 주위의 피부, 등세모근의 외부표면과 어깨봉우리 신경지배를 하기 위해 꼬리쪽 방향으로 향한다.

팔신경얼기(Brachial plexus)

팔신경얼기는 종종 네 번째 경추신경과 두 번째 흉추신경으로부터 섬유를 받지만 경추5번에서 흉추1번까지 척수신경의 전방 1차가지로 구성된다. 이것은 상지의 신경지배를 담당한다. 이런 전방 1차가지가 이것들의 전방 대응물로부터 분리되자마자, 이것들은 앞목갈비근(전사각근, scalenus anterior)과 중간목갈비근(중사각근, scalenus medius) 사이의 공간으로 전외측으로 향해 세 개의 1차 신경다발을 형성하기 위해 결합된다(그림 2-63).

경추4번-경추6번의 전방 1차가지는 상부 1차신경줄기를 형성하기 위해 결합되고, 경추7번의 1차가지는 중부 1차신경줄기를 만들고, 경추8번과 흉추1번의 가지는 결합됐을 때 하부 1차신경줄기를 형성한다. 이 세 개의 신경줄기는 목갈비근사이공간에서 발생하고 첫 번째 늑골 위로 수렴할 때까지 외측관 꼬리 방향으로 확장되며, 여기서 다시 나누어져서 세 개의 후방과 세 개의 전방신경다발

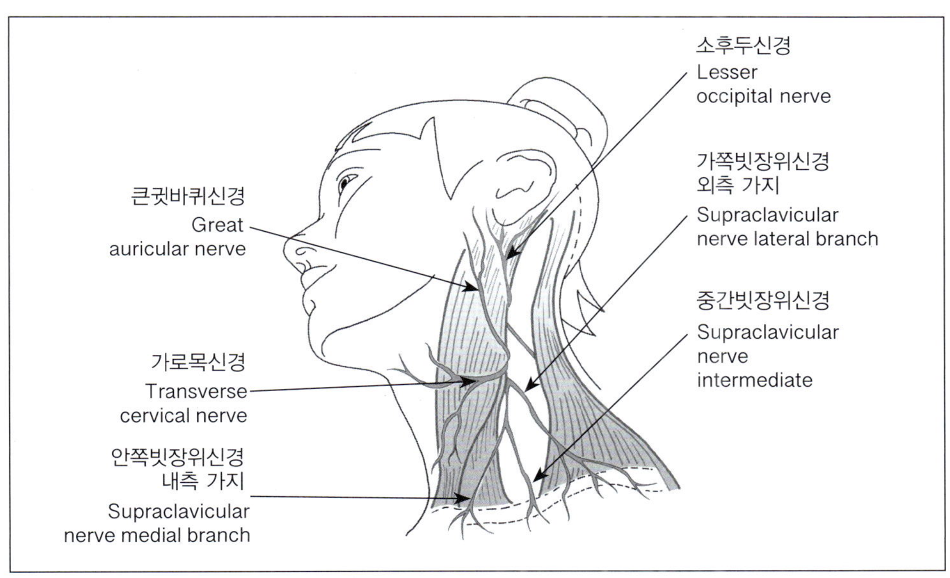

그림 2-62 ■ 목신경얼기의 표면 가지는 소후두신경, 큰귓바퀴신경과 가로목신경을 이끈다.

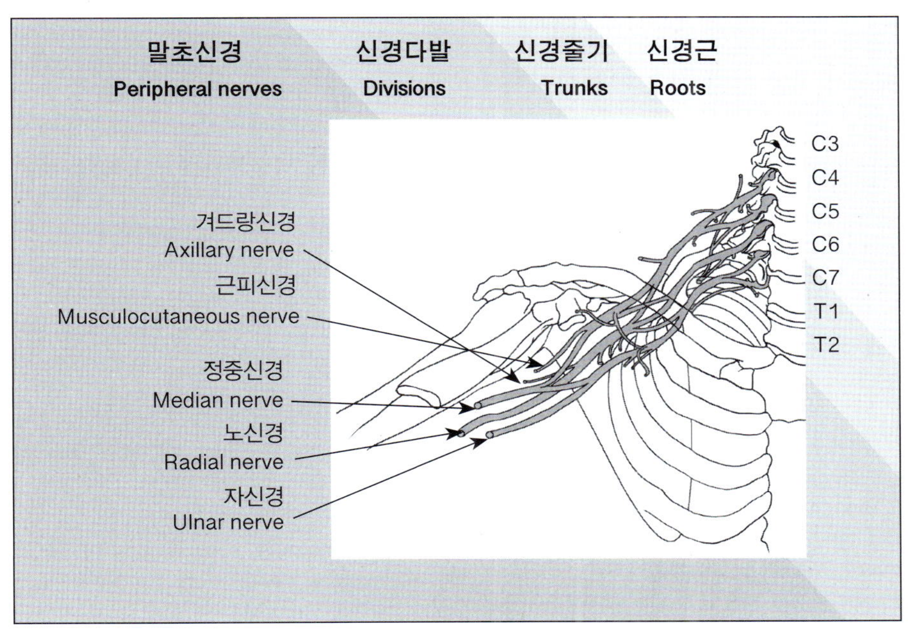

그림 2-63 ■ 팔신경얼기는 C5, C6, C7, C8과 T1의 신경근에서 파생된다. 이것들의 척수신경들은 상부(C5 - C6), 중부(C7) 및 하부(C8 - T1) 세 개의 신경줄기를 형성하기 위해 결합된다. 각 신경줄기는 두 개의 신경다발로 나누어진다. (상부, 중부 및 하부 신경줄기의 전방 및 후방 신경다발). 이 여섯 개의 신경다발은 재편성되어서 세 개의 신경다발이 되고 (외측, 내측 및 후방) 여기서 주요 말초신경이 상지에서 나온다.

을 형성한다. 겨드랑이에 도달하기 이전에 이 신경다발의 교차점은 외측, 내측 및 후방 신경다발을 만든다. 외측 신경다발은 근피신경, 가쪽가슴근신경과 정중신경의 외측신경가지를 발생시키고, 내측 신경다발은 정중신경의 내측 신경가지, 자신경, 팔의 안쪽위팔피부신경과 안쪽아래팔피부신경을 발생시킨다. 후방 신경다발은 겨드랑신경, 가슴등신경과 노신경을 발생시킨다.

상지의 말초신경을 구성하는 이런 말단 신경가지 외에도 팔신경얼기에서 다른 가지들이 형성된다. 경추5번–경추8번의 전방 1차가지에서 가장긴근(최장근, longissimus)과 세 개의 목갈비근을 신경지배하는 섬유가 나온다. 경추5번의 전방 1차가지에서 횡경막신경과 등쪽어깨신경이 나오고 등쪽어깨신경은 능형근과 어깨올림근을 신경지배한다. 경추5번–경추7번의 전방 1차가지에서 긴가슴신경이 나오고 앞톱니근을 신경지배한다. 상부 1차신경줄기에서 어깨위신경과 빗장밑신경이 파생된다. 절후섬유는 두 번째에서 여덟 번째 신경다발 분절에서 나온다.

팔신경얼기는 외측교감신경사슬의 회색교통가지를 통해 구멍을 나오자마자 전방 1차가지로 이어지는 절후교감신경섬유(postganglionic sympathetic fibers)가 있고 절후섬유는 두 번째에서 여덟 번째 신경다발 분절에서 나온다.

참고문헌

1. Bland JH. Cervical and thoracic pain including thoracic outlet syndrome and brachial neuritis. Curr Opin Rheumatol 1990;2(2):242–52.
2. Huelke DF, Nusholtz GS. Cervical spine biomechanics: a review of the literature. J Orthop Res 1986;4(2):232–45.
3. Lord RS. Vertebrobasilar ischaemia and the extracranial arteries. Med J Aust 1973;2(1):32–7.
4. Aparicio L, Gómez V, Sarti M, et al. Síndrome de la arteria vertebral. Rev S And Traum y Ort 1997;17(1):145–9.
5. Lang J. Clinical anatomy of the cervical spine. 1st ed New York: Thieme; 1993.
6. Bogduk N. Clinical anatomy of the lumbar spine and sacrum. 3rd ed. Edinburgh: Churchill Livingstone; 1997.
7. Pal GP, Sherk HH. The vertical stability of the cervical spine. Spine 1988;13(5):447–9.
8. Hayashi H, Okada K, Hamada M, et al. Etiologic factors of myelopathy. A radiographic evaluation of the aging changes in the cervical spine. Clin Orthop 1987;214:200–9.
9. Eismont FJ, Clifford S, Goldberg M, et al. Cervical sagittal spinal canal size in spine injury. Spine 1984;9(7):663–6.
10. Breig A, Troup JD. Biomechanical considerations in the straight-leg-raising test. Cadaveric and clinical studies of the effects of medial hip rotation. Spine 1979;4(3):242–50.
11. Penning L, Wilmink JT. Biomechanics of lumbosacral dural sac. A study of flexion-extension myelography. Spine 1981; 6(4):398–408.
12. Babin E, Capesius P. A radiological study of the dimensions of the cervical vertebral canal and of the variation of these dimensions in relation to functional tests (author's translation). Ann Radiol (Paris) 1976;19(4):457–62.
13. Czervionke LF, Daniels DL, Ho PS, et al. Cervical neural foramina: correlative anatomic and MR imaging study. Radiology 1988;169(3):753–9.
14. Caillet R. Neck and arm pain. 3rd ed. Philadelphia: FA Davis; 1990.
15. Jovanovic MS. A comparative study of the foramen transversarium of the sixth and seventh cervical vertebrae. Surg Radiol Anat 1990;12(3):167–72.
16. Pal GP, Routal RV, Saggu SK. The orientation of the articular facets of the zygapophyseal joints at the cervical and upper thoracic region. J Anat 2001;198(Pt 4):431–41.
17. Neumann D. Kinesiology of the musculoskeletal system. Foundations for physical rehabilitation. St Louis, MI: Mosby; 2002.
18. Mercer SR, Jull GA. Morphology of the cervical intervertebral disc: implications for McKenzie's model of the disc derangement syndrome. Man Ther 1996;1(2):76–81.
19. Pooni JS, Hukins DW, Harris PF, et al. Comparison of the structure of human intervertebral discs in the cervical, thoracic and lumbar regions of the

spine. Surg Radiol Anat 1986;8(3): 175–82.

20. Bland J, Bousley D. Anatomy and physiology of the cervical spine. Semin Arthritis Rheum 1990;20(1):1–20.
21. Taylor JR, Scott JE, Cribb AM, et al. Human intervertebral disc acid glycosaminoglycans. J Anat 1992;180(Pt 1):137–41.
22. Scott JE, Bosworth TR, Cribb AM, et al. The chemical morphology of age-related changes in human intervertebral disc glycosaminoglycans from cervical, thoracic and lumbar nucleus pulposus and annulus fibrosus. J Anat 1994;184(Pt 1):73–82.
23. Bogduk N, Mercer S. Biomechanics of the cervical spine. I: Normal kinematics. Clin Biomech (Bristol, Avon) 2000; 15(9):633–48.
24. Mercer S. Comparative anatomy of the spinal disc. In: Boyling J, Jull G, editors. Grieve's modern manual therapy. The vertebral column. 3rd ed. Philadelphia: Elsevier Churchill Livingstone; 2004. p. 9–16.
25. Tonetti J, Potton L, Riboud R, et al. Morphological cervical disc analysis applied to traumatic and degenerative lesions. Surg Radiol Anat 2005; 27(3):192–200.
26. Taylor J. Growth and development of the human intervertebral disc. PhD thesis. University of Edinburgh; 1974.
27. Oda J, Tanaka H, Tsuzuki N. Intervertebral disc changes with aging of human cervical vertebra. From the neonate to the eighties. Spine 1988; 13(11):1205–11.
28. Taylor J, Twomey L. Functional and applied anatomy of the cervical spine. In: Grant R, editor. Physical therapy of the cervical and thoracic spine. 3rd ed. St Louis, MI: Churchill Livingstone; 2002. p. 3–25.
29. Kumaresan S, Yoganandan N, Pintar FA, et al. Morphology of young and old cervical spine intervertebral disc tissues. Biomed Sci Instrum 2000;36:141–6.
30. Boreadis AG, Gershon-Cohen J. Luschka joints of the cervical spine. Radiology 1956;66(2):181–7.
31. Gershon-Cohen J, Boreadis AG, Glauser F. Luschka joints of the cervical spine with relation to nerve root irritation. J Albert Einstein Med Cent (Phila) 1954;3(1):29–32.
32. Testut L, Latarjet A. Tratado de anatomía humana. 9th ed. Barcelona: Salvat Editores; 1975.
33. Orofino C, Sherman MS, Schechter D. Luschka's joint – a degenerative phenomenon. Am J Orthop 1960;42-A:853–8.
34. Hirsch C, Schajowicz R, Galante J. Structural changes in the cervical spine. A study on autopsy specimens in different age groups. Acta Orthop Scand 1967;(Suppl. 109):7–77.
35. Bland JH, Boushey DR. Anatomy and physiology of the cervical spine. Semin Arthritis Rheum 1990;20(1):1–20.
36. Payne EE, Spillane JD. The cervical spine; an anatomicopathological study of 70 specimens (using a special technique) with particular reference to the problem of cervical spondylosis. Brain 1957;80(4):571–96.
37. Silberstein CE. The evolution of degenerative changes in the cervical spine and an investigation into the 'joints of Luschka'. Clin Orthop 1965;40:184–204.
38. Hayashi K, Yabuki T. Origin of the uncus and of Luschka's joint in the cervical spine. J Bone Joint Surg 1985;67(5): 788–91.
39. Stahl C, Huth F. Morphological evidence of synovial spaces in the uncovertebral region of cervical discs (author's translation). Z Orthop Ihre Grenzgeb 1980;118(5):721–8.
40. White A, Panjabi M. Clinical biomechanics of the spine. 2nd ed. Philadelphia, PA: Lippincott Williams & Wilkins, 1990.
41. Mercer S, Bogduk N. The ligaments and annulus fibrosus of human adult cervical intervertebral discs. Spine 1999;24(7):619–26, discussion 627-8.
42. Taylor J, Twomey L. The effects of ageing on the intervertebral disc. In: Boyling J, Palastanga N, editors. Grieve's modern manual therapy. 2nd ed. London: Churchill Livingstone; 2000. p. 177–88.
43. Mercer SR, Bogduk N. Joints of the cervical vertebral column. J Orthop Sports Phys Ther 2001; 31(4):174–82, discussion 183.
44. Coventry MB. Anatomy of the intervertebral disk. Clin Orthop 1969;67:9–15.
45. Bogduk N. Clinical anatomy of the lumbar spine and sacrum. 3rd ed. New York: Churchill Livingstone; 1997.
46. Holm S, Maroudas A, Urban JP, et al. Nutrition of the intervertebral disc: solute transport and metabolism. Connect Tissue Res 1981;8(2):101–19.

47. Humzah MD, Soames RW. Human intervertebral disc: structure and function. Anat Rec 1988;220(4): 337–56.
48. Ariga K, Miyamoto S, Nakase T, et al. The relationship between apoptosis of endplate chondrocytes and aging and degeneration of the intervertebral disc. Spine 2001;26(22):2414–20.
49. Panjabi MM, Oxland T, Takata K, et al. Articular facets of the human spine. Quantitative three-dimensional anatomy. Spine 1993;18(10):1298–310.
50. Yoganandan N, Knowles SA, Maiman DJ, et al. Anatomic study of the morphology of human cervical facet joint. Spine 2003;28(20):2317–23.
51. Giles LG. The surface lamina of the articular cartilage of human zygapophyseal joints. Anat Rec 1992;233(3):350–6.
52. Fletcher G, Haughton VM, Ho KC, et al. Age-related changes in the cervical facet joints: studies with cryomicrotomy, MR, and CT. AJR Am J Roentgenol 1990;154(4):817–20.
53. Lord SM, Barnsley L, Wallis BJ, et al. Third occipital nerve headache: a prevalence study. J Neurol Neurosurg Psychiatry 1994;57(10):1187–90.
54. Lord SM, Barnsley L, Wallis BJ, et al. Chronic cervical zygapophyseal joint pain after whiplash. A placebo-controlled prevalence study. Spine 1996; 21(15):1737–44, discussion 1744-5.
55. Onan OA, Heggeness MH, Hipp JA. A motion analysis of the cervical facet joint. Spine 1998;23(4):430–9.
56. Panjabi MM, White AA 3rd, Johnson RM. Cervical spine mechanics as a function of transection of components. J Biomech 1975;8(5): 327–36.
57. White AA 3rd, Johnson RM, Panjabi MM, et al. Biomechanical analysis of clinical stability in the cervical spine. Clin Orthop Relat Res 1975; 109:85–96.
58. Barnsley L, Lord SM, Wallis BJ, et al. The prevalence of chronic cervical zygapophyseal joint pain after whiplash. Spine (Phila Pa 1976) 1995;20(1):20–5, discussion 26.
59. Jonsson H Jr, Bring G, Rauschning W, et al. Hidden cervical spine injuries in traffic accident victims with skull fractures. J Spinal Disord 1991;4(3):251–63.
60. Taylor JR, Twomey LT. Acute injuries to cervical joints. An autopsy study of neck sprain. Spine 1993;18(9):1115–22.
61. Stabler A, Eck J, Penning R, et al. Cervical spine: postmortem assessment of accident injuries – comparison of radiographic, MR imaging, anatomic, and pathologic findings. Radiology 2001;221(2):340–6.
62. Bogduk N, Yoganandan N. Biomechanics of the cervical spine. Part 3: minor injuries. Clin Biomech 2001;16(4):267–75.
63. Taylor J, Taylor M. Cervical spinal injuries: an autopsy study of 109 blunt injuries. J Musculoskelet Pain 1996;4(4): 61–79.
64. Manchikanti L, Manchikanti KN, Pampati V, et al. The prevalence of facet-joint-related chronic neck pain in postsurgical and nonpostsurgical patients: a comparative evaluation. Pain Pract 2008;8(1):5–10.
65. Falco FJ, Erhart S, Wargo BW, et al. Systematic review of diagnostic utility and therapeutic effectiveness of cervical facet joint interventions. Pain Physician 2009;12(2):323–44.
66. Klessinger S. Radiofrequency neurotomy for the treatment of therapy-resistant neck pain after ventral cervical operations. Pain Med 2010; 11(10):1504–10.
67. Chua NH, van Suijlekom HA, Vissers KC, et al. Differences in sensory processing between chronic cervical zygapophyseal joint pain patients with and without cervicogenic headache. Cephalalgia 2011;31(8):953–63.
68. Curatolo M, Bogduk N, Ivancic PC, et al. The role of tissue damage in whiplash-associated disorders: discussion paper 1. Spine (Phila Pa 1976) 2011;36(25 Suppl.):S309–15.
69. Falco FJ, Datta S, Manchikanti L, et al. An updated review of the diagnostic utility of cervical facet joint injections. Pain Physician 2012;15(6): E807–38.
70. Pal GP, Cosio L, Routal RV. Trajectory architecture of the trabecular bone between the body and the neural arch in human vertebrae. Anat Rec 1988;222(4):418–25.
71. Engel R, Bogduk N. The menisci of the lumbar zygapophyseal joints. J Anat 1982;135(4):795–809.
72. Giles LG, Taylor JR, Cockson A. Human zygapophyseal joint synovial folds. Acta Anat (Basel) 1986;126(2):110–14.

73. Giles LG, Taylor JR. Human zygapophyseal joint capsule and synovial fold innervation. Br J Rheumatol 1987;26(2):93–8.
74. Giles LG, Harvey AR. Immunohistochemical demonstration of nociceptors in the capsule and synovial folds of human zygapophyseal joints. Br J Rheumatol 1987;26(5):362–4.
75. Bogduk N, Engel R. The menisci of the lumbar zygapophyseal joints. A review of their anatomy and clinical significance. Spine 1984;9(5):454–60.
76. Singer KP, Giles LG, Day RE. Intra-articular synovial folds of thoracolumbar junction zygapophyseal joints. Anat Rec 1990;226(2): 147–52.
77. Yu SW, Sether L, Haughton VM. Facet joint menisci of the cervical spine: correlative MR imaging and cryomicrotomy study. Radiology 1987;164(1):79–82.
78. Mercer S, Bogduk N. Intra-articular inclusions of the cervical synovial joints. Br J Rheumatol 1993;32(8):705–10.
79. Inami S, Kaneoka K, Hayashi K, et al. Types of synovial fold in the cervical facet joint. J Orthop Sci 2000;5(5):475–80.
80. Mercer S. The menisci of the cervical synovial joints. In: Boyling J, Palastanga N, editors. Grieve's modern manual therapy. The vertebral column. 2nd ed. London: Churchill Livingstone; 2000. p. 69–72.
81. Chang H, Found EM, Clark CR, et al. Meniscus-like synovial fold in the atlantoaxial (C1-C2) joint. J Spinal Disord 1992; 5(2):227–31.
82. Schonstrom N, Twomey L, Taylor J. The lateral atlanto-axial joints and their synovial folds: an in vitro study of soft tissue injuries and fractures. J Trauma 1993;35(6):886–92.
83. Friedrich KM, Trattnig S, Millington SA, et al. High-field magnetic resonance imaging of meniscoids in the zygapophyseal joints of the human cervical spine. Spine (Phila Pa 1976) 2007;32(2):244–8.
84. Tang XY, Liu LJ, Yang HJ, et al. Anatomic study of the synovial folds of the occipito-atlanto-axial joints. Clin Anat 2007; 20(4):376–81.
85. Uhrenholt L, Hauge E, Charles AV, et al. Degenerative and traumatic changes in the lower cervical spine facet joints. Scand J Rheumatol 2008;37(5):375–84.
86. Uhrenholt L, Charles AV, Hauge E, et al. Pathoanatomy of the lower cervical spine facet joints in motor vehicle crash fatalities. J Forensic Leg Med 2009;16(5):253–60.
87. Uhrenholt L, Nielsen E, Charles AV, et al. Imaging occult lesions in the cervical spine facet joints. Am J Forensic Med Pathol 2009;30(2): 142–7.
88. Inami S, Shiga T, Tsujino A, et al. Immunohistochemical demonstration of nerve fibers in the synovial fold of the human cervical facet joint. J Orthop Res 2001;19(4):593–6.
89. Friedrich KM, Reiter G, Pretterklieber ML, et al. Reference data for in vivo magnetic resonance imaging properties of meniscoids in the cervical zygapophyseal joints. Spine (Phila Pa 1976) 2008; 33(21):E778–83.
90. Webb AL, Darekar AA, Sampson M, et al. Synovial folds of the lateral atlantoaxial joints: in vivo quantitative assessment using magnetic resonance imaging in healthy volunteers. Spine (Phila Pa 1976) 2009;34(19):E697–702.
91. Webb A, Darekar A, Rassoulian H. The influence of age, anthropometrics and range of motion on the morphometry of the synovial folds of the lateral atlanto-axial joints: a pilot study. Eur Spine J 2011;20(4):542–9.
92. Giles LG. Pathoanatomic studies and clinical significance of lumbosacral zygapophyseal (facet) joints. J Manipulative Physiol Ther 1992;15(1): 36–40.
93. Giles LG. Human lumbar zygapophyseal joint inferior recess synovial folds: a light microscope examination. Anat Rec 1988;220(2):117–24.
94. Bogduk N. Neck pain. Aust Fam Physician 1984;13(1):26–30.
95. Kos J, Wolf J. Les ménisques intervértebraux et leur rôle possible dans les blockages vertébraux. Ann Med Phys 1972;15:2003.
96. Sprague R. The acute cervical joint block. Phys Ther 1983;63:1439–44.
97. Webb AL, Collins P, Rassoulian H, et al. Synovial folds – a pain in the neck? Man Ther 2011;16(2): 118–24.
98. Jones TR, James JE, Adams JW, et al. Lumbar zygapophyseal joint meniscoids: evidence of their role in chronic intersegmental hypomobility. [erratum appears in J Manipulative Physiol Ther 1990 Feb;13(2):58]. J Manipulative Physiol Ther 1989;12(5):374–85.

99. Lang J. Clinical anatomy of the cervical spine. New York: Thieme; 1993.
100. White AA, Panjabi MM. Clinical biomechanics of the spine. 2nd ed. Philadelphia: Lippincott Williams & Wilkins; 1990.
101. Bogduk N. Clinical anatomy of the lumbar spine and sacrum. 4th ed. Edinburgh: Elsevier Churchill Livingstone; 2005.
102. Przybylski GJ, Patel PR, Carlin GJ, et al. Quantitative anthropometry of the subatlantal cervical longitudinal ligaments. Spine 1998; 23(8):893–8.
103. Llusa. Manual y atlas fotografico de anatomia del aparato locomotor. Madrid: Medica Panamericana; 2004.
104. Nordin. Basic biomechanics of the musculoskeletal system. 3rd ed. Philadelphia: Lippincott Williams & Wilkins; 2001.
105. Hukins DW, Kirby MC, Sikoryn TA, et al. Comparison of structure, mechanical properties, and functions of lumbar spinal ligaments. Spine 1990;15(8):787–95.
106. Johnson RM, Crelin ES, White AA 3rd, et al. Some new observations on the functional anatomy of the lower cervical spine. Clin Orthop 1975;111:192–200.
107. Fielding J, Burstein A, Frankel V. The nuchal ligament. Spine 1975;1:3–14.
108. Porterfield J, DeRosa C. Mechanical neck pain: perspectives in functional anatomy. London: Saunders; 1992.
109. Johnson GM, Zhang M, Jones DG. The fine connective tissue architecture of the human ligamentum nuchae. Spine 2000;25(1):5–9.
110. Mercer SR, Bogduk N. Clinical anatomy of ligamentum nuchae. Clin Anat 2003;16(6):484–93.
111. Takeshita K, Peterson ET, Bylski-Austrow D, et al. The nuchal ligament restrains cervical spine flexion. Spine 2004;29(18): E388–93.
112. Torres R. Cefalea cervicogénica. Criterios diagnósticos, exploración física y aproximación terapéutica. In: Padrós E, editor. Bases diagnósticas, terapéuticas y posturales del funcionalismo craneofacial. Madrid: Ripano; 2006. p. 736–58.
113. Comerford MJ, Mottram SL. Functional stability re-training: principles and strategies for managing mechanical dysfunction. Man Ther 2001;6(1):3–14.
114. Comerford MJ, Mottram SL. Movement and stability dysfunction – contemporary developments. Man Ther 2001;6(1):15–26.
115. Grimmer K, Trott P. The association between cervical excursion angles and cervical short flexor muscle endurance. Aust J Physiother 1998;44(3):201–7.
116. Mayoux-Benhamou MA, Revel M, Vallee C, et al. Longus colli has a postural function on cervical curvature. Surg Radiol Anat 1994; 16(4):367–71.
117. Conley MS, Meyer RA, Bloomberg JJ, et al. Noninvasive analysis of human neck muscle function. Spine 1995;20(23):2505–12.
118. Treleaven J, Jull G, Sterling M. Dizziness and unsteadiness following whiplash injury: characteristic features and relationship with cervical joint position error. J Rehabil Med 2003;35(1): 36–43.
119. Rix GD, Bagust J. Cervicocephalic kinesthetic sensibility in patients with chronic, non-traumatic cervical spine pain. Arch Phys Med Rehabil 2001;82(7):911–19.
120. Wrisley DM, Sparto PJ, Whitney SL, et al. Cervicogenic dizziness: a review of diagnosis and treatment. J Orthop Sports Phys Ther 2000;30(12):755–66.
121. Heikkilä H. Cervical vertigo. In: Boyling J, Jull G, editors. Grieve's modern manual therapy. London: Elsevier Churchill Livingstone; 2004. p. 233–42.
122. Kristjansson E, Dall'Alba P, Jull G. Cervicocephalic kinaesthesia: reliability of a new test approach. Physiother Res Int 2001;6(4): 224–35.
123. Kogler A, Lindfors J, Odkvist LM, et al. Postural stability using different neck positions in normal subjects and patients with neck trauma. Acta Otolaryngol 2000;120(2):151–5.
124. Jull G. Management of cervical headache. Man Ther 1997; 2(4):182–90.
125. Barton PM, Hayes KC. Neck flexor muscle strength, efficiency, and relaxation times in normal subjects and subjects with unilateral neck pain and headache. Arch Phys Med Rehabil 1996;77(7): 680–7.
126. Watson DH, Trott PH. Cervical headache: an investigation of natural head posture and upper cervical flexor muscle performance. Cephalalgia

1993;13(4):272–84, discussion 232.
127. Jull G, Barrett C, Magee R, et al. Further clinical clarification of the muscle dysfunction in cervical headache. Cephalalgia 1999;19(3):179–85.
128. Jull GA, Stanton WR. Predictors of responsiveness to physiotherapy management of cervicogenic headache. Cephalalgia 2005;25(2):101–8.
129. Zito G, Jull G, Story I. Clinical tests of musculoskeletal dysfunction in the diagnosis of cervicogenic headache. Man Ther 2005;11(2):118–29.
130. Sterling M, Jull G, Vicenzino B, et al. Development of motor system dysfunction following whiplash injury. Pain 2003;103(1–2):65–73.
131. Sterling M, Jull G, Wright A. The effect of musculoskeletal pain on motor activity and control. J Pain 2001;2(3):135–45.
132. O'Leary S, Falla D, Jull G. Recent advances in therapeutic exercise for the neck: implications for patients with head and neck pain. Aust Endod J 2003;29(3):138–42.
133. Nederhand MJ, Hermens HJ, IJzerman MJ, et al. Cervical muscle dysfunction in chronic whiplash-associated disorder grade 2: the relevance of the trauma. Spine 2002;27(10):1056–61.
134. Sterling M, Jull G, Kenardy J. Physical and psychological factors maintain long-term predictive capacity post-whiplash injury. Pain 2006;122(1–2):102–8.
135. Falla D, Jull G, Edwards S, et al. Neuromuscular efficiency of the sternocleidomastoid and anterior scalene muscles in patients with chronic neck pain. Disabil Rehabil 2004;26(12):712–17.
136. Falla D, Bilenkij G, Jull G. Patients with chronic neck pain demonstrate altered patterns of muscle activation during performance of a functional upper limb task. Spine 2004;29(13):1436–40.
137. Falla D, Jull G, Dall'Alba P, et al. An electromyographic analysis of the deep cervical flexor muscles in performance of craniocervical flexion. Phys Ther 2003;83(10):899–906.
138. Falla D. Unravelling the complexity of muscle impairment in chronic neck pain. Man Ther 2004;9(3):125–33.
139. Hallgren RC, Greenman PE, Rechtien JJ. Atrophy of suboccipital muscles in patients with chronic pain: a pilot study. J Am Osteopath Assoc 1994;94(12):1032–8.
140. McPartland JM, Brodeur RR, Hallgren RC. Chronic neck pain, standing balance, and suboccipital muscle atrophy – a pilot study. J Manipulative Physiol Ther 1997;20(1):24–9.
141. Elliott J, Jull G, Noteboom JT, et al. Fatty infiltration in the cervical extensor muscles in persistent whiplash-associated disorders: a magnetic resonance imaging analysis. Spine 2006;31(22):E847–55.
142. Comerford M, Mottram S, Gibbons S. Understanding movement and function – Concepts Course. Kinetic Control UK; 2006.
143. Falla D, Jull G, Hodges PW. Feedforward activity of the cervical flexor muscles during voluntary arm movements is delayed in chronic neck pain. Exp Brain Res 2004;157(1):43–8.
144. Pérez V, González E, García A, et al. Potencial vestibular miogénico evocado: un aporte al conocimiento de la fisiologíay patología vestibular. Patrones cuantitativos en la población normal. Acta Otorrinolaringol Esp 2005;56:349–53.
145. Jull G. Deep cervical neck flexor dysfunction in whiplash. J Musculoskelet Pain 2000;8:143–54.
146. Bucciero A, Vizioli L, Tedeschi G. Cord diameters and their significance in prognostication and decisions about management of cervical spondylotic myelopathy. J Neurosurg Sci 1993;37(4):223–8.
147. Herzog RJ, Wiens JJ, Dillingham MF, et al. Normal cervical spine morphometry and cervical spinal stenosis in asymptomatic professional football players. Plain film radiography, multiplanar computed tomography, and magnetic resonance imaging. Spine 1991;16(6 Suppl.):S178–86.
148. Spencer DL, Irwin GS, Miller JA. Anatomy and significance of fixation of the lumbosacral nerve roots in sciatica. Spine 1983;8(6):672–9.
149. Maillot C. The perispinal spaces. Constitution, organization and relations with the cerebrospinal fluid (CSF). J Neuroradiol 1991;18(1):18–31.
150. Scapinelli R. Anatomical and radiologic studies on the lumbosacral meningo-vertebral ligaments of humans. J Spinal Disord 1990;3(1):6–15.

151. Hack GD, Koritzer RT, Robinson WL, et al. Anatomic relation between the rectus capitis posterior minor muscle and the dura mater. Spine 1995;20(23):2484–6.
152. Hack GD, Hallgren RC. Chronic headache relief after section of suboccipital muscle dural connections: a case report. Headache 2004; 44(1):84–9.
153. Rutten HP, Szpak K, van Mameren H, et al. Anatomic relation between the rectus capitis posterior minor muscle and the dura mater. Spine 1997;22(8):924–6.
154. Mitchell BS, Humphreys BK, O'Sullivan E. Attachments of the ligamentum nuchae to cervical posterior spinal dura and the lateral part of the occipital bone. J Manipulative Physiol Ther 1998;21(3):145–8.
155. Dean NA, Mitchell BS. Anatomic relation between the nuchal ligament (ligamentum nuchae) and the spinal dura mater in the craniocervical region. Clin Anat 2002;15(3): 182–5.
156. Nash L, Nicholson H, Lee AS, et al. Configuration of the connective tissue in the posterior atlanto-occipital interspace: a sheet plastination and confocal microscopy study. Spine 2005;30(12): 1359–66.
157. Alix ME, Bates DK. A proposed etiology of cervicogenic headache: the neurophysiologic basis and anatomic relationship between the dura mater and the rectus posterior capitis minor muscle. J Manipulative Physiol Ther 1999;22(8): 534–9.
158. Hallgren RC, Hack GD, Lipton JA. Clinical implications of a cervical myodural bridge. AAO Journal 1997;30–5.
159. Humphreys BK, Kenin S, Hubbard BB, et al. Investigation of connective tissue attachments to the cervical spinal dura mater. Clin Anat 2003; 16(2):152–9.
160. Bogduk N. Neck-tongue syndrome. Med J Aust 1980;2(1):4.
161. Bogduk N. An anatomical basis for the neck-tongue syndrome. J Neurol Neurosurg Psychiatry 1981;44(3):202–8.
162. Bogduk N. C2 ganglion can be injured by compression between the posterior arch of the atlas and the lamina of C2. Spine 1999;24(3): 308–9.
163. Lewis DW, Frank LM, Toor S. Familial neck-tongue syndrome. Headache 2003;43(2):132–4.
164. Groen GJ, Baljet B, Drukker J. Nerves and nerve plexuses of the human vertebral column. Am J Anat 1990;188(3):282–96.
165. Groen GJ, Baljet B, Drukker J. The innervation of the spinal dura mater: anatomy and clinical implications. Acta Neurochir (Wien) 1988;92(1–4): 39–46.

3 경추의 생체역학

BIOMECHANICS OF THE CERVICAL SPINE

RAFAEL TORRES CUECO

이 장에서는 임상적 의미를 추론하기 위해서 경추의 생체역학을 조사한다. 먼저 다양한 해부학적 요소의 역할을 분석하여 분절적 생체역학을 검토한다. 두 번째로, 국소 생체역학과 경추 전만을 분석하여 경추의 기능에 미치는 영향을 살펴보았다.

다른 척추 영역들과 마찬가지로, 경추는 이동성과 하중지지의 기본 기능을 수행한다. 이 두 가지 기능 중 이동성이 가장 관련성이 높고 요추와 명확히 구분된다. 경추 영역은 비록 좁지만 머리를 지탱하고 균형을 유지하여서 간섭할 수 있는 모든 힘을 분산시킨다. 이것은 뇌간, 척수, 그리고 이것을 통과하는 다양한 신경혈관 구조들을 보호한다. 또한 이것의 정적 및 동적 복합성을 설명하는 다양한 근육 부착 지점을 제공한다.

기능적 척추 단위
FUNCTIONAL SPINAL UNIT

기능적 척추 단위 또는 ***가동 분절***은 두 개의 인접한 척추 및 이것들 사이의 연조직으로 구성된다(그림 3–1). 이 개념은 경추 생체역학과 병리역학을 이해하려고 노력할 때 유용하다. 경추의 기능적 척추 단위의 역할은 세 가지 관절 시스템의 기여에 의해 결정된다. 체간관절로 구성된 전방 시스템은 갈고리돌기관절(구상관절)과 관련이 있고 두 개의 후방시스템은 두 개의 돌기사이관절로 구성된다. 이 세 개의 시스템은 경추 이동성과 하중지지에 함께 관여한다.

경추 이동성
CERVICAL MOBILITY

척추 이동성의 범위와 패턴은 해부학적 구조와 다양한 해부학적 요소들의 물리적 특성에 의해 결정된다.[1]

경추 이동성의 두 가지 관련 측면은 이동성의 범위와 이동성의 유형 또는 패턴이다.

경추는 다양한 해부학적 요소들의 특정한 형태적 특징 때문에 비례적으로 척추에서 가장 이동적인 부분이다. 첫 번째 두 개의 경추인 환추와 축추는 특별히 특징적이다. 이것들의 윤활관절은 굴곡–신전의 1/3을 책임지고, 경추의 축회전의 절반이상을 공동으로 책임진다. 추간판과 척추체, 또한 관절면 모두 움직임을 위해 설계되었다. 예를 들어, 경추의 각 분절의 시상면에서 각도 이동성 범위는 15°에 도달하고, 반면에 요추의 경우는 10°이다.[2]

추간판은 특별한 형태학적 측면과 또한 경추의 큰 이동성을 설명하는 현저한 해부학적 특징이 있다. 첫 번째 특징은 척추의 다른 영역보다 비례적으로 더 큰 추간판 높이이다. 디스크와 척추체 사이의

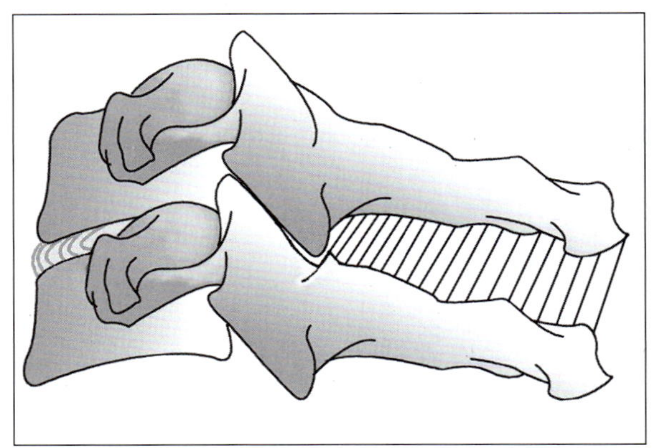

그림 3-1 ■ 기능적 척추 단위는 인접한 척추 및 이것들 사이의 연조직으로 구성된다.

비율은 Kapandji[3]가 설명한 것처럼 디스크-척추체 비율로 알려져 있다. 이 값이 요추에서 1/3인 반면, 경추에서 이 비율은 2/5이다.

이동성의 정도 또한 척추체의 시상과 관상 직경에 관련된 디스크의 높이에 따라 달라진다. 따라서 굴곡-신전 시 디스크는 더 크고 척추체의 전후방 직경이 작아질수록 이동성은 더 커진다. 또한 측면 굽힘을 분석할 때, 이동성은 더 커질 것이고 디스크가 더 커지고 관상 직경은 작아진다(그림 3-2). 경추에서 디스크의 시상 및 관상 직경은 절대값뿐만 아니라 높이에 비례하여 나머지 척추에서 발견되는 직경보다 훨씬 작다.[4]

경추 이동성에 연관된 가장 관련성 높은 특징은 디스크의 구조와 구성, 특히 섬유륜의 구조와 수핵의 구성이다.

나머지 척추에서 섬유륜은 병진움직임에 대한 저항을 제공하기 위해 인대로서 기능한다. 디스크의 실험에 의한 부상으로 인해 병진움직임이 증가되기 때문에 척추의 주요한 인대로 고려된다.[5,6]

이 작용은 주로 견인골단(rim apophysis) 테두리에 삽입된 가장 외부 섬유에 의해 수행된다.

수핵의 선행하중 또한 안정화에 참여하여 섬유륜의 섬유를 긴장상태로 유지하고 이것의 강도를 증가시킨다. 그러나 2장에서 설명한 것처럼 요추 디스크와는 달리 경추 디스크는 전체 둘레를 따라 동심원 판으로 형성된 섬유륜을 갖고 있지 않는다. 앞부분에 있는 섬유륜은 두껍고 잘 발달되어 있는 반면에, 뒷부분과 후외측 부분에는 거의 존재하지 않는다.[7-9]

같은 방식으로 섬유륜은 추간판의 2/3의 가로 균열을 이끄는 갈고리돌기관절(구상관절)의 발달과 관련된 중요한 변화를 겪는다.[10]

성인의 경추 디스크는 요추 디스크에 비해 수핵이 굉장히 작고, 프로테오글리칸(proteoglycans)의 비율이 낮고 콜라겐의 비율이 높기 때문에 선행하중이 굉장히 낮다.[10]

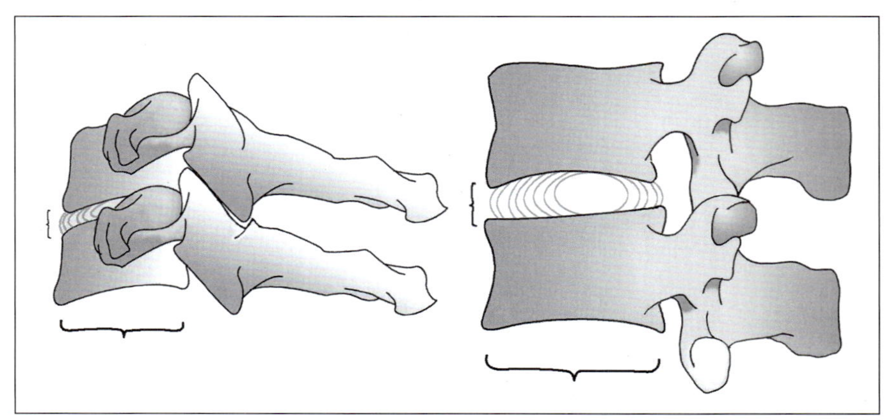

그림 3-2 ■ 이동성의 정도는 디스크-척추체 비율과 척추체의 시상 및 관상 직경과 관련된 디스크의 높이에 따라 다르다.

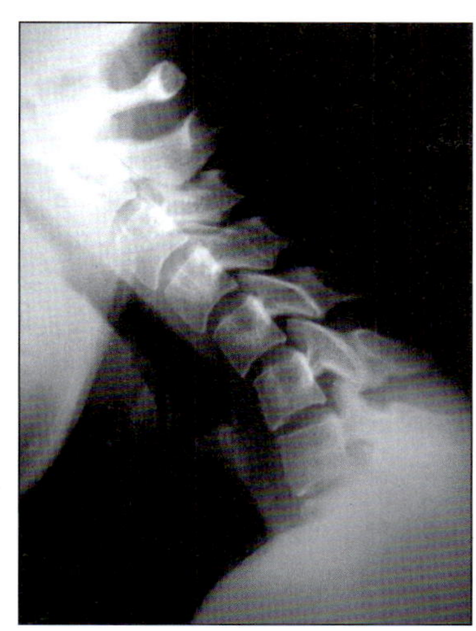

그림 3-3 ■ 이 동적 엑스레이는 굴곡 시 전방척추체 병진이동이 어떻게 두 개의 후벽의 특징인 비틀림 이미지를 만드는지 보여준다.

경추 디스크에서 콜라겐의 높은 비율은 비틀림 및 전단력에 적응이 반영된다.

디스크의 뒤쪽 절반의 균열과 수핵의 낮은 내부 선행하중은 디스크의 기계적 행동을 수정한다. 이동하는 동안 중심핵 중심으로 변형되는 구조를 멈추고 두 부분으로 나누어져서 서로 분할되는 디스크가 된다(상부와 하부). 따라서, 섬유륜은 수평 병진에 대한 저항이 거의 없다. 이 병진이동은 다른 면에서도 가능은 하지만 굴곡 시 전방전위에 의해 보여지는 시상면에서 더 명확하다. 이 전방척추체 병진은 굴곡 시 동적 엑스레이에서 보여질 수 있고, 여기서 후벽의 전위는 특정한 비틀림 이미지를 제공한다(그림 3-3). 이 방사선학적 징후는 경추에 병리학적 의미가 없고 단지 움직임 동안 정상적 기계 행동을 나타낸다.

경추의 척추체는 그 높이에 비례하여 시상 및 횡단 직경이 줄어든다. 흉추 및 요추 영역에서는 척추가 정지한 위치에서 멀어질 때 기본 척추에 연결하는 섬유륜의 저항에 부딪히기 때문에 시상회전과 병진이동이 제한된다. 시상면에서 경추를 관찰할 때, 이것의 하부 연골종판은 전방 끝에서 특히 오목하고 갈고리처럼 앞쪽과 아래쪽으로 이어지는 것을 알 수 있다. 상부 연골종판 또한 굴곡져 있고 이런 경우 볼록하므로 추간판의 면은 평면이 아니라 약간 앞쪽으로 대각선이다. 따라서 두 개의 인접한 척추 연골종판 사이에 오목–볼록 관계가 있다. 경추 연골종판의 특징적인 형태는 굴곡–신전 시 상부척추가 하부척추 위로 시상병진움직임을 할 수 있게 원주의 호를 결정한다. 척추체의 특정한 구조는 경추 역학에서 굴곡–신전의 관련성을 강조한다.

마지막으로, 경추 이동성의 범위는 횡단면에 연관하여 40°~60° 사이에 위치하고 시상병진움직임에 거의 제한을 하지 않는 돌기사이관절의 방향과 직접적으로 연관이 있다.[11]

게다가, 상부관절면을 덮고 있는 연골의 뚜렷한 볼록성은 이런 관절들의 이동성을 가능하게 한다. 완벽한 굴곡 시 상부관절면의 전방 활주의 정도는 상당히 중요해서 이 후관절과 하부 척추의 후관절 사이 접촉면적이 5mm만큼 작을 수 있다.[2] 이런 상황은 과굴곡의 과격한 기전에 따라 관절면이 편측이나 양쪽으로 탈구를 겪는 결과가 있을 수 있다. 이것은 후관절 사이의 접촉부분의 수 밀리미터에 의존하는 완벽한 굴곡 시 줄어든 안정성은 후방근육들과 인대들의 강도와 완전성을 요구한다.

경추의 높은 이동성은 다음과 관련이 있다:

- **시상면에서 척추 연골종판의 오목–볼록형태**
- **관절면의 45–60° 경사**
- **디스크–척추체 비율 및 디스크 높이와 횡단 및 관상 직경 사이의 비율**
- **불균일한 견인골단의 발달로 인한 디스크의 균열**

경추 굴곡 정도는 뒤세로인대(후종인대), 황색인대(ligamentum flavum), 관절면의 관절낭과 적은 정도의 극간인대에 의해 제공된 장력에 의해 결정된다.

뒤세로인대와 돌기사이관절이 손상되지 않는 경우 안정성은 유지된다.[6,12]

신전은 주로 앞세로인대(전종인대, anterior longitudinal ligament), 섬유륜과 극돌기나 고리판의 접촉에 의해 제한된다. 갈고리돌기(유구돌기, unciform process)는 특히 더 긴 경추3번-경추6번 수준에서 시상병진 움직임을 위한 가이드로서 굴곡-신전에 참여하기도 한다.[11] 관상 및 축면에서의 이동성은 생체역학의 관점에서 복잡하고, 후에 설명될 결합패턴을 따른다.

하부경추의 운동학
(Kinematics of the lower cervical spine)

경추에서 이동성의 기능적 중요성의 결과로 정상으로 여겨지는 범위를 결정하기 위해서 여러 유형의 연구들(측각, 사체, 방사선 연구 등)이 수행되어왔다. Panjabi[13], Bogduk과 Mercer[7]가 연구 특성을 검토했다. 처음에 첫 번째 연구는 측각[14-16]이었고 비록 그들이 경추의 전체적 기능에 대한 데이터를 제공했지만, 그들은 경추 운동학에서 관절 분절의 역할에 관한 관련 정보는 제공하지 않았다. 최근에는 보다 정교한 장치를 사용하여 측각분석이 수행되고 있다.[17-23]

이런 유형의 작업은 각 경추의 기계적 행동의 정보를 제공하지 않지만 관절 이동성의 변경을 감지할 수 있기 때문에 임상학적 관련이 있다. 경추 분절의 참여를 이해하기 위해서 사체로 여러 연구들이 수행되었다.[24-27]

하지만, Bogduk과 Mercer[7]에 따르면, 이런 종류의 연구에서 얻은 데이터는 경추의 부수적 움직임이 근육 수축에 의해 촉발되는 생리적 움직임과 관계가 없을 수 있기 때문에 완전히 신뢰할 수 없다.

보다 최근, 건강한 피험자[16,28-33]를 대상으로 기능적 방사선 연구가 수행되어 연구자들은 경추와 각 경추분절에 대한 이동성의 정상범위를 설정하려고 시도했다.[28-30,34-37]

비록 포괄적이기는 하지만, 이러한 많은 연구들은 통계적 활력이 부족해서 예로 표준편차를 설정하지 못했다.[7]

경추 이동성은 개인차가 크기 때문에 경추 이동성에서 각 분절의 참여에 대한 가용데이터는 예시일 뿐이며 진단목표로는 사용되지 않을 수 있다.

그러나, 동적 엑스레이는 측정 이동성 범위를 용이하게 할 뿐 아니라 분절 저이동성 및 과이동성을 나타낼 수 있기 때문에 임상학적으로 관련이 있다.[30,32,37-40] 분절의 과이동성은 디스크 퇴행의 적절한 지표이다.[32,42,42] 게다가, 저이동성이나 과이동성과 증상의 존재사이에는 상관관계가 있다.[30,43-45]

경추분절의 동적 행동을 관찰하는데 사용할 수 있는 방사선학적 방법은 영화방사선촬영술이다.[42,46] 이 기술은 경추 움직임 중에 촬영된 연속적인 방사선 영상을 포함한다. 필딩(fielding)[47-49]은 동적이미지의 장점을 보여주는 최초의 영화방사선 촬영 중 하나였다.

Joines[50]는 또한 퇴행적 변화,[51] 교통사고 후 변화,[52] 경추 불안정성의 징후,[53] 다양한 종류의 경추 보호대,[54] 경추견인,[56] 추궁적제술(laminectomy)[57] 및 척추유합술[58]의 영향과 같은 다양한 병리학적 상황에서 정상적인 경추 움직임 및 변화를 분석하기 위해 영화방사선촬영술을 이용하여 수많은 연구를 수행하였다. 영화방사선촬영술 연구에서 가장 빈번히 발견되는 병리학적 소견은 디스크 퇴행 및 인접한 척추사이의 불규칙한 이동성을 가진 분절에서의 이동성 감소를 포함한다.[59]

영화방사선촬영술 연구는 척추 역학에 대한 더 나은 이해를 가능하게 했음에도 불구하고 환자가 많은 양의 방사선에 노출되기 때문에 임상학적 의의를 제공하지 않으며, 따라서 연구 분야에 그 사용이 제한되었다.

최근, 고해상도 자기공명영상(MRI)을 이용한 고정밀 3차원 재구성을 이용한 경추의 결합이동성 영역에 대한 연구가 진행되어 왔다.[55-57]

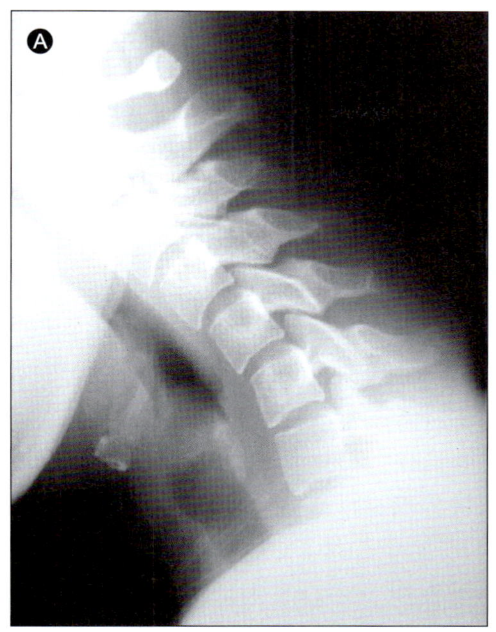

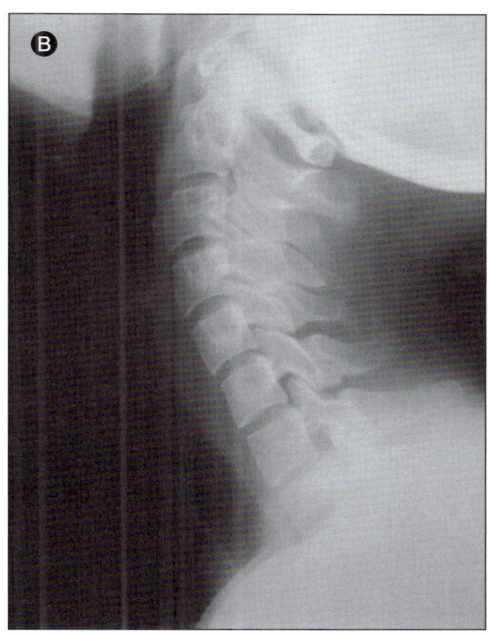

그림 3-4 ■ 최대 굴곡(A)및 신전(B) 시 동적 엑스레이는 특정한 분절의 이동성을 정량화하는데 유용하지 않다.

Van Mameren 등[58]이 수행한 연구는 진단 목표를 위한 이동성 범위의 방사선 측정값을 유발했다. 그들은 정상 대상자에게서 굴곡-신전을 연구하기 위해 새로운 기술을 사용했다. 또한 고속영화방사선촬영법을 사용하여 굴곡에서 신전 움직임으로 또는 그 반대의 경우에도 25회 노출을 얻었다. 이 실험은 첫 관찰의 2주와 10주째에 반복되었다. 이 작업의 참신함은 주어진 분절의 이동성의 최대범위가 반드시 경추의 굴곡이나 신전 한계와 일치하지 않는다는 사실에 있다. 종종 척추가 굴곡이나 신전의 최대범위에 도달할 때 특정 시간 동안 분절의 최대이동범위를 관찰할 수 있지만 반드시 그럴 필요는 없다. 즉, 척추가 굴곡 시 최대범위에 도달할 수 있지만 경추가 완전한 굴곡에 도달함에 따라 움직임을 역곡선시키고 약간 신전한다. 이 행동은 특히 상부경추에서 관찰될 수 있다(후두-경추1번, 경추1번-경추2번)(그림 3-4). 따라서, 경추의 전체 이동 범위는 분절 이동성 범위의 산술합이 아니다. 따라서 최대 굴곡 및 신전 시 촬영한 동적 방사선 영상은 주어진 분절의 이동성을 정량화하는 목표로 유용하지 않다.

경추의 최대 이동범위는 이것의 분절 이동범위의 산술합이 아니다.

최대 굴곡 및 신전 시 동적 방사선영상은 주어진 분절의 이동성을 정량화할 때 유용하지 않다.

이 작업에서 강조한 두 번째 특징은 움직임이 굴곡에서 신전으로 또는 그 반대로 진행되는지 여부에 따라 분절 이동범위의 변화와 관련이 있다. 움직임 범위에서 이런 차이는 특히 후두-경추1번 및 경추6번-경추7번에서 동일한 개인에게서 5°에서 15° 사이에 도달할 수 있다. 따라서, 연속 방사선 촬영에서 촬영한 모든 경추 분절에서 최대 15°의 이동성 변화는 이런 분절에서 이동성의 손실 또는 증가를 나타내지 않는다. 따라서 우리는 환자가 움직임을 수행하는 방식에 전적으로 의존할 수 있기 때문에 이동성 증가에 대한 방사선학적 관찰을 기반으로 하는 도수치료 또는 기타 치료 기술로 달성된 치료 성공에 대해 의문을 제기해야 한다.

이 연구에서 궁극적으로 도출할 수 있는 결론은 이동범위가 시간적으로 안정적이지 않기 때문에 단일 피험자가 다른 날짜 또는 다른 시간에 측정할 때 5°의 차이를 나타낼 수 있다는 것이다. 이동범위에서 관찰된 변화는 신중하게 해석되어야 하며 병리학 또는 치료개입에 체계적으로 기인해서는 안된다.[7]

경추의 순차 이동성

(Sequential mobility of the cervical spine)

굴곡-신전 시 경추분절의 참여는 순차적이며 재현가능한 순서나 리듬을 따른다는 것이 확인되었다. 그러나 다른 연구의 결론은 모순된다.[58–62]

영화촬영법 연구에 근거하여, Hino 외[60] 연구진들은 경추에 굴곡과 신전 모두에서 나타나는 특징적인 서열이 있다고 주장했다. 이 저자들에 따르면 정상 경추 이동성은 경추1번-경추2번에서 시작되어 상하 방향으로 계속된다. 이 리듬의 변화는 불안정과 같은 경추 병리를 의미한다. 이 경우, 불안정한 분절에서 움직임은 바로 위에 위치한 분절에서 움직임보다 먼저 발생한다.

Dvorak과 Dvorak에 따르면,[62] 경추 굴곡은 두 단계로 진행된다. 첫 번째 단계에서는 후두-경추1번의 전방 시상회전이 8°이고, 이 레벨 아래의 분절은 참여하지 않는다. 두 번째 단계에서는 경추1번-경추2번이 앞쪽으로 기울어지고 나머지 경추분절인 경추2번-경추7번까지 점진적으로 참여하면서 움직임이 계속된다. 두 번째 단계가 끝날 때 후두-경추1번의 회전 방향에서 후방회전이 일어나며, 이는 척수에서 장력을 제한하는 목표를 가질 수 있다.

그러나, 이런 단순한 경추 이동성의 모델은 현실과 일치하지 않는다.[7] 굴곡 및 신전 시 각 분절들이 참여하는 순서는 훨씬 더 복잡하다. Mameren외 연구진들에 따르면,[58,61] 굴곡과 신전 모두 경추4번에서 경추7번 사이에 분절 중 하나인 하부경추에서 시작되는 것으로 보인다. 하지만 굴곡 및 신전 시 참여하는 순서가 다르고 일부 분절은 반대 방향을 갖는다.

이런 연구는 모든 것을 고려하여 단일패턴 움직임의 존재를 고려하여 경추와 머리의 이동성을 분석한다. 그럼에도 불구하고 전체적으로 경추의 굴곡-신전 움직임은 두개경추의 굴곡-신전 움직임과는 다르다.[63,64] 사실, 경추와 두개경추 척추의 최대 굴곡은 동시에 얻을 수 없다. 하부경추와 두개경추에서 동시에 최대이동범위에 도달하는 것에 대한 제한은 항인대 같이 서로를 연결하는 특정한 콜라겐 구조의 존재로 인한 것일 수 있다. 또한 척추 경막 같은 중심관에 위치한 구조는 최대 굴곡의 관절 달성을 상당히 제한할 수 있다. 일상 활동에서 시상면에서 두개경추 굴곡-신전 및 경추 굴곡-신전의 두 가지 다른 움직임 패턴을 관찰할 수 있다. 두개경추 이동성은 최소한의 노력으로 굴곡-신전 및 회전 시 충분한 이동성을 허용한다. 더 큰 범위의 움직임을 요구하는 활동에는 경추의 이동성이 필요하다.

일상 활동에서, 시상면에서 두 가지 다른 움직임 패턴을 관찰할 수 있는데, 이것은 더 넓은 범위의 움직임이 필요한 활동을 위한 경추패턴이다.

동적 엑스레이를 분석할 때 경추 전만은 두 개의 만곡인 상부 및 하부 만곡에서 비롯된 것으로 간주할 수 있다. 각각은 피험자가 수행하는 움직임 모드에 따라 굴곡-신전 시 개별적으로 수정된다.[42,63,64]

만약 피험자가 중립위치에서 굴곡을 시작하면 하부경추에서 순수한 후만만곡이 생성된다. 반대로 이 움직임 동안 피험자가 처음에 두개경추를 굴곡시키면 경추의 굴곡은 감소될 것이다. 두개경추 및 경추에서 최대범위의 굴곡을 관찰하기 위해서는 두 개의 방사선 투영이 필요하다. 두개경추의 경우, 피험자는 경추를 중립에 유지하면서 머리를 뒤로 움직여야 한다.

경추의 경우, 피험자는 목을 완전히 굴곡시켜야 하며 두개경추(craniocervical)는 약간 신전된 위치를 유지해야 한다. 이 동일한 절차는 경추를 두개경추 분절과 구별하기 위한 임상평가에 유용할 것이다.

경추의 이동성은 다른 다분절 해부학적 구조와 마찬가지로 다양성이 특징이다. 따라서, 굴곡-신전을 수행하는 방법은 분명히 다르다. Worth가 언급했듯,[64] 경추의 이동성을 검사할 때 몸통과 연관된 머리의 이동성을 기록하면 머리 이동성이 경추 이동성 범위와 반드시 연관이 있다는 것이 아니기 때문에 잘못된 진단에 도달할 수 있다. 따라서, 움직임이 수행된 방식에 대해 보고하지 않는 분절 이동성 범위에 대한 연구는 신뢰할만한 데이터를 제공하는 않는다.

경추의 움직임 패턴
MOVEMENT PATTERNS IN THE CERVICAL SPINE

경추 요소의 형태와 구성은 움직임 범위뿐 아니라 이런 범위의 특성을 결정한다. 추간움직임의 질에 관련된 연구의 관련성은 이동성 범위를 정량화하는 연구의 부족한 진단적 의도로 설명된다. 먼저, 시상면에서 이동성을 분석한 후 측면 굽힘 및 회전의 결합패턴을 분석한다.

시상면의 움직임 패턴
(Movement patterns in the sagittal plane)

굴곡-신전 시 경추분절에서의 이동성은 척추의 다른 영역들과 비슷함에도 불구하고 몇 가지 다른 특징들을 나타낸다. 굴곡-신전은 기계적 관점에서

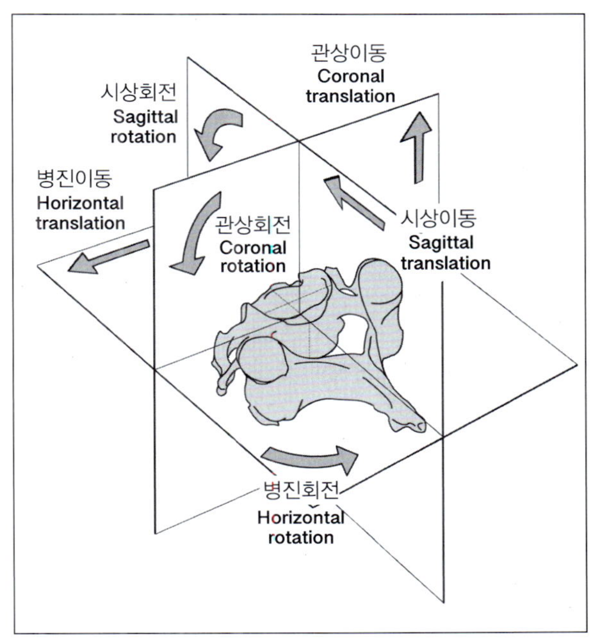

그림 3-5 ■ 척추의 각 이동성은 회전 및 병진이동 요소가 추가된 결과이다. 따라서, 굴곡-신전은 기계적 관점에서 두 가지 유형의 척추 움직임 즉, 횡단 축을 중심으로 시상면에서 병진이동과 회전 또는 시상한다. 같은 방식으로 다른 평면에서 각 움직임은 병진이동과 회전의 결과이다.

두 가지 유형의 척추 움직임 즉, 횡단축을 중심으로 시상면에서 병진이동과 회전 또는 시상한다(그림 3-5).

굴곡 시 경추는 전방 시상회전 또는 전방 시상병진과 연관된 전방 기울임 또는 전방전위를 수행한다. 게다가 신전은 후방 시상회전 또는 후방 시상병진과 연관된 후방 기울임 또는 후방전위를 통해 도달된다. 시상면에서 경추의 이동성의 증가된 정도는 시상 회전도가 높기 때문이고 특히 다른 영역과는 달리 병진이동이 크기 때문이다. 경추의 중요한 시상병진은 척추 연골종판과 아래 척추로 구성된 볼록면 위 척추체의 미끄러지는 움직임과 시상면에서의 관절면의 미끄러지는 움직임의 추가로 인해 발생한다. 후반부에서 설명하겠지만 회전 및 병진이동의 범위는 특히 각 경추 분절에 비례한다.

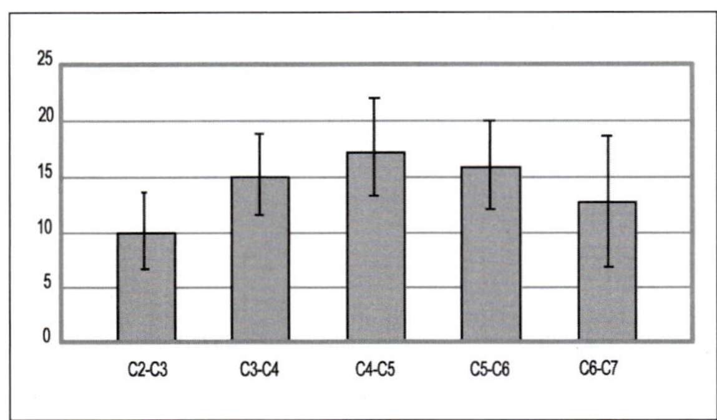

그림 3-6 ■ 경추분절의 시상회전. (Reitman 등[40]에서 수정됨)

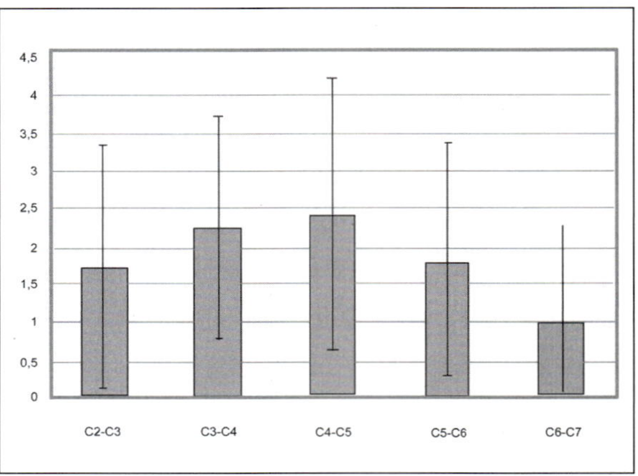

그림 3-7 ■ 경추에서 척추 병진이동은 중요하다. C2-C3, C3-C4 및 C5-C6 분절에서 정상으로 간주되는 값은 4.5 mm이고, C4-C5 분절에서는 5.5 mm이다. (Reitman 등[40]에서 수정됨)

척추 움직임의 이런 두 요소의 적절한 범위 및 비례에 달성하기 위해서 디스크는 정상 높이를 유지해야 하고 움직임의 가이드 역할을 하는 돌기사이관절의 관절면은 완벽히 일치되어야 한다.

Reitman 등[40]은 140명의 무증상 피험자를 대상으로 수행한 연구 결과로 시상회전 및 경추의 병진 정도를 제공했다.

시상회전은 중간분절인 경추4번-경추5번 및 경추5번-경추6번에서 더 높고, 경추2번-경추3번 및 경추6번-경추7번 분절에서 더 낮다.[40] 시상회전에 대해 얻은 값은 중부경추 영역에서 15° 이상이고, 반면, 불안정성은 이 움직임이 20°를 초과할 때 고려된다(그림 3-6과 표 3-1).

시상이동은 불안정하다고 간주되는 한계로 이전에 간주되었던 값인 3.5mm보다 훨씬 높다. 경추2번-경추3번, 경추3번-경추4번 및 경추5번-경추6번 분절에서 병진이동은 4.5mm까지 정상으로 간주되고 경추4번-경추5번 분절에서 한계는 5.5mm이다(표준 방사선 촬영 배율 30% 고려)[40] (그림 3-7과 표 3-1).

굴곡 시 후관절의 양쪽 확산이 있고 신전 시 양쪽 수렴을 생성한다. 정상 경추에서 이런 활주 움직임 시 관절면 사이에 완전한 병렬은 어떠한 형태의 균열도 없이 궤적 전체에 걸쳐 유지되어야 한다(그림 3-8). 이 병렬이 유지되지 않으면 관절면은 앞부분에서 압박을 받고 굴곡이 끝날 때 뒷부분에서 신연된다. 신전 시 반대상황이 발생한다. 관절면의 압박과 신연 모두 관절에서 부정적인 영향을 미친다. 연골의 작은 범위에 위치한 압박은 자극을 유발하고 신연은 관절낭의 과하게 늘어남을 야기한다(그림 3-9). 관절면의 병렬은 일반적으로 믿어지는 것처럼 뚜렷하게 볼록하고 편평하지 않기 때문에 상부 관절면의 관절연골의 형태 때문에 가능하다.

경추의 관절면 사이에 완벽한 병렬은 움직임 시 간격이나 압박 없이 유지되어야 한다.

연골의 작은 영역에서 국소적인 압박을 가하면 퇴화를 일으키고, 신연(distraction)은 관절낭이 과도하게 늘어나게 된다.

시상면에서의 움직임 패턴은 굴곡에서 완전 신전까지의 설명된 궤적을 기반으로 분석할 수 있다. 이 궤적은 특정 척추의 특징적인 호를 나타낸다. 이 움직임의 패턴은 굴곡에서 시작하든 신전에서 시작하든 단일 척추에 대해 동일패턴을 입증한 Lysell[27]에 의해 시험관 내에서 연구되었다.

표 3-1

경추에서의 분절 회전 및 병진이동

	C2-C3 평균 (SD)	C3-C4 평균 (SD)	C4-C5 평균 (SD)	C5-C6 평균 (SD)	C6-C7 평균 (SD)
분절 회전(°)	9.88 (2.57-17.18)	15.17 (8.88-21.47)	16.87 (9.52-24.23)	15.78 (7.47-24.09)	13.54 (3.18-23.90)
분절 병진이동(mm)	1.73 (0.11-3.34)	2.26 (0.79-3.72)	2.41 (0.62-4.20)	1.82 (0.28-3.37)	0.99 (-0.32-2.29)

SD, 표준 편차.

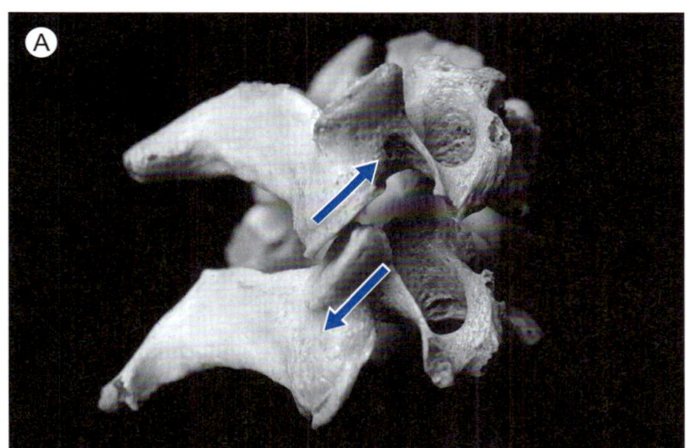

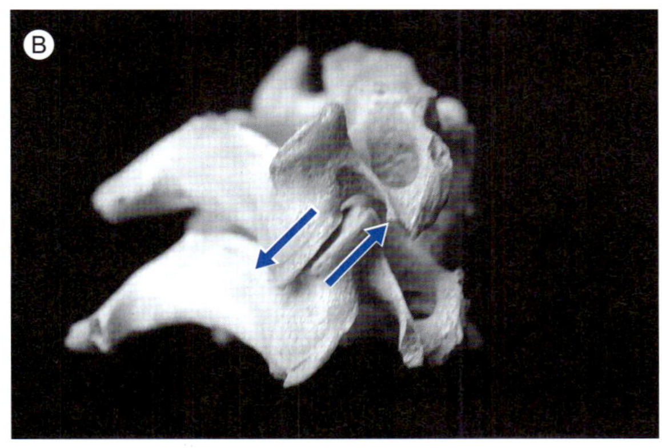

그림 3-8 ■ 관절면에서 굴곡은 양쪽 확산을 포함하고(상부척추의 하부 후관절은 하부척추의 상부 후관절과 관련하여 상부 및 전방 방향으로 활주한다.) (A) 그리고 신전은 양쪽 수렴을 포함한다.(상부척추의 하부 후관절은 하부척추의 상부 후관절과 관련하여 하부 및 후방 방향으로 활주한다.) (B) 이러한 활주 움직임 시 완벽한 병렬이 관절면에서 유지되어야 한다.

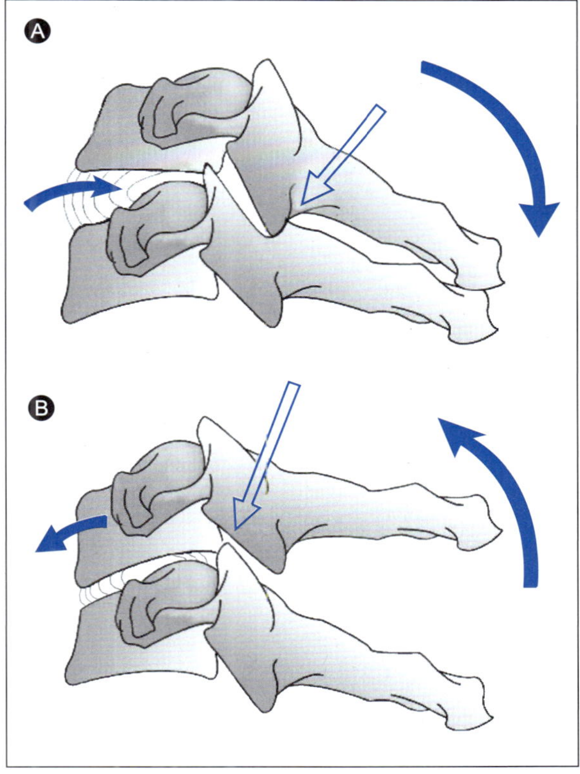

그림 3-9 ■ 신전이 끝날 때 시상면에서 움직임이 있을 때 후관절 병렬이 유지되지 않으면 (A), 관절면은 뒷부분에서 압박을 받고 앞부분에서 신연의 대상이 될 것이다. 굴곡 시 (B) 앞부분에서 압박을 받고 뒷부분에서 신연의 대상이 된다.

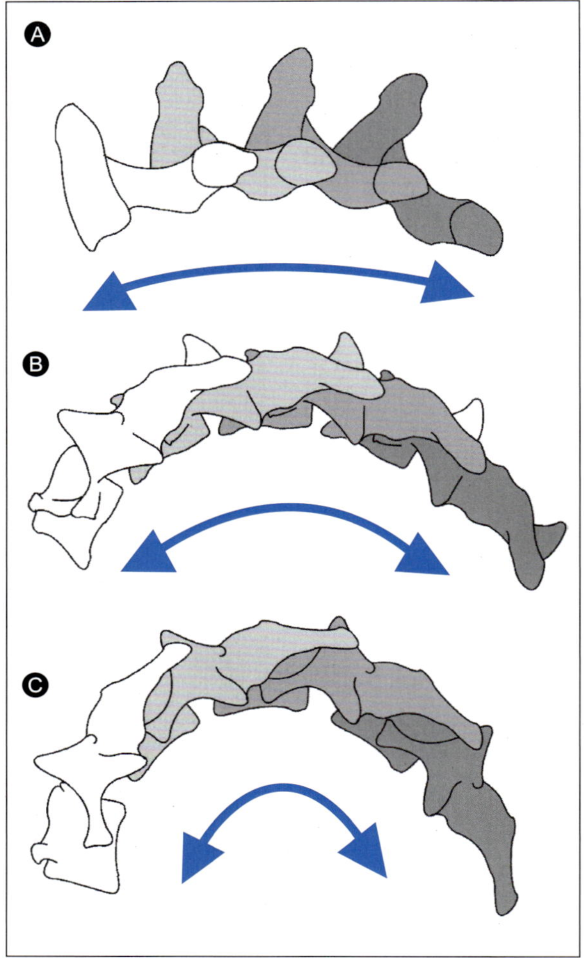

그림 3-10 ▪ 시상면에서 시상이동 시, 척추는 특정 척추 레벨에 따라 다소 급격하게 움직이는 호를 따라 움직인다. 척추가 더 머리 방향일수록 (A)호는 더 편평하고, 척추가 더 꼬리 방향일수록 호는 더 급격하다. 가장 편평한 움직임의 호는 C2에 해당하고, 가장 급격한 호는 C6에 해당하며 그 다음은 C7에 해당한다(C).

그는 시상면에서 이러한 움직임의 호가 특정 척추 레벨에 따라 다소 급격하다는 것을 관찰했다. 척추가 더 머리 쪽일수록 호는 더 편평하고 척추가 더 꼬리 쪽일수록 호는 더 급격하다. 따라서, 가장 편평한 움직임의 호는 경추2번에 해당하고, 가장 급격한 호는 경추6번에 해당하고 그 다음은 경추7번[27]에 해당한다(그림 3-10).

호가 다소 편평할 수 있다는 사실은 시상병진이동 및 회전 사이 비율에 따라 다르다. 시상병진이동이 클수록 호는 더 편평해지고 회전이 더 클수록 호는 더 급격해 질 것이다. Lysell은 또한 디스크 퇴행이 시상회전을 감소시켜서 호의 편평해짐을 야기할 수 있다는 것을 보여주었다.[27] 그는 관절병리학이 이동성의 상실을 통해서가 아니고 이것이 생성되는 방식의 변화를 통해 대부분 드러난다는 것을 확인한 최초의 저자 중 한 사람이다.

순간적인 회전축(*Instantaneous axis of rotation*)

시상면에서 척추의 움직임 호는 척추 아래 어딘가에 위치한 중심에서 발생한다.[7,65] 이 중심은 순간적인 회전축(IAR)으로 알려져 있고 이것의 위치는 시상회전과 특정 척추의 병진이동 사이에 비율에 따라 다르다. 시상병진이동이 클수록 회전축은 낮아지고 시상회전이 클수록 회전축은 높아진다. 순간적인 회전축(IAR)의 분석을 통해 우리가 특정 척추의 이동성의 패턴을 이해할 수 있고, 따라서 시상면에서 이동의 질을 이해할 수 있다. 이것의 위치는 동적 방사선을 통해 간단한 기하학에 의해 결정될 수 있다. 동일한 척추의 두 이미지 각각에서 굴곡 및 신전 위치 동안 네 개의 점(후상방, 후하방, 전상방, 전하방)이 표시된다. 그런 후에 각 위치의 동일한 점을 연결하기 위해 선을 그리고 각각의 수직선을 배치한다. 순간적인 회전축(IAR)은 네 수직선의 교차점에 위치한다(그림 3-11).

순간적인 회전축(IAR)에 관한 첫 번째 데이터는 두 개의 방사선 이미지를 중첩하는 방법을 설계한 Penning[2,38]에 의해 제공되었다. 하나는 척추가 최종 굴곡위치에 있고 다른 하나는 최종 신전자세에 있다. Dvorak 등[31,32]은 동일한 방사선 기술을 이용해서 시상회전 및 병진이동을 디지털 방식으로 계산하는 방식을 개발하였다. 이런 연구의 결과는 각 척추분절에 특징적인 순간적인 회전축(IAR)이 있다는 것이다. 우리가 상하 방향으로 경추를 통해

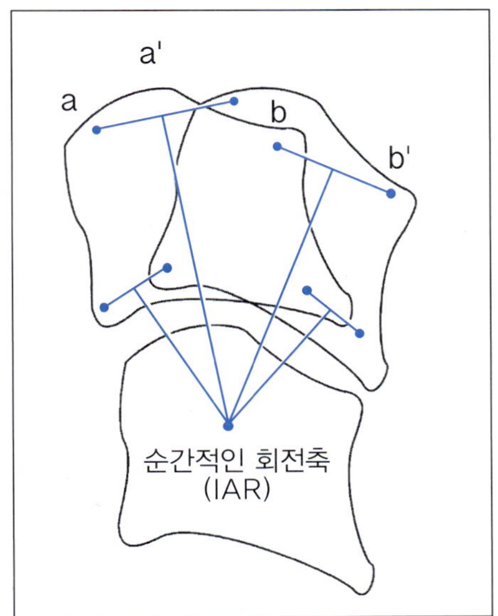

그림 3-11 ■ 순간적인 회전축(IAR)의 위치는 동적 방사선을 통해 간단한 기하학으로 결정할 수 있다. (본문 참조) (Bogduk과 Mercer[7]에서 수정됨)

이동함에 따라 순간적인 회전축(IAR)은 더 높아지고 같은 레벨의 추간판에 더 가까워진다. 이런 방식으로 하부경추에서는 추간판 근처에 위치하지만 상부 분절에서는 상당히 낮게 위치한다. 이것은 정상 피험자에게서 경추2번-경추3번에서 경추4번-경추5번으로 병진이동이 상부 분절에서 더 크고 경추5번-경추6번과 경추6번-경추7번과 같은 하부 분절에서는 병진이동이 더 작다는 것을 나타낸다(그림 3-12).

순간적인 회전축(IAR)은 두 원주의 중심에 해당하며, 하나는 척추체의 하부 연골종판에 의해 구성되고 또 다른 하나는 관절면에 의해 구성된다(그림 3-13). 척추의 순간적인 회전축(IAR) 위치는 추간판의 두께 및 아래 척추의 상부 관절면의 높이에 따라 다르다. 이것들은 경추3번에서 현저히 낮으며 하부척추에서 높이가 점차적으로 증가한다. 주어진 레벨에서 상부 관절면 높이는 특정 정도의 병진이동을 허용하기 위해 해당 레벨의 시상회전의 정도를 결정한다. 하부척추의 상부 후관절이 높은 위치에

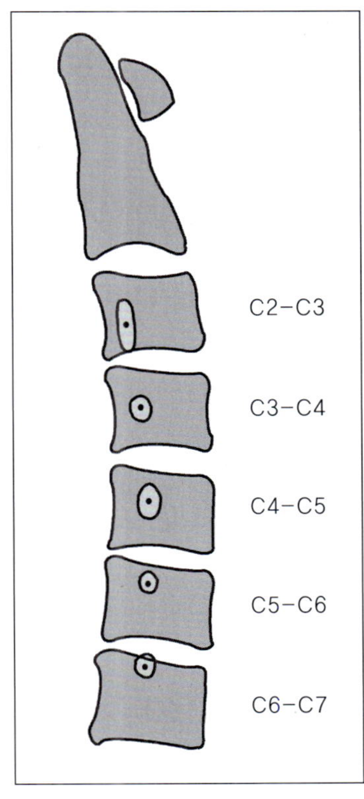

그림 3-12 ■ 각 척추분절은 특징적인 IAR이 나타난다. 우리가 경추를 통해 상하 방향으로 나아감에 따라, 순간적인 회전축(IAR)은 더 높고 해당 레벨의 추간판에 더 가깝다.

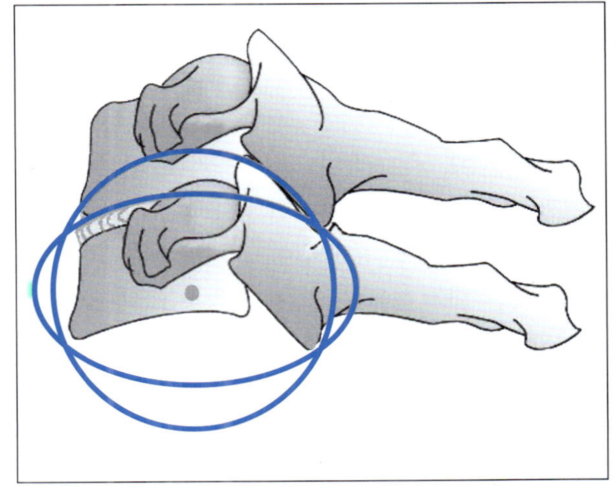

그림 3-13 ■ 순간적인 회전축(IAR)은 두 원주의 중심에 해당하며, 하나는 척추체의 하부 연골종판으로 구성되고 또 다른 하나는 관절면으로 구성된다.

있으면 회전이 넓지 않는 한 병진이동은 더 어렵다. 그림 3-13은 경추2번이 모든 다른 레벨에서 보다 확연하게 낮은 순간적인 회전축(IAR)을 갖는 방법을 보여준다. 이것은 경추3번의 상부 후관절에 연결하기 위해 급격히 아래쪽으로 신전된 하부 후관절의 형태에 해당한다.

Penning[2,38] 및 Dvorak 등[31,32]이 기록한 순간적인 회전축(IAR)에 대한 설명은 다른 저자에 의해 확증되었다.[61,66] 순간적인 회전축(IAR)은 척추 이동성의 질에 대해 믿을 만한 지표이며, 안정적이고 하루종일 변하지 않으며 이동범위와는 달리 굴곡이나 신전으로부터 발생하는지 여부에 의존하지 않는다. 따라서 척추 이동성의 변화를 식별할 수 있기 때문에 진단적 가치가 있다.[30,32,61,67]

순간적인 회전축(IAR)의 분석은 특정한 척추의 이동성의 패턴을 식별할 수 있게 하여서 시상면에서 움직임의 질을 식별할 수 있게 한다.

순간적인 회전축(IAR)은 척추 이동성의 질에 대해 믿을만한 지표이며 이동성 범위와는 달리 굴곡이나 신전으로부터 발생하는지 여부에 의존하지 않는다.

순간적인 회전축(IAR)은 척추 이동성의 변화를 식별할 수 있기 때문에 진단적 가치가 있다.

기능장애 경추 분절을 식별하기 위해 순간적인 회전축(IAR) 분석을 사용한 최초의 연구 중 하나는 Dimnet 등[42]에 의해 수행되었다. 이런 저자들은 순간적인 회전축을 통해 방사선학적으로 감지할 수 있는 구조적 변화가 없는 경추 통증을 가진 환자에게서 기능적 이상을 감지할 수 있음을 보여주었다. 다른 연구들은 외상후 목 통증[67], 경추 편타성 장애[68], 또는 경추성 두통[69,70]과 같은 다양한 경추 증후군에서 순간적인 회전축의 비정상적인 위치를 보여주었다. Mayer 등[70]은 후자의 경우, 환자가 상부 경추 분절에서 비정상적 순간적인 회전축(IAR)을 보였다는 것을 관찰했다.

Amevo 등[67]의 흥미로운 연구에서 외상후 목통증을 가진 109명의 환자 중 77%가 순간적인 회전축의 비정상적인 위치를 가지고 있다는 것을 발견했다. 이러한 비정상적인 순간적인 회전축은 상부 경추(경추2번-경추3번 및 경추3번-경추4번)의 순간적인 회전축(IAR)이었다. 그러나 이동성의 비정상적 패턴을 가진 분절과 디스크조영술이나 진단적 후방 후관절의 신경차단에 의해 위치하는 증상이 있는 분절 사이에 뚜렷한 관계가 없었다. 이 발견은 순간적인 회전축이 통증 있는 분절의 내재적 이상에 의해 유발되지 않을 수 있지만 근육경련과 같은 다른 요인에 의한 이차적일 수 있다는 것을 시사한다.

Bogduk 등[71]은 순간적인 회전축과 이것의 임상적 중요성에 대한 광범위한 연구를 수행했다. 정상위치에서 순간적인 회전축의 변위는 척추분절에 가해지는 힘과 해부학적 구조에 의해 가해지는 저항 사이의 균형이 변경된 경우에만 발생할 수 있다.[71] 따라서 후방 및 하방 근육 긴장의 증가는 순간적인 회전축의 후방 및 하방변위가 발생할 수 있다. 상방변위는 병진이동이 감소하고 회전이 증가하는 경우에만 나타난다. 순간적인 회전축(IAR)의 분석은 무엇보다도 경추 편타성으로 인한 병리학적 기전에 대한 더 나은 이해를 하게 했다.[68]

역설적 움직임(*Paradoxical motion*)

White와 Panjabi[1]는 역설적 움직임의 개념을 설명했다. 이 개념은 경추 부속장치의 각 움직임 중에 척추에서 비정상적인 방향으로 회전 및/또는 병진이동이 발생할 수 있다고 결정한다. 예를 들어, 척추가 굴곡하는 동안 후방 시상회전 또는 후방 병진이동이 발생하는 경우가 이것이다. 이 역설적인 역학기전은 불안정한 분절에서 나타나며 디스크 퇴행[41]과 관련이 있다(그림 3-14).

그림 3-14 ■ 역설적 이동의 예: 굴곡 시 후방 시상회전(A), 신전 시 전방 시상회전 발생(B).
(White 와 Panjabi[1]에서 발췌)

결합패턴(Coupling patterns)

결합 이동성 현상은 흉추와 요추보다 경추에서 훨씬 더 분명하다. 경추의 결합패턴은 일정하며 중요한 임상적 의미를 갖는다.[27,72,73] 경추의 특정 결합패턴은 어떤 움직임이 먼저 발생하는지에 관계없이 측면 굽힘과 회전이 어떤 움직임이 먼저 발생하는지[17,27,55, 57,72-77] 상관없이 항상 같은 방향으로 발생한다고 결정한다(그림 3-15). 그러나, 엄밀한 생체역학적 관점에서 볼 때, 나중에 논의되는 것처럼 경추에는 측면 굽힘이 없다. 경추의 결합패턴은 돌기사이관절과 갈고리돌기관절(구상관절, unciform joint)의 후관절에 의해 가해지는 이동성에 대한 통제에서 파생된다.[11,78,79]

결합된 측면 굽힘과 회전이 시상면에서 세 번째 움직임 지표를 야기하는데, 최대신전범위를 나타내는 후두-경추1번 분절과 함께 상부경추(후두-경추1번과 경추4번-경추5번으로 부터)에서 신전, 그리고 하부경추(경추5번-경추6번에서 경추7번-흉추1번까지)에서 굴곡이다. 신전에서 굴곡으로의 변화는 경추4번-경추5번 부근에서 발생한다.[55,73,75]

이 발견은 골극이 경추5번 아래 분절의 앞쪽 부분에서 더 빈번하고 이 레벨 위에 위치한 분절에서 뒤쪽에 있는 이유를 설명할 수 있다.

측면 굽힘, 회전 및 굴곡-신전 시의 결합 정도는 많은 연구[27,55,57] 덕분에 알려져 있다. 아래의 데이터는 Ishii 등[55,57]에 의해 수행된 가장 최근의 연구에서 가져온 것이다(표 3-2).

경추의 측면 굽힘은 각 측면에서 30.3 ± 3.7°이며 경추6번-7번은 측면 굽힘 정도(5.7°)가 가장 높은 부분이다. 측면 굽힘은 경추7번-흉추1번을 제외한 모든 경추 분절에서 동측 회전을 동반한다. 결합 회전이 가장 큰 분절은 경추3번-경추4번(1.8°)이다.[57]

경추2번에서 흉추1번까지 경추의 축방향 회전은 양쪽으로 26°이며, 이는 결합 경사가 18°임을 의미한다.[55] 최대 축회전은 경추3번-경추4번, 경추4번-경추5번 및 경추5번-경추6번에서 볼 수 있고, 최소 축회전은 경추2번-경추3번, 경추6번-경추7번 분절 및 경추7번-흉추1번에서 찾을 수 있다.

회전 중 결합패턴은 모든 분절에서 동측이다. 최대 결합 측면 굽힘은 회전 각도가 가장 높은 분절(경추3번-4번, 경추4번-5번, 경추5번-6번)에서 볼 수 있다. 회전은 경추2번-경추3번 분절에서 경추4번-경추5번 분절의 결합된 신전을 연관시키는 반면, 경추5번-경추6번 분절부터 경추7번-흉추1번 분절에서는 결합된 굴곡을 연관시킨다(표 3-3).

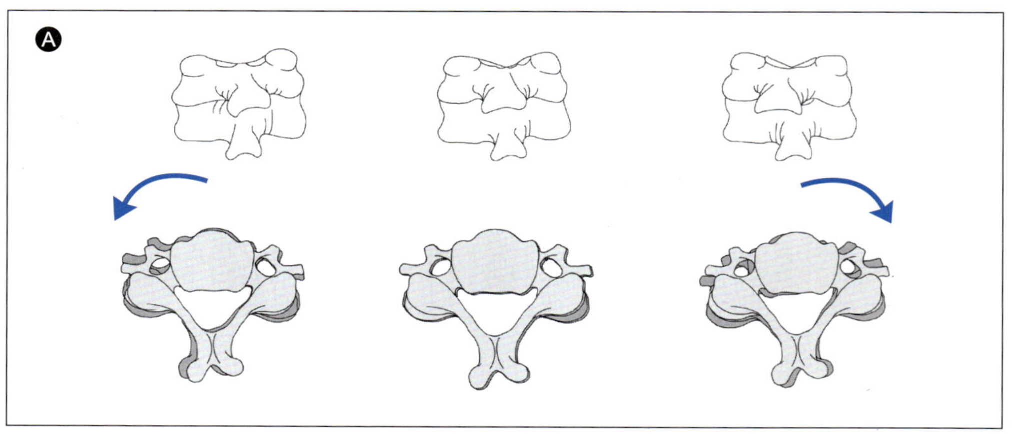

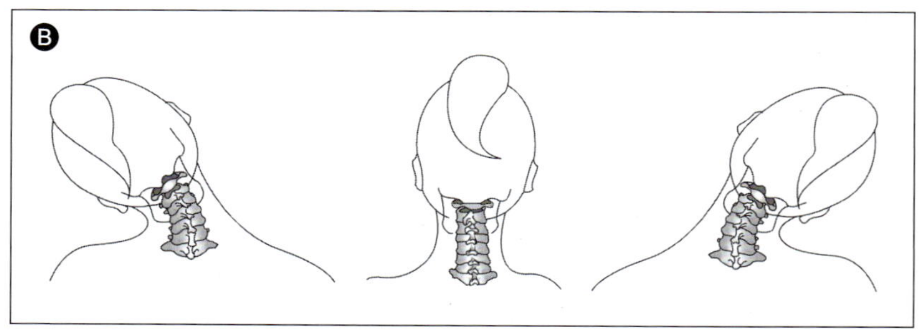

그림 3-15 ▪ 경추의 특징적인 결합패턴. 이 분절 결합패턴은 (A) 측면 굽힘과 회전은 항상 같은 방향이라는 것을 결정한다(B).

표 3-2

경추의 결합된 측면 경사 및 회전 값

레벨	측면 경사	결합된 축회전
C0-C1	1.9 (0.9)	0.2 (1.0.)
C1-C2	1.6 (1.3)	17.1 (4.7)
C2-C3	3.7 (2.0)	-0.9 (0.9)
C3-C4	3.5 (1.4)	-1.8 (0.7)
C4-C5	3.3 (1.0)	-1.1 (0.9)
C5-C6	4.3 (1.4)	-1.2 (1.0)
C6-C7	5.7 (1.9)	-0.8 (0.9)
C7-T1	4.1 (2.7)	0.4 (1.0)

결합된 축회전에서 (-)기호는 측면 굴곡과 같은 방향임을 뜻한다.

Ishii 등[57]에서 받은 데이터.

표 3-3

경추의 축회전 및 결합된 경사 및 굴곡-신전의 값

레벨	축회전	결합된 측면 경사	결합된 굴곡-신전
C2-C3	2.2 (0.9)	-3.6 (1.5)	-1.4 (1.2)
C3-C4	4.5 (1.1)	-5.4 (1.3)	-2.3 (1.7)
C4-C5	4.6 (1.1)	-5.0 (1.3)	-1.5 (1.9)
C5-C6	4.0 (1.1)	-5.3 (1.3)	0.9 (1.7)
C6-C7	1.6 (0.8)	-4.9 (2.1)	2.4 (1.5)
C7-T1	1.5 (0.7)	-1.2 (1.2)	3.0 (2.1)

(-)기호가 있는 결합된 측면 굽힘은 축회전과 같은 방향임을 나타낸다. 결합된 굴곡-신전의 (-)기호는 신전을, (+)기호는 굴곡을 나타낸다.

Ishii 등[55]에서 받은 데이터.

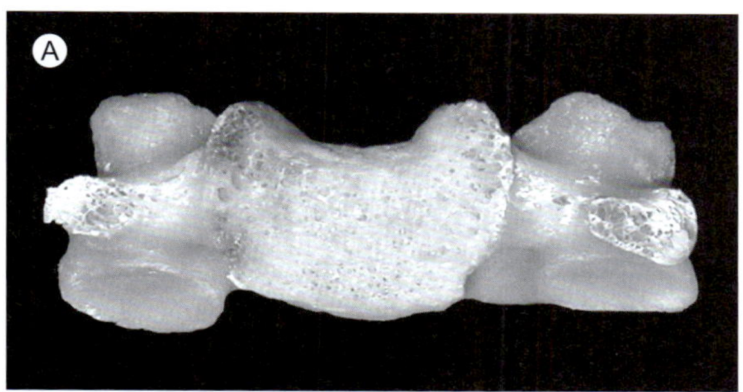

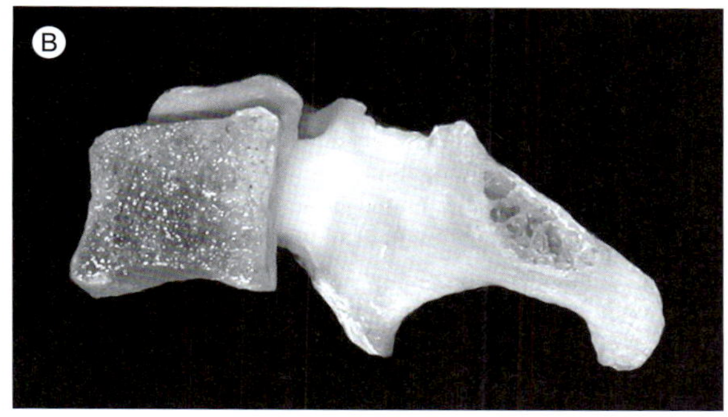

그림 3-16 ■ 갈고리돌기는 경추의 상부 연골종판이 관상면에서 오목하다는 것을 결정한다(A). 상부 연골종판은 시상면에서 약간 볼록하다(B).

최근 몇 년간, 특히 다양한 해부학적 요소가 관절 역학에서 수행하는 역할에 대한 더 나은 이해로 인해 경추 결합패턴에 대한 지식이 많이 발전했다. 갈고리돌기(유구돌기, unciform process)의 기능에 대한 재정의는 상당한 발전이었다. 과거에 이러한 관절의 역할은 측면 굽힘을 제한하고 굴곡-신전을 위한 가이드 레일 역할을 하는 것뿐이었다.[1] 그러나, Penning과 Wilmink[80]는 이러한 관절에 더 큰 중요성을 부여하는 이론을 제안했으며 이는 경추 결합패턴에 대한 새로운 이해를 제공했다. 이 이론은 나중에 생체역학 모델을 사용하여 Clausen 등[78]에 의해 확인되었다.

갈고리돌기는 경추의 상부 연골종판을 관상면에서 오목하게 만든다. 오목한 형태는 위에 놓인 척추의 하부 연골종판의 볼록함과 쌍을 이룬다. 예로, 척추의 아래쪽 표면은 시상면에서 약간 오목하고 척추체의 위쪽 표면은 약간 볼록하다(그림 3-16).

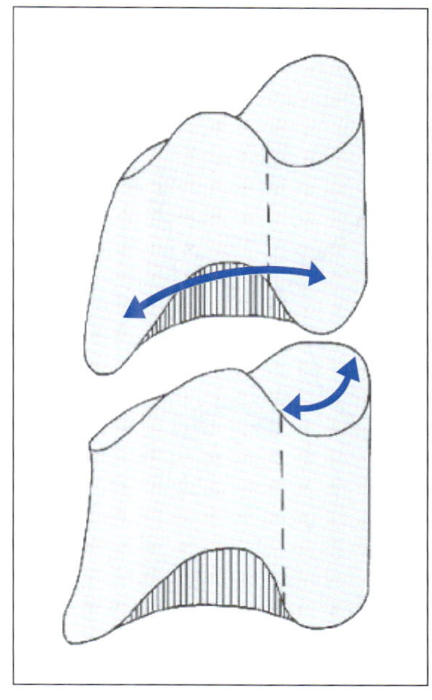

그림 3-17 ■ 종판의 형태는 체간 관절이 안장 관절이라는 것을 암시한다.

이런 척추체의 형태로 인해 전문가들은 체간관절을 안장 관절로 간주한다(그림 3-17).

Penning과 Wilmink[80]는 다른 CT 스캔 슬라이스를 사용하여 두 개의 비스듬한 면에서 관찰되는 경우, 척추의 상부 연골종판의 오목한 부분이 명백하다는 것을 발견했는데 하나는 돌기사이관절의 후관절의 면에 평행하고 다른 하나는 이것에 수직이다. 두 면은 각각 관상면의 앞과 뒤에서 기울어져 있다(그림 3-18). 후관절의 면은 관상면 앞에 있고 대략 45° 각도로 앞으로 기울어지고(축 3), 후관절에 수직인 면은 45° 각도로 뒤쪽으로 기울어진다(축 2). 이 배치는 횡단 축을 중심으로 한 시상 회전과는 별도로 두 가지 다른 유형의 움직임을 이론적으로 가능하게 한다(1). 관절면(축 3)의 면에 위치한 전후방 축 주위에 하나이고 대략 측면 굽힘에 해당하며, 축회전에 해당하는 후관절(축 2)에 수직인 축 주위에 또 다른 하나이다.

그러나, 측면 굽힘 쪽의 돌기사이관절 사이의 접촉에 의해 즉시 차단되기 때문에 측면 굽힘 움직임은

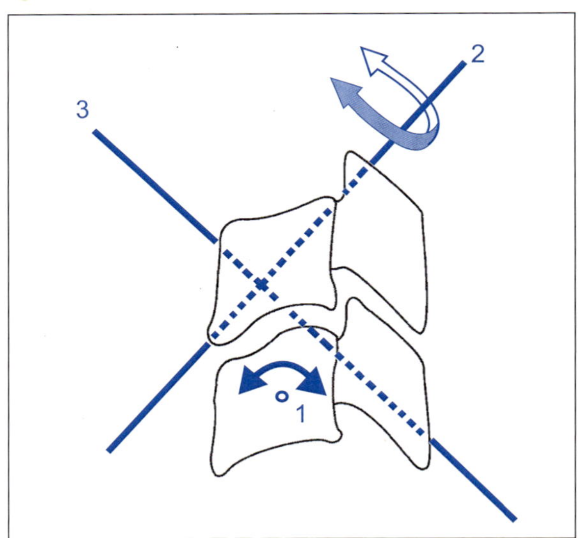

그림 3-18 ■ 경추 분절의 이동축. 굴곡-신전은 축 1을 중심으로 발생한다. 회전은 관절면의 면에 수직인 축 2를 중심으로 발생한다. 측면 굽힘은 관절면의 면에 평행인 축 3을 중심으로 발생해야 한다. 이 마지막 분절 움직임은 관절면 사이의 접촉 때문에 수행될 수 없다.

일어나지 않는다. 한편, 축회전 움직임은 기존의 축방향 면이 아니라 돌기사이관절의 면에서 가능하다. 이 면에서 회전은 갈고리돌기에 의해 결정된 척추체의 상부 연골종판의 오목한 모양과 위에 있는 척추의 해당 볼록한 표면에 의해 촉진된다.

앞서 말한 내용에 기초하여, 가능한 유일한 움직임은 굴곡-신전을 담당하는 시상회전과 관절면의 면에서 수정된 축을 중심으로 한 축회전이라는 것이 분명해진다. 이 설명은 경추 분절이 굴곡-신전, 측면 굽힘 및 축회전을 수행할 수 있다는 일반적으로 받아들여지는 생각과 반대이다. 관찰될 수 있는 경사 움직임은 관절면의 면에서 회전의 결과이다. 회전하는 동안 45° 각도의 경사가 있는 면에서 발생할 때, 후관절 중 하나는 반드시 내려가고 다른 하나는 올라간다. 이것은 내려오는 후관절의 같은 쪽으로 향하는 척추의 기울기를 결정한다. 따라서 이 회전 요소는 결합패턴으로 이어진다.

Bogduk과 Mercer[7]가 공식화한 이 생체역학적 설명은 경추 추간판의 해부학적 구성과 완벽하게 일치한다. 경추의 섬유륜은 매우 좁은 뒤쪽 부분과 달리 앞쪽 부분이 두껍다. 초기 단계에서 균열은 갈고리돌기의 영역에서 발생하고 점진적으로 신전되어 섬유륜의 후방 부분을 가로로 절단한다. 디스크의 이러한 형태는 인접한 척추의 척추체가 섬유륜의 앞쪽 부분에 의해 앞쪽 가장자리에서 단단히 결합되고 그 위치는 상대적으로 확고하다는 것을 의미한다. 그러나 섬유륜은 돌기사이관절의 면에서 양쪽으로 비교적 자유롭게 회전하는 척추체의 후방 부분의 이동성을 제한하지 않는다.

이 디스크 구조는 위에서 설명한 축회전 기전과 일치한다. 회전축은 척추체의 앞쪽 가장자리를 통과하거나 근처에 있으며, 척추체는 섬유륜의 앞쪽 부분에 의해 단단히 고정된다. Bogduk과 Mercer[7,8]는 섬유륜의 이 앞쪽 부분이 회전이 일어나는 축과 정점이 일치하는 역 V자 모양의 골간 인대로 보여야 한다고 주장한다. 섬유륜의 후방 균열 덕분에 후방 후관절의 면에서 축방향 회전이 가능하며, 이는 섬유륜의 전방 부분에 의해 결정된 축을 중심으로 척추체가 자유롭게 움직일 수 있게 한다. 후방 균열이 없으면 축회전이 불가능하다.

척추 분절의 기계적 행동에 대한 이 새로운 설명은 경추에 적용되는 도수적 조작 절차를 변경했다. 추력(Thrust)의 방향이 척추 분절의 관상면과 일치하는 경우 측면 방향의 추력 조작은 피해야 하는데, 이는 측면 굽힘 쪽의 관절면에 영향을 미치기 때문이다. 이러한 조작은 반대쪽 후관절의 간격이 필요한 경우에만 권장된다.

경추의 고속조작 시 추력 방향은 회전이어야 한다. 그러나, 과도한 회전으로 인해 발생할 수 있는 혈관 손상의 위험이 있기 때문에 회전 범위는 적당해야 한다.

측면 추력 방향이 사용될 수 있지만, 반대쪽 관절에서 후관절 틈 간격을 유발하기 위해 항상 비스듬한 면에서 사용된다.

경추2번-3번의 결합패턴(Coupling pattern)

해부학적으로 경추2번-경추3번 분절은 추간판 및 돌기사이관절과 같은 동일한 관절 요소를 가지고 있다는 점에서 경추의 시작으로 간주된다. 이로 인해 전문가들은 움직임이 경추의 나머지 분절들과 동일하다고 간주하게 되었다. 사실, 이것의 결합패턴은 경추에서와 같은 것으로 간주된다. 그러나 Bogduk과 Mercer[7]는 이 분절을 두개경추와 경추 사이의 병진이동 관절로 보아야 한다고 강조한다. 분명히 관절의 형태는 나머지 경추 분절과 유사해 보이지만 그렇지 않다. 이 저자들이 주장한 바와 같이 전후방 방사선 투사를 관절면과 동일한 면에 초점을 맞추면 이 분절에서 이러한 측면의 고유한 방향이 기록된다(그림 3-19).

경추의 모든 후관절은 횡단면에 있는 반면, 경추2번-경추3번의 후관절은 내측을 향한다. 경추3번의 상부 관절면은 다른 경추 레벨에서와 같이 위쪽과 뒤쪽을 향할 뿐만 아니라 내측으로 40° 기울어져 있다.[7,81] 오른쪽과 왼쪽의 두 후관절에는 축의 아래쪽 관절면을 보호하는 오목한 부분이 있다. 이 내측 방향은 경추2번-경추3번 분절의 결합패턴에서 상당한 변화를 의미하며, 이에 따라 관련 측면 굽힘이 없는 경추 회전 동안 경추2번는 회전에 대한 동측 경사 대신 반대쪽 경사를 수행할 수 있다. 경추2번에서 반대쪽 결합패턴의 존재는 생체내 연구 동안에 Mimura 등에 의해 발견되었다.[73] 이 행동은 회전하는 경추의 X-선에서 볼 수 있으며, 이는 이러한 움직임 시 치상돌기가 완전히 수직 방향을 유지한다는 것을 보여준다. 따라서 회전하는 동안 경추 분절이 반드시 회전 측면으로 기울어지면 경추2번은 치상돌기가 수직으로 유지되도록 반대 방향으로 기울어진다(그림 3-20).

따라서, 경추2번은 두 가지 결합패턴을 나타낼 수 있다. 경추의 기울임 동안 경추2번은 동측 회전을 수행한다. 이 패턴은 경추2번의 극돌기를 잡고 피험자가 옆으로 구부리는 동작을 수행하도록 하면 쉽게 관찰된다. 극돌기는 항상 측면 굽힘 방향에서 멀어지며 이는 동측 회전을 의미함을 알 수 있다. 두 번째 결합패턴은 경추2번이 반대쪽 측면 굽힘을 수행하는 경추의 회전 중에 발생한다.

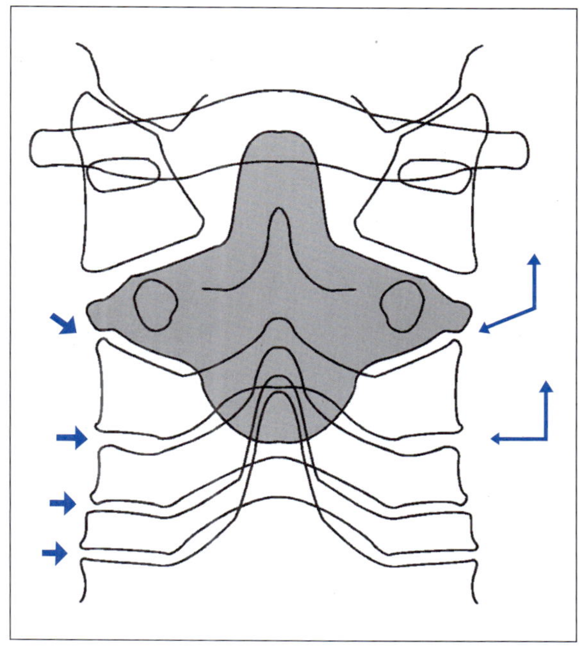

그림 3-19 ■ 이 다이어그램은 관절면의 면을 따라 초점을 투영하여 얻은 방사선 이미지를 나타낸다. C2-C3 돌기사이관절의 면이 내측으로 기울어져 있음을 보여준다. 이 내측 방향은 C2-C3 분절의 결합패턴에 상당한 변화가 있음을 의미한다. (Bogduk 및 Mercer[7]에서 수정됨)

경추2번-3번 분절은 두 가지 다른 결합패턴을 보여준다:

- **측방굴곡패턴: 머리가 측면 굽힘 동작을 수행할 때, 경추2번은 동측 회전을 보인다.**
- **회전 패턴: 머리가 측면 굽힘 요소 없이 회전 동작을 수행할 때, 경추2번은 반대쪽 측면 굽힘을 수행한다.**

경추2번의 또 다른 특정한 형태학적 특징은 하부 후관절이 꼬리 방향으로 현저하게 신전된다는 사실이다. 이 낮은 위치는 경추2번의 순간적인 회전축(IAR)의 낮은 위치에 대한 책임이 있으며, 이는 이

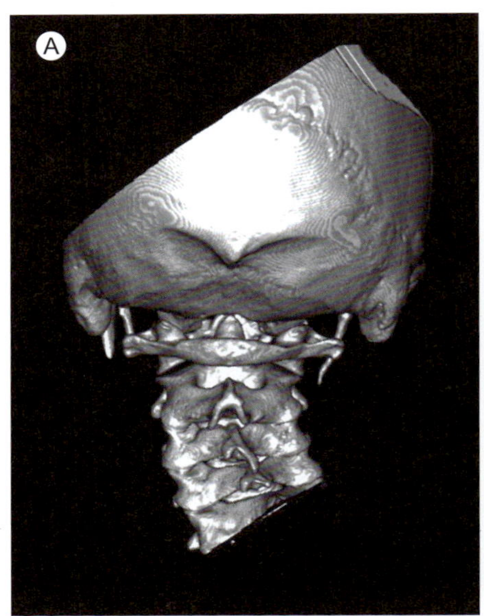

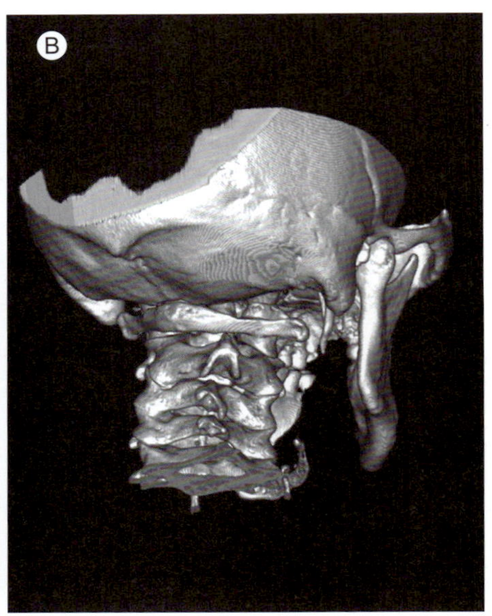

그림 3-20 ■ C2-C3 분절은 CT스캔의 3차원 재구성에서 볼 수 있는 두 가지 다른 결합패턴을 보여준다.
측방굴곡 패턴: 머리가 측면 굽힘 동작을 수행할 때 C2는 동측 회전을 나타낸다(A).
회전 패턴: 머리가 기울기 요소 없이 회전 동작을 수행할 때 C2는 상대적인 반대쪽 기울임을 수행한다(B).

레벨에서 시상 이동성을 매우 중요하게 만든다.

경흉추 이행*(Cervicothoracic transition)*

경흉추 접합부는 경추7번-흉추2번 레벨을 포함한다. 이 영역은 고도로 움직이는 영역인 경추와 매우 단단한 영역인 흉추 사이의 병진이동 영역이기 때문에 상당한 기계적 스트레스를 받는다. 늑골 같은 흉추의 특징적인 해부학적 요소를 습득함으로써 이동성이 제한된다.[82] 이것은 첫 번째 늑골과 쇄골 같은 흉곽출구를 구성하는 다양한 요소와의 관계에 필요한 더 많은 안정성을 제공한다. 경흉추 접합부에서 관절면의 형태 변화는 후관절에 작용하는 하중을 바꾼다. 돌기사이관절에 작용하는 하중의 대부분은 경추7번, 흉추1번 및 흉추2번의 척추경을 통해 척추체로 전달된다.[83]

많은 요인들이 디스크-척추체 구성요소에 의해 수행되는 더 큰 하중지지를 촉진한다. 한편, 경흉추 접합부의 시상면에서 만곡의 변화가 있고, 중력선은 보다 전방면에 위치한다.

반면에 경추2번, 흉추1번 및 흉추2번 척추는 전방 및 하향으로 기울어져 있어 하중의 전방 지지를 더욱 촉진한다(그림 3-21).

경추7번, 흉추1번 및 흉추2번의 상부관절은 상당한 횡단 직경을 가지며 척추경 방향에 수직인 면에서 나온다. 이러한 모든 해부학적 특징의 목표는 흉추1번에 대한 경추7번의 전방 활주 및 흉추2번에 대한 흉추1번의 전방 활주를 방지하는 것으로 보인다.

디스크-척추체 관절의 퇴행성 변화는 특히 중력선의 전방 위치로 인해 경추6번-경추7번 및 경추7번-흉추1번 분절에서 자주 발생한다. 그러나 상흉추 디스크의 상태는 일반적으로 손상되지 않은 상태로 유지되는데, 아마도 첫 번째 늑골이 제공하는 안정성 때문일 수 있다(그림 3-22).

경흉추 접합부의 경직 경향은 중부 경추에 더 많은 스트레스를 제공한다. 따라서 경흉추 접합부의 저이동성 기능장애의 치료는 중부 경추의 치료에 도움이 된다.

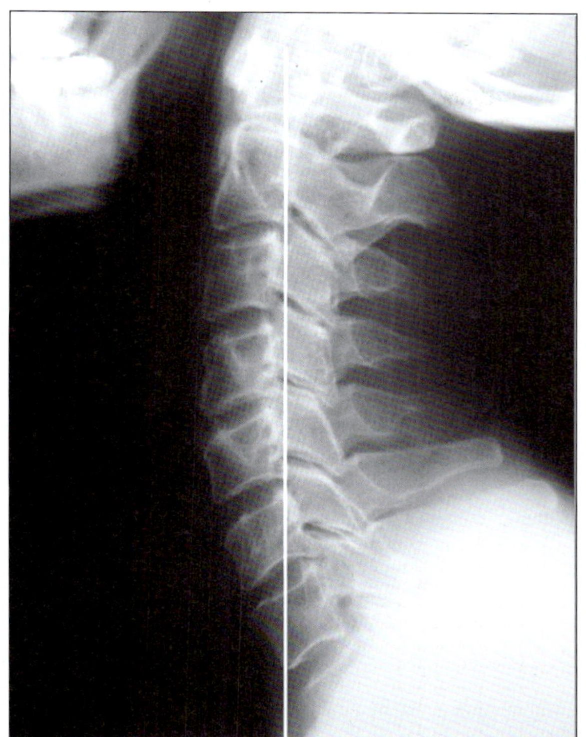

그림 3-21 ■ 경흉추 이행에서 돌기사이관절에 작용하는 무게의 많은 부분이 척추경을 통해 척추체로 전달된다. 이것은 중력선의 전방 위치와 이러한 척추 분절의 전방 및 하향 경사 때문이다.

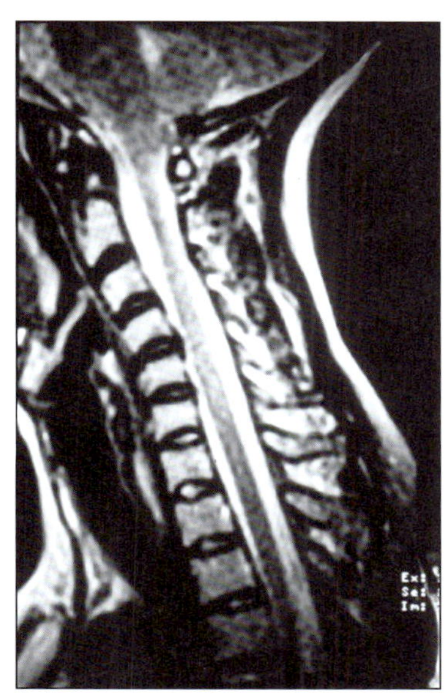

그림 3-22 ■ 이 MRI의 경추 디스크는 흉추 디스크에 비해 신호 강도가 낮다.

경흉추 접합부의 저이동성 기능장애의 치료는 중부 경추의 치료에 매우 유용할 수 있다.

일반적으로, 경흉추 접합부와 상부 흉추는 중부 경추와 동일한 결합패턴을 따른다고 믿어진다.[84] 그러나, 이 믿음은 Willems 등[85]이 수행한 생체내 연구에 의해 유발되었다.

결합패턴의 존재는 상부 흉추(T1–T4)에서 분명하다. 피험자가 측면 굽힘 동작을 수행할 때 이것은 2:1의 비율로 회전을 포함한다. 대조적으로, 회전 움직임은 5:1의 비율로 측면 굽힘을 생성한다.

결합패턴에 관해서는 동측 패턴과 반대쪽 패턴 사이에서 동일한 효과가 관찰될 수 있다. 축회전이 일차적인 움직임일 때, 주로 반대쪽 패턴이 관찰된다.

늑골 이동성(*Rib mobility*)

첫 번째 늑골의 이동성은 목갈비근육(사각근, scalene muscle)의 작용 덕분에 독립적으로 수행되거나 흉추 분절의 움직임을 동반할 수 있다. 후자의 경우, 척추 신전 중에 늑골의 후방 회전이 발생하여 앞쪽 끝이 올라간다. 굴곡 시에는 반대 현상이 발생한다(그림 3–23). 처음 두 늑골은 항상 척추 흉추1번과 흉추2번보다 덜 움직인다. 따라서 굴곡과 신전 모두에서 늑골 회전 움직임은 척추 움직임이 완료되기 전에 완료된다.

머리–목이 오른쪽으로 측면 굽힘을 하는 동안 오른쪽 횡돌기는 같은 쪽의 늑골과 관련하여 아래로, 왼쪽 늑골과 관련하여 위로 미끄러진다(그림 3–24). 오른쪽 회전하는 동안 오른쪽 횡돌기는 오른쪽 늑골과 관련하여 아래로 미끄러지고 반대쪽 늑골에 관련하여 위로 미끄러진다.

중립 영역(*Neutral zone*)

중립 영역은 최소의 힘을 받았을 때 척추 분절이 가장 높은 움직임 능력을 나타내는 움직임 범위와 관련이 있다. 중립 영역은 뼈인대 시스템이 덜

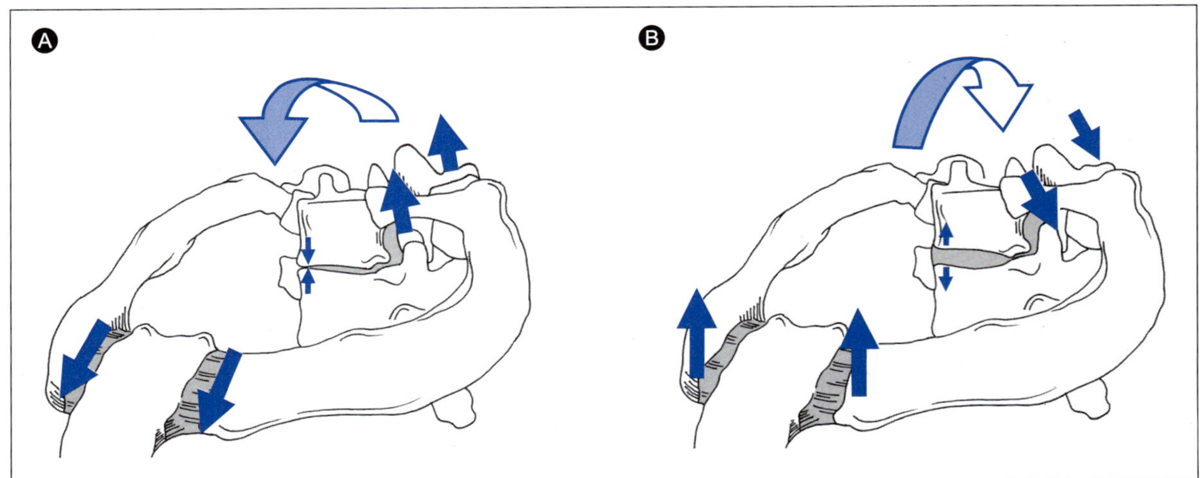

그림 3-23 ■ 첫 번째 늑골의 이동성은 흉추 분절의 움직임을 따를 수 있다. 척추 굴곡 시, 늑골의 전방 회전이 수행되어 전방 가장자리가 내려간다(A). 척추 신전 시 후방늑골의 회전이 발생하여 앞쪽 가장자리가 올라간다(B).

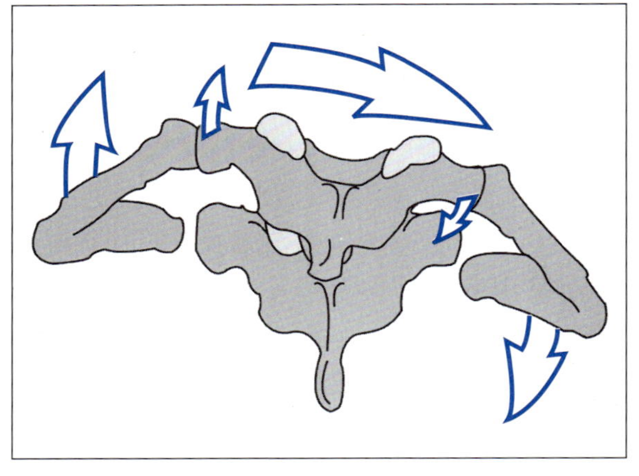

그림 3-24 ■ 머리-목의 오른쪽 측면 굽힘은 오른쪽 횡돌기가 같은 쪽의 늑골과 관련하여 아래쪽으로, 왼쪽과 관련하여 위쪽으로 미끄러지는 것을 결정한다.

경직되어 움직임에 대한 저항이 거의 없는 영역이다(그림 3-25).

이것은 이 중립 영역을 안정화하기 위한 근육 능력의 중요성을 설명한다. 중립 영역 개념은 척추 움직임 분절의 하중-변위 곡선이 비선형이며 척추의 중립 위치 주변에서 높은 유연성과 끝 범위에 가까워지면 움직임에 대한 수동 저항이 증가한다는 관찰에 기반한다. 중립 영역 개념은 분절의 불안정성을 이해하는 데 중요하다.

오늘날, 관절 불안정성은 관절 이동성의 증가된 범위보다는 관절 분절에서 중립 영역의 신전을 포함하는 것으로 믿어진다.[86-88]

관절 불안정성은 관절 이동성 범위의 증가보다 관절 분절의 중립 영역 신전을 통해 더 자주 나타난다.

Panjabi 등[75]의 시험관내 연구는 각 경추 분절에 대한 중립 영역 값을 제공한다. 가장 큰 중립 영역은 경추1번-경추2번 사이의 굴곡에서 4.6°의 값으로 찾을 수 있으며, 13.9°의 값으로 후두-경추1번에서 신전에서, 39.6°로 경추1번-경추2번의 축회전에서, 경추3번-경추4번 및 경추4번-경추5번의 측면 굽힘에서 각 4.4°의 값으로 찾을 수 있다. 일반적으로 경추의 각도 이동성이 더 큰 영역에서는 중립 영역이 더 크다.

중립 영역은 생체내 연구와 비교하여 사체에서 수행된 연구에서 더 작은 것으로 나타났고 값은 굴곡에서 최대 42%, 측면 굽힘에서 18%, 관련 정보로

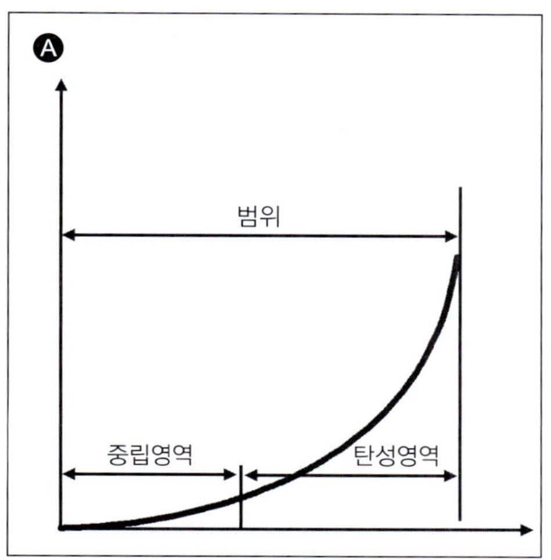

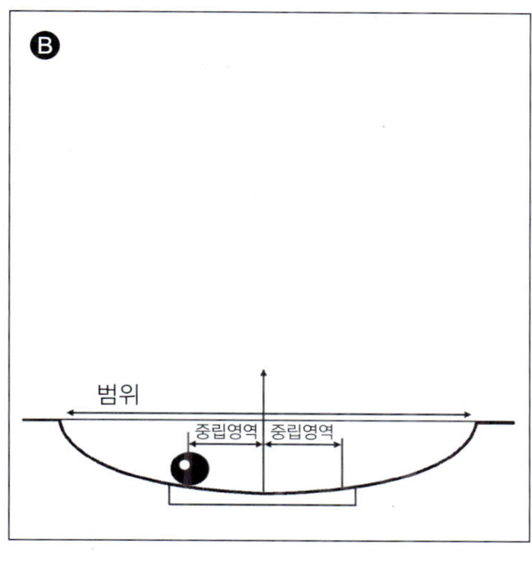

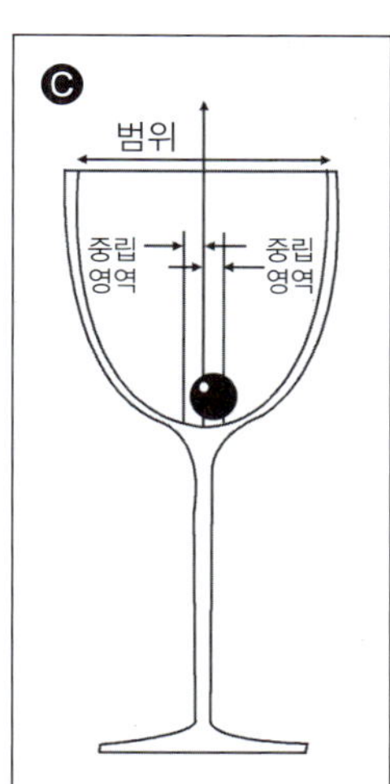

그림 3-25 ■ 하중-변위 곡선에서 관절의 생리학적 범위는 중립 영역(NZ) 및 탄성 영역(EZ)의 두 영역으로 나눌 수 있다. (A) 중립 영역은 척추 분절이 더 높은 움직임 능력을 나타내는 이동 범위에 해당한다. 하중-변위 곡선의 유추. (B) 깊은 판으로 대표되는 관절은 상대적으로 넓은 중립 영역 때문에 불안정하다. (C) 컵으로 표현되는 관절은 더 작은 중립 영역으로 인해 상대적으로 불안정하다.(Panjabi 등[175]에서 다시 그림)

축회전에서 72%에 도달할 수 있다.[89] 회전 시 중립 영역의 높은 값은 넓은 시야를 만들어내려는 목표를 갖는다.

하중지지(Load-bearing)

하중은 경추에 있는 3개의 관절주, 즉 전방 디스크-척추체 기둥과 오른쪽 및 왼쪽 관절돌기로 구성된 2개의 후방 기둥에 의해 지지된다.[90,91]

척추체는 이러한 목표를 위해 특별히 설계되었다. 다른 짧은 뼈와 마찬가지로 피질골로 덮인 해면골로 구성된다. 해면골은 척추체의 하중 저항의 약 90%를 담당하는 반면, 피질골은 나머지 10%만 설명한다.[92]

척추체에 의한 해면시스템 및 하중지지(Trabecular systems and load-bearing by the vertebral body)

해면골의 구조적 구성은 최소한의 무게로 척추가 가능한 최대의 탄성과 저항을 제공할 수 있도록 하기 때문에 결정적인 생리학적 관련성을 가지고 있다. 해면골의 이러한 저항은 특히 동적 부하에서 상당히 증가하는데, 이는 골수가 자유 섬유주 사이 공간으로 침윤되어 있기 때문이다. 따라서 척추체는 유압식 쿠션처럼 작용한다.[93]

해면(trabeculae)의 방향은 척추뼈에 가해지는 근육, 인대 또는 근막 장력의 크기뿐만 아니라 척추체가 하중을 받고 흡수하는 방식에 관한 정보를 제공한다.[91] 척추에는 기본적으로 수직, 횡단 및 경사의 세 가지 해면시스템이 있다. 또한 척추 전체에 퍼져 있는 해면시스템이 있다.

수직 해면시스템은 종방향 하중을 받는 역할을 하므로 압력을 견디도록 설계된 시스템이다. 수평 해면시스템은 횡방향 압력을 견디는 것 외에도 수직 압력을 횡방향 장력 벡터로 변환할 수 있다(그림 3-26). 이러한 방식으로 척추체가 받는 수직 하중의 일부를 흡수할 수 있다. 비스듬한 해면시스템은 전단력이 존재할 때 척추체의 인내력을 증가시킨다.

배열 시스템에는 상위 배열 시스템과 하위 배열 시스템의 두 가지가 있다. 상부 시스템은 상부 척추 연골종판에서 시작하여 척추경을 가로질러 상부

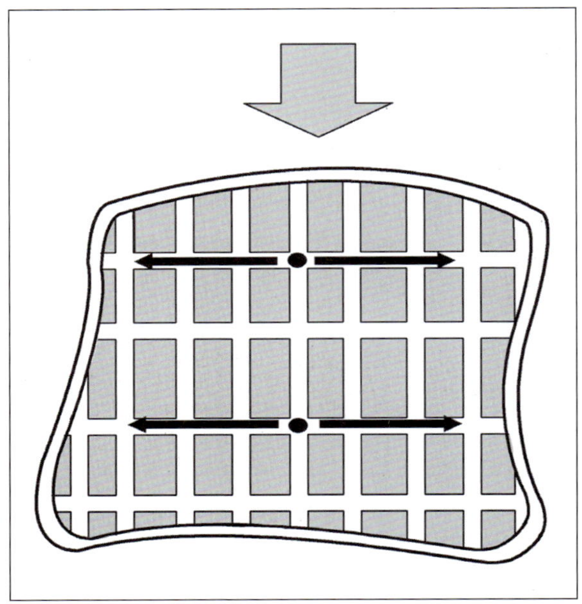

그림 3-26 ■ 수직 해면시스템은 세로 하중을 받는다. 수평 해면시스템은 수직 압력을 횡방향 장력 벡터로 변환한다.

관절주, 극돌기와 횡돌기를 향해 계속된다. 하부 시스템은 하부 척추 연골종판에서 시작하여 척추경을 향해 계속되며 이 지점에서 하부 관절주, 극돌기와 횡돌기에 도달한다. 이러한 배열 시스템은 척추체의 한쪽에서 다른 쪽으로 교차하므로 해면이 고리판을 향하고 반대편의 횡돌기가 된다. 이 두 해면 시스템의 교차는 가로 및 관절주의 레벨에서 발생한다(그림 3-27). 배열 시스템은 척추를 구성하는 모든 요소를 기계적으로 통합하고 극돌기와 횡돌기에 삽입된 근육에 의해 생성된 견인력과 압축력 모두에 반응한다.

돌기사이관절주 및 하중지지

(Zygapophyseal joint pillars and load-bearing)

경추에서는 하중의 중요한 부분이 후방 기둥에 의해 지지된다.[94,95] 이것은 수평면[79] 근처의 돌기사이관절면의 방향과 경추[94]의 전만 배열 때문이다. 대조적으로, 상부 흉추에서는 후만으로 인해 대부분의 압축력이 전방 디스크-척추체 기둥에서 견딘다.[94]

Pal과 Routal[94]은 경추의 3기둥 이론의 개념을 연구했다. 실험적 연구에서 그들은 경추에 가해지는 하중의 36%가 전방 기둥에 의해 지탱되는 반면, 후방 기둥은 각각 32%를 지지한다는 것을 보여주었다. 이 연구는 후방 관절주의 중요한 하중지지 역할을 강조했다.

경흉추 이행에서 하중의 전달이 항상 돌기사이관절을 통해 수행되는 것은 아니다. 중력선의 방향 변화와 곡선의 형태적 변화로 인해 하중이 척추경을 통해 척추체로 전달된다.[83] 경추7번-흉추1번-흉추2번의 가능한 경사도 이 현상을 촉진한다.

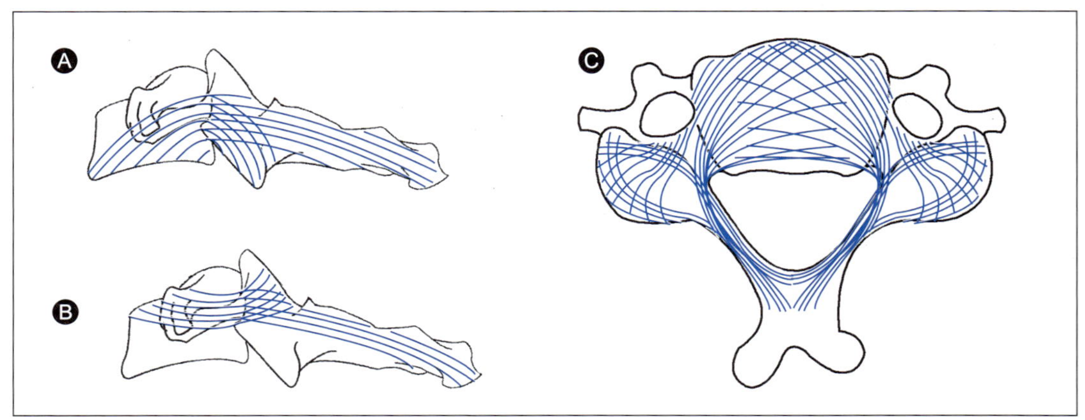

그림 3-27 ■ 상부 배열 해면시스템 (A) 및 하부 선형 해면시스템 (B). 이런 선형계(fan system)는 척추체의 한쪽에서 교차하고, 해면은 고리판 쪽으로 향하고 반대편의 횡돌기가 된다 (C).

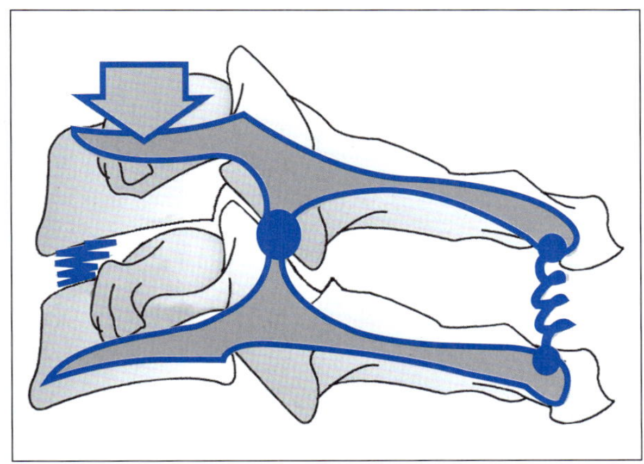

그림 3-28 ▪ 척추 분절은 type 1 레버 역할을 할 수 있고, 돌기사이관절은 지지하는 역할을 할 수 있다.

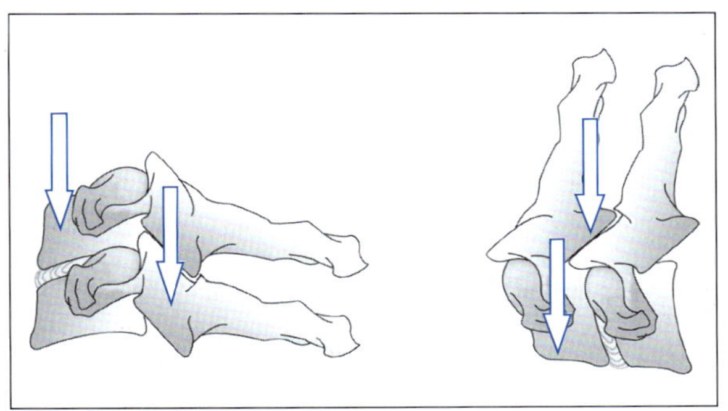

그림 3-29 ▪ 추간판과 돌기사이관절은 거의 수직면에 위치하므로 디스크-척추체 관절 또는 돌기사이관절 시스템은 중력과 관련된 척추의 위치에 따라 하중을 지지하는데 참여한다.

하중지지 시 전방 및 후방 기둥의 관계. 전방 기둥과 후방 기둥 사이에는 기능적 상호 의존성이 있다. 둘 다 관절면, 경추 전만 정도 및 척추와 중력선 사이의 관계에 따라 하중지지에 서로 다른 정도로 참여한다. Kapandji[3]는 우리가 해면 배열 시스템의 배열을 고려하면 척추뼈가 지렛대 역할을 하는 돌기사이관절과와 함께 class 1 레버와 비교될 수 있다고 지적했다. 이 지렛대 시스템은 척추체와 추간판에 의해 견디는 축방향 압박력의 완충을 가능하게 한다(그림 3-28).

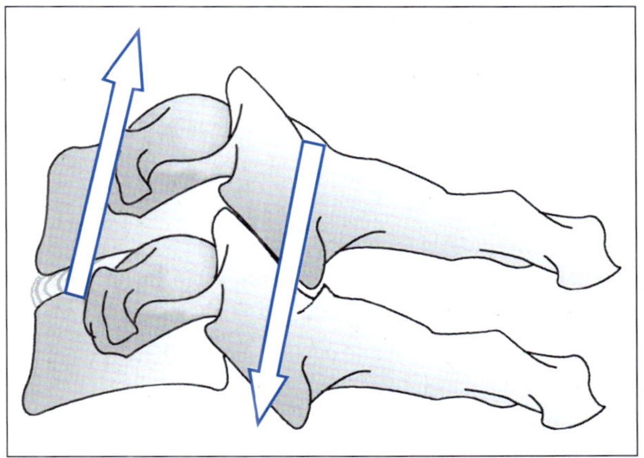

그림 3-30 ▪ 척추의 삼관절 시스템에서 힘의 두 가지 유형이 설정된다: 디스크가 상부척추를 위쪽으로 이동시키는 경향이 있는 반면, 후방근육은 아래쪽으로 이동시키는 경향이 있다.

Louis[90]은 후방 관절이 type 1 레버의 지렛대 역할만 하면 받는 압력이 과도해질 것이기 때문에 세 기둥의 이론이 Kapandji의 이론과 다르다고 생각한다. 따라서 세 관절 사이에 상승 저항이 있다.

Farfan[96]에 의해 기술된 삼각형 복합 개념에 따라 Louis는 척추의 위치에 따라 전방 기둥과 후방 기둥 사이에 압력이 번갈아 나타난다고 간주한다.

각 척추 레벨에서 돌기사이관절은 디스크와 관련하여 거의 수직면에 있다. 이러한 방식으로 중력에 대한 척추의 위치에 따라 디스크-척추체 또는 돌기사이관절 중 어느 관절 시스템이 하중에 참여할 것인지를 결정하기 위해 직교 시스템이 형성된다. 수직 위치에서는 전만 정도에 따라 세 기둥 사이에 균형 잡힌 지배가 있을 것이다. 그러나 최대 굴곡 위치에서 압박력은 돌기사이관절 시스템에 의해 견딜 수 있다(그림 3-29).

Sohier[97]은 또한 척추 분절의 개념을 class 1 레버로 개발했다. 극돌기 및 횡돌기에 삽입되어 있고 돌기사이관절 받침점을 사용하는 내재근의 수축은 척추체의 분리를 유발하여 디스크의 감압을 유발한다(그림 3-30). 경추에 있는 내재근의 방향은

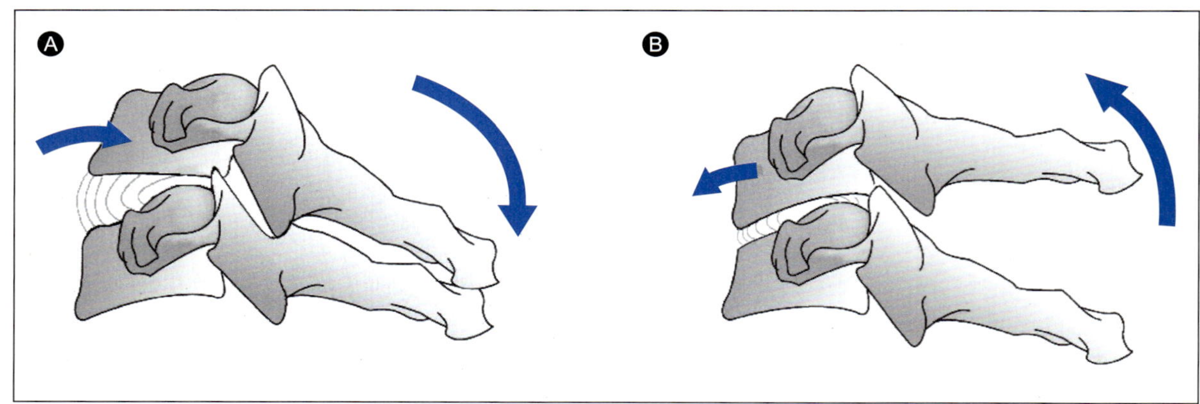

그림 3-31 ▪ 척추 지레가 작동하기 위해서는 아래 척추와 관련하여 척추뼈의 후관절 사이의 관계가 적절해야 한다. 한쪽 또는 양쪽 후관절이 과도하게 수렴되면 이 개방은 작동을 멈춘다. 돌기사이관절의 염증 상황은 내재근의 활동을 억제(A)하거나, 척추 레벨이 기능을 멈춘다(B).

이 척추 지렛대의 받침점을 안정화하는 데 필요한 후관절 접합 구성 요소를 허용한다. 접합부가 돌기사이관절의 염증 상황에 의해 방지되면 척추 레버는 작동할 수 없다. 아래에 있는 척추와 관련하여 척추의 후관절 사이의 적절한 관계도 필요하다. 한쪽 또는 양쪽 후관절이 지나치게 수렴하면, 클립 기전(clip mechanism)이 더 이상 작동하지 않는다(그림 3-31). 따라서 관절 장애의 분석에서 후관절 기전(facet mechanics)의 평가는 필수적이다. 모든 도수치료는 척추 분절의 동적 균형을 달성하기 위해 무엇보다도 후관절 관계의 변경을 수정하려고 시도해야 한다.

척추분절은 디스크와 척추체에 대한 자체 감압 시스템이 있다. 따라서 후방 근육의 적절한 성능은 건강한 추간판을 보장한다. 이 근육 활동은 척추가 경직될 수 있다는 것을 의미하며, 이는 척추의 안정성을 위해 필요하다.

이러한 모든 개념이 배타적이라고 여겨져서는 안 된다. 분절에 의해 지지되는 하중은 수동적 및 능동적으로 완충된다. 수동적 완충은 인접한 두 척추 사이의 상대적 위치와 중력과의 관계에 따라 세 개의 기둥에 의해 수행된다. 척추가 앞으로 기울면 하중이 후관절에서 해제되어 디스크-척추체 기둥으로 전달된다.

이 불균형이 경추의 현저한 만곡으로 인해 증가하면 하중은 대부분 돌기사이관절에 의해 지지되어 디스크 레벨의 압박력을 전단 응력으로 변환한다. 척추가 뒤로 기울면 하중이 부수적으로 후관절에 전달되어 척추에서 하중이 이동한다.

내재근의 활동에 의해 도움을 받는 능동적 완충 시스템은 척추 지렛대를 작동시킨다. 이러한 방식으로, 디스크-척추체 기둥에 의해 지지되는 압력은 감소하는 반면, 고부하 상황에서 척추 분절의 안정화가 보장된다. 경추에는 두 개의 완충 시스템이 있어 디스크-척추체 및 돌기사이 구조를 교대로 순차적으로 감압할 수 있다.

이 디스크 감압기전에 영향을 미치는 장애는 2차 대퇴부 자세를 갖는 돌기사이관절의 급성 관절 활막염이나 경추 추간판 손상으로 인해 발생할 수 있다. 또한, 근육 피로는 이 척추 지렛대에 오작동을 일으킬 수 있다.

관절 기능장애와 관련된 이러한 모든 측면은 6장에서 논의된다.

국소 생체역학 및 경추 전만
REGIONAL BIOMECHANICS AND CERVICAL LORDOSIS

경추 전만에는 적절한 척추 움직임을 유지하고 3개의 관절주 사이의 균형 잡힌 하중 분포 모두에 중요한 관련이 있다. 그 모양은 앞쪽 부분의 경추 디스크의 두께가 더 두꺼워 척추체의 더 짧은 앞쪽 벽을 보완하기 때문이다.[98,99] 경추 디스크는 앞쪽 부분이 뒤쪽 부분보다 40% 더 두껍다(그림 3-32).

경추 전만은 이차 만곡(secondary curve)으로 간주되었다. 그러나 이 개념은 자궁내 발달 10주차에 경추 전만이 감지될 수 있기 때문에 잘못된 것이다.[100,101] 이것은 흉추 만곡만큼 일차적이다.

경추 전만은 아기가 머리를 들기 시작하는 생후 4~5개월에 더 분명해진다. 최대 발달은 아이가 앉기 시작하는 약 9개월에 도달한다. 미성숙 척추와 연조직에 가해지는 머리의 무게가 경추 만곡의 발달을 결정한다. 전만 정도는 9세 전후에 감소하다가 이후에 다시 증가한다.[101]

경추 전만은 또한 전체 척추의 정렬과 각 부위의 만곡 정도에 따라 달라진다. 따라서 요추 전만의 형태, 천골의 경사,[102] 흉추 후만 정도에 의해 영향을 받는다.[103] 이는 흉추 후만과 직접적인 관계가 있다. 후만이 증가하면 경추 전만도 증가한다.[103]

경추 전만의 형태와 정도는 다른 척추 만곡의 형태에 의해 영향을 받는다.

일반적으로 적절한 경추 기능에는 전만 배열이 가장 적합하다고 여겨진다. 그러나 최근 몇 년 동안 이러한 믿음은 논란의 여지가 있다. 무증상 피험자에 대해 수행된 연구를 기반으로 하는 일부 저자는 전만증의 평탄화 또는 심지어 그 반전이 '병리학적' 결과가 없는 정상 기준 내의 변이에 불과하다고 주장한다.[104-107] 이러한 연구들 중 하나는 Gore 등[106]

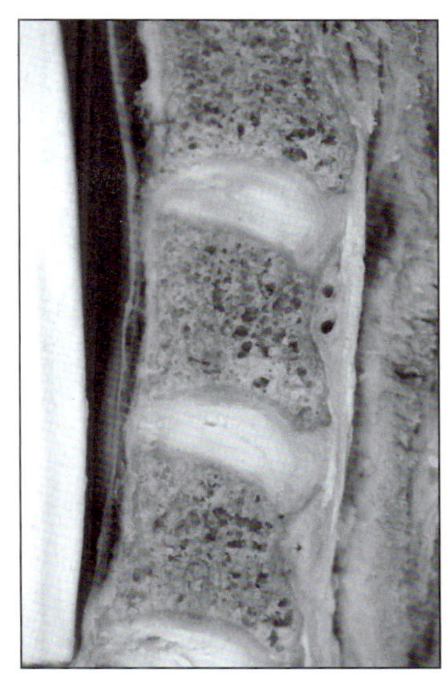

그림 3-32 ■ 경추 전만은 경추 디스크의 앞쪽부분의 두께 때문에 발생하고 척추체의 짧은 앞쪽벽을 보완한다.

에 의해 수행되었는데 경추 전만의 변화를 포함하여 200명의 피험자에서 방사선학적 변화와 증상의 존재 사이에 직접적인 관계가 없음을 증명했다.

그러나, 전만 상실과 환자의 증상 사이의 관계를 강조하는 다른 연구들이 있다. 비정상 전만은 교통사고를 당한 환자에서 훨씬 더 빈번하게 발생하여 경추 만곡의 기형이 편타손상 후 증상의 강도 및 지속 기간과 관련될 수 있음을 보여준다. 외상에 따른 후만 변형의 출현은 퇴행성 현상의 발생률을 증가시키고 치료 후[108-110] 더 나쁜 결과와 관련이 있다. Hohl[108]은 경추의 편타손상을 입은 환자 146명을 대상으로 한 조사에서 전만증의 급성 역곡선을 나타낸 환자들이 5년 후에 퇴행성 변화를 일으켰음을 관찰했다.

Norris와 Watt[109]는 경추 편타손상 2년 후 61명의 환자를 조사한 결과 경추 만곡의 이상이 더 심각한 사고와 관련이 있고 덜 좋은 예후를 갖는다는 것을 발견했다.

Robinson과 Cassar-Pullicino[111]는 편타손상을 겪은 후 10~19년 사이에 있는 21명의 환자를 조사

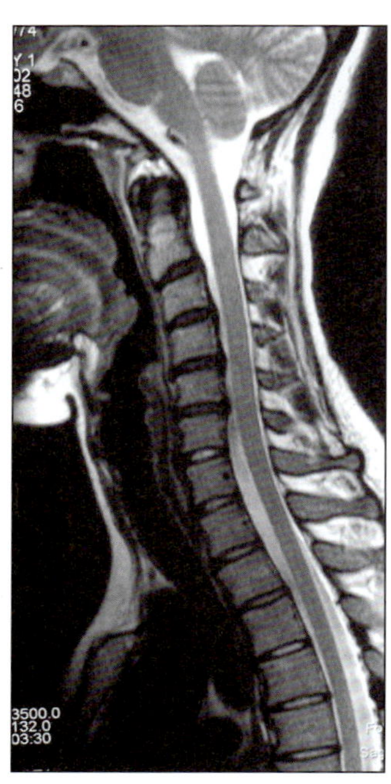

그림 3-33 ■ 경추의 후만 역곡선 및 배열은 흔히 추간판의 퇴행성 변화의 결과이다. 이 MRI에서 감소된 강도의 경추 후만은 T2 시퀀스에서 관찰될 수 있다.

한 결과 하나 또는 두 개의 분절에 집중된 경직된 후만이 있는 환자가 가장 불리한 임상 결과를 보였다는 것을 발견했다.

보다 최근에는 Giuliano[112] 등이 후방 차량 충돌에 연루된 아급성기 환자 100명의 MRI와 무증상 환자 100명의 MRI를 비교했다. 후자의 4%만이 감소된 전만을 보인 반면, 경추 편타손상을 겪은 피험자의 98%는 증가된 전만을 나타냈다.

한편, 여러 임상시험에서 경추 및 두개경추 증상이 있는 피험자에서 경추 전만의 변화가 더 빈번하다는 것을 보여준다.[113,114]

마찬가지로, 많은 연구에서 경추 전만과 두통의 역곡선이 관련되어 있음을 보여주는데, 이는 이 역곡선이 발병기전에 중요한 기능을 함을 시사한다.[115,116]

후만에서 경추의 분절적 또는 부분적 정렬은 퇴행성 변화[108,117,118](그림 3-33)의 더 높은 발생과 관련이 있다. 경추증이 있는 피험자에서 통증은 역시 역곡선만을 나타내는 피험자에서 더 심하다.[119]

경추 전만의 중요성은 수술 후 후만 변형의 발달이 불리한 임상 결과와 관련이 있음을 보여주는 경추 수술 환자에게서 수행된 연구를 통해 추가로 입증되었다.[113,114,118,120-122]

경추 척수병증이 있는 피험자의 경우에도 경추 전만 형태를 보이는 피험자에게서 수술 후 더 나은 결과를 얻을 수 있다.[114,123,124] 같은 방식으로 시상면의 정렬을 교정하면 척수 기능의 회복에 유리하다.[125-130]

즉, Harrison 등[131]이 주장한 바와 같이 일부 심장병이나 고혈압과 같이 초기에는 아무런 증상이 나타나지 않는 여러 병리가 있기 때문에 증상이 없다고 해서 정상의 기준이 되어서는 안 된다. 이런 저자들에 의하면, 주로 국소적이거나 분절적일 때 후만 및 편평한 경추 배열은 동일한 기준을 따르는 것으로 간주되어야 한다.

생체역학적 관점에서 볼 때, 전만은 정상적인 결합패턴이 발생[80,132]하는데 필요하고, 이것은 갈고리돌기(유구돌기, unciform process)[78]의 발달에 관여하고 3개의 관절주 사이에 하중을 적절하게 분배할 수 있다. 따라서, 경추 전만증의 분석은 임상학적으로 관심의 대상이다.

경추 전만증의 분석은 임상적 관련성이 있다. 생체역학적 관점에서 볼 때, 전만은 정상적인 결합패턴에 필요하다. 이것은 불균일한 관절의 발달에 관여하며 세 개의 관절주 사이에 하중을 적절하게 분배할 수 있다.

경추 전만의 역곡선
(Reversal of cervical lordosis)

고전적으로, 전만의 역곡선은 근육 경련이나 구축의 반사라고 주장된다.[109,133] 그러나, 이 주장을 뒷받침하는 증거는 없다.[134,135]

전만의 편평화 및 역곡선은 선천적이든 후천적이든 여러 원인에 기인할 수 있다. 후자는 외상 후, 퇴행성 및 의원성 원인을 가장 관련성이 높은 것으로 포함한다.

가능한 외상 후 원인에는 건강 시스템에 대한 빈도와 영향으로 인해 주요 원인 중 하나인 경추 편타손상도 포함된다. 이 경우 전만의 편평화는 일반적으로 사고 직후 또는 몇 시간 후에 발생하며, 이는 근육 수축이 필요한 역할을 하는 진통패턴의 확립에 해당한다. 이 패턴은 부상이 돌기사이관절의 조직에 영향을 미치는 경우와 추간판 손상인 경우 모두 동일하다. 돌기사이관절손상의 진통패턴은 후관절 접촉을 감소시켜 관절낭의 팽창을 허용한다. 디스크 손상에서 섬유륜의 섬유가 감압되어 핵이 후방으로 이동한 경우 핵에 가해지는 압력이 감소한다. 급성기 후에도 편평화가 지속되면 구조적 악화가 종종 디스크 손상의 형태로, 특히 국소 후만이 있을 때 의심[108]될 수 있다(그림 3–34). 이 구조적 손상은 체간 공간의 손실과 함께 디스크 조직의 퇴행으로 빠르게 발전할 수 있다(그림 3–35).

돌기사이관절과 체간관절에 영향을 미치는 퇴행성 변화는 일반적으로 경추의 전만 배열의 손실을 동반한다.[108,117–119] 디스크의 퇴행은 전방 척추의 기울기와 전만 역곡선 경향을 결정한다.

의인성 원인 중에는 추궁 절제술과 같은 여러 수술 절차가 있다. 후방 요소를 제거함으로써 후만의 변형으로의 진행이 유리하다.[136,137]

이 절차는 고리판을 노출시키기 위해 반가시근(반극근, semispinalis)을 절단해야 하는 척추후궁성형술과 같은 방식으로 이 근육의 꼬리 방향 당김을 유발한다.[138] 반가시근은 동적 안정근 역할을 하고 경추 신전의 37%를 담당한다. 따라서 전만을 유지하는 데 근본적인 역할을 한다.[75]

그리고 이러한 후만 변형을 피하기 위한 목표로 후방 근육[128,130,139–142]의 재삽입과 경추 보조기의 조기 제거가 제안되어 조기 수술 후 재활 프로그램을 수립했다.[143]

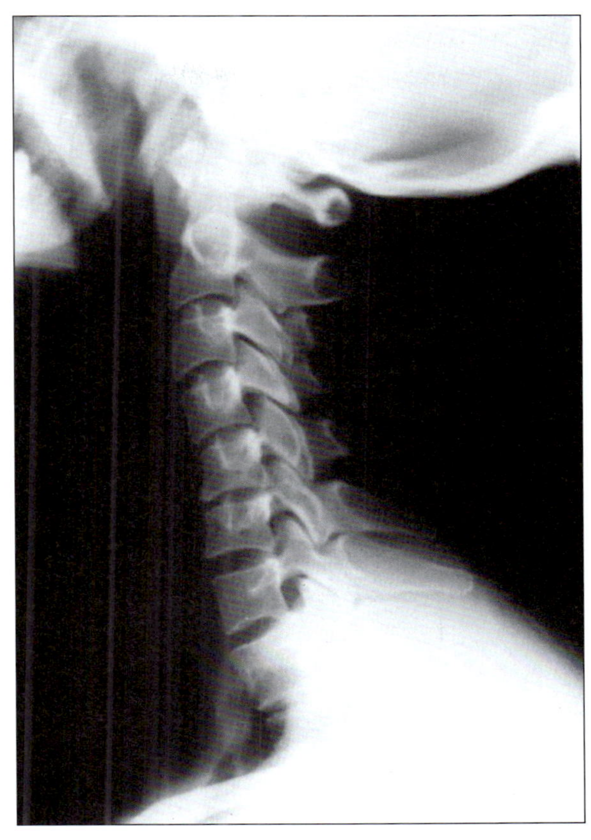

그림 3–34 ■ 외상 후 경추 전만의 교정이 급성기 이후에도 지속되는 경우, 특히 디스크 손상 및 국소 후만이 있는 경우 구조적 악화가 의심될 수 있다.

만곡 역곡선의 체질적 원인 중 척추체의 선천적 쐐기(wedging)와 관절돌기의 과형성이 가장 두드러진다.

척추 쐐기는 경추 만곡의 변화의 명백한 원인이며 특발성 척추 측만증이 있는 피험자에게서 볼 수 있다. 고전적으로 관상면의 만곡으로 설명되는 이 현상은 비틀림 성분 및 시상면의 만곡 반전과도 관련이 있다. 이것은 아직 발달 중인 경추에서 척추체[144]의 쐐기로 이어질 수 있다(그림 3–36).

최근까지 알려지지 않은 전만 역곡선의 원인 중 하나는 관절주의 과형성이다. Peterson 등[145]에 따르면, 정상적인 경추 만곡의 형성은 상부관절면 및

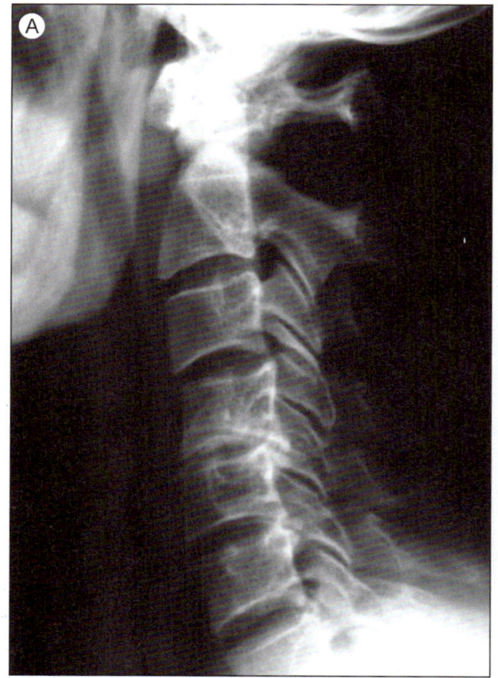

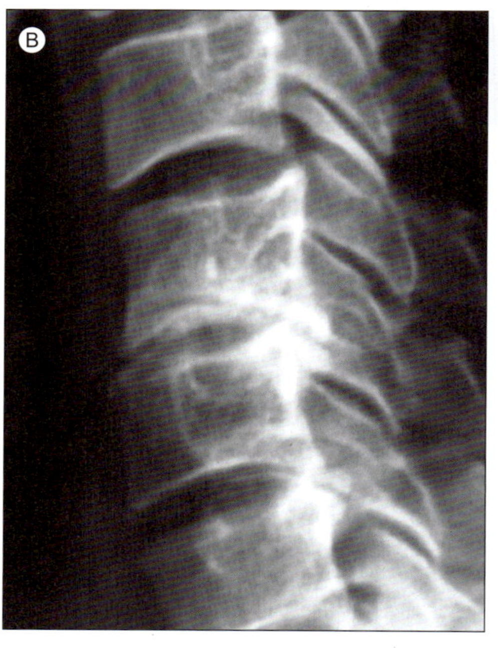

그림 3-35 ■ C4-C5 분절의 추간판 공간 손실 및 후방전위(A)는 경추 외상 후 몇 년 후에 나타난다. 확대된 이미지(B).

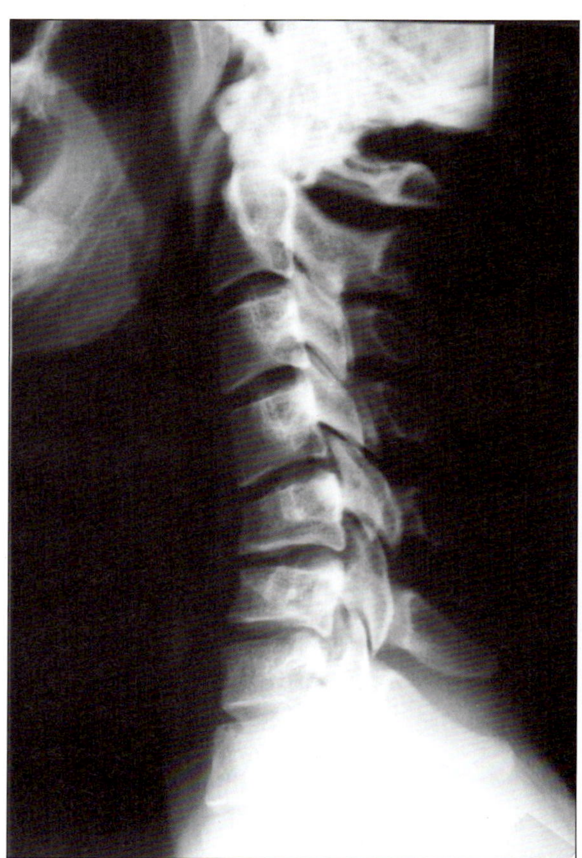

그림 3-36 ■ 척추체 쐐기(wedging)는 경추 역곡선 만곡의 명백한 결과이다.

하부관절면이 후방 부분으로 수렴되어야 한다.

척추의 상부 및 하부면이 서로 평행하거나 확산하는 경우 이 레벨에서 경추 만곡의 형성을 방지한다. 이 개체의 유병률은 매우 높으며 경추5번 수준 및 경추6번 수준에서 더 자주 발생한다.[145] 관절주의 과형성은 정상의 변형으로 간주될 수 있지만 추간 분절에서 생체역학적 의미를 갖는다. 수평면에서 후관절의 방향이 척추의 굴곡-신전 축을 결정함에 따라 상부 척추 연골종판의 상부면과 관련하여 더 수평이면 순간 회전 중심이 전방 면에서 변위되고 이것은 디스크에 가해지는 부하를 증가시킨다.[146]

관절주의 과형성은 경추 디스크 레벨의 과압을 유발하여 퇴행을 유발할 수 있다.[147] 그러나, 현재 이것을 경추의 퇴행성 변화의 ***시작***과 연관시킬 수 있는 충분한 증거가 없다.[91,148–150]

전만 역곡선의 생체역학 (Biomechanics of lordosis reversal)

생리학적 전만을 유지하면 경추의 적절한 성능이 보장된다.[94,116,119]

다른 모든 척추 만곡과 마찬가지로 경추 전만은 하중을 견디는 동안 척추가 탄성 행동을 보이도록 하여 상당한 압박력을 흡수하는 능력을 증가시킨다.[151] 전만 평탄화는 완충능력을 감소시키기 때문에 축방향 하중[152-154]을 받을 때 부상의 위험을 증가시킨다(그림 3-37). 따라서, 이를 테면 경추 편타를 겪은 환자의 경추4번-경추5번에서 자주 볼 수 있는 전만의 역곡선은 하중을 흡수하는 능력이 상당히 감소될 수 있기 때문에 중요한 결과를 초래할 수 있다.[152]

전만 상실은 삼관절 시스템에서 압력 분포를 바꾼다. 정상적인 전만 상태에서 척추체의 전방 및 후방 벽에 가해지는 압박은 주로 균일하다. 그러나 후만이 있는 부위에서는 척추체에 대한 후방압박이 압박(전만 배열에서와 같이)에서 장력으로 변하는 반면, 전방 부분에서는 장력(전만에서와 같이)에서 압박으로 변한다.[155]

경추 후만 구성에서 척추 앞쪽 가장자리의 압박은 전만 척추[155]에서보다 최대 10배 더 클 수 있다(그림 3-38). 하중의 이러한 전방 변위는 디스크[91]에 가해지는 압력을 증가시키고 디스크의 퇴화에 기여할 수 있다.[156]

편평화는 경추 굴곡 자세로 간주되어서는 안되며, 간극 및 후관절 관계 모두에서 관절 관계를 수정하는 비정상적인 자세로 간주되어야 한다. 따라서 편평화가 선천적인 원인에 의한 경우를 제외하고는 돌기사이관절의 평행도 상실을 의미하는 경우가 많으며, 따라서 과압 영역의 존재 및 후관절 접촉 상실을 의미한다. 후관절 평행도의 손실은 관절내 반월상 연골 구조에 대한 잠재적인 영향뿐만 아니라 돌기사이관절의 조기 악화를 유발할 수 있다.

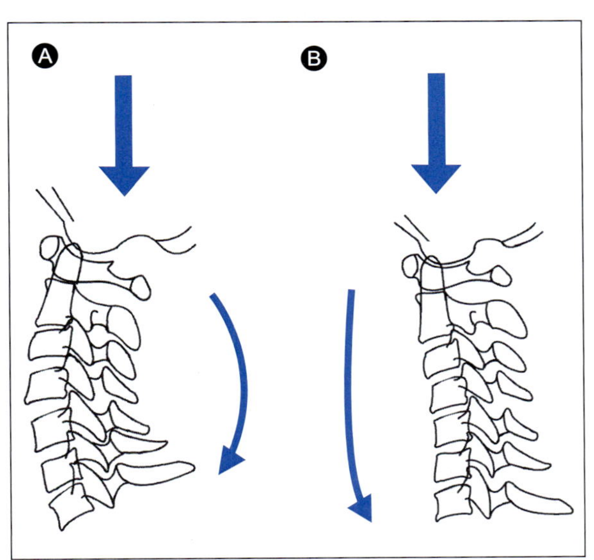

그림 3-37 ■ 경추 전만은 척추가 하중을 지지할 때 탄성 행동을 보여줌으로써 상당한 압축력을 흡수하는 능력을 증가시킨다(A). 충격 흡수 능력이 줄어들었기 때문에 전만 역곡선은 축 방향 하중을 받을 때 부상 위험을 증가시킨다(B).

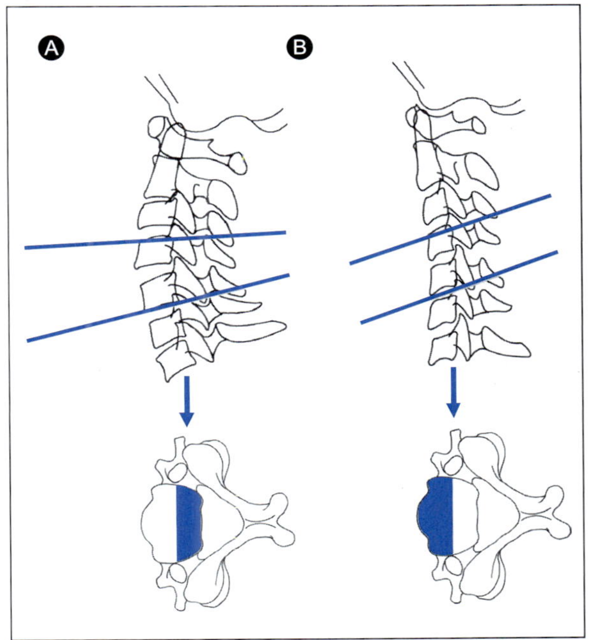

그림 3-38 ■ 전만 상실은 척추체에서 후만이 있는 영역에서(B), 척추체에 후방 스트레스는 압박(전만 배열과 같이)에서 (A)장력으로 변하는 반면, 전방 부분에서는 장력(전만에서와 같이)에서 압박으로 변한다.

선천적 편평화의 경우를 제외하고, 전만 편평화는 보통 돌기사이관절의 평행도 상실을 의미하며, 따라서 후관절 접촉의 손실도 있는 과압 영역의 존재를 의미한다.

전만 역곡선은 또한 굴곡-신전 시 경추 움직임을 변경하며, 이는 움직임 연구를 해석할 때 고려해야 한다.[157] 종종 경추 전만은 머리의 전방 병진이동과 관련이 있다. 이 자세 결함은 비정상적인 하중을 생성하고 기계적 스트레스를 증가시키며 전방 경추 레벨에서 압력 변화도의 불균형을 유발한다.[155,158] 이러한 압력 불균형은 Wolff의 법칙에 의해 설명된 바와 같이 뼈 리모델링 과정을 활성화하여 척추체의 앞쪽 가장자리에 골극의 형성을 촉진한다.[159]

중심관 협착증이 있는 피험자에게서 후만 변형은 척수의 스트레스를 악화시키고 혈관 관류의 변화를 일으킬 수 있다.[160,161]

경추 전만의 역곡선은 두개경추 척추의 전만 증가로 보상되는 경향이 있으며 그 반대의 경우도 마찬가지이다[162](그림 3-39).

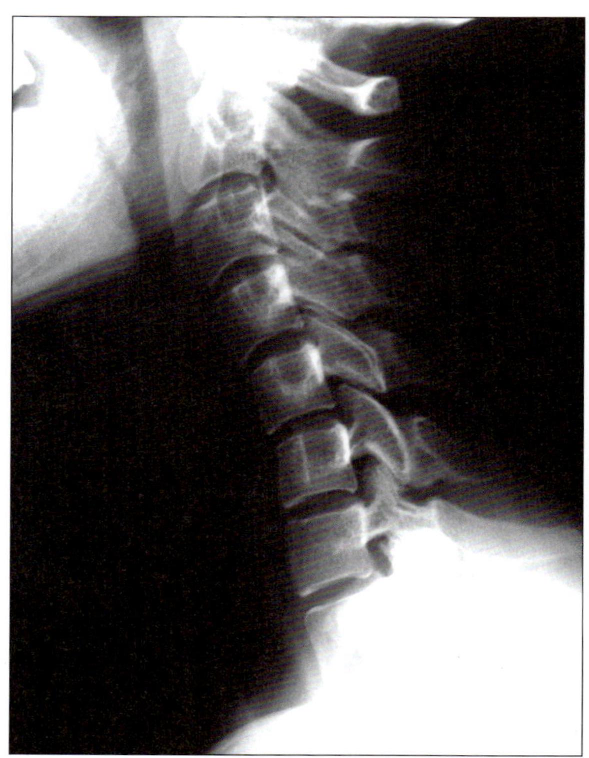

그림 3-39 ■ 하부 경추에서 만곡의 역곡선은 두개경추 척추의 전만 증가로 보상되는 경향이 있다.

전만의 정량화(Quantification of lordosis)

객관적인 데이터가 다양한 병리학적 상황과 관련될 수 있기 때문에 경추 전만을 정량화하는 것은 흥미롭다. 현재 경추전만을 측정하는 표준화된 방법이 없어 무엇을 정상 값으로 간주할 수 있는지에 대한 논란이 일고 있다. 최대 9가지 측정 방법이 설명되었지만 그 중 어느 것도 검증되지 않았다.[145]

가장 자주 사용되는 방법 중 하나는 신뢰성과 선택 방법으로 많이 고려되는 것으로 1948년[163]에 Cobb에 의해 설계되었으며 만곡을 정의하는 척추의 상부 및 하부 연골종판에 의해 각각 그려진 두 선에서 보각을 측정하는 것을 수반한다. 경추에서 Cobb 각은 경추1번에서 경추7번 또는 경추2번에서 경추7번의 두 가지 방법으로 측정할 수 있다. 경추1번에서 경추7번까지 측정할 때 경추1번의 전방 호와 후방 호 사이에 선이 그려지고 경추7번의 하부 연골종판과 다른 선이 교차한다. 경추2번에서 경추7번까지 측정할 때 경추2번의 척추체의 하부 모서리 주위에 선이 그려지고 경추7번의 하부 연골종판(그림 3-40) 주위에 또 다른 선이 그려진다. 이 두 절차에서 얻어진 값은 매우 다르다. 경추1번을 상한선으로 취하면 전만이 과대평가된다. 그러나 경추2번의 하단 모서리를 기준으로 하면 전만 정도가 현저히 낮다. Harrison 등[163]에 따르면, 경추1번에서 경추7번의 전만의 평균값은 54°인 반면, 경추2번에서 경추7번까지 측정할 때 이 값은 17°에 불과하다.

경추1번에서 얻은 더 큰 정도의 만곡은 이 척추의 일반적인 후방 경사 위치 때문이다. 그러나 경추2번을 기준으로 할 때 전만도 값이 감소하는 것은 이 척추뼈의 척추체의 앞쪽 가장자리가 아래로 눈에 띄게 신전되어 있기 때문이다. 경추2번의 이러한

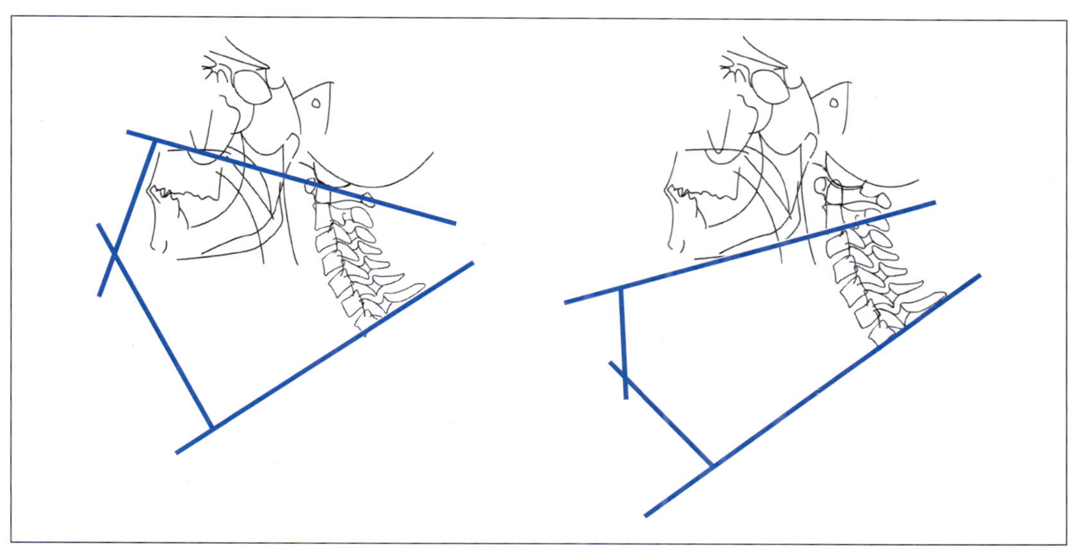

그림 3-40 ■ 경추에서 콥스 각(Cobb's angle)은 C1에서 C7 또는 C2에서 C7의 두 가지 다른 방법으로 측정할 수 있다.

특정한 형태 때문에 일부 저자들은 연골종판에서 측정하는 대신 극돌기의 아래쪽 가장자리에서 경추 2번 척추체의 앞쪽 가장자리까지 그린 선을 사용하게 되었다.[103]

머리 위치의 작은 변화가 환추의 시상 방향을 크게 변경하여 전만 정도의 관련 변화를 생성하기 때문에 콥스 각을 측정하기 위해 상한 척추로 환추를 사용하는 것은 논쟁의 여지가 있다. 환추의 시상 이동성이 높기 때문에 경추 정렬의 중요한 변경을 보상할 수 있다. 사실, 피험자는 중간 또는 하부 분절에서 전만의 확연한 편평화를 나타낼 수 있지만, 환추가 신전상태에서 휴식을 취함으로써 상황을 보상할 수 있기 때문에 전만 측정 값은 정상 범위에 있을 수 있다. 경추1번 기울기의 영향을 최소화하는 목표로 일부 저자는 후두골을 기준으로 삼아 평균 40°의 전만 값을 얻는다.[103]

이를 위해 McRae line은 후두공 또는 기저부의 전방 가장자리부터 후방 가장자리 또는 큰구멍뒤점(opisthion)까지 그려진다. 그러나 이 선을 엑스레이상에서 가시화하는 것이 때때로 어려울 수 있으므로 연구개 뒤쪽 가장자리부터 후두골의 가장 경사진 지점을 연결하는 McGregor's line을 그리는 것이 좋다(그림 3-41).

경추1번-경추7번과 경추2번-경추7번 사이의 Cobb 각의 차이는 경추 전만 배열에 있어서 경추1번의 기여를 강조한다. Kristjansson과 Jonsson[162]은 전만에서 각 경추 레벨의 참여를 측정하여 가장 많이 참여하는 분절이 경추1번임을 확인했다. Hardacker 등[103]은 경추4번-경추7번 분절이 15°의 전만만 제공한다는 것을 보여줌으로써 동일한 결과를 얻었다.

Cobb 각에서 파생되는 문제를 피하기 위해 다른 흥미로운 전만 측정 시스템이 제안되었다. 그 중 하나는 두 개의 선을 그리는 것인데, 하나는 경추2번의 후벽에서부터 시작하고 다른 하나는 경추7번의 후벽에서 시작하여 두 선이 서로 교차할 때 형성되는 각도를 측정한다. 이 방법을 사용하여 Gore 등은 남성이 16°, 여성이 15°의 평균 전만 값을 얻었다. 이 전만 측정 방법은 매우 쉽고 신뢰할 수 있으며 머리의 위치가 변경되지 않는다(그림 3-42).

이 방법과 콥(Cobb)의 방법 모두 신뢰할 수 있는 것으로 간주되지만[164] 경추 전만의 많은 변화를 설명

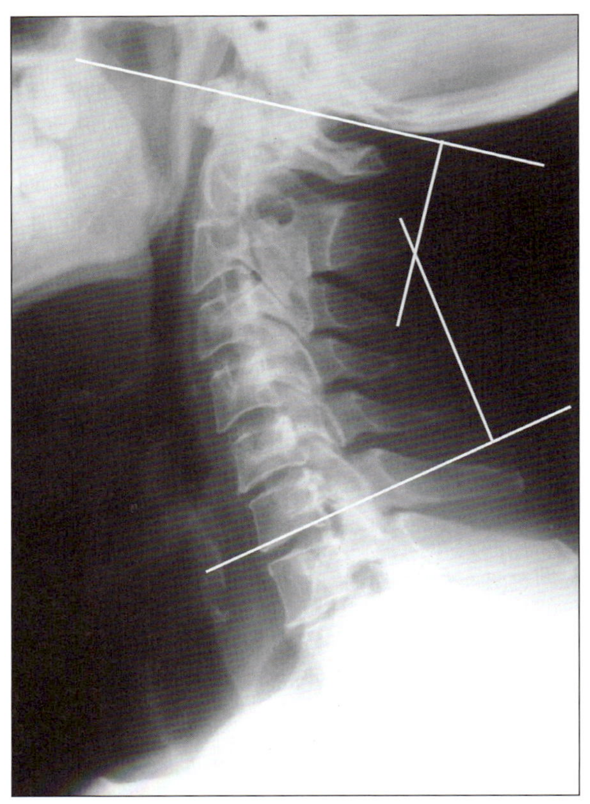

그림 3-41 ■ 경추전만(cervical lordosis)을 측정하기 위해서는 McGregor's line을 참고할 수 있다.

할 수 없다. 사실, 그들이 중간 레벨에서 일어나는 일을 설명하지 않고 상한 및 하한 척추의 작용만을 측정하므로 만곡 자체의 변화는 설명되지 않는다.[165]

경추 만곡 형상의 변화를 객관적으로 파악하기 위해 Harrison 등은 각 척추체의 후벽 접선의 묘사에 기반한 방법을 설계했다(그림 3-43). 따라서 콥스 각은 만곡 끝의 값을 독점적으로 제공하지만 후방 접선을 측정하면 각 분절의 참여에 대한 정보를 제공한다. 이를 통해 후만 또는 과장된 분절 신전과 같은 특정 분절의 정렬에서 이상을 쉽게 관찰할 수 있다. 이 방법에서 분절이 신전일 때 결과 각도는 마이너스 부호를 갖는 반면, 후만 영역은 양의 각(positive angle)으로 표현된다.

경추2번 및 경추7번의 후방 접선이 이루는 각도를 측정할 때 Harrison 등[166]이 사용한 용어에 따르

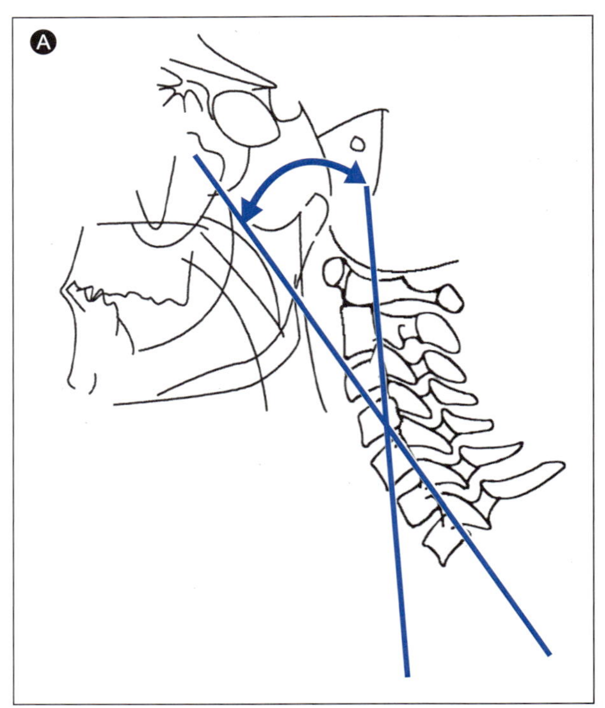

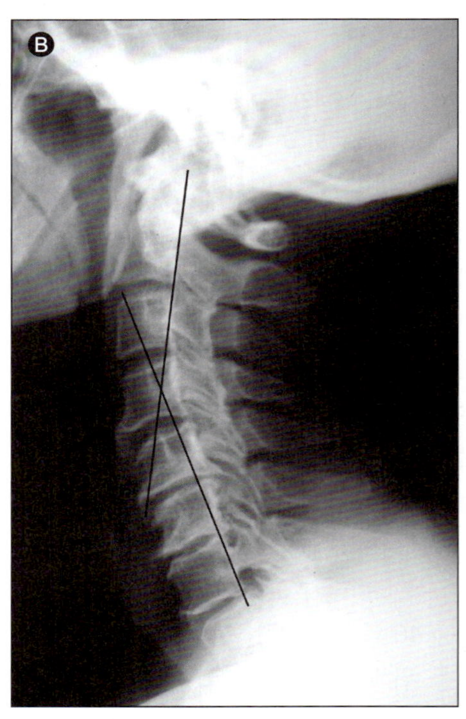

그림 3-42 ■ 전만은 두 개의 선을 그려 측정할 수 있는데, 하나는 C2의 후벽에서, 다른 하나는 C7의 후벽에서 두 선이 서로 교차할 때 형성되는 각도를 측정한다. 다이어그램(A) 및 방사선 사진 이미지(B).

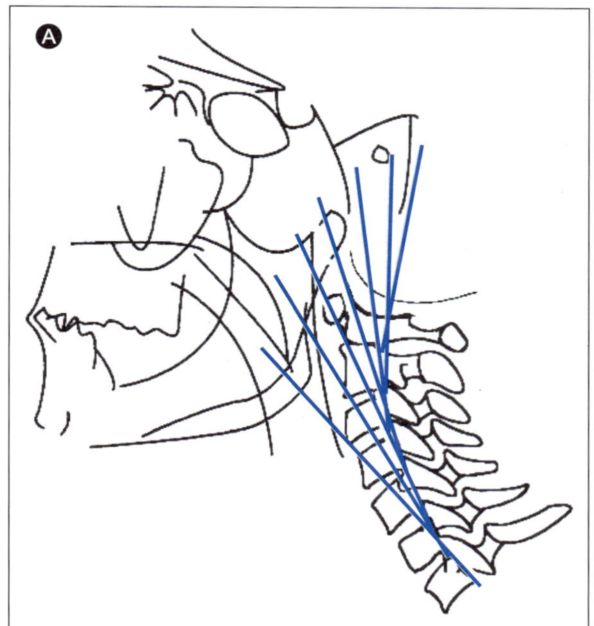

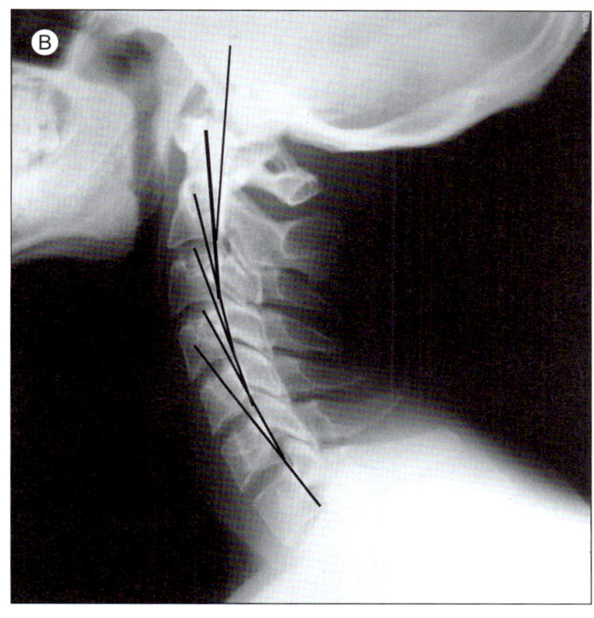

그림 3-43 ■ 경추 만곡의 구성 변화를 객관적으로 결정하기 위해 각 척추체의 후벽 접선을 그릴 수 있다: 다이어그램(A) 및 방사선 사진(B).

면 ***절대 회전 각도***가 얻어진다. 이 절차는 Gore 등[106]이 사용한 절차와 정확히 일치한다. 이 방식으로 Harrison 등[163]은 경추2번-경추7번에서 26°의 평균 전만 값을 얻었다.

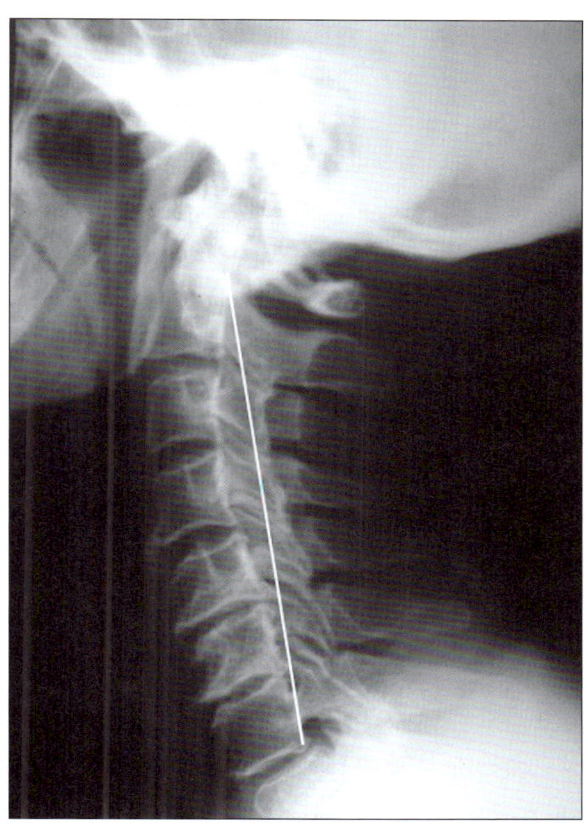

그림 3-44 ■ 문자열 방식. C2 척추체의 후상부 가장자리에서 C7의 후하부 척추체까지 선이 그려진다. 곡선의 꼭지점과 현 사이의 거리는 최소한 현 길이의 1/10이어야 한다.

Takeshima 등[157] Harrison 등[166] 및 Harrison 등[163]의 연구에 따르면, 정상적인 경추 전만 범위는 26°에서 34° 사이라고 결론지을 수 있다.

실제로 전만을 정량화하지 않고 평가하는 다른 실용적인 방법이 있다. 그 중 하나가 문자열 방식이다.

문자열 방식(*String method*)

경추2번 척추체의 후상방 가장자리부터 경추7번 척추체의 후하방 가장자리까지 선이 그려진다. 곡선의 꼭지점과 현 사이의 거리는 최소한 현 길이의 1/10이어야 한다(그림 3-44). 이 시스템을 통해 전만도를 전체적으로 분석하고 곡선에서 경추 영역의 참여를 차별화할 수 있다. 이를 위해 세 개의 분절 곡선을 그리는 것을 권한다.

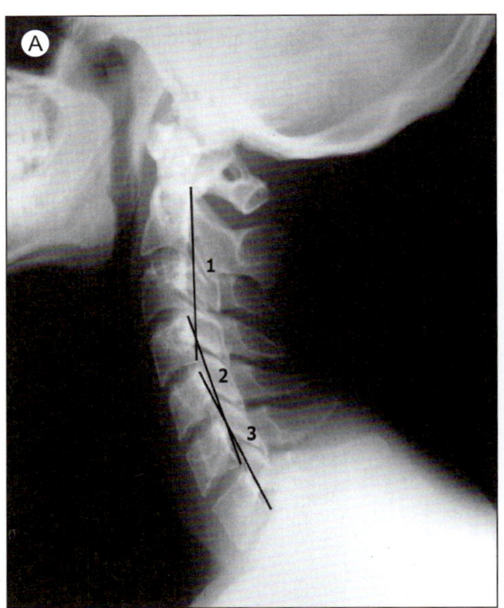

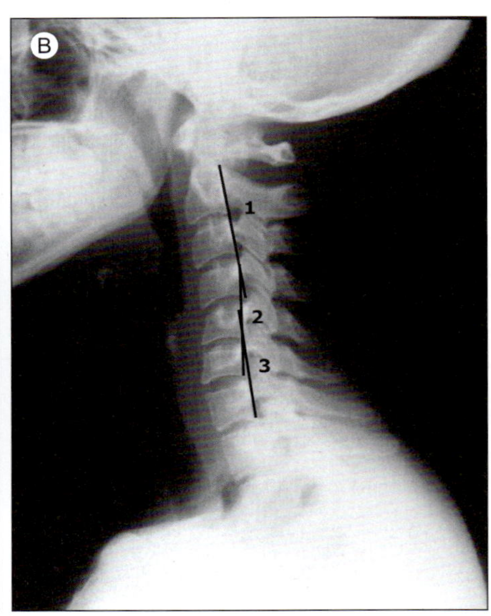

그림 3-45 ■ 곡선의 역곡선이 발생하는 위치를 쉽게 식별하기 위해 C2-C4, C3-C5 및 C5-C7의 세 분절 선을 그릴 수 있다. 이 세 하위 영역 각각에서(A) 중간 척추는 바로 위와 아래 척추 앞에 위치해야 한다. 이미지(B)에서 중간 경추의 조정이 표시된다(2).

경추2번 척추체의 후상방 가장자리부터 경추4번 후하방 가장자리까지 첫 번째 곡선, 경추3번 척추체의 후상방 가장자리부터 경추5번 척추체의 후하방 가장자리까지 두 번째 곡선이고, 세 번째 곡선은 경추5번 척추체의 후하방 가장자리부터 경추7번 척추체의 후하방 가장자리까지이다. 이러한 각 영역에서 중간 척추는 바로 위와 아래에 있는 척추 앞에 위치해야 한다(그림 3-45). 이 간단한 방식을 통해 만곡의 역곡선이 경추 상부에서 발생하는지 또는 하부 분절에서 발생하는지 알 수 있다.

엑스레이의 기술적 측면

경추 만곡을 분석할 때 엑스레이를 촬영할 때 염두에 두어야 할 특정한 기술적인 측면이 있다. 예를 들어, 전만 정도가 각 경우에 따라 상당히 다른 값을 가질 수 있기 때문에 환자가 서 있었는지 앙와위 자세였는지 알 필요가 있다. 경추 만곡은 골반의 위치와 고관절 시상각, 또한 나머지 척추의 위치에 따라 달라진다.[102,167] 환자가 서 있는 동안 엑스레이를 촬영하는 것이 더 신뢰할 수 있고 재현 가능한 결과를 얻을 수 있기 때문에 권장된다.[168,169] 그러나 전체 척추의 원격 방사선 촬영에서 경추 전만의 측정은 완전히 신뢰할 수 없다. 이는 상지가 흉추에 겹쳐지는 것을 방지하기 위해 환자에게 팔을 앞으로 내밀도록 하여 전만을 감소시키는 경향이 있다.

방사선 촬영 중에 피사체가 자연스러운 머리 위치를 유지하고 편안하고 앞을 보는 것이 중요하다. 턱을 가슴 쪽으로 약간 움직이는 것과 같은 환자의 위치에 작은 변화가 전만을 편평해지게 하는 것이 입증되었다.[170]

경추의 유형학(Cervical typology)

전만 관찰은 앞서 설명한 바와 같이 임상적 관련이 있다. 경추 만곡의 가능한 구성은 만곡이 편평한 정도에 따라 분류될 수 있다. 만곡에 변화가 있는 경우 하부, 중간 또는 상부 경추 분절에서 발생하는지 주목해야 한다. 이 분류는 환자의 경추 생체역학의 변화를 더 잘 이해하기 위해 실제로 사용될

표 3-4	
경추 만곡의 다양한 배열의 분류	
유형 I	***정상 전만:*** 경추의 모든 분절이 조화 만곡으로 상대적으로 신전되어 있는 경우
유형 II	***편평화:*** 경추가 전만을 상실하고 직선 형태를 나타내는 경우
유형 III	***후만 또는 역곡선:*** 경추 앞쪽이 오목한 경우
유형 IV	***하부 역곡선:*** C4 또는 C5의 위쪽 분절은 전만을 유지하는 S 만곡이고, 하부 분절은 만곡이 역곡선된 경우
유형 V	***중간 역곡선:*** 주로 C4-C5인 중간경추분절에서 만곡의 역곡선이 있고, 이 레벨의 위 및 아래에 위치한 분절들은 전만을 유지하는 경우
유형 VI	***상부 역곡선:*** 상부 분절에서 역곡선 만곡인 S만곡이고, 하부 분절에서 전만을 유지하는 경우

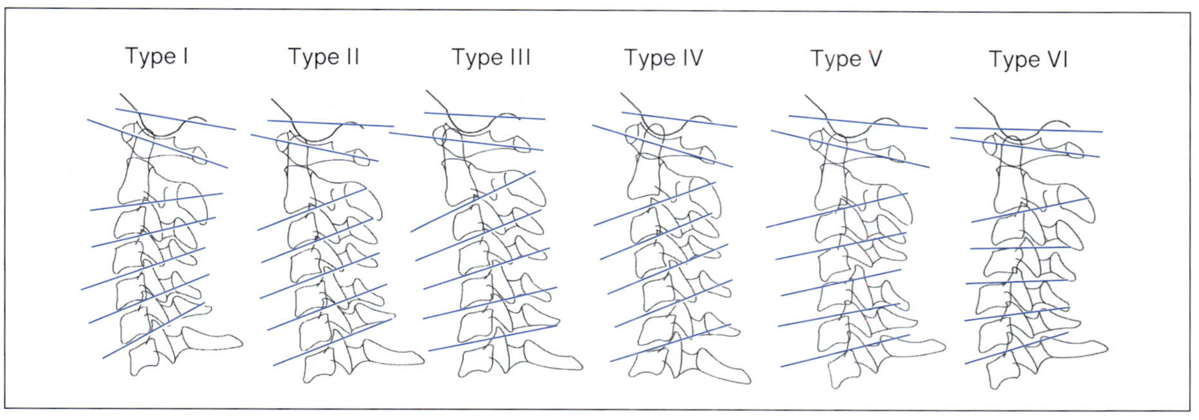

그림 3-46 ■ 경추 만곡의 다양한 배열은 다음과 같이 분류될 수 있다: 유형 1 정상전만; 유형 2 편평화; 유형 3 후만 또는 역곡선; 유형 4 하부 역곡선; 유형 5 중간 역곡선; 그리고 유형 6 상부 역곡선.

수 있다.

앞서 우리는 만곡의 수정이 삼관절 시스템에서 압력 분배에 변화를 일으키는 방법을 분석했다. 각 분절의 굴곡 또는 신전 상황에 따라 체간관절이나 돌기사이관절의 압력이 더 커질 것이다.[95] 이 과도한 부하는 초기 퇴행성 변화의 발달과 관련될 수 있다. 만곡의 형태 변화는 또한 분절 이동성의 변화를 일으켜 관절 강성 또는 불안정을 유발할 수 있다.

Takeshima 등[157]은 242명의 피험자를 대상으로 수행한 연구에서 경추 만곡의 서로 다른 구성을 5가지 유형으로 분류하여 각 유형이 다른 분절 이동성을 결정함을 보여주었다.

이 장의 저자가 제안한 분류는 표 3-4와 그림 3-46과 같다.

기능 유형의 임상적 의미
(Clinical implications of functional typologies)

경추의 생체역학적 행동을 분석하기 위해 상부 경추 또는 두개경추 영역(후두에서 경추3번까지), 중간 경추 영역(경추3번에서 경추5번까지) 및 하부 경추 영역(경추5번에서 흉추1번까지)의 세 가지 하위 영역으로 나눌 수 있다(그림 3-47). 이 구분을 통해 각 영역의 기계적 상황을 이해할 수 있으며 이는 특징적인 퇴행성 변화의 발달에 기여할 수 있다.

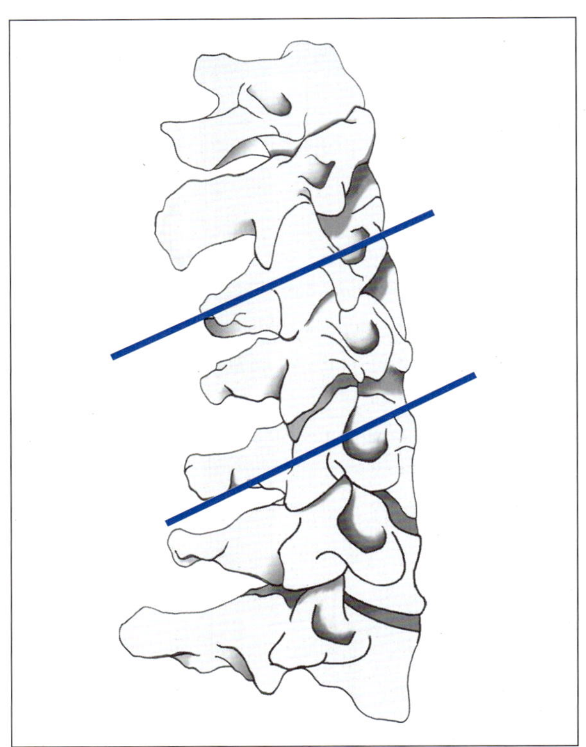

그림 3-47 ■ 경추의 생체역학적 행동을 분석하기 위해 상부 경추 또는 두개경추 하위 영역(C0-C3), 중간 경추 하위 영역(C3-C5) 및 하부 경추 하위 영역(C5-T1)의 세 가지 하위 영역으로 나눌 수 있다. 이 부분을 통해 각 영역의 기계적 스트레스, 기능장애의 유형 및 각 하위 영역의 특징적인 임상 증후군을 이해할 수 있다.

또한, 임상적 관점에서 각 하위 영역의 다양한 기능장애 유형과 특징적인 임상 증후군에 대한 이해를 용이하게 한다.

두개경추 척추는 굴곡-신전 및 회전에서 높은 정도의 이동성을 가지고 있다. 하부 경추의 간섭 없이 3개의 공간 평면에서 머리를 회전이 가능하게 한다. 이 영역은 중부 및 하부 경추의 퇴행성 경직을 보상할 수 있는데 이것은 두개경추에서 비대칭적 과이동성을 발견하는 것은 드문 일이 아니다. 이 하위 영역의 기능장애와 병리는 경추 통증과 두통의 형태로 분명해질 수 있다. 두개경추 불안정성을 유발할 수 있는 기형 또는 염증 기원의 병리 존재를 배제하는 것이 중요하다.

하부 경추는 국소 통증을 수반하는 경추 디스크의 변성(discarthrosis)이 일어나기 쉽고, 상부 흉부 영역과 상지에 관련 또는 조사된 통증을 수반한다. 후관절 병리학도 이 영역에서 자주 발견된다.

중간 경추에서 돌기사이관절은 자주 영향을 받는데 이 영역의 상당한 이동성은 이 관절의 염좌를 촉진시킨다. 중간 경추 분절은 하부 분절의 척추 변성이 발생할 때 보상적 과이동성을 발달시키도록 강요받는다. 더욱이 이 영역은 디스크와 돌기사이관절에 퇴행성 변화를 야기하는 고속부상(high-velocity trauma) 및 편타손상(whiplash injury)의 결과로 고통받는다.[171] 따라서 중간 경추는 임상적으로 중요한 불안정성을 유발할 수 있다. 이 영역에서 발생하는 통증은 상부 및 하부 경추 모두를 가리킬 수 있다.

척추의 다른 하위 영역에서 특징적인 병리학

- ***두개경추 척추:*** **비대칭 과이동성, 경추의 나머지 부분에 있는 보상 기능장애, 심각한 불안정의 원인이 되는 기형 및 염증성 병리.**
- ***중간 경추:*** **편타손상, 돌기사이관절의 병리, 임상적 불안정성, 경흉추 병진이동의 저이동성을 보상하기 위한 과이동성의 결과를 겪는다.**
- ***하부 경추:*** **추간판의 퇴행성 병리학.**

경추와 중력선의 정적 균형(Static balance of the cervical spine and the line of gravity)

전방 디스크-척추체 기둥과 후방 돌기사이 기둥 사이의 하중 균형과 경추 안정성을 모두 분석하기 위해서는 경추와 머리의 무게중심 사이의 관계를 관찰해야 한다. 이를 위해 측면 엑스레이에 중력선을 그릴 수 있다.

중력선은 치상돌기의 정점에서 수직선을 그려서 얻을 수 있다(그림 3-48). 이러한 방식으로 이

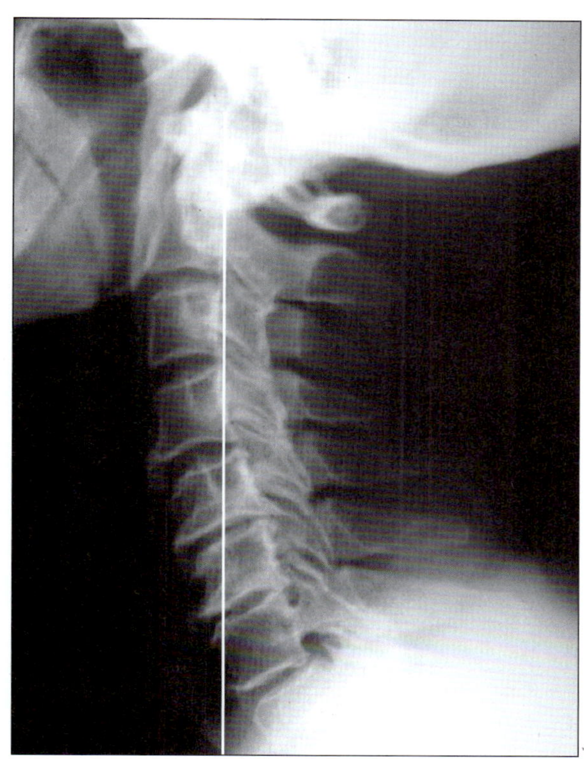

그림 3-48 ■ 중력선은 치상돌기의 정점에서 수직선을 그려서 얻는다. 일반적으로 중력선은 C2와 C4 사이의 척추체 뒤쪽과 C5와 T1 사이의 앞쪽에 위치한다.

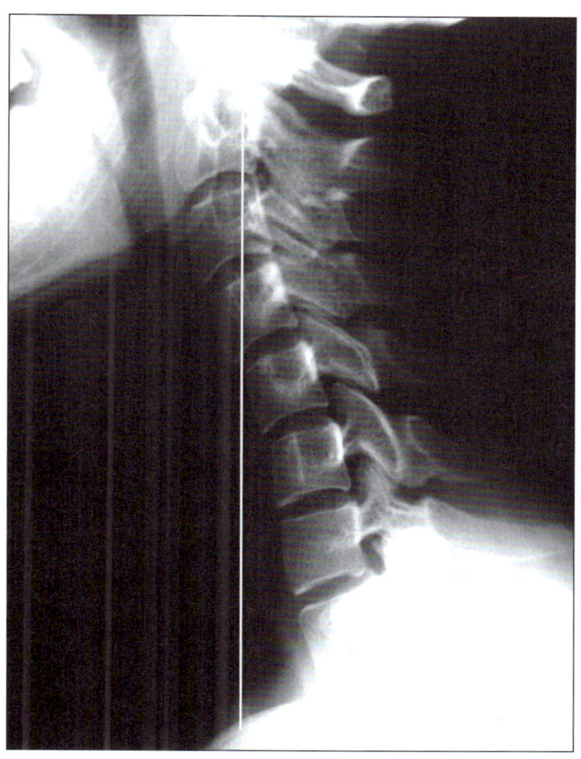

그림 3-49 ■ 과도하게 앞쪽에 있는 중력선은 디스크-척추체 기둥에 가해지는 압축력을 증가시킨다.

중력선과 각 분절의 관계를 관찰할 수 있다. 중력선이 두 기둥(체간 및 돌기사이)과 같은 거리에 있을 때 앞쪽 기둥과 두 뒤쪽 기둥 사이에 균형 잡힌 하중 분포가 있다. 선이 척추체를 가로지르는 경우, 특히, 선이 척추체 앞으로 지나는 경우에 디스크-척추체 기둥에 하중지지가 더 커질 것이다.

일반적으로 경추2번과 경추4번 사이에는 중력선이 척추체 뒤에 있으므로 머리의 균형을 잡기 위해 후방 근육을 대신하여 큰 노력이 필요하지 않다. 이 상황은 하중지지 노력에서 전방 및 후방 기둥의 조화로운 참여를 보장한다.

경추5번과 흉추1번 사이인 하부 분절의 경우, 중력선이 앞쪽에 위치하는 경향이 있다.

Hardacker 등[103]에 따르면, 중력선은 경추7번 중심에서 평균 16.8 ± 11.2 mm 전방에 위치한다. 이 상황은 체간 기둥에 더 큰 과부하를 일으키고 하부 경추에서 전만의 역곡선을 촉진한다. 이것은 경추6번, 경추7번 및 흉추1번의 극돌기가 상당히 더 큰 이유를 설명한다. 이러한 하부 분절을 굴곡하는 경향이 있는 중력 작용에 대응하려면 강력한 레버 암(lever arm)이 필요하다. 머리가 앞쪽에 있는 피험자의 경우처럼 중력선이 더 앞쪽에 있으면 근육이 더 집중적으로 활성화된다.[152,172]

마찬가지로 앉는 자세와 같이 경추전만을 역곡선시키는 경향이 있는 자세는 후방근육의 지속적인 활동을 필요로 한다. 이러한 자세가 장기간 유지되면 근육 피로가 발생하여 중력선이 전방으로 이동한다. 이것은 전방 디스크-척추체 기둥에 과도한 압박을 일으키고 경추 척추증의 발달과 관련된 요인이 될 수 있다(그림 3-49).

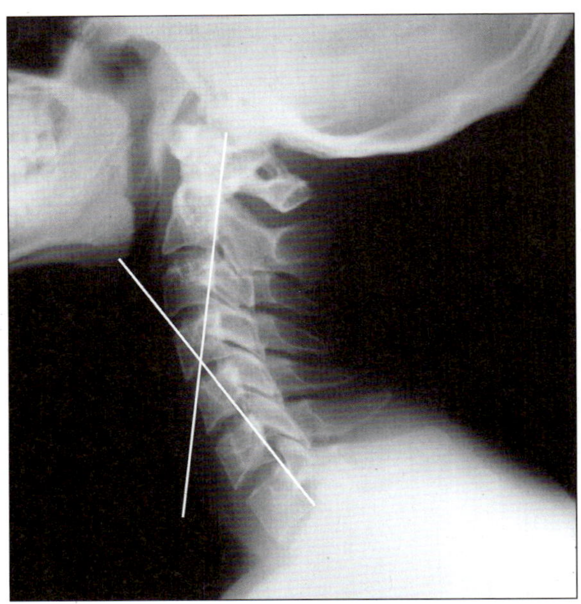

그림 3-50 ■ 구성 유형 I(전만)은 하중 분포의 조화로운 균형을 나타내며 관절 기능장애 또는 퇴행성 변화를 반드시 배제하지는 않는다.

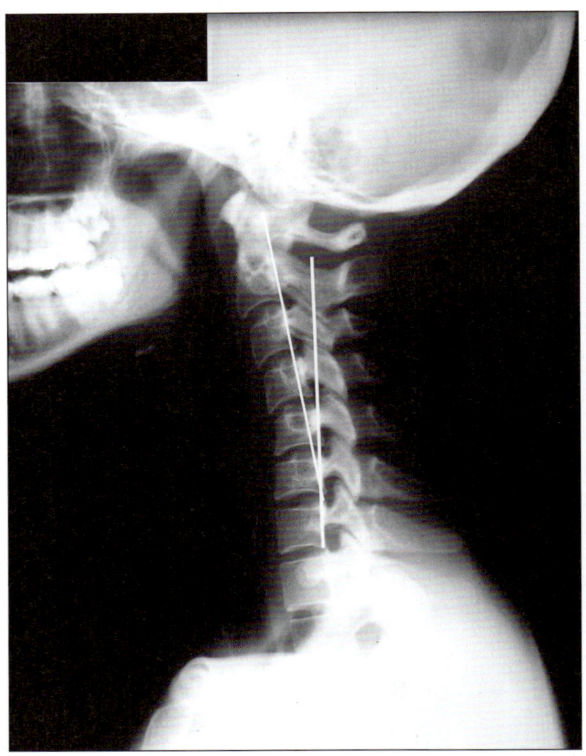

그림 3-51 ■ 구성 유형 II(편평) 및 유형 III(후만)은 전방 중력선이 동반되는 경우, 디스크 퇴행을 촉진할 수 있는 디스크-척추체 기둥의 부하 증가를 의미한다.

기능장애 경향(Dysfunctional tendencies)

만곡의 구성에서 변경을 기반으로 중력선의 궤적을 분석하여 다양한 기능장애 경향 또는 소인을 설정할 수 있다. 그러나 특정 병리학이 이러한 경향 각각에 직접적으로 기인해서는 안된다. 사실, 경추 만곡에 변화가 있는 여러 피험자들은 완벽하게 기능하고 증상이 없는 척추를 가질 수 있다. 이러한 유형의 분석을 통해 경우에 따라 환자의 경추 역학 및 임상 증상을 이해할 수 있게 된다.

유형 I 전만 배열은 하중 분포의 조화로운 균형을 나타내며 관절 기능장애 또는 퇴행성 변화를 반드시 배제하지는 않는다(그림 3-50).

유형 II 편평한 구성 및 유형 III 후만 구성은 디스크-척추체 기둥이 부담하는 하중이 증가함을 의미하며, 전방 중력선이 동반되면 디스크 퇴행을 촉진할 수 있다. 이 기능장애 경향은 후관절 평행도의 상실을 선호하고 따라서 돌기사이관절의 역학의 변경을 선호한다. 유형 II는 경추 경직과 관련될 때 종종 두통의 발병을 수반한다(그림 3-51).

유형 IV(하부 역곡선)는 하부 경추의 디스크 퇴행을 나타낸다. 이 구성은 중년 및 노인 피험자에게서 더 자주 나타난다. 머리의 전방 위치 및 이후의 중력선 전방 위치와 같은 특정 자세적 측면은 퇴행성 과정을 촉진한다. 이 구성은 흉추 후만의 신전으로서 하부 경추를 전인으로 설정하는 경향이 있다. 하부 경추는 더 단단해지며, 이는 디스크-척추체 골관절염의 방사선학적 징후의 유병률을 설명한다. 디스크의 퇴행은 체성 골극의 **출현**과 관련이 있으며, 그 목표는 표면 단위당 압력을 감소시키기 위해 접촉 면적을 증가시키는 것이다. 이 기능장애 경향은 하부 경추의 분절적 경직을 특징으로 하며, 일부 경우에는 자연적인 관절 고정술로 발전한다(그림 3-52). 이러한 저이동성 분절에서 진화

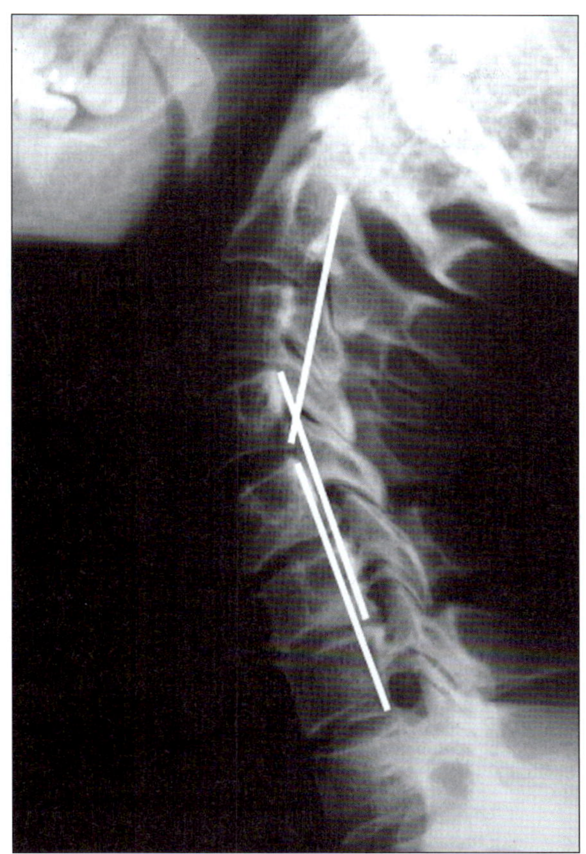

그림 3-52 ■ 유형 IV(하방 역곡선)는 하부 경추의 분절 경직이 특징이며 하부 경추의 디스크 퇴행을 촉진한다.

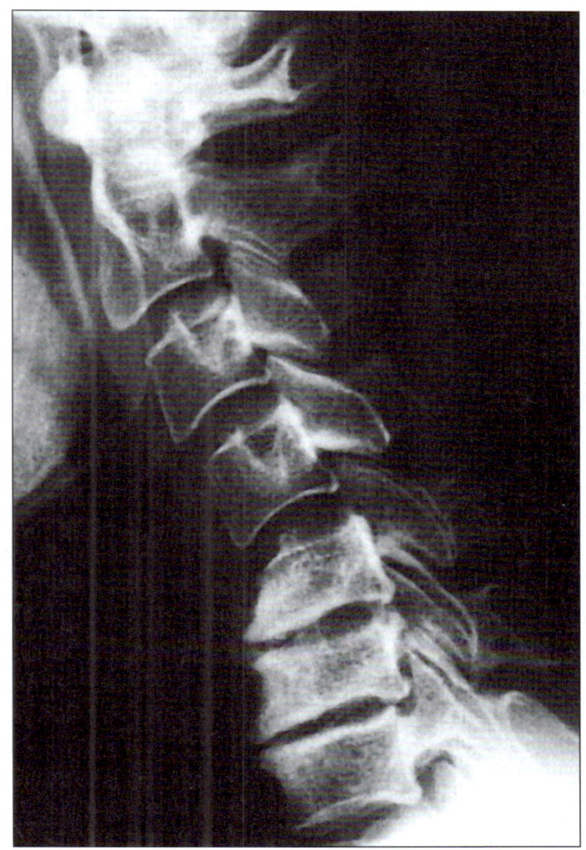

그림 3-53 ■ 하부 경추의 퇴행성 변화는 C4-C5 레벨에서 보상적 과이동성을 선호할 수 있으며, 이는 궁극적으로 이 분절의 상당한 분절 불안정성을 결정할 수 있다.

초기에 관찰될 수 있는 후방 관절 손상은 분절의 강직이 증가함에 따라 안정화된다.

이 상황은 경추4번-경추5번 수준(때로는 경추3번-경추4번)에서 기능의 증가를 일으켜 기능적 경추 이동성을 유지하려는 시도로 보상적 과이동성을 발달시킨다. 이 과정의 최종 결과는 상당한 분절 불안정성의 시작일 수 있다(그림 3-53).

유형 V(중간 역곡선)의 원인은 대개 외상 후이며 편타손상과 관련이 있다(그림 3-54). 이 경우, 경추4번-경추5번 분절 또는 경추5번-경추6번 분절에 위치한 후만을 볼 수 있으며 상부 및 하부 하위 영역에서 두 개의 작은 전만 만곡을 유지한다. 이러한 분절에서 디스크-척추체 손상은 돌기사이관절의 관절 퇴행에 비해 완화된다. 이 전만 배열과 후관절 손상은 이러한 분절의 과이동성을 결정한다. 어떤 경우에는 하부 분절의 심각한 퇴행으로 인해 상당한 분절 불안정성이 발생한다. 돌기사이관절은 골관절성 전위증으로 이어질 수 있는 관절 인터라인(interline)에 수평을 이룬다.

이동성의 변화 유형(과이동성 및 저이동성), 영향을 받는 분절 및 기능장애의 원인 사이에 관계가 있다.

Dvorak 등[32]은 동적 방사선사진을 통해 퇴행성 및 외상 후 병리를 가진 피험자의 이동성 패턴을 연구했다. 퇴행성 병리를 가진 그룹은 특히 경추6번-경추

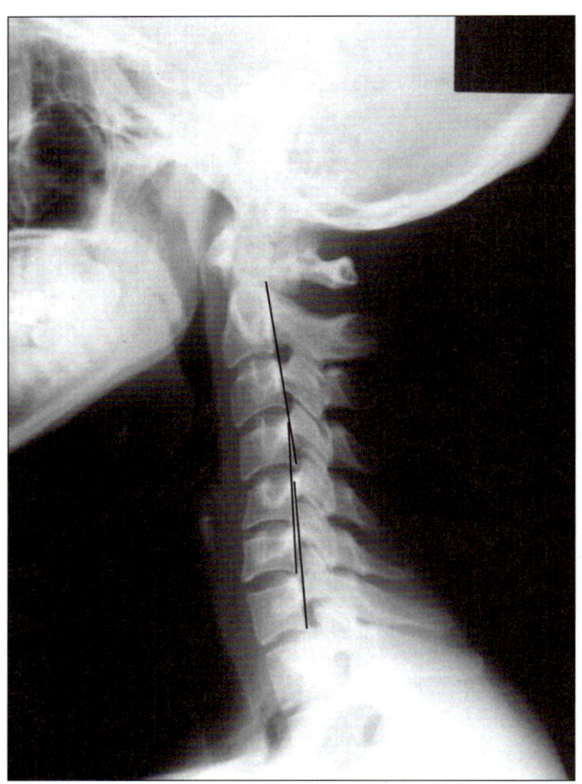

그림 3-54 ■ 유형 V(중간 역곡선)는 종종 편타손상과 관련이 있다.

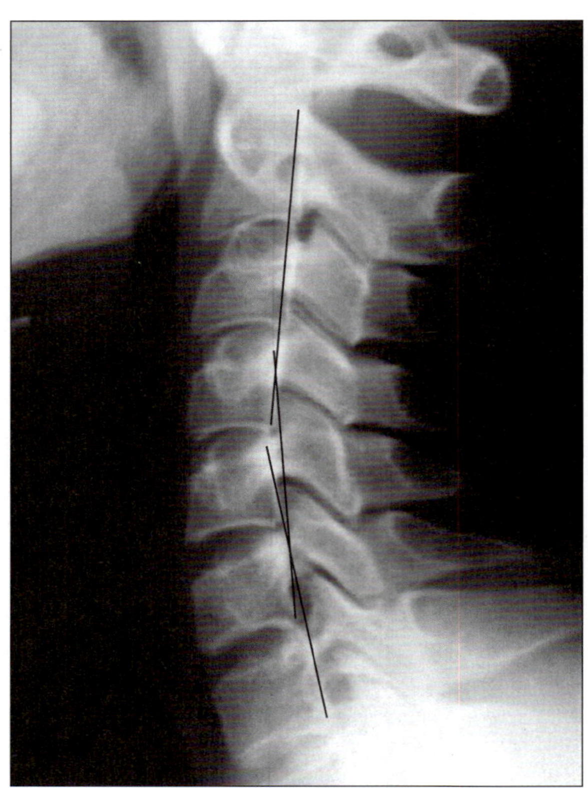

그림 3-55 ■ 유형 VI(상위 역곡선)는 때때로 두개경추 과이동성과 관련이 있다.

7번 분절에서 하부 경추의 저이동성을 나타내는 것이 발견됐다. 대조적으로, 외상성 병리를 가진 그룹은 상부 및 중간 경추에서 과이동성을 보였다.

유형 VI(상위 역곡선)는 덜 빈번하며 때때로 두개경추 과이동성과 관련이 있다(그림 3-55).

동적 엑스레이(Dynamic X-rays)

척추 분절의 기능에 관한 데이터를 얻는 또 다른 방법은 동적 엑스레이에서 이동성을 관찰하는 것이다. 앞서 설명한 바와 같이 이러한 방사선 투영의 목표는 분절 이동성의 정도를 정량화하는 것이 아니라 관절 움직임의 질에서 관련 이상을 관찰하는 것이다.

분절적 과이동성 또는 저이동성, 신전 또는 굴곡 시 전체적인지 또는 바람직한지 등 다양한 작용을

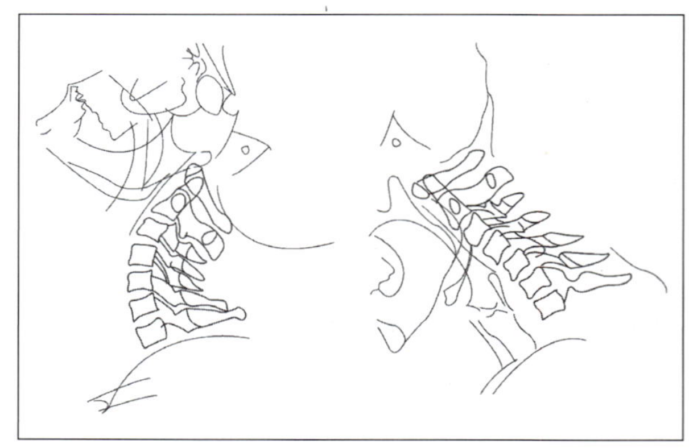

그림 3-56 ■ 동적 투영에서 굴곡과 신전 모두에서 곡선은 조화를 이루어야 한다.

볼 수 있다. 동적 투영에서 굴곡과 신전 모두에서 생성된 만곡은 조화를 이루어야 한다(그림 3-56). 만곡은 어떤 분절에서도 '파손(broken)'되어서는 안된다. 따라서 굴곡 시 분절에 국소 후만이 없거나

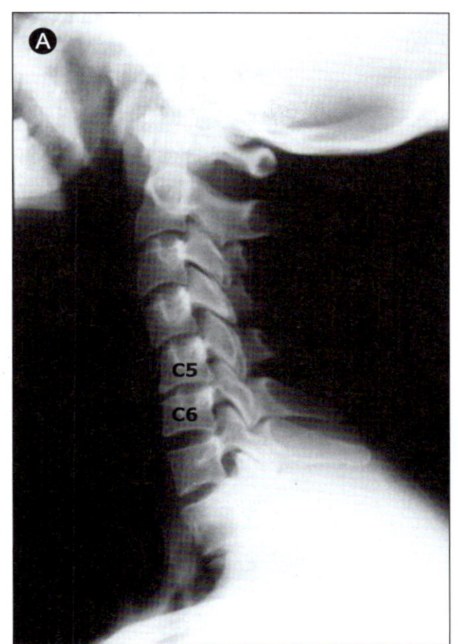

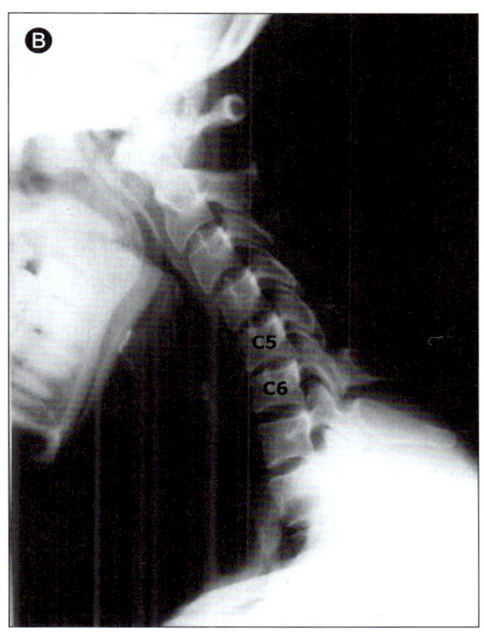

그림 3-57 ■ 그림은 굴곡(B)과 신전(A) 모두에서 경추 만곡의 조화 상실을 나타내는 C5-C6분절의 전방 경사를 보여준다.

신전 시 분절 과신전이 없어야 한다(그림 3-57).

굴곡 및 신전 시 시상회전 및 병진이동의 구성 요소를 관찰할 수 있고 두 구성 요소는 적절한 비율에 있어야 한다. 굴곡 중 약간의 전위증은 경추의 정상적인 동작으로 간주될 수 있지만 신전 중에는 발생하지 않아야 한다(그림 3-58). 과도한 시상 병진이동은 과이동성 또는 불안정성을 의미하는 반면, 이것의 부재는 퇴행성 변화를 암시한다. 마찬가지로 과도한 시상회전은 과이동성과 회전 부족, 관절 강성을 의미한다.

시상회전의 이상은 인접한 두 척추의 척추 연골 종판 사이의 관계를 관찰하여 쉽게 감지할 수 있다. 신전 시 체간 공간의 개방이 앞쪽에서 발생해야 한다. 굴곡 시 이 공간의 개방이 뒤쪽에 있어야 한다. 체간 공간의 이러한 전방 및 후방 개방은 모든 경추 분절에서 유사해야 한다. 분절 이동성의 변화는 극돌기의 행동을 관찰할 때 분명하며 신전하는 동안 접촉해야 하고 굴곡하는 동안 확산해야 한다.

경추 분절의 동적 행동 분석은 다양한 방식으로 수행할 수 있다. 그 중 하나는 경추2번의 후벽에서 하나 그리고 또 하나는 경추7번의 후벽에서 하나로 두 선을 그리고 굴곡과 신전 동안 두 선에서 교차점을 관찰하는 것을 수반한다. 일반적으로 이 선은 굴곡 시 경추5번-경추6번 분절에서 교차하고 경추4번-경추5번 분절[173]에서 신전 시 교차한다(그림 3-59). 이 두 선이 다른 분절에서 교차할 때 경추 이동성의 변화가 분명해진다(그림 3-60).

각 분절의 동적 행동을 분석하는 데 사용되는 또 다른 방식은 각 척추체의 아래쪽 표면을 따라 선을 그리는 것이다. 아래쪽 척추의 위쪽 가장자리 레벨에 평행선이 그려진다. 신전 시 이 선은 아래쪽 척추 뒤쪽에서 수렴되어야 하고 굴곡 시 앞쪽으로 수렴해야 한다.[16,34,174] 이러한 방식으로 굴곡 및 신전 시 시상회전의 부족 또는 초과를 식별할 수 있다(그림 3-61).

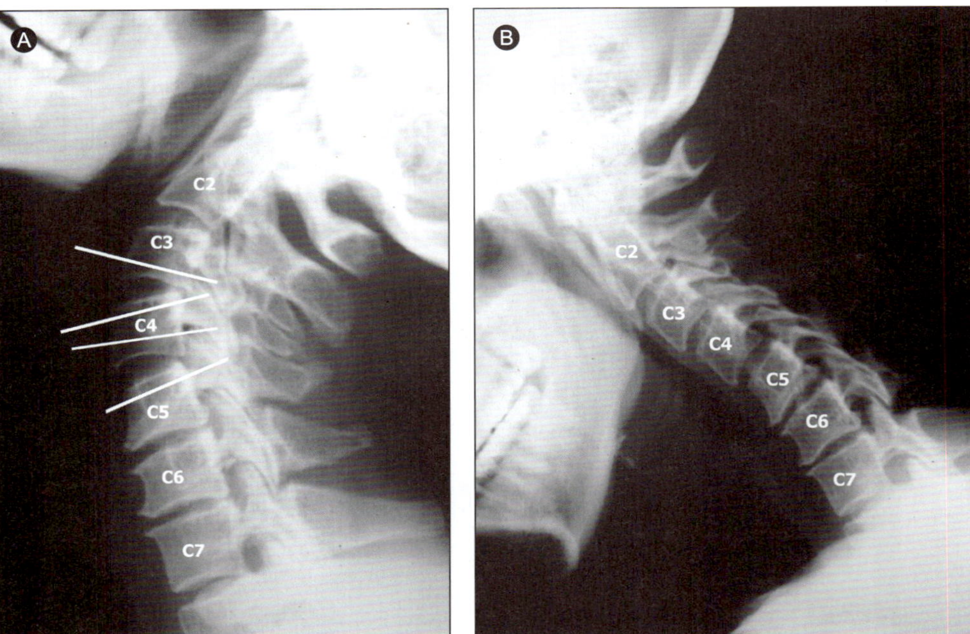

그림 3-58 ■ 이 엑스레이는 C5-C7분절에서의 척추증 변화를 보여준다. 신전의 동적 투영(B)은 C5-C6분절 및 C6-C7분절의 불충분한 신전, C3-C4분절 및 C4-C5분절의 전방 체간 공간의 비정상적 개방 및 C3-C4분절의 후방전위를 보여준다. 굴곡의 동적 투영(A)은 C0-C1분절 및 C2-C3분절의 불충분한 굴곡을 보여준다.

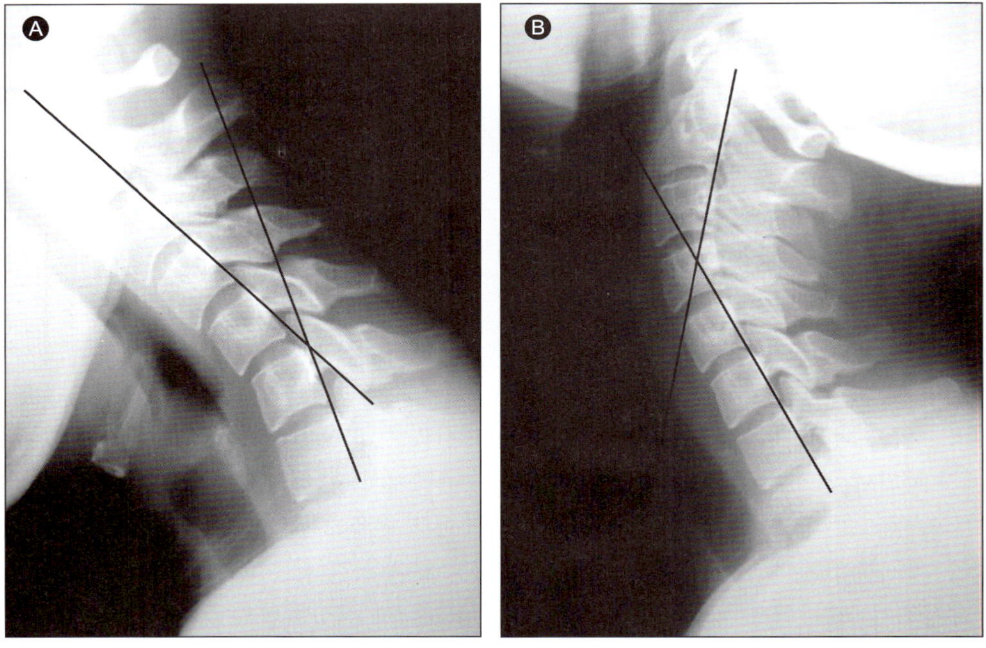

그림 3-59 ■ 두 개의 선(하나는 C2의 후벽에서, 다른 하나는 C7의 후벽에서)은 굴곡 시 (A) C5-C6 분절에서 신전 시(B) C4-C5 분절에서 교차해야 한다.

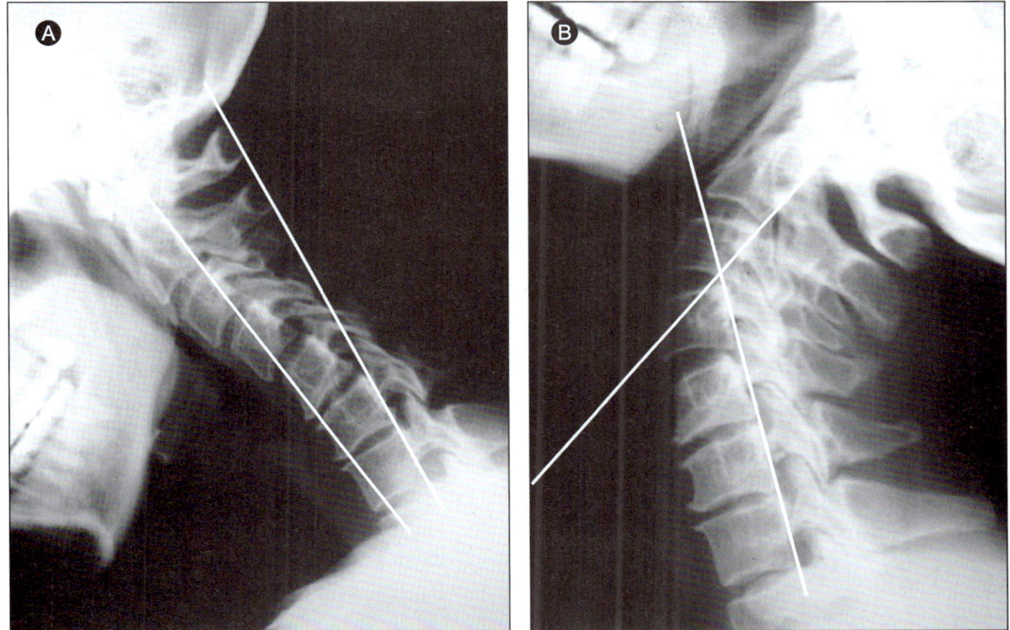

그림 3-60 ■ 이 방사선 사진은 굴곡 시(A) 더 높은 경추 분절에 의해 수행되는 낮은 이동성으로 인해 굴곡 시 선이 교차하지 않는 방법을 보여준다. 신전 시 (B) 신전에서 과이동성으로 인해 C3-C4분절의 높이에서 교차한다.

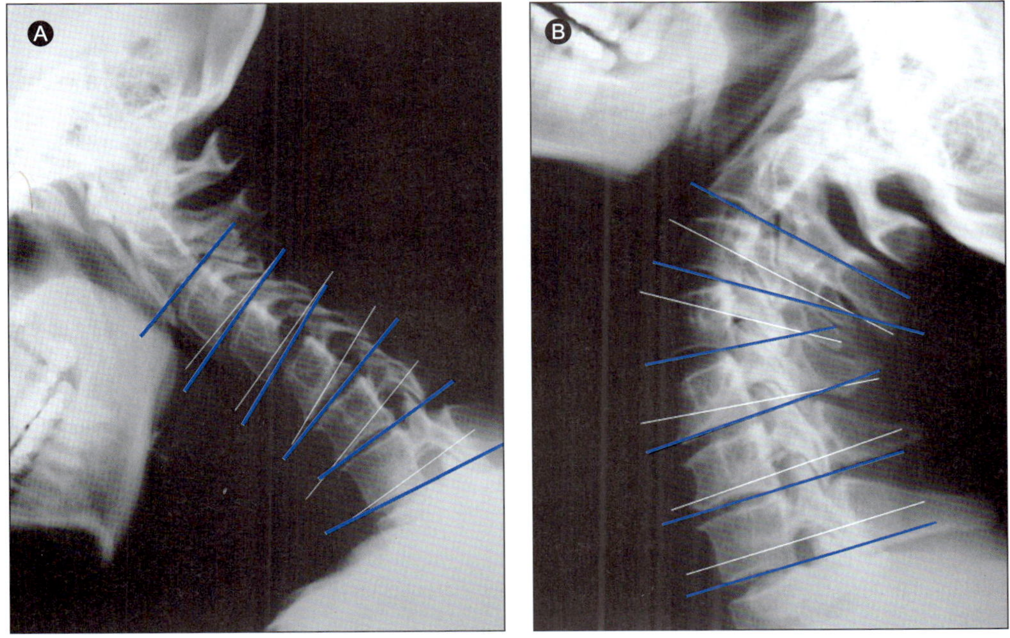

그림 3-61 ■ 전방 시상회전 결함은 선이 굴곡 시 전방으로 수렴되지 않거나(A) 신전 시 후방으로 수렴되지 않을 때 (B) 명백해진다.

결론
CONCLUSION

이 장에서 도달한 결론은 경추 전만이 올바른 척추 움직임을 유지하는 것뿐만 아니라 3개의 관절주 사이에 하중을 고르게 분배하는 데에도 필수적인 역할을 한다는 것이다. 경추의 기능에서 전만의 역할에 대한 논란에도 불구하고 가장 중요한 요소는 개개인의 상당한 적응력이다.

경추의 전만 배열의 변경은 여러 선천적 또는 후천적 원인으로 인한 것일 수 있다. 전만 정도를 정량화하기 위해 다양한 방식이 제안되었으며 그 중 일부는 재현하기 어렵다.

경추 만곡의 배열에 따라 다양한 경추 유형을 설정할 수 있다. 경추의 정적 균형은 중력선과의 관계를 기반으로 분석된다. 경추 만곡의 분류 및 중력선과의 관계는 때때로 경추의 기능장애 경향을 설명할 수 있다. 동적 행동은 굴곡 및 신전 시 동적 투영을 사용하여 분석할 수 있다.

참고문헌

1. White AA, Panjabi MM. Clinical biomechanics of the spine. 2nd ed. Philadelphia: Lippincott Williams & Wilkins; 1990.
2. Penning L. Nonpathologic and pathologic relationships between the lower cervical vertebrae. Am J Roentgenol Radium Ther Nucl Med 1964;91:1036–50.
3. Kapandji A. Fisiología Articular. 5th ed. Madrid: Panamericana; 1998.
4. Taylor J, Twomey L. Functional and applied anatomy of the cervical spine. In: Grant R, editor. Physical therapy of the cervical and thoracic spine. 3rd ed. St Louis, MI: Churchill Livingstone; 2002. p. 3–25.
5. Kaigle AM, Holm SH, Hansson TH. Experimental instability in the lumbar spine. Spine 1995;20(4):421–30.
6. White AA 3rd, Johnson RM, Panjabi MM, et al. Biomechanical analysis of clinical stability in the cervical spine. Clin Orthop 1975;(109):85–96.
7. Bogduk N, Mercer S. Biomechanics of the cervical spine. I: Normal kinematics. Clin Biomech (Bristol, Avon) 2000; 15(9):633–48.
8. Mercer SR, Bogduk N. Joints of the cervical vertebral column. J Orthop Sports Phys Ther 2001;31(4):174–82, discussion 183.
9. Mercer S, Bogduk N. The ligaments and annulus fibrosus of human adult cervical intervertebral discs. Spine 1999;24(7): 619–26, discussion 627-8.
10. Scott JE, Bosworth TR, Cribb AM, et al. The chemical morphology of age-related changes in human intervertebral disc glycosaminoglycans from cervical, thoracic and lumbar nucleus pulposus and annulus fibrosus. J Anat 1994;184(Pt 1):73–82.
11. Milne N. The role of zygapophyseal joint orientation and uncinate processes in controlling motion in the cervical spine. J Anat 1991;178:189–201.
12. Panjabi MM, White AA 3rd, Johnson RM. Cervical spine mechanics as a function of transection of components. J Biomech 1975;8(5):327–36.
13. Panjabi MM. Cervical spine models for biomechanical research. Spine 1998;23(24):2684–700.
14. Ferlic D. The range of motion of the 'normal' cervical spine. Bull Johns Hopkins Hosp 1962;110:59–65.
15. Schoening HA, Hannan V. Factors related to cervical spine mobility. I. Arch Phys Med Rehabil 1964;45:602–9.
16. Colachis SC Jr, Strohm BR. Radiographic studies of cervical spine motion in normal subjects: flexion and hyperextension. Arch Phys Med Rehabil 1965;46(11):753–60.
17. Feipel V, Rondelet B, Le Pallec J, et al. Normal global motion of the cervical spine: an electrogoniometric study. Clin Biomech (Bristol, Avon) 1999;14(7):462–70.
18. Youdas JW, Garrett TR, Suman VJ, et al. Normal range of motion of the cervical spine: an initial goniometric study. Phys Ther 1992;72(11):770–80.
19. Dopf CA, Mandel SS, Geiger DF, et al. Analysis of spine motion variability using a computerized goniometer compared to physical examination. A prospective clinical study. Spine 1994;19(5):586–95.
20. Mayer T, Brady S, Bovasso E, et al. Noninvasive measurement of cervical tri-planar motion in normal subjects. Spine 1993; 18(15):2191–5.

21. Trott PH, Pearcy MJ, Ruston SA, et al. Three-dimensional analysis of active cervical motion: the effect of age and gender. Clin Biomech (Bristol, Avon) 1996;11(4):201–6.
22. Antonaci F, Bulgheroni M, Ghirmai S, et al. 3D kinematic analysis and clinical evaluation of neck movements in patients with whiplash injury. Cephalalgia 2002;22(7):533–42.
23. Lantz CA, Klein G, Chen J, et al. A reassessment of normal cervical range of motion. Spine 2003;28(12):1249–57.
24. ten Have HA, Eulderink F. Mobility and degenerative changes of the ageing cervical spine. A macroscopic and statistical study. Gerontology 1981;27(1–2):42–50.
25. ten Have HA, Eulderink F. Degenerative changes in the cervical spine and their relationship to its mobility. J Pathol 1980; 132(2):133–59.
26. Ball J, Meijers KA. On cervical mobility. Ann Rheum Dis 1964;23:429–38.
27. Lysell E. Motion in the cervical spine. An experimental study on autopsy specimens. Acta Orthop Scand 1969;(Suppl. 123):1.
28. Bhalla SK, Simmons EH. Normal ranges of intervertebral-joint motion of the cervical spine. Can J Surg 1969;12(2):181–7.
29. Dunsker SB, Colley DP, Mayfield FH. Kinematics of the cervical spine. Clin Neurosurg 1978;25: 174–83.
30. Dvorak J, Froehlich D, Penning L, et al. Functional radiographic diagnosis of the cervical spine: flexion/extension. Spine 1988;13(7):748–55.
31. Dvorak J, Panjabi MM, Novotny JE, et al. In vivo flexion/ extension of the normal cervical spine. J Orthop Res 1991; 9(6):828–34.
32. Dvorak J, Panjabi MM, Grob D, et al. Clinical validation of functional flexion/extension radiographs of the cervical spine. Spine 1993;18(1): 120–7.
33. Dvorak J, Penning L, Hayek J, et al. Functional diagnostics of the cervical spine using computer tomography. Neuroradiology 1988;30(2):132–7.
34. Gonnot GP, Mestdagh H, Deschamps G, et al. Cinematic study of the cervical spine during flexion-extension movements. Bull Assoc Anat (Nancy) 1983;67(199):433–43.
35. Johnson RM, Hart DL, Simmons EF, et al. Cervical orthoses. A study comparing their effectiveness in restricting cervical motion in normal subjects. J Bone Joint Surg Am 1977; 59(3):332–9.
36. Aho A, Vartiainen O, Salo O. Segmentary antero-posterior mobility of the cervical spine. Ann Med Intern Fenn 1955; 44(4):287–99.
37. Lind B, Sihlbom H, Nordwall A, et al. Normal range of motion of the cervical spine. Arch Phys Med Rehabil 1989;70(9): 692–5.
38. Penning L. Normal movements of the cervical spine. AJR Am J Roentgenol 1978;130(2):317–26.
39. Lin RM, Tsai KH, Chu LP, et al. Characteristics of sagittal vertebral alignment in flexion determined by dynamic radiographs of the cervical spine. Spine 2001;26(3):256–61.
40. Reitman CA, Mauro KM, Nguyen L, et al. Intervertebral motion between flexion and extension in asymptomatic individuals. Spine 2004;29(24): 2832–43.
41. Good CJ, Mikkelsen GB. Intersegmental sagittal motion in the lower cervical spine and discogenic spondylosis: a preliminary study. J Manipulative Physiol Ther 1992;15(9):556–64.
42. Dimnet J, Pasquet A, Krag MH, et al. Cervical spine motion in the sagittal plane: kinematic and geometric parameters. J Biomech 1982;15(12): 959–69.
43. Hanten WP, Lucio RM, Russell JL, et al. Assessment of total head excursion and resting head posture. Arch Phys Med Rehabil 1991; 72(11):877–80.
44. Lee H, Nicholson LL, Adams RD. Cervical range of motion associations with subclinical neck pain. Spine 2004;29(1): 33–40.
45. Hanten WP, Olson SL, Russell JL, et al. Total head excursion and resting head posture: normal and patient comparisons. Arch Phys Med Rehabil 2000;81(1):62–6.
46. Woesner ME, Mitts MG. The evaluation of cervical spine motion below C2: a comparison of cineroentgenographic and conventional roentgenographic methods. Am J Roentgenol Radium Ther Nucl Med 1972;115(1):148–54.
47. Fielding JW. Cineradiography of the normal cervical spine. N Y State J Med 1956;56(19): 2984–6. 48. Fielding JW. Cineroentgenography of the normal cervical spine. J Bone Joint Surg Am 1957;39-A(6):1280–8.
49. Fielding JW. Normal and selected abnormal motion of the cervical spine from the second cervical

vertebra to the seventh cervical vertebra based on cineroentgenography. J Bone Joint Surg Am 1964;46:1779–81.
50. Jones MD. Cineradiographic studies of the normal cervical spine. Calif Med 1960;93:293–6.
51. Jones MD. Cineradiographic studies of degenerative disease of the cervical spine. J Can Assoc Radiol 1961;12:52–5.
52. Jones MD. Cervical spine cineradiography after traffic accidents. Arch Surg 1962;85:974–81.
53. Jones MD, Bard G. Cineradiography of the unstable cervical spine. Am J Phys Med 1966; 45(6): 291–5.
54. Jones MD. Cineradiographic studies of the collar-immobilized cervical spine. J Neurosurg 1960;17: 633–7.
55. Ishii T, Mukai Y, Hosono N, et al. Kinematics of the subaxial cervical spine in rotation in vivo three-dimensional analysis. Spine 2004;29(24): 2826–31.
56. Ishii T, Mukai Y, Hosono N, et al. Kinematics of the upper cervical spine in rotation: in vivo three-dimensional analysis. Spine 2004;29(7): E139–44.
57. Ishii T, Mukai Y, Hosono N, et al. Kinematics of the cervical spine in lateral bending: in vivo three-dimensional analysis. Spine 2006;31(2): 155–60.
58. Van Mameren H, Drukker J, Sanches H, et al. Cervical spine motion in the sagittal plane (I) range of motion of actually performed movements, an X-ray cinematographic study. Eur J Morphol 1990;28(1):47–68.
59. Buonocore E, Hartman JT, Nelson CL. Cine-radiograms of cervical spine in diagnosis of soft-tissue injuries. JAMA 1966;198(1):143–7.
60. Hino H, Abumi K, Kanayama M, et al. Dynamic motion analysis of normal and unstable cervical spines using cineradiography. An in vivo study. Spine 1999;24(2):163–8.
61. Van Mameren H, Sanches H, Beursgens J, et al. Cervical spine motion in the sagittal plane. II. Position of segmental averaged instantaneous centers of rotation – a cineradiographic study. Spine 1992; 17(5):467–74.
62. Dvorak J, Dvorak V. Medicina manual diagnóstico. Barcelona: Ediciones Scriba; 1989.
63. Worth D. Movements of the cervical spine. In: Grieve G, editor. Modern manual therapy of the vertebral column. Edinburgh: Churchill Livingstone; 1986.
64. Worth D. Movements of the cervical spine. In: Boyling J, Palastanga N, editors. Grieve's modern manual therapy. 2nd ed. Edinburgh: Churchill Livingstone; 2000.
65. Bogduk N. Biomechanics of the cervical spine. In: Grant R, editor. Physical therapy of the cervical and thoracic spine. 3rd ed. St. Louis: Churchill Livingstone; 2002. p. 26–44.
66. Amevo B, Worth D, Bogduk N. Instantaneous axes of rotation of the typical motion segments: a study in normal volunteers. Clin Biomech 1991; 6:111–17.
67. Amevo B, Aprill C, Bogduk N. Abnormal instantaneous axes of rotation in patients with neck pain. Spine 1992;17(7): 748–56.
68. Kaneoka K, Ono K, Inami S, et al. Motion analysis of cervical vertebrae during whiplash loading. Spine 1999;24(8):763–9, discussion 770.
69. Hinderaker J, Lord SM, Barnsley L, et al. Diagnostic value of C2-3 instantaneous axes of rotation in patients with headache of cervical origin. Cephalalgia 1995;15(5):391–5.
70. Mayer ET, Herrmann G, Pfaffenrath V, et al. Functional radiographs of the craniocervical region and the cervical spine. A new computer-aided technique. Cephalalgia 1985;5(4):237–43.
71. Bogduk N, Amevo B, Pearcy M. A biological basis for instantaneous centres of rotation of the vertebral column. Proc Inst Mech Eng [H] 1995; 209(3):177–83.
72. Moroney SP, Schultz AB, Miller JA, et al. Load-displacement properties of lower cervical spine motion segments. J Biomech 1988;21(9): 769–79.
73. Mimura M, Moriya H, Watanabe T, et al. Three-dimensional motion analysis of the cervical spine with special reference to the axial rotation. Spine 1989;14(11):1135–9.
74. White AA 3rd, Panjabi MM. The basic kinematics of the human spine. A review of past and current knowledge. Spine 1978;3(1):12–20.
75. Panjabi MM, Crisco JJ, Vasavada A, et al. Mechanical properties of the human cervical spine as shown by threedimensional load-displacement curves. Spine 2001;26(24): 2692–700.
76. Goel VK, Clark CR, McGowan D, et al. An in-vitro study of the kinematics of the normal,

injured and stabilized cervical spine. J Biomech 1984;17(5):363–76.

77. Lee S, Harris KG, Nassif J, et al. In vivo kinematics of the cervical spine. Part I: Develop-ment of a roentgen stereophotogrammetric technique using metallic markers and assessment of its accuracy. J Spinal Disord 1993;6(6):522–34.
78. Clausen JD, Goel VK, Traynelis VC, et al. Uncinate processes and Luschka joints influence the biomechanics of the cervical spine: quantification using a finite element model of the C5-C6 segment. J Orthop Res 1997;15(3):342–7.
79. Onan OA, Heggeness MH, Hipp JA. A motion analysis of the cervical facet joint. Spine 1998;23(4):430–9.
80. Penning L, Wilmink JT. Rotation of the cervical spine. A CT study in normal subjects. Spine 1987;12(8):732–8.
81. Mestdagh H. Morphological aspects and biomechanical properties of the vertebroaxial joint (C2-C3). Acta Morphol Neerl Scand 1976;14(1): 19–30.
82. White IIIAA, Panjabi MM. Clinical biomechanics of the spine. 2nd ed. Philadelphia: Lippincott Williams & Wilkins; 1990.
83. Pal GP, Routal RV, Saggu SK. The orientation of the articular facets of the zygapophyseal joints at the cervical and upper thoracic region. J Anat 2001;198(Pt 4):431–41.
84. Veldhuizen AG, Scholten PJ. Kinematics of the scoliotic spine as related to the normal spine. Spine 1987;12(9):852–8.
85. Willems JM, Jull GA, J KF. An in vivo study of the primary and coupled rotations of the thoracic spine. Clin Biomech (Bristol, Avon) 1996;11(6): 311–16.
86. Oxland TR, Panjabi MM. The onset and progression of spinal injury: a demonstration of neutral zone sensitivity. J Biomech 1992;25(10):1165–72.
87. Panjabi MM. The stabilizing system of the spine. Part II. Neutral zone and instability hypothesis. J Spinal Disord 1992;5(4):390–6, discussion 397.
88. Panjabi MM. The stabilizing system of the spine. Part I. Function, dysfunction, adaptation, and enhancement. J Spinal Disord 1992;5(4):383–9, discussion 397.
89. McClure P, Siegler S, Nobilini R. Three-dimensional flexibility characteristics of the human cervical spine in vivo. Spine 1998;23(2):216–23.
90. Louis R. Spinal stability as defined by the three-column spine concept. Anat Clin 1985;7(1): 33–42.
91. Pal GP, Cosio L, Routal RV. Trajectory architecture of the trabecular bone between the body and the neural arch in human vertebrae. Anat Rec 1988;222(4):418–25.
92. Silva MJ, Keaveny TM, Hayes WC. Load sharing between the shell and centrum in the lumbar vertebral body. Spine 1997;22(2):140–50.
93. Carter DR, Hayes WC. The compressive behavior of bone as a two-phase porous structure. J Bone Joint Surg Am 1977;59(7): 954–62.
94. Pal GP, Routal RV. A study of weight transmission through the cervical and upper thoracic regions of the vertebral column in man. J Anat 1986;148:245–61.
95. Goel VK, Clausen JD. Prediction of load sharing among spinal components of a C5-C6 motion segment using the finite element approach. Spine 1998;23(6):684–91.
96. Farfan HF. Muscular mechanism of the lumbar spine and the position of power and efficiency. Orthop Clin North Am 1975;6(1):135–44.
97. Sohier R. Kinésithérapie analytique de la colonne vertébrale. La Louvière: Kiné-Sciences; 1970.
98. Broberg KB. On the mechanical behaviour of intervertebral discs. Spine 1983;8(2):151–65.
99. Pellengahr C, Pfahler M, Kuhr M, et al. Influence of facet joint angles and asymmetric disk collapse on degenerative olisthesis of the cervical spine. Orthopedics 2000;23(7):697–701.
100. Bagnall KM, Harris PF, Jones PR. A radiographic study of the human fetal spine. 1. The development of the secondary cervical curvature. J Anat 1977;123(3):777–82.
101. Kasai T, Ikata T, Katoh S, et al. Growth of the cervical spine with special reference to its lordosis and mobility. Spine 1996;21(18):2067–73.
102. Black KM, McClure P, Polansky M. The influence of different sitting positions on cervical and lumbar posture. Spine 1996;21(1):65–70.
103. Hardacker JW, Shuford RF, Capicotto PN, et al. Radiographic standing cervical segmental alignment in adult volunteers without neck symptoms. Spine 1997;22(13):1472–80, discussion 1480.

104. Matsumoto M, Fujimura Y, Suzuki N, et al. MRI of cervical intervertebral discs in asymptomatic subjects. J Bone Joint Surg Br 1998;80(1):19–24.

105. Gay RE. The curve of the cervical spine: variations and significance. J Manipulative Physiol Ther 1993;16(9):591–4.

106. Gore DR, Sepic SB, Gardner GM. Roentgeno-graphic findings of the cervical spine in asymptomatic people. Spine 1986; 11(6): 521–4.

107. Matsumoto M, Fujimura Y, Suzuki N, et al. Cervical curvature in acute whiplash injuries: prospective comparative study with asymp-tomatic subjects. Injury 1998;29(10):775–8.

108. Hohl M. Soft-tissue injuries of the neck in automobile accidents. Factors influencing prognosis. J Bone Joint Surg Am 1974;56(8): 1675–82.

109. Norris SH, Watt I. The prognosis of neck injuries resulting from rear-end vehicle collisions. J Bone Joint Surg Br 1983; 65(5): 608–11.

110. Watkinson A, Gargan MF, Bannister GC. Prognostic factors in soft tissue injuries of the cervical spine. Injury 1991;22(4):307–9.

111. Robinson DD, Cassar-Pullicino VN. Acute neck sprain after road traffic accident: a long-term clinical and radiological review. Injury 1993; 24(2):79–82.

112. Giuliano V, Giuliano C, Pinto F, et al. The use of flexion and extension MR in the evaluation of cervical spine trauma: initial experience in 100 trauma patients compared with 100 normal subjects. Emerg Radiol 2002;9(5):249–53.

113. Katsuura A, Hukuda S, Saruhashi Y, et al. Kyphotic malalignment after anterior cervical fusion is one of the factors promoting the degenerative process in adjacent intervertebral levels. Eur Spine J 2001;10(4):320–4.

114. Minamide A, Hashizume H, Yoshida M, et al. Effects of basic fibroblast growth factor on spontaneous resorption of herniated intervertebral discs. An experimental study in the rabbit. Spine 1999;24(10):940–5.

115. Vernon H, Steiman I, Hagino C. Cervicogenic dysfunction in muscle contraction headache and migraine: a descriptive study. J Manipulative Physiol Ther 1992;15(7):418–29.

116. Nagasawa A, Sakakibara T, Takahashi A. Roentgenographic findings of the cervical spine in tension-type headache. Headache 1993; 33(2):90–5.

117. Matsunaga S, Sakou T, Sunahara N, et al. Biomechanical analysis of buckling alignment of the cervical spine. Predictive value for subaxial subluxation after occipitocervical fusion. Spine 1997;22(7):765–71.

118. Katsuura A, Hukuda S, Saruhashi Y, et al. Kyphotic malalignment after anterior cervical fusion is one of the factors promoting the degenerative process in adjacent intervertebral levels. Eur Spine J 2001;10(4):320–4.

119. Batzdorf U, Batzdorff A. Analysis of cervical spine curvature in patients with cervical spondylosis. Neurosurgery 1988;22(5): 827–36.

120. Troyanovich SJ, Stroink AR, Kattner KA, et al. Does anterior plating maintain cervical lordosis versus conventional fusion techniques? A retrospective analysis of patients receiving single-level fusions. J Spinal Disord Tech 2002;15(1):69–74.

121. Aita I, Wadano Y, Yabuki T. Curvature and range of motion of the cervical spine after laminaplasty. J Bone Joint Surg Am 2000;82-A(12):1743–8.

122. Steinmetz MP, Kager CD, Benzel EC. Ventral correction of postsurgical cervical kyphosis. J Neurosurg Spine 2003;98(1): 1–7.

123. Naderi S, Ozgen S, Pamir MN, et al. Cervical spondylotic myelopathy: surgical results and factors affecting prognosis. Neurosurgery 1998; 43(1):43–9, discussion 49-50.

124. Satomi K, Nishu Y, Kohno T, et al. Long-term follow-up studies of open-door expansive laminoplasty for cervical stenotic myelo-pathy. Spine 1994;19(5):507–10.

125. Ferch RD, Shad A, Cadoux-Hudson TA, et al. Anterior correction of cervical kyphotic deformity: effects on myelopathy, neck pain, and sagittal alignment. J Neurosurg Spine 2004; 100(1): 13–19.

126. Yoshimoto H, Ito M, Abumi K, et al. A retrospective radiographic analysis of subaxial sagittal alignment after posterior C1-C2 fusion. Spine 2004;29(2):175–81.

127. Sekhon LH. Cervical arthroplasty in the management of spondylotic myelopathy. J Spinal Disord Tech 2003;16(4): 307–13.

128. Iizuka H, Shimizu T, Tateno K, et al. Extensor musculature of the cervical spine after laminoplasty: morphologic evaluation by coronal view of the magnetic resonance image. Spine 2001;

26(20):2220–6.
129. Muhle C, Resnick D, Ahn JM, et al. In vivo changes in the neuroforaminal size at flexion-extension and axial rotation of the cervical spine in healthy persons examined using kinematic magnetic resonance imaging. Spine 2001;26(13): E287–93.
130. Yoshida M, Tamaki T, Kawakami M, et al. Indication and clinical results of laminoplasty for cervical myelopathy caused by disc herniation with developmental canal stenosis. Spine 1998; 23(22):2391–7.
131. Harrison DD, Janik TJ, Troyanovich SJ, et al. Evaluation of the assumptions used to derive an ideal normal cervical spine model. J Mani-pulative Physiol Ther 1997;20(4):246–56.
132. Panjabi MM, Oda T, Crisco JJ 3rd, et al. Posture affects motion coupling patterns of the upper cervical spine. J Orthop Res 1993;11(4):525–36.
133. Kettner NW, Guebert GM. The radiology of cervical spine injury. J Manipulative Physiol Ther 1991;14(9):518–26.
134. Harrison DE, Harrison DD, Troyanovich SJ. Reliability of spinal displacement analysis of plain X-rays: a review of commonly accepted facts and fallacies with implications for chiropractic education and technique. J Manipulative Physiol Ther 1998;21(4):252–66.
135. Helliwell PS, Evans PF, Wright V. The straight cervical spine: does it indicate muscle spasm? J Bone Joint Surg Br 1994; 76(1):103–6.
136. Seichi A, Takeshita K, Ohishi I, et al. Long-term results of double-door laminoplasty for cervical stenotic myelopathy. Spine 2001;26(5):479–87.
137. Sasai K, Saito T, Akagi S, et al. Cervical curvature after laminoplasty for spondylotic myelopathy – involvement of yellow ligament, semispinalis cervicis muscle, and nuchal ligament. J Spinal Disord 2000;13(1):26–30.
138. Nolan JP Jr, Sherk HH. Biomechanical evaluation of the extensor musculature of the cervical spine. Spine 1988;13(1): 9–11.
139. Shiraishi T, Fukuda K, Yato Y, et al. Results of skip laminectomyminimum 2-year follow-up study compared with open-door laminoplasty. Spine 2003;28(24):2667–72.
140. Shiraishi T. Skip laminectomy – a new treatment for cervical spondylotic myelopathy, preserving bilateral muscular attach-ments to the spinous processes: a preliminary report. Spine J 2002;2(2): 108–15.
141. Yoshida M, Otani K, Shibasaki K, et al. Expansive laminoplasty with reattachment of spinous process and extensor musculature for cervical myelopathy. Spine 1992;17(5):491–7.
142. Hosono N, Sakaura H, Mukai Y, et al. En bloc laminoplasty without dissection of paraspinal muscles. J Neurosurg Spine 2005;3(1):29–33.
143. Maeda T, Arizono T, Saito T, et al. Cervical alignment, range of motion, and instability after cervical laminoplasty. Clin Orthop 2002;(401): 132–8.
144. Mente PL, Aronsson DD, Stokes IA, et al. Mechanical modulation of growth for the correction of vertebral wedge deformities. J Orthop Res 1999;17(4):518–24.
145. Peterson CK, Kirk RJ, Isdahl M, et al. Prevalence of hyperplastic articular pillars in the cervical spine and relationship with cervical lordosis. J Manipulative Physiol Ther 1999;22(6): 390–4.
146. Fujiwara A, Lim TH, An HS, et al. The effect of disc degeneration and facet joint osteoarthritis on the segmental flexibility of the lumbar spine. Spine 2000;25(23):3036–44.
147. Yoganandan N, Kumaresan S, Pintar FA. Biomechanics of the cervical spine Part 2. Cervical spine soft tissue responses and biomechanical modeling. Clin Biomech (Bristol, Avon) 2001; 16(1):1–27.
148. Stupar M, Mauron D, Peterson CK. Inter-examiner reliability of the diagnosis of cervical pillar hyperplasia (CPH) and the correlation between CPH and spinal degenerative joint disease (DJD). BMC Musculoskelet Disord 2003;4: 28.
149. Kumaresan S, Yoganandan N, Pintar FA, et al. Contribution of disc degeneration to osteophyte formation in the cervical spine: a biomechanical investigation. J Orthop Res 2001;19(5): 977–84.
150. Maiman DJ, Kumaresan S, Yoganandan N, et al. Biomechanical effect of anterior cervical spine fusion on adjacent segments. Biomed Mater Eng 1999;9(1):27–38.
151. Miura T, Panjabi MM, Cripton PA. A method to simulate in vivo cervical spine kinematics using in vitro compressive preload. Spine 2002;27(1): 43–8.

152. Aspden RM. The spine as an arch. A new mathematical model. Spine 1989;14(3):266–74.
153. Oktenoglu T, Ozer AF, Ferrara LA, et al. Effects of cervical spine posture on axial load bearing ability: a biomechanical study. J Neurosurg Spine 2001;94(1):108–14.
154. Patwardhan AG, Havey RM, Ghanayem AJ, et al. Load-carrying capacity of the human cervical spine in compression is increased under a follower load. Spine 2000;25(12):1548–54.
155. Harrison DE, Harrison DD, Janik TJ, et al. Comparison of axial and flexural stresses in lordosis and three buckled configurations of the cervical spine. Clin Biomech (Bristol, Avon) 2001;16(4):276–84.
156. Harrison DE, Jones EW, Janik TJ, et al. Evaluation of axial and flexural stresses in the vertebral body cortex and trabecular bone in lordosis and two sagittal cervical translation configurations with an elliptical shell model. J Manipulative Physiol Ther 2002;25(6):391–401.
157. Takeshima T, Omokawa S, Takaoka T, et al. Sagittal alignment of cervical flexion and extension: lateral radiographic analysis. Spine 2002;27(15):E348–55.
158. Wiegand R, Kettner NW, Brahee D, et al. Cervical spine geometry correlated to cervical degenerative disease in a symptomatic group. J Manipulative Physiol Ther 2003;26(6):341–6.
159. Lipson SJ, Muir H. Vertebral osteophyte formation in experimental disc degeneration. Morphologic and proteoglycan changes over time. Arthritis Rheum 1980;23(3):319–24.
160. Ishida Y, Suzuki K, Ohmori K, et al. Critical analysis of extensive cervical laminectomy. Neurosurgery 1989;24(2):215–22.
161. Harrison DE, Cailliet R, Harrison DD, et al. A review of biomechanics of the central nervous system – Part III: spinal cord stresses from postural loads and their neurologic effects. J Manipulative Physiol Ther 1999;22(6):399–410.
162. Kristjansson E, Jonsson H Jr. Is the sagittal configuration of the cervical spine changed in women with chronic whiplash syndrome? A comparative computer-assisted radiographic assessment. J Manipulative Physioll Ther 2002;25(9):550–5.
163. Harrison DE, Harrison DD, Cailliet R, et al. Cobb method or Harrison posterior tangent method: which to choose for lateral cervical radiographic analysis. Spine 2000;25(16):2072–8.
164. Cote P, Cassidy JD, Yong-Hing K, et al. Apophyseal joint degeneration, disc degenera-tion, and sagittal curve of the cervical spine. Can they be measured reliably on radiographs? Spine 1997;22(8):859–64.
165. Voutsinas SA, MacEwen GD. Sagittal profiles of the spine. Clin Orthop 1986;(210):235–42.
166. Harrison DD, Janik TJ, Troyanovich SJ, et al. Comparisons of lordotic cervical spine curvatures to a theoretical ideal model of the static sagittal cervical spine. Spine 1996;21(6): 667–75.
167. Bendix T, Poulsen V, Klausen K, et al. What does a backrest actually do to the lumbar spine? Ergonomics 1996;39(4): 533–42.
168. Sandham A. Repeatability of head posture recordings from lateral cephalometric radiographs. Br J Orthod 1988;15(3): 157–62.
169. Bullock-Saxton J. Postural alignment in standing: a repeatable study. Aust J Physiother 1993;39:25–9.
170. Fineman S, Borrelli FJ, Rubinstein BM, et al. The cervical spine: transformation of the normal lordotic pattern into a linear pattern in the neutral posture. J Bone Joint Surg Am 1963;45:1179–83.
171. Kristjansson E, Jonsson H Jr. Is the sagittal configuration of the cervical spine changed in women with chronic whiplash syndrome? A comparative computer-assisted radiographic assessment. J Manipulative Physiol Ther 2002;25(9):550–5.
172. Braun BL, Amundson LR. Quantitative assessment of head and shoulder posture. Arch Phys Med Rehabil 1989;70(4):322–9.
173. Deltoff M. Diagnostic imaging of the cranio-cervical region. In: Vernon H, editor. The cranio-cervical syndrome. Mechanisms, assesment and treatment. Oxford: Butterworth Heinemann; 2001.
174. David J, Viel E. Etude statique et dinamique de la colonne vertébral: application de la tecnique de Mestdagh à l'examen des nucalgies. Ann Kinésith 1981;8:35–43.
175. Panjabi M, Yue J, Dvorak J, et al. Cervical spine kinematics and clinical instability. In: Clark CR, editor. The cervical spine. Philadelphia: Lippincott Williams & Wilkins; 2005. p. 55–78.

4 두개경추의 임상해부학 및 생체역학

CLINICAL ANATOMY AND BIOMECHANICS OF THE CRANIOCERVICAL SPINE

RAFAEL TORRES CUECO

두개경추 영역과 경추의 다른 영역은 현저한 해부학 및 기능적 차이를 기반으로 별도로 연구된다. 두개경추는 두통, 어지러움 등과 같은 증상을 담당하고, 하부경추 레벨에서 발견되는 것과는 모두 다르다(그림 4-1).

상부경추는 해부학적 및 기능적 요인들에 따라서 나눠질 수 있다. 해부학적 관점에서 볼 때 두개경추는 후두골에서 경추2번까지 이어진다. 그러나 임상학적 관점으로 보면 경추3번은 관절이 상부분절과 동일한 임상조건을 수반하므로 포함되어야 한다(그림 4-2).

두개경추는 척추의 기능을 하는 후두돌기와 두개의 비정형척추인 환추와 축추로 구성된다. White와 Panjabi[1]가 지적한 바와 같이, 이 관절들은 특정한 해부학 및 운동학으로 인해 가장 복잡하며 일부 몇 측면에서는 여전히 논란이 되고 있다.

이 해부학적 영역의 중요점은 전체 척추 내에서 넓은 이동성 범위이다. 이것은 굴곡-신전의 대략 1/3과 전체 경추 회전의 50% 이상을 담당한다.[2]

두개경추 분절의 가장 특정한 해부학적 특징 중 하나는 추간판의 부재이고 이것은 매우 중요한 기능적 결과를 갖는다. 요추 디스크와는 달리 경추 디스크는 이른 나이에 퇴행성 변화를 이는 중년에 이르러 하부경추의 이동성에 점진적인 감소를 암시한다. 두개경추는 디스크가 없기 때문에 이동성을 유지할 수 있고, 노인에게서 모든 목 움직임은 거의 전적으로 두개경추의 희생으로 이루어진다.

이 영역에서 각 관절이 특별한 기계적 작용이 있지만, 모든 관절들은 세 개의 축이 있는 관절 그룹으로 함께 작동하므로 관절자유도가 3도이다. 따라서 두개경추는 하부경추와 독립적으로 이동성을 표현할 수 있다. 이것은 하부경추의 영향을 받지 않고 3개의 공간면에서 머리 방향을 지정하는 주요 기능을 가능하게 한다. 그러므로 하부경추 분절에 심각한 변형이 있는 피험자는 정적 및 동적 기능 균형을 유지할 수 있다(그림 4-3).

머리의 기능적 자유는 인간이 외부세계와 관계를 맺도록 돕는 감각기관의 존재에 의해 정당화된다. 공간의 세 평면에서 머리 이동성은 시야, 소리를 인식하고 뒤뿔 자극을 더 잘 인식하는 능력 등을 증가시킨다. 또한 정적 및 균형유지가 의존하는 자세 제어 시스템의 적당한 수행을 위해 필요하다. 모든 자세 외부수용기, 즉 시각과 전정계는 발바닥에 위치한 압수용기를 제외하고 머리에서 발견된다. 우리는 또한 눈돌림근과 근육 및 관절 후두하 고유수용기와 같은 적절한 자세 고유수용기를 찾을 수 있다(그림 4-4).

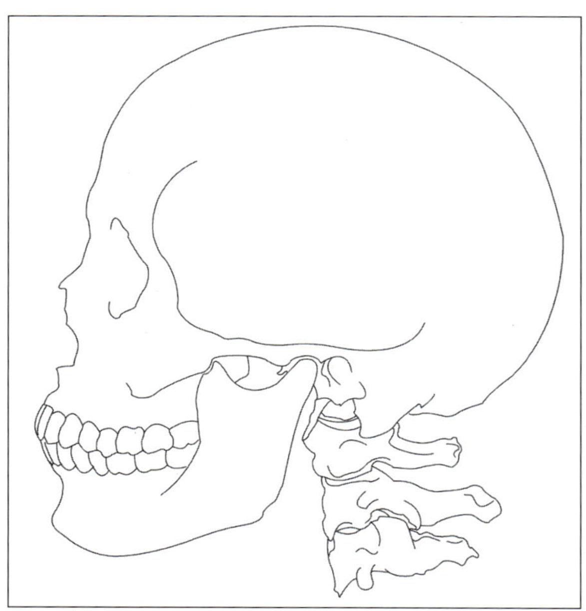

그림 4-1 ■ 두개경추는 하부경추 레벨에서 발견되는 것들과는 다른 임상학적 증상을 담당한다.

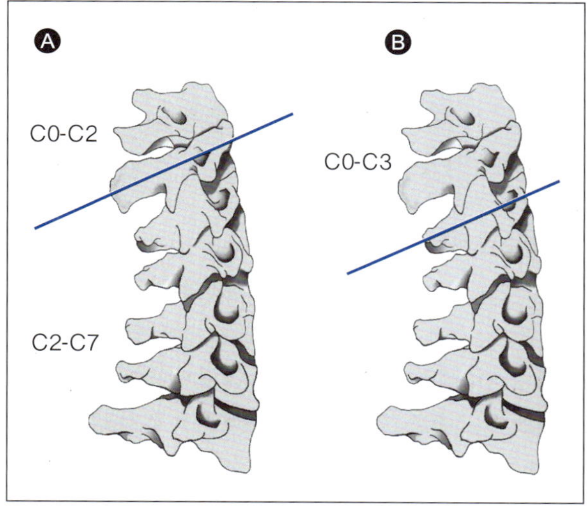

그림 4-2 ■ 상부경추는 해부학적 관점과 기능적 관점의 두 가지 관점으로 나눠질 수 있다. 해부학적 관점에서 두개경추는 후두골에서 C2까지 이어진다(A). 임상학적 및 기능적 관점에서는 C3가 포함되어야 한다(B).

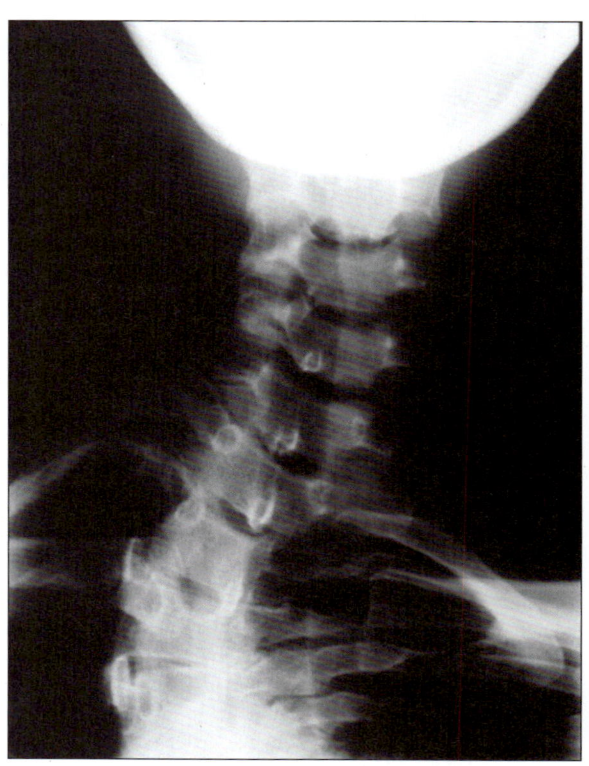

그림 4-3 ■ 심각한 경흉추 측만증을 가진 이 사람은 두개경추의 기능적 독립 덕분에 머리의 완벽한 정렬을 유지할 수 있다.

자세수용기

외부수용기

- **발바닥의 압수용기**
- **시야**
- **전정계**

고유수용기

- **눈돌림근**
- **근육 및 경추 관절 고유수용기**

두개경추 영역의 정확한 수행을 보장하는 중요한 근육 두 가지가 있다:

(1) 경추와 해부학적 관계를 확립하지 않고 공간의 모든 면에서 머리를 움직일 수 있는 목빗근(흉쇄유돌근, SCM; sternomastocleidomastoid)

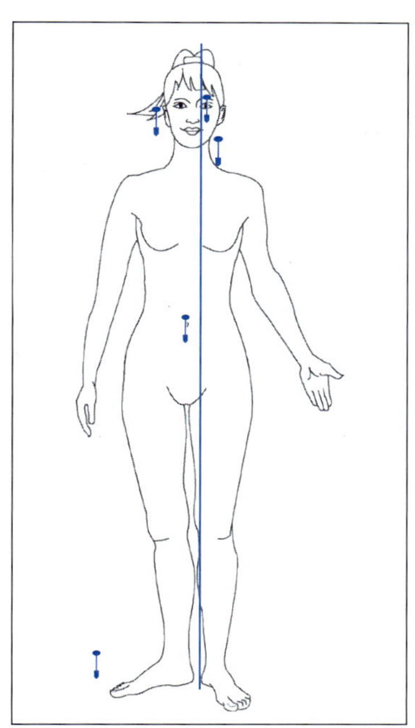

그림 4-4 ■ 발바닥의 압수용체를 제외하고 모든 자세 외부수용기인 시야 및 진정계는 머리에 위치한다. 눈돌림근, 근육 고유수용기 및 후두하 관절 고유수용기 같은 몇몇 중요한 자세 수용기 또한 이곳에 위치한다.

(2) 두개경추에서 움직임의 미세조정을 담당하여 머리의 자세균형을 가능하게 하는 후두하 근육.

도수치료사들이 흔히 간과하는 한 가지 특징은 요천추 분절[3]에서 발생하는 것과 유사한 두개경추 영역에서 관절 비대칭의 빈도이다.

Grieve에 따르면, 두개경추 영역에서 뼈나 인대 비대칭이 더 자주 나타난다. 선천적 이상은 이 영역[4,5]에서 매우 다양하며 영상 검사나 특정한 이동성 검사를 통해서 이것들을 인식할 수 있는 것은 도수 테크닉을 이용하는 전문가들에게 절대적인 요구사항이다. 이러한 관절 비대칭이 통증의 직접적인 원인이 아닐 수 있지만 관절낭 및 인대 요소들에 의해 지지되는 스트레스를 증가시켜 증상의 출현을 촉진할 수 있다. 사실 두통은 이 영역에서 선천적 또는 후천적 변화와 종종 관련된 증상의 하나이며, 특히 환추의 후두화, 환축아탈구의 경우[6,7]에 그렇다. 이러한 구조적 이상은 심각한 신경적 결과를 초래할 수 있고 이런 이유로 가장 빈번히 발견되는 것들은 두개경추의 불안정성에 관한 부분에서 다룬다.

임상 실무에서 관절 대칭의 약간의 차이 같은 경미한 이상은 매우 높은 빈도로 발생한다. 일반적으로 두개안면 비대칭이 있는 대부분 모든 환자들은 또한 두개경추 분절의 비대칭 구조를 나타낸다. 이 영역의 관절 이동성을 분석할 때 이동성 검사를 통해 감지할 수 있는 비대칭이 배타적으로 구조적일 수 있다는 점을 고려해야 한다. 이 경우, 이동성의 대칭을 얻기 위한 목표를 가진 도수 관절 정상화를 시도하는 것은 타당하지 않다.

두개안면 비대칭은 흔히 두개경추 분절의 비대칭 구조와 관련이 있다.

두개경추 영역의 해부학
ANATOMY OF THE CRANIOCERVICAL REGION

두개경추 영역은 전체적으로 해부학적 및 기능적 단위로서 작용하고 주요 목표는 앞서 설명한 바와 같이 나머지 척주와 독립적으로 머리를 움직이게 만드는 것이다. 그러나 두개경추 영역을 구성하는 각 영역의 가장 흥미로운 점에 대한 해부학적 리뷰를 이번 장에서 보여줄 것이다.

후두골(Occipital bone)

기능적 관점에서 후두골은 두개경추 관절의 첫 번째 척추로 여겨지지만 발달적으로는 태아의 첫 세 개의 척추로부터 시작한다. 이것의 관절 요소인 후두돌기는 후두공의 양쪽에 위치한다. 후두돌기는 세로축과 가로축 모두에서 급격히 볼록하다.

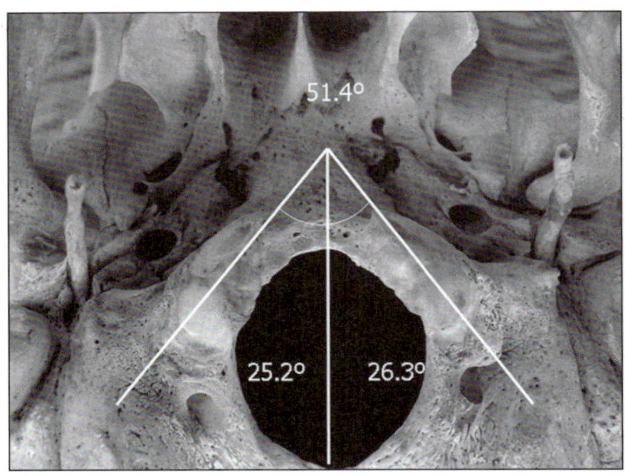

그림 4-5 ■ 양쪽 돌기의 세로축은 환추 전궁의 약간 앞쪽에 있는 중간선에 위치한 점으로 모인다.

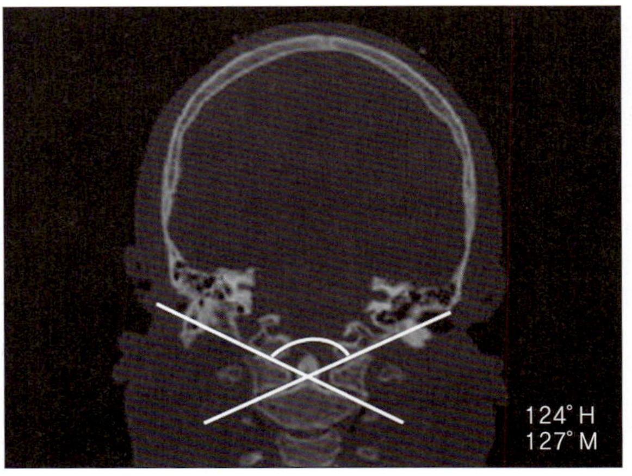

그림 4-7 ■ 관상면에서 양쪽 돌기들은 남성의 경우, 124°, 여성의 경우, 127°의 각도를 형성한다.

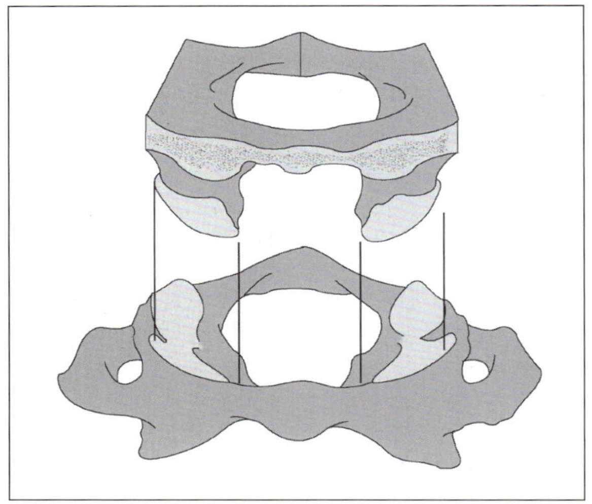

그림 4-6 ■ 후두돌기는 환추 안쪽으로 깊게 삽입되어 관절의 안정성을 높인다.

더 크거나 세로축은 평균값이 23mm이다. 돌기 사이의 간격은 앞쪽이 23.6mm(16-30mm 사이)이고 뒤쪽이 42.1mm이다. 따라서, 양쪽 돌기의 세로축은 앞쪽으로 모여서 평균 각도 51.4°(30°-77° 사이)를 만든다(그림 4-5). 정중시상면과 관련하여서 돌기는 14°에서 17° 사이 각도에 위치한다(오른쪽 돌기는 평균각이 25.2°이고 왼쪽 돌기 평균각은 26.3°이다.).[8] 양쪽 돌기의 세로축의 연장은 환추 전궁의 약간 앞쪽에 있는 중간선에 위치한 점에 모인다.

후두돌기는 환추 깊이 삽입되어 관절의 안정성을 높인다(그림 4-6). 관상면에서 양쪽 돌기들은 남성의 경우 124°, 여성의 경우 127°의 각도를 형성하며(그림 4-7), 이 각도는 돌기의 과형성 및 기저부 압박(basilar impression)의 경우에 증가한다. 회전 시 후두골의 과도한 이동성에 대한 임상적 관찰은 관상면이 편평해지는 징후일 수 있고, 이는 환축 불안정성을 향하는 경향이 있을 수 있다.

돌기를 철저하게 분석한다면 시상면에서 동질의 곡률반경을 갖는 관절면을 형성하지만, 각 돌기는 앞을 향하는 앞쪽부분과 뒤를 향하는 뒤쪽부분으로 나누어질 수 있다. 이러한 두 부분은 해부학적으로 나누어져서 두 개의 분리된 후관절을 형성할 수 있다(그림 4-8).

후두골 영역에서 발견될 수 있는 가능한 또 다른 이상은 세 번째 돌기의 출현인데 인구의 0.1~1%에서 나타나고,[8,9] 대개 연골로 덮혀있는 후두공의 앞쪽 가장자리에 위치한다. 이 연골화된 표면은 치상돌기의 가장자리와, 때로는 환추의 전궁과 함께 관절을 형성할 수 있다.

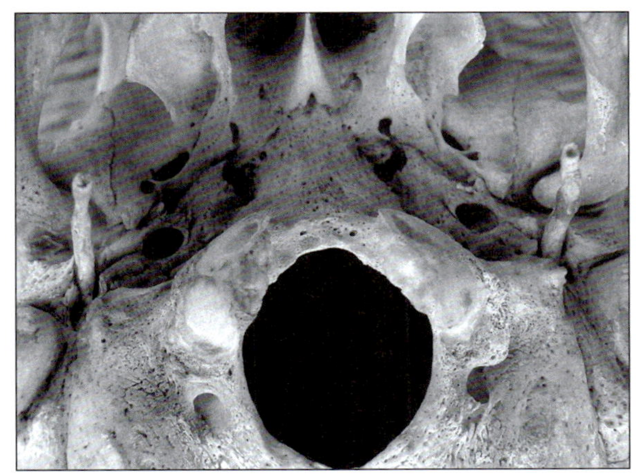

그림 4-8 ■ 돌기의 앞부분 및 뒷부분은 해부학적으로 나누어져서 두 개의 분리된 후관절을 형성할 수 있다.

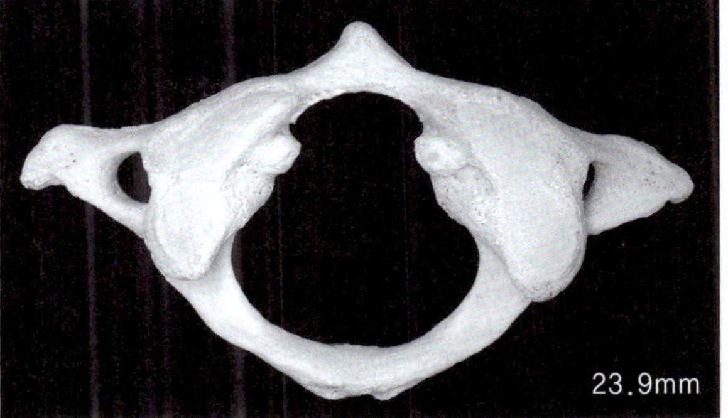

그림 4-9 ■ 환추에는 척추체가 없기 때문에 관절돌기는 머리 무게를 지탱하는 유일한 요소이다. 이 레벨에서 중심관의 시상 직경은 약 23.9mm이다.

환추(*Atlas*)

환추는 관절돌기가 위치한 양쪽에 2개의 외측괴가 있는 골 고리를 형성한다. 척추체가 없기 때문에 관절돌기는 머리 무게를 지탱하는 유일한 요소이다. 환추의 뒤쪽은 치상돌기의 앞쪽과 관련된 관절면을 가지고 있다. 환추에 극돌기가 없기 때문에 이 레벨에서 더 큰 범위의 신전이 가능하다(그림 4-9).

환추의 골 고리는 넓은 척추관을 형성하며 전후 직경의 평균값은 23.9mm이다.[10] 이 척추관의 앞쪽 ⅓은 치상돌기에 의해 차지된다.

환추의 상부 관절면은 시상면과 관상면 모두에서 오목하며 측면이 내측보다 높다. 이것들은 위쪽, 안쪽, 약간 뒤쪽을 향한다. 그들은 후두돌기보다 짧고 넓다. 돌기의 곡률과 환추의 상부면이 동일하여 경추에서 가장 일관된 관절이 된다(그림 4-10). 이것은 이 관절에서 퇴행성 변화의 낮은 발생률을 설명한다.[11]

퇴행성 관절 변화는 경추보다 두개경추에서 훨씬 덜 빈번한다.

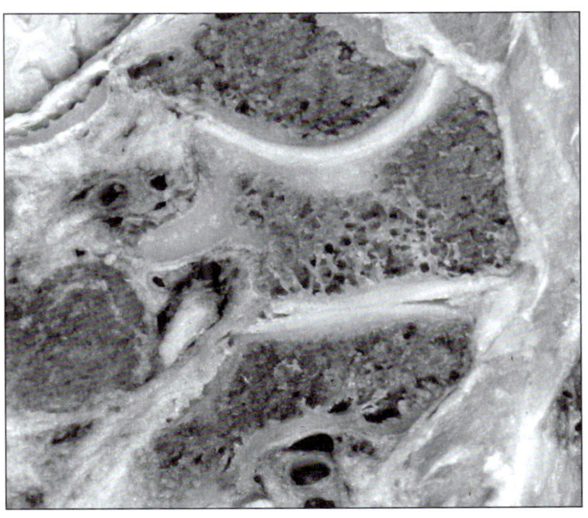

그림 4-10 ■ 돌기의 곡률과 환추의 상부면이 동일하므로 이 관절을 경추에서 가장 일관된 관절로 만든다.

환추의 하부 관절면은 상부면보다 직경이 더 작다. 이것은 타원형이며 두꺼운 관절 연골로 인해 앞에서 뒤로 그리고 가로로 볼록하다.

환추는 횡돌기공이 위치하고 척추 동맥이 통과하는 고도로 발달된 횡돌기가 있다. 횡돌기는 촉진에 접근할 수 있는 유일한 구조이다. 척추 동맥은 횡돌기공을 가로지른 후 환추의 후궁에 의해 지지되어 홈을 형성한다. 거기에서 척추 동맥은 **빗장인대**에 의해 안정화되며, 이는 종종 **후소교**(*pons arcuato,*

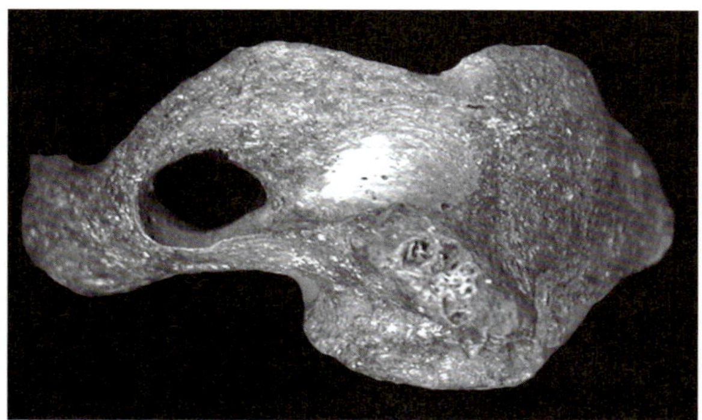

그림 4-11 ■ 척추 동맥을 안정화시키는 빗장인대(oblique ligament)는 때때로 후소교(pons arcuato, ponticulus posticus 또는 foramen arcuale)로 알려진 골 융기로 대체된다.

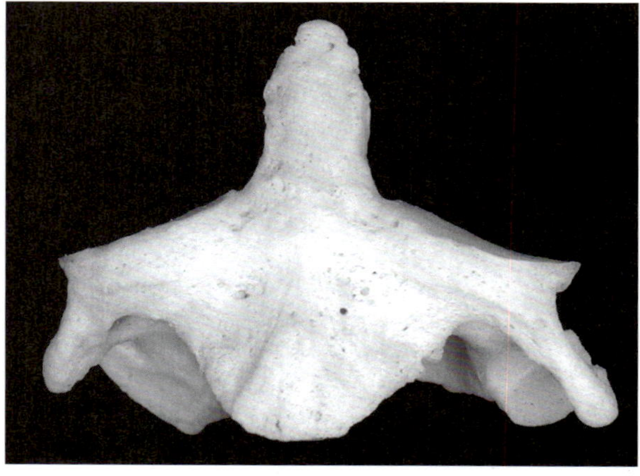

그림 4-12 ■ C2 척추와 나머지 경추의 차이점은 척추체가 치상돌기와 함께 위쪽으로 뻗어 있다는 점이다.

ponticulus posticus 또는 *foramen arcuale*)[12-15]로 알려진 골 융기로 대체된다(그림 4-11).

이 뼈 구조의 존재는 개인의 10%에서 발생하기 때문에 드문 일이 아니다. 일부 저자에 따르면, 이 골 융기는 머리 회전 시 C2와 후두골 사이의 궤적을 통해 척추 동맥의 스트레칭 및 압박을 촉진할 수 있다.[8,13,15-17] **후소교**(pons arcuato)는 종종 견고하지만 어떤 경우에는 얇거나 불완전할 수 있으며 이러한 상황에서 이 관절의 이동에 장애가 되지는 않지만 고속 조작 기술은 권장되지 않는다.

축추(*Axis*)

축추는 독특한 형태를 가지고 있으며 가장 관련성이 높은 특징은 이행 척추로 간주될 수 있는 치상돌기의 존재이다. 상부 관절의 구성은 다른 척추와 완전히 다르며 하부 관절, 디스크-척추체 및 돌기사이는 전형적인 경추와 동일한 형태 및 특성을 가지고 있다.

경추2번의 척추체는 치상돌기와 함께 위쪽으로 신전되며, 이 돌기의 앞쪽 벽에는 환추의 전궁을 위한 연골로 덮인 관절면이 있다(그림 4-12). 후벽의 중간 부분에는 섬유연골로 덮인 후관절이 있으며 고리가로인대와 연결된다.

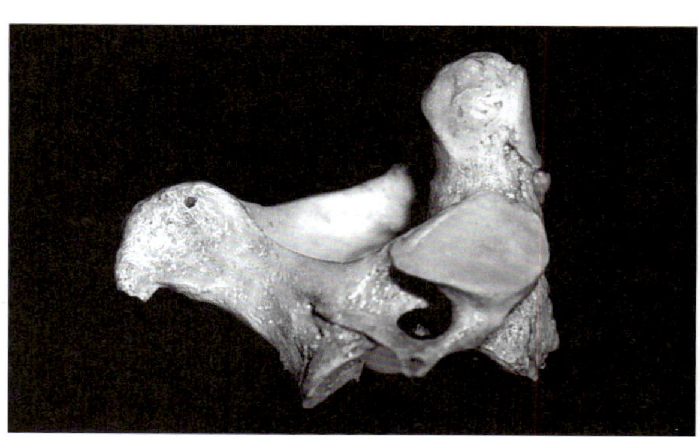

그림 4-13 ■ C2의 척추체는 측면으로 기울어진 외측괴를 통해 양쪽으로 계속된다.

척추체는 측면으로 기울어진 외측괴(가쪽덩이, lateral mass)를 따라 양쪽으로 계속된다 (그림 4-13). 축추의 외측괴 관절면은 경추1번의 아래쪽 후관절과 연결되어 외측환축관절로 이어진다. 후방 평면에서 경추2번의 하부에서는 경추2번-경추3번의 돌기사이관절에 대한 관절면이 발견된다.

경추2번의 횡돌기는 작고 척추동맥이 통과할 수 있는 횡돌기공이 있다. 극돌기로 삽입되는 중요한 근육으로 인해 상당한 크기를 갖고 있다. 이것의 가장자리는 종종 크기가 다른 두 개의 결절로 끝난다.

두개경추 관절 복합체
(Craniocervical joint complex)

후두-경추1번 관절

Kapandji[18]가 언급했듯이 환추의 두 개의 상위 관절을 전체적으로 분석하면 구 표면 내부에 있음을 알 수 있다. 따라서 후두-경추1번 관절은 3개의 움직임 축과 3개의 관절 자유도[18]를 갖는 기능적 관절염으로 간주될 수 있다(그림 4-14). 그러나 환추의 상위면의 측면 여백 높이는 시상면의 이동성을 제한하지는 않지만 다른 모든 평면의 이동성을 감소시킨다. 환추의 상부 관절은 후두돌기와 같은 방식으로 두 개의 후관절로 나눌 수 있다. 앞쪽 부분은 항상 뒤쪽 부분보다 두개골로 더 많이 올라가며, 이는 환축관절에서 굴곡보다 신전에서 더 큰 이동성을 결정한다(그림 4-15). 이 특징적인 형태는 두개골이 후방 충격을 받을 때 후두돌기의 전방 탈구를 억제하는 방어 기전이 된다. 격렬한 외상이나 인대 시스템의 구조적 취약성으로 인해 탈구 또는 골절-탈구가 발생하면 뇌간과 척수 사이의 유합 손상으로 인해 일반적으로 치명적이다. 환추의 전형적인 골절은 제퍼슨 골절(Jefferson's fracture)인데, 이에 후두돌기에 의해 전달되는 강한 축방향 압박이 전궁 및 후궁을 골절하여 환추의 외측괴가 분리되는 결과를 낳는다(그림 4-16).

후두골과 환추 사이의 이 관절에는 관절낭과 관절연골의 가장자리로 구분되는 공간에 일련의 관절내 지방패드가 있다. 이러한 유형의 반월상 연골 구조는 외상 또는 장기간의 부동 상태에 따라 반응할 때 관절 경직을 유발할 수 있으며 지방 조직이 빠르게 퍼질 수 있다.[20,21]

경추1번-경추2번 관절

경추1번과 경추2번 사이에는 3개 관절이 있다: 치상돌기가 환추의 전궁과 고리가로인대와 연결되는 중심 또는 중간 환축 관절, 그리고 환추의 하부 관절과 축추의 상부 관절 사이에 두 개의 외측 환축 관절이 있다.

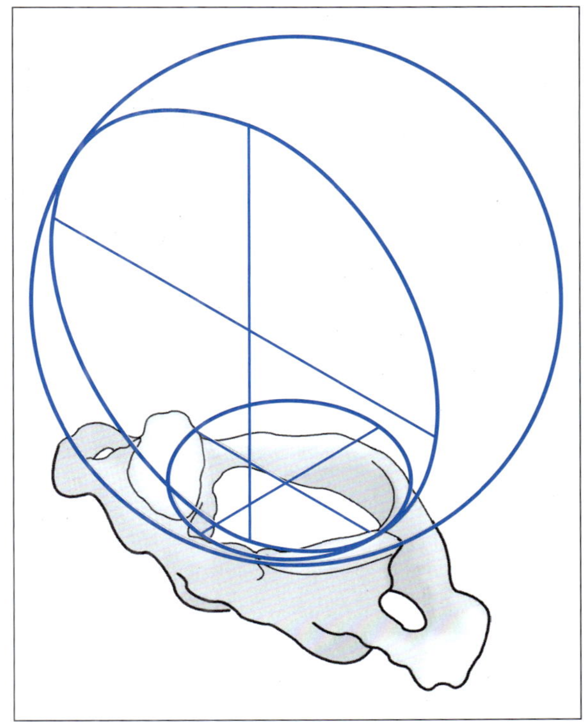

그림 4-14 ■ C0-C1 관절은 3개의 움직임 축과 3개의 관절 자유도를 가진 기능적 관절염으로 간주될 수 있다.

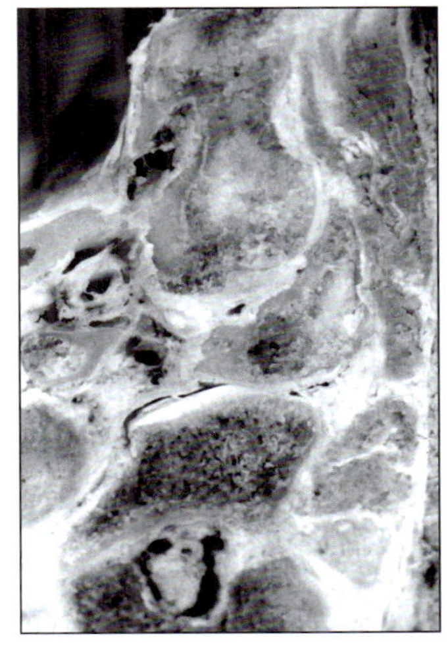

그림 4-15 ■ 환추의 상부 관절의 전방 후관절은 후방 후관절보다 더 많이 두개골로 올라가며, 이는 환추후두 관절에서 굴곡보다 신전에서 더 큰 이동성을 결정한다.

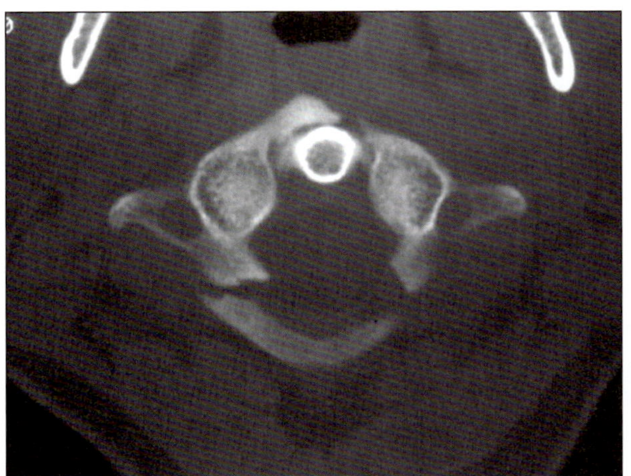

그림 4-16 ■ 후두돌기에 의해 전달되는 환추의 강한 축압박은 제퍼슨 골절(Jefferson's fracture)을 유발할 수 있다.

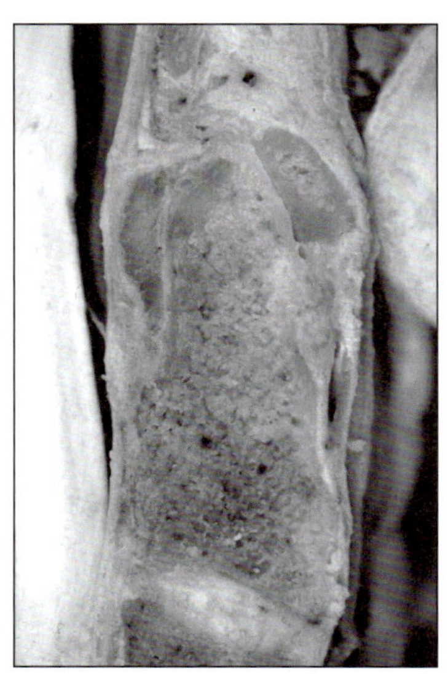

그림 4-17 ■ 중간 환축 관절은 두 개의 분리된 구멍으로 구성된다. 하나는 환추의 전궁과 관절을 위한 앞쪽 구멍이고, 다른 하나는 치상돌기의 뒤쪽면과 가로인대 사이의 뒤쪽 구멍이다.

중간 환축 관절은 두 개의 다른 구멍으로 구성된다. 하나는 환추의 전궁과 관절을 위한 앞쪽 구멍이고, 다른 하나는 치상돌기의 뒤쪽과 가로인대 사이의 뒤쪽 구멍이다(그림 4-17).

외측 환축관절은 상대적으로 크고 치상돌기의 양쪽에 위치한다.[22]

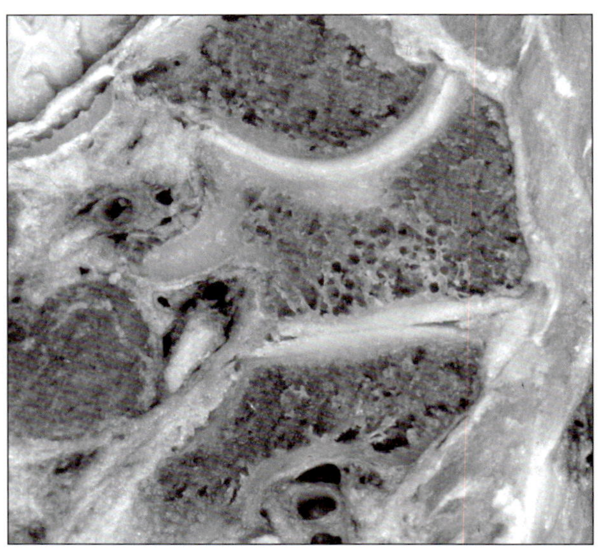

그림 4-18 ■ 외측 환축 관절은 양면이 볼록하다. 관절의 앞과 뒤에 남겨진 자유 공간은 두꺼운 삼각형 섬유지방 반월판 연골 활액주름으로 채워져 있다.

경추1번-경추2번 관절은 경추 전체 회전의 거의 70%를 담당한다. 이 관절의 안정성은 환추의 전궁에 대해 치상돌기를 유지하는 가로인대의 완전성에 달려 있다.[23] 환추의 하부관절과 축추의 위쪽 관절은 측면 방사선 사진에서 편평하게 보일 수 있지만 실제로는 관절 연골의 중앙 부분의 두께(환추에서 1.5mm 그리고 축추에서 2mm)로 인해 현저하게 볼록하다. 이 양면이 볼록한 구성은 매우 일관된 관절을 만드는 동시에 높은 이동성을 제공한다. 관절 앞과 뒤에 남아 있는 자유 공간은 관절낭[20,21,24]에 삽입된 두꺼운 삼각형 섬유지방 반월판 삽입물에 의해 채워진다(그림 4-18). 이런 구조는 느슨하고 머리의 움직임으로 관절의 안팎으로 쉽게 움직인다. 그러나 시기 적절하지 않은 움직임, 특히 신전 중에 발생한 외상으로 인해 관절 표면 사이에 끼일 수 있다.[24] 후두-경추1번에서 발생하는 퇴행성 변화와 동일한 방식으로 경추1번-경추2번에서 발생하는 변화는 돌기사이관절보다 덜 빈번하다(그림 4-19).

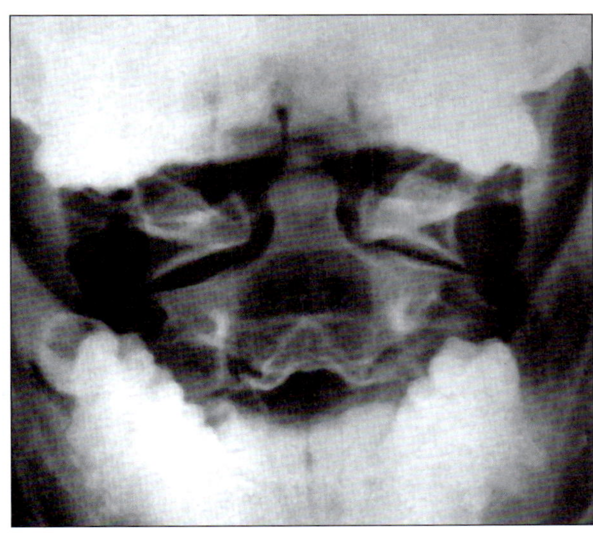

그림 4-19 ■ 이 구강을 통한 촬영은 왼쪽 외측 환축관절의 선들 사이 공간에 끼임이 있음을 보여준다.

후두하 인대 시스템 (Suboccipital ligament system)

후두골과 경추2번 사이의 영역은 안정성을 보장하기 위해 상당한 인대 시스템이 필요하다. 이 시스템은 두 개의 두개척추 분절(C0 - C1 및 C1 - C2)에 의해 공유된다. 경추에 대한 보존적 치료를 이해하기 전에 선천성, 외상성, 류마티스성 또는 전염성일 수 있는 이러한 인대의 기능부전 가능성을 배제해야 한다. 이러한 인대의 감소 또는 파열은 심각한 불안정성을 수반하며, 이는 치상돌기에 의해 척수를 압박할 수 있다.

이 인대 복합체는 다음과 같은 방식으로 그룹화되는데, 한쪽에는 기후두골인대, 다른 쪽에는 후궁이 있다.

기후두골의 인대 (Ligaments of the basioccipital bone)

이 인대는 후두골의 기저부 부분을 환추 및 치상돌기에 연결한다. 그들은 전방 인대와 후방 인대로 나눌 수 있다.

기후두골의 인대

전방 인대

- 앞세로인대(ALL)
- 전방환추후두인대
- 전방환축인대

후방 인대

- 깊은면: 치첨인대, 가로인대, 가로후두인대, 가로축인대(십자인대), 익상인대
- 표재면: 개막

***전방 인대**(anterior ligament)*는 표면에서부터 깊은 방향으로 앞세로인대, 전방 환추후두인대 및 전방환축인대이다. 이 마지막 두 개의 인대는 전체적으로 전후두막을 형성한다(그림 4-20).

앞세로인대는 흉추와 요추에서 완전히 발달한 반면, 이 영역에서는 상당히 좁다. 이것은 경추2번 척추체의 앞쪽 부분, 경추1번의 전궁 및 후두에 삽입된다. 기계적 관점에서 안정성에 대한 기여는 미미해 보인다.

전후두부막은 후두 결절에서 환추의 전궁까지 연장되는 환추후두인대와 경추1번 전궁에서 기시하여 치상돌기의 전방측에 삽입되는 환축인대로 구성된다. 이 두 인대는 앞세로인대의 연장선으로 보이며 이 영역의 안정화에는 거의 관여하지 않는다.

***후방 인대**(posterior ligament)*는 두 개의 면으로 그룹화된다. 치상돌기의 인대가 위치한 깊은 면: 치첨인대 또는 치상돌기의 정점의 인대, 전방 치상돌기인대, 가로인대, 이것에서 유래하는 두 개의 인대인 가로후두인대 및 가로축인대(그 중 3개는 십자인대를 형성함) 및 익상인대. 표면은 개막으로 구성된다(그림 4-21).

치첨인대는 치상돌기 끝부분에서 기시하여 대후두공의 앞쪽 끝부분에 삽입된다. 일부 문헌에서는 치상돌기의 현수인대로 알려져 있지만 기능적 관련성은 없다. 어떤 경우에는 척색 잔해와 일부 골 결절이 포함되어 있다.

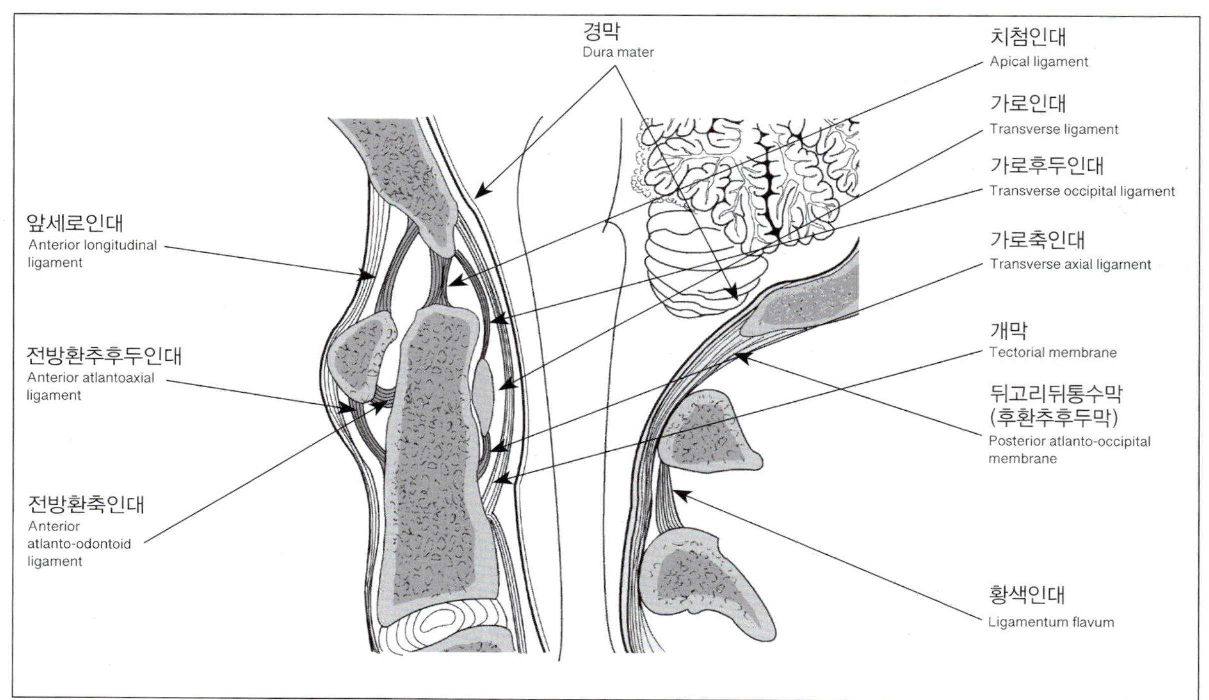

그림 4-20 ■ 기후두골의 전방 인대: 앞세로인대, 전방환추후두인대 및 전방환축인대. 이 마지막 두 개의 인대는 전체적으로 전후두막을 형성한다.

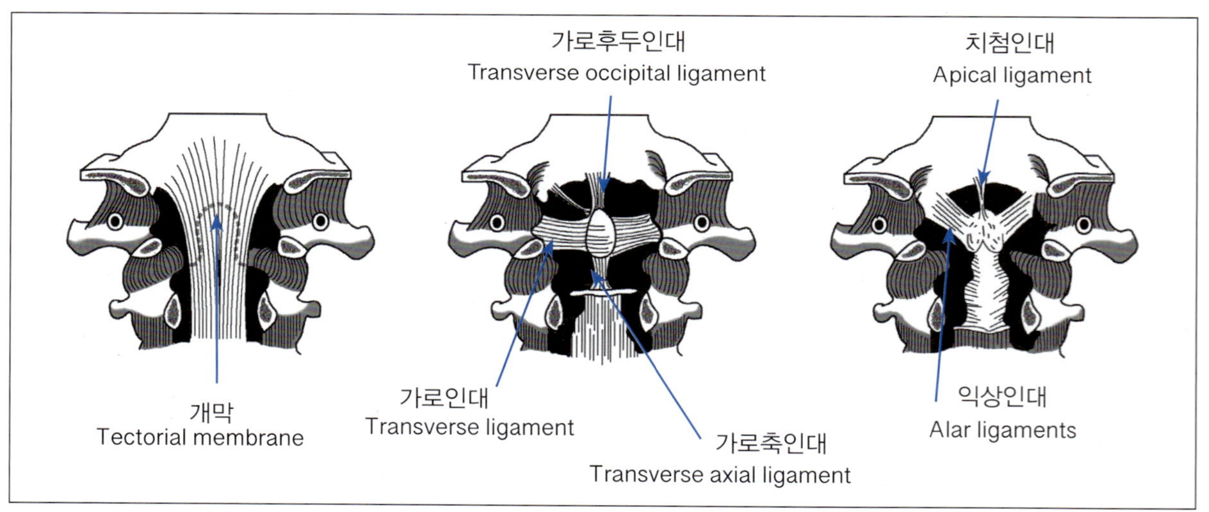

그림 4-21 ■ 기후두골의 후방 인대. 깊은면: 치첨인대, 전방 치상돌기인대, 가로인대, 가로후두인대, 가로축인대 및 익상인대. 표면: 개막.

Dvorak과 Panjabi[25]가 처음으로 ***전방치상돌기인대****(anterior atlanto-odontoid ligament)*를 기술하였다. 이 인대는 환추 전궁의 아래쪽 끝과 치상돌기 기저부를 연결하는 인대로서 그 기능이 완전히 알려져 있지는 않지만, 치상돌기인대의 안정성에 기여하는 것으로 보인다(그림 4-22).

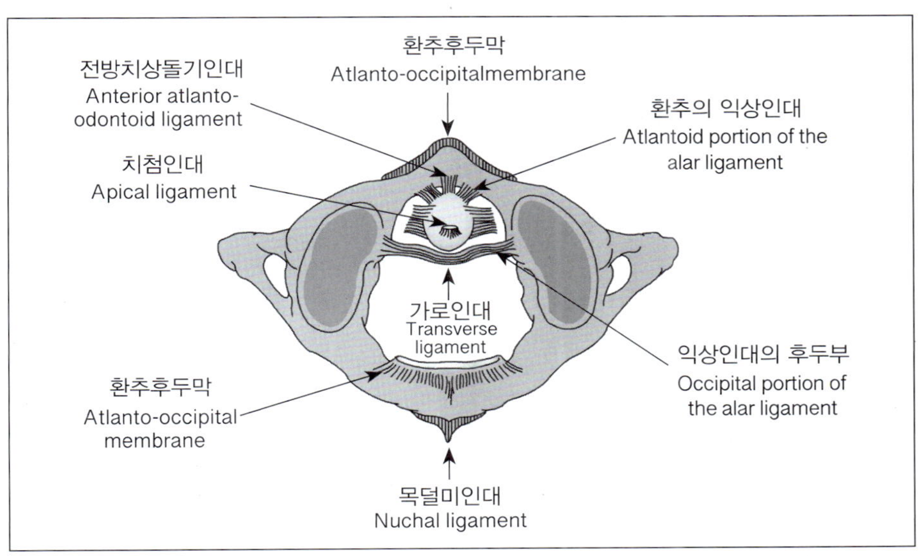

그림 4-22 ■ 환추를 축추 및 후두부와 연관시키는 인대: 치첨인대, 전방치상돌기인대, 가로인대 및 익상인대.

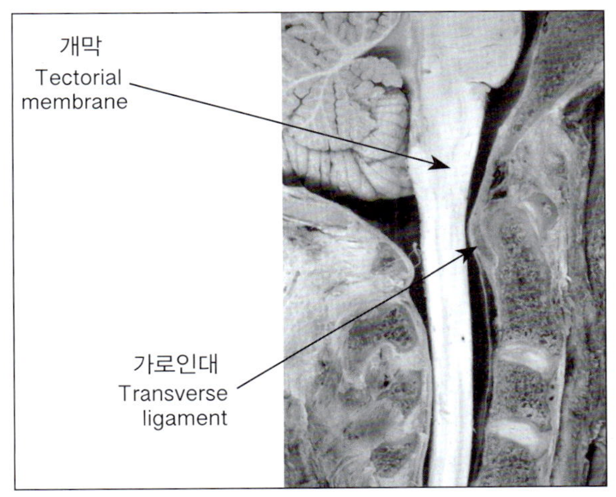

그림 4-23 ■ 이 이미지는 가로인대와 개막의 상당한 두께를 보여준다.

가로인대는 십자인대의 주요 요소로 내측 환축관절에서 관절 기능과 안정화 기능을 모두 갖고 있다(그림 4-23). 이것은 상당히 두껍고 최대 7~8mm에 이른다. 그러나 가로인대에서 나오는 인대 즉, 가로후두인대와 가로축인대는 3~4mm를 넘지 않는다. 가로후두인대는 항상 일정하지만 가로축인대는 없을 수도 있다.[1]

가로인대 앞쪽은 섬유연골로 덮여 있으며, 이는 치상돌기 주위에서 환추의 회전을 용이하게 한다. 이것은 환추의 전궁에 대해 치상돌기를 적용하여 뒤쪽 병진을 방지해서 이 인대가 약해지거나 부러진 경우에만 경추2번에 대해 경추1번의 앞쪽 탈구가 발생한다. Fielding 등[26]에 의해 수행된 연구에 따르면, 가로인대가 손상되지 않은 경우, 경추1번의 전방 변위가 3mm 이상 방지되는 것으로 나타났다. 개막은 가로인대의 안정화 작용을 강화한다.

익상인대는 후두익상(occipitoalar) 및 환추익상인대(atlantoalar ligament)의 두 부분으로 구성된다. 두 부분 모두 치상돌기의 양쪽에서 대칭적으로 기시하고 위쪽과 바깥쪽을 향하여 140-180°의 각도를 형성하며 환추와 후두부[25]에 삽입된다(그림 4-24). 체외 연구에 따르면, 익상인대는 동측 환추와 반대쪽 후두부분이 굴곡 상태에 있을 때 반대쪽 회전[27,28]과 측면 굴곡 또한 제한한다. 그들은 회전과 굴곡에서 최대 장력에 도달하지만 신전도 제한한다.[25,28] 따라서, 이것들은 두개척추의 회전을 조절하는 가장 중요한 요소이다.

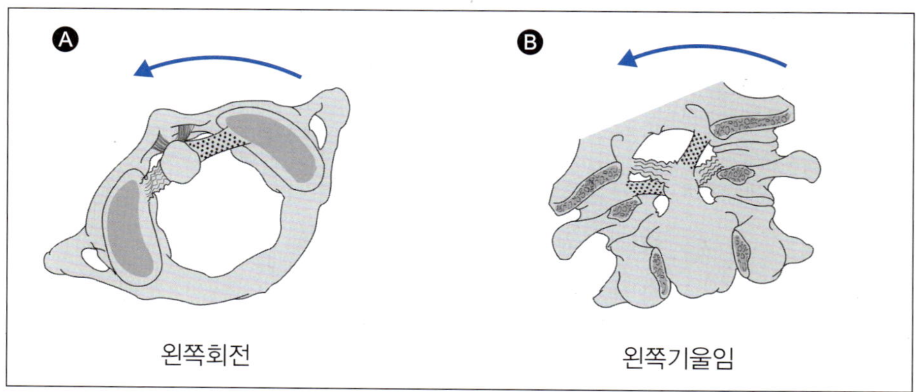

그림 4-24 ■ 익상인대는 반대쪽 회전을 제한한다(A). 외측굴곡은 동측 환추 부분과 반대쪽 후두부의 장력에 의해 억제된다(B).

가로인대와 익상인대 모두 류마티스 관절염, 다운 증후군 및 그리젤 증후군의 영향을 받아 심각한 불안정성을 유발할 수 있다.

익상인대의 완전성은 류마티스 관절염, 다운 증후군 및 그리젤 증후군의 영향을 받아 심각한 불안정성을 유발할 수 있다.

이러한 인대 뒤에는 경사대에서 기시하고 45°의 기울기로 축추의 후방벽을 향하는 개막이 있다(그림 4-23 참조). 뒤세로인대(후종인대, posterior longitudinal ligament)의 두개골 신전으로 볼 수 있으며, 전체적으로 중간후두축인대와 측후두축인대로 구성된다.

후궁의 인대들(Ligaments of the posterior arches)

후궁의 인대들은 환추후두막 및 환축막, 극간인대 및 경인대 또는 항인대이다.

후궁의 인대들

- 환추후두막
- 환추막
- 극간인대
- 경인대

후방 환추후두막 및 ***환추막***은 후두골의 후방 부분을 경추1번 및 경추2번의 후궁과 연결한다. 그들은 이 영역에 없는 황색인대와 해부학적으로 유사하다. 실제로 황색인대는 경추2번과 경추3번의 고리판 사이에 처음으로 나타나며 거기에서 천골까지 확장된다. 그러나 차이점은 중요하다. 두 막은 경추1번과 경추2번의 전방 변위에 약간의 장애물을 제공한다. 황색인대는 상당히 탄력적이지만 경추에 꼭 필요한 경추1번과 경추2번 사이의 회전을 방지한다.

두개척추 생체역학 CRANIOVERTEBRAL BIOMECHANICS

두개척추 접합부의 운동학 (Kinematics of the craniovertebral junction)

현재 이 영역에서 임상 증상과 추간 이동성 변화 사이의 관계가 관찰되었기 때문에 두개척추 운동학 연구에 대한 관심이 증가하고 있다.[29-35] 두개척추 운동학의 변화는 결핍, 과잉 또는 비정상적인 움직임 패턴의 출현으로 인해 발생할 수 있다. 이러한 변화는 수동 검사나 영상 기술을 통해 감지할 수 있다.

상부 경추의 다른 뼈 부분은 위에서 설명한 것처럼 명확하게 정의된 형태와 특정 기계적 작용을 가지고 있다. 후두-경추1번 관절 및 경추1번-경추2

번 관절의 생체역학적 작용을 이해하려면 공간의 3면(three planes of space)에서 전체적으로 작동하는 관절 시스템과 비교해야 한다. 예를 들어, 두 관절은 굴곡-신전에 참여한다. 경추1번의 회전 없이는 후두골의 회전이 있을 수 없으며 그 반대의 경우도 마찬가지이다. 측면 굽힘 또한 공동 노력의 결과이다. 두개경추의 이동성을 말할 때 굴곡, 회전 등 경추와 같은 용어를 사용하지만 생체역학적으로는 완전히 다른 움직임이다.

아래에서는 두개경추 영역의 각 분절의 개별 행동과 관절 작용을 분석한다.

후두-경추1번 관절

White와 Panjabi에 따르면[1] 꼬리뼈의 말단 관절을 제외하고는 척추의 다른 관절보다 환추후두막 관절이 덜 주목받고 있다. 해부학적 측면, 생체역학적 측면 또는 임상 시험의 수행 측면에서 거의 관심이 없었다. 그러나, 최근에는 Panjabi 등,[19,27,31,36] Dvorak 등,[25,28,37-39] Oda 등,[40] Worth,[41] Bogduk 등[30,42] 및 Mercer 등[30,43] 같은 다양한 저자들은 이 관절의 기능적 해부학 및 생체역학에 관한 중요한 기여를 했다.

후두-경추1번 관절은 머리에서 경추로 힘을 전달하고 시상면에서 상당한 정도의 이동성을 제공하는 두 가지 주요 기능을 가지고 있다. 이 관절의 형태는 굴곡-신전을 용이하게 하고 다른 방향으로의 이동성을 제한한다.[43] 후술하는 바와 같이, 시상면에서 후두골의 움직임은 고립되어 있지 않고, 경추1번이 경추2번에 걸쳐 움직이는 것과 연관되어 있다.

환추에 대한 후두골의 굴곡-신전은 환추의 외측괴 위로 후두돌기의 활주로 인해 발생한다. 후두-경추1번의 측면 굽힘 및 축회전 움직임은 비록 가동범위는 작지만 두개척추의 이동성을 이해하는데 중요하다. 이러한 움직임은 궤적의 끝까지 하나 이상의 돌기를 가져오며, 이는 관절낭의 장력에 의해 제한되는 관절 신연을 유도한다.

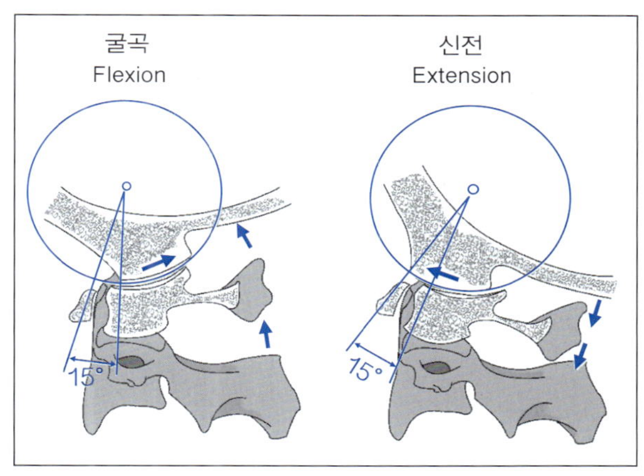

그림 4-25 ■ 후두돌기는 굴곡 시 뒤로 미끄러지고 신전 시 앞으로 미끄러진다.

이것은 볼록-오목 관절이므로 후두골의 활주는 각 움직임과 반대 방향으로 일어난다(그림 4-25). 따라서 후두돌기는 굴곡 시 환추의 외측괴 위에서 뒤쪽으로 활주한다. 이 활주는 후두부 껍질과 환추 후궁 사이의 거리를 증가시킨다. 대조적으로, 신전 시 후두돌기 환추의 외측괴 위에서 앞으로 미끄러지므로 결과적으로 후두 껍질과 환추의 후궁 사이의 공간이 감소한다. 위에서 설명한 것처럼 관절의 앞쪽 부분이 뒤쪽 부분보다 높기 때문에 신전이 굴곡보다 진폭이 더 크다.[19]

굴곡은 후두공의 앞쪽 가장자리와 치상돌기의 가장자리 사이의 뼈 접촉에 의해 제한된다. 이 같은 접촉점에서 Werne[44]는 *bursa apice dentis*라고 명명한 관절낭을 설명했다. 그러나 굴곡에 대한 최대 제한은 익상인대, 관절낭, 경인대 및 후방 연부 부분의 장력에 의해 공동으로 가해진다.[45] 턱밑 연조직의 압박은 또한 최대 두개경추 굴곡에 대한 저항을 제공한다. 신전은 환추의 후궁과 후두골 사이의 골 접촉에 의해 제한된다.

시상면에서 후두골과 환추 사이의 이동성의 정도는 중요한데 살아있는 대상에서 측정된 평균 14~15°[46-48]에 도달했으며, 시체에서도 매우 유사한 값을 얻었다(13에서 18.6° 사이).[29,44]

그럼에도 불구하고 피험자 간의 변동성이 광범위하다는 점은 주목할 가치가 있다. Lind 등[48]은 정상 피험자 평균이 14°인 반면, 표준편차는 15°에 도달한다는 것을 발견했다. Mercer에 따르면[49] 정상 또는 비정상 이동으로 간주될 수 있는 것과 관련하여 결정을 내릴 때 이러한 변동성을 고려해야 한다. 이것은 환추의 역설적 이동성의 높거나 낮은 정도를 결정하는 후두골의 굴곡-신전을 얻기 위해 피험자가 사용하는 다양한 전략과 관련될 수 있다.[43]

환추에 대한 후두골의 측면 굽힘은 반대쪽을 향한 회전 움직임과 관련이 있다. 측면 굽힘 정도는 각 측면에서 약 4°와 5° 사이[1,29,50]이지만 일부 저자의 경우 9°에 도달할 수도 있다고 한다.[51]

Panjabi 등[52]은 후두골의 측면 굽힘에 대한 억제가 반대쪽 익상인대에 의해 가해지며 이 인대의 일부가 중립의 환추후두 영역의 증가를 유발한다는 것을 보여주었다.

후두골의 측면 굴곡은 독립된 움직임이 아니라 두개척추(craniovertebral) 관절뿐만 아니라 경추2번 아래 분절들이 참여하는 전체적인 움직임의 일부라는 점을 언급할 가치가 있다. 사실, 후두골의 측면굴곡은 경추2번에 대한 경추1번의 측면 굴곡과 관련이 있다. 경추1번의 이러한 굴곡은 경추2번에 대한 경추1번의 반대측 회전과 결합된다.[53,54]

후두골의 측면 굽힘은 또한 측면 굴곡의 측면을 향한 경추2번의 확연한 회전을 유발하며, 이는 부분적으로 익상인대의 장력에 기인하므로 회전은 일반적으로 무결성을 평가하기 위한 임상 검사로 사용된다.

후두-경추1번의 축회전 정도는 2°와 4° [28,29,35,51,55] 사이이고, Panjabi의 경우, 각 측면에서 8°에 도달할 수 있다라고 한다.[56] 임상적 관점에서 Dvorak 등[28]은 정상 피험자와 회전 시 불안정한 피험자를 대상으로 기능적 CT 스캔을 통해 수행한 연구에서 정상 축회전이 대략 4°의 값을 갖는다 것과, 이 값이 8°를 초과하면 회전에 불안정성이 있다는 점에서

표 4-1

C0-C1 정상값

	굴곡-신전	회전	측면 굽힘
Werne 1959[44]	13°		8°
White 와 Panjabi 1990[57]	13°		8°
Kapandji 1974[18]	15°		3°
Lind 외 1989[48]	14°		
Penning 과 Wilmink 1987[51]		1°	9°
Worth 와 Selvik 1986[32]	18.6°	3.4°	3.9°
Dvorak 외 1987[28]		4°	
Ishii 외 2004[35]		1.7°	4.1°
Ishii 외 2006[54]			1.9°

매우 흥미로운 것으로 판명되었다. 표 4-1은 다른 연구에서 취한 정상 값을 보여준다.

후두부-경추1번 결합패턴
(Occipital-C1 coupling pattern)

회전과 측면 굽힘은 모두 복잡한 결합패턴과 관련된 두 가지 동작이다. 이 이동성 패턴은 후두-경추1번의 관절의 형태와 연부 부분의 장력에 의해 결정된다. 후두골의 회전은 반드시 신전과 반대쪽 경사를 동반한다. 같은 방식으로 측면 굽힘은 반드시 반대쪽 장력 및 회전과 관련이 있다. 이 결합패턴은 여러 저자에 의해 입증되어왔다.[28,29,31,35,55]

따라서 Ishii 등[35]의 경우, 축회전 동안 후두골은 13.3°의 신전과 4.1°의 측면 굴곡을 수행한다. 굴곡, 신전 또는 중립 위치에 있든 후두골의 시작 위치는 축회전 및 측면 굽힘의 결합패턴에 영향을 미치지 않는 것으로 보인다.[58]

이러한 결합된 움직임은 환추의 각 상부 관절에서 각 돌기의 두 가지 다른 움직임의 결과이다. 따라서 회전 측면의 과두는 측면 및 후면으로 활주하고 반대쪽 과두는 전방 및 내측 방향으로 활주한다.

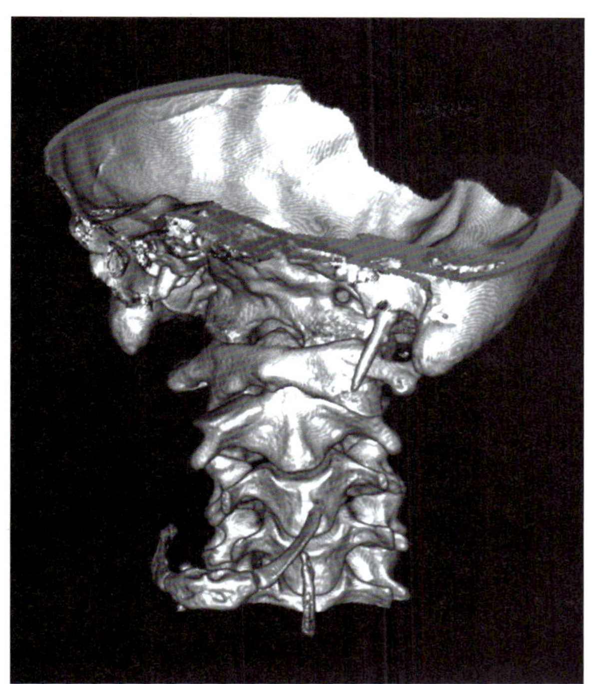

그림 4-26 ■ 예를 들어, 왼쪽 회전 시 후두-경추1번의 의 결합패턴은 회전하는 쪽 과두의 후방 및 외측 방향 활주, 반대쪽 과두의 전방 및 내측 방향 활주의 결과이다. 이 활주는 필연적으로 후두골의 신전과 오른쪽을 향한 후두부의 경사를 의미한다.

후두골의 왼쪽 회전을 예를 들어, 오른쪽 돌기가 환추의 오른쪽 외측괴 위로 미끄러진다. 이 활주는 반드시 후두골의 신전과 오른쪽을 향한 후두골의 경사를 의미한다(그림 4-26).

이 결합패턴은 회전의 반대 쪽의 익상인대의 장력에 기인한다. 따라서 피험자가 왼쪽으로 회전을 하면 오른쪽 익상인대의 장력이 증가하여 치상돌기를 감싸게 된다. 이 장력으로 인해 후두골의 오른쪽 돌기가 왼쪽으로 2~3mm 미끄러져 오른쪽으로 구부러지는 움직임이 나타난다.[18] 다른 연구에서 확인된 바와 같이 회전 중 후두골의 병진이동 구성요소는 항상 동측이다.[35,40,51]

이 설명은 타당하지만 후두골의 결합패턴은 인대에 의한 장력뿐만 아니라 환추의 상부면과 돌기의 형태 때문이라는 점을 명심해야 한다.

후두골의 고립된 경사는 돌기의 가로 직경이 작기 때문에 매우 제한적인 움직임이다. 더 큰 정도의 측면 굽힘을 얻으려면 해당 측면의 돌기가 환추 후관절의 세로 축 방향을 따라 앞으로 활주해야 하고, 이것은 필연적으로 후두골을 반대쪽으로 회전시킨다. 따라서, 관절 형태는 후두골의 결합패턴의 주요 원인 중 하나이다.[59]

후두골의 회전의 순간중심
(Instantaneous centres of rotation of the occipital bone)

굴곡-신전 축은 하나의 유양돌기에서 다른 유양돌기로 이어지는 선으로 표시되는 치상돌기보다 약간 위에 있다. 한편 측방경사축은 치상돌기의 정점에서 2~3cm 위에 위치한다(그림 4-27).

축회전의 순간 중심과 관련하여 lai 등[60]의 최근 연구에서 이 축이 후두공의 약간 앞에 위치한다고 언급한 연구가 있다. 그러나 Kapandji[18]는 후두의 회전이 경추2번에 대한 경추1번의 회전인 중요한 움직임에 어떻게 참여하는지 보여주었다. 이 후두-경추1번-경추2번 회전은 후두골의 반대측 경사를 연관시켜 실제 회전 중심이 연수(medulla oblongata)의 해부학적 축에 해당하는 지점에서 척추관의 중심으로 병진되는 것으로 결정한다.

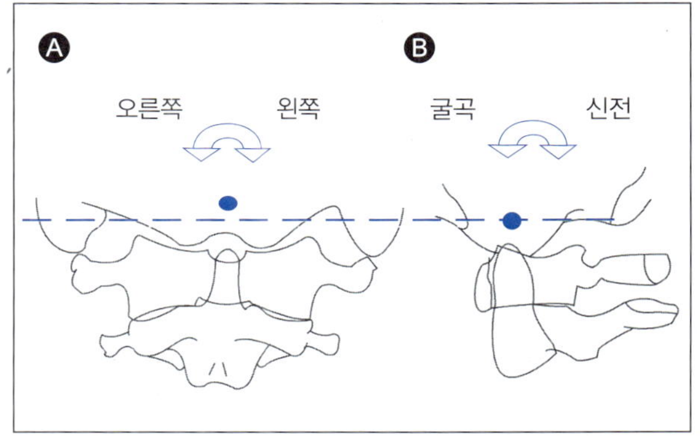

그림 4-27 ■ 굴곡-신전 축(A) 및 후두부 기울기(B).

경추1번-경추2번 관절

경추1번-경추2번 레벨을 구성하는 관절그룹은 주로 나머지 경추에 대한 머리의 축회전을 담당한다.[51] 환추는 매우 중요한 축회전을 가지고 있지만 부분적으로는 특정한 해부학적 특성으로 인해 다른 방향으로도 매우 이동성이 높다.

첫 번째로 주목할만한 해부학적 측면은 이 관절의 특정한 양면이 볼록한 기하학이다. 후방 요소를 서로 연결하는 강한 인대가 없으며(예: 황색인대) 이는 움직임을 향상시킨다. 게다가, 환추의 위치나 움직임을 직접 제어하는 근육은 거의 없다.[30]

Bogduk과 Mercer에 따르면[30] 환추는 두개골과 나머지 경추 사이에 삽입된 수동워셔(passive washer)처럼 작동한다. 환추의 이러한 행동은 특징적인 역설적 이동성을 정당화한다.

환추에 삽입된 몇 개의 근육은 짧고 단일 관절이다. 이것들은 큰 움직임을 생성할 수 없으며 주로 고유수용성 기능을 가지고 있다. 상사근, 후직근, 전직근, 외측직근은 비록 이것들이 환추에서 시작되지만 머리의 위치를 조정하는 일을 주로 담당한다. 환추 전궁의 결절에 삽입된 목의 긴 근육만이 환추에 직접 작용하여 굴곡을 일으킬 수 있다.[30]

환추의 이동성은 주로 수동적이며 머리에 삽입된 근육의 작용에 의해 조절된다. 환추의 회전은 머리의 널판근과 목빗근의 작용에 의해 발생한다. 환추에도 삽입된 목의 널판근 섬유가 이 움직임에 참여한다.

기계적 관점에서 환추의 시상 이동성은 경추의 이동성과 완전히 다르다. 굴곡-신전 시, 환추는 최소한의 활주 또는 전위 요소로 전방 및 후방 경사 움직임을 수행한다. 즉, 시상 이동 요소가 없다. 축추에 대한 환추의 굴곡-신전은 가로인대의 탄성과 축추의 외측괴에 대한 환추의 하부 관절의 활주 움직임을 고려할 때 환추 전궁의 상하 활주로 인해 발생한다. 측면 환축관절의 양면 볼록 형태는 활주 움직임이 경추2번에 대한 경추1번의 기울기로 변환되도록 한다(그림 4-28).

경추1번-경추2번 관절의 이러한 관절 기하학은 특히 경추 굴곡-신전 시 환추의 부수적 역설적 이동성을 담당한다. 축추에 대한 환추의 불안정한 균형은 이러한 관절의 양면이 볼록한 구성으로 인해 시상면에서 움직이는 동안 환추가 중력선과 관련된 관절의 위치에 따라 굴곡 또는 신전을 수행하도록 한다.[30]

머리의 굴곡 시 피험자가 이전에 내전을 수행한 경우 머리의 무게중심은 환축관절보다 약간 앞쪽에 위치한다. 결과적으로, 머리의 무게는 전방결절에 대한 머리의 긴목근(경장근, longus colli)의 작용과 독립적으로 환추를 굴곡 쪽으로 가져간다. 그러나 피험자가 이전에 수축을 수행한 경우, 무게중심

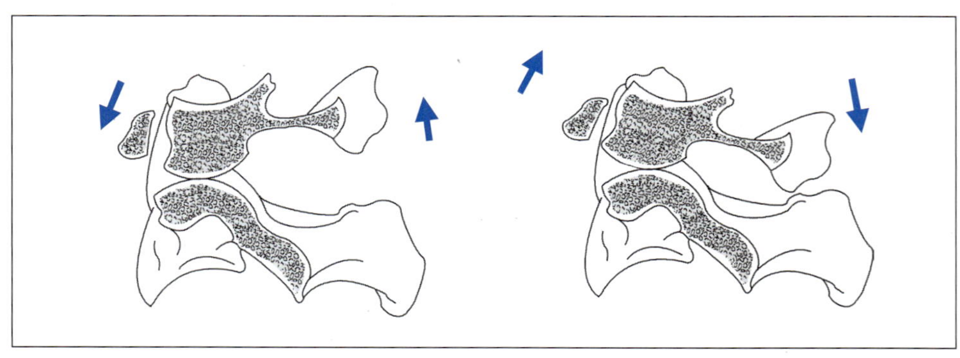

그림 4-28 ▪ 환추(atlas)의 시상 이동성은 경추의 시상 이동성과 완전히 다르다. 굴곡-신전 시 환추는 최소한의 활주 구성 요소로 전방 및 후방 경사 움직임을 수행한다.

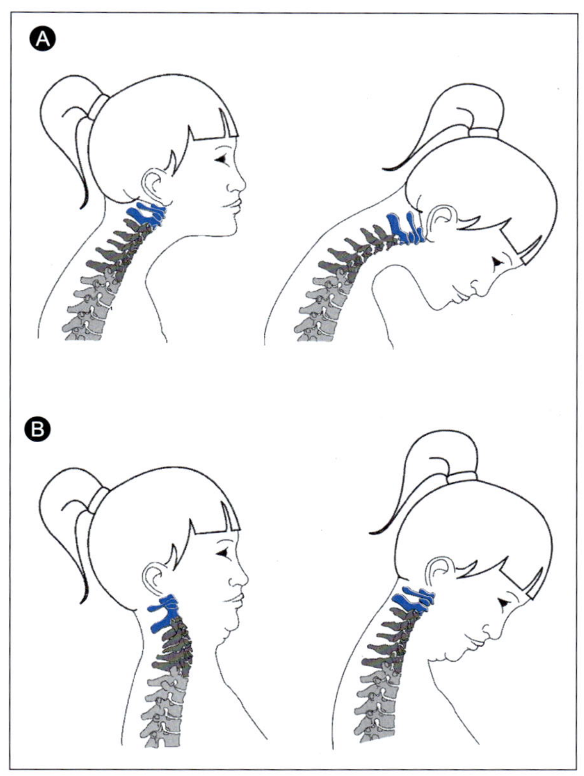

그림 4-29 ▪ 환추는 경추 굴곡-신전 시 역설적 이동성을 보여준다. 머리의 굴곡 시 피험자가 이전에 돌출 움직임을 수행했다면 환추는 굴곡 상태에 있다(A). 피험자가 이전에 돌출을 수행한 경우, 환추는 머리와 경추의 나머지 부분이 굴곡되어 있지만 신전을 수행한다(B).

이 후방 평면으로 변위되어 머리와 나머지 경추가 굴곡 상태인 경우에도 신전에서 환추의 역설적인 움직임을 유발한다[30](그림 4-29).

환추의 굴곡-신전 정도는 약 13-15°[29]이며 가로인대의 탄성 정도와 치상돌기 전벽의 만곡 정도에 따라 다르다.

경추2번에 대한 경추1번의 회전은 치상돌기 주위의 환추 전궁의 축(pivot) 움직임을 필요로 한다. 이 움직임은 외측 환축관절의 활주를 동반한다. 회전 측면의 환추의 외측괴가 후내측으로 활주하는 동안 반대쪽 외측괴는 전내측 방향으로 활주한다(그림 4-30). 축추에 대한 환추의 회전은 또한 상하 병진이동을 동반한다.[2,35]

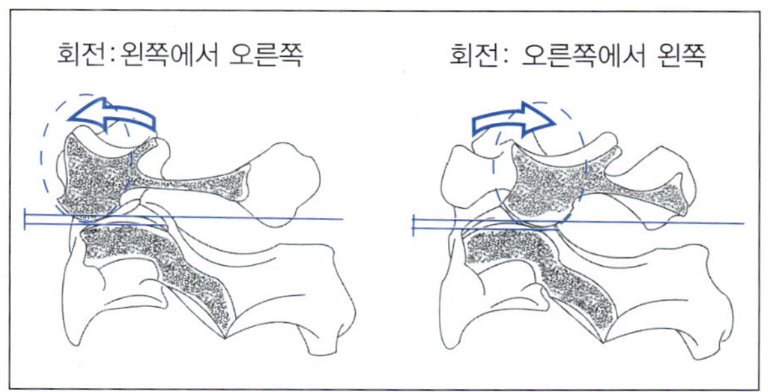

그림 4-30 ▪ C2에 대한 C1의 회전은 외측 환축관절의 활주 결과이며, 상하 병진이동을 동반한다.

중립 자세에서 경추1번과 경추2번의 양면이 볼록한 관절면의 접촉은 관절의 중간 부분에서 발생한다. 이 자세에서 축추를 기준으로 한 환추의 높이는 최대 높이이다. 환추가 회전을 수행할 때 회전 측면의 관절면이 축추의 후방 후관절의 후방 경사면을 따라 상하방향으로 미끄러진다. 동시에 회전의 반대쪽에 있는 환추의 후관절은 꼬리방향으로 미끄러지지만 이 경우에는 축추의 다른 상부면의 앞쪽 경사를 넘어 미끄러진다. 이 활주의 결과는 회전하는 동안 축추에 대한 환추의 하강이다. 이 하강의 평균값은 2-3mm이다.[2] 환추의 꼬리방향 병진이동은 익상인대를 팽창시키기 때문에 환추의 회전 움직임이 촉진된다.

사체로 측정한 축추의 축회전 정도는 각 측면에서 33°에서 47° 사이이다.[19,29,38,44] 컴퓨터 단층 촬영이 사용되었다. 이중 평면 방사선 사진으로 수행된 연구에 따르면 경추2번에 대한 후두골의 전체 회전은 약 75°이다.[2] 이 축회전은 4°의 신전과 2.4°의 반대쪽 측면 굽힘을 동반한다.[2] 따라서 경추2번에 대한 경추1번의 회전 움직임은 결합 움직임이다.

기능적 CT 스캔으로 수행된 Dvorak 등[28]의 연구는 양쪽에서 정상 피험자(표준 편차 5.5)에서 43°의 회전 진폭을 보여준다. 좌우 회전 사이에 거의 3°의 비대칭을 관찰하는 것은 흥미롭다. 이 같은 저자들은 동일한 기술을 사용하여 정상 피험자와 자동차 사고 후 환축 불안정성이 의심되는 피험자

간의 회전 이동성의 차이를 비교하고 관절낭도 참여하지만, 익상인대가 환추[25,37]의 회전 제어에 필수적임을 보여주었다. 이러한 연구의 결과, 그들은 한쪽으로 56°를 초과하는 축회전은 반대쪽 익상인대의 파열로 인한 병적 과이동성의 존재를 시사한다는 것을 확립했다.[28]

회전하는 동안 환추의 상당한 이동성은 횡돌기공을 통과할 때 척추동맥의 혈류를 변경할 수 있다. 이것은 도수치료 후 신경혈관 사고가 주로 두개척추 영역에서 발생하는 이유를 설명한다.

환추는 측면 굽힘 움직임을 수행하지만 이 움직임은 나머지 경추의 움직임과 기계적으로 다르다. 환추의 명백한 측면 굽힘은 지붕의 경사와 같이 축추의 상부면이 아래쪽으로 기울어지기 때문이다. 측면 굽힘 시 환추의 동측 후관절은 경추2번의 해당 후관절에 대해 아래로 미끄러지는 반면, 반대쪽 후관절은 상승한다. 이 측면 굽힘은 약 3.8mm이다.[35,54] 머리의 측면 굽힘 시 환추는 가쪽 굴곡의 측면을 향해 축추의 몸체와 돌기 사이에서 옆으로 미끄러진다(그림 4-31).[53,54] 최근, 이 병진이동은 MRI를 통해 생체내에서 측정되었으며 그 값은 7.7±1.9 mm에 도달했다.[54] 표 4-2는 다른 연구에서 취한 정상 값을 보여준다.

환추의 순간 회전 중심
(Instantaneous centres of rotation of the atlas)

경추1번-경추2번의 굴곡-신전을 위한 순간적인 회전 중심은 치상돌기[1]의 중간 1/3 부근 또는 바로 뒤에 위치한다. 이것은 환추가 이 움직임 동안 가로인대 근처 또는 주위에서 회전한다는 것을 보여준다.[58] 축회전의 순간 중심은 축의 중앙 부분에 있다.[1] 환추의 측면 굽힘은 매우 복잡한 움직임이며 현재까지 순간적인 회전 중심에 대해 설명하지 않았다.

두개척추의 생체역학에 대한 이 검토의 결론으로, 이 경추 영역이 매우 복잡한 관절 시스템을 형성한다는 점에 주목할 가치가 있으며, 각 관절의 개별 기여도가 분석되었지만 관절 시스템의 작용을 전체적으로 고려하는 것이 바람직하다. 두개경추의 생리학은 한편으로는 굴곡-신전의 첫 번째 부분을 수행하고 다른 한편으로는 경추에 상당한 축회전을 제공하는 것을 포함한다.

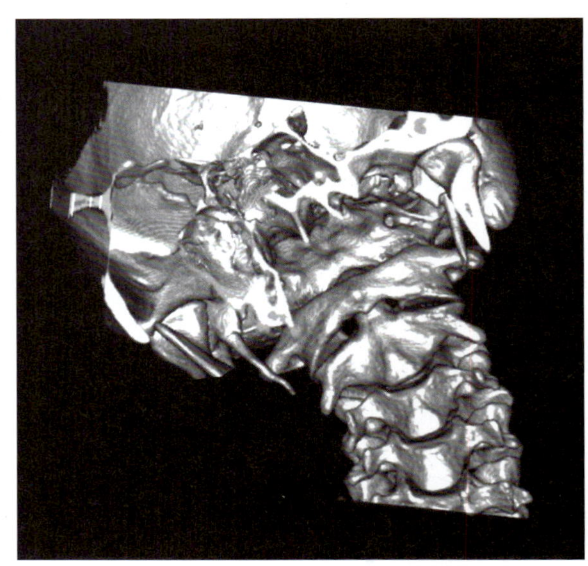

그림 4-31 ■ 머리의 측면 굽힘 시 환추는 돌기와 축추의 몸체 사이에서 측면 굴곡을 향해 측면으로 미끄러진다.

표 4-2

C1-C2 이동성: 정상값

	굴곡-신전	회전	측면 굽힘
Werne 1959[44]	10°	47°	0°
White 와 Panjabi 1990[57]	10°	47°	0°
Lind 외 1989[48]	13°		
Penning 과 Wilmink 1987[51]		40.5°	
Worth 와 Selvik 1986[32]	13.3°	35.1°	4°
Dvorak 외 1987[28]		43°	
Ishii 외 2004[35]		36.3°	3.8°
Ishii 외 2006[54]			1.6°

두개경추는 굴곡-신전의 첫 부분과 축회전의 중요한 부분을 가능하게 한다.

시상 이동성에는 값이 매우 유사하지만 환추축추보다 후두환추 분절의 참여도가 더 높다.[32] 그러나, 우리는 경추의 굴곡-신전의 전체적 움직임을 따르는 두개경추 이동성과 두개경추 분절의 굴곡-신전에 고립된 이동성을 구별할 필요가 있다.[29,61]

예를 들어, 머리는 경추의 나머지 부분과 완전히 독립적으로 두개경추 분절의 이동성으로 인해 굴곡되고 신전될 수 있다. 두개경추를 신전시키면서 동시에 하부 경추를 굴곡시키는 것도 가능한다. 실제로 목빗근의 작용을 분석하면, 이 근육이 양측으로 수축할 때 경추의 굴곡과 두개경추의 신전을 유발한다는 것을 알 수 있다.[29] 이러한 추론에 따르면 경추와 두개경추 모두에서 최대 굴곡을 얻을 수 없다. 실제로 경추의 전체적인 굴곡을 수행할 때 두개경추는 굴곡의 한계에 근접한 역설적 신전을 수행한다. 같은 방식으로 두개경추 굴곡은 경추의 전체적인 굴곡의 진폭을 제한한다.

두개경추의 시상면에서 움직임의 최대 진폭은 머리의 전인 및 후인 움직임으로 얻어진다.[62] 머리의 전인은 후두골과 환추의 완전한 신전을 유발하고 동시에 경추의 굴곡을 결정한다. 후인은 후두골과 환추의 완전한 굴곡을 가능하게 하고 동시에 하부 경추의 굴곡을 제한한다(그림 4-32). 머리의 능동적 굴곡은 후인으로 얻을 수 있는 진폭의 절반만 가능하다. 같은 방식으로, 전인은 후두-경추1번에서 경추의 신전 시 일반적으로 얻어지는 양보다 두 배의 능동적 신전을 유발한다.[62,63] 이러한 전인 및 후인 움직임은 일상 활동 중에 수행되는 기능적 움직임으로 경추의 굴곡-신전의 전체적인 움직임과 다르다.[64] 따라서, 두개경추의 이동성을 평가할 때 포함되어야 하며[65] 상부 경추 분절의 기능적 재교육 프로그램의 일부여야 한다.[66-70]

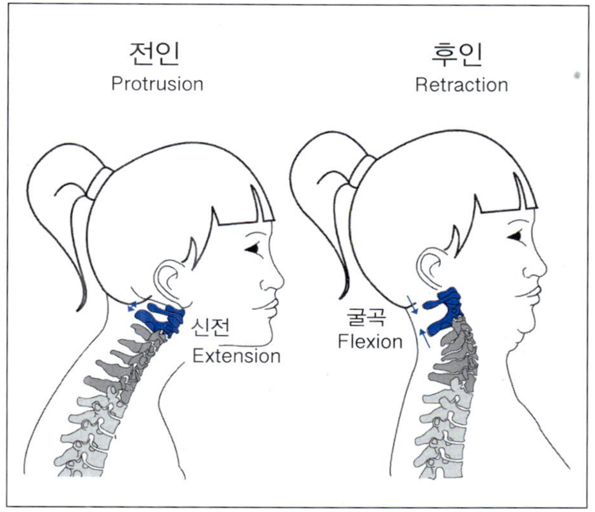

그림 4-32 ■ 두개경추의 시상면에서 움직임의 최대 진폭은 머리의 전인 및 후인 움직임을 통해 얻는다.

머리의 전인 및 후인 움직임은 경추의 전체 굴곡-신전 움직임과는 다른 기능적 움직임이다. 이것들은 두개경추 척추를 임상적으로 평가할 때 유용하다.

축회전은 두개경추의 또 다른 필수적인 움직임이다. 경추 전체 회전의 최대 70%가 이 영역에서 발생한다.[2] 일반적으로 회전의 첫 40°는 경추1번-경추2번 관절에서 발생한다. 그래야만 하부 경추가 작용한다. 측면 굴곡은 후두-경추1번과 경추1번-경추2번 사이에 큰 차이가 없는 가장 덜 충분한 움직임이다.[29]

시상면에서의 움직임을 제외하고, 두개경추 척추는 결합패턴을 따르는 단위 역할을 한다. 이 패턴은 연관된 신전 및 반대쪽 경사 구성요소와 함께 회전 움직임을 포함한다.[30]

두개경추 척추의 이러한 결합패턴은 축회전 시 하부 경추에서 발생하는 동측 경사 및 굴곡 구성요소를 보상하는 데 도움이 된다.

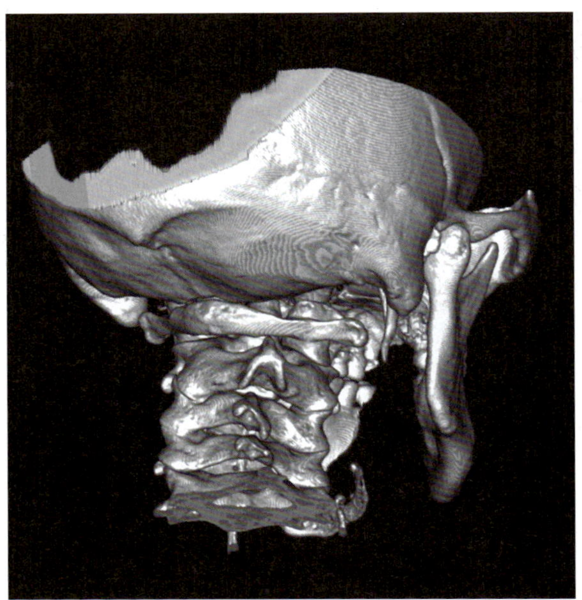

그림 4-33 ■ 두개경추의 결합패턴은 축회전 시 하부 경추의 동측 경사 및 굴곡 구성요소를 보상한다. 예를 들어, 오른쪽 회전 시 하부 경추는 오른쪽 측면 경사와 굴곡을 연관시킨다. 시야의 수평성을 유지하기 위해 후두부와 환추는 신전되어 경추2번도 관여하는 왼쪽으로 반대경사를 수행해야 한다.

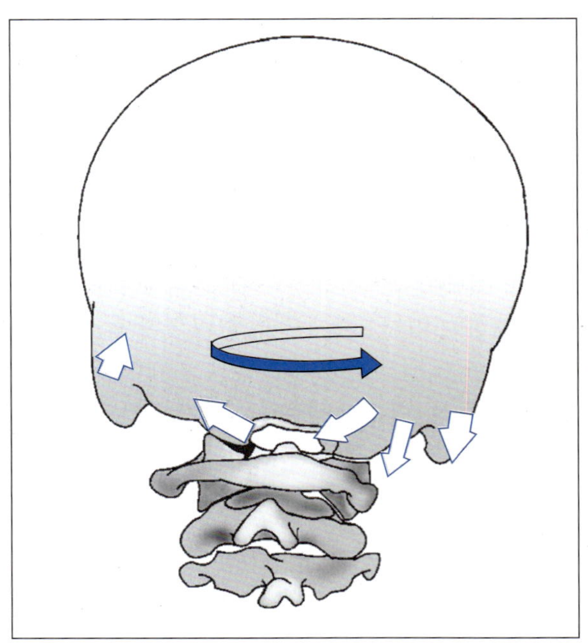

그림 4-34 ■ 옆으로 기울어지는 동안 후두골과 환추는 같은 방향으로 기울어져 반대쪽으로 회전하는 반면, 축추는 경추와 같은 쪽으로 기울어져 회전한다.

따라서 왼쪽 회전 시, 하부 경추는 왼쪽 측면 경사와 굴곡을 갖는다. 시야의 수평성을 유지하기 위해 후두부와 환추는 신전되어 오른쪽으로 반대경사를 수행해야 한다. 경추2번도 이 역경사 움직임에 참여한다(그림 4-33).

측면 굽힘 시 후두골과 환추는 같은 쪽으로 기울어져 반대쪽으로 회전하고 축추는 경추와 같은 쪽으로 회전한다(그림 4-34).

두개척추 및 두개하악부 시스템 CRANIOVERTEBRAL SPINE AND CRANIOMANDIBULAR SYSTEM

두개척추의 분석은 두개하악부 시스템과의 가능한 관계를 보여준다. 수십 년 동안 두개하악부 시스템의 변화는 종종 두개척추의 기능장애와 관련이 있다고 주장되어 왔다.[71,72] 턱관절과 두개척추는 전두, 측두, 후안와 및 후두 영역과 같은 동일한 증상 영역을 공유한다.[73] 따라서, 피험자가 이러한 증상을 보일 때 이 두 관절계를 감별 진단할 필요가 있다.

또한 척추와 두개척추 두개하악부 시스템 사이에 직접적인 기능적 관계가 있다는 사실이 반복적으로 확인되었다.[74] 경추에서 머리의 기립성 균형은 두개하악부 시스템에 영향을 미친다. 두개하악부 및 두개경추 시스템은 상호의존적이다. 이 상호관계는 두 시스템에 작용하는 근육 긴장의 결과로 설명되었다. 경추와 관련된 머리 위치의 수정은 하악에 작용하는 근육 긴장을 변경할 수 있다.

기능적 턱 움직임은 반드시 두개경추의 움직임과 관련이 있다고 주장되어 왔다. 기능적 구강 개방은 두개경추의 신전을 동반하고, 구강 폐쇄는 두개경추의 굴곡을 동반하는데[75,76] 이것은 저작근과

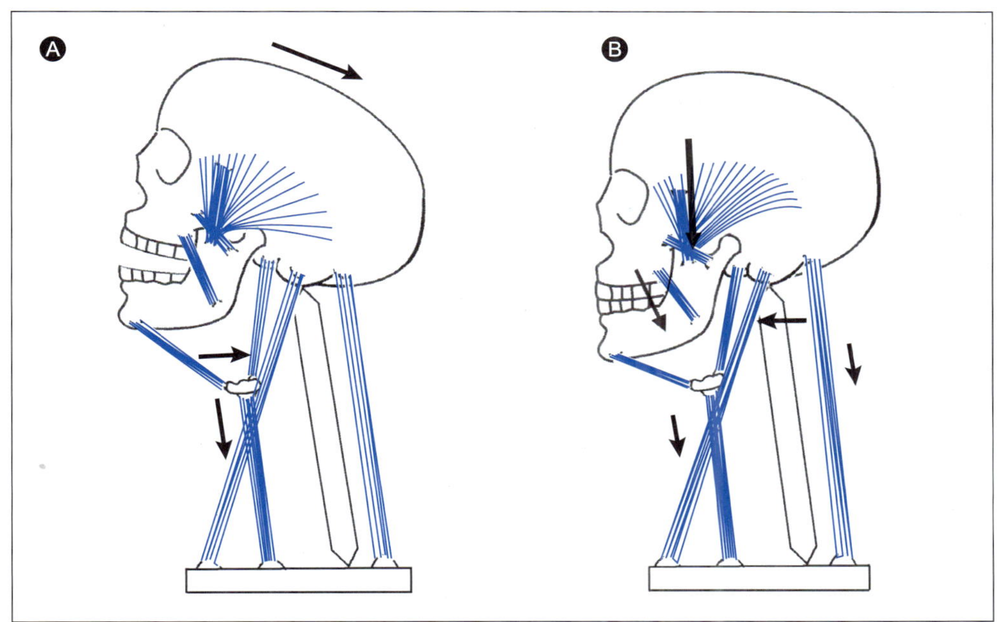

그림 4-35 ■ Brodie의 다이어그램은 상호 관련된 근육의 긴장의 수정을 기반으로 경추와 두개하악 시스템 사이의 기능적 상호 의존성을 나타낸다. 머리의 전인과 관련된 두개경추의 신전은 목뿔위근(설골상근, suprahyoid muscle) 및 목뿔아래근(설골하근, infrahyoid muscle)의 긴장을 증가시켜 하악을 떨어뜨리거나 집어넣는 경향이 있다(A). 이러한 경향은 하악거상근(mandible elevator muscles)의 긴장 증가에 의해 상쇄되어야 한다(B).

두개경추 근육 사이의 공통적인 공동 활성화 프로그램의 결과로 가정되었다.[77]

경추와 두개하악 시스템 사이의 이러한 관계는 Brodie[78]에 의해 고전적 다이어그램으로 표현되었다(그림 4-35).

이 다이어그램에 따르면 두개골, 하악골, 설골, 경추 및 견갑대와 같이 두 시스템의 일부인 다른 골 요소는 근육을 통해 서로 관련되어 있다. 이러한 골 요소의 위치가 수정되면 이러한 상호 관계를 생성하는 근육 간의 긴장 변화로 인해 나머지 요소의 위치가 수정될 수 있다.

머리와 경추의 위치, 그리고 두개하악부와의 관계를 확인하기 위해 머리와 목의 측면 방사선 촬영 및 두부 측정법과 같은 여러 방사선 촬영 기술이 설명되었다. 두개경추 기립성 균형과 두개하악부 시스템에 대한 영향을 평가하는 데 사용되는

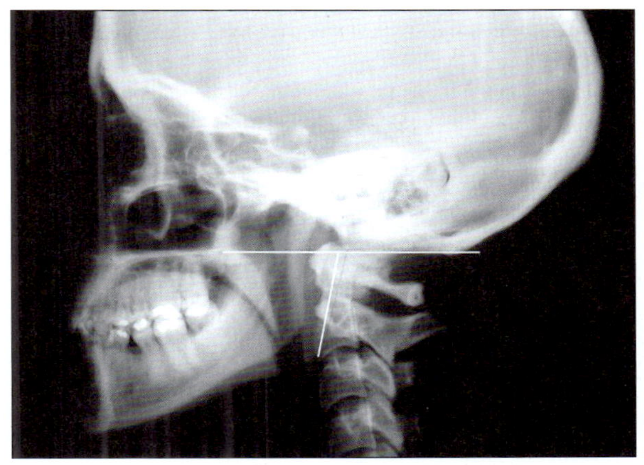

그림 4-36 ■ 두개척추각은 맥그리고 선(McGregor's line)과 치상돌기의 세로축 사이의 각도이다. 101 ± 5°로 측정해야 한다.

기술 중 하나가 Rocabado에 의해 설명되었다.[79] 측면 방사선 촬영은 두개골 각(그림 4-36), 후두껍질-경추1번 및 경추1번-경추2번 사이의 공간 및

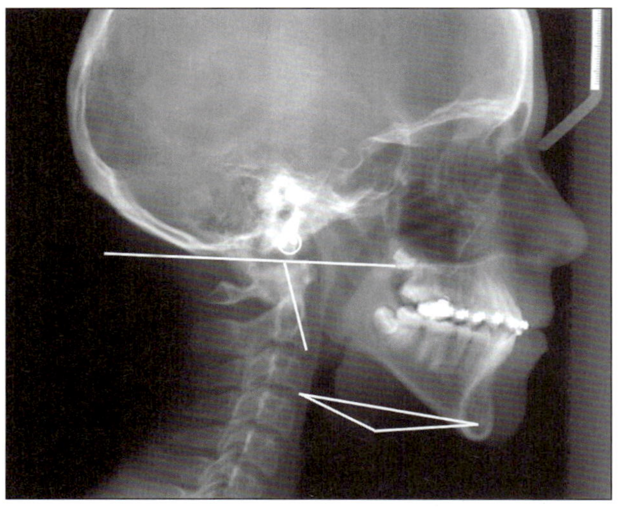

그림 4-37 ■ 목뿔뼈삼각형(설골삼각형, hyoid triangle)은 상단에서 턱뼈결합을 C3 체체의 전하부 가장자리에 연결하는 선과 이 지점에서 시작하여 설골 근육의 전방 가장자리에 수렴하는 두 개의 선으로 구성된다.

목뿔뼈삼각형(설골삼각형, hyoid triangle)의 세 가지 지표를 분석한다(그림 4-37). 이 방사선 촬영 기술은 두부 측정 지점을 쉽게 식별할 수 있으므로 간단하다.

두개척추 각은 경추에 대한 머리 위치를 측정한다. 맥그리고 선(McGregor's line)과 치상돌기의 세로축 사이의 각도를 측정하여 얻을 수 있다. 맥그리고 선(McGregor's line)은 연구개의 뒤쪽 가장자리와 후두골의 가장 낮은 지점 사이에 그려진다. 치상돌기의 세로축은 전후 가장자리에서 꼭지점까지 이어진다.

Rocabado에 따르면, 이 각도는 101±5°를 측정해야 한다. 96° 보다 낮은 각도는 두개골의 후방 회전을 의미하고, 106° 보다 높은 각도는 두개골의 전방 회전을 나타낸다(그림 4-38).

연구된 또 다른 측면은 안면 골격의 성장과 머리 및 경추의 자세 사이의 가능한 관계이다. 두개안면 형태의 발달은 유전과 같은 여러 요인에 의존하지만 몇몇 저자들은 두개경추 자세[80-84]의 영향을 제안했다.

머리와 경추 사이의 관계에 대한 두부 측정법을 평가하기 위해 Rocabado가 설명한 두개경추 각과 동일하지 않은 두개경추 각도 측정이 제안되었다. 이 각도는 두개골의 수평을 나타내는 선과 경추의 더 높거나 낮은 전방 경사를 나타내는 선 사이에서 얻는다.

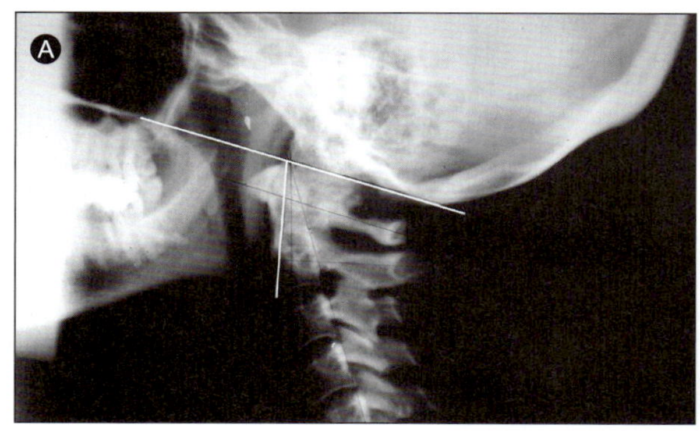

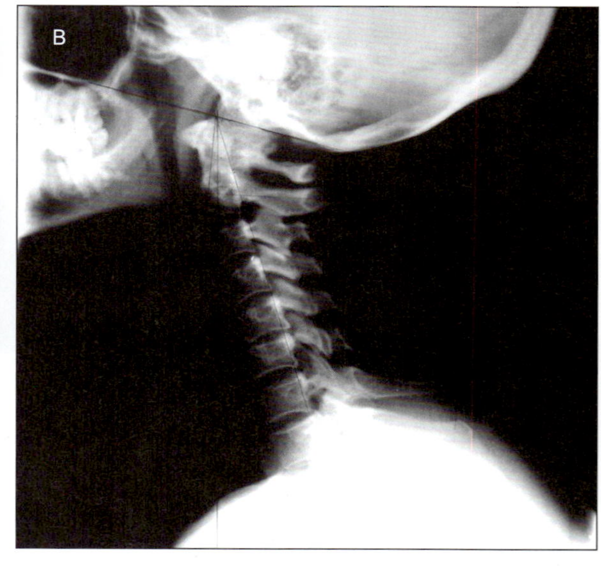

그림 4-38 ■ 폐쇄된 두개경추각(A) 및 경추 전만의 역전(B).

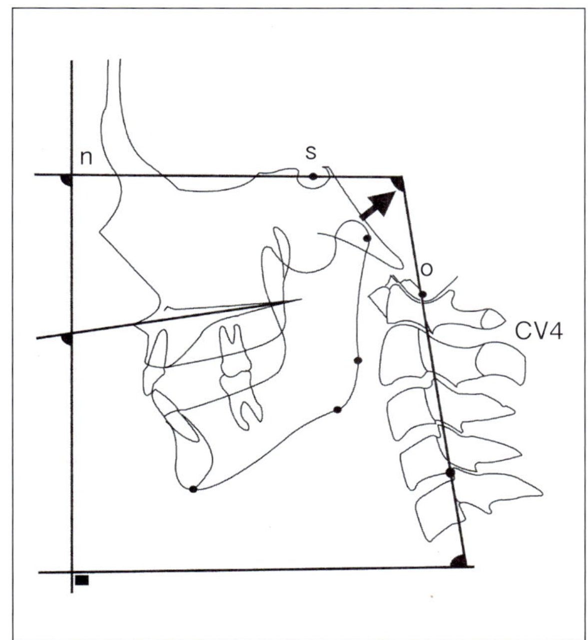

그림 4-39 ■ 두개경추각: 두개골의 동일한 수평선(n–s)과 치상돌기(o)의 후상방 가장자리와 C4(cv4)의 후하방 가장자리를 가로지르는 선의 교차점.

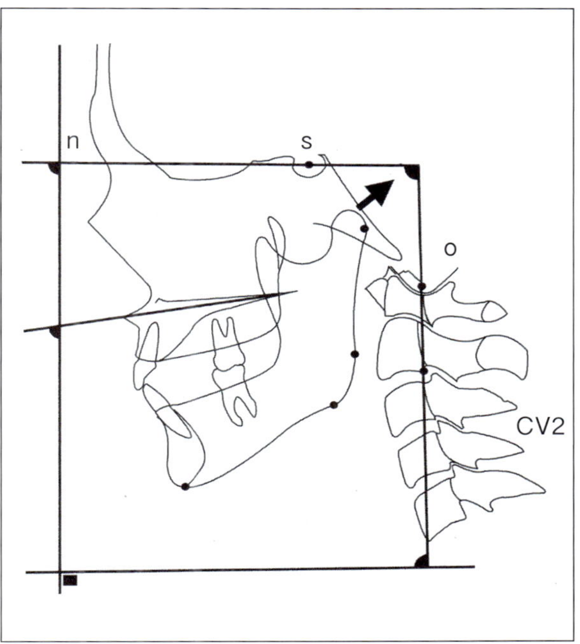

그림 4-40 ■ 두개경추각: 비근점(n)에서 터키 안장(s)까지 그은 선과 치상돌기의 후방 벽에 대한 접선 사이의 교차점.

이 두개경추각 중 하나는 비근점에서 터키안장(Turkish saddle)까지 그은 선과 치상돌기의 후상방 가장자리와 경추4번의 후하방 가장자리를 통과하는 선 사이의 교차로 구성된다(그림 4–40). 다른 각은 두개골의 동일한 수평선과 치상돌기 후벽의 접선의 교차로 구성된다(그림 4–39 및 그림 4–41).

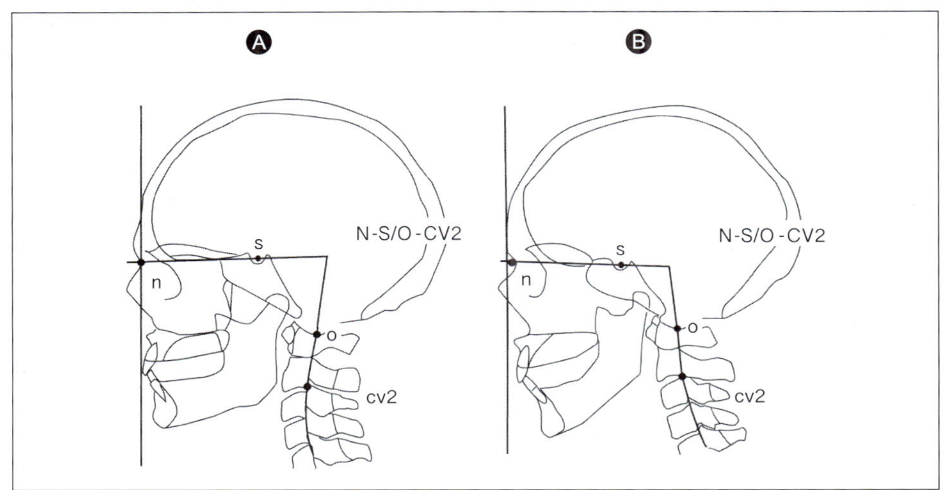

그림 4-41 ■ 이 다이어그램은 작은 두개경추각(A)과 큰 두개경추각(B) 사이의 차이를 보여준다. 작은 두개경추각을 가진 피험자는 얼굴 높이가 더 작고, 하악 돌출부가 더 많으며, 하악 평면에서의 기울기가 더 적다(A). 넓은 두개경추각을 가진 피험자는 더 큰 안면 높이, 상악 및 하악 후두증 및 하악 평면에서 더 큰 경사를 갖는다(B).

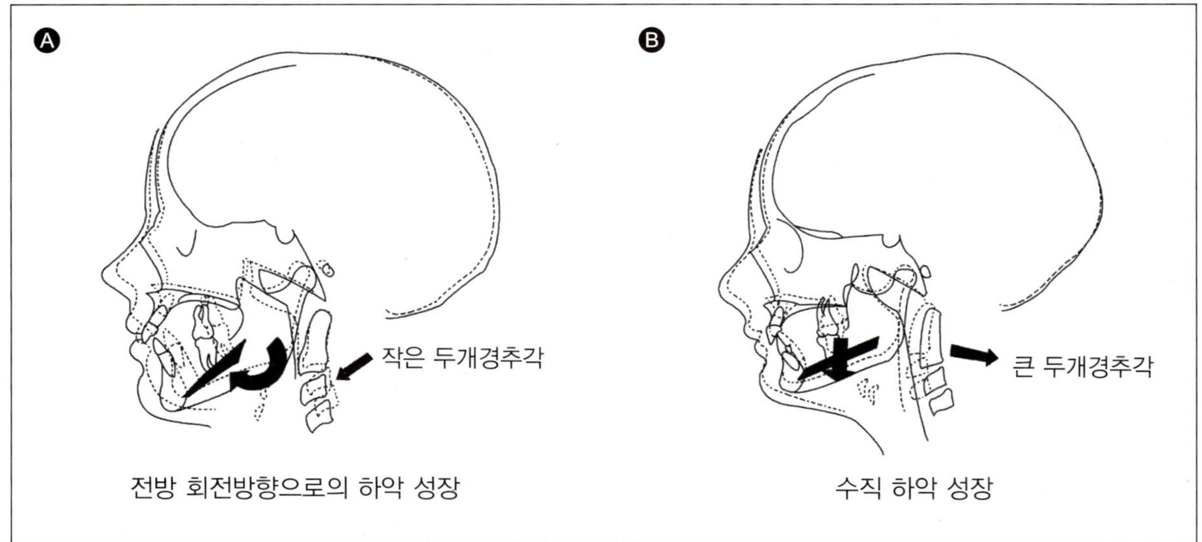

그림 4-42 ■ 두개척추각이 감소하면 하악 성장이 전방 회전 방향으로 발생한다(A). 두개척추각이 증가하면 전방 회전 방향으로 하악 성장이 감소하고, 후방회전이 일어난다(B).

Solow와 Siersbaek-Nielsen[81]은 성장에 따른 두개안면 형태의 변화와 경추와 머리의 자세 변화 사이의 상관관계를 분석하였다.

하악의 회전과 두개경추각의 변화 사이에 최대 상관관계가 발견되었다. 두개경추각이 감소함에 따라 하악은 전방 회전 방향으로 성장한다. 이에 반해서 두개골의 후방회전과 함께 두개척추각이 증가하면 하악의 전방회전이 감소하여 후방회전이 일어난다(그림 4-42).

안면 발달과 두개경추 위치 사이의 관계는 명백하므로 사춘기가 시작되기 전인 2~4세 사이의 두개경추 각도 측정은 안면 성장[82]과 관련하여 예측 가치가 있다(그림 4-43 및 4-44).

경추 위의 머리 위치와 관련된 안면 성장의 변화는 Solow와 Kreiborg[85]로 하여금 '연부조직 스트레칭' 가설을 개발하게 했다. 이 가설에 따르면 두개안면 형태의 차이는 안면 골격에 작용하는 힘을 통해 설명될 수 있다. 두개경추 신전은 골격 구조의 긴장을 증가시켜 상악골과 하악골의 전방 성장을 감소시키고 이 성장을 꼬리방향으로 향하게 한다.

따라서, 머리와 두개골의 위치 변경은 안면 성장 패턴에 영향을 줄 수 있다. 성장 중 두개경추 관계의 변화는 매우 흔한 구강 호흡 및 비정형적 연하와 같은 다양한 원인으로 인한 것일 수 있다.

성장 중 두개경추 관계의 변화는 구강 호흡 패턴과 비정형적 연하 때문일 수 있다.

구강 호흡은 아데노이드 또는 편도의 비대, 비중격의 편도, 호흡기 알레르기, 비갑개 비대, 폐쇄성 수면 무호흡증 등의 결과일 수 있다. 입으로 숨을 쉬는 사람은 머리를 앞으로 내미는 경향이 있어 자세 균형이 크게 변경된다.[86-89] 이러한 피험자는 길고 좁은 얼굴, 높고 좁은 입천장을 가진 ***아데노이드 얼굴***로 알려진 특징적인 얼굴 패턴을 보이는 경향이 있다. 기도의 폐쇄는 자세 변화를 일으켜 두개경추 신전을 유발할 수 있다(그림 4-45).

비정형 연하는 삼키는 기능의 미성숙으로 간주된다. 이 기능장애가 있는 피험자는 삼킬 때 치열궁에 대해 측면 또는 전방 압력을 가하기 위해 혀를

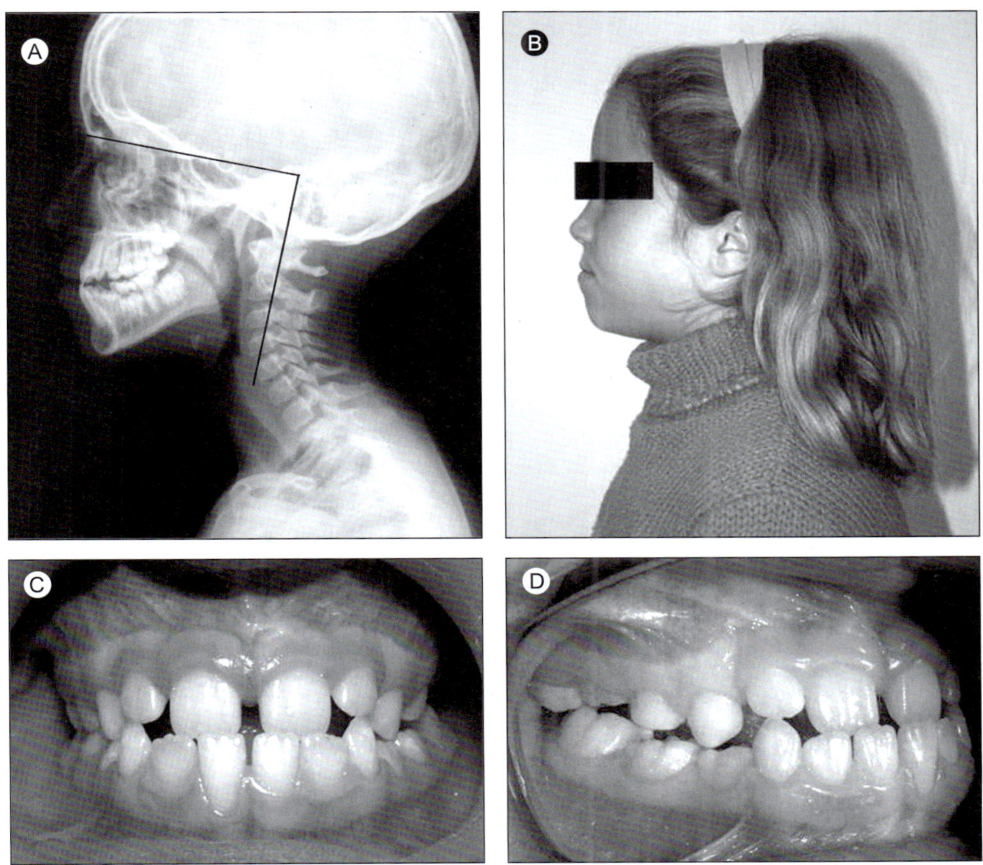

그림 4-43 ■ 엑스레이(A)는 유형 III 교합(C 및 D)과 관련된 뚜렷한 하악 돌출증(B)과 함께 전방 회전에서 하악 성장 패턴이 있는 어린 소녀의 작은 두개경추 각도를 보여준다.

사용한다. 이 미성숙한 연하 패턴을 지속시키는 데 도움이 되는 요인은 엄지나 입술을 빠는 것과 같은 나쁜 구강 습관이다.

구강 호흡 및 비정형 연하 모두 하악 후인을 동반한 부정교합의 발달에 유리할 수 있다. 이것은 앵글의 클래스(Angle' s class)[87]에 따른 클래스 II에 해당한다(그림 4-46).

안면 발달과 두개척추 위치를 연관시키는 이러한 모든 발견은 성장 중 자세 재교육과 물리치료사와 치열 교정의 간의 전문적인 관계를 정당화할 수 있다. 그림 4-47부터 그림 4-50은 다양한 교합 및 안면 형태 패턴의 예시를 보여준다.

두개경추 척추의 임상 평가는 이동성에서 각 분절의 참여와 그 중 하나가 관절 기능장애를 나타낼 때 나타나는 다양한 보상 기전을 결정하려고 시도한다. 나머지 병진이동의 영역과 마찬가지로 이 영역에서도 구조적 비대칭이 자주 나타난다. 따라서 이동성의 비대칭이 반드시 기능장애 상황과 동의어인 것은 아니다.

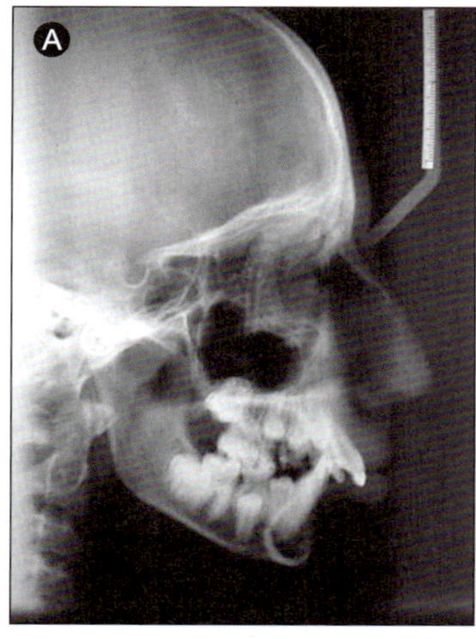
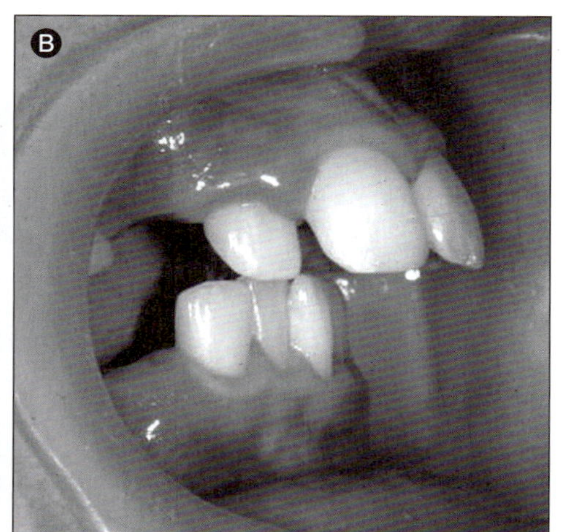
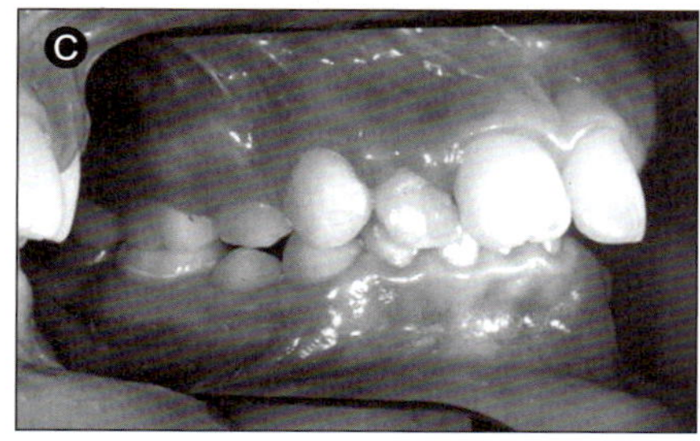

그림 4-44 ■ 엑스레이(A)는 유형 II 교합(B 및 C)이 있는 수직 하악 성장 패턴을 가진 어린이의 큰 두개경추 각도를 보여준다.

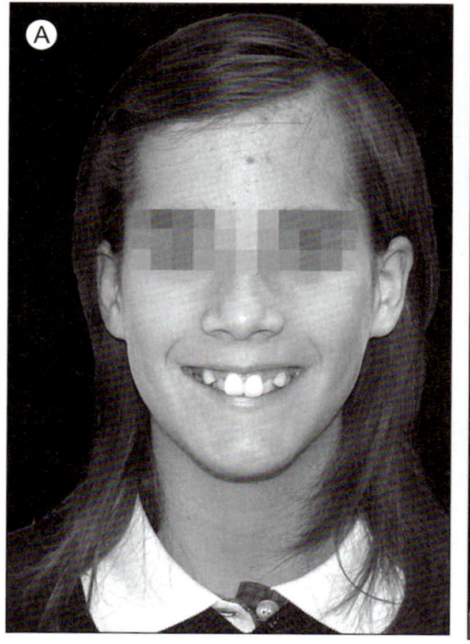
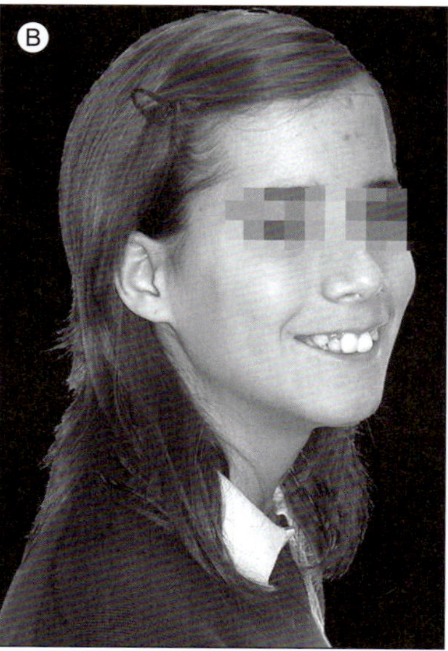
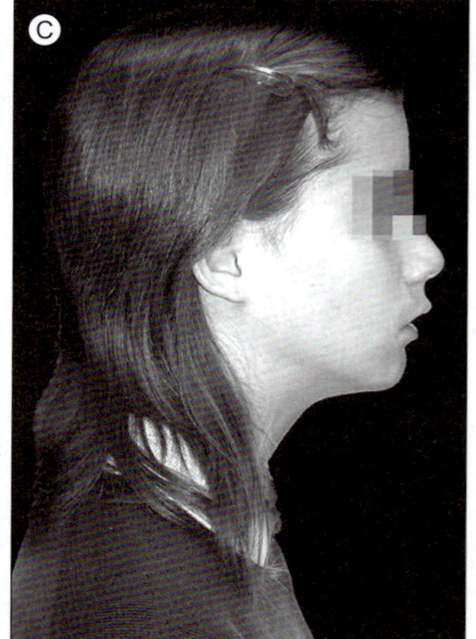

그림 4-45 ■ (A-C) 길고 좁은 얼굴을 가진 특징적인 얼굴 패턴, 아데노이드 얼굴.

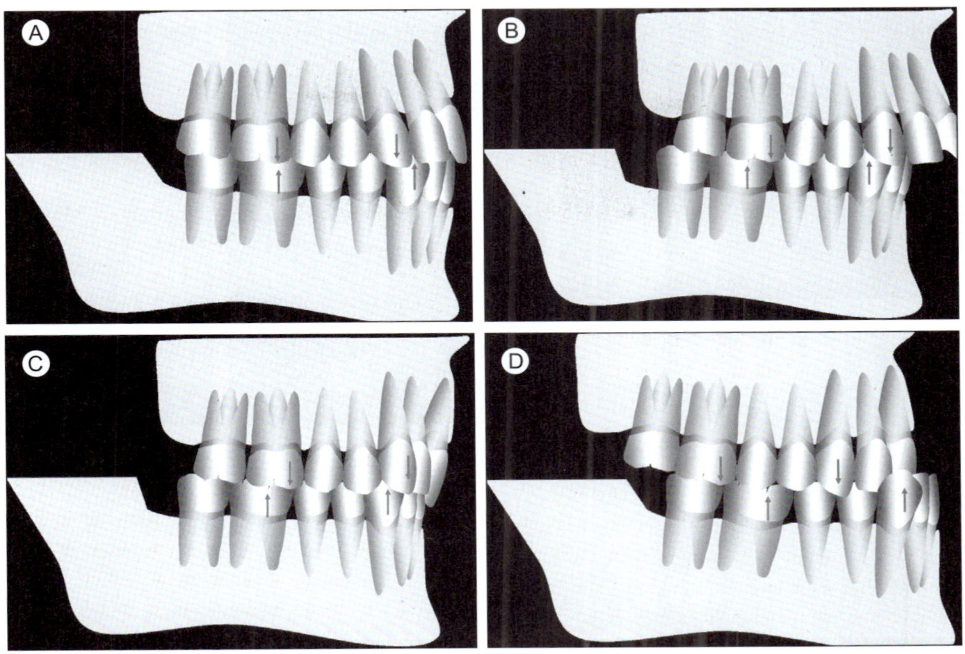

그림 4-46 ■ 앵글의 분류: 클래스 I(A); 클래스 II, 부분 1(B); 클래스 II, 부분 2(C); 및 클래스 III(D).

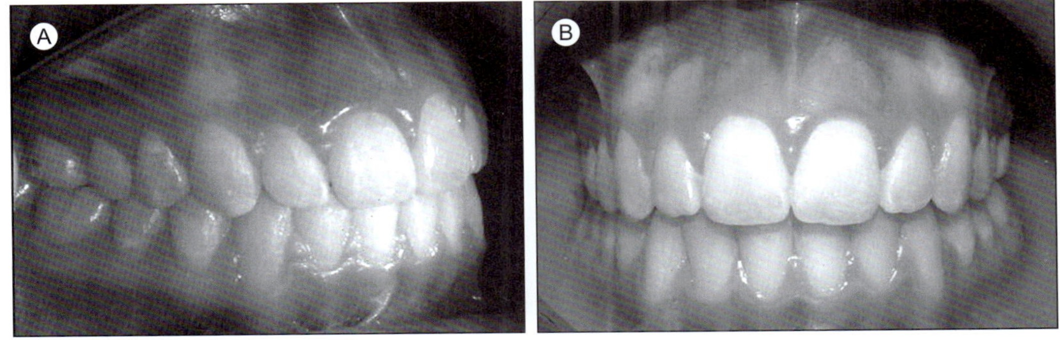

그림 4-47 ■ 이 이미지(A 및 B)는 앵글의 클래스(Angle' s class)(Angle' s class) I의 예를 보여준다.

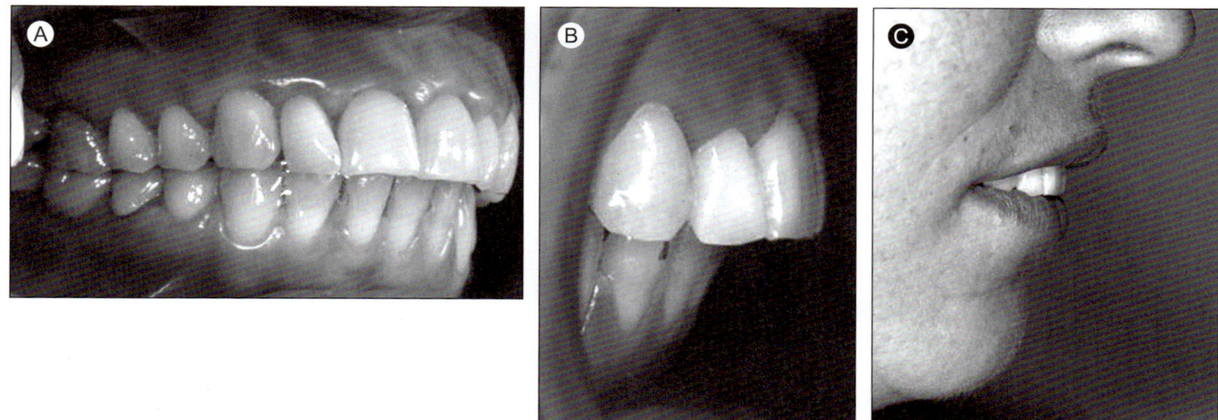

그림 4-48 ■ 이 이미지(A 및 B)는 특징적인 얼굴 옆모습이 있는 앵글의 클래스(Angle' s class) II, 부분 1의 예를 보여준다(C).

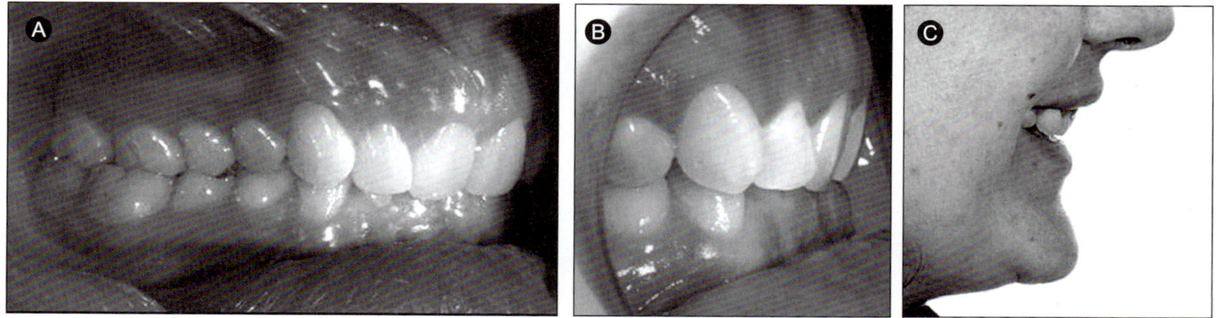

그림 4-49 ■ 이 이미지(A 및 B)는 특징적인 얼굴 옆모습이 있는 앵글의 클래스(Angle' s class) II, 부분 2의 예를 보여준다(C).

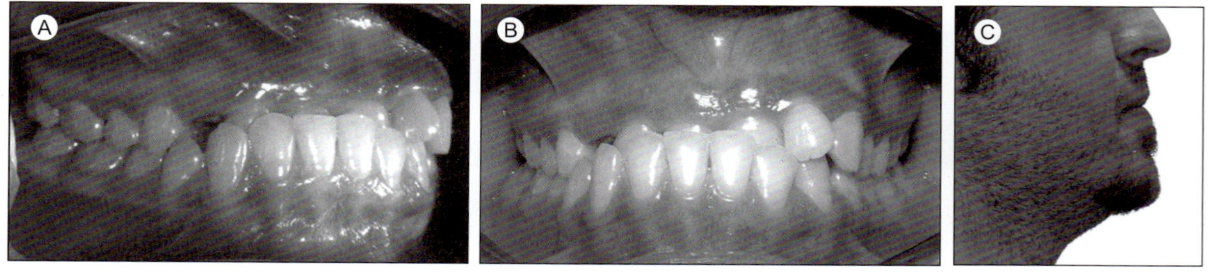

그림 4-50 ■ 이 이미지(A 및 B)는 특징적인 얼굴 옆모습과 함께 앵글의 클래스(Angle' s class) III의 예를 보여준다 (C).

참고문헌

1. White A, Panjabi M. Clinical biomechanics of the spine. 2nd ed. Philadelphia: Lippincott Williams & Wilkins; 1990.
2. Mimura M, Moriya H, Watanabe T, et al. Three-dimensional motion analysis of the cervical spine with special reference to the axial rotation. Spine 1989;14(11):1135–9.
3. Tulsi RS, Hermanis GM. A study of the angle of inclination and facet curvature of superior lumbar 돌기사이 facets. Spine 1993;18(10):1311–17.
4. Rao PV, Mbajiorgu EF, Levy LF. Bony anomalies of the craniocervical junction. Cent Afr J Med 2002;48(1–2):17–23.
5. Van Roy P, Caboor D, De Boelpaep S, et al. Left-right asymmetries and other common anatomical variants of the first cervical vertebra. Man Ther 1997;2(1):24–36.
6. Bogduk N. Cervical headache and dizziness. In: Grieve G, editor. Modern manual therapy of the vertebral column. London: Churchill Livingstone; 1986. p. 289–302.
7. Keskil S, Gozil R, Calguner E. Common surgical pitfalls in the skull. Surg Neurol 2003;59(3):228–31, discussion 231.
8. Lang J. Clinical anatomy of the cervical spine. New York: Georg Thieme; 1993.
9. Rao PV. Median (third) occipital condyle. Clin Anat 2002; 15(2):148–51.
10. Eismont FJ, Clifford S, Goldberg M, et al. Cervical sagittal spinal canal size in spine injury. Spine 1984;9(7):663–6.
11. Konig SA, Goldammer A, Vitzthum HE. Anatomical data on the craniocervical junction and their correlation with degenerative changes in 30 cadaveric specimens. J Neurosurg Spine 2005; 3(5):379–85.
12. Erickson LC, Greer RO Jr. Ponticulus posticus, an anomaly of the first cervical vertebra as seen on the cephalometric head film. Oral Surg Oral Med Oral Pathol 1984;57(2):230.
13. Wight S, Osborne N, Breen AC. Incidence of ponticulus posterior of the atlas in migraine and cervicogenic headache. J Manipulative Physiol Ther 1999;22(1):15–20.
14. Sun JY. [Foramen arcuale and vertigo]. Zhonghua Wai Ke Za Zhi 1990;28(10):592–4, 636–7.
15. Limousin CA. Foramen arcuale and syndrome of Barre-Lieou. Its surgical treatment. Int Orthop 1980;4(1):19–23.
16. Ercegovac N, Davidovic R. [Foramen arcuale atlantis as the etiological factor of vertebrobasilar insufficiency – decompression of the vertebral artery]. Vojnosanit Pregl 1970;27(10):435–41.
17. Li S, Li W, Sun J. [Operative treatment for cervical vertigo caused by foramen arcuale]. Zhonghua Wai Ke Za Zhi 1995; 33(3):137–9.
18. Kapandji A. Fisiología articular. 5th ed. Madrid: Editorial Médica Panamericana; 1998.
19. Panjabi M, Dvorak J, Duranceau J, et al. Three-dimensional movements of the upper cervical spine. Spine 1988;13(7): 726–30.
20. Mercer S, Bogduk N. Intra-articular inclusions of the cervical synovial joints. Br J Rheumatol 1993; 32(8):705–10.
21. Mercer S. The menisci of the cervical synovial joints. In: Boyling J, Palastanga N, editors. Grieve's modern manual therapy. The vertebral column. 2nd ed. London: Churchill Livingstone; 2000. p. 69–72.
22. Ellis JH, Martel W, Lillie JH, et al. Magnetic resonance imaging of the normal craniovertebral junction. Spine 1991;16(2): 105–11.
23. Pal GP, Sherk HH. The vertical stability of the cervical spine. Spine 1988;13(5):447–9.
24. Schonstrom N, Twomey L, Taylor J. The lateral atlanto-axial joints and their synovial folds: an in vitro study of soft tissue injuries and fractures. J Trauma 1993;35(6):886–92.
25. Dvorak J, Panjabi MM. Functional anatomy of the alar ligaments. Spine 1987;12(2):183–9.
26. Fielding JW, Cochran GV, Lawsing JF 3rd, et al. Tears of the transverse ligament of the atlas: a clinical and biomechanical study. J Bone Joint Surg 1974;56A:1683–91.
27. Panjabi M, Dvorak J, Crisco JJ 3rd, et al. Effects of alar ligament transection on upper cervical spine rotation. J Orthop Res 1991;9(4):584–93.
28. Dvorak J, Hayek J, Zehnder R. CT-functional diagnostics of the rotatory instability of the upper cervical spine. Part 2. An evaluation on healthy adults and patients with suspected instability. Spine 1987;12(8):726–31.
29. Worth D. Movements of the cervical spine. In: Grieve G, editor. Modern manual therapy of the vertebral column. Edinburgh: Churchill Living-stone; 1986.

30. Bogduk N, Mercer S. Biomechanics of the cervical spine. I: Normal kinematics. Clin Biomech (Bristol, Avon) 2000;15(9): 633–48.
31. Panjabi MM, Oda T, Crisco JJ 3rd, et al. Posture affects motion coupling patterns of the upper cervical spine. J Orthop Res 1993;11(4):525–36.
32. Worth D, Selvik G. Movements of the craniovertebral joints. In: Grieve G, editor. Modern manual therapy of the vertebral column. Edinburgh: Churchill Livingstone; 1986. p. 53–63.
33. Worth D. Movements of the head and neck. In: Boyling J, Palastanga N, editors. Grieve's modern mnual therapy of the vertebral column. 2nd ed. Edinburgh: Churchill Livingstone; 2000.
34. Amiri M, Jull G, Bullock-Saxton J. Measuring range of active cervical rotation in a position of full head flexion using the 3D Fastrak measurement system: an intra-tester reliability study. Man Ther 2003;8(3):176–9.
35. Ishii T, Mukai Y, Hosono N, et al. Kinematics of the upper cervical spine in rotation: in vivo three-dimensional analysis. Spine 2004;29(7):E139–44.
36. Panjabi MM, Crisco JJ 3rd, Lydon C, et al. The mechanical properties of human alar and transverse ligaments at slow and fast extension rates. Clin Biomech (Bristol, Avon) 1998;13(2): 112–20.
37. Dvorak J, Schneider E, Saldinger P, et al. Biomechanics of the craniocervical region: the alar and transverse ligaments. J Orthop Res 1988; 6(3):452–61.
38. Dvorak J, Panjabi M, Gerber M, et al. CT-functional diagnostics of the rotatory instability of upper cervical spine. 1. An experimental study on cadavers. Spine 1987;12(3):197–205.
39. Dvorak J, Panjabi MM, Hayek J. [Diagnosis of hyper- and hypomotility of the upper cervical spine using functional computerized tomography]. Orthopade 1987;16(1):13–19.
40. Oda T, Panjabi MM, Crisco JJ 3rd. Three-dimensional translational movements of the upper cervical spine. J Spinal Disord 1991;4(4):411–19.
41. Worth D. Movements of the head and neck. In: Boyling J, Palastanga N, editors. Grieve's modern manual therapy. The vertebral column. 2nd ed. Edinburgh: Churchill Livingstone; 2000. p. 53–68.
42. Bogduk N, Major GA, Carter J. Lateral subluxation of the atlas in rheumatoid arthritis: a case report and post-mortem study. Ann Rheum Dis 1984;43(2):341–6.
43. Mercer SR, Bogduk N. Joints of the cervical vertebral column. J Orthop Sports Phys Ther 2001;31(4):174–82, discussion 183.
44. Werne S. The possibilities of movement in the craniovertebral joints. Acta Orthop Scand 1959;28(3):165–73.
45. Panjabi M, Dvorak J, Crisco J 3rd, et al. Flexion, extension, and lateral bending of the upper cervical spine in response to alar ligament transections. J Spinal Disord 1991;4(2):157–67.
46. Kottke FJ, Mundale MO. Range of mobility of the cervical spine. Arch Phys Med Rehabil 1959;40: 379–82.
47. Lewit K, Krausova L. [Measurements of flexion and extension in the joints of the head.]. Fortschr Geb Rontgenstr Nuklearmed 1963;99:538–43.
48. Lind B, Sihlbom H, Nordwall A, et al. Normal range of motion of the cervical spine. Arch Phys Med Rehabil 1989;70(9): 692–5.
49. Mercer S. Kinematics of the spine. In: Boyling J, Jull G, editors. Grieve's modern manual therapy. The vertebral column. 3rd ed. Philadelphia: Elsevier Churchill Livingstone; 2004. p. 31–7.
50. Dvorak J, Dvorak V. Medicina manual diagnóstico. Barcelona: Ediciones Scriba; 1989.
51. Penning L, Wilmink JT. Rotation of the cervical spine. A CT study in normal subjects. Spine 1987;12(8):732–8.
52. Panjabi MM, Duranceau J, Goel V, et al. Cervical human vertebrae. Quantitative three-dimensional anatomy of the middle and lower regions. Spine 1991;16(8):861–9.
53. Jirout J. Changes in the atlas-axis relations on lateral flexion of the head and neck. Neuroradiology 1973;6(4):215–18.
54. Ishii T, Mukai Y, Hosono N, et al. Kinematics of the cervical spine in lateral bending: in vivo three-dimensional analysis. Spine 2006;31(2):155–60.
55. Aho A, Vartiainen O, Salo O. Segmentary antero-posterior mobility of the cervical spine. Ann Med Intern Fenn 1955; 44(4):287–99.
56. Panjabi MM, Summers DJ, Pelker RR, et al. Three-dimensional load-displacement curves due to forces on the cervical spine. J Orthop Res 1986;4(2):152–61.
57. White AA, Panjabi MM. Clinical biomechanics of the spine. 2nd ed. Philadelphia: Lippincott Williams & Wilkins; 1990.

58. Brodeur R. Biomechanics of the upper cervical spine. In: Vernon H, editor. The cranio-cervical syndrome. Oxford: ButterworthHeinemann; 2001. p. 99.
59. Vishteh AG, Crawford NR, Melton MS, et al. Stability of the craniovertebral junction after unilateral occipital condyle resection: a biomechanical study. J Neurosurg 1999;90(1 Suppl.): 91–8.
60. Iai H, Moriya H, Goto S, et al. Three-dimensional motion analysis of the upper cervical spine during axial rotation. Spine 1993;18(16):2388–92.
61. Worth D. Movements of the cervical spine. In: Boyling J, Palastanga N, editors. Grieve's modern manual therapy. 2nd ed. Edinburgh: Churchill Livingstone; 2000.
62. Ordway NR, Seymour RJ, Donelson RG, et al. Cervical flexion, extension, protrusion, and retraction. A radiographic segmental analysis. Spine 1999;24(3):240–7.
63. Worth DR, Selvik G. Movements of the craniovertebral joints. In: Grieve G, editor. Modern manual therapy of the vertebral column. Edinburgh: Churchill Livingstone; 1986. p. 53–63.
64. Maeda T, Saito T, Harimaya K, et al. Atlantoaxial instability in neck retraction and protrusion positions in patients with rheumatoid arthritis. Spine 2004;29(7):757–62.
65. Lee H, Nicholson LL, Adams RD. Cervical range of motion associations with subclinical neck pain. Spine 2004;29(1): 33–40.
66. Kjellman G, Oberg B. A randomized clinical trial comparing general exercise, McKenzie treatment and a control group in patients with neck pain. J Rehabil Med 2002;34(4):183–90.
67. Wang WT, Olson SL, Campbell AH, et al. Effectiveness of physical therapy for patients with neck pain: an individualized approach using a clinical decision-making algorithm. Am J Phys Med Rehabil 2003;82(3):203–18, quiz 219–21.
68. Pearson ND, Walmsley RP. Trial into the effects of repeated neck retractions in normal subjects. Spine 1995;20(11):1245–50, discussion 1251.
69. Hanten W, Barrett M, Gillespie-Plesko M, et al. Effects of active head retraction with retraction/extension and occipital release on the pressure pain threshold of cervical and scapular trigger points. Physiother Theory Pract 1997;13(4).
70. Rathore S. Use of McKenzie cervical protocol in the treatment of radicular neck pain in a machine operator. J Can Chiropr Assoc 2003;47(4):291–7.
71. Kirveskari P, Alanen P, Karskela V, et al. Association of functional state of stomatognathic system with mobility of cervical spine and neck muscle tenderness. Acta Odontol Scand 1988; 46(5):281–6.
72. Stiesch-Scholz M, Fink M, Tschernitschek H. Comorbidity of internal derangement of the temporomandibular joint and silent dysfunction of the cervical spine. J Oral Rehabil 2003; 30(4): 386–91.
73. de Wijer A, Steenks MH, Bosman F, et al. Symptoms of the stomatognathic system in temporomandibular and cervical spine disorders. J Oral Rehabil 1996;23(11):733–41.
74. Gillies GT, Broaddus WC, Stenger JM, et al. A biomechanical model of the craniomandibular complex and cervical spine based on the inverted pendulum. J Med Eng Technol 1998; 22(6):263–9.
75. Eriksson PO, Haggman-Henrikson B, Nordh E, et al. Co-ordinated mandibular and head-neck movements during rhythmic jaw activities in man. J Dent Res 2000;79(6):1378–84.
76. Zafar H. Integrated jaw and neck function in man. Studies of mandibular and head-neck movements during jaw openingclosing tasks. Swed Dent J Suppl 2000;143:1–41.
77. Zafar H, Nordh E, Eriksson PO. Temporal coordination between mandibular and head-neck movements during jaw openingclosing tasks in man. Arch Oral Biol 2000;45(8):675–82.
78. Brodie AG. Anatomy and physiology of head and neck musculature. Am J Orthod 1950;36(11):831–44.
79. Rocabado M. Análisis biomecánico cráneocervical a través de una teleradiografía lateral. Rev Chil. de Ortodoncia 1984;1: 42–52.
80. Huggare JA, Cooke MS. Head posture and cervicovertebral anatomy as mandibular growth predictors. Eur J Orthod 1994;16(3):175–80.
81. Solow B, Siersbaek-Nielsen S. Growth changes in head posture related to craniofacial development. Am J Orthod 1986;89(2): 132–40.
82. Solow B, Siersbaek-Nielsen S. Cervical and craniocervical posture as predictors of craniofacial growth. Am J Orthod Dentofacial Orthop 1992;101(5):449–58.

83. Solow B, Sandham A. Cranio-cervical posture: a factor in the development and function of the dentofacial structures. Eur J Orthod 2002;24(5): 447–56.
84. D'Attilio M, Caputi S, Epifania E, et al. Evaluation of cervical posture of children in skeletal class I, II, and III. Cranio 2005;23(3): 219–28.
85. Solow B, Kreiborg S. Soft-tissue stretching: a possible control factor in craniofacial mor-phogenesis. Scand J Dent Res 1977; 85(6): 505–7.
86. Sforza C, Colombo A, Turci M, et al. Induced oral breathing and craniocervical postural relations: an experimental study in healthy young adults. Cranio 2004;22(1):21–6.
87. Yamaguchi H, Sueishi K. Malocclusion associated with abnormal posture. Bull Tokyo Dent Coll 2003; 44(2):43–54.
88. Wenzel A, Hojensgaard E, Henriksen JM. Craniofacial morphology and head posture in children with asthma and perennial rhinitis. Eur J Orthod 1985;7(2):83–92.
89. Wong ML, Sandham A, Ang PK, et al. Craniofacial morphology, head posture, and nasal respiratory resistance in obstructive sleep apnoea: an inter-ethnic comparison. Eur J Orthod 2005; 27(1):91–7.

5 경추의 통증 패턴
PAIN PATTERNS OF THE CERVICAL SPINE

RAFAEL TORRES CUECO

지난 20년 동안 통증에 대한 우리의 지식에 대해 혁명이 있었다. 우리는 통증과 통각이 새롭고 더 복잡하지만 더욱 매력적인 관점과 동의어로 간주되는 모델에서 진화했으며, 통증은 통각이 매우 다양한 역할을 할 수 있는 뇌 반응이다. 통증이 있는 많은 환자에서 통각이 암시된 기전이 될 수 있다는 것은 분명하지만, 다른 많은 환자는 명백한 통각 기전 없이 심각하고 무력한 통증을 겪을 수 있다. 이 장에서는 경추의 신경지배 패턴, 통증 기전, 연관 통증과 중추감작 사이의 관계 및 통각수용성, 염증성, 신경병증성 및 복합 통증과 같은 다양한 통증 유형에 대한 개요를 검토한다.

경추 통증
CERVICAL SPINAL PAIN

국제 통증 연구 협회(The International Association for the Study of Pain, IASP)는 경추 통증을 다음과 같이 정의한다.

> *위쪽으로는 상항선(superior nuchal line), 아래쪽으로는 첫 번째 흉추 극돌기 끝을 통과하는 가상의 가로선, 그리고 목의 측면 경계에 접하는 시상면에 의해 측면으로 경계를 이루는 영역 내의 어느 곳에서나 발생하는 인지되는 통증이다.*[1]

목 통증은 경추를 두 부분으로 나누는 가상의 선 위와 아래에 ***상부 경추 통증***과 ***하부 경추 통증***으로 나눌 수 있다.[1] 후두하 통증은 상항선과 경추 2번의 극돌기를 통과하는 가로선 사이에 위치하는 통증으로 정의된다.[2] 목의 통증은 주로 뒤쪽이나 후외측으로 감지된다. 전방 근골격계 경추 통증은 매우 드물며 내장 병리(인두) 또는 중추감작 현상과 관련이 있다. 또한 통각수용성 원인과 관련이 없는 **복잡한 통증**일 수도 있다.

통증은 환자가 치료를 찾는 가장 일반적인 이유이다. 그러나 통증은 주관적인 인식이므로 평가하고 측정하기가 매우 어렵다.

이 장의 목표는 임상의가 환자의 통증을 이해하도록 돕는 것이다. 또한 경추를 구성하는 해부학적 요소의 신경지배, 통증 기전 및 관련 통증 영역의 최근 기여도를 기반으로 경추의 통증 패턴을 분석한다. 통증의 특성, 지배 및 관련 증상과 관련된 통증의 특성은 환자의 임상 상태와 관련된 구조를 식별하는 데 도움이 될 수 있다. 그러나 무엇보다도 임상 사진, 임상 증상을 식별하는 데 도움이 되어야 하며 신체 평가 및 환자의 상태에 따른 최상의 관리 전략에 대한 의사결정에 도움이 되어야 한다.

국제통증연구협회(IASP)가 채택하고 1994년 Merskey와 Bogduk이 기술한 정의에 따르면, 통증은 '실제 또는 잠재적 조직 손상과 관련된 불쾌한

감각 및 정서적 경험, 또는 그러한 손상의 관점에서 설명된 것'이다.[3]

통증과 통각은 동의어가 아니라는 점을 지적하는 것은 중요하다. 통각은 신체에서 작용하는 유해한 자극에 의해 유발되는 생물학적 현상과 개인이 의식적으로 자각하기 전에 말초에서 중추신경계(CNS)로 전달되는 생물학적 현상을 말한다.

실제로 통각이 반드시 통증에 대한 인식으로 이어지는 것은 아니다. 통증은 감각이 아니다. 이것은 의식의 현상, 개인에 의한 통각 정보의 해석이다. 일반적으로 통각 활성화의 결과이지만 통각수용기 입력 없이 통증이 나타날 수 있다. 이와 같이 통증에는 감각적 측면만 포함되는 것이 아니다. 따라서 중추신경계는 통증 수용체가 아니라 고통스러운 경험을 만들어 낸다.[4]

또한 고통 경험은 다른 인간의 경험과 마찬가지로 의식의 산물이다. 따라서 이것은 반드시 인지적 및 정서적 요인, 움직임 및 행동적 반응, 내분비 및 면역 반응과 같은 다체계적 반응을 의미하며 학습, 이전 경험 및 문화에 크게 영향을 받는다. 통증과 관련된 이러한 신경생물학적 및 심리사회적 측면은 2권의 11장에서 다룰 것이다.

경추의 신경지배 패턴

(Patterns of innervation of the cervical spine)

경추의 통증은 원칙적으로 디스크, 돌기사이관절, 척추체, 인대 및 근육과 같은 통각수용성 신경말단을 포함하는 모든 구조에 의해 시작될 수 있다. 이것은 또한 척수 신경 또는 후근신경절의 손상이나 자극에 이차적일 수 있다. 따라서 경추에서 오는 통증은 ***통각수용성***과 ***신경병증성***의 두 가지 유형으로 나눌 수 있다.

통각수용성 통증은 신경지배된 조직의 신경말단이 자극될 때 유발된다. 이러한 유형의 통증은 체성 통증 또는 내장통증일 수 있다.

체성 통각수용성 통증은 경추뿐만 아니라 머리, 상부흉추, 견갑대 및 상지에서도 국소적으로 감지될 수 있다. 이것은 ***체성연관통***으로 알려져 있다. 내부 장기의 부상과 자극도 ***내장연관통***을 유발할 수 있다. 어떤 경우에는 내부 장기의 통각이 주변 결합조직의 팽창으로 인해 발생하므로 실제로는 ***내장 벽측*** 통증으로 알려진 체성통증이다. 신경병증성 통증은 체성감각계에 영향을 미치는 손상이나 질병의 직접적인 결과로 발생하는 것으로 정의된다.[5] 경추의 특징적인 신경병증성 통증은 신경근성 통증이다. 이 방사통은 상지, 견갑대 또는 머리에서 느껴지고 목에서는 덜한다.

신경간 손상의 증상은 신경근병증과 유사할 수 있으므로 감별 진단이 중요하다.

통증의 유형

통각 통증

- 체성통증:
  - 국소적 체성통증
  - 체성연관통
  - 내장벽측통증
  - 허혈성통증
- 내장통증:
  - 내장연관통

신경병증성 통증

- 신경근성 통증

경추의 해부학적 요소의 신경지배를 검토하는 것은 중요하다. 신경지배를 더 잘 이해하기 위해 경추를 복부 영역과 등쪽 영역의 두 영역으로 나누는 것이 유용하다. 두 영역을 구분하는 선은 추간공의 후벽을 가로지르는 관상면으로 표시된다. 이 두 영역의 감각적 구심은 서로 다른 신경에 의해 전달되는데 이것들은 후방 1차가지, 전방 1차가지, 회귀성수막신경, 교감신경줄기 및 회색교통가지 등이다. 각각의 특성과 지배를 알면 경추에 영향을 줄 수 있는 통증 기능장애 및 병리의 다양한 임상 증상을 더 잘 이해할 수 있다(그림 5-1).

등쪽 영역은 돌기사이관절, 황색인대, 경인대 및 후방 근육을 포함한다. 이 모든 구조는 혼합성 척수신경의 후방 1차가지에 의해 신경지배된다. 이 1차신경의 측면 분할은 엉덩갈비근(장늑근, iliocostalis), 머리가장긴근(두최장근, longissimus capitis), 목널판근(경판상근, splenius cervicis) 및 머리널판근(두판상근, splenius capitis) 같은 보다 표면적인 후방 경추 근육을 자극한다. 내측 신경갈래는 목반가시근(경반극근, semispinalis cervicalis) 및 머리반가시근(두반극근, semispinalis capitis), 뭇갈래근(다열근, multifidus) 및 가시사이근(극간근, Interspinales)과 같은 심부 및 내재 근육을 자극한다.[6] 뒤통수밑근육(후두하근, sub-occipital)은 경추1번과 경추2번의 후방 1차가지에 의해 신경지배된다.[6]

후방 1차가지에 의해 신경지배되는 구조들

측면 신경가지

- 후방 표면 경추 근육: 엉덩갈비근, 목가장긴근 및 머리가장긴근, 머리널판근 및 목널판근.

내측 신경가지

- 근육 가지: 머리반가시근 및 목반가시근, 뭇갈래근 및 가시사이근 및 뒤통수밑(후두하) 근육.
- 관절 가지: 돌기사이관절, 황색인대

돌기사이관절*(zygapophyseal joints)*의 신경지배는 많다. 경추3번-경추4번에서 경추7번-흉추1번까지의 관절낭은 후방 1차가지 내측 분할의 관절 가지에 의해 신경지배된다.[6,7] 각 관절 신경가지는 인접한 상부 및 하부 관절낭을 자극한다. 이 관절의 수용체는 기계적, 화학적 및 열적 자극에 감각 자유 및 캡슐화된 신경말단이다.[8] (그림 5-2).

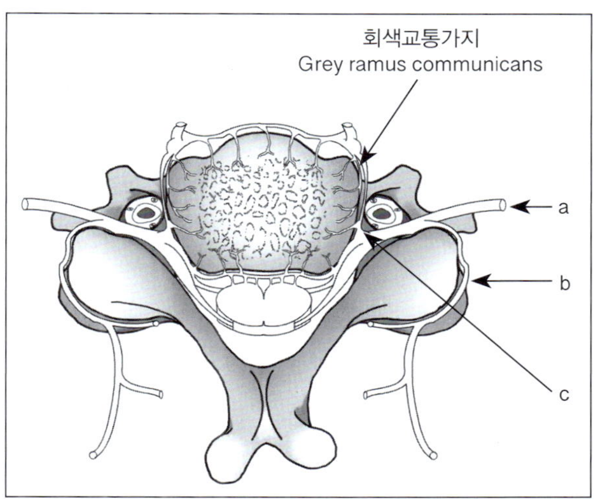

그림 5-1 ■ 경추의 감각적 구심은 주로 후방 1차가지(a), 전방 1차가지(b) 및 회귀성수막신경(c)의 세 가지 신경에 의해 전달된다.

이 분절 신경지배에 더하여, 보다 최근의 연구에서는 측면 교감신경 사슬을 통해 여러 레벨에서 후근신경절에 도달할 때까지 이어지는 비분절 보조 신경지배를 설명한다.[9]

더욱이 조직화학적 방법들은 최근 경추 돌기사이관절의 반월상구조와 활액주름이 요추[11-14]에서 볼 수 있는 물질 P와 칼시토닌 유전자 관련 펩타이드(CGRP)를 분비하는 감각 섬유 가지고 있어 목 통증에 관여할 수 있다는 것을 입증하였다.[10]

최근까지, 황색인대는 신경지배가 부족한 구조로 간주되었다.[15] 그러나 최근의 면역조직화학 연구에서는 이 인대에 감각신경이 존재함을 관찰했다.[16]

후궁의 요소는 척수신경의 후방 1차가지의 내측 또는 외측 신경갈래에 의해 신경지배된다고 결론지을 수 있다.

후궁의 후방 요소는 척수 신경의 후방 1차가지의 내측 또는 외측 신경갈래에 의해 신경지배된다.

복부 구획은 척추체, 전방 및 후방 종인대, 추간판, 갈고리관절, 경막 및 척추전근으로 구성된다.

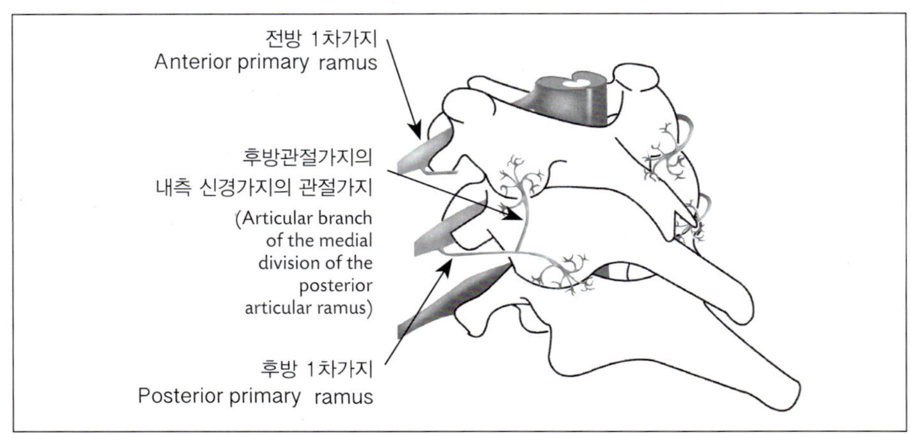

그림 5-2 ■ 돌기사이관절은 후방 1차가지의 내측 분할의 관절 가지에 의해 신경지배를 받는다. 각 관절 가지는 인접한 상부 및 하부 관절낭을 자극한다.

이 전방 구획의 신경지배는 두 가지 유형의 신경, 즉, 전방 1차가지에서 시작되는 신경과 외측교감신경 사슬에 의존하는 신경지배에 따라 다르다.

경추1번과 경추2번의 전방 1차가지는 각각 후두-경추1번과 경추1번-2번의 두개골척추 관절을 자극한다.[17] 척추앞근육(척추전근, prever-tebral muscle), 긴머리근 (두장근, longus capitis) 및 긴목근(경장근, longus coli)의 신경지배도 경추1번에서 경추6번까지의 전방 1차가지에 따라 달라진다. 목갈비근육(사각근, scalene), 등세모근(승모근, trapezius) 및 목빗근(흉쇄유돌근, SCM)과 같은 다른 외인성 근육도 동일한 신경지배를 나타낸다. 후자의 두 근육의 움직임 신경지배는 더부신경(accessory spinal nerve)에서 비롯되지만 감각 신경지배는 처음 두 개 또는 세 개의 전방가지에 따라 달라진다.

전방 1차가지에 의해 신경지배되는 구조들

- 척추전근: 긴목근, 긴머리근, 앞머리곧은근, 가쪽머리곧은근, 횡돌기간근의 일부.
- 측면 근육: 목갈비근육.
- 목빗근과 등세모근의 감각 신경지배.
- 두개척추 관절.

이 전방 구획의 다른 요소는 관련된 교감신경 구성 요소가 있는 신경의 지배를 받는다. 외측 교감신경 사슬에 의존하는 이러한 교감신경지배의 근원은 교감신경 사슬의 직접 신경가지, 회귀성수막신경 및 척추 동맥과 관련된 혈관주위 신경총이다.[18]

회귀성수막신경(recurrent meningeal nerve)은 일반적으로 각 추간공으로 도입되는 2개에서 6개의 신경가지가 결합된 결과이기 때문에 독특한 구조가 아니다. 중심관에 들어가자마자 이 신경가지들은 조밀한 ***후방신경총***을 형성하게 되며, 이는 뒤세로인대와 함께 넓게 지배된다.

Groen 등[19]은 회귀성수막신경이 4개의 척추 분절을 가로질러 오르락 내리락할 수 있고 중간선을 가로지를 수도 있음을 보여주었다. 이러한 지배로 인해 회귀성수막신경이 지배하는 구조에 의해 생성된 통증 패턴의 식별이 매우 복잡해진다. 후방신경총(posterior plexus)은 뒤세로인대, 두개척추관절의 인대, 척수 신경근을 따르는 경막소매, 척수 상부의 경막 및 후두개와에 지배한다.[18,19] 후두개와의 경막은 또한 미주신경(10번 뇌신경)과 설하신경(12번 뇌신경)의 수막가지로부터 신경지배를 받는다(그림 5-3).

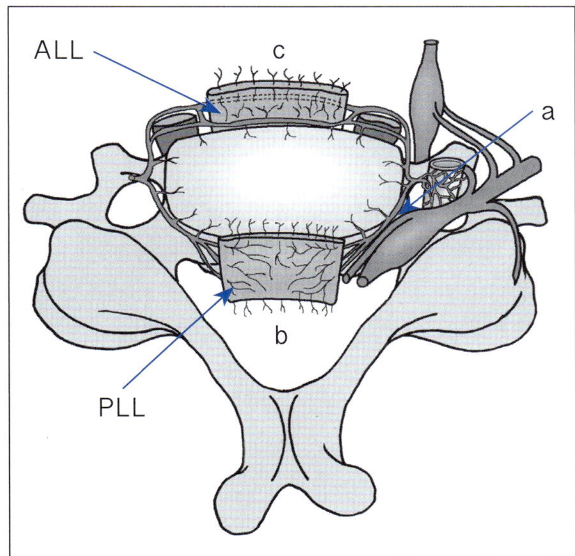

그림 5-3 ■ 회귀성수막신경(a)은 여러 개의 가는 신경으로 구성되어 있으며, 이 신경은 일단 추간공을 통해 중심관으로 도입되면 조밀한 후방 신경총(b)을 형성하며, 이 신경은 뒤세로인대(PLL)와 함께 넓게 지배하며, 4개의 척추 분절로 오르내리고, 중간선을 교차한다. 이 이미지는 또한 앞세로인대(ALL)를 따르는 전방 신경총(c)을 보여준다.

회귀성수막신경에 지배되는 구조들

- 뒤세로인대.
- 두개경추 관절의 인대.
- 척추체 후벽의 골막.
- 경막외 및 추간판 정맥.
- 경막 및 경막소매의 전면.
- 후두개와의 경막.
- 후두개와(척추기저계)의 혈관.

또한 앞세로인대를 따르는 전방신경총(anterior plexus)이 있으며, 이는 양측의 외측 교감신경계에서 섬유의 결합으로 구성되어 해당 회색교통가지(grey ramus communicans) 및 전방 1차가지의 섬유로 구성된다.[18] 앞세로인대의 신경지배와 전방 및 측면의 추간판 신경지배는 모두 이 전방신경총에서 시작된다.[18]

교감신경 사슬과 회색교통가지에 의존하는 신경의 지배를 받는 구조

- 추간판의 측면 및 전면.
- 앞세로인대.
- 디스크의 전면 및 측면의 골막.
- 척추 동맥(척추신경에 의해 지배됨).

복부 구획의 신경지배는 전방 및 뒤세로인대를 따르는 두 개의 큰 신경총에서 유래한다. 이런 신경총은 척추체와 추간판의 측면에서 서로 연결되어 있으며 꼬리 방향 및 머리 방향으로 여러 분절로 신전된다(그림 5-4).

따라서 경추 디스크의 섬유륜은 신경지배를 받으며, 파치니소체 및 골지건 기관과 유사한 자유신경종말 및 기계적 수용체를 모두 나타낸다.[20]

Bogduk 등[7]에 따르면 섬유륜의 바깥 부분만 신경지배를 받는다. 그러나 Mendel 등[20]은 디스크의 중간 1/3에서 풍부한 신경지배를 관찰했다. 디스크의 앞쪽과 전외측 영역의 신경지배는 분명하지만 뒤쪽 신경지배는 분명하지 않다.[21]

2장에서 설명한 바와 같이 경추 섬유륜은 초승달 모양의 구조로 앞쪽 부분이 두꺼우며 갈고리돌기(유구돌기, unciform process)에 가까워질수록 좁아지며 디스크의 뒤쪽과 후외측 부분에는 거의 존재하지 않는다.[21,22] 이 전체 영역은 뒤세로인대의 섬유로 덮여 있으며, 이 섬유는 갈고리돌기의 뒤쪽 가장자리까지 외측으로 확장된다. 따라서 추간판의 후방돌출로 인한 증상은 뒤세로인대의 자극과 관련이 있을 가능성이 있다.

몇 가지 임상적 의미는 경추의 체성 신경지배 패턴에서 비롯된다. 후방 요소, 특히 돌기사이관절은 주로 분절 신경지배를 갖지만 동일한 가지가 두 개의 인접한 분절의 관절에 신경지배한다. 따라서 어느 정도 겹치더라도 통증 패턴이 상당히 국지적이다. 대조적으로, 전방 구조의 신경지배는 2개의 신경

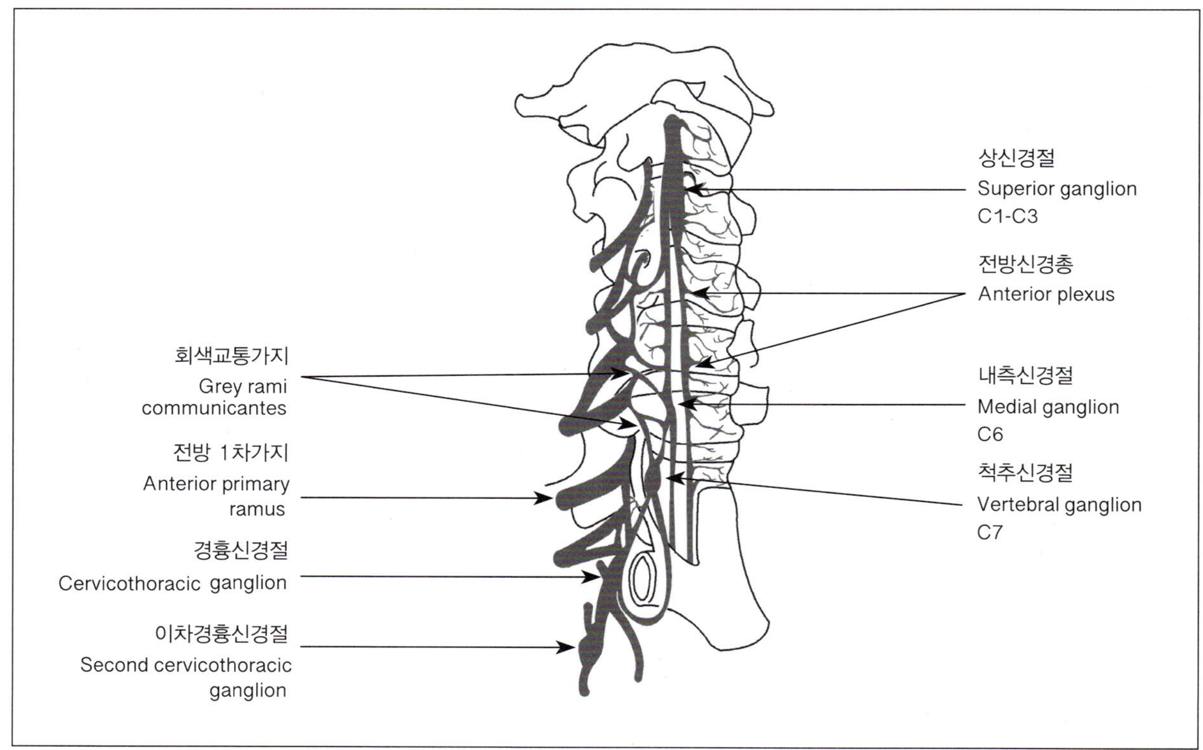

그림 5-4 ■ 앞세로인대를 따라가는 전방신경총은 양쪽 측면 교감신경 사슬의 섬유와 이에 상응하는 회색교통가지 및 전방 1차가지 섬유의 결합으로 구성된다.

총(전방 및 후방)의 형성에서 유래하므로 다중 분절이다.

이것은 디스크성 통증의 광범위하고 광범위한 지배를 설명하는 반면, 이 구조의 신경지배가 중요한 교감신경 성분을 포함하는 신경에 의존한다는 사실은 디스크성 통증이 내장통증과 매우 유사할 수 있는 이유를 설명한다.

체세포 신경지배 패턴의 임상적 의미

돌기사이관절과 같은 후방 구조의 신경지배는 주로 분절적이며 따라서 통증 패턴은 상당히 국지적이다.

디스크와 같은 전방 구조의 신경지배는 두 개의 신경총(전방 및 후방 신경총)에서 파생되고 통증 패턴이 현재 광범위하게 지배되어 있기 때문에 다분절적이다.

경추 통증의 잠재적 원인 중 하나는 ***척추 동맥***이다. 능동이든 수동이든 경추 치료를 시작하기 전에 이 동맥의 손상을 배제하는 것이 중요하다.

척추 동맥은 경추에 특정한 신경인 ***척추신경***, 척추 동맥을 따라가는 회색교통가지의 결합으로 형성되고 구심 말단(afferents end)이 후근신경절에 있는 교감신경으로부터 신경지배를 받는다.[23,24] 이 신경의 가지는 회귀성수막신경[18]의 형성에 기여하고 척수의 내부 정맥 신경총에 도달하는 신경근 동맥 및 정맥과 함께 움직인다.[25] 척추신경은 척추 동맥의 감각도를 수집하고 이 동맥의 절개로 유발되는 통증을 전달하기 때문에 관련이 있다.

통증 기전
PAIN MECHANISMS

경추 근골격 장애의 관리는 최근 몇 년 동안 변화되어왔다. 이전에는 병리해부학적 진단에 중점을 두었지만 병태생리학적 통증 기전을 이해하는 것이 중요하고 보다 광범위한 접근 방식으로 발전했다.[26] 따라서, 환자 관리의 주요 문제 중 하나는 관련된 지배적인 신경생리학적 기전, 즉 통각수용성, 염증성, 신경병증성 또는 기능장애를 식별하는 것이다. 이러한 통증 기전을 검토하고 이를 구별하기 위한 다양한 지표를 제안한다.

통각수용성 통증(Nociceptive pain)

통각수용성 통증은 비신경 조직의 실제 손상으로 인해 외상수용체계에 의해 유발되는 통증으로 정의된다.[27] 통각수용성 통증은 유해한 자극에 의해 유발된 감각계의 정상적인 활성화의 결과로 발생한다. 그러나, 신경적응 변화는 모든 유형의 통증에서 다소 발생한다.

외상수용체계는 변환, 전달, 변조 및 지각을 포함하는 과정을 촉발한다. 통각수용기는 유해한 자극을 변환하고 인코딩할 수 있는 말초 체성감각계의 고역치 감각 수용체이다. 따라서 고강도 자극에 의해 유발된다.

통각수용기는 전압 개폐성 나트륨(Na) 채널(NaV) 및 일시적 수용체 전위 채널(TRPV1, TRPA1)을 통해 기계적, 열적 또는 화학적 자극을 전기적 활동으로 변환한다. 이 통각수용기 뉴런은 강한 기계적, 열적 또는 화학적 자극에 반응하는 전문화된 변환기 이온 채널 수용체, 주로 일시적 수용체 전위(TRP) 채널을 발현한다. 이 일차 통각수용기는 얇게 수초화된 Aδ 섬유(그룹 III)와 수초가 없는 C 섬유(그룹 IV)이다. 체성통증은 다양한 열적, 기계적 및 화학적 자극에 반응할 수 있기 때문에 주로 다형식통각수용기(polymodal nociceptors)라고도 알려진 C 섬유에 의해 매개된다. 통각수용성 통증은 유해한 자극에 대한 반응으로 발생하며 이러한 유해한 자극이 존재하는 동안 지속된다. 통각수용성 통증은 항상 자극 의존성 통증이다.

통각수용성 통증은 더 이상의 조직 손상을 피하기 위한 뇌의 경고 반응이다. 각각의 통각수용기는 다양한 수와 크기의 수용 영역을 가지고 있다.

말초 통각수용기에서 더 높은 중추로 정보의 전달은 많은 요인에 따라 상당한 조절을 거친다: 일차 통각수용기 자체의 활동, 하강 조절 경로(descending modulatory pathways), 신경교 세포의 활동 및 중심 통각 처리 상태는 차례로 다중 뇌 영역에서의 활동에 의존한다.[28,29]

통각수용성 통증

통각수용성 통증은 말초 체성감각 시스템의 고역치 Aδ 및 C 감각 수용체의 활성화에 의해 발생한다.

통각수용성 통증은 항상 자극 의존성 통증이다.

통각수용성 통증은 더 이상의 조직 손상을 피하기 위한 뇌의 경고 반응이다.

통각수용성 통증은 표재성 또는 피부성, 심부 체성, 내장 및 허혈성 통증으로 분류될 수 있다.

표재성 통각수용성 통증은 피부와 같은 표재성 구조에 위치한 감각 수용체의 자극으로 인해 발생한다. 이러한 유형의 통증은 날카로우며 고통스러운 자극을 가하는 즉시 피험자가 인지한다. 이것은 빠른 Aδ 섬유에 의해 척수 시상로를 통해 전달된다. 이 경로는 자극의 빠른 전달을 촉진하는 단일 시냅스이다. 피부 통증의 지형은 작은 수용 필드를 가진 많은 양의 피부 수용체와 펜필드의 감각성 뇌반구 인체모형(Penfield's sensitive homunculus)에 대한 투영 덕분에 명확히 결정된다.

심부 체성 통각수용성 통증은 광범위하고 둔하

며 위치를 찾기 어렵다. 근육이나 관절과 같은 깊은 구조에서 발생한다. 근육통은 일반적으로 더 명확하게 언급되는 관절통보다 더 깊고 광범위하다.

신경병증성 통증과 달리 심부 체성 통증은 전기적 특성이 없다. 유해한 자극(스트레칭, 압박 또는 움직임)에 대한 반응은 예측 가능하다. 소극적 치료와 진통제 및 항염증제의 사용으로 호전된다. 심부 체성 통증은 주로 느린 전도 다연접성 시상 경로에 의해 전달된다. C 섬유는 심부 체성 통증 전달에 관여하는 주요 통각수용기이다.

내장 통증은 내장(예: 복막염) 또는 같은 내장 근처에 있거나 관련된 체조직의 자극으로 인해 발생할 수 있다. 첫 번째 경우에는 ***벽쪽 내장 통증***(parietal visceral pain), 즉 근골격계 통증과 유사한 체성 통증이다. 그러나 ***실제 내장 통증***은 환자에 의해 깊고 광범위하며 때로는 대장통(colic)으로 설명되며 종종 자율신경증상과 관련이 있다. 사실, 내장 신경지배는 다연접성이며 신경총으로 조직되어 있어 실제적이고 확산된 통증을 만든다. 또한 기계적 자극에 의해 재생되거나 완화되지 않아 근골격계 통증과 구별된다. 그러나 어떤 경우에는 이것들을 구별하기 어려울 수 있다.

허혈성 통증은 조직 혈액 관류 감소의 결과이다. 산소와 포도당의 대사 요구가 충족되지 않을 때 폐쇄 동맥 병리로 인해 발생할 수 있다. 허혈성 통증은 더 심한 통증 중 하나일 수 있으며 지속되면 관리하기 어렵다. 아편제 조차도 충분한 통증 완화를 제공하지 못하게 된다. 이러한 유형의 통증은 심각한 동맥형 흉곽출구증후군 환자에서 관찰될 수 있다. 급성 정맥 폐색 환자도 통증을 경험하지만 상지의 급성 정맥 혈전증이나 Paget-Shroetter 증후군과 같이 일반적으로 둔하고 무겁다.

염증성 통증(Inflammatory pain)

염증성 통증은 조직 손상에 따른 염증 반응의 결과이다. 염증성 통증을 특징짓는 과민증을 설명하는 기전은 말초 염증과 척수 통각계의 과민성이다.

통증 증폭의 말초 기전에서 C 섬유는 근본적인 역할을 한다.[30,31] C 섬유는 염증이나 허혈의 결과로 화학적 자극[32]에 현저하게 감각 자유신경말단만 있다.[33–35] 이 섬유는 염증 반응 생성에 중요한 역할을 하는 물질 P, CGRP 등과 같은 역방향 방식으로 조직에서 물질을 방출할 수 있다.[36] 이 펩타이드는 신경말단이 자극될 때 방출되어 수용체 주변 조직에 영향을 준다(그림 5-5). 이는 통각수용기가 유해 자극의 부수적 센서일 뿐만 아니라 뉴로펩티드를 방출하여 내부 매체에 능동적으로 영향을 미치고 수정한다는 것을 의미한다. C 섬유의 활성화로 인해 물질 P와 칼시토신 유전자관련 펜타이드(CGRP)뿐만 아니라 브래디키닌, 히스타민 및 프로스타글란딘과 같은 기타 통증유발물질이 방출되어 신경성 염증을 유발한다.

신경성 염증은 더 많은 수의 통각 수용체를 자극하고 기계적 감각을 증가시켜 통각 현상을 증폭시킨다. 이 현상을 말초감작이라고 한다. ***무반응통각수용기***로 알려진 또 다른 유형의 수초화되지 않은 일차 구심성 섬유가 있고 이 섬유는 일반적으로 건강한 조직에서 비활성이며 기계적 또는 열적 자극에 반응하지 않는다.[32,37,38] 그러나, 무반응통각수용기는 조직 손상 후 발생하는 염증 과정에서 방출되는 다양한 진통 화합물에 화학적으로 예민하다. 이러한 화합물과 접촉하면 이 뉴런은 기계적 자극에 반응하는 능력을 획득하여 중추신경계에 도달하는 통각수용성 자극을 증폭시키며, 이는 중추감작 과정에 기여한다.

따라서 감각도의 증가는 염증이 있는 영역 내에서 뿐만 아니라 중추 통각 경로의 가소성의 결과로 염증이 없는 인접 영역에서도 발생한다.[39] 이 이차적 통각과민은 1차 손상에서 멀리 떨어진 부위의 통각수용성 자극에 대한 통증 감각도 증가를 의미한다. 뒤뿔 뉴런의 이러한 증가된 흥분성은 염증 부위의 감각 입력에 대한 증가된 반응, 손상된 부위

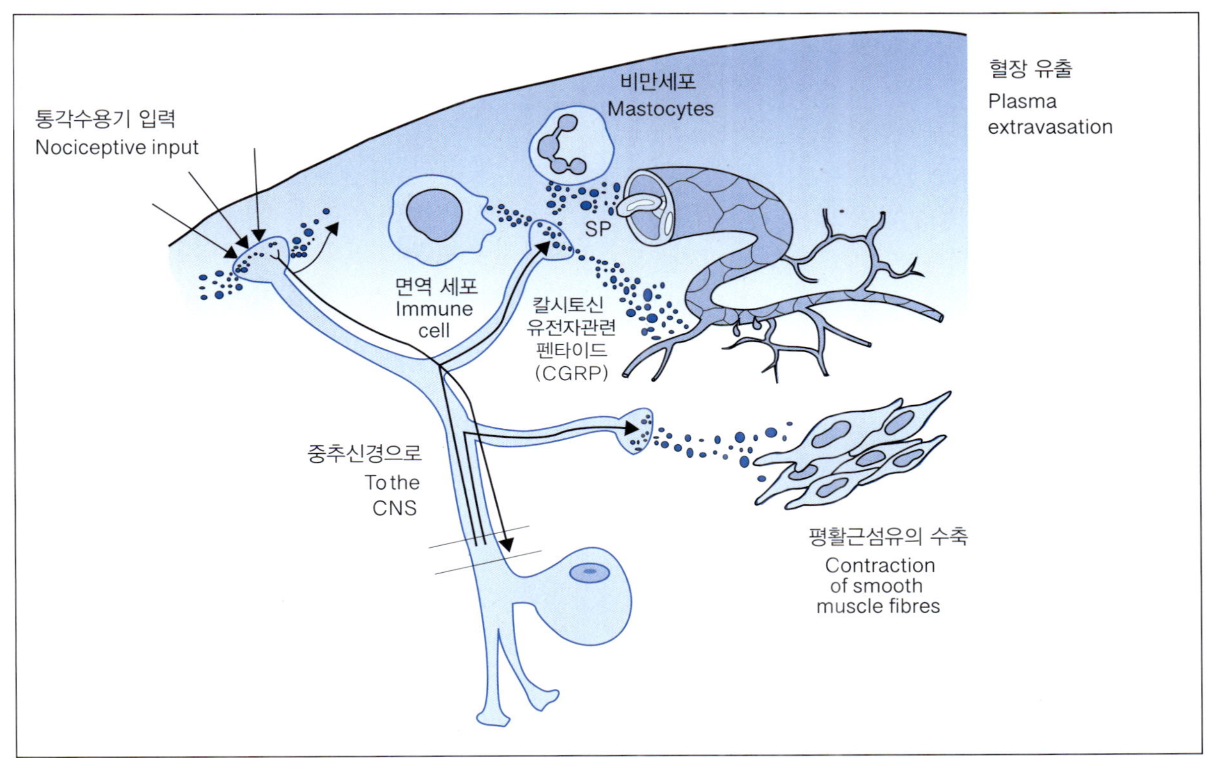

그림 5-5 ■ C 섬유의 자극은 중추신경계(CNS)를 향해 직교 방향으로 그리고 말단 가지에 역방향으로 흐르는 활동 전위를 촉발한다. 이러한 역방향성 활동 전위는 물질 P, 칼시토닌 유전자 관련 펩티드(CGRP) 및 뉴로키닌 A와 같은 신경 펩티드의 방출을 유발한다. 이러한 신경 펩티드는 다른 세포 중에서 히스타민을 방출하는 비만세포를 자극하여 차례로 혈관 신전을 유발하고 모세관 투과성을 증가시키며 면역 세포를 활성화한다. 브래디키닌(bradykinin) 및 프로스타글란딘(prostaglandin)과 같은 조직 손상에 의해 방출되는 통증유발물질 외에도 C 섬유의 활성에 의해 유발되는 이러한 반응은 신경성 염증을 결정한다.

에서 멀리 떨어진 인접 부위의 증가된 반응 및 뒤뿔의 수용장의 신전에 의해 나타난다.

통각이 아닌 Aβ 섬유는 특정 상황에서 중추감작 기전에도 관여한다. 염증 과정의 결과로 이러한 섬유는 중추신경계(CNS)에 의해 통증으로 해석되는 자극을 전달하는 능력을 획득할 수 있다. 통증이 없는 자극이 통증으로 인식되는 이 현상을 이질통(allodynia)이라고 한다.[40,41] 염증성 통증은 고강도 및 저강도 자극에 의해 유발되므로 항상 감각 증폭을 의미하며 자극 의존적이며 자발적이다.[42]

모든 염증성 통증은 말초 감작 기전뿐만 아니라 다양한 중추감작 현상을 포함한다는 점에 유의해야 한다. 조직으로 방출되는 동일한 신경전달물질은 뒤뿔에서 정방향 방출된다.

염증성 통증

염증성 통증은 조직 손상 후 정상적이고 적응적인 반응이다.

염증성 통증 기전은 말초 염증 및 척수 통각계의 감작이다.

염증성 통증은 고강도 및 저강도 자극에 의해 유발되므로 항상 감각 증폭을 의미하며 자극 의존적이며 자발적이다.

연관통(Referred pain)

연관통은 근골격계 질환의 진단 과정에서 주요 도전이다. 이는 '자극 부위에서 멀리 떨어진 부위에서 인지되는 통증'으로 정의된다.

따라서 이 영역은 통증이 발생하는 구조와 동일한 신경지배를 갖지 않는다. 임상 실습에서 연관통의 개념을 이해하는 것은 절대적으로 필요하다. 이 용어는 20세기 초에 문헌에 등장했지만 최근에서야 연관통 기전이 깊이 검토되었다.

통증이 구조에 의해 유발될 수 있다는 사실은 자극의 강도, 영향을 받는 구조의 위치, 부상의 깊이, 구조의 특성 및 시간 패턴과 같은 여러 요인의 영향을 받는다.

자극의 강도. 자극이 더 강렬할수록 연관통을 유발하는 능력이 더 커지고 연관 부위가 더 넓어지고 자극이 더 멀리 감지된다.[43-45]

영향을 받은 구조의 위치. 관절이 더 근위부일수록 연관통이 발생할 가능성이 높아진다. 경추는 손목이나 손보다 더 큰 정도로 연관통을 유발할 수 있다. 통증은 어느 방향으로든 나타내는 경향이 있지만, 근위 방향보다는 원위 방향에서 더 일반적으로 감지된다. 경추에서 연관통의 방향은 특정 척추 레벨에 따라 다르다. 두개골 분절은 머리에 대한 통증, 꼬리 방향 분절은 견갑대와 상부 흉부 부위에 대한 통증, 중간 분절은 꼬리 방향 및 머리 방향 모두에서 통증을 나타내는 경향이 있다.

부상의 깊이. 영향을 받은 구조가 깊을수록 연관통의 가능성이 높아져 해석의 오류가 증가한다. 심부 체성세포 구조의 손상에는 연관통이 동반되지만 피부 손상에서는 드문 경우이다.[33,44,46]

구조의 특성. 관절낭, 인대 및 근육과 같은 체세포 구조는 뼈와 골막보다 연관통을 유발할 가능성이 더 크다.

시간적 개요. 연관통은 부상 직후에 나타나지 않지만 나타나는데 시간이 걸린다.

연관통의 기전(Mechanisms of referred pain)

일차 구심성 신경의 말초가지형성 또는 동일한 2차 뉴런의 뒤뿔에서 공통 수렴이라는 개념과 같이 연관통을 설명하기 위한 목표로 여러 이론이 제시되었다. 이러한 개념의 요점은 뒤뿔의 통각수용성 뉴런이 다른 조직으로부터 정보를 받기 때문에 중추신경계의 척추상 중심이 실제 통증의 원인을 정확하게 식별할 수 없다는 사실에 근거한다.[47]

일차 구심성 섬유의 가지형성 또는 축삭반사이론. Sinclair 등[48]은 연관통을 단일 일차 뉴런의 말초 가지형성의 존재의 덕분으로 여겼다. 따라서 일차 구심성 뉴런은 두 개의 긴 말단 가지와 함께 두 개의 말초 축삭을 가지며, 두 개의 근육 또는 관절과 근육과 같이 서로 멀리 떨어져 있는 두 개의 다른 구조에서 감각도를 수집한다.[32] 이런 축삭 중 하나가 자극되면 신호는 궁극적으로 동일한 뉴런에 의해 전달되고, 뒤뿔의 2차 뉴런에 의해 전달되는 정보는 중추신경계(CNS)가 자극의 기원을 정확하게 식별하지 못하게 한다. 고통스러운 지각은 중추에서 그 기원이 다른 조직이 아닌 동일한 조직에 의존한다는 것을 '배운' 경우 이 두 신경지배 구조 중 하나에서 오는 것으로 중추신경계(CNS)에서 식별된다(그림 5-6).

그러나, 해부학적 및 신경생리학적 연구에 따르면, 두 개의 긴 가지형성으로 분할된 축삭은 비교적 드물다.[47,49-51] 또한 이 가설은 국소 통증과 대조적으로 연관통의 존재가 일시적으로 지연되거나 이 두 가지 유형의 통증이 본질적으로 다르다는 사실을 완전히 설명하지 못한다.[52]

뒤뿔에 수렴. 뉴런 수렴을 뒷받침하는 두 가지 이론은 집중촉진이론과 집중투사이론이다.

집중촉진이론. 이 이론은 내장에 통각수용기가 전혀 없고 척수에 대한 비통각수용성 구심성 입력이 뒤뿔에 과민 집중(irritable focus)을 생성한다고

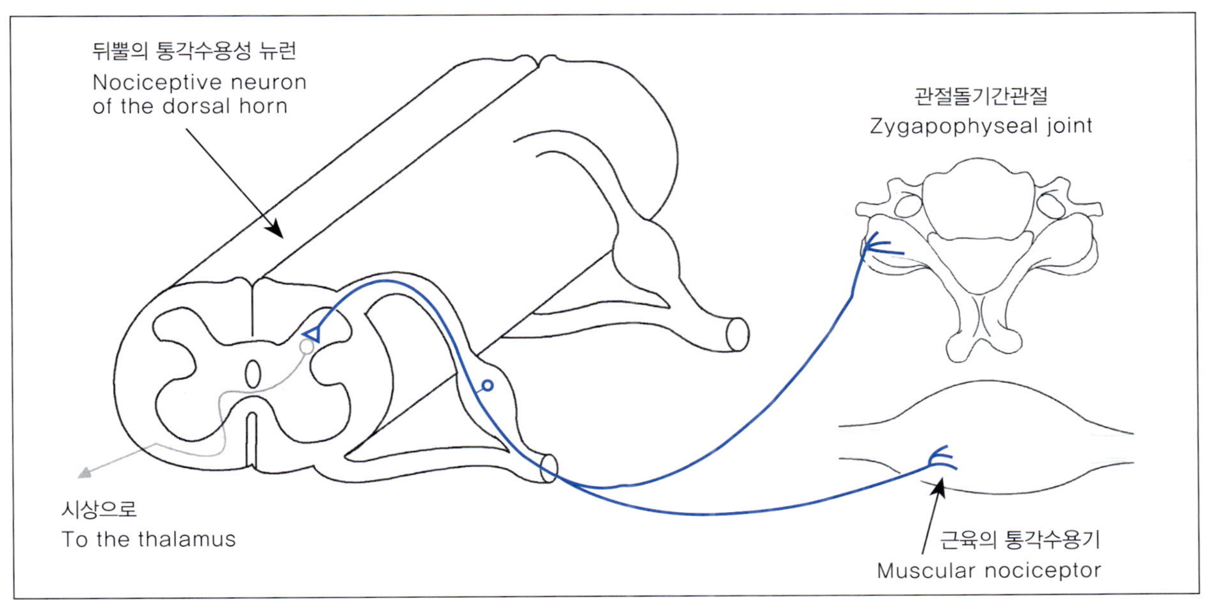

그림 5-6 ■ 축삭 반사 이론은 두 개의 말초 축삭이 있는 일차 구심성 뉴런의 존재를 연관통이라고 하며, 두 개의 근육이나 관절과 근육 같이 서로 멀리 떨어져 있는 두 개의 다른 구조에서 감각을 수집한다. 이런 축삭 중 하나가 자극되면 신호는 궁극적으로 동일한 뉴런에 의해 전달되며 뒤뿔의 2차 뉴런은 자극의 기원을 정확히 식별할 수 없다.

믿었던 McKenzie[53,54]에 의해 개발되었다.

이 과민집중은 다른 신체 구조의 정보를 변경하여 피험자가 마치 그 구조에서 비롯된 것처럼 통증을 느끼도록 한다. 이 이론은 진정한 내장 통증의 존재를 인정하지 않았기 때문에 거의 인정되지 않았다. 그럼에도 불구하고, 뒤뿔의 과민집중에 대한 개념은 나중에 중심 감작 개념의 일부로 다시 논의되었다.

집중투사이론. Ruch[55]가 개발한 이것은 연관통에 대한 설명으로 여전히 가장 널리 받아들여지는 이론이다. 이 개념에 따르면, 연관통은 구조의 일차 구심성 섬유가 뒤뿔에서 2차 뉴런과 연접하고 차례로 다른 영역에서 구심성을 수신한다는 사실에 의해 유발된다. 이러한 상황에서 한 구조에서 발생하는 통증은 구심성 신경이 동일한 2차 뉴런[47]으로 수렴하는 다른 구조에서 오는 것으로 잘못 해석될 수 있다(그림 5-7).

수렴은 서로 다른 체세포 구조가 동일한 발생학적 분절에서 기원하기 때문에 발생한다. 전형적인 예는 횡격막의 자극에 의한 어깨 통증이다. 두 조직에 지배하는 구심성 신경은 동일한 발생학적 기원을 공유하며, 두 경우 모두 동일한 뉴런 그룹에 도달하기 위해 세 번째 및 네 번째 후근 신경절을 통해 뒤뿔로 들어간다.[52]

이 이론의 주요 가정에 따르면 척추 레벨에서 광대한 수렴의 존재는 논쟁의 여지가 없으며 따라서 뒤뿔의 뉴런이 둘 이상의 영역에서 자극에 의해 활성화될 수 있다는 사실도 현실이다. 동물에게서 수행된 전기생리학적 연구는 내장과 피부, 내장과 근육[56-60] 또는 다른 체세포 구조[61-66]에서 수렴 정보를 처리하는 뉴런의 존재가 뒤뿔에 있음을 입증했다.[61-66] 그러나 이 이론은 지나치게 단순하며 연관통을 특징짓는 일부 측면을 설명하지 않는다.

첫째, 연관통은 손상 원인에서 오는 통각이 특정 강도 수준에 도달할 때까지 촉발되지 않는다.[6-70] 둘째, 연관통이 가라앉는 데 수 분에서 수 시간까지

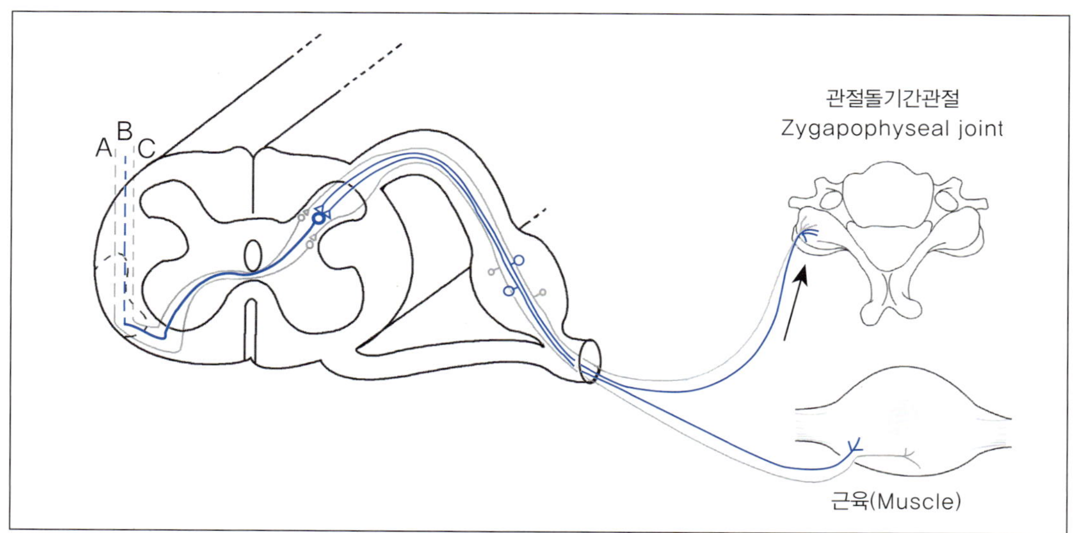

그림 5-7 ■ 집중투사이론은 연관통을 구조의 1차 구심성 섬유가 2차 뉴런(A, B)과 척수의 뒤뿔에서 연접을 형성하며 다른 영역에서 구심을 수신한다. 이러한 구조 중 하나에 의해 생성된 통증은 구심성 신경이 동일한 2차 뉴런(C)에 수렴하는 다른 구조에서 오는 것으로 잘못 해석될 수 있다.

시간이 필요하다.[44,69,71] 영구적인 연접 연결이 있다고 가정하는 Ruch's model에 따르면, 연관통은 손상 위치에서 통각이 시작되자마자 그리고 강도에 관계없이 나타난다. 셋째, 연관통이 분절적이라는 Ruch의 믿음에도 불구하고, 이것은 종종 원래 손상의 분절 외부 영역에서 나타난다.[71,72]

영구적인 분절 연결의 존재를 전제로 하는 신경 수렴은 다음과 같은 이유로 연관통을 설명하기에 충분하지 않다:

- **연관통의 존재는 통각의 강도에 따라 다르다.**
- **연관통은 일시적인 지연으로 자주 나타난다.**
- **연관통은 일반적으로 분절외성이다.**

연관통 및 중추감작. 오늘날 신경과학 분야의 눈부신 발전을 감안할 때 연관통에 대한 새로운 해석이 제시되고 있다. 이 현상과 말초 구심에 의한 강렬한 통각수용성 또는 반복적인 자극의 결과로 중추신경계의 신경가소성 변화의 발달 사이에 관계가 확립되었다. 말초 수용체의 감작, 체세포 신경지배 밀도의 증가, 뒤뿔 뉴런과 중추신경계의 기능 및 구조적 변화와 같은 다양한 신경가소성 변화가 있다.[36,49,72–75]

Mense에 따르면,[33,47] 연관통의 원인이 될 수 있는 뒤뿔에서 일어나는 변화 중 하나는 서로 다른 척추 부분에 위치한 뒤뿔의 여러 뉴런에 각각의 일차 구심성 신경에 대한 복잡한 곁가지 시냅스 연결망의 존재와 관련이 있다. 이러한 연결의 대부분은 비활성 상태이며 말초 통각수용체[33,39]의 강렬한 자극 후에만 활성화된다(그림 5-8).

이 과정은 다음과 같은 방식으로 발생한다. 체조직이 손상을 입었을 때 피험자는 부상 부위의 국소 통증을 인지한다. 이 통각 자극이 강렬하거나 지속적이면 척수 뒤뿔의 뉴런은 이러한 비활성 또는 '침묵' 곁가지 시냅스의 개방을 결정하는 감작을 겪는다. 이것은 척수 수준에서 이 구조의 수용 영역을 신전하여 다른 말초 조직 영역을 신경지배하는 2차 뉴런에 도달하므로 환자는 원래 근원이 있는 곳에서 멀리 떨어진 영역에서 통증을 인식한다(그림 5-9).

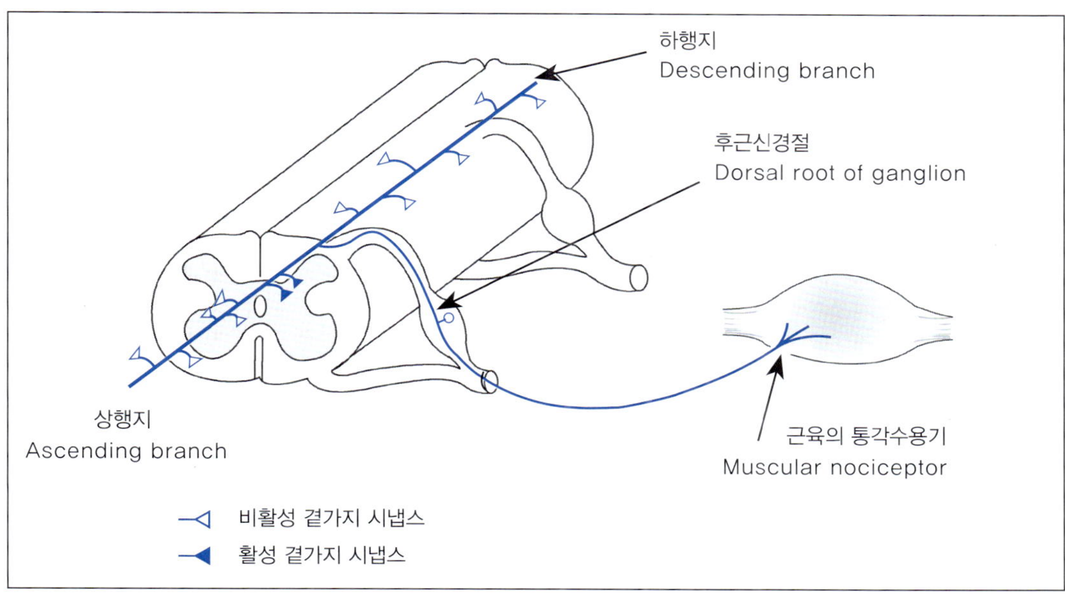

그림 5-8 ■ 연관통은 뒤뿔의 여러 신경원에 있고 척수의 다른 레벨에 위치한 각 1차 구심성 신경에 대한 비활성 곁가지 시냅스 연결의 복잡한 네트워크의 존재와 관련이 있다.

이 ***중추 과민성 이론**(central-hyperexcitability theory)*은 중추감작 현상을 특징짓는 다양한 신경가소성 변화 중 하나를 나타낸다. 이 설명은 통각수용성 자극이 근골격 조직에 존재할 때 새로운 수용장(receptive field)을 생성하거나 기존 수용장(receptive field)을 증폭하거나 활성화 역치를 감소시키는 뒤뿔 뉴런의 잠재적 능력에 대한 실험적 관찰에 의해 뒷받침된다.[63,66,76]

중추-과민성 이론

연관통은 중추감작 현상의 특징인 신경가소성 변화의 결과이다.

임상 연구에서 얻은 증거는 연관통이 뒤뿔의 주어진 뉴런과 영구적으로 연결되어 있기 때문에 발생하지 않는다는 것을 시사하고, 연결은 새로운 수용장을 유도하거나 기존장에서 변화를 유발할 수 있는 충분한 주변 자극을 통해 생성된다.[76,77]

뒤뿔 뉴런의 연결성 변화의 기본 기전에 따르면 통각 자극은 물질 P 및 칼시토신 유전자관련 펩타이드(CGRP)와 같은 뒤뿔의 물질과 산화질소 및 글루타메이트 또는 아스파르트산염을 포함한 흥분성 아미노산의 방출을 유발한다. 이런 물질들은 일단 방출되면 글루타메이트에서 발생하는 것처럼 다시 포착되지 않지만, 상당한 거리를 이동할 수 있으며 통각 구조가 시작된 체세포 구조가 아닌 다른 척추 분절의 뉴런을 자극하여 시냅스 효능을 높이고 이전에는 비효율적[72]이었던 신경 자극의 전달을 촉진한다(그림 5-10).

이 이론은 연관통의 특징적인 측면을 설명한다. 첫째, 개방 침묵 시냅스 연결을 만드는 데 필요한 지연된 모양이다. 둘째, 특히 고강도 통각수용에서 나타난다는 사실이다. 셋째, 연관통은 통각수용성 구심성 집중의 척수 분절에서 멀리 떨어진 수용장에서 느껴진다. 그리고 마지막으로, 피험자가 이미 통증을 경험한 영역에서 자주 인식되기 때문에 연관통의 고정관념이 없고 개별화되고 '학습된' 특성이다.

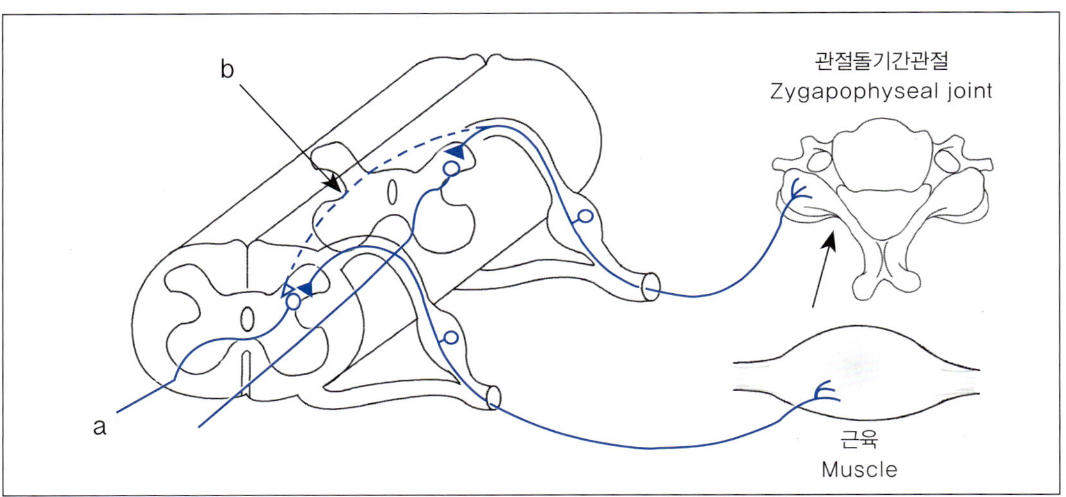

그림 5-9 ■ 돌기사이관절에 강렬하거나 오래 지속되는 통각 자극은 해당 척수 분절에 자극을 일으키고, 이는 차례로 침묵(silent)으로 알려진 비활성 곁가지 시냅스(b)의 개방을 결정한다. 손상된 조직 부위 이외의 주변 부위에서도 정보를 받는 2차 뉴런(a)이 통증이 발생한 곳에서 먼 곳까지 통증을 인지하게 된다.

이 마지막 측면은 임상 실습에서 관찰되는 많은 '설명할 수 없는' 통증 패턴을 이해할 때 상당히 흥미롭다. 설명된 여러 경험에 따르면 연관통은 '학습된 통증'이다. 예를 들어, Henry와 Montuschi[78]는 오래된 척추 골절에서 통증을 경험하는 심장 협심증 환자의 경우를 설명했다. 연관통은 완전한 감각 상실과 함께 마취 차단 후 사지에 연관통을 유발할 수 있기 때문에 중추신경 기전과 관련이 있다.[79] 이 모든 사실은 중추 통증 처리의 신경가소성 변화와 관련이 있다.[45,52,67,71,75,76,80]

***중추신경계 수렴**(convergence).* 현재, 중추감작(central sensitization)의 개념과 일치하여 연관통 중추신경계 변화의 결과일 수 있다고 제안되었다. 따라서 연관통은 하강 촉진 또는 억제 기전의 강화 또는 약화로 인한 것일 수 있다. 연관통의 중재에 있어서 중추신경계 구조의 관여는 시상과 피질의 뉴런 특성의 적응적 변화와 관련된 일차 구심성의 통각수용성 자극의 관찰에 의해 강화된다.[52] 이러한 변화를 가능하게 하는 해부학적 기질은 시상의 전후외측 핵과 같은 특정 중추 처리 센터에서 여러 개의 상행로를 통과하는 다양한 근골격 또는 내장 구조의 구심성 신경의 수렴이거나 얇은다발핵과 같은 다른 시상 구조이다.[81,82] 실제로 시상 뉴런은 손상 부위에서 멀리 떨어진 수용장에서 진행되는 기계적 자극에 대한 반응의 증가를 보여준다.[83,84]

추가적으로, 연관통은 피질시상과 반구간 회로 사이의 통각수용성 정보 교환의 결과로 나타날 수 있다.[52,85] 고통스러운 감각의 위치는 체성감각 피질의 활동과 관련이 있다. 따라서 연관통은 통증이 발생한 부위에서 멀리 떨어진 인접한 피질 부위의 활동으로 인한 것일 수 있다.[86] 결론적으로, 연관통은 중추성 통증 처리 기전의 표현이다.

- 연관통은 중추감작이다.
- 연관통은 특정 구조에 국한되지 않는다.
- 통증은 최소한의 자극으로도 유발될 수 있다.
- 연관통은 '학습된 통증'이다.
- 피험자는 자극받은 구조와 상관없이 '오래된 통증'을 경험하는 경향이 있다.
- 연관통은 환자의 기억이 활성화되는 것이다.

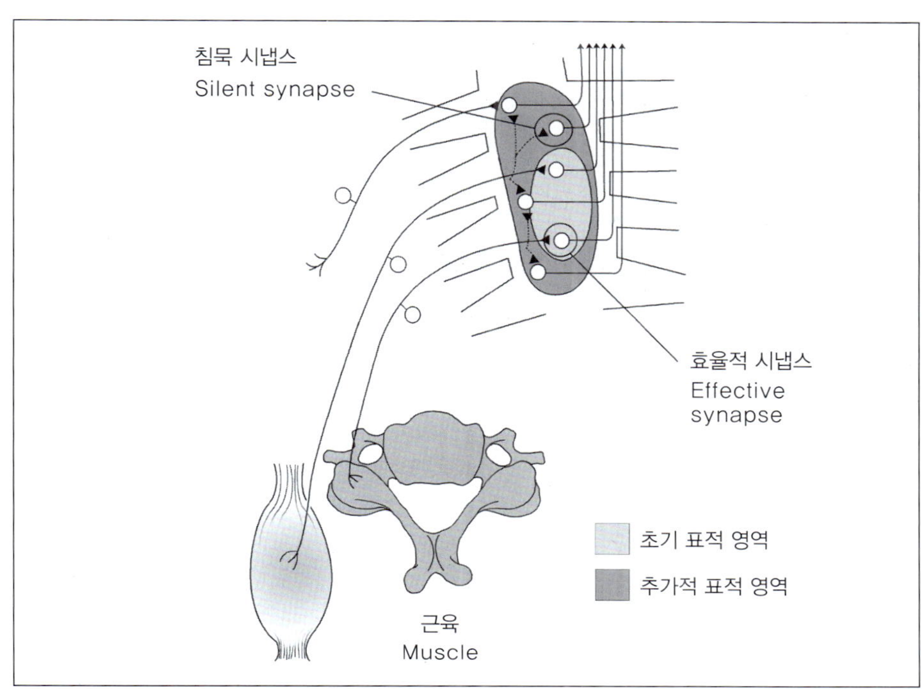

그림 5-10 ■ 통각 자극은 물질 P, 칼시토신 유전자관련 펩타이드(CGRP), 글루타메이트, 아스파르트산염 등의 방출 및 지배를 유발하며 통각 자극이 시작된 체세포 구조와 다른 다른 척수 분절의 뉴런 자극을 유발할 수 있다. 초기 표적 영역과 뒤뿔에서의 신경전달물질과 흥분성 물질 방출의 결과로 비활성 시냅스 개방에 이차적인 표적 영역이 나타난다.

경추의 연관통 패턴

(Referred pain patterns of the cervical spine)

경추 연관통에 관한 첫 번째 연구는 연관통의 지도발견을 설정하기 위한 목표로 Kellgren[87] 및 Feinstein 등[79]에 의해 수행되었다. 이 연구에서 극간인대와 같은 경추의 체세포 구조가 피부분절이나 근분절과 무관한 통증 패턴을 나타낼 수 있음을 관찰했으며, 이는 Inman과 Saunders[71]가 골분절의 개념을 도입하게 했다. 피부분절이 피부의 감각 신경지배와 관련되고 근분절이 근육의 움직임 신경지배와 관련되는 것과 같은 방식으로 골분절은 골격 조직의 분절 신경지배를 나타내는 것으로 가정되었다.[71] 그러나, 이 개념은 Bogduk이 지적한 바와 같이 사실이 아니다.[88] 피부분절과 근분절은 피부 감각 신경지배 영역 및 움직임 신경지배 패턴과 관련이 있기 때문에 해부학적 기반을 가지고 있어 객관적으로 해석할 수 있다.

그러나, 골분절은 심부 체성 조직의 자극에 따라 통증이 감지되는 영역에 불과하다. 따라서 이미 표시된 바와 같이 모든 신체 구조의 연관통 지도발견은 피험자마다, 그리고 날마다 크게 다를 수 있다. 따라서 통증원 구조를 식별할 때 임상적 사용이 제한적이다. 그럼에도 불구하고, 체세포 구조에서 연관통 패턴을 분석한 연구는 몇 가지 관련 데이터를 제공해왔다.

관절 연관통. 최근 몇 년 동안 관절 연관통 패턴에 대한 여러 연구가 추간판 기원 및 돌기사이 기원 모두에서 수행되었다.

디스크성 연관통 패턴. 1957년과 1959년에 Smith, Nichols[89]와 Cloward[90]이 각각 수행한 연구 이전에는 디스크의 신경지배와 신경 조직의 압박

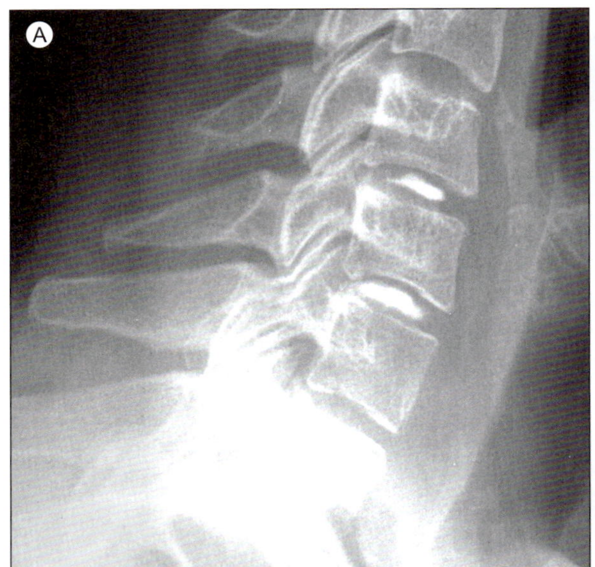

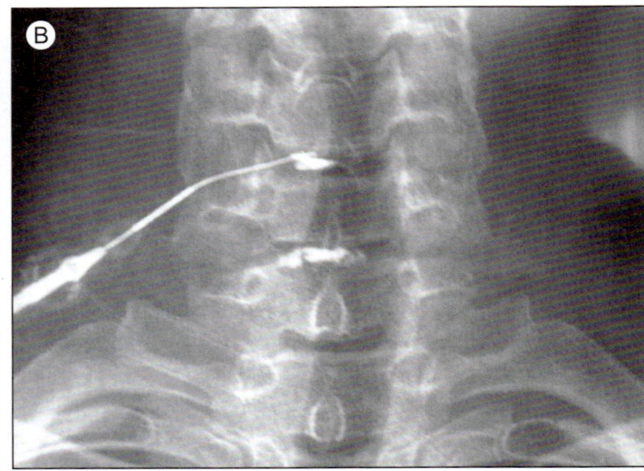

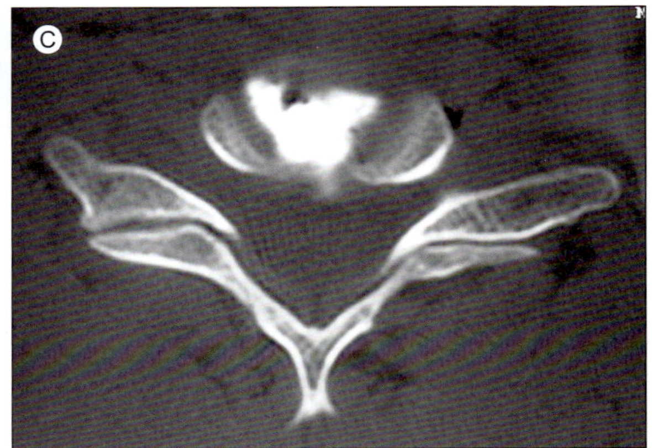

그림 5-11 ■ 추간판조영법은 통증이 경추 추간판에서 오는 것을 확인하는 데 도움이 될 수 있다. 측면(A) 및 전후방(B) 방사선 투영 및 관상 CT(C).

없이 통증을 유발할 수 있는 능력이 완전히 이해되지 않았다. 이 저자들은 추간판 경추 통증 패턴을 연구할 목표로 추간판조영법을 처음으로 수행했다(그림 5-11). 그들의 연구는 경추 디스크의 신경지배뿐만 아니라 통증을 지시하는 능력도 입증했다. 경추3번-경추4번과 경추7번과 흉추1번 사이의 경추 디스크에 공통적인 통증 의뢰 영역은 견갑골사이 흉추 부위였으며, 내부 추간판 파열의 위치에 따라 견갑골 내측 또는 견갑골 내측 경계 부근에서 통증이 감지되었다. 이러한 연구는 최근에 조직학적[7,20] 및 추간판조영법 연구에 의해 확인되었다.[91-95] 따라서 경추 디스크는 경추뿐 아니라 견갑골 부위와 전방흉추 영역에서도 통증을 유발할 수 있다.[93,96-98]

최근, Slipman 등[99]은 전체 경추의 추간판 연관통 지도를 얻기 위한 추간판조영법 연구를 수행했다. 이 연구는 통증이 일측 및 양측 모두일 수 있음을 보여주었다. 이 정보는 추간판성 통증과 돌기사이관절 통증을 구별하려고 할 때 관련이 있다. 이 연구의 결과는 이전 연구에서 발견된 것보다 더 광범위하고 서로 다른 수준 간에 훨씬 겹치는 연관통 패턴을 보여준다. 또 다른 흥미로운 발견은 디스크성 통증이 손의 원위부로 보낼 수 있다는 것이다.
이 연구에서 얻은 결과는 다음과 같이 요약된다.

모든 경추 분절은 매우 확산된 패턴으로 목에 통증을 나타내지만, 레벨에 따라 보조영역은 머리방향 또는 꼬리방향에 더 가깝다. 안면 통증을 더 자주 언급하는 부분은 경추2번-경추3번이다. 등세모근(승모근, trapezius) 및 어깨 부위의 증상은 디스크 경추3번-경추4번에서 경추6번-경추7번으로 파생될 수 있다. 흉부 앞쪽 부위의 통증은 디스크 경추4번-경추5번 및 경추5번-경추6번에서 시작될 수 있다. 견갑간 통증은 경추3번-경추4번에서 경추7번-흉추1번의 디스크에서 시작된다. 상지의 통증은 경추3번-경추4번에서 경추6번-경추7번 및 아마도 경추7번-흉추1번의 디스크로 인한 것일 수 있다. 이 마지막 디스크는 중간 홍추 영역의 통증을 나타낼 수 있다(그림 5-12).

경추 디스크는 두통의 원인이 될 수 있다. 다양한 연구에 따르면 상부 경추 디스크, 특히 경추2번-경추3번 디스크와 낮은 정도의 경추3번-경추4번 디스크가 어떻게 두개척추 영역에 통증을 유발하고 경추성 두통을 유발할 수 있는지 보여준다.[91,93,100-103]

돌기사이와 관련된 통증 패턴. 돌기사이 연관통 패턴은 Dwyer 등[104], Bogduk 및 Marsland[105]의 연구 덕분에 알려졌다(그림 5-13). 이러한 연구는 이러한 관절 각각이 특정 연관통 패턴을 가지고 있음을 보여주었다(그림 5-14). 나중에, Aprill 등[106]은 이 통증 지도를 임상적으로 사용하여 돌기사이 경추 통증이 있는 피험자에게서 증상이 있는 분절의 부위를 예측하는 것을 보여주었다. 같은 방식으로 외측 환추후두(lateral atlanto-occipital) 및 환축 관절(atlantoaxial joint)의 통증 패턴은 Dreyfuss 등[17]에 의해 기술되었다(그림 5-15).

이들은 환축 관절의 통증 패턴이 모든 피험자에서 유사했으며 경추1번-경추2번 분절과 관련하여 후외측 영역에 해당한다는 것을 관찰했다. 환추후두관절의 통증 패턴은 더 다양하며 두정(vertex)에서 경추5번 분절까지 확장될 수 있다. 이 두개경추 관절과 돌기사이관절로부터의 통증 패턴은 Fukui 등[107]에 의해 확증되었다(그림 5-16). 돌기사이 연관통의 지배는 글상자 5-1에 개략적으로 표시된다.

돌기사이 통증은 후두 영역에서 상부 흉추 부위로 보내질 수 있다. 또한 임상 실습에서 마지막 경추 분절의 돌기사이 통증은 상지로 광범위하게 보낼 수 있다. Fukui 등[108]은 또한 상부 흉추의 돌기사이 연관통 패턴을 연구했는데, 패턴이 하부 경추의 통증 패턴과 상당히 겹친다는 것을 보여준다. 따라서 견갑상부 및 견갑골의 상부 모서리의 통증은 경추7번-흉추1번 및 흉추1번-흉추2번의 관절에서도 보낼 수 있으며, 중흉추 부위의 통증은 흉추2번-흉추3번뿐만 아니라, 이 두 관절에서도 발생할 수 있다.

돌기사이관절은 또한 두통[104]을 유발할 수 있다. Lord 등[109]은 편타손상과 관련된 경추성 두통을 가진 많은 환자에게서 통증의 가장 흔한 원인이 경추2번-경추3번 관절이고, 그 다음이 경추3번-경추4번 관절이라는 것을 발견했다. 그러나 머리와 관련된 통증의 사례는 경추4번-경추5번 아래에 위치한 관절에서 발생하는 경우가 거의 없다. 두통은 또한 환추후두[17] 및 외측환축관절에서 발생할 수 있다.[17,110,111]

머리로 향하는 연관통의 패턴은 삼차신경부복합체에서 처음 세 개의 경추신경(경추1번, 경추2번, 경추3번)의 구심성 신경과 삼차신경의 구심성 신경이 수렴되기 때문이다.[102,103,112-117] 이 삼차신경경부복합체는 삼차 신경의 척추 핵의 ***미추 부분***과 처음 세 분절의 뒤뿔의 회백질에 의해 형성된 회백질의 연속적인 기둥이다(그림 5-17). 따라서, 경추1번-경추3번 척수 신경이 지배하는 모든 구조는 두통의 원인이 될 수 있다.

경추성 두통은 주로 다음 구조에서 올 수 있다:

- 후두-경추1번 관절
- 측면 경추1번-경추2번 관절
- 돌기사이관절 경추2번-경추3번 및 경추3번-경추4번
- 추간판 경추2번-경추3번

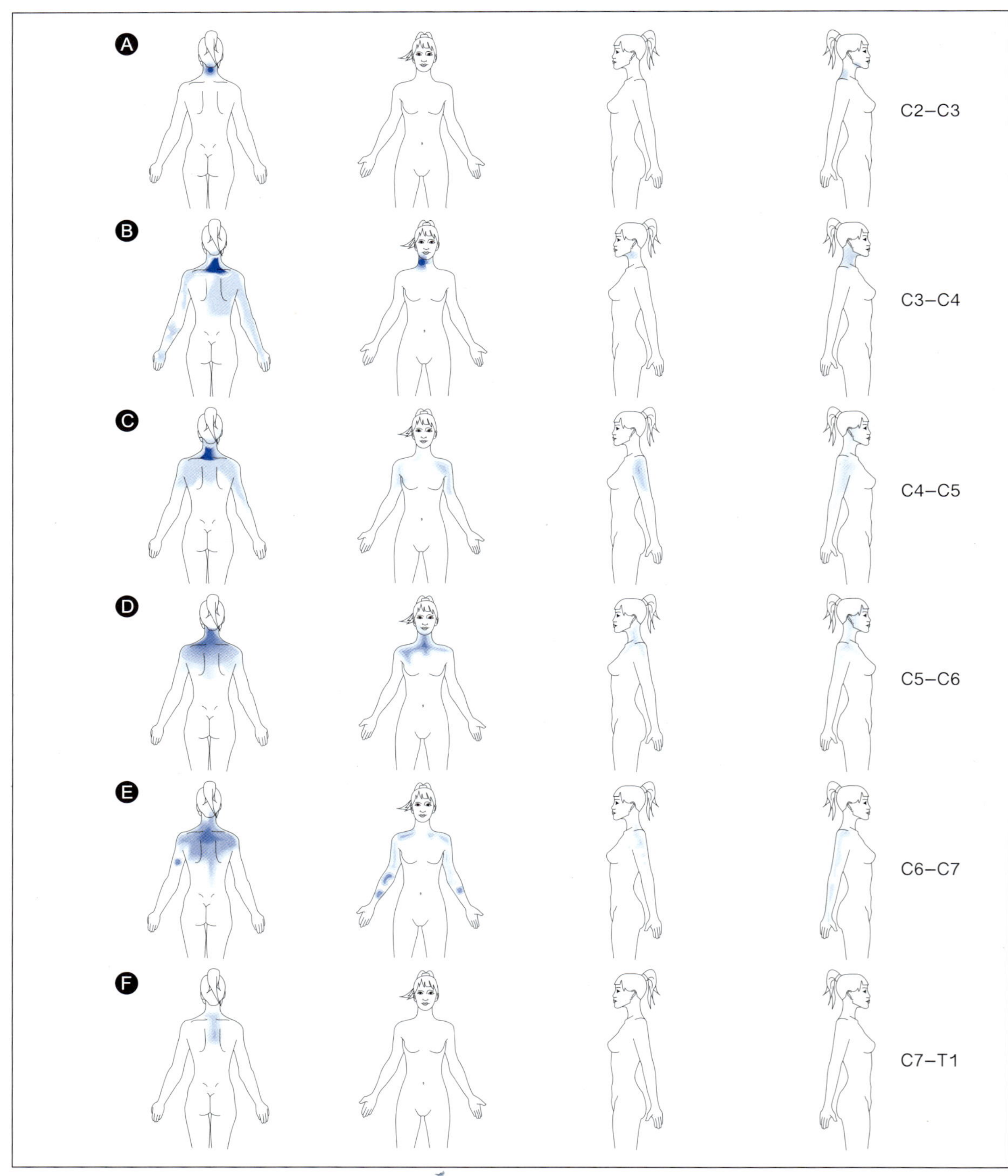

그림 5-12 ■ 디스크성 연관통 지도 맵: (A) C2-C3 추간판조영사진 (B) C3-C4 추간판조영사진 (C) C4-C5 추간판조영사진 (D) C5-C6 추간판조영사진 (E) C6-C7 추간판조영사진 및 (F) C7-T1 추간판조영사진. (Slipman et al.[99]에서 수정)

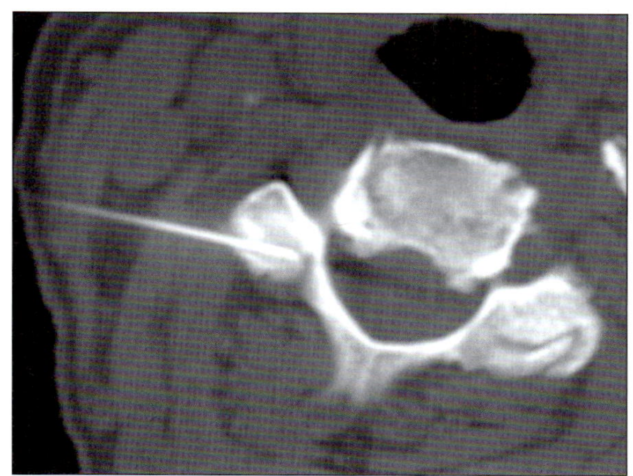

그림 5-13 ■ 경추 후관절의 침윤은 통증의 원인이 경추 후관절에 있음을 확인할 수 있다.

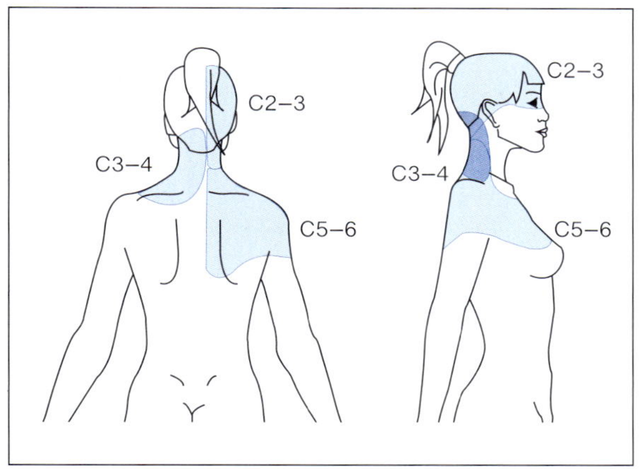

그림 5-14 ■ 돌기사이(zygapophyseal) 연관통 지도. (Bogduk 및 Marsland[105]에서 수정)

돌기사이와 디스크성 통증 지도를 비교함으로써, 각 분절 레벨의 통증 패턴이 기본적으로 동일하다는 것이 분명하다.[91,93–95] 그러므로 이 증상이 돌기사이관절에서 비롯되었는지 디스크에서 비롯되었는지 구별하는 것은 불가능하다. 그들의 임상적 사용은 어떤 구조가 연관통을 담당하는지 확립하는 것이 아니라 가능한 영향을 받는 분절에 대한 지침을 제공하는 것이다.[118,119] 우리는 연관통 패턴이 개별적이고 비고정적이며 환자의 이전 고통스

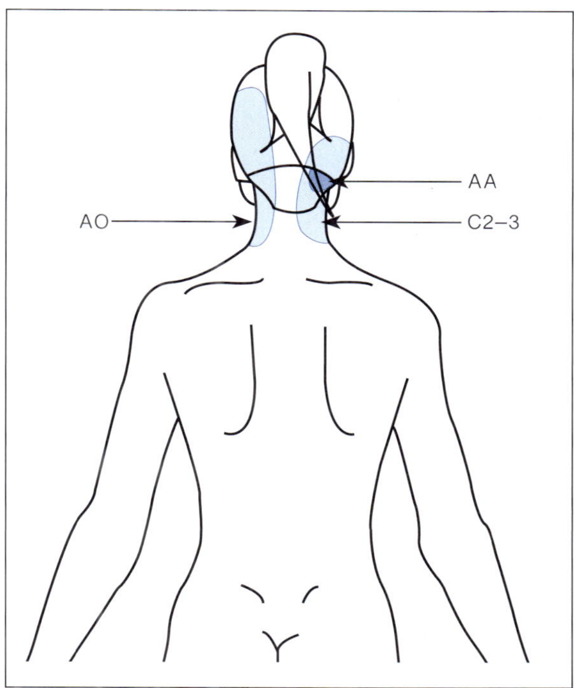

그림 5-15 ■ 두개경추(craniocervical) 연관통 지도. (AO) 환추후두관절. (AA) 측면 환축 관절. (C2-C3) C2-C3 돌기사이관절. (Dreyfuss 등[17]으로부터 수정)

러운 경험에 의해 결정된다고 주장해야 한다. 따라서 많은 환자, 특히 지속적인 통증이 있는 환자가 설명된 지도와 일치하지 않는 비정상적인 패턴을 보이는 것은 드문 일이 아니다. 연관통은 '통증 기억'의 표현일 수 있다.

연관통 패턴은 증상의 원인이 되는 구조를 결정하는 데 신뢰할 수 없다. 연관통은 중추신경 가소성의 표현이다. 환자가 광범위한 통증을 가지고 있거나 만성 통증 상황의 결과로 중추신경계에 구조적 신경가소성 변화가 발생한 경우, 연관통 지도의 임상적 가치가 상당히 감소한다.

연관통은 '통증 기억(pain memory)'의 표현일 수 있다.

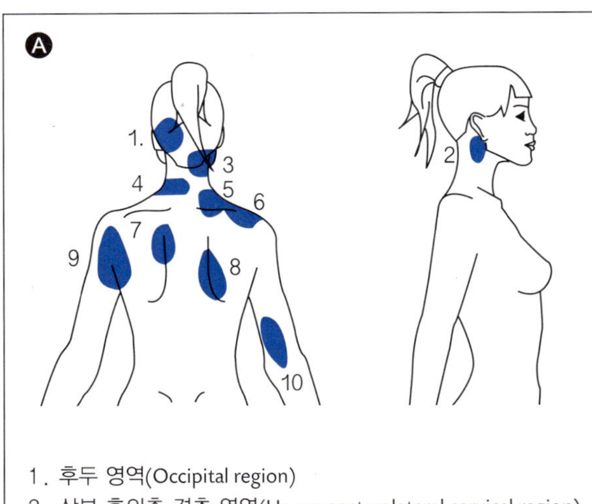

1. 후두 영역(Occipital region)
2. 상부 후외측 경추 영역(Upper posterolateral cervical region)
3. 상후부 경추 영역(Upper posterior cervical region)
4. 중후부 경추 영역(Middle posterior cervical region)
5. 하후부 경추 영역(Lower posterior cervical region)
6. 견갑상부(Suprascapular region)
7. 견갑골 상각(Superior angle of the scapula)
8. 중앙 견갑골 영역(Middle scapular region)
9. 어깨관절(Shoulder joint)
10. 위팔(Arm)

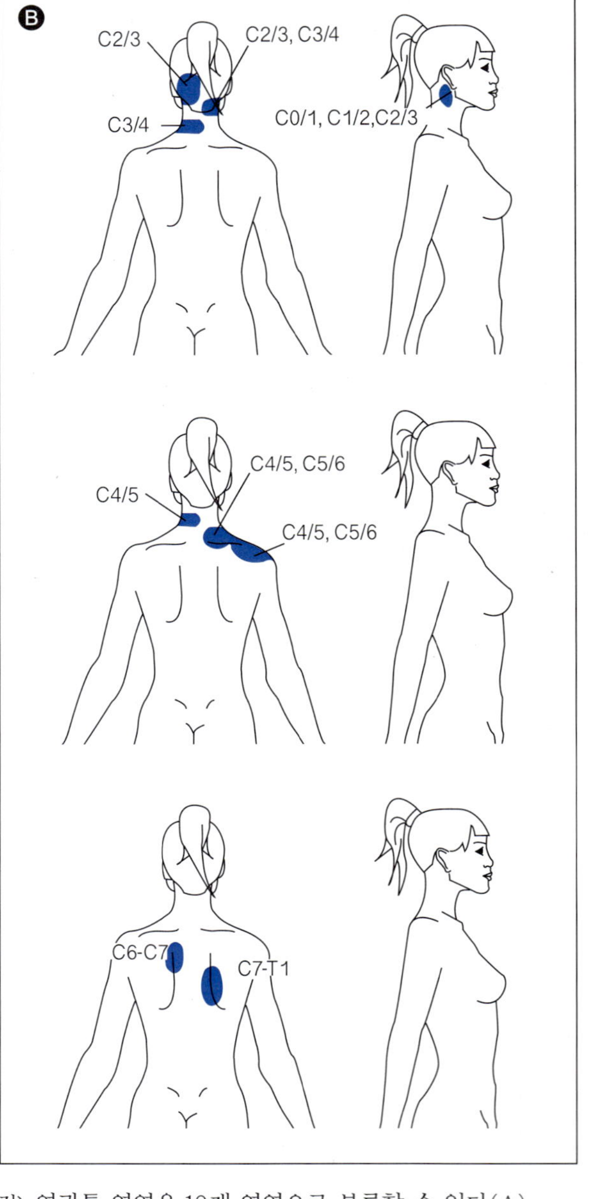

그림 5-16 ■ 돌기사이 연관통 지도. (Fukui 외[107]로부터 수정) 연관통 영역은 10개 영역으로 분류할 수 있다(A). 돌기사이관절로부터의 연관통 지도(B).

근육통. 경추의 근육 또한 연관통을 유발하고 환자의 임상 양상에 기여할 수 있다. 근육통은 근막통증증후군의 존재를 나타내는 것으로 여겨져 왔다. 이 증후군은 근막유발점(myofascial trigger points; MTPs)에 의해 야기되는 감각, 움직임 및 자율적 징후와 증상의 그룹으로 정의되었다.

확실히 근육은 다른 체적 구조와 마찬가지로 연관통을 유발할 수 있다. 하지만 저자의 의견으로는 근막유발점(MTP)의 존재와 연관근육통은 다른 경부통증후군(cervical pain syndrome)에서 나타날 수 있는 부수적 현상이다(그림 5-18). 소위 '근막통'은 일반적으로 임상적 실체가 아니므로 임상의

글상자 5-1

두개경추 및 돌기사이관절 통증의 지배

- 후두 영역에서 통증은 C2–C3관절로부터 보내질 수 있다.
- 유양돌기 부근인 후외측 경추 영역에서 통증은 C0–C1, C1–C2 및 C2–C3관절로부터 보내질 수 있다.
- 상부경추 영역 통증은 C2–C3 및 C3–C4관절에서 시작될 수 있다.
- 중후부경추 영역 통증은 C3–C4 및 C4–C5관절에서 시작될 수 있다.
- 하후부경추 영역 통증은 C4–C5 및 C5–C6관절에서 보내질 수 있다.
- 견갑상부 영역 통증은 C4–C5 및 C5–C6로부터 보내질 수 있다.
- 견갑골의 후상부 모서리 통증은 C6–C7관절로부터 보내질 수 있다.
- 중앙 견갑골 영역 통증은 C7–T1관절로부터 보내질 수 있다.

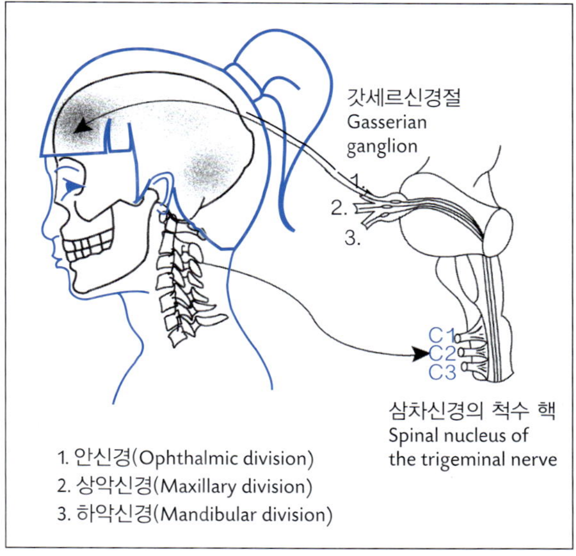

그림 5-17 ■ 삼차신경경부복합체는 삼차신경 척추핵의 꼬리 부분과 경추의 첫 번째 세 분절의 뒤뿔 회백질로 구성된 회백질의 연속적인 기둥을 형성한다. 따라서 C1–C3의 척수 신경이 지배하는 모든 구조가 두통의 원인이 될 수 있다.

는 통증의 주요 원인을 확인해야 한다. 근육연관통 지도는 임상 실습에서 환자의 통증에 2차 원인으로 관련될 수 있는 근육을 찾는데 유용할 수 있다. 근육연관통 패턴은 14장에서 설명되어 있다.

신경병증성 통증(Neuropathic pain)

신경병증성 통증은 병리생리학 및 치료 측면에서 가장 복잡한 유형의 통증 중 하나이며, 치료적 접근은 임상의에게 상당한 도전인 만성통증이 될 수 있다.

신경병증성 통증은 체감각계에 영향을 미치는 병변이나 질병의 직접적인 결과로 발생하는 통증으로 정의된다.[5] 이런 정의는 신경계[1]의 원발성 병변 또는 기능장애에 의해 시작되거나 유발된 통증으로 정의된 1994년 개념보다 더 제한적이며 본 정의는 기능장애라는 용어를 언급하지 않는다.

따라서 일부 저자들에 의해 복합부위통증증후군 타입 I과 같은 신경병증으로 간주되었던 임상적 상황은 이 분류에서 제거되었다.

이 새로운 정의의 목표는 염증성 통증 같은 충분히 강한 통각 자극에 의한 통각계에 이차적인 신경가소성 변화로 인한 신경병증성 통증과 통증을 구별하는 것이다. 이러한 더 제한적인 정의는 증상이 통각계의 정상적인 가소성의 표현일 때 통증을 신경병증으로 간주하는 것을 피하는 것이다. 또한 신경병증성 통증을 분류할 수 있는 진단등급과 등급체계가 확립되었다5(글상자 5–2).

진단등급은 네 개의 기준을 기반으로 한다.

기준 1은 신경손상 또는 질병의 신경해부학적으로 그럴듯한 분포, 기준 2는 신경계의 관련된 병변 또는 질병을 암시하는 환자의 병력, 기준 3은 손상된 신경구조의 신경 분포 영역에 국한된 양성 또는 음성 감각징후를 나타내는 신경학적 상태의 확인

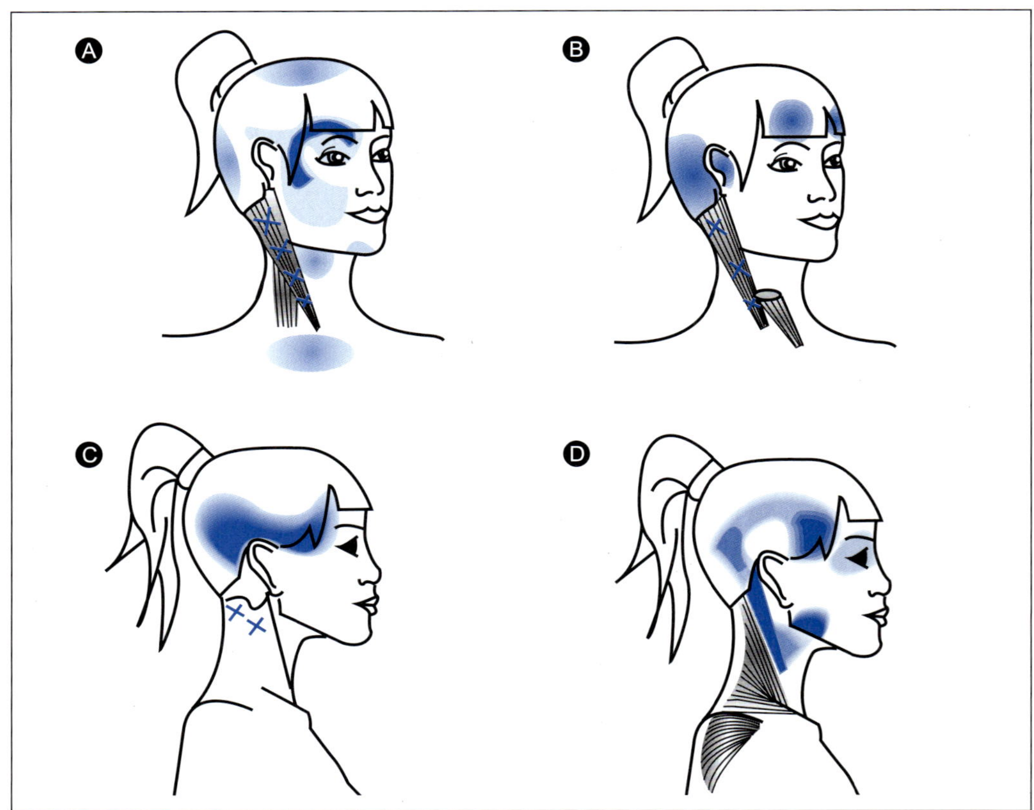

그림 5-18 ■ 경추근육 연관통 패턴. 흉골분지의 연관통 패턴 (A) 및 쇄골분지 (B) 목빗근의 패턴 (C) 아래머리빗근의 연관통 패턴 (D) 상부 등세모근의 연관통 패턴.

> **글상자 5-2**
>
> **신경병증성 통증 기준**
>
> 1. 뚜렷한 신경해부학적으로 그럴듯한 지배를 보이는 통증
> 2. 말초 또는 중추 체성감각계에 영향을 미치는 관련 병변 또는 질병을 암시하는 병력
> 3. 적어도 하나의 확인 검사에 의한 뚜렷한 신경해부학적으로 그럴듯한 지배의 입증
> 4. 적어도 하나의 확인 검사에 의한 관련 병변 또는 질병의 입증

검사. 그리고 기준 4는 신경병증성 통증의 기저에 있는 병변이나 질병을 확인하기 위한 확증적 진단 검사. 처음 두 개의 기준만 충족이 되면 통증을 (높지 않은) 가능성의 신경병증성 통증(possible neuropathic pain)이라고 한다. 신경병증성 통증 가능성을 고려하기 위해서는 세 개의 기준이 필요하고 확정 단계에 도달하기 위해서는 네 개의 기준이 충족되어야 한다(글상자 5-3).

신경병증성 통증은 부상의 위치에 따라 중추 또는 말초일 수 있다. 하지만 이런 분화가 말초신경계(PNS) 또는 중추신경계(CNS) 중 하나의 손상 후에 유발되는 말초 및 중추의 병태생리학적 기전에서 명확하지 않다는 것이 점점 더 분명해지고 있다.

글상자 5-3

신경병증성 통증: 진단등급

확정 신경병증성 통증: 1–4까지의 모든 진단 기준

(높은)가능성의 (probable) 신경병증성 통증: 기준 1과 2에 추가로 3 또는 4

(높지 않은)가능성의 신경병증성 통증: 기준 1과 2, 확증적 증거 없이 3 또는 4

신경병증성 통증은 전기적 과민성 및 충동생성 부위 또는 이소성 신경 박동기의 발달 같은 말초 레벨에서의 병태생리학적 변화의 결과이다.

이러한 변화는 축색돌기에서 축삭절단으로의 변화를 포함할 수 있는 분절적 탈수초화 및 축삭 병증의 두 가지 상황의 결과이다.

신경병증성 통증의 징후는 병태생리학적 기전이 서로 매우 다양하다. 신경병증성 통증은 감각이상, 작열감, 심부통, 경련 또는 감전과 유사하다. 통증은 지속적이거나 자발적이거나 유발적이고 지각이상, 지각과민 및 이질통을 동반할 수 있다. 이것은 높은 과민성을 나타내며 손상된 신경전도의 징후 및 증상과 관련될 수 있다. 이것은 움직임이나 자세에 의해 악화될 수 있고, 기계감각검사는 양성일 수 있다. 때로는 특징적인 진통패턴을 보이고 교감 신경계 증상이 자주 나타나 단순 진통제와 비스테로이드성 소염진통제(NSAIDs)에 대한 반응이 약하고 항경련제(가바펜티노이드)와 삼환계 항우울제로 호전될 수 있으며 부수적 치료에 대한 반응은 매우 가변적이다(글상자 5–4).

저림, 감각이상, 자율신경계 변화와 같은 음성 증상은 신경 손상의 정도에 따라 다양한 강도로 나타날 수 있다. 피부 통각과민, 자발적 작열통 또는 심부통증, 이질통 등과 같은 양성 증상은 그들을 자극시키는 자극과 관련이 없는 것처럼 보이거나 아무

글상자 5-4

감각이상 신경병증성 통증 특징

1. 매우 다양함: 감각이상
2. 작열통 또는 감전
3. 지속적, 유발적, 및 자발적 통증
4. 지속적인 심부통증 및 발작성
5. 이상감각
6. 지각과민 및 이질통
7. 높은 과민성
8. 손상된 신경전도의 징후 및 증상과 관련될 수 있다.
9. 기계감각검사는 양성일 수 있다.
10. 단순 진통제와 비스테로이드성 소염진통제(NSAIDs)에 대한 약한 반응
11. 항경련제와 삼환계 항우울제로 호전 가능

부수적 치료에 대한 반응은 매우 다양하다.

자극이 없이 경험되기 때문에 종종 환자를 불안하게 한다. 피험자에 대한 체감각 정보의 이러한 왜곡은 매우 불쾌하다.

신경병증성 통증을 고려할 때 나타나는 첫 번째 문제는 다른 유형의 통증과의 차별이다. 이론적으로 신경병증성 통증은 이것을 유발하는 병태생리학적 기전이 매우 다르기 때문에 쉽게 구별할 수 있어야 한다. 그러나 실제로 신경병증성 통증의 식별은 여러 가지 이유로 상당한 어려움을 보인다.

신경병증성, 통각수용성 또는 염증성 통증 사이의 경계는 종종 명확하지 않다.[120] 통증의 기전에 따라 정상 통증과 병태생리학적 통증으로 분류할 수 있다(그림 5–19). 통각수용성 통증은 1차 통증 수용기에 의해 전달되는 잠재적으로 손상되거나 위협적인 정보에 대한 이차적인 뇌 반응이기 때문에 정상이다. 반대로, 신경병증성 통증은 '비정상적'이며,

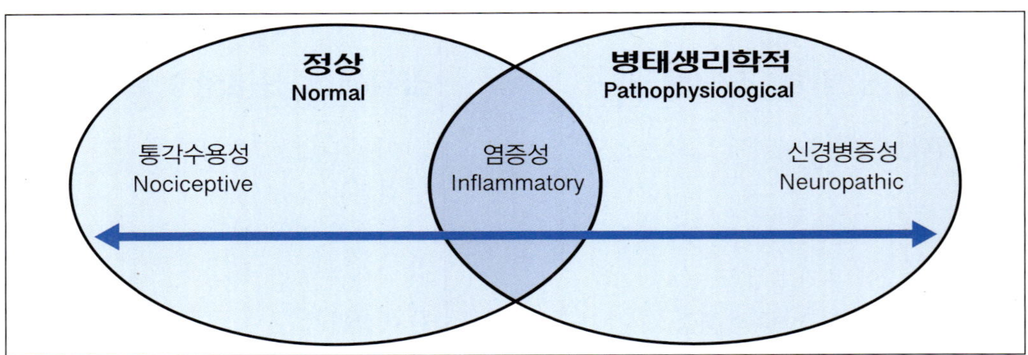

그림 5-19 ■ 통증은 그 기전에 따라 '정상'과 '비정상' 또는 병태생리학적으로 분류할 수 있다. 통각수용성 통증은 유해한 자극에 의해 유발되는 '정상' 통증이다. 신경병증성 통증은 체성 감각 시스템의 변경된 기능에 해당하므로 분명한 '비정상적 통증'이다. 염증성 통증은 '정상' 통증과 '비정상적' 통증 사이에 있다. 이것은 중추감작 현상과 같은 많은 병태 생리학적 기전과 감각 증폭, 이질통, 수용장의 신전과 같은 일부 특성을 공유하고 자극 의존적이고 자발적이기 때문에 '비정상'으로 간주될 수 있다. 반면, 염증성 통증은 조직 치유 과정에서 통증 과민반응을 일으켜 적응성이 있는 한 정상이며, 초기 조직 손상이 해소된 후 사라지므로 가역적이다.

체성감각 시스템의 기능이 변경된 것이다. 체성감각 시스템에 영향을 미치는 이러한 신경가소성 변화는 통각 수용 처리를 변경하여 과민성을 증가시킨다. 따라서 신경병증성 통증은 자극이 없을 때 느껴지고 무해한 자극에 대한 반응이 향상된다. 염증성 통증은 '정상'과 '비정상' 통증 사이 어딘가에 있다. 이것은 중추감작 현상과 같은 많은 병태생리학적 기전과 감각 증폭, 이질통, 수용장의 증폭과 같은 일부 특성을 공유하는 한 '비정상'이며 자극 의존적이며 자발적이다. 그러나, 다른 한편으로 염증성 통증은 조직 치유 과정에서 통증 과민반응을 일으켜 적응성이 있는 한 정상이며, 초기 조직 손상이 해소된 후 사라지기 때문에 가역적이다.

신경병증성 통증의 또 다른 문제는 객관적인 진단 검사가 때때로 신경계 손상 가설을 확실하게 확인하거나 반박할 수 없다는 것이다. 이것의 예는 더 일반적인 흉곽출구증후군, 소위 비특이성 또는 신경인성 흉곽출구증후군으로, 신경 조직에 대한 압박이 간헐적이고 움직임이나 자세와 관련되기 때문에 전기생리학연구를 통한 진단 확인은 거의 얻을 수 없다.

신경병증성 통증은 통각수용성 통증에 비해 '비정상적'인 통증이다. 통각수용성 통증은 손상된 조직에 존재하는 통각수용기 Aδ 및 C의 자극에 의해 유발된다. 통각수용성 통증은 추가 조직 손상을 피하기 위한 뇌 경고 반응이다.

대조적으로, 신경병증성 통증은 반드시 조직 손상을 의미하지는 않는다. 신경병증성 통증은 본질적으로 체성감각 시스템의 비정상적인 행동을 반영한다. 따라서 본질적으로 복합 통증이다.

신경병증성 통증은 역설적이고 '쓸모없는' 통증의 분명한 예이다. 통각수용기의 손상이 그 활성화를 감소시키지 않고 반대로 무해한 자극에 대한 흥분성의 증가로 나타나기 때문에 역설적이다. 조직 손상을 반드시 반영하는 것은 아니기 때문에 쓸모가 없다. 따라서 통각수용성 통증 및 염증성 통증의 보호 기능이 없다. 말초 신경병증성 통증은 통각수용기의 손상의 결과인 반면, 중추 신경병증성 통증은 중추신경계의 변경된 처리에 이차적이다.

신경병증성 통증

신경병증성 통증은 체성감각 시스템의 손상이나 질병의 결과이다.
신경병증성 통증은 말초 레벨에서의 병태생리학적 변화의 결과이다. 전기적 과민성 및 충동 생성 부위 또는 이소성 신경 박동기의 발달이다.
신경병증성 통증은 지속적이거나 발작적일 수 있다.
신경병증성 통증은 자발적이거나 유발통일 수 있다.
신경병증성 통증은 이상감각, 지각과민 및 이질통을 동반할 수 있다.
신경병증성 통증은 높은 과민성을 나타낸다.
신경병증성 통증은 신경 전도 장애의 징후 및 증상과 관련될 수 있다.

신경병증성 통증의 병태생리는 매우 복잡하다. 말초 및 중추 모두 신경병증성 통증과 관련된 여러 기전이 설명되어 있다. 중추신경계는 흥분과 억제 사이의 일정한 균형 상태에서 작동하는 시스템이며 이 균형에서 말초신경으로부터 말초 구심성 입력이 분명히 관련된다.

말초신경 손상은 이 균형에 심각한 장애를 일으켜 과도한 신경 활동을 유발하며 이것이 신경병증성 통증의 가장 특징적인 측면이다. 말초신경계의 영향은 말초신경에 대한 자극 또는 손상에 의해 시작되고, 시상 및 다른 피질 구조에서 뒤뿔 레벨에서 신경가소성 변화로 진행되는 여러 레벨(전신, 세포 및 분자)에서 일련의 현상을 촉발한다.

최근 몇 년 동안 몇 가지 선별 도구가 개발되고 검증되었다. 통증에 대한 환자의 구두 설명을 기반으로 하며 신경병증성 통증이 있는 환자를 식별하는 데 유용할 수 있다. 예를 들어, LANSS 통증 척도[121] 및 자체 보고 질문서 S-LANSS,[122] 신경병증성 통증 질문서(NPQ)[123] 및 약식,[124] *Douleur neuropathique en 4* 질문(DN4),[125] *painDETECT*[126] 및 *ID-Pain*.[127]

신경근성 통증(Radicular pain)

신경근성 통증 및 신경근병증

신경근 자극에 이차적인 징후와 증상을 올바르게 이해하기 위해서는 신경근성 통증과 신경근병증 사이의 차이점을 확립할 필요가 있고 이러한 용어는 일반적으로 동의어로 간주된다. 그러나 일부 환자는 신경근병증의 징후가 없는 심한 신경근성 통증을 겪을 수 있고, 다른 환자는 신경근성 통증이 거의 또는 전혀 없는 심각한 신경근병증을 나타낼 수 있다.

신경근병증이라는 용어는 신경근 복합체 또는 척수 신경의 기능의 변화를 의미한다.이것은 감각저하 또는 고유수용성 감각 감소와 같은 음성 감각 증상과 함께 감각 부분, 또는 그 신경근의 근육 약화를 일으키는 움직임 부분에 영향을 미칠 수 있다. 감각 부분이나 움직임 부분이 영향을 받는 경우, 심부건반사의 손실이 발생할 수 있다. 신경근병증이 항상 통증과 관련된 것은 아니다. 사실, 현저한 감각 및 움직임 상실을 동반한 외측 경추관의 퇴행성 협착증이 있는 대상체는 종종 통증이 없다.

그러나, 신경근병증은 급성 추간판 탈출증에 이차적으로 발생하는 신경근병증과 같은 심한 통증과 관련될 수 있다. 통증과 신경근병증이 함께 나타날 수 있기 때문에 두 용어는 일반적으로 잘못된 상호 교환이 가능하다. 통증은 신경근에서 비롯될 수 있지만 체성통증이기도 하다.

대부분의 추간판 탈출 후 통증은 신경근성 통증과 유사한 지배를 갖는 추간판성 체성연관통이다. 따라서 통증 패턴은 신경근성 통증과 체성연관통을 구별하기에 충분하지 않다. 신경근병증은 감각저하, 움직임장애, 심부건반사 약화 또는 소실의 지배에 따라 진단할 수 있지만, 그렇다고 해도 통증을 신경근 병리로 분류할 수는 없다. 부위적 검사법보다 더 큰 범위로 이것의 신경근 특성을 식별하는 데 도움이 될 수 있는 다른 통증 특성이 있다.

표 5-1

체성신경성통증 및 감각이상성통증의 특징

	체성신경성통증	감각이상성통증
특징	둔통	작열감 전격통증 감전
인식	이전에 경험한 통증과 유사	이전에 경험하지 못한 낯선 통증
지배	심부통증 신경궤적을 따름	피부 또는 피하 조사(irradiated)
시간적 패턴	연속적 지속적 다양한 강도	매우 가변적 자극에 의존 간헐적 두근거림
악화	움직임이나 압박에 의해 악화됨 휴식을 통해 완화	활동으로 인해 악화됨 완화되기 어려움

신경근병증 및 신경근성 통증

신경근병증이 반드시 통증을 유발하는 것은 아니다.
신경근성 통증이 반드시 신경근병증을 수반하는 것은 아니다.
통증의 패턴은 신경근성 통증과 체성연관통을 구별하기에 충분하지 않다.
신경근병증은 신경근 복합체의 기능적 변화의 존재에 의해서만 진단될 수 있다.

신경근성 통증의 병태생리학적 기전 *(Pathophysiological mechanisms of radicular pain)*

신경근성 통증을 이해하기 위해서는 관련된 병태생리학적 기전을 검토할 필요가 있다. 다른 신경병증성 통증과 마찬가지로 신경근 압박으로 인한 통증은 여전히 연구 대상이다. 신경병증성 통증은 분명히 역설적인 방식으로 행동한다.

Devor[120]이 그의 훌륭한 리뷰에서 설명했듯이, 전화선을 절단하면 회선이 끊어진다. 그러나 신경 손상은 자발적인 이상감각 및 감각이상, 무해한 자극과 함께 또는 자극 없이 나타나는 통증과 부분적으로 신경이 제거된 영역에서 과민증과 같은 긍정적인 반응을 유발한다. 신경 조직이 통각 자극을 생성할 수 있음을 시사하는 다양한 가설이 있다. 축삭은 고유한 신경지배를 가지고 있기 때문에 통증의 원인이 될 수 있으므로 축삭 손상 없이 통증이 있을 수 있다.

실제로, 말초신경의 자극이나 손상 후에 유발되는 현상 중 일부는 염증성 통각수용성 현상이다. 한 가지 예는 Asbury와 Fields[128]가 신경간 통증이라고 부르는 것이다. 이러한 유형의 신경 통증은 신경결막초(nerve conjunctive sheet)를 자극하는 통각 자극의 결과이므로 체성이다. 우리는 '신경간 통증'이라는 용어가 신경간 손상 후 통증을 의미할 수 있어 혼동될 수 있다고 판단하여 '체성 신경성 통증'이라는 용어를 제안한다.

따라서 체성 신경성 통증과 감각이상성 통증은 그 특징에 따라 구분할 수 있다(표 5-1).

체성 신경성 통증은 신경의 결합초(connective sheaths) 자극의 결과인 반면, 감각이상 통증은 축삭의 생태병리학적 변화에 이차적이다.

따라서 신경병증성 통증은 어떤 경우에는 내재적 신경지배가 있는 결합 신경초의 자극으로 인한 것

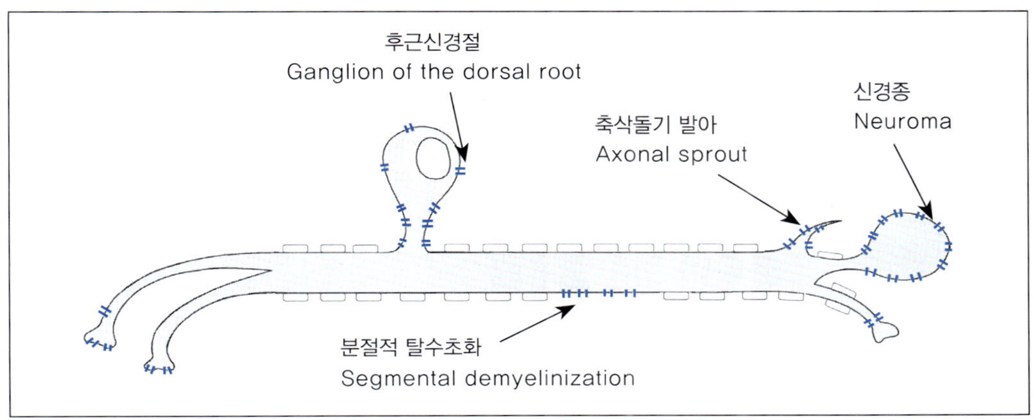

그림 5-20 ■ 이소성 신경 박동 조절 부위는 주로 기계적 또는 화학적 공격의 결과로 수초가 손실된 부위, 신경종, 재생 중 축삭돌기 발아 또는 후근신경절(DRG)과 같은 수초가 없는 구조.

일 수 있다.[128,129]

신경 감각 구심성은 신경간신경(nervi nervorum)으로 알려져 있으며,[130,131] 1883년 Horsley와 Marshall에 의해 기술되었다.[132,133] 신경근 복합체에서 신경간신경은 체구심, 척추를 떠난 후 회색교통가지에 의해 척추 주변 교감신경 사슬로 들어가는 방사상 고유 교감신경 섬유 및 신경근 복합체의 혈관 형성을 제어하는 원심적 교감신경의 세 가지 유형의 섬유로 구성된다.

전기생리학 연구에 따르면, 신경간신경은 통각 기능이 있음이 입증되었다.[134] 정상적인 상황에서 신경간은 비통각적 기전 입력에 둔감한 것으로 알려져 있다.[135] 신경간신경은 물질 P 또는 칼시토신 유전자관련 펩타이드(CGRP)와 같은 뉴로펩티드를 방출하므로 기계적 또는 화학적 자극에 대한 반응으로 신경성 염증을 일으킬 수 있다.[136] 축삭 손상의 징후 없이 신경간의 전체 길이에서 임상적으로 나타나는 기계적 감각도의 정도는 신경간 신경에 의해 매개되는 신경성 염증 때문일 수 있다.[137]

체성신경성 통증은 신경의 결합초의 자극으로 인해 발생하므로 일종의 체성 통각수용성 통증으로 간주해야 한다. 이러한 유형의 통증은 심부통증으로 설명되며 움직임, 스트레칭 및 압박에 의해 악화된다.

신경근성 통증의 감각이상 특징은 신경근 복합체의 생리학적 변화의 결과이다. 가장 관련된 생태병리학적 변화는 전기적인 과민성과 일차 구심성 신경에 의한 비정상적인 이소성 자극 생성이다. 구심성 신경은 자극을 전달하지만 생성해서는 안 된다.

국소 마취하에 수행된 수술 덕분에 염증의 징후를 나타내는 신경근만이 압박되거나 늘어날 때[138–144] 통증을 표현하는 것으로 나타났는데, 이것은 신경 조직에 비정상적인 자극 생성 부위 또는 이소성 신경 박동 조절 부위(ectopic neural pacemaker sites; ENPS)가 발달했기 때문이다. 이소성 신경 박동 조절 부위 ENPS는 기계적, 열적 및 화학적 자극으로 인한 신경 조직의 현저한 흥분 능력을 담당한다. 이 개념을 이해하는 것은 일반적으로 신경병증성 통증, 특히 신경근성 통증을 해석하는 데 가장 중요하다.

정상적인 축삭에서 수초(myelin sheath)는 이온 채널의 형성을 방지한다. 따라서 이소성 신경 박동 조절 부위 이소성 신경 박동 조절 부위(ENPS)는 주로 기계적 또는 화학적 공격의 결과로 수초가 손실된 부위, 신경종, 재생 중 축삭돌기 발아 또는 후근 신경절(DRG)과 같은 수초가 결핍된 구조에서 발생한다(그림 5-20). 후근신경절은 신경근성 통증의

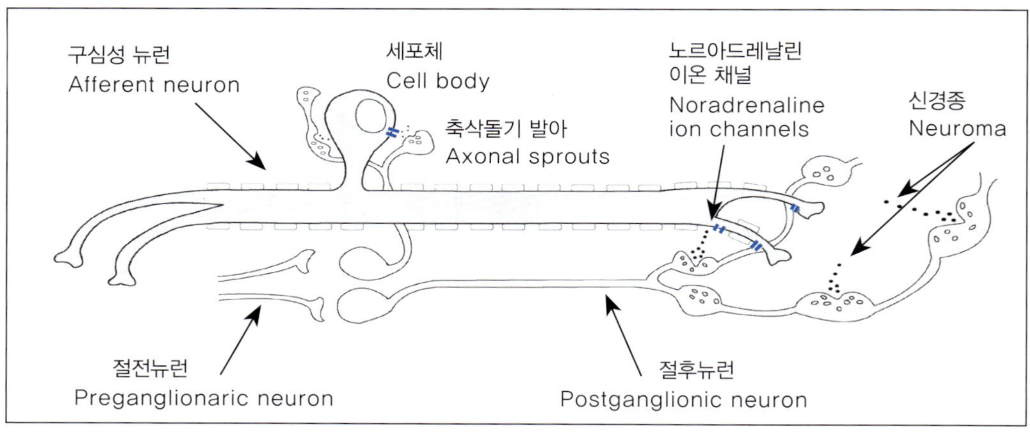

그림 5-21 ■ 손상된 축삭이나 후근신경절 주변에 교감신경 축삭돌기 발아가 생길 수 있으며, 이는 교감신경유지 통증과 관련될 수 있다. (Butler D. The sensitive nervous system. Adelaide: Noigroup Publications, 2000에서 수정됨.)

발달과 특히 관련이 있는 구조이다. 한편으로, 이것은 신경근에 비해 극도로 기계수용성이다. 다른 한편으로는 이소성 자극의 생성에 특히 중요하다.

척수 신경이 후근신경절(DRG) 근처에서 절단된 실험은 이소성 활동의 75%가 후근신경절(DRG)에서 발생하고 25%만이 신경종에서 발생함을 보여준다.[145] 더 많은 수의 이온 채널 외에도 표현형도 변경된다. 예를 들어, 노르아드레날린(노르에피네프린) 이온 채널의 발달은 뉴런의 흥분성을 증가시킬 수 있다.[146] 손상된 축삭 주변이나 후근신경절(DRG)에서 교감신경 축삭돌기 발아가 나타날 수 있으며, 이는 ***교감신경유지통증***[147,148]의 원인일 수 있다(그림 5-21).

말초 뉴런이 손상되면 신경전달물질 없이도 전기적인 수단으로 인접한 온전한 뉴런을 자극할 수 있다. ***교차 여기***(cross-excitation) 또는 ***전기연접전달***(ephaptic transmission)로 알려진 이 기전은 수초의 손실과 축삭[149-151]의 근접으로 발생할 수 있다. 손상된 뉴런은 반복된 방전(discharge) 후에 칼슘을 증가시켜 인접한 뉴런을 확산시키고 흥분시켜[152] 고통스러운 반응을 증폭시킨다.

새로운 연구 분야는 신경성 및 신경근성 통증에서 면역계의 역할이다. 인터루킨 1 및 6(IL-1 및 IL-6)과 같은 염증성 사이토카인 및 종양 괴사 인자 알파(tumour necrosis factor-alpha; TNF-α)는 신경근의 신경성 염증을 일으킨다.[153-158]

손상되지 않은 신경도 이러한 매개체가 존재하면 민감해질 수 있다.[149,159-162] 이 연구는 추간판 탈출증에 대한 새로운 관점을 제시했다. 탈출된 수핵은 포스포리파제 A2(phospholipase A2), 산화질소, 프로스타글란딘 E(prostaglandin E), IL-6 및 금속단백분해효소(metalloproteinases)와 같은 알로겐성 및 신경독성인 염증성 화학 물질을 생성한다.[153-158] 포스포리파제 A2에 만성적으로 노출되면 신경근에서 수초가 완전히 소실되고[156] 따라서 이온 채널 밀도가 높아진다. 수핵 세포에서 TNF-α의 존재가 확인되었다. 이 사이토카인은 신경근에 대한 수핵의 신경독성 효과를 담당하는 주요 매개물질인 것으로 보인다.[143,162-170]

결론적으로, 신경근성 통증은 기계적 자극, 혈액 관류의 변화 또는 디스크 및 돌기사이관절 같은 근처에 위치한 손상된 연조직에서 염증 화학 물질의 확산에 대한 이차적인 국소 환경 변화에 대한 반응으로 이소성 신경 박동 조절 부위(ENPS)가 발달한 결과이다.[141,160,171,172] 이소성 신경 박동 조절 부위(ENPS)의 발달로 인해 신경근 복합체는 아드레날린(에피네프린)과 같은 염증 매개체 또는 신경전달물질의 존재로 인해 압박 또는 스트레칭과 같은 기계적 자극 또는 허혈과 같은 화학적 자극과 같은 다양한 유형의 자극에 대한 증가된 감각을 나타낸다. 이 증가된 감작은 신경근성 통증 행동을 설명한다.

신경근성 통증과 관련된 기전

- 신경근 통증은 이소성 신경 박동 조절 부위(ENPS)가 발달하는 신경근 복합체의 생리학적 변화의 결과이다.
- 이소성 신경 박동 조절 부위(ENPS)는 세포막의 이온 채널이 비정상적으로 발달하여 정방향 및 역방향 모두에서 자발적인 방전이 발생하는 영역이다.
- 후근신경절(DRG)은 특히 신경근 통증 발달과 관련된 구조이다.
- 신경근 복합체는 염증 매개체 또는 신경전달물질의 존재로 인해 압박 또는 스트레칭과 같은 기계적 자극 또는 허혈과 같은 화학적 자극에 대한 증가된 감작을 나타낸다.
- 면역계는 신경근성 통증과 신경근병증의 발병에 자주 관여한다.

신경근성 통증의 특징

신경근성 통증을 식별하는 동안 다음 요소들이 도움될 수 있다. 통증의 특성은 역학적 감각도 검사에 대한 반응, 다른 약물의 효과, 신경근병증의 징후의 존재, 그리고 이것의 지배이다.

통증지배. 고전적으로, 관련된 근신경 레벨을 식별하기 위해 피부분절 지도 맵을 사용하여 통증 지배를 분석한다. 20세기 중반에 Foerster[173]와 Keegan과 Garrett[174]에 의해 기술된 각 경추 신경근의 감각저하 지배 영역이 통증 및 지각이상 지배에도 적용된다는 것이 일반적인 합의이다. 그러나, 목팔통증(cervicobrachial pain)이 때때로 특정 피부분절을 따라 상지에 통증을 방사통의 고전적 패턴으로 표현될 수 있지만 가장 흔한 임상적 표현은 아니다. 여러 연구에서 신경근성 통증의 국소해부학을 피부분절 지배와 연결하는 것은 실수이며 이것이 부적절한 치료 결정으로 이어질 수 있음을 입증했다.[175-179]

Bove 등[175]은 요추 신경근성 통증이 있는 25명의 환자에게서 쉬는자세와 신경역학 검사를 수행할 때 통증 지배가 해당 피부분절과 일치하지 않는 것을 관찰했다. 단, 하나의 경우는 여러 레벨로 감지되었다.

Woertgen 등[176]이 경추 신경근성 통증이 있는 93명의 환자를 대상으로 수행한 연구에서 1/3만이 피부분절 지도에 해당하는 통증 지배를 보였다.

Henderson 등[177]은 경추 신경근병증으로 치료를 받은 846명의 환자 중 55% 미만이 분리되어 피부분절에 이은 통증을 보였다고 밝혔다. 따라서 신경근성 통증이 피부 지배를 따른다고 단정해서는 안 된다.

고려해야 할 또 다른 요소는 상지에서 원위부 통증을 유발하기 전에 신경근 자극이 종종 견갑대에서 심한 근위부 통증으로 나타난다는 사실이다. 이전에는 특정 척수 신경을 대표하는 것으로 간주될 수 있는 근위부 통증 패턴이 없다고 주장했지만, Tanaka 등[180]은 근위부 통증 영역이 영향을 받는 신경근을 결정하는 데 유용할 수 있음을 최근에 입증했다. 이 연구에 따르면 극상근 부위의 통증은 종종 경추5번 또는 경추6번의 신경근 자극을 나타낸다. 견갑골 사이 부위의 통증은 경추7번 또는 경추8번 신경근이 영향을 받았음을 나타내고 견갑골 부위의 통증은 영향을 받은 신경근이 경추8번임을 시사한다(그림 5-22).

Slipman 등[181]은 경추 신경근성 통증의 국소해부학에 관한 흥미로운 연구를 수행했다. 그들은 신경근성 통증 및 감각이상 지배를 고전적인 감작 피부분절 지도와 비교했다. 이 연구의 목표는 신경근성 통증이 있는 환자에서 빈번한 임상 관찰을 확인하

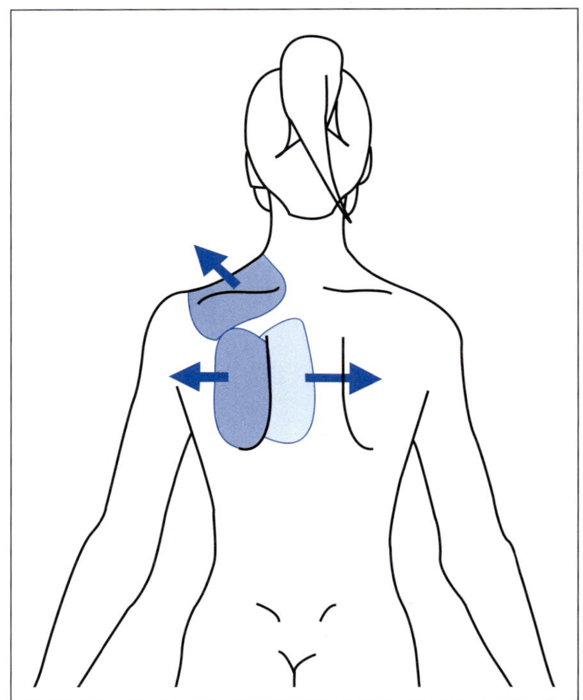

그림 5-22 ▪ 근위부 신경근성 통증의 지도.
(Tanaka 외[180]에서 발췌)

는 것이었고 객관적인 영상 검사에서 손상 레벨이 고전적인 피부분절 지도와 일치하지 않음을 보여 주었다.

이 저자들은 신경근성 증상이 있는 87명의 피험자에서 경추4번-경추8번 신경근을 바늘로 기계적 자극하여 신경근성 통증을 유도한 후 신경주위 침윤으로 통증을 제거했다. 본 연구의 결과, 경추 신경근 자극에 의한 증상의 지배가 피부분절 지도와 일치하는 감각저하 부위의 지배와 다른 것으로 나타났다. 신경근을 광범위하게 자극하여 재생산된 통증이 피부분절의 경계를 넘었다.

저자들은 감각 결손의 지형도, 피부분절 및 신경근성 통증의 지형을 구별했으며, 이를 ***역학분절***(dynatome)이라고 명명했다. 예를 들어, 경추5번의 자극은 엄지손가락까지 오는 통증을 유발하고, 경추6번 신경근의 자극은 새끼손가락을 포함한 상지 전체에 통증을 유발함을 알 수 있었다.

신경근성 통증의 지형을 피부분절 지배와 관련시키는 것은 실수이다.

경추 신경근 자극으로 인한 증상 지배는 감각 결손 부위와 다르다.

신경근성 통증은 피부분절의 한계를 훨씬 넘어 느껴진다.

이상감각은 후근신경절(DRG)에서 구심성 비통각수용성 섬유와 관련이 있는 것으로 보이며 일반적으로 피부분절 패턴에 해당한다.[67,182] 그럼에도 불구하고 마취나 이상감각의 위치만을 기준으로 특정 신경근에 증상을 부여할 때는 주의가 필요하다. 환자가 경추5번에 해당하는 엄지손가락의 무감각이나 이상감각을 호소하여 삼두근 근육의 약화와 삼두근 반사 감소를 보이는 것은 드문 일이 아니다.

참고로만 사용되는 Slipman 등[181]의 연구를 기반으로 하는 신경근 증상의 지형적 지배는 아래에 설명되어 있다(그림 5-23).

경추4번 척수신경이 자극되면 통증 부위는 등세모근(승모근, trapezius)의 상부와 후방, 목의 후외측부와 어깨세모근(삼각근, deltoid muscle) 후방에 해당한다. 피험자의 25%에서 이러한 신경근의 자극이 쇄골 주위 부위, 전방 어깨세모근 및 극상근 부위의 증상을 유발한다.

경추5번의 증상 지배는 경추4번와 유사하며, 전삼각근과 쇄골 주위 부위에서 증상이 더 일정하다. 또한, 30%의 경우에서 증상이 팔의 상전외측 부분으로 퍼지고, 적은 비율로 팔뚝의 전방 요골 부분(14%), 심지어 엄지손가락(7%)까지 퍼진다.

경추6번 자극의 증상은 앞쪽 레벨의 근위부 영역에 추가하여 팔뚝과 손의 요골 후방부분, 집게 손가락까지 포함하고 때때로 손의 척골 영역에 도달한다.

경추7번 신경근의 지배 영역은 등세모근과 후삼각근, 팔의 후외측 및 요골쪽 손의 등쪽에 위치한다. 피험자의 50%에서 증상은 팔뚝의 요골 부분과 검지와 중지의 등쪽 측면에서도 감지된다. 그리

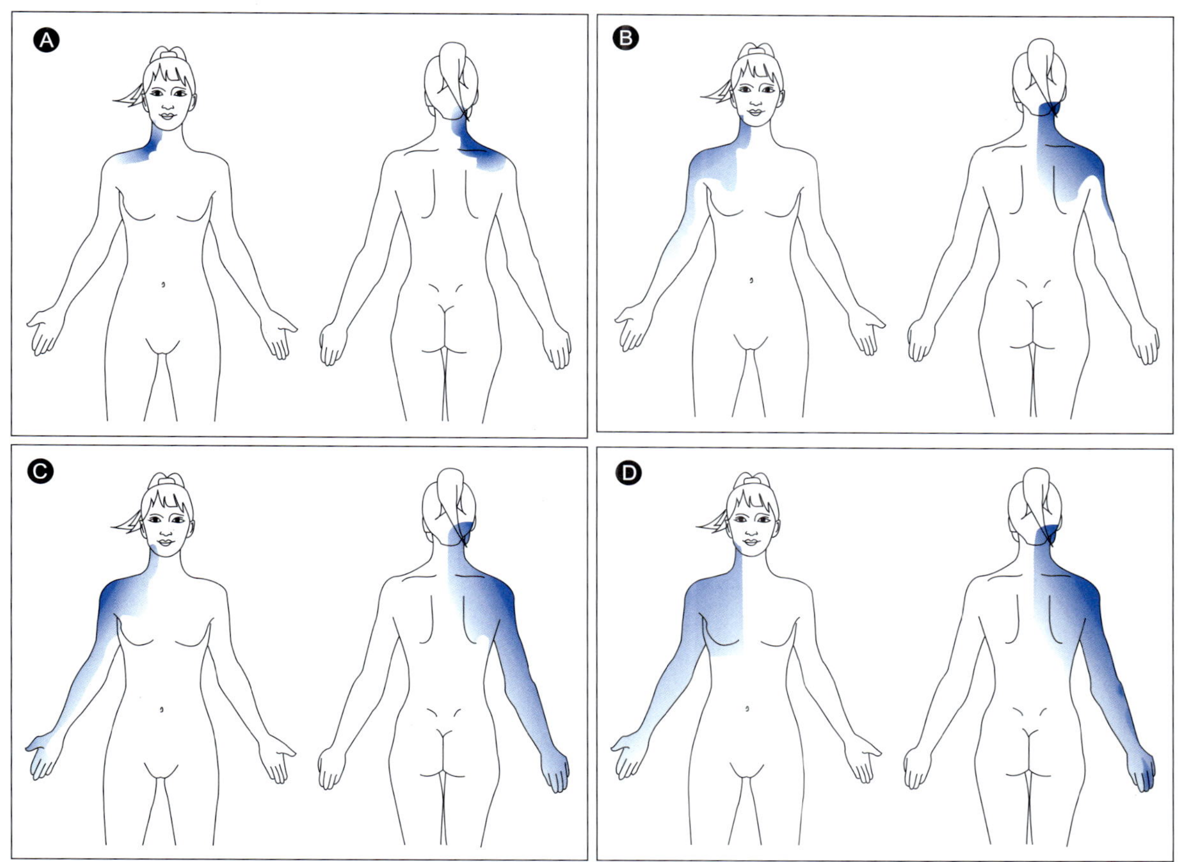

그림 5-23 ■ 역학분절 지도: (A) C4 역학분절 (B) C5 역학분절 (C) C6 역학분절 및 (D) C7 역학분절. (Slipman 외[181]에서 수정)

고 더 낮은 비율에서는 손의 요골과 척골 부위에 증상이 나타난다.

후어깨세모근 및 팔의 후외측 표면에서 경추7번과 동일한 영역을 공유하는 것 외에도 경추8번 신경근의 자극은 팔의 후내측 표면과 팔뚝의 등 부분 및 손의 척골 영역에서 증상을 유발한다. 피험자의 50%는 네 번째와 다섯 번째 손가락의 등쪽 측면에서 증상을 나타내고 요골 손의 등쪽 측면과 엄지손가락의 손바닥 부분에서 더 낮은 비율을 나타낸다.

그럼에도 불구하고, 이러한 영역은 통증을 유발하는 신경학적 레벨이 지배 영역만으로는 결정할 수 없는 방식으로 겹친다.

신경근성 통증이 원위부에서 더 심하다는 사실은 이것이 체성연관통이 아니라는 것을 결정하는 데 도움이 된다. 견갑골, 흉부 및 팔의 근위부 통증은 돌기사이 또는 디스크성 체성 관련 통증일 수 있지만 환자가 손에 통증을 언급하고 이상감각을 동반하는 경우에는 신경근 기원일 가능성이 가장 높다.

견갑골, 흉부 및 팔의 근위부 통증은 돌기사이, 디스크성 체성 연관통 또는 신경근성 통증일 수 있다.

상지의 원위부 통증과 관련된 이상감각이 있는 것이 신경근성 통증의 특징이다.

신경근성 통증은 통증의 유형, 기계적 스트레스 및 스트레스 상황에 대한 반응, 관련 징후 및 증상과 같은 신경병증성 통증과 동일한 특징을 나타낸다. 신경병증성 통증을 식별하는 가장 중요한 특징 중 하나는 감각이상적 특성이다. 이전에 환자가 경험한 다른 통증과는 다르다. 환자는 종종 이 느낌을 설명하는 것이 어렵다는 것을 알고 종종 이 통증을 작열감, 경련, 심한 감기, 전격통증, 감전 등으로 설명한다.

증상은 지속적이거나 자발적으로 나타날 수 있으며 이것은 보통 환자에게 경고한다. 신경병증성 통증의 특징이기도 하고 이소성 신경 박동 조절 부위(ENPS)의 존재에서 파생되는 현상은 자가자족적인 방전과 후감각이다. 자극을 받은 후 정상적인 감각 섬유 방전이 되고 나서 빠르게 휴식을 한다. 그러나, 이소성 신경 박동 조절 부위(ENPS)는 자극 후에 켜지고 그 후에도 계속 방전되는 경향이 있다. 따라서 최소한의 자극으로도 갑작스럽고 불균형하게 강렬한 반복 발사를 유발할 수 있다. 이것은 분절 지배에서 이상감각, 지각과민 및 이질통과 관련이 있다. 또한 감각저하, 근력 약화, 심부건반사의 변화 및 자율신경계 증상과 같은 신경근병증의 징후 및 증상과 관련될 수 있다. 이것은 신경근 복합체의 압박이나 스트레칭을 증가시키는 움직임이나 자세로 인해 발생할 수 있다. 기계적 감각도의 평가는 Spurling의 검사와 같은 기계적 인터페이스를 수정하는 검사와 팔신경얼기 검사와 같은 신경역학적 검사로 수행할 수 있다. 통증회피자세는 급성기의 특징이다. 단순 진통제와 NSAID에 대한 반응은 제한적이다.

감각이상 신경근성 통증의 특징

- 작열감, 심부 경련감 또는 감전.
- 분절 지배에서 이상지각, 지각과민 및 이질통과 관련이 있다.
- 신경근병증의 징후 및 증상(감각저하, 근력 약화, 심부건반사 변화 및 자율신경계 증상)과 관련될 수 있다.
- 신경근 복합체의 압박이나 스트레칭을 증가시키는 움직임이나 자세에 의해 유발된다.
- 신경 기계적 감각도는 특정 기계적 간기 검사 및 신경 역학적 검사로 평가할 수 있다.
- 통증회피 자세는 급성기의 특징이다.
- 단순 진통제와 비스테로이드성 소염진통제(NSAIDs)에 대한 반응이 제한적이다.

성숙한 유기체 모델
MATURE ORGANISM MODEL

이 모델은 임상의와 환자 모두가 기존 지식을 통합하여 생물학적 맥락에서 통증에 대한 더 깊은 이해를 얻을 수 있도록 돕는 도구로 Gifford[183]에 의해 개발되었다. 이 모델이 다루는 통증의 경험에 참여하는 세 가지 수준은 입력수준(통각 정보수집), 처리수준 (통증의 중추 처리), 그리고 출력 수준(응답의 정교화)이다. 인간 유기체는 조직과 환경 변화에서 정보를 감지하고 얻은 정보를 처리하고 인지된 공격성을 처리하도록 적응된 반응을 생성한다.

선형(조직 손상-통증에 대한 중앙 인식)보다는 이 원형 모델은 통증 경험이 어떤 수준에서 시작되고 다른 수준에 영향을 미칠 수 있는지를 강조한다.[184]

이 모델이 강조하는 측면 중 하나는 통증과 스트레스 반응 사이의 밀접한 관계이다. 스트레스 반응의 생물학은 생존과 항상성 유지를 위해 살아있는 유기체를 준비시키는 생리학적 기전과 행동 전략을 분석한다. 통증은 스트레스 반응의 감각 구성 요소 중 하나이며 회복과 생존을 향상시키기 위해 유기체가 행동을 수정하도록 동기를 부여하는 주요 적응 목표다. 통각수용성 시스템은 통증에 초점을 맞춘 시스템이 아니라 내분비계 및 면역계와 함께 조직 및 신경지배된 구조의 상태를 분석하는 시스템과 적응된 움직임 또는 행동 반응을 개발할 수 있는 시스템의 일부로 변형된다.

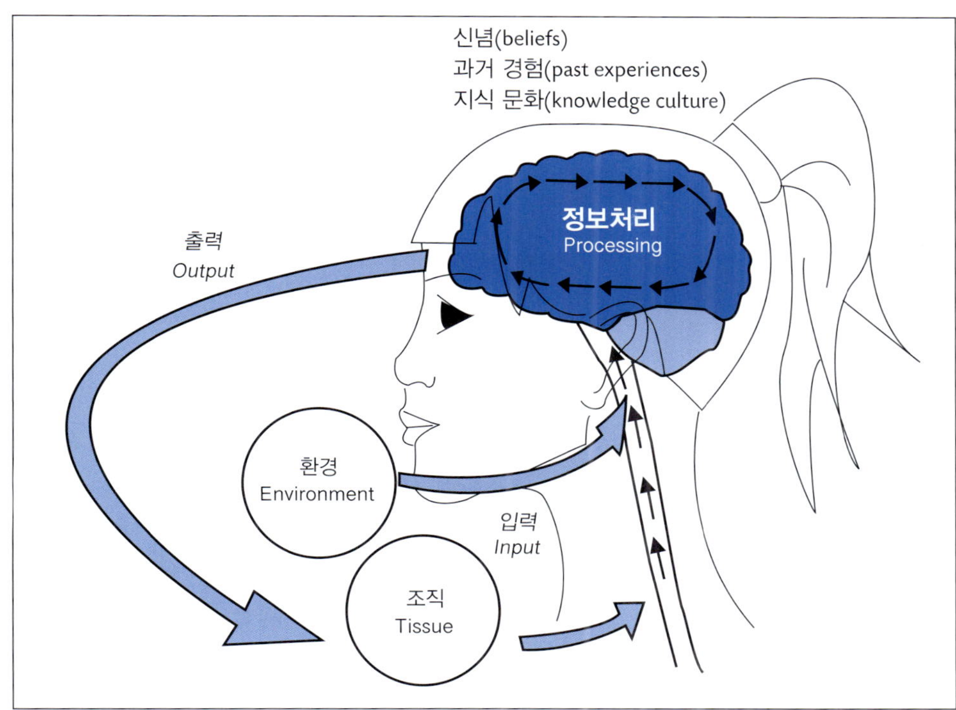

그림 5-24 ■ 성숙한 유기체 모델. 유기체는 조직의 정보와 환경 변화를 감지하고(입력), 얻은 정보를 처리하고(중추 처리), 인지된 공격성에 직면하기 위해 적응된 반응을 정교화(출력)한다. 정보는 의식적 및 무의식적으로 처리되고 과거 경험과 비교되며 움직임 활동과 자율신경 내분비 시스템 및 신경 면역 시스템의 변화를 포함하는 응답이 생성된다. (Gifford.[183]에서 수정, 허가를 받아 복사.)

의식적 및 무의식적으로 처리된 정보는 과거 경험과 비교되고 움직임 활동과 자율신경계, 신경 내분비, 신경 면역 및 움직임 시스템의 변화를 포함하여 반응이 개발된다.[198]

따라서 조직 손상의 경우 성숙한 유기체의 중추신경계는 의식 및 무의식적 기억에 저장된 정보, 과거 경험 및 해당 상황과 관련될 수 있는 성공적인 행동에 접근할 수 있으며 항상성[185] 회복을 목표로 하는 발달에 참여할 수 있다(그림 5-24).

조직 손상이 발생했거나 피험자가 가능한 한 이것을 인지할 때 회복을 촉진하는 생리적 반응뿐만 아니라 통증, 감정적, 움직임적 및 행동적 반응이 생성되어야 한다. 이러한 반응은 말초 조직에 영향을 미치고 중추신경계(CNS)의 신경가소성 변화를 결정한다.

통증의 병리생물학적 기전 (Pathobiological mechanisms of pain)

모든 고통의 경험은 정보수집, 고통의 처리, 그리고 응답의 정교화의 세 가지 단계로 발전된다.

성숙한 유기체 모델은 세 가지 병리생물학적 기전과 세 가지 다른 범주의 통증을 설명하는데, 이것들은 입력 정보와 관련된 통증, 중추 처리와 관련된 통증, 반응 시스템과 관련된 통증이다.

통증의 병리생물학적 기전

- 입력 정보와 관련된 통증.
- 중추 처리와 관련된 통증.
- 반응 시스템과 관련된 통증.

이러한 범주는 환자가 겪고 있는 통증 유형의 분석을 용이하게 한다. 통증을 유발하는 해부학적 구조에만 초점을 맞추는 대신, 목표는 임상 환경을 지배하는 병리생물학적 과정 또는 기전이다.[184]

입력 정보와 관련된 통증
(Pain related to input information)

통증에는 통각수용성 통증과 신경병증성 통증의 두 가지 유형이 있다. 체성 통각수용성 통증은 체조직의 기계적 또는 화학적 자극에 의해 유발된다. 신경병증성 통증은 신경근을 포함한 말초신경의 자극으로 인해 발생한다.

중추 처리와 관련된 통증
(Pain related to the central processing)

이 통증은 인지적 측면과 정서적 측면에 의해 유발될 수 있는 통증 신경특징의 활성화에 따른 이차적 통증을 의미한다. 이러한 유형의 통증은 기능장애 중추 통증으로도 알려져 있다.[186]

반응 시스템과 관련된 통증
(Pain related to the response systems)

반응 기전에 따른 통증은 움직임 반응, 교감신경계(SNS), 신경내분비계 및 신경면역계의 변화를 수반한다. 이러한 유형의 통증의 몇 가지 예는 복합부위통증증후군, 신경근 조절의 변화로 인한 통증, 이차성 근육통 증후군의 발병 및 자가면역 반응과 관련된 통증이다.

이러한 모든 기전들이 전체 고통스러운 경험동안 상호 작용하고 발생하지만 일부 주제에서는 그 중 하나가 우세할 것이다. 급성 통증의 경우, 우세한 기전은 입력 정보와 관련이 있고 인지 및 정서적 측면이 상당히 참여하는 중추 처리와 관련된 만성 통증 및 반응 기전이 관련이 있다.[187] 환자를 평가하고 치료할 때 이 세 가지 기전 중 어느 것이 우세한지를 결정하는 것이 중요하다.

복합 통증(Complex pain)

이러한 경추 통증 패턴의 도입은 많은 환자가 어떠한 손상이나 조직 손상 없이 지속적인 목 통증으로 고통받을 수 있음을 강조해야 한다. 이 임상 상태는 2권의 11장에서 보다 심층적으로 전개될 것이다.

통각과 관련이 없거나 통각이 기능적 통증, 특발성 통증, 원인불명의 통증 증후군, 중추 감각 증후군 및 심인성 통증과 같은 환자 증상을 완전히 설명하지 못하는 임상 통증 상태를 정의하기 위해 다른 이름이 사용되었다.[188–191]

저자가 선호하는 용어는 '복합 통증'으로, 조직 손상, 감지 가능한 염증 또는 신경계 손상의 결과가 아닌 통증으로 정의될 수 있다.[42] 복합 통증은 구심성 입력 또는 어느 입력 없이 시작될 수 있으며 중추 과민성과 관련이 있다. 이것은 주변 입력이 사라지더라도 계속된다.

Woolf[192]가 말했듯이 이러한 상황에서 통증은 환상적 지각, 즉 실제 유해한 자극에 의해 유발되는 것과 동일한 질을 갖지만 이러한 유해한 자극이 없을 때 발생하는 감각과 동일하다.

복합 통증은 변경된 중추신경계(CNS) 감각 처리의 결과이다.[186] 따라서 복합 통증을 특징으로 하는 임상 상황을 부적응 ***중추 감각 통증 증후군***이라고도 할 수 있다. 자발적인 전기 충격 통증, 기계적 통각과민, 열적 및 기계적 이질통, 향상된 시간적 합산 및 감각 이상과 같은 중추감작의 증상은 염증 과정이 진행 중인 환자에게도 흔하지만 복합 통증 상태에서도 흔히 발생한다. 이들 환자의 적절한 비율은 일부 신경병증성 통증 선별 도구에서 높은 점수를 보여준다.[193] 이러한 신경병증 유사 증상으로 인해 임상의는 복합통증증후군의 신경병증성 구성요소를 믿게 되었다. 우울증 및 통증 파국화와 같은 심리적 및 인지적 요인은 일반적으로 이러한 임상 상태에 관여한다.

복합 통증

- 복합 통증은 구심성 입력에 의해 시작되거나 이러한 입력 없이 시작될 수 있다.
- 알려진 구조적 신경계 병변 또는 활동성 말초 염증 없음
- 복합 통증은 변경된 중추신경계(CNS) 감각 처리의 결과이다.
- 중추 과민성과 관련이 있다.
- 자발적인 통증 또는 저강도 및 고강도 자극에 의해 유발된다.

경추의 많은 흔한 만성 통증 상태는 본질적으로 지속적인 목 통증, 편타 관련 장애,[194-199] 긴장형 두통,[200] 외상 후 두통,[201] 편두통,[202,203] 근막통증증후군,[204] 내화성경추팔통증 및 목통증, 두통, 구강안면통증, 어지럼증, 주관적 불안정성 등을 보고하는 복잡한 임상 양상을 가진 환자들에게서도 마찬가지이다. 따라서 복합 통증을 특징으로 하는 임상 상황은 ***부적응 중추 감각 통증 증후군***으로 명명될 수도 있다. 중추감작은 급성 또는 만성 염증과 신경병증성 통증에 대한 '정상' 신경생리학적 반응이기 때문에 이 경우 부적응이라는 용어를 사용하는 것이 중요하다.

많은 만성 통증 상태에서 중추감작이 지배적인 특징이라는 일관된 증거가 있음에도 불구하고 이것은 만성 단계에서도 말초 진행 중인 입력을 배제하지 않는다.[205] 그러나 복합 통증이 있는 환자에게서 중추 과민성은 임상 양상을 지배하고 치료 반응을 중재한다. 따라서 임상의가 치료를 원하는 환자 집단에서 복합 통증을 식별하는 것이 중요하다.

최근 몇 년 동안 부적응 중추감작을 식별하기 위한 일부 선별 도구와 알고리즘이 개발되었다.[206-208]

Jo Nijs와 통증 전문가 그룹과 함께 이 장의 저자는 최근 부적응 중추감작에 이차적인 복합 통증을 가진 환자를 식별하기 위한 임상 알고리즘을 개발했다.[209] 이 알고리즘은 2권 11장에 자세히 설명되어 있다. 복합 통증은 알려진 부상이나 병리학과 일치하는 통증의 중증도 및 지속시간, 그리고 어떤 임상적 패턴, 광범위한 통증지배, 신경손상 및 질병과 관련이 없는 이질통 및 통각과민, 열, 화학, 날씨, 스트레스 등과 같은 많은 자극에 대한 일반화된 과민증과 습관적 치료에 대한 비정상적 치료적 반응과 일치하지 않는 자연사에 의해 특징지어진다.

이러한 환자에서 조직은 더 이상 치료의 대상이 아니라 변경된 중추 통증 처리이다. 치료 전략은 중추신경계의 둔감화를 달성할 수 있어야 하며 또한 환자의 통증 경험과 관련된 모든 생물심리사회적 측면을 다루어야 한다. 만성 통증 환자의 관리 전략은 2권 11장에서 설명한다.

결론
CONCLUSION

통증은 광범위한 신경 구조 네트워크에 의해 매개되는 복합 자각이다. 경추에 영향을 미치는 다양한 병리 또는 임상 상태를 진단하기 위해서는 각 체세포 구조의 신경지배를 알아야 한다. 경추에서 시작되는 통증은 국소적일 수도 있고 흉부 부위, 상지 또는 머리에서 멀리서도 인지될 수 있다. 증상의 원인을 확인하려면 통증이 신경근에서 오는지 아니면 다른 경추 근골격 구조의 체성 연관통인지 아는 것이 중요하다. 통증의 본질, 지배, 관련 징후 및 증상에 대한 지식은 다양한 통증 원인을 구별하고 환자의 통증을 임상 상태와 연관시키는 데 도움이 될 수 있다. 통증의 원인을 밝히는 것이 중요하지만 환자의 임상 양상을 이해하는 것만으로는 충분하지 않다. 어떤 통증 기전이 관련되어 있는지, 통증이 주로 통각수용성, 염증성, 신경병증성 또는 기능장애인지 아는 것이 훨씬 더 중요하다. 후자의 경우, 중추 과민성 구성요소를 식별하는 것이 중요하다. 환자의 불만사항이 알려진 임상 패턴과 일치하는지 설명하는 것도 중요하다. 현저한 불일치가 있는

경우, 적신호를 배제되어야 하며 환자가 부적응 중추감작과 관련된 복합 통증을 가지고 있는 경우 제외되어야 한다.

참고문헌

1. Merskey H, Bogduk N. Classification of chronic pain: descriptions of chronic pain syndromes and definitions of pain terms. 2nd ed. Seattle: IASP Press; 1994.
2. Bogduk N, McGuirk B. Management of acute and chronic neck pain. An evidence-based approach. Amsterdam: Elsevier; 2006.
3. Merskey H, Bogduk N. Classification of chronic pain: descriptions of chronic pain syndromes and definitions of pain terms. 2nd ed. Seattle: IASP Press; 1994.
4. Chapman CR, Gavrin J. Suffering: the contributions of persistent pain. Lancet 1999;353(9171):2233–7.
5. Treede RD, Jensen TS, Campbell JN, et al. Neuropathic pain: redefinition and a grading system for clinical and research purposes. Neurology 2008;70(18):1630–5.
6. Bogduk N. The clinical anatomy of the cervical dorsal rami. Spine 1982;7(4):319–30.
7. Bogduk N, Windsor M, Inglis A. The innervation of the cervical intervertebral discs. Spine 1988;13(1):2–8.
8. McLain RF, Pickar JG. Mechanoreceptor endings in human thoracic and lumbar facet joints. Spine 1998;23(2):168–73.
9. Ohtori S, Takahashi K, Chiba T, et al. Sensory innervation of the cervical facet joints in rats. Spine 2001;26(2):147–50.
10. Inami S, Shiga T, Tsujino A, et al. Immunohistochemical demonstration of nerve fibers in the synovial fold of the human cervical facet joint. J Orthop Res 2001;19(4):593–6.
11. Giles LG, Taylor JR. Human zygapophyseal join capsule and synovial fold innervation. Br J Rheumatol 1987;26(2):93–8.
12. Giles LG. Human lumbar zygapophyseal join inferior recess synovial folds: a light microscope examination. Anat Rec 1988;220(2):117–24.
13. Giles LG. The pathomorphologic changes that accompany the resolution of cervical radiculopathy; a prospective study with repeat magnetic resonance imaging [Comment]. Spine 1998;23(3):395.
14. Gronblad M, Korkala O, Konttinen YT, et al. Silver impregnation and immunohistochemical study of nerves in lumbar facet joint plical tissue. Spine 1991;16(1):34–8.
15. Cramer G. Clinical anatomy of the cranio-cervical syndrome. In: Vernon H, editor. The cranio-cervical syndrome. Mechanisms, assessment and treatment. Oxford: ButterworthHeinemann; 2001. p. 1–13.
16. Bucknill AT, Coward K, Plumpton C, et al. Nerve fibers in lumbar spine structures and injured spinal roots express the sensory neuron-specific sodium channels SNS/PN3 and NaN/ SNS2. Spine 2002;27(2):135–40.
17. Dreyfuss P, Michaelsen M, Fletcher D. Atlanto-occipital and lateral atlanto-axial joint pain patterns. Spine 1994;19(10): 1125–31.
18. Groen GJ, Baljet B, Drukker J. Nerves and nerve plexuses of the human vertebral column. Am J Anat 1990;188(3):282–96.
19. Groen GJ, Baljet B, Drukker J. The innervation of the spinal dura mater: anatomy and clinical implications. Acta Neurochir (Wien) 1988;92(1–4):39–46.
20. Mendel T, Wink CS, Zimny ML. Neural elements in human cervical intervertebral discs. Spine 1992;17(2):132–5.
21. Mercer S, Bogduk N. The ligaments and annulus fibrosus of human adult cervical intervertebral discs. Spine 1999;24(7): 619–26, discussion 627–8.
22. Tonetti J, Potton L, Riboud R, et al. Morphological cervical disc analysis applied to traumatic and degenerative lesions. Surg Radiol Anat 2005; 27(3):192–200.
23. Johnson GM. The sensory and sympathetic nerve supply within the cervical spine: review of recent observations. Man Ther 2004;9(2):71–6.
24. Bogduk N, Lambert GA, Duckworth JW. The anatomy and physiology of the vertebral nerve in relation to cervical migraine. Cephalalgia 1981;1(1):11–24.
25. Lang J. Clinical anatomy of the cervical spine. New York: Thieme; 1993.
26. Woolf CJ, Bennett GJ, Doherty M, et al. Towards a mechanismbased classification of pain? Pain 1998;77(3):227–9.

27. Merskey H, Bogduk N, Part III. Pain terms, a current list with definitions and notes on usage. In: Merskey H, Bogduk N, editors. Classification of chronic pain: descriptions of chronic pain syndromes and definitions of pain terms. 2nd ed. Seattle: IASP Press; 1994.
28. Schaible HG. Peripheral and central mechanisms of pain generation. Handb Exp Pharmacol 2007;177:3–28.
29. Apkarian AV, Bushnell MC, Treede RD, et al. Human brain mechanisms of pain perception and regulation in health and disease. Eur J Pain 2005;9(4):463–84.
30. Kumazawa T. Primitivism and plasticity of pain – implication of polymodal receptors. Neurosci Res 1998;32(1):9–31.
31. Suzuki R, Dickenson AH. The pharmacology of central sensitization. J Musculoskel Pain 2002;10(1–2):35–43.
32. Mense S, Meyer H. Different types of slowly conducting afferent units in cat skeletal muscle and tendon. J Physiol 1985;363:403–17.
33. Mense S. The pathogenesis of muscle pain. Curr Pain Headache Rep 2003;7(6):419–25.
34. Mense S, Stahnke M. Responses in muscle afferent fibres of slow conduction velocity to contractions and ischaemia in the cat. J Physiol 1983;342:383–97.
35. Sluka KA, Kalra A, Moore SA. Unilateral intramuscular injections of acidic saline produce a bilateral, long-lasting hyperalgesia. Muscle Nerve 2001;24(1):37–46.
36. Lawson SN, Crepps BA, Perl ER. Relationship of substance P to afferent characteristics of dorsal root ganglion neurones in guinea-pig. J Physiol 1997;505(Pt 1):177–91.
37. Schaible HG, Grubb BD. Afferent and spinal mechanisms of joint pain. Pain 1993;55(1): 5–54.
38. Marchettini P, Simone DA, Caputi G, et al. Pain from excitation of identified muscle nociceptors in humans. Brain Res 1996; 740(1–2):109–16.
39. Woolf CJ, Salter MW. Neuronal plasticity: increasing the gain in pain. Science 2000; 288(5472):1765–9.
40. Woolf CJ, Doubell TP. The pathophysiology of chronic pain – increased sensitivity to low threshold A beta-fibre inputs. Curr Opin Neurobiol 1994;4(4):525–34.
41. Noguchi K, Kawai Y, Fukuoka T, et al. Substance P induced by peripheral nerve injury in primary afferent sensory neurons and its effect on dorsal column nucleus neurons. J Neurosci 1995; 15(11):7633–43.
42. Costigan M, Scholz J, Woolf CJ. Neuropathic pain: a maladaptive response of the nervous system to damage. Annu Rev Neurosci 2009; 32:1–32.
43. Laursen RJ, Graven-Nielsen T, Jensen TS, et al. Referred pain is dependent on sensory input from the periphery: a psychophysical study. Eur J Pain 1997;1(4):261–9.
44. Graven-Nielsen T, Arendt-Nielsen L, Svensson P, et al. Quantification of local and referred muscle pain in humans after sequential i.m. injections of hypertonic saline. Pain 1997; 69(1–2):111–17.
45. Graven-Nielsen T, Arendt-Nielsen L. Induction and assessment of muscle pain, referred pain, and muscular hyperalgesia. Curr Pain Headache Rep 2003;7(6):443–51.
46. Graven-Nielsen T, Arendt-Nielsen L. Peripheral and central sensitization in musculoskeletal pain disorders: an experimental approach. Curr Rheumatol Rep 2002;4(4):313–21.
47. Mense S, Simons D. Muscle pain. Understanding its nature, diagnosis, and treatment. Baltimore: Lippincott Williams & Wilkins; 2001.
48. Sinclair D, Weddell G, Feindel W. Referred pain and associated phenomena. Brain 1948;71:184–211.
49. Devor M, Wall PD, McMahon SB. Dichotomizing somatic nerve fibers exist in rats but they are rare. Neurosci Lett 1984;49(1–2): 187–92.
50. Habler HJ, Janig W, Koltzenburg M. Dichotomizing unmyelinated afferents supplying pelvic viscera and perineum are rare in the sacral segments of the cat. Neurosci Lett 1988;94(1–2): 119–24.
51. Takahashi Y, Nakajima Y, Sakamoto T, et al. Capsaicin applied to rat lumbar intervertebral disc causes extravasation in the groin skin: a possible mechanism of referred pain of the intervertebral disc. Neurosci Lett 1993;161(1):1–3.
52. Millan MJ. The induction of pain: an integrative review. Prog Neurobiol 1999;57(1):1–164.

53. McKenzie J. Some points bearing on the association of sensory disorders and visceral disease. Brain 1893;16:321–53.
54. McKenzie J. Symptoms and their interpretation. London: Shaw and Sons; 1909.
55. Ruch T. Visceral sensation and referred pain. In: Fulton J, editor. Howell's textbook of physiology. 16th ed. Philadelphia: Saunders; 1949. p. 385–401.
56. Cervero F. Somatic and visceral inputs to the thoracic spinal cord of the cat: effects of noxious stimulation of the biliary system. J Physiol 1983;337:51–67.
57. Foreman RD, Blair RW, Weber RN. Viscerosomatic convergence onto T2-T4 spinoreticular, spinoreticular-spinothalamic, and spinothalamic tract neurons in the cat. Exp Neurol 1984;85(3): 597–619.
58. Ness TJ, Gebhart GF. Visceral pain: a review of experimental studies. Pain 1990;41(2): 167–234.
59. Berkley KJ, Hubscher CH, Wall PD. Neuronal responses to stimulation of the cervix, uterus, colon, and skin in the rat spinal cord. J Neurophysiol 1993;69(2):545–56.
60. Cervero F. Visceral pain: mechanisms of peripheral and central sensitization. Ann Med 1995;27(2):235–9.
61. Mense S. Nociception from skeletal muscle in relation to clinical muscle pain. Pain 1993;54(3): 241–89.
62. Hoheisel U, Mense S. Response behaviour of cat dorsal horn neurones receiving input from skeletal muscle and other deep somatic tissues. J Physiol 1990;426:265–80.
63. Hu JW, Sessle BJ, Raboisson P, et al. Stimulation of craniofacial muscle afferents induces prolonged facilitatory effects in trigeminal nociceptive brainstem neurones. Pain 1992;48(1): 53–60.
64. Schaible HG, Schmidt RF, Willis WD. Convergent inputs from articular, cutaneous and muscle receptors onto ascending tract cells in the cat spinal cord. Exp Brain Res 1987;66(3): 479–88.
65. Yu XM, Mense S. Response properties and descending control of rat dorsal horn neurons with deep receptive fields. Neuroscience 1990;39(3): 823–31.
66. Hoheisel U, Mense S. Long-term changes in discharge behaviur of cat dorsal horn neurones following noxious stimulation of deep tissues. Pain 1989;36(2):239–47.
67. Torebjork HE, Ochoa JL, Schady W. Referred pain from intraneural stimulation of muscle fascicles in the median nerve. Pain 1984; 18(2):145–56.
68. Graven-Nielsen T, McArdle A, Phoenix J, et al. In vivo model of muscle pain: quantification of intramuscular chemical, electrical, and pressure changes associated with saline-induced muscle pain in humans. Pain 1997;69(1–2):137–43.
69. Laursen RJ, Graven-Nielsen T, Jensen TS, et al. Quantification of local and referred pain in humans induced by intramuscular electrical stimulation. Eur J Pain 1997;1(2):105–13.
70. Drewes AM, Arendt-Nielsen L, Jensen JH, et al. Experimental pain in the stomach: a model based on electrical stimulation guided by gastroscopy. Gut 1997;41(6):753–7.
71. Inman V, Saunders J. Referred pain from skeletal structure. J Nerv Ment Dis 1944;99(660).
72. Coderre TJ, Katz J, Vaccarino AL, et al. Contribution of central neuroplasticity to pathological pain: review of clinical and experimental evidence. Pain 1993;52(3):259–85.
73. Reinert A, Kaske A, Mense S. Inflammation-induced increase in the density of neuropeptide-immunoreactive nerve endings in rat skeletal muscle. Exp Brain Res 1998;121(2):174–80.
74. Hoheisel U, Koch K, Mense S. Functional reorganization in the rat dorsal horn during an experimental myositis. Pain 1994;59(1):111–18.
75. Coderre TJ, Katz J. Peripheral and central hyperexcitability: differential signs and symptoms in persistent pain. Behav Brain Sci 1997; 20(3):404–19, discussion 435–513.
76. Hoheisel U, Mense S, Simons DG, et al. Appearance of new receptive fields in rat dorsal horn neurons following noxious stimulation of skeletal muscle: a model for referral of muscle pain? Neurosci Lett 1993;153(1):9–12.
77. Mense S. [What is different about muscle pain?]. Schmerz 2003;17(6):459–63.
78. Henry JA, Montuschi E. Cardiac pain referred to site of previously experienced somatic pain. Br Med J 1978;2(6152):1605–6.
79. Feinstein B, Langton J, Jameson R, et al. Experiments on referred pain from deep somatic tissues. J Bone Joint Surg 1954;36A:981.

80. Kandel ER, Schwartz J, Jesell T. Principios de neurociencia. 4th ed. Madrid: McGraw-Hill Interamericana; 2000.
81. Al-Chaer ED, Westlund KN, Willis WD. Nucleus gracilis: an integrator for visceral and somatic information. J Neurophysiol 1997;78(1):521–7.
82. Bruggemann J, Shi T, Apkarian AV. Viscero-somatic neurons in the primary somatosensory cortex (SI) of the squirrel monkey. Brain Res 1997;756(1–2):297–300.
83. Guilbaud G, Kayser V, Benoist JM, et al. Modifications in the responsiveness of rat ventrobasal thalamic neurons at different stages of carrageenin-produced inflammation. Brain Res 1986;385(1):86–98.
84. Apkarian AV, Shi T, Bruggemann J, et al. Segregation of nociceptive and non-nociceptive networks in the squirrel monkey somatosensory thalamus. J Neurophysiol 2000;84(1):484–94.
85. Apkarian A, Brüggeman J, Shi T. Visceral pain. In: Gebhart G, editor. Progress in pain research and management. Seattle: IASP Press; 1995. p. 217–59.
86. Ramachandran VS, Rogers-Ramachandran D. Phantom limbs and neural plasticity. Arch Neurol 2000;57(3):317–20.
87. Kellgren J. On the distribution of pain arising from deep somatic structures with charts of segmental pain areas. Clin Sci 1939;4:35–46.
88. Bogduk N. Innervation and pain patterns of the cervical spine. In: Grant R, editor. Physical therapy of the cervical and thoracic spine. 3rd ed. St. Louis: Churchill Livingstone; 2002. p. 61–72.
89. Smith GW, Nichols P Jr. The technic of cervical discography. Radiology 1957;68(5):718–20. 90. Cloward RB. Cervical diskography. A contribution to the etiology and mechanism of neck, shoulder and arm pain. Ann Surg 1959;150:1052–64.
91. Schellhas KP, Smith MD, Gundry CR, et al. Cervical discogenic pain. Prospective correlation of magnetic resonance imaging and discography in asymptomatic subjects and pain sufferers. Spine 1996;21(3):300–11, discussion 311–12.
92. Schellhas KP, Wilkes CH, Baker CC. Facial pain, headache, and temporomandibular joint inflammation. Headache 1989; 29(4):229–32.
93. Grubb SA, Kelly CK. Cervical discography: clinical implications from 12 years of experience. Spine 2000;25(11):1382–9.
94. Schellhas KP, Pollei SR. The role of discography in the evaluation of patients with spinal deformity. Orthop Clin North Am 1994; 25(2):265–73.
95. Schellhas KP. Diskography. Neuroimaging Clin N Am 2000;10(3):579–96.
96. Senter BS. Cervical discogenic syndrome: a cause of chronic head and neck pain. J Mississippi State Med Assoc 1995;36(8): 231–4.
97. Brodsky AE. Cervical angina. A correlative study with emphasis on the use of coronary arteriography. Spine 1985;10(8): 699–709.
98. Mork AA, Haufe SM, Yancey WB. Sometimes (what seems to be) a heart attack is (really) a pain in the neck. J Am Board Fam Pract 2004; 17(1): 74–7.
99. Slipman CW, Plastaras C, Patel R, et al. Provocative cervical discography symptom mapping. Spine J 2005;5(4):381–8.
100. Schellhas KP, Garvey TA, Johnson BA, et al. Cervical diskography: analysis of provoked responses at C2-C3, C3-C4, and C4-C5. AJNR Am J Neuroradiol 2000;21(2):269–75.
101. Biondi DM. Cervicogenic headache: mechanisms, evaluation, and treatment strategies. J Am Osteopath Assoc 2000; 100(9 Suppl.): S7–14.
102. Bogduk N. Cervicogenic headache: anatomic basis and pathophysiologic mechanisms. Curr Pain Headache Rep 2001;5(4):382–6.
103. Fredriksen TA, Sjaastad O. Cervicogenic headache: current concepts of pathogenesis related to anatomical structure. Clin Exp Rheumatol 2000;18(2 Suppl. 19):S16–18.
104. Dwyer A, Aprill C, Bogduk N. Cervical zygapophyseal join pain patterns. I: A study in normal volunteers. Spine 1990; 15(6):453–7.
105. Bogduk N, Marsland A. The cervical zygapophysial joints as a source of neck pain. Spine 1988;13(6):610–17.
106. Aprill C, Dwyer A, Bogduk N. Cervical zygapophyseal join pain patterns. II: A clinical evaluation. Spine 1990;15(6): 458–61.
107. Fukui S, Ohseto K, Shiotani M, et al. Referred pain distribution of the cervical zygapophyseal joins and cervical dorsal rami. Pain 1996;68(1): 79–83.
108. Fukui S, Ohseto K, Shiotani M. Patterns of pain induced by distending the thoracic zygapophyseal joins. Reg Anesth 1997;22(4):332–6.

109. Lord SM, Barnsley L, Wallis BJ, et al. Chronic cervical zygapophysial joint pain after whiplash. A placebo-controlled prevalence study. Spine 1996;21(15):1737–44, discussion 1744–5.
110. Aprill C, Axinn MJ, Bogduk N. Occipital headaches stemming from the lateral atlanto-axial (C1-2) joint. Cephalalgia 2002;22(1):15–22.
111. Ehni G, Benner B. Occipital neuralgia and the C1–2 arthrosis syndrome. J Neurosurg 1984; 61(5):961–5.
112. Kerr P, Olafson R. Trigeminal and cervical volleys. Convergence on single units in spinal gray at C1 and C2. Arch Neurol 1961;5:171–8.
113. Kerr F. The organization of primary afferents in the subnucleus caudalis of the trigeminal: a light and electron microscopic study of degeneration. Brain Res 1970;23(2):147–65.
114. Kerr F. Central relationships of trigeminal and cervical primary afferents in the spinal cord and medulla. Brain Res 1972; 43(2):561–72.
115. Bogduk N. The anatomical basis for cervicogenic headache. J Manipulative Physiol Ther 1992;15(1):67–70.
116. Alix ME, Bates DK. A proposed etiology of cervicogenic headache: the neurophysiologic basis and anatomic relationship between the dura mater and the rectus posterior capitis minor muscle. J Manipulative Physiol Ther 1999; 22(8):534–9.
117. Bogduk N. Distinguishing primary headache disorders from cervicogenic headache: clinical and therapeutic implications. Headache Currents 2005;2(2):27–36.
118. Bogduk N. Neck pain. Aust Fam Physician 1984;13(1):26–30.
119. Bogduk N. The anatomy and pathophysiology of neck pain. Phys Med Rehabil Clin N Am 2003;14(3):455–72, v.
120. Devor M. Response of nerves to injury in relation to neuropathic pain. In: McMahon S, Koltzenburg M, editors. Wall and Melzack's textbook of pain. 5th ed. Philadelphia: Elsevier Churchill Livingstone; 2006.
121. Bennett M. The LANSS Pain Scale: the Leeds assessment of neuropathic symptoms and signs. Pain 2001;92(1–2): 147–57.
122. Bennett MI, Smith BH, Torrance N, et al. The S-LANSS score for identifying pain of predominantly neuropathic origin: validation for use in clinical and postal research. J Pain 2005;6(3): 149–58.
123. Krause SJ, Backonja MM. Development of a neuropathic pain questionnaire. Clin J Pain 2003;19(5):306–14.
124. Backonja MM, Krause SJ. Neuropathic pain questionnaire – short form. Clin J Pain 2003; 19(5): 315–16.
125. Bouhassira D, Attal N, Alchaar H, et al. Comparison of pain syndromes associated with nervous or somatic lesions and development of a new neuropathic pain diagnostic questionnaire (DN4). Pain 2005;114(1–2):29–36.
126. Freynhagen R, Baron R, Gockel U, et al. pain DETECT: a new screening questionnaire to identify neuropathic components in patients with back pain. Curr Med Res Opin 2006; 22(10):1911–20.
127. Portenoy R. Development and testing of a neuropathic pain screening questionnaire: ID Pain. Curr Med Res Opin 2006; 22(8):1555–65.
128. Asbury AK, Fields HL. Pain due to peripheral nerve damage: an hypothesis. Neurology 1984; 34(12):1587–90.
129. Bove GM, Light AR. The nervi nervorum missing link for neuropathic pain? Pain Forum 1997;6(3):181–90.
130. Jinkins J. The anatomic and physiologic basis of local, referred and radiating lumbosacral pain syndromes related to disease of the spine. J Neuroradiol 2004;31:163–80.
131. Sauer SK, Bove GM, Averbeck B, et al. Rat peripheral nerve components release calcitonin gene-related peptide and prostaglandin E2 in response to noxious stimuli: evidence that nervi nervorum are nociceptors. Neuroscience 1999; 92(1): 319–25.
132. Sugar O. Victor Horsley, John Marshall, nerve stretching, and the nervi nervorum. Surg Neurol 1990;34(3):184–7.
133. Vilensky JA, Gilman S, Casey K. Sir Victor Horsley, Mr John Marshall, the nervi nervorum, and pain: more than a century ahead of their time. Arch Neurol 2005;62(3):499–501.
134. Bove GM, Light AR. Unmyelinated nociceptors of rat paraspinal tissues. J Neurophysiol 1995; 73(5):1752–62.

135. Hall T, Quintner J. Responses to mechanical stimulation of the upper limb in painful cervical radiculopathy. Aust J Physiother 1996;42(4):277–85.
136. Bove GM, Light AR. Calcitonin gene-related peptide and peripherin immunoreactivity in nerve sheaths. Somatosens Mot Res 1995;12(1):49–57.
137. Hall TM, Elvey RL. Nerve trunk pain: physical diagnosis and treatment. Man Ther 1999;4(2):63–73.
138. Howe JF, Loeser JD, Calvin WH. Mechanosensitivity of dorsal root ganglia and chronically injured axons: a physiological basis for the radicular pain of nerve root compression. Pain 1977;3(1):25–41.
139. Smyth MJ, Wright V. Sciatica and the intervertebral disc; an experimental study. J Bone Joint Surg Am 1958;40-A(6): 1401–18.
140. Saal JS, Saal JA, Yurth EF. Nonoperative management of herniated cervical intervertebral disc with radiculopathy. Spine 1996;21(16):1877–83.
141. Olmarker K, Rydevik B, Nordborg C. Autologous nucleus pulposus induces neurophysiologic and histologic changes in porcine cauda equina nerve roots. Spine 1993;18(11): 1425–32.
142. Otani K, Arai I, Mao GP, et al. Experimental disc herniation: evaluation of the natural course. Spine 1997;22(24):2894–9.
143. Lidslot L, Olmarker K, Kayama S, et al. Nucleus pulposus inhibits the axonal outgrowth of cultured dorsal root ganglion cells. Eur Spine J 2000;9(1):8–13.
144. Bush K, Chaudhuri R, Hillier S, et al. The pathomorphologic changes that accompany the resolution of cervical radiculopathy. A prospective study with repeat magnetic resonance imaging. [see Comment]. Spine 1997;22(2):183–6, discussion 187.
145. Liu CN, Wall PD, Ben-Dor E, et al. Tactile allodynia in the absence of C-fiber activation: altered firing properties of DRG neurons following spinal nerve injury. Pain 2000;85(3):503–21.
146. McMahon SB. Mechanisms of sympathetic pain. Br Med Bull 1991;47(3):584–600.
147. Small JR, Scadding JW, Landon DN. Ultrastructural localization of sympathetic axons in experimental rat sciatic nerve neuromas. J Neurocytol 1996;25(10):573–82.
148. Ramer MS, Thompson SW, McMahon SB. Causes and consequences of sympathetic basket formation in dorsal root ganglia. Pain 1999; (Suppl. 6): S111–20.
149. Machinis T, Fountas KN. Ephaptic transmission as an explanatory mechanism of radicular pain. South Med J 2005;98(6):673.
150. Attal N, Bouhassira D. Mechanisms of pain in peripheral neuropathy. Acta Neurol Scand Suppl 1999;173:12–24, discussion 48–52.
151. Serra J. Overview of neuropathic pain syndromes. Acta Neurol Scand Suppl 1999; 173:7–11, discussion 48–52.
152. Shinder V, Devor M. Structural basis of neuron-to-neuron cross-excitation in dorsal root ganglia. J Neurocytol 1994; 23(9):515–31.
153. Furusawa N, Baba H, Miyoshi N, et al. Herniation of cervical intervertebral disc: immunohistochemical examination and measurement of nitric oxide production. Spine 2001; 26(10): 1110–16.
154. Saal JS, Franson RC, Dobrow R, et al. High levels of inflammatory phospholipase A2 activity in lumbar disc herniations. Spine 1990;15(7):674–8.
155. Franson RC, Saal JS, Saal JA. Human disc phospholipase A2 is inflammatory. Spine 1992;17(6 Suppl.):S129–32.
156. Chen TY. The clinical presentation of uppermost cervical disc protrusion. Spine 2000;25(4):439–42.
157. Kang JD, Georgescu HI, McIntyre-Larkin L, et al. Herniated cervical intervertebral discs spontaneously produce matrix metalloproteinases, nitric oxide, interleukin-6, and prostaglandin E2. Spine 1995;20(22):2373–8.
158. Kang JD, Stefanovic-Racic M, McIntyre LA, et al. Toward a biochemical understanding of human intervertebral disc degeneration and herniation. Contributions of nitric oxide, interleukins, prostaglandin E2, and matrix metalloproteinases. Spine 1997;22(10):1065–73.
159. Leem JG, Bove GM. Mid-axonal tumor necrosis factor-alpha induces ectopic activity in a subset of slowly conducting cutaneous and deep afferent neurons. J Pain 2002;3(1):45–9.

160. Bove GM, Ransil BJ, Lin HC, et al. Inflammation induces ectopic mechanical sensitivity in axons of nociceptors innervating deep tissues. J Neurophysiol 2003;90(3):1949–55.
161. Sorkin LS, Xiao WH, Wagner R, et al. Tumour necrosis factoralpha induces ectopic activity in nociceptive primary afferent fibres. Neuroscience 1997;81(1):255–62.
162. Watkins LR, Maier SF. The pain of being sick: implications of immune-to-brain communication for understanding pain. Annu Rev Psychol 2000;51:29–57.
163. Byrod G, Rydevik B, Nordborg C, et al. Early effects of nucleus pulposus application on spinal nerve root morphology and function. Eur Spine J 1998;7(6):445–9.
164. Olmarker K, Rydevik B. Selective inhibition of tumor necrosis factor-alpha prevents nucleus pulposus-induced thrombus formation, intraneural edema, and reduction of nerve conduction velocity: possible implications for future pharmacologic treatment strategies of sciatica. Spine 2001;26(8):863–9.
165. Olmarker K. Radicular pain – recent pathophysiologic concepts and therapeutic implications. Schmerz 2001;15(6): 425–9.
166. Aoki Y, Rydevik B, Kikuchi S, et al. Local application of discrelated cytokines on spinal nerve roots. Spine 2002;27(15): 1614–17.
167. Brisby H, Byrod G, Olmarker K, et al. Nitric oxide as a mediator of nucleus pulposus-induced effects on spinal nerve roots. J Orthop Res 2000;18(5):815–20.
168. Olmarker K, Blomquist J, Stromberg J, et al. Inflammatogenic properties of nucleus pulposus. Spine 1995;20(6):665–9.
169. Olmarker K, Nordborg C, Larsson K, et al. Ultrastructural changes in spinal nerve roots induced by autologous nucleus pulposus. Spine 1996;21(4):411–14.
170. Iwabuchi M, Rydevik B, Kikuchi S, et al. Effects of anulus fibrosus and experimentally degenerated nucleus pulposus on nerve root conduction velocity: relevance of previous experimental investigations using normal nucleus pulposus. Spine 2001; 26(15):1651–5.
171. Byrod G, Olmarker K, Konno S, et al. A rapid transport route between the epidural space and the intraneural capillaries of the nerve roots. Spine 1995;20(2):138–43.
172. Tracey DJ, Walker JS. Pain due to nerve damage: are inflammatory mediators involved? Inflamm Res 1995;44(10): 407–11.
173. Foerster O. The dermatomes in man. Brain 1933;102:1–39.
174. Keegan J, Garrett F. The segmental distribution of cutaneous nerves in the limbs of man. Anat Rec 1948;102:409–37.
175. Bove GM, Zaheen A, Bajwa ZH. Subjective nature of lower limb radicular pain. J Manipulative Physiol Ther 2005; 28(1):12–14.
176. Woertgen C, Holzschuh M, Rothoerl RD, et al. Clinical signs in patients with brachialgia and sciatica: a comparative study. Surg Neurol 1998;49(2):210–14.
177. Henderson CM, Hennessy RG, Shuey HM Jr, et al. Posteriorlateral foraminotomy as an exclusive operative technique for cervical radiculopathy: a review of 846 consecutively operated cases. Neurosurgery 1983;13(5):504–12.
178. Woertgen C, Holzschuh M, Rothoerl RD, et al. Prognostic factors of posterior cervical disc surgery: a prospective, consecutive study of 54 patients. Neurosurgery 1997;40(4):724–8, discussion 728–9.
179. Berthelot J, Rodet D, Guillot P, et al. Peut-on prédire le résultat à court terme d'une hospitalisation pour sciatique discale ? Etude de 150 patients. Rev Rhum Ed Fr 1999;66: 233–9. 180. Tanaka Y, Kokubun S, Sato T, et al. Cervical roots as origin of pain in the neck or scapular regions. Spine 2006;31(17): E568–73.
181. Slipman CW, Plastaras CT, Palmitier RA, et al. Symptom provocation of fluoroscopically guided cervical nerve root stimulation. Are dynatomal maps identical to dermatomal maps? Spine 1998;23(20):2235–42.
182. Ochoa JL, Torebjork HE. Paraesthesiae from ectopic impulse generation in human sensory nerves. Brain 1980;103(4): 835–53.
183. Gifford L. The mature organism model. In: Gifford L, editor. Topical issues in pain 1. Falmouth: CNS Press; 1998. p. 45–56.
184. Butler D. The sensitive nervous system. Adelaide: Noigroup Publications; 2000.
185. Gifford L, Thacker M, Jones M. Physiotherapy and pain. In: McMahon S, Koltzenburg M, editors. Wall and Melzack's textbook of pain.

5th ed. Philadelphia: Elsevier Churchill Livingstone; 2006. p. 603–17.

186. Lidbeck J. Central hyperexcitability in chronic musculoskeletal pain: a conceptual breakthrough with multiple clinical implications. Pain Res Manag 2002;7(2):81–92.

187. Gifford L. Tissue and input related mechanisms. In: Gifford L, editor. Topical issues in pain 1. Falmouth: CNS Press; 1998. p. 57–65.

188. Yunus MB. Fibromyalgia and overlapping disorders: the unifying concept of central sensitivity syndromes. Semin Arthritis Rheum 2007;36(6):339–56.

189. Yunus M. The concept of central sensitivity syndromes. In: Wallace D, Clauw D, editors. Fibromyalgia and other central pain syndromes. Philadelphia: Lippincott Williams & Wilkins; 2005.

190. Diatchenko L, Nackley AG, Slade GD, et al. Idiopathic pain disorders – pathways of vulnerability. Pain 2006;123(3): 226–30.

191. Yunus MB. Central sensitivity syndromes: a new paradigm and group nosology for fibromyalgia and overlapping conditions, and the related issue of disease versus illness. Semin Arthritis Rheum 2008;37(6):339–52.

192. Woolf CJ. Central sensitization: implications for the diagnosis and treatment of pain. Pain 2011; 152(3 Suppl.):S2–15.

193. Hochman JR, Davis AM, Elkayam J, et al. Neuropathic pain symptoms on the modified painDETECT correlate with signs of central sensitization in knee osteoarthritis. Osteoarthritis Cartilage 2013;21(9):1236–42.

194. Sterling M, Treleaven J, Edwards S, et al. Pressure pain thresholds in chronic whiplash-associated disorder: further evidence of altered central pain processing. J Musculoskel Pain 2002. J Musculoskel Pain 2002;10:69–81.

195. Curatolo M, Petersen-Felix S, Arendt-Nielsen L. Central hypersensitivity in chronic pain after whiplash injury. Clin J Pain 2001;17(4):306–15.

196. Sterling M, Jull G, Vicenzino B, et al. Sensory hypersensitivity occurs soon after whiplash injury and is associated with poor recovery. Pain 2003;104(3):509–17.

197. Herren-Gerber R, Weiss S, Arendt-Nielsen L, et al. Modulation of central hypersensitivity by nociceptive input in chronic pain after whiplash injury. Pain Med 2004;5(4):366–76.

198. Jull G, Sterling M, Kenardy J, et al. Does the presence of sensory hypersensitivity influence outcomes of physical rehabilitation for chronic whiplash? A preliminary RCT. Pain 2007;129(1–2): 28–34.

199. Sterling M. Differential development of sensory hypersensitivity and a measure of spinal cord hyperexcitability following whiplash injury. Pain 2010;150(3):501–6.

200. Chen Y. Advances in the pathophysiology of tension-type headache: from stress to central sensitization. Curr Pain Headache Rep 2009; 13(6):484–94.

201. Defrin R. Chronic post-traumatic headache: clinical findings and possible mechanisms. J Man Manip Ther 2014;22(1): 36–44.

202. de Tommaso M, Federici A, Franco G, et al. Suggestion and pain in migraine: a study by laser evoked potentials. CNS Neurol Disord Drug Targets 2012;11(2):110–26.

203. Boyer N, Dallel R, Artola A, et al. General trigeminospinal central sensitization and impaired descending pain inhibitory controls contribute to migraine progression. Pain 2014;155(7): 1196–205.

204. Benoliel R, Svensson P, Heir GM, et al. Persistent orofacial muscle pain. Oral Dis 2011;17(Suppl. 1):23–41.

205. Nijs J, Malfliet A, Ickmans K, et al. Treatment of central sensitization in patients with 'unexplained' chronic pain: an update. Expert Opin Pharmacother 2014;15(12):1671–83.

206. Nijs J, Van Houdenhove B, Oostendorp RA. Recognition of central sensitization in patients with musculoskeletal pain: application of pain neurophysiology in manual therapy practice. Man Ther 2010;15(2):135–41.

207. Smart KM, Blake C, Staines A, et al. Clinical indicators of 'nociceptive', 'peripheral neuropathic' and 'central' mechanisms of musculoskeletal pain. A Delphi survey of expert clinicians. Man Ther 2010;15(1):80–7.

208. Smart KM, Blake C, Staines A, et al. Mechanisms-based classifications of musculoskeletal pain: part 1 of 3: symptoms and signs of central sensitisation in patients with low back (+/– leg) pain. Man Ther 2012;17(4):336–44.

209. Nijs J, Torres-Cueco R, van Wilgen CP, et al. Applying modern pain neuroscience in clinical practice: criteria for the classification of central sensitization pain. Pain Physician 2014;17(5): 447–57.

섹션 II. 경추의 임상평가

CLINICAL ASSESSMENT OF THE CERVICAL SPINE

SECTION OUTLINE

6 관절 기능장애의 병리역학

PATHOMECHANICS OF JOINT DYSFUNCTION

RAFAEL TORRES CUECO ■ ENRIQUE J. LLUCH GIRBÉS

지난 수년간 관절 기능장애의 개념과 도수치료 분야의 치료적 접근은 다양한 관점을 통해 연구되어왔다. 몇몇 경우에는 관절 기능장애의 ***기계학적 모델***의 발달이 주요 초점이 되어왔으며 종종 지나치게 경직된 방식으로 진행되었다. 이동성의 변화와 환자 증상 사이의 관계는 ***임상 모델***의 주요 초점이었다. 현재 두 모델을 통합하려는 경향이 있다.

관절 기능장애의 ***기계학적 모델***은 관절 이동성 변경을 감지하고 관절분절의 기계학적 행동을 해석하려는 시도에 더 중점을 둔다. 실제로 이 이론적 추론은 영향을 받은 분절의 관절표면 사이의 관계를 정상화하는 것에 목표하는 치료로 이어진다.

그러나, 이 모델을 사용할 때 두 가지 환경이 고려되어야 한다. 한편으로는 척추 이동성과 관련된 기계학적 모델은 척추분절 관절이 해부학적으로 대칭적이라는 가정하에 개발되었고 이것은 실제로 규칙보다 예외가 많다. 다른 한편으로는 기능장애를 보이는 관절은 퇴행성, 외상후 또는 퇴행성 변화의 존재 여부와 관계없이 미리 결정된 기계적 행동을 취하는 것으로 가정되며 이는 또한 매우 가능성이 없다.

임상 모델은 관절 이동성에서 관찰되는 변화를 환자의 증상과 연결하려고 시도한다. 이 모델 내에서 환자의 주관적인 검사 및 임상평가는 기본이며 여기에는 관절 기능장애의 평가가 포함된다.

후자는 관절이 저이동성인지 과이동성인지, 그리고 이것이 환자의 증상과 어떤 관련이 있는지 확인하려고 시도한다. 기계적 또는 임상적 모델이 완전히 배타적이지 않으며 이 책은 통합적 관점을 제공하는 것을 목표로 한다.

도수치료는 지난 수십년간 특히 두 가지 중요한 측면으로 인해 크게 발전했다. 증거 및 정보 기반 실습 개발과 통증과학분야에서 일어난 혁명이다. 이 두 요인들로 인해 진단 및 치료 절차의 적용이 보다 더 환자 중심적이 되었다. 도수치료 기술의 효과, 타당성 및 신뢰성과 관련하여 수행된 연구에 따르면, 이 치료방법은 종종 다른 치료방법으로 얻은 것보다 더 나은 결과를 얻을 수 있다. 실제로 여러 체계적인 검토에서 경추에 대한 도수치료가 통증 및 장애 관리에 유용하다는 증거가 낮거나 중간 정도이다.[1,2] 수동적 관절 가동 또는 도수치료법은 치료의 유일한 또는 단일한 가장 중요한 측면이 되어서는 안되며 오히려 기능 회복을 향한 환자의 도움을 목표로 하는 다중모드 접근방식에 포함되어야 한다. 도수치료는 환자의 기능적 능력 회복에 기여하는 효과적인 치료법이다. 그러나 이것이 단독 또는 배타적인 치료로 사용이 되어서는 안되고 특히 움직임 조절 및 다른 치료적 움직임과 같은 능동치료방식의 임상 효과를 고려할 때 단일 또는 단독적인 치료로 사용이 되어서는 안된다.

기능장애의 개념
THE CONCEPT OF DYSFUNCTION

전통적으로 '기능장애'라는 용어는 거의 독점적으로 관절 구조를 지칭했다. Mennell[20]은 이것을 '수의근(voluntary muscles)의 수축으로 회복할 수 없고 정상적인 근관절 기능을 방해하는 관절 역할의 상실 또는 변경'으로 정의했다.

지난 수십 년 동안, 기능장애의 개념은 근육이나 신경조직 같은 신체시스템의 다른 구성요소들을 포함하도록 확장되어왔다. 이런 기능장애 개념의 진화는 근골격계 및 환자의 병력에 대해 더 나은 이해를 제공하고 새로운 치료도구를 허용한다.

근육 기능장애는 신경근조절의 변화로 정의될 수 있다. 신경조직은 기계적이고 생리학적 특성을 갖고 이것의 변화는 특정한 ***신경 기능장애***를 유발할 수 있다. 신경 기능장애의 개념은 Breig,[21] Elvey,[22] Maitland,[23] Butler[24] 및 Shacklock[25]의 연구로 발전되었고 15장에서 논의된다(그림 6-1).

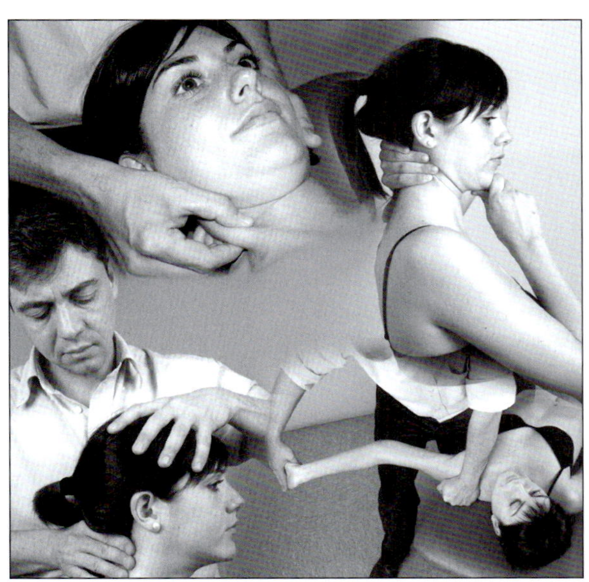

그림 6-1 ■ 근골격계는 관절, 신경역학 및 신경근 조절과 같은 다양한 유형의 기능장애를 표현할 수 있다.

이 장에서는 관절 기능장애의 개념과 이것의 다양한 해석에 대해서 설명한다. '관절 기능장애'라는 용어는 이 관절 분절의 기능에 영향을 미치는 관절 역학의 변화를 나타낸다. 이것은 자주 증상의 원인이 될 수 있는 근처 분절의 기능에 영향을 미친다. 관절 기능장애와 관련하여 두 가지 관련 측면이 있는데, 기능장애 행동을 설명하기 위해 가능한 구조적 변화를 해석하고 특히 이것이 환자의 증상과 관련이 있는지 알아낸다.

관절 기능장애와 관련하여 두 가지 관련 측면이 있는데, 기능장애 행동을 설명하기 위해 가능한 구조적 변화를 해석하고 특히 이것이 환자의 증상과 관련있는지 알아낸다.

정상적인 척추 이동성 패턴

척추 이동성은 척추[26]를 구성하는 다양한 해부학적 요소의 구조적 및 물리적 특성의 조합에 의해 양적 및 질적으로 결정된다(3장 참조). 첫째, 척추 움직임의 복잡성은 강조되어야 한다. 각 척추 움직임은 3개의 다른 관절, 즉 두 개의 후관절과 체간관절의 결합된 작용을 통해 수행된다. 척추분절의 움직임의 양과 유형은 관절면의 형태뿐만 아니라 중심관 및 추간공에 위치한 연조직 및 신경조직에 의해 결정된다.

기계적 관점에서 척추의 이동성은 각 이동(즉, 굴곡 또는 신전)만을 포함하지는 않고 추간 움직임 시 나타나는 다른 움직임 구성요소들이 있다. 특히, 모든 척추 움직임은 평면에서 수직인 축 주위의 평면에서 병진이동과 회전의 합이다(그림 6-2). 따라서 공간의 각 세 면의 병진 및 회전 구성요소는 척추의 이동성을 정의한다(표 6-1).

시상면에서 척추는 관상축 중심으로 병진이동 및 회전이라는 두 가지 유형의 움직임을 수행할 수 있다. 시상면에서의 병진이동은 각각 전방 및 후방

표 6-1

척추 움직임의 구성요소

평면(Plane)	**병진**(Translation)		**회전**(Rotation)	
시상면	시상병진 전방 후방	 전방전위 후방전위	시상회전 전방 후방	 전방경사 후방경사
관상면	관상병진 머리(Cephalic) 꼬리(Caudal)	 축신연 축압박	관상회전 오른쪽 왼쪽	측방경사 오른쪽 왼쪽
수평면	수평병진 오른쪽 왼쪽	측방전위 오른쪽 왼쪽	수평회전 오른쪽 왼쪽	회전 오른쪽 왼쪽

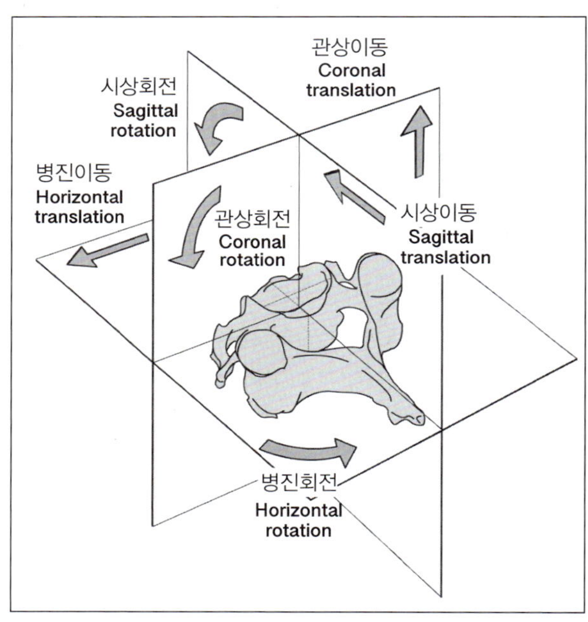

그림 6-2 ■ 척추 움직임은 세 개의 직교 평면 각각에서 회전 및 병진이동 구성요소에 근거하여 설명될 수 있다.

이거나 전방전위 및 후방전위가 될 수 있다. 시상병진은 전방 또는 후방시상회전과 연결된다.

관상면에서 척추는 위쪽(머리방향 관상병진) 또는 아래쪽(꼬리방향 관상병진)으로 병진할 수 있다. 동시에 전후방축 중심으로 관상면에서 회전을 수행할 수 있다. 이 회전움직임은 움직임의 방향에 따라 오른쪽 또는 왼쪽 측방굴곡/측면 굽힘으로 알려져 있다.

수평면에서 척추는 움직임 방향에 따라 오른쪽 또는 왼쪽 측방전위 알려진 병진 움직임을 수행할 수 있다. 수평면 회전은 세로축을 중심으로 수행될 수 있다. 이 움직임을 척추 회전이라고 한다.

회전 및 병진이동의 구성요소는 각각의 각 움직임 중에 비례적으로 수행되어야 한다. 관절 기능장애는 움직임 구성 요소의 순서와 비율을 변경할 수 있다. 이것은 척추 분절의 구조적 변화가 발생할 때 명확하다. 이러한 구성 요소 중 하나가 과도하거나 부족하거나 부적절한 비율로 발생할 수 있다. 예를 들어, 탈수된 수핵이 있는 피험자는 초기에 굴곡 시 과도한 전방 병진을 보이는 경향이 있다.[27] 움직임의 관절움직임 구성요소의 변경은 역설적인 이동성을 유발할 수 있다(3장 참조).

수핵과 섬유륜은 전부하 현상으로 인해 이러한 모든 움직임에서 기계적으로 협력한다(6장 참조). 수핵과 같이 변형 가능하지만 압축할 수 없는 구조의 존재는 특정 범위를 초과하지 않는 한 척추체의 움직임을 용이하게 하며, 이는 경추에서 15°보다 높아서는 안 된다. 이 범위를 넘어서면 움직임 반대측인 섬유륜 섬유의 장력이 더 큰 움직임 범위를 방지한다. 수핵은 또한 Kapandji가 설명한 자가 안정화 기전(self-stabilization mechanism) 덕분에 움직임을 제한하는 데 관여한다.[28] 따라서 추간판의 건강 상태는 척추 분절의 안정성과 생리학적 이동성을 결정하는 요소이다.

체간 관절은 추간판의 변형으로 인해 시상면과 관상면에서 회전 구성 요소를 주로 담당한다.

관절면과 관련하여 돌기사이관절에서 평행 이동과 수직 이동의 두 가지 유형의 움직임이 가능하다.

평행 이동(*Parallel movements*)

이러한 움직임을 확산 또는 상승 및 수렴 또는 하강이라고 한다.

- 확산 또는 상승: 하부 척추의 상부 관절면과 관련하여 전방 및 상부 방향으로 상부 척추골의 하부 관절면의 움직임. 척추 분절 경추4번-경추5번에서 굴곡 시 경추4번의 하부 관절면은 경추5번의 상부면과 관련하여 확산하여 움직인다.
- 수렴 또는 하강: 하부 척추의 상부 관절면과 관련하여 후방 및 하부 방향으로 상부 척추뼈의 하부 관절면의 움직임. 척추 분절 경추4번-경추5번에서 신전 시 경추4번의 하부 관절면은 경추5번의 상부면과 관련하여 수렴하여 움직인다(그림 6-3).

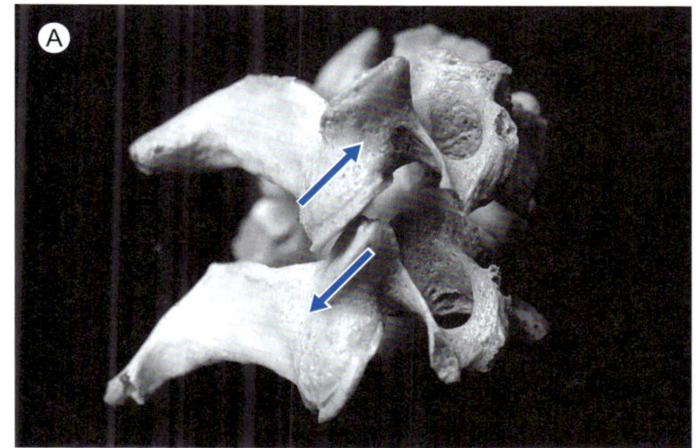

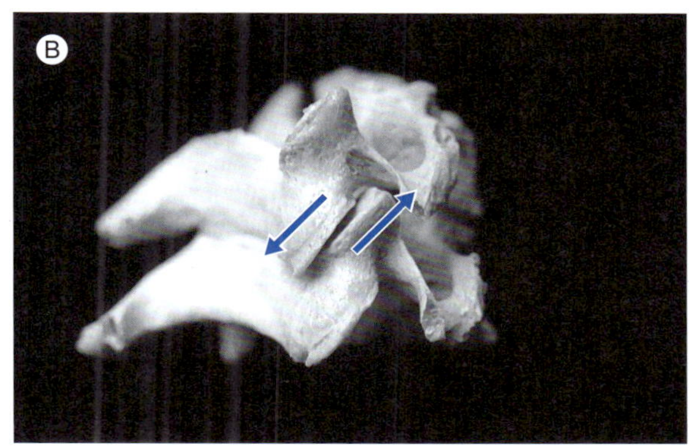

그림 6-3 ■ 돌기사이관절은 확산(A)과 수렴(B)처럼 미끄러지는 움직임을 할 수 있다.

수직 움직임(*Perpendicular movements*)

- ***결합:*** 관절 접촉을 증가시키는 두 관절면 사이의 수직 움직임.
- *Decoaptation:* 관절면 사이의 거리를 증가시키는 두 관절면 사이의 수직 이동(그림 6-4)

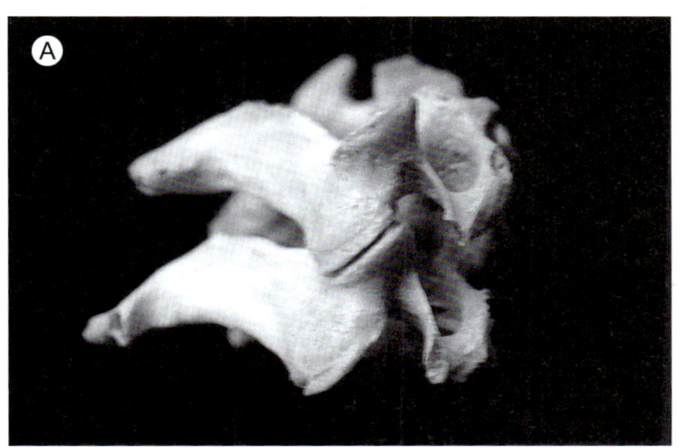

그림 6-4 ■ 돌기사이관절은 수직 움직임을 수행할 수 있다: 결합(A) 및 관절 간격(B).

경추의 결합 이동성 패턴 (Coupled mobility patterns of the cervical spine)

척추의 움직임은 단독이나 단일 평면에서 발생하지 않는다. 시상면(굴곡–신전)에서의 움직임을 제외하고 나머지 평면의 이동성은 항상 결합된다.

결합패턴이라고도 하는 결합 이동성 패턴은 White와 Panjabi[26]에 의해 '축에 대한 하나의 움직임(병진이동 또는 회전)과 두 번째 축에 대한 다른 움직임의 일관된 연관성에 의해 유발되는 현상'으로 정의되었다. Bogduk[29]는 결합된 움직임을 '원하는 동작을 수행하는 동안 의도하지 않거나 예기치 않은 방향으로 발생하는 움직임'으로 정의한다.

다른 저자들은 측면 굽힘과 회전 사이의 결합패턴이 척추의 모든 영역에서 특징적임을 보여주었다.[30] 그러나 다른 연구에서 얻은 결과를 사용하여 확고한 결론에 도달하는 것은 불가능하다.[31,32] 방법론(즉, 사진 측량, 기존 방사선 촬영, 다중 평면 엑스레이) 또는 표본 특성(즉, 건강한 피험자 대 증상이 있는 피험자)의 차이는 이러한 동의의 부족을 설명할 수 있다.

이러한 논쟁은 또한 척추의 생체역학적 복잡성을 반영한다. Kapandji[28]는 경추의 두 가지 결합패턴을 설명한다. 하나는 측면 굽힘과 회전이 항상 같은 방향으로 결합되는 하부 경추에서 발생한다. 두개경추 척추에 설명된 다른 패턴에서 측면 굽힘은 항상 반대쪽 회전과 관련이 있다. 결합패턴은 흉추 및 요추[27,33-38]에서보다 경추[33]에서 더 일관성이 있다. 이 패턴은 측면 굽힘이 동일한 방향[27,30,34,35,39-44]으로 척추의 회전과 결합된다는 것을 의미한다(그림 6–5). 이 패턴은 경추2번–경추3번 분절에서 항상 발견되는 것은 아니며, Mimura 등[35]은 20명의 건강한 남성을 촬영한 3차원 방사선 사진을 이용하여 회전과 측면 굽힘이 반대방향이라는 것을 알아냈다. 이와 동일한 반대측 패턴은 후두–경추1번 및 경추1번–경추2번에서도 볼 수 있다(그림 6–6).

일부 도수치료 접근법은 여전히 Fryette[45], Mitchell 및 Mitchell[46]에 의해 설명된 척추 결합 이동성 패턴을 사용한다. 이러한 모델은 조사 연구를 기반으로 하지 않았으며 현재 신뢰성과 타당성이 부족하다. 통증과 근육 활동 또는 굴성 후관절(facet tropism)과 같은 결합 움직임의 정도와 방향에 영향을 줄 수 있는 다른 많은 변수가 있는 것으로 나타났다. 또한 두 가지 다른 요인이 결합 행동을 수정할 수 있다. 관절의 비대칭은 매우 흔하고, 퇴행성 변화는 다른 쪽보다 척추의 한쪽에서 자주 더

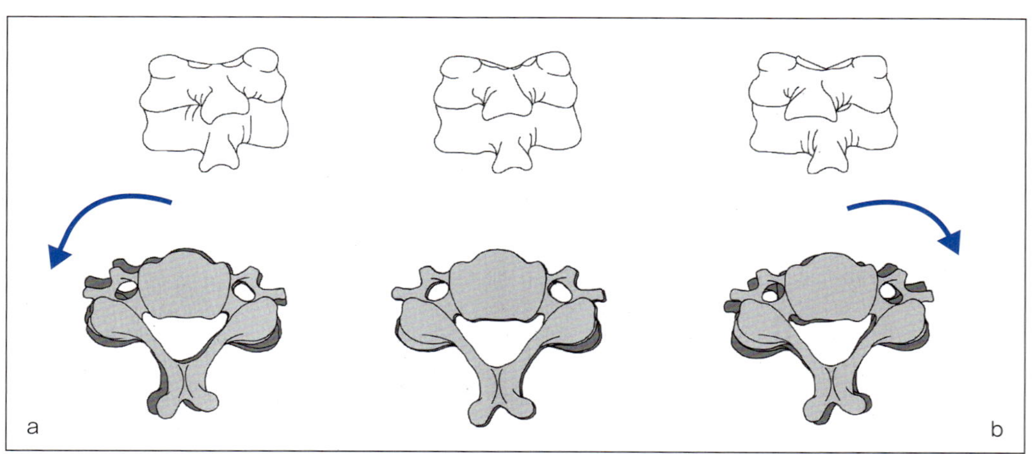

그림 6–5 ■ C3–C7 분절의 결합패턴은 측면 굽힘이 동일한 방향(a 및 b)으로 척추의 회전을 동반한다고 밝혔다.

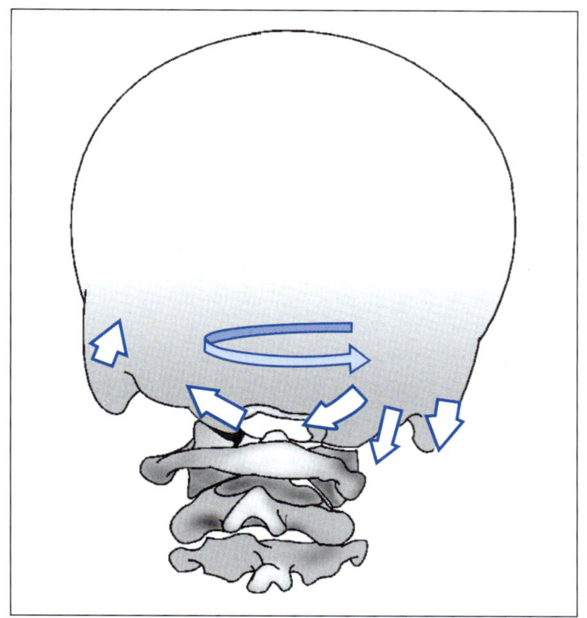

그림 6-6 ■ C0-C1 및 C1-C2 분절의 측면 굽힘에는 반대 방향 회전이 수반된다. 그림은 후두골의 오른쪽 굽힘이 왼쪽 회전과 어떻게 연관되어 있는지 보여준다.

심하다.

기능장애 및 관절 병리학 (Dysfunction and joint pathology)

관절 기능장애는 조직학적 실체로 간주되어서는 안 되며 오히려 비정상적인 관절 움직임 행동으로 간주되어야 한다. 관절 기능장애는 종종 돌기사이관절이나 디스크의 병리학적 상태의 결과이다. 병리학적 및 퇴행성 변화와 관절 기능장애 사이의 관계는 미래에 관절 병리학에 대한 새로운 통찰력을 제공하고 치료 개입을 정당화할 수 있는 연구 분야 중 하나이다(그림 6-7).

관절 기능장애를 환자의 임상 상태 또는 증후군과 연관시키는 것이 필수적이다. 관절 역학을 수정할 수 있는 다양한 병리에 대한 자세한 내용은 2권의 해당 장에서 찾을 수 있다.

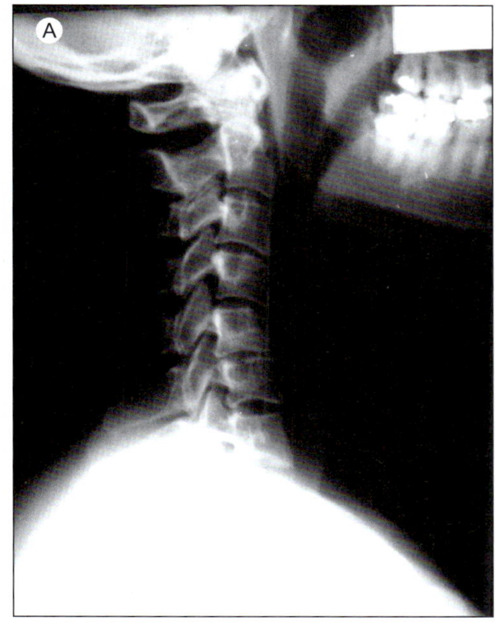

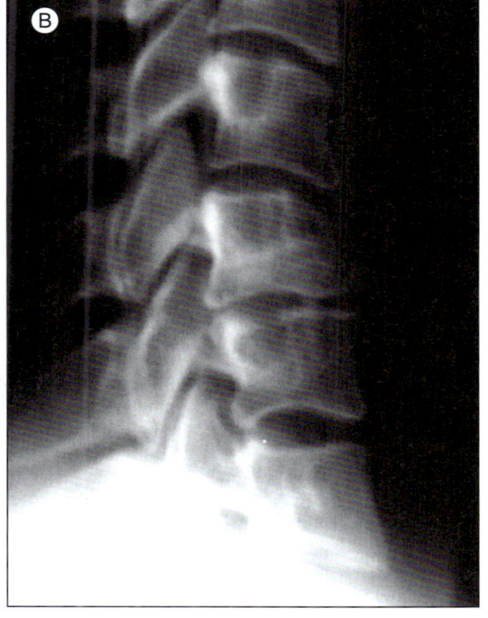

그림 6-7 ■ 외상성 또는 퇴행성 기원의 구조적 변화는 관절 역학을 바꾼다. 이 방사선 사진은 감소된 C5-C6 체간 공간을 보여준다(A). 피험자는 C4-C5분절의 과이동성 관절 기능장애를 나타낸다. 이 과이동성은 아마도 C5 척추체의 전상방 가장자리의 리모델링을 담당한다(B).

기능장애의 병태생리학
PHYSIOPATHOLOGY OF DYSFUNCTION

정상적인 관절 기능은 ***구조적, 생체역학적 및 신경근적*** 요인의 조합으로 인해 발생한다.[26,32] 구조적 요인은 뼈, 관절 및 관절낭인대 형태와 관련이 있다. 생체역학적 요인은 관절의 이동성을 나타낸다. 신경근 요인은 신경근 조절 기전을 암시한다. 이 세 가지 측면 중 하나가 부족하거나 변경되면 관절이 악화될 수 있다.

관절 기능장애의 원인은 다양하다. 이것은 외상이나 반복적인 기능 과부하 또는 디스크, 인대 또는 돌기사이관절의 형태학상에 선천적 또는 후천적 변화의 결과로 발생할 수 있다. 사실, 관절 분절의 많은 선천적 기형은 관절 기능을 변경하고 기능장애를 유발할 수 있는 기능적 보상을 필요로 한다.

관절 행동에 대한 움직임 활동 변화의 영향도 고려해야 한다.[47] 신경근 조절 기능장애는 ***기능장애 움직임 활동 패턴***을 포함하며, 이는 결국 관절 기능장애로 이어질 수 있다.[48,49]

기능장애가 있을 때, 위에서 언급한 생체역학적, 형태학적 또는 신경근학적 요인 중 어느 하나라도 반드시 다른 요인에 영향을 미친다. 따라서 예를 들어, 관절 표면의 선천적 변화는 비정상적인 관절 기능과 관련될 수 있으며, 이는 중장기적으로 퇴행성 관절 변화의 시작을 초래할 수 있다. 유사하게, 관절 기능장애는 관절 표면에 대한 하중 변형으로 인해 관절 구조에 영향을 미칠 것이다. 또한 관절의 신경근 조절에 부정적인 영향을 줄 수 있다. 관절 기능장애는 특히 통증이 뒤따를 경우, 고유수용성 레벨에서 상당한 변화를 일으킨다.[47] 비정상적인 움직임 활성화 패턴 형태의 신경근 조절 기능장애는 차례로 관절 기능을 변경하고 궁극적으로 관절 형태를 수정할 수 있다(그림 6-8).

분절 이동성 분석
ANALYSIS OF SEGMENTAL MOBILITY

관절 기능장애의 특징
(Characteristics of articular dysfunction)

관절 기능장애는 비대칭, 이동성 변화, 근육 활동의 변화, 조직 질감의 변화 및 증상의 존재를 특징으로 한다.

전통적으로 '비대칭'이라는 용어는 척추 위치의 공간 변화와 관련이 있다. 그러나, ***위치적 비대칭***이 존재하는 경우, 반드시 관절 기능장애의 존재를 의미하는 것은 아니다. 마찬가지로, 관절 기능장애가 항상 척추 위치의 비대칭을 의미하는 것은 아니다. 그러나, 일부 저자는 여전히 수동으로 또는 기존 방사선 촬영을 사용하여 척추의 위치를 분석하여 관절 기능장애를 진단하려고 시도한다.

위치적 비대칭이 관절 기능장애의 존재를 의미하지는 않는다.

관절 기능장애는 척추 위치의 비대칭을 반드시 동반하지는 않는다.

척추 위치를 수동으로 또는 방사선 촬영을 통해 분석하여 관절 기능장애를 진단하려고 시도하는 것은 실수이다.

위치적 비대칭은 관절의 해부학적 요소에 영향을 미치는 형태학적 비대칭(즉, 돌기사이관절)과 구별되어야 한다. 위치적 및 형태학적 비대칭이라는 이 두 가지 측면은 수동 진단 과정에서 고려되어야 하지만, 이 존재가 관절 기능장애의 존재를 의미하지는 않는다. 관절 형태의 비대칭(예: 굴성후관절, facet tropism)은 반드시 관절 기능장애의 존재를 의미하지 않고 영향을 받은 척추 분절에서 비대칭 이동성을 유발할 수 있다(그림 6-9).

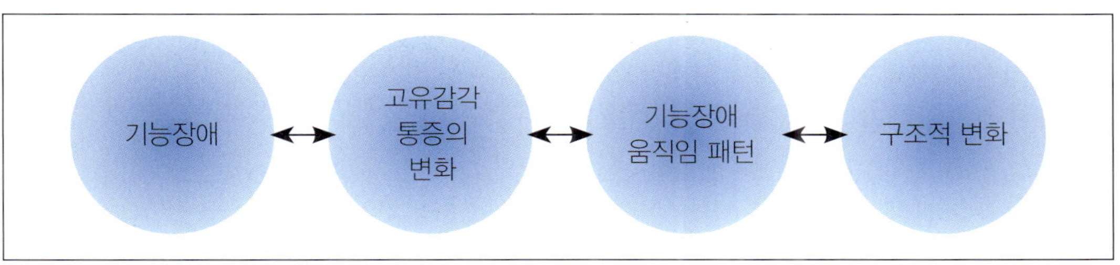

그림 6-8 ■ 기능장애, 고유감각 장애 및/또는 통증, 기능장애 움직임 패턴 및 관절의 구조적 변화 사이에는 분명한 관계가 있다.

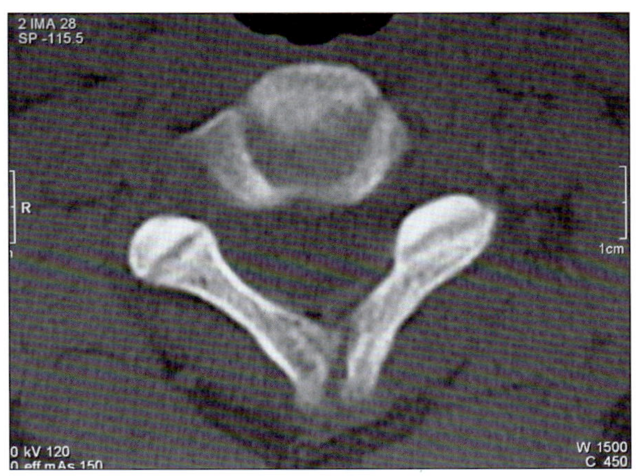

그림 6-9 ■ 이 MRI에서 관찰된 굴성 후관절은 관절 기능장애의 존재를 반드시 정당화하지 않고도 영향을 받은 척추 분절에서 비대칭 이동성을 유발할 수 있다.

척추 분절의 이동 범위가 가득 차더라도 안정위(resting position)가 변경되면 ***위치 변경***이 발생한다. 이 상황에서 관절가동범위는 안정위와 같은 방향으로 제한되는 것처럼 보인다. 예를 들어, 경추2번의 오른쪽으로 회전하는 위치 변경이 있다. 분절 이동성의 평가는 관절이 해부학적 한계에 가깝기 때문에 오른쪽 회전에 대한 경추2번의 제한과 왼쪽 회전을 향한 관절가동범위가 더 넓다는 것을 보여준다. 위치 변경은 주로 적응적이며 움직임에 대한 제한은 통증이 있더라도 제한적 장벽의 존재를 의미하지 않는다.

관절 위치의 변화와 관련된 증상의 존재는 관절이 적응력의 한계에 도달했음을 나타내며, 따라서 조직에 가해지는 스트레스로 인해 증상이 나타나기 시작한다. 어떤 경우에는 위치 변경이 관절 기능장애와 관련될 수 있다. 이 상황은 이동 제한이 어느 정도 도달했을 때 발생한다. 관절 분절은 관절 움직임 끝 범위로부터 멀리 떨어진 균형 잡힌 위치를 찾는 경향이 있다. 예를 들어, 관절 분절이 굴곡에 대한 현저한 제한을 보일 때 신전에 더 가까운 위치를 채택하여 안정위를 수정할 수 있다. 따라서 이러한 위치 변경은 관절 기능장애에 이차적이다.

기능적 비대칭의 개념은 이제 관절 이동성의 개념보다 더 많은 관심을 받고 있다. 관절 기능장애의 틀 내에서 움직임의 질적 구성 요소는 양적 측면보다 더 관련이 있는 것으로 간주된다. 기능적 비대칭은 관절면의 일치도 상실과 관련된 관절 레벨에서 긴장과 압력의 불균형을 의미한다. 종종 관절 기능장애는 관절 과압(hyperpressure)과 결합되지만 어떤 경우에는 기능장애의 결과로 관절 접촉의 손실이 있을 수 있다.

이동성 변경(Alteration of mobility)

관절 기능장애는 가동범위의 변화를 특징으로 한다. 이것은 저이동성 또는 과이동성의 형태로 나타날 수 있다. 오랫동안 관절 기능장애는 저이동성의 관점에서 정의되어왔다. 그럼에도 불구하고 과이동성으로 인한 조직의 영향은 관절 움직임 제한으로 인한 영향보다 더 치명적일 수 있다.[50-52]

저이동성이 항상 증상과 연관되는 것은 아니다. 실제로 이동성이 제한된 척추관절은 장기적으로 아무런 증상이 나타나지 않는 경향이 있다. 관절에 심각한 퇴행성 변화가 발생하면 종종 인접한 관절에서 증상이 나타나 과이동성이 된다.

관절 기능장애는 전체 척추 분절 또는 삼중관절 복합체 내의 단일 관절(즉, 돌기사이관절 및 디스크)에 영향을 미칠 수 있으며, 이는 비대칭 이동성을 나타낸다. 종종 이러한 비대칭적 이동성은 척추 분절의 가동범위의 과잉이나 부족보다 진단 시 더 유용하다. 이동성을 분석할 때 움직임의 범위와 대칭성, 통증의 모양 및 움직임을 따라 그리고 움직임이 끝날 때의 질에 대한 분석을 포함할 필요가 있다. 끝 범위에서 재현되는 통증은 관절 기능장애의 특징이다. 대조적으로, 움직임 범위를 통한 통증은 종종 관절 내 기능장애 또는 염증 상황과 관련이 있다.

이동성을 분석할 때 움직임의 범위와 대칭, 움직임에 따르거나 움직임의 끝 범위에서의 통증 및 질을 살펴볼 필요가 있다.

관절 기능장애는 급성 염증과 관련된 상황을 제외하고 끝 범위에서 통증을 유발할 수 있다.

관절내 기능장애 또는 염증 질환은 일반적으로 통증을 유발한다.

근육 활동의 변화
(Changes of muscular activity)

전통적으로, 관절 기능장애는 기능장애의 유지에 책임이 있는 것으로 추정되는 심부 안정 근육(즉, 뭇갈래근[다열근, multifidus])[46]의 과긴장과 관련이 있다. 또한 관절 도수치료가 이 근육의 긴장도를 더 정상 수준으로 회복시켰다고 주장했다.[53-55] 그러나 현재 관절 통증 기능장애가 심부 안정 근육의 억제를 유발한다는 가설을 뒷받침하는 충분한 증거가 있다.[56]

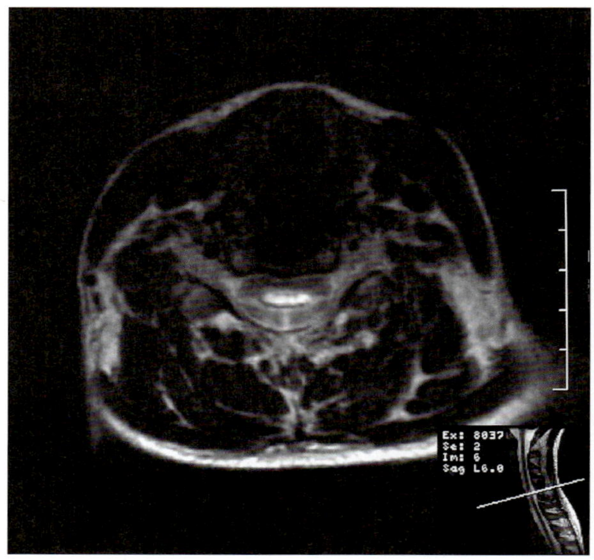

그림 6-10 ■ 이 MRI에서 볼 수 있듯이 만성 목 통증이 있는 피험자에게서 심부 근육의 위축과 섬유지방 변성이 관찰된다.

통증-경련-통증 주기 이론이 확인한 것과는 반대로, 관절 통증은 해당 관절의 이동성을 조절하는 근육 활동의 변화를 초래한다.[57] 근육 활동의 이러한 변화는 근전도 검사로 입증되었다.[58-61] 또한 만성 경추통[62-64]이 있는 피험자에게서 심부 근육의 근육 위축과 지방 침윤이 발견되었다(그림 6-10). 심부안정근육의 억제는 표재성근육의 활동을 보상적으로 증가시켜 근육 불균형을 증가시킨다.[10,65,66]

관절 통각 수용체의 지속적인 활동은 심부 안정 근육의 억제로 이어진다. 이 억제는 말초 및 중추 기전에 의해 설명된다.[57] 예를 들어, 후관절 활막염(facet synovitis)에서 심부 근육의 활동은 관절 압력을 증가시켜 통증을 유발하므로 해당 근육들은 이 활동을 감소시키는 경향이 있다. 심부 안정 근육의 억제는 관절 표면 사이의 접촉 손실로 인해 발생할 수도 있다. 근육의 활성화는 기본적으로 자동이기 때문에 이러한 근육에는 관절 접촉이 필요하다.

결과적으로, 돌기사이관절 접촉을 상실한 분절은 관절 안정성이 좋지 않을 것이다. 근육 억제는 관절기계수용체의 활동을 수정하여 악순환을 종결시킨다.

통증을 동작 적응과 관련시키는 악순환 이론[67] 및 통증적응 이론[67]의 두 가지 고전적인 주요 이론이 있다. 현재 이러한 이론은 통증이 있을 때 근육이 적응하는 다양한 방식을 설명하기에는 충분하지 않다.

최근 이론인 신경근 활성화 모델은 Sterling 등[68]에 의해 통증과 근육 활동 사이의 관계를 설명하기 위해 제안되었다. 통증의 존재는 움직임 조절 전략의 주요 재구성, 근육 특성의 변화, 그리고 근력 및 지구력 감소로 이어진다. 주요 상승효과를 수행하는 특정 근육의 활성화를 억제하거나 지연시키는 것으로 나타났다. 이러한 억제는 일반적으로 관절 안정성을 제어하기 위해 시너지 기능을 수행하는 관련 관절에 국소적인 심부 근육에서 발생한다. 이 저자들은 목 통증과 두통이 있는 피험자에게서 경추의 상부 및 심부 경추굴곡근육이 지구력 능력을 상실한다는 것을 보여주었다. 이 저자들은 근력, 지구력, 고유수용감각 및 협응력을 변경할 수 있는 것보다 근육 특성 및 움직임 제어 전략의 변화를 입증했다.

통증에 대한 움직임 적응을 설명하기 위해 최근 Hodges[57,69]에 의해 새로운 이론이 개발되었다. Hodges[69]는 통증에 대한 근육 적응이 더 복잡하고 유연하며 통증을 줄이고 통증 부위를 보호하는 것을 목표로 한다고 제안한다. 통증에 대한 이러한 적응은 흥분성의 단순한 변화로 설명되지 않고 보완적, 부가적 또는 경쟁적일 수 있는 움직임 시스템의 여러 레벨에서의 변화를 포함한다. 통증은 근육 사이뿐만 아니라 같은 근육 내에서도 활동의 재분배를 초래한다.

이 적응은 통증이나 부상으로부터 보호할 수 있는 기계적 행동을 변경하며 움직임 시스템의 여러 레벨에서 발생한다. 이러한 적응이 단기적 이점이 있다는 사실에도 불구하고 장기적으로는 부하 증가, 움직임 감소 및 변동성 감소와 같은 요인으로 인해 많은 결과를 초래할 수 있다.

경추 신경근 조절 기능장애는 증상이 없어져도 저절로 회복되지 않는 것으로 나타났다.[70] 근육 기능을 회복하기 위해서는 특정한 활동적인 움직임이 필요한 것으로 간주된다.[15,18,19,71] 그러나 일부 연구에서는 관절 가동술 절차만 사용한 후 근육 기능에 긍정적인 영향을 미치는 것으로 나타났다.[72,73]

경추의 신경근 조절 기능장애의 진단 및 관리에 대한 자세한 내용은 13장에서 다룬다.

신경근 조절 변화는 관절 기능장애의 교정 후 증상이 사라진 경우에도 자발적으로 회복되지 않는다.

관절 기능의 이러한 측면에 대한 특정 재교육이 필요하다.

조직 질감 변화(Tissue texture changes)

관절 이동성의 변화는 주변 조직의 변화로 이어질 수 있으며, 이는 강렬한 리모델링 과정과 관절 조직 위축의 변화 형태로 나타난다. 지속적인 관절 통각은 이러한 조직 변화를 더욱 증폭시킬 수 있다. 통증 신경생물학의 발전으로 인해 통각 수용이 조직 위축의 장·단기 변화를 결정한다는 것이 입증되었다.[74] 따라서 관절 기능장애를 평가할 때 조직 질감의 변화를 식별하는 것이 중요하다.

일부 저자는 피하 영양부종의 존재, '핀치 롤 검사(pinch and roll test)'의 피부 감각 및 전기 피부 전도도의 증가와 같은 피부 질감 변화를 진단[75,76]에 사용했다. 그러나, 피부 자극에 대한 환자의 반응을 평가할 때 피부 질감의 변화가 흥미로울 수 있지만 영향을 받는 분절을 식별할 수는 없다(그림 6-11).

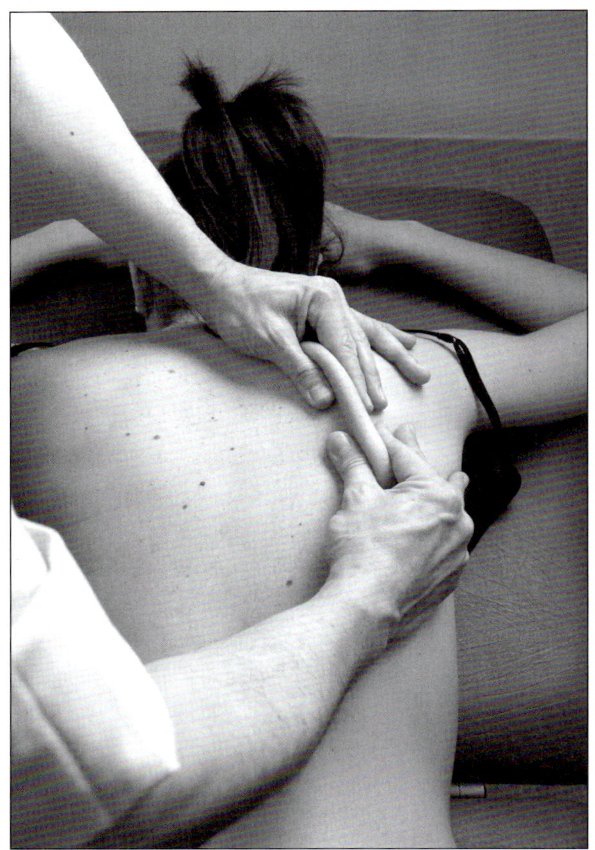

그림 6-11 ■ 관절 기능장애는 핀치 롤 검사로 확인할 수 있는 피부 질감의 변화와 관련될 수 있다.

증상의 존재(Presence of symptoms)

관절 기능의 변화는 이 기능장애 관절의 결과로 동일한 관절이나 주변 관절에서 시작되는 증상을 유발할 수 있다. 관절 기능장애와 관련된 주요 증상은 통각과민과 국소 및 연관통이다. 이러한 증상은 급성 손상, 반복적인 미세 외상, 증상이 있는 퇴행성 변화 또는 염증 상태로 인해 발생할 수 있으며 말초 및 중추 통증 처리 기전에 강력한 영향을 미칠 수 있다. 이러한 변화는 환자의 통증을 증폭시킬 뿐만 아니라 움직임, 감각 움직임 및 자율신경계에 심각한 영향을 미친다. 통증 외에도 경추 관절 기능장애는 균형 장애, 현기증 및 메스꺼움을 포함하는 많은 다른 증상들을 동반할 수 있다.

관절 기능장애 평가
JOINT DYSFUNCTION ASSESSMENT

관절 기능장애의 진단에서 고려해야 할 요소는 관절 이동성, 근육 조절, 조직 변화 및 증상 유발이다.

관절 이동성에 관해서, 관절 기능장애 평가의 첫 번째 단계는 과잉 또는 결손에 의한 비정상적인 관절가동범위를 평가하는 것이다. 두 번째 단계는 관절 움직임의 대칭성에 대한 변화와 척추 분절이 저이동성 또는 과이동성을 나타내는 방향을 식별하는 것으로 구성된다. 마지막으로, 세 번째 단계의 목표는 척추 삼중 관절 복합체의 세 관절 중 관찰된 기능장애 움직임 패턴과 통증의 원인이 되는 관절을 식별하는 것이다.

기능장애가 돌기사이관절 중 하나에 기인할 수 있는 경우, 문제가 후관절 수렴 또는 확산의 과잉 또는 결핍에 의한 것인지 여부를 결정하는 것이 바람직하다.[77] 네 번째 단계의 목표는 한편으로는 확인된 기능장애와 환자의 증상 사이의 관계를 확립하고 다른 한편으로는 관절 기능장애의 원인이 될 수 있는 디스크 또는 돌기사이관절의 병리를 확인하는 것이다. 그런 점에서 영상 기술은 환자의 증상이 진단 영상과 반드시 관련이 있는 것은 아니지만 어떤 조직이 기능장애와 주로 관련되어 있는지 이해하는 데 도움이 될 수 있다.

임상의가 기능장애 척추 분절과 기능장애의 특성을 식별하는 데 필요한 정보는 다음에서 비롯된다:

1. 증상의 부위, 통증 패턴, 악화 및 완화 요인과 같은 ***면역기억 또는 주관적인 검사.***
2. 진통 패턴의 특성, 경추 전만의 형태 등 ***자세 평가.***
3. 현저한 저이동성 또는 과이동성 영역과 함께 비정상적인 이동성 패턴을 나타낼 수 있는 ***능동 이동성*** 평가.

이 평가는 다양한 경추 하위 영역(즉, 상부, 중부 및 하부 경추 영역)에 선택적으로 집중할 수 있다. 또한 과압, 지속적이고 반복적인 움직임 등 다양한 부하에서 평가할 수 있다.

4. 상지 거상과 같은 ***기능적 움직임***으로 비정상적인 이동성 패턴과 통증을 보일 수 있다.
5. 통증 재생 및 관절 이동성 평가를 위한 가장 좋은 방법 중 하나인 ***복합 움직임***.[78]
6. 움직임의 변화와 움직임 제한의 방향 존재를 확인하는 ***수동적 분절 이동성 검사*** 또는 생리적 움직임 검사. 그들은 이동성이 모든 평면에서 대칭인지 분석한다. 비대칭은 척추 분절을 구성하는 3개의 관절 중 하나의 과이동성으로 인해 발생할 수 있음을 기억해야 한다.
7. 관절의 저이동성 또는 과이동성, 움직임의 질적 변화, 그리고 경련 및 통증의 존재를 감지할 수 있는 ***부수적인 이동성 검사***.
8. 다양한 수동 분절 및 보조검사를 포함한 ***유발검사***와 환자의 증상을 재현하기 위한 특정 검사.

분절 이동성 평가의 목표는 관절 기능장애의 존재를 감지하고, 그 특성을 인식하고, 현재 환자의 임상 양상에서 관련성을 결정하는 것이다. 관절을 형성하는 다양한 해부학적 요소에 대한 조사와 관절 분절의 생체역학적 분석을 결합하는 것이 필요하다. 뼈 구조의 선천적 변화의 존재, 관절 표면의 형태 변화 및 관련된 관절낭 인대, 근육 및 신경 조직의 현재 상태를 인식하는 것이 중요하다. 관절 기능평가는 해부학적 구조 평가와 함께 항상 수행되어야 한다. 예를 들어, 관절 기능장애는 병리학적 디스크의 결과일 수 있으며 이 마지막 측면은 임상 의사결정에 중요하다.

수동적 분절 이동성 및 부수적인 이동성 검사는 범위 전체와 범위 끝에서 움직임에 대한 정상적인 저항의 증가 또는 감소의 존재와 같은 움직임의 질적 변화를 식별할 수 있다.

관절 기능장애의 분석과 관련될 수 있는 가능한 구조적 및 병리학적 변화의 분석을 결합하는 것이 항상 필요하다. 독점적인 기계적 평가는 완전한 정보를 제공하지 않는다.

관절 기능장애의 생체역학적 분석 내에서 관절 움직임의 ***골운동학적*** 및 ***관절운동학적*** 구성요소를 모두 평가해야 한다. 골운동학적 구성 요소는 움직임 중 뼈 지렛대의 행동을 나타내고 관절운동학적 구성 요소는 관절 표면의 행동을 분석한다.

골운동학은 ***각 움직임(즉, 굴곡)***을 수행하는 동안 근육 시스템의 자발적인 활성화를 의미하는 반면, 관절운동학은 이러한 각 움직임(즉, 전방 활주/병진이동) 동안 관절 내부에서 발생하는 관절 활동을 나타낸다.

관절 기능장애 평가의 목표:

- **관절 기능장애의 감지.**
- **관절 기능장애의 특성 인식.**
- **환자의 임상 상태에 대한 관절 기능장애의 관련성 분석.**

조직 특성에 대한 정보는 촉진 및 근육 신전성 검사를 사용하여 얻을 수 있다. 경추와 관련하여, 돌기사이관절 비대와 같은 관련 임상 정보는 돌기사이관절을 촉진하여 얻을 수 있다.

증상 유발은 능동, 수동 및 분절 이동성 검사의 적용과 돌기사이관절과 같은 심부 조직의 촉진에 이차적일 수 있다. 환자의 임상 상태의 중증도와 과민

성으로 인해 유발 검사를 사용하는 것은 흔히 권장되지 않는다.

Jull 등[79]은 관절 기능장애의 병인으로 다음 기준을 지적했다:

1. 변경된 이동성.
2. 관절 가동 중 인지되는 저항의 비정상적인 질(quality).
3. 국소 및/또는 연관통의 유발.

경추 결합패턴

C0–C1	R ≠ SB
C1–C2	
C2–C3	R = SB
	R ≠ SB
C3–C7	R = SB

R, 회전; SB, 측면 굽힘

척추의 이동성에 대한 설명 (Description of vertebral mobility)

척추의 움직임을 설명하고 관절 기능장애를 정의하기 위해 하부 척추에 대한 상부 척추의 움직임이 사용된다. 인접한 세 척추의 이동성을 분석하는 것이 권장된다. 척추 분절은 이동성이 제한되거나 과도하게 움직일 수 있다. 과이동성과 관련하여 이 개념은 가동범위의 초과 또는 정상적인 가동범위를 갖는 중립 영역의 증가를 의미할 수 있음을 기억해야 한다.[80]

과이동성은 일차적이거나 보상적일 수 있다. ***일차적 과이동성***(*Primary hypermobility*)은 급성 외상이나 척추 분절의 과사용의 결과로 발생한다. 보상적 과이동성은 이웃하는 저이동성 관절에 이차적일 수 있다. 경추 보상성 과이동성의 빈번한 원인은 경흉추 부위의 저이동성 또는 경직된 흉추 후만이다.

관절 기능장애 패턴 (Articular dysfunction patterns)

관절 기능장애가 도수치료에 적합한지 결정하기 위해 다음 기준을 사용할 수 있다. 신경병증성 또는 중추 감작성 통증은 다른 접근 방식을 필요로 하기 때문에 환자의 지배적인 통증 기전은 통각수용성이어야 한다.[81–84] 이것은 이동성 변화가 예측 가능한 기계적 패턴을 따라야 함을 의미한다. 즉, 증상 재생은 일관된 방식으로 이동 방향과 연관되어야 한다. 또한 이동 제한 방향은 항상 동일해야 한다. 증상과 관련된 악화 및 완화 요인은 본질적으로 기계적이어야 한다. 분절 유발 검사는 양성이어야 하고 부수적인 움직임에 대한 반응은 기계적 패턴을 따라야 한다. 신경학적 징후나 적신호가 없어야 한다.

따라서 다음 기준은 도수치료에 반응하는 관절 기능장애를 나타낸다:

1. 지배적인 통증 기전은 통각이다.
2. 인식할 수 있는 생체역학 패턴과 관련 있다.
3. 통증은 특정 방향성 또는 다방향성이지만 일관된 행동을 보인다.
4. 관절 이동성 제한은 특정 방향성 또는 다방향성이지만 일관된 행동을 보인다.
5. 증상은 기계적 성질의 악화 및 완화 요인이 있다.
6. 분절유발검사는 양성이다.
7. 부수적인 움직임에 대한 반응은 특정 기계적 패턴을 따른다.
8. 신경학적 소견 없음.
9. 적신호 없음.
10. 부적응 중추 감작이 없음.

폐쇄 및 개방 패턴(Closure and opening patterns)

'개방–스트레칭' 및 '폐쇄–압박'이라는 용어는 관절 내부에서 기계적으로 발생하는 것과 실제로 동일하지 않다. 그들은 단순히 추간 움직임과 통증 사이의 관계를 임상적으로 설명하는 데 유용한 용어이다. 폐쇄 또는 압박 패턴에서 통증을 유발하는 척추 움직임은 신전, 동측 측면 굽힘 또는 동측 회전이다. 폐쇄 패턴은 후관절의 수렴 또는 하강과 연관된다. 대조적으로, 개방 또는 스트레칭 패턴은 굴곡, 반대쪽 측면 굽힘 또는 반대쪽 회전과 함께 통증이 나타날 때 발생한다. 개방패턴은 후관절의 확산 또는 상승과 연관된다.

규칙적 및 불규칙 패턴
(Regular and irregular patterns)

관절 기능장애의 패턴은 임상적으로 규칙적 패턴과 불규칙 패턴으로 나눌 수 있으며 이는 원래 Edwards가 개발한 개념이다.[78] 이 교재에서 규칙적 패턴과 불규칙 패턴이 설명되는 방식은 Edwards의 독창적인 아이디어의 변형이지만 불규칙 패턴과 관련하여 약간의 차이점이 있다.

규칙적 패턴은 Edwards[78]에 의해 '추간 관절의 유사한 움직임이 수행될 때마다 동일한 증상을 생성할 때'로 정의된다. 이러한 규칙적인 패턴은 움직임의 동측에서 증상이 재현되는 경우 폐쇄 규칙적인 패턴과 반대쪽에서 증상이 재현되는 경우 개방된 규칙적인 패턴으로 분류될 수 있다.

규칙적인 폐쇄 또는 ***압박 패턴***은 목 신전, 동측 측면 굽힘 및 회전과 같은 돌기사이관절의 수렴을 의미하는 일부 또는 모든 움직임에서 증상이 나타날 때 발생한다. 예를 들어, 신전, 왼쪽 측면 굽힘 및 왼쪽 회전으로 재현되는 왼쪽 경추 통증의 임상적 표현이 있다. 환자의 증상이 폐쇄 패턴을 따르는지 알기 위해 치료사는 이러한 움직임을 단독으로 또는 조합하여 능동적으로 또는 수동적으로 평가하여 관절가동범위와 통증의 존재를 평가할 수 있다.

규칙적인 개방 또는 ***스트레칭 패턴***은 목 굴곡, 반대쪽 측면 굽힘 및 회전과 같은 돌기사이관절의 확산을 의미하는 일부 또는 모든 움직임에서 증상이 나타날 때 발생한다. 예를 들어, 굴곡과 오른쪽 측면 경사 및 오른쪽 회전으로 재현되는 왼쪽 경추 통증의 임상적 표현이 있다. 폐쇄 패턴과 마찬가지로 이러한 움직임은 능동적 및 수동적으로 단독 또는 조합으로 평가할 수 있다.

통증이 이러한 규칙적인 패턴을 분명히 따르지 않는 환자는 ***불규칙 패턴***을 보인다. 이 경우, 증상 및 움직임 제한은 폐쇄를 유발하는 일부 경추 움직임과 개방을 유발하는 다른 움직임의 조합으로 인해 발생한다. 급성 염증 상태(즉, 급성 디스크성 통증) 또는 과이동성 척추 분절은 종종 불규칙한 패턴으로 임상적으로 나타난다. 패턴이 불규칙하더라도 관절에서 무슨 일이 일어나고 있는지 알면 이해할 수 있는 일관된 기계적 행동을 따른다. 예를 들어, 급성 돌기사이 활액염에서 상승(즉, 굴곡 및 반대측 회전) 및 하강 움직임(신전 및 동측 회전)이 모두 제한되고 통증을 유발한다.

불규칙 패턴을 일관되지 않은 ***기계적 및 통증 행동***과 구별하는 것이 중요하다. 검사 중 특정 시점에서 움직임 방향이 아프거나 제한되지만 다른 순간이나 그 반대로 통증이 없어지면 일관되지 않은 행동이 나타난다. 한 움직임에서 고통스러운 움직임과 다른 순간에 고통스러워지는 움직임 사이에는 일관성이 없다. 이 경우, 활성 통각수용원과 관련이 없는 ***기능장애 통증***을 의심할 필요가 있다.

관절 기능장애 분류
(Joint dysfunction classification)

관절 기능장애에는 다양한 분류가 있다. 그 중 하나는 제한된 움직임을 설명한다. 예를 들어, 경추4번이 경추5번과 관련하여 우측 회전에 대한 제한을 보인다면 ***경추4번의 우측 회전에 대한 제한***이라고 할 수 있다. 자유로운 움직임의 방향은 또한 기능장애를 명명하는 데 사용될 수 있다. 앞의 예에서는 ***경추4번의 왼쪽 회전 기능장애***이다.

관절 기능장애는 또한 가정된 후관절 역학에 따라 수렴 또는 확산으로 분류될 수 있다. 또한, 급성 관절 기능장애와 관절내 관절 기능장애로 명명될 수 있는 두 가지 특정 상태가 있다.

급성 관절 기능장애(*Acute joint dysfunction*)

이 기능장애는 삼관절 시스템의 관절에 영향을 미치는 급성 상태에서 비롯된다. 구체적으로, 이 기능장애의 원인은 돌기사이관절 활액염, 활액 주름의 변화에 따른 관절내 기능장애 또는 급성 디스크성 통증일 수 있다. 이것은 척추 분절의 굴곡 및 반대쪽 측면 굽힘 및 회전과 관련될 수 있다. 이것은 또한 상승 및 간격요소와 연관될 수 있으며, 이는 섬유륜의 파열(급성 디스크성 통증)의 경우 디스크의 후방 부분을 감압하는 데 도움이 되고 급성 돌기사이 활액염의 경우 관절 공간을 증가시키는 데 도움이 된다. 통증의 시작은 일반적으로 급성이다. 통증 및 이동성 기능장애의 패턴은 일반적으로 다방향 및 불규칙적이며 통증은 일반적으로 관절 가동범위를 통해 감지된다.

급성 관절 기능장애 기준

1. 기능장애의 성격: 돌기사이관절 활액염, 관절내 기능장애 또는 급성 디스크성 통증
2. 급성 통증의 시작.
3. 다방향 및 불규칙한 패턴.
4. 범위를 통한 통증.

관절내 관절 기능장애 (*Intra-articular joint dysfunction*)

정형외과에서 관절내 조직의 존재가 관절의 정상적인 움직임을 방해할 때 '내부 장애'라는 용어가 사용된다.[85] 이것은 관절에 디스크(즉, 턱관절), 반월상 연골(즉, 무릎 관절) 또는 활액 주름(돌기사이관절)과 같은 정상적인 관절내 조직이 있을 때 발생할 수 있다. 이 책에서는 이러한 상태를 '관절내 관절 기능장애'라고 한다.

경추의 흔한 임상 상황 중 하나는 급성 사경(acute torticollis) 또는 사경(wry neck)이다. 관절내 기능장애는 관절 표면 사이에 삽입된 정상 조직의 기계적 변형(즉, 관절 내 반월상 연골 또는 활막 주름) 또는 관절내 자유 관절체와 같은 관절 표면 사이의 병리학적 조직의 존재로 인해 발생할 수 있다. 작은 크기에도 불구하고 활액주름은 경추에서 중요한 역할을 할 수 있다.[86] 돌기사이관절의 이러한 반월상 연골은 통각수용성 신경지배[87]를 가지므로 목 통증[86,87]과 관련될 수 있다는 것이 밝혀졌다. 또한 이러한 구조는 경추 관절 경직을 유발할 수 있다.[88] 관절내 기능장애의 임상적 징후는 갑작스러운 이동성 제한과 관련된 한쪽 측면 목 통증의 급성 발병이며, 종종 머리의 빠르거나 통제되지 않는 움직임 후에 발생한다. 환자는 경추 굴곡, 측면 굽힘 및 부상의 반대쪽으로 회전 및 심각한 통증에서 진통 자세를 보일 것이다. 활액주름과 급성 사경 사이의 임상적 상관관계에 관한 두 가지 가설이 있다. '포착(entrapment)' 이론과 '확산(extrapment)' 이론이다.[89]

포착 이론은 경추의 급성 사경에 대해 제안되었으며 돌기사이관절면 사이의 섬유지방 반월상연골의 포착 또는 왜곡으로 구성된다. 이 반월상 연골은 상당히 큰 크기와 관절내에서 돌출되어 있기 때문에 관절 표면 사이에서 조이거나 압박될 수 있다. Grieve에 따르면,[90] 이 급성 관절 락(lock)은 경추2번–경추3번 분절에서 더 자주 발생하지만 다른 저자들은 굴곡–신전 및 회전에서 많은 이동성이 있는 경추 중간 영역에서도 흔하다고 생각한다. 이동성과 급성 사경 사이에는 관계가 있는 것으로 보이며, 이는 아마도 어린이와 여성의 더 큰 유연성으로 인해 이러한 현상의 높은 빈도를 설명할 것이다.

이전에 Koss 및 Wolf,[91] Scher[92] 및 Giles[93]와 같은 저자들은 이러한 갑작스런 관절 락의 원인이 두 관절 표면 사이의 반월상 연골의 포착 또는 꼬집

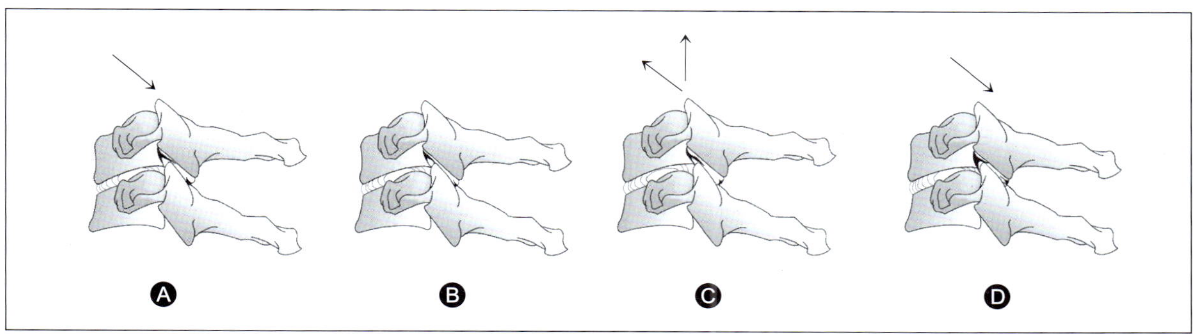

그림 6-12 ■ 급성 경추 사경은 후관절 수렴 움직임 시(A) 관절내 반월상 연골이 관절 내로 다시 삽입될 수 없고 (B) 관절낭과 관절 가장자리 사이에서 뒤로 접히기 때문에 발생한다. 확산 및 관절 간격 조작(C)은 관절 공간으로의 재삽입을 위해 반월상 연골을 방출할 수 있다(D).

히는 것일 것이라고 제안했다. 관절 표면 사이에 끼이고 정점의 콜라겐 밀도로 인해 활액 주름이 관절 연골을 변형시킬 수 있다. 이것은 경추의 생리적 움직임 동안 방출을 방지한다. 활액주름은 차례로 구조의 변화를 겪을 것이고, 섬유질이 더 많아지고 이의 방출이 훨씬 더 어려워질 것이다.

확산 이론은 Bogduk과 Jul[94]에 의해 제안되었다. 이 저자들은 활액주름이 압박을 지지할 수 있다는 점을 감안할 때 포착 이론이 잘못되었다고 생각한다. 그들의 이론에 따르면, 특히 편측일 때(즉, 결합된 동측 측면 굽힘 및 회전 시) 돌기사이 확산 움직임은 관절 외부에서 반월상 연골이 미끄러지도록 한다. 중립 자세로의 복귀 움직임은 관절 내부의 반월상 연골의 활주를 동반해야 한다. 반월상 연골이 관절 내부로 다시 들어갈 수 없고 결과적으로 관절낭[29,94,95]이 구부러지고 팽창하기 때문에 이 복귀 움직임 중에 관절 락이 발생한다(그림 6-12).

이 설명은 관절의 확산을 유도하는 움직임 시 관절 락이 발생하지 않고 수렴이 필요한 중립 자세로 복귀하는 동안 발생한다는 임상 관찰과 일치한다. 관절의 개방(gaping)을 빠르게 유발하는 모든 움직임은 반월상 연골이 다시 도입될 수 있도록 하며, 이는 추력 조작으로 달성된 효과를 정당화할 수 있다.

이러한 급성 관절 고정이 반복적으로 발생하면 관절 과이동성의 존재를 의심하고 신경근 조절 훈련 프로그램으로 치료해야 한다(존재하는 경우).

관절내 관절 기능장애의 임상적 특징은 일반적으로 관절의 개방과 관련된 빠르고 통제되지 않는 움직임 후 급성 통증이 시작되고, 관절내 관절 활액주름의 기계적 손상에 기인할 수 있는 불규칙한 통증 패턴 및 탄성 끝느낌이 있다.

관절내 관절 기능장애 기준

1. 급성 발병.
2. 빠르고 통제되지 않는 움직임(확산 움직임).
3. 관절내 조직.
4. 불규칙한 패턴.
5. 탄성 끝느낌.

수렴 관절 기능장애
(Convergence joint dysfunction)

수렴 관절 기능장애에서 환자의 통증 및 움직임 제한은 규칙적인 폐쇄 또는 압박 패턴(즉, 신전 및 동측 측면 굽힘 및 회전)을 따른다. 이 패턴은 돌기사이관절의 퇴행성 변화와 관련있을 수 있다. 급성 질환에 이차적으로 나타날 수 있지만 만성 질환에도 나타날 수 있다.

이 기능장애는 때때로 관절 활막염 또는 관절내 관절 기능장애에 이차적 급성 통증 증상이 선행될 수 있다. 동측 하강 이동성 제한이 있다. 환자는 관절 폐쇄 움직임을 피하고 진통 자세가 나타날 수 있다. 특징적인 이동성 패턴은 편측의 규칙적인 폐쇄 패턴으로 신전 및 동측 측면 굽힘 및 회전의 제한이 있다(그림 6-13). 수렴 또는 하강 끝 범위에서 증상이 나타난다. 관절 폐쇄를 암시하는 유발 검사는 양성이다. 분절 이동성 검사에서 수렴이 제한되고 편측의 보조 움직임이 양성이다. 분절의 박탈은 상태를 개선할 수 있다.

수렴 관절 기능장애 기준

1. 처음에는 급성 기원.
2. 오래된 관절내 관절 기능장애에 이차적일 수 있다.
3. 동측 하강 이동 제한.
4. 환자는 폐쇄 움직임을 피한다.
5. 환자는 때때로 진통자세를 보인다.
6. 편측 규칙적 폐쇄 패턴: 신전 및 동측 측면 굽힘 및 회전.
7. 수렴 끝 범위 통증.
8. 폐쇄 유발 검사는 양성이다.
9. 분절 이동성 검사에 대한 관절 수렴 제한.
10. 편측의 보조 움직임은 양성.
11. 분절적 박탈로 개선.

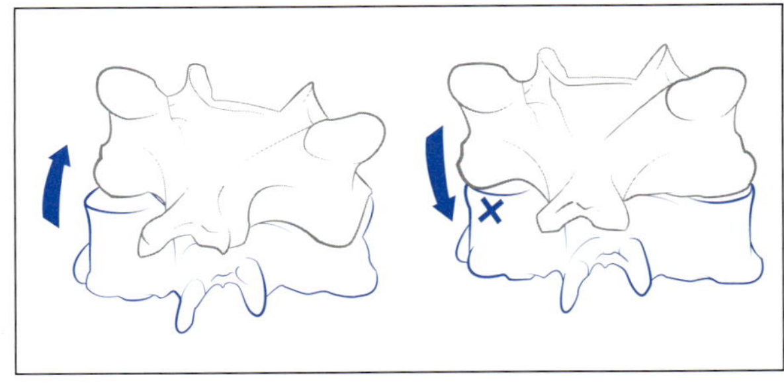

그림 6-13 ■ 왼쪽 후관절의 수렴 관절 기능장애 패턴. 척추 분절은 왼쪽 측면 굽힘 및 왼쪽 회전에 대한 제한을 보여준다. 왼쪽 후관절은 하강 이동성 제한을 보여준다.

확산 관절 기능장애 패턴
(Divergence joint dysfunction pattern)

확산 관절 기능장애에서 환자의 통증과 움직임 제한은 규칙적인 개방 또는 스트레칭 패턴(즉, 굴곡 및 반대쪽 측면 굽힘 및 회전)을 따른다.

이 패턴은 관절낭 구조와 주변 관절 인대가 신전성을 상실한 아급성 또는 만성 상태에서 볼 수 있다. 일반적으로 심하지 않으며 환자는 진통 자세를 보이지 않는다. 이 기능장애는 일반적으로 심하지 않은 증상, 굴곡 및 반대쪽 측면 굽힘 및 회전의 제한을 동반한 편측 규칙적인 개방 패턴, 및 동측 상승 이동성 관절 제한을 특징으로 한다(그림 6-14). 통증은 끝 범위에서 확산과 함께 나타난다. 개방 유발 검사는 일반적으로 양성이다. 환자들은 관절 확산을 암시하는 지속적인 자세로 통증이 증가하고 기능장애 측면에서 주관적인 스트레칭 인식에 대한 보고를 받는 것이 매우 일반적이라고 보고한다.

확산 관절 기능장애 기준

1. 아급성 또는 만성 경추 상태.
2. 진통 자세 아님.
3. 증상이 심하지 않다.
4. 편측 규칙적인 개방 패턴: 굴곡 및 반대쪽 측면 굽힘 및 회전.

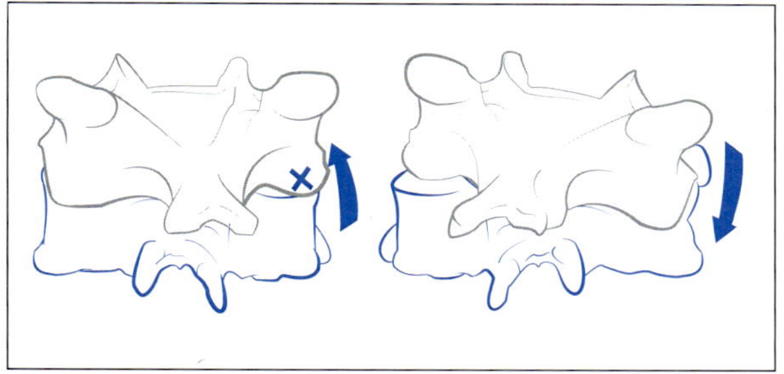

그림 6-14 ■ 오른쪽 후관절의 확산 관절 기능장애 패턴. 척추 분절은 왼쪽 측면 굽힘 및 왼쪽 회전의 제한을 보여준다. 오른쪽 후관절은 동측 상승 이동성 제한을 보여준다.

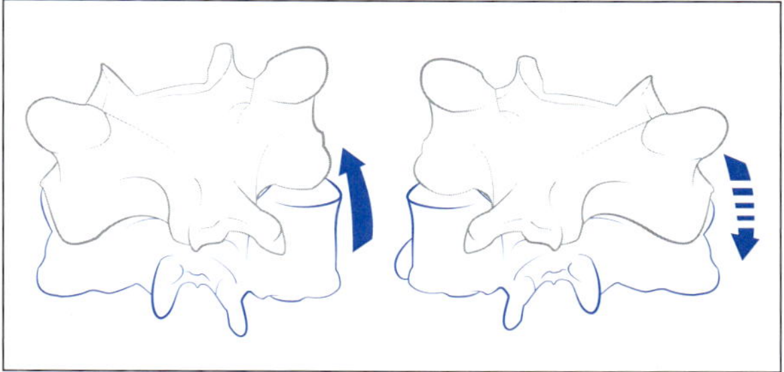

그림 6-15 ■ 과수렴 관절 기능장애 패턴. 오른쪽 돌기사이관절의 과도한 수렴과 하강이 있다. 이동 제한이 없다.

5. 상승 제한.
6. 증상은 끝 범위에서 확산과 관련이 있다.
7. 개방 유발 검사는 양성이다.
8. 관절 확산을 암시하는 지속적인 자세로 인한 통증.
9. 동측 상승 이동 제한.
10. 기능장애의 방향에 주관적인 스트레칭 인식.

과수렴 관절 기능장애 패턴

(Hyperconvergence joint dysfunction pattern)

과수렴 패턴은 돌기사이관절의 과도한 수렴에 의해 생성된다. 관절 중립 관절 위치가 변경되어 한쪽 후관절의 과도한 하강이 발생한다. 이것은 돌기사이관절 과이동성과 관련될 수 있다. 이 패턴에서 환자의 통증은 규칙적인 폐쇄 패턴을 따르지만 관절 움직임 제한은 없다. 수렴을 의미하는 움직임의 끝 범위 통증(즉, 신전 및 동측 측면 굽힘 및 회전)이 특징적이다. 분절 이동성 검사는 정상이다(그림 6-15). 후전방 편측 보조 움직임은 통증이 있을 수 있지만 제한되지는 않는다. 증상은 일반적으로 급성도 중증도 아니다. 폐쇄 유발 검사는 일반적으로 양성이다. 이동성 평가 시 과도한 동측 하강 이동성이 관찰된다.

도수치료는 2단계 기술을 통해 양쪽 후관절 사이의 정상적인 관계를 회복시키는 것을 목표로 한다. 첫 번째 단계에서는 관절의 전체 상승 움직임을 환자의 능동적 움직임과 함께 수동적으로 또는 능동적으로 탐색한다. 구체적으로, 반대측 회전의 하나 또는 여러 진동 움직임 또는 반대측 회전과 측면 굽힘의 조합이 그 목표를 달성하는 데 사용된다. 두 번째 단계는 환자에게 동측 회전 또는 동측 회전 및 측면 굽힘 결합 움직임의 전체 범위에 도달하도록 요청하는 반면, 치료사는 기능장애 관절의 하강 움직임을 방지한다.

과수렴 관절 기능장애 기준

1. 급성이 아니다.
2. 진통 자세가 아니다.
3. 증상이 심하지 않다.
4. 편측의 규칙적인 폐쇄 패턴: 신전 및 동측 측면 굽힘 및 회전.
5. 수렴 끝 범위 통증.
6. 폐쇄 유발 검사는 양성이다.
7. 과도한 동측 하강 이동성.
8. 이동 제한이 없다.

혼합 기능장애 패턴(*Mixed dysfunction pattern*)

수렴 패턴과 확산 패턴을 모두 나타내는 돌기사이관절은 혼합 패턴 관절 기능장애를 초래한다. 이것은 돌기사이 및/또는 체간 관절의 진행성 관절 구조적 변화(즉, 퇴행성 변화)와 관련이 있으며 증상은 일반적으로 심각하지 않다.

후관절 상승 및 하강 움직임에는 제한이 있다. 환자의 통증은 규칙적인 폐쇄 및 개방 패턴을 따른다. 신전 및 동측 측면 굽힘 및 회전뿐만 아니라 굴곡 및 반대측 측면 굽힘 및 회전에 끝 범위 통증이 있다. 혼합 패턴 관절 기능장애는 환자의 통증과 제한된 움직임이 동시에 수렴 및 확산 패턴을 따를 때 존재한다(그림 6-16). 이 기계적 행동은 관절의 구조적 변화와 일치한다. 발병은 일반적으로 급성이 아니며 증상은 일반적으로 심각하지 않다. 통증은 불규칙한 패턴을 따르며 수렴 및 확산의 끝 범위 움직임에서 유발될 수 있다. 때로는 폐쇄 및 개방 움직임에서 통증이 다르다. 폐쇄 움직임 중에 통증이 더 따끔거리고, 개방 시에 통증은 늘어나는 느낌으로 인해 발생한다. 도수치료는 상승 및 하강 관절 움직임을 증가시키는 것을 목표로 한다. 신연기술(Distraction technique)도 권장된다.

혼합 기능장애 패턴 기준

1. 관절낭 및 관절주위 조직의 관절 구조적 변화에 이차적이다.
2. 비급성 발병.
3. 비진통 자세.
4. 증상이 심하지 않다.
5. 개폐 이동성 제한.
6. 수렴 및 확산 움직임의 끝 범위에서 통증.
7. 불규칙한 패턴: 개폐의 일부 구성 요소.
8. 기계적 일관성.

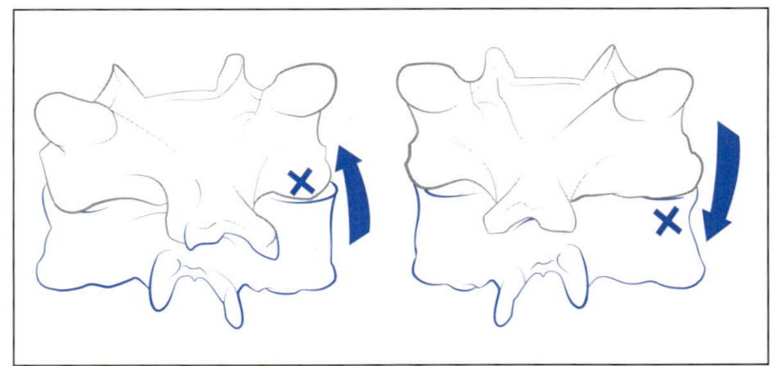

그림 6-16 ■ 혼합 기능장애 패턴. 오른쪽 돌기사이관절은 수렴 및 확산 패턴을 모두 보여준다. 우측 후관절 상승 및 하강 이동에 제한이 있다.

결론
CONCLUSION

척추의 관절 기능장애를 해석하기 위해서 여러 모델이 개발되어왔다. 관절 기능장애를 분석할 때 생체역학, 구조 및 신경근 측면을 고려해야 한다. 이 세 가지 측면 중 하나는 다른 측면에 영향을 미친다. 관절 기능장애 및 그 특성을 이해하기 위해 필요한 정보는 주관적 평가, 자세분석, 능동적 이동성 평가, 수동적 분절 이동성 검사, 유발검사 등을 사용하여 제공된다. 분절 이동성의 변화를 이해하기 위해서 접합부 관절의 기능장애 행동에 대한 지식이 필요하다. 관절 기능장애의 치료를 고려할 때 환자의 현재 임상 상태 또는 증후군과 어떤 관련이 있는지 확인하는 것이 중요하다.

참고문헌

1. Gross A, Miller J, D'Sylva J, et al. Manipulation or mobilisation for neck pain: a Cochrane Review. Man Ther 2010;15(4): 315–33.
2. Bronfort G, Evans R, Anderson AV, et al. Spinal manipulation, medication, or home exercise with advice for acute and subacute neck pain: a randomized trial. Ann Intern Med 2012; 156(1 Pt 1):1–10.
3. Jull G. Deep cervical flexor muscle dysfunction in whiplash. J Musculoskeletal Pain 2000;8:143–5.

4. Comerford MJ, Mottram SL. Movement and stability dysfunction – contemporary developments. Man Ther 2001;6(1):15–26.
5. Comerford MJ, Mottram SL. Functional stability re-training: principles and strategies for managing mechanical dysfunction. Man Ther 2001;6(1):3–14.
6. Jull G, Trott P, Potter H, et al. A randomized controlled trial of exercise and manipulative therapy for cervicogenic headache. Spine 2002; 27(17):1835–43, discussion 1843.
7. Jull G, Falla D, Treleaven J, et al. A therapeutic exercise approach for cervical disorders. In: Boyling J, Jull G, editors. Grieve's modern manual therapy. The vertebral column. 3rd ed. Edinburgh: Elsevier Churchill Livingstone; 2004. p. 451–70.
8. Falla D. Unravelling the complexity of muscle impairment in chronic neck pain. Man Ther 2004;9(3):125–33.
9. Falla D, Bilenkij G, Jull G. Patients with chronic neck pain demonstrate altered patterns of muscle activation during performance of a functional upper limb task. Spine 2004;29(13): 1436–40.
10. Falla DL, Jull GA, Hodges PW. Patients with neck pain demonstrate reduced electromyographic activity of the deep cervical flexor muscles during performance of the craniocervical flexion test. Spine 2004;29(19):2108–14.
11. Comerford M, Mottram S, Gibbons S. Understanding movement & function – concepts course. Kinetic Control UK. 2006.
12. Falla D, Jull G, Russell T, et al. Effect of neck exercise on sitting posture in patients with chronic neck pain. Phys Ther 2007; 87(4):408–17.
13. O'Leary S, Falla D, Hodges PW, et al. Specific therapeutic exercise of the neck induces immediate local hypoalgesia. J Pain 2007;8(11): 832–9.
14. Jull G, Falla D, Treleaven J, et al. Retraining cervical joint position sense: the effect of two exercise regimes. J Orthop Res 2007;25(3):404–12.
15. Jull GA, Falla D, Vicenzino B, et al. The effect of therapeutic exercise on activation of the deep cervical flexor muscles in people with chronic neck pain. Man Ther 2009;14(6):696–701.
16. Falla D, O'Leary S, Farina D, et al. The change in deep cervical flexor activity after training is associated with the degree of pain reduction in patients with chronic neck pain. Clin J Pain 2012;28(7):628–34.
17. Falla D, Lindstrom R, Rechter L, et al. Effectiveness of an 8-week exercise programme on pain and specificity of neck muscle activity in patients with chronic neck pain: a randomized controlled study. Eur J Pain 2013;17(10):1517–28.
18. O'Leary S, Jull G, Kim M, et al. Training mode-dependent changes in motor performance in neck pain. Arch Phys Med Rehabil 2012;93(7): 1225–33.
19. Lluch E, Schomacher J, Gizzi L, et al. Immediate effects of active cranio-cervical flexion exercise versus passive mobilisation of the upper cervical spine on pain and performance on the cranio-cervical flexion test. Man Ther 2014;19(1):25–31.
20. Mennell J. Back pain. Diagnosis and treatment using manipulative techniques. Boston: Little, Brown and Company; 1960.
21. Breig A, Troup JD. Biomechanical considerations in the straightleg-raising test. Cadaveric and clinical studies of the effects of medial hip rotation. Spine 1979;4(3):242–50.
22. Elvey R. Brachial plexus tension test and the pathoanatomical origin of arm pain. In: Glasgow E, Twomey L, editors. Aspects of manipulative therapy. Melbourne: Lincoln Institute of Health Sciences. 1979. p. 105–10.
23. Maitland G, Hengeveld E, Banks K, et al. Maitland's vertebral manipulation. 6th ed. Oxford: Butterworth-Heinemann; 2001.
24. Butler D. Mobilisation of the nervous system. Edinburgh: Churchill Livingstone; 1996.
25. Shacklock M. Clinical neurodynamics: a new system of musculoskeletal treatment. Oxford: Elsevier Science; 2005.
26. White AA, Panjabi MM. Clinical biomechanics of the spine. 2nd ed. Philadelphia: Lippincott Williams & Wilkins; 1990.
27. Lysell E. Motion in the cervical spine. An experimental study on autopsy specimens. Acta Orthop Scand 1969;(Suppl. 123):1.
28. Kapandji A. Fisiología articular. 5th ed. Madrid: Panamericana; 1998.
29. Bogduk N. Clinical anatomy of the lumbar spine and sacrum. 4th ed. Edinburgh: Elsevier Churchill Livingstone; 2005.
30. White AA 3rd, Panjabi MM. The basic kinematics of the human spine. A review of past and current knowledge. Spine 1978; 3(1):12–20.

31. Panjabi MM. Cervical spine models for biomechanical research. Spine 1998;23(24):2684–700.
32. Bogduk N, Mercer S. Biomechanics of the cervical spine. I: Normal kinematics. Clin Biomech(Bristol, Avon) 2000;15(9): 633–48.
33. Cook C, Hegedus E, Showalter C, et al. Coupling behavior of the cervical spine: a systematic review of the literature. J Manipulative Physiol Ther 2006;29(7):570–5.
34. Moroney SP, Schultz AB, Miller JA, et al. Load-displacement properties of lower cervical spine motion segments. J Biomech 1988;21(9):769–79.
35. Mimura M, Moriya H, Watanabe T, et al. Three-dimensional motion analysis of the cervical spine with special reference to the axial rotation. Spine 1989;14(11):1135–9.
36. Cook C, Showalter C. A survey on the importance of lumbar coupling biomechanics in physiotherapy practice. Man Ther 2004;9(3):164–72.
37. Legaspi O, Edmond SL. Does the evidence support the existence of lumbar spine coupled motion? A critical review of the literature. J Orthop Sports Phys Ther 2007;37(4): 169–78.
38. Sizer PS Jr, Brismee JM, Cook C. Coupling behavior of the thoracic spine: a systematic review of the literature. J Manipulative Physiol Ther 2007;30(5):390–9.
39. Panjabi MM, Crisco JJ, Vasavada A, et al. Mechanical properties of the human cervical spine as shown by three-dimensional load-displacement curves. Spine 2001;26(24):2692–700.
40. Goel VK, Clark CR, McGowan D, et al. An in-vitro study of the kinematics of the normal, injured and stabilized cervical spine. J Biomech 1984;17(5):363–76.
41. Lee S, Harris KG, Nassif J, et al. In vivo kinematics of the cervical spine. Part I: Develop-ment of a roentgen stereophotogrammetric technique using metallic markers and assess-ment of its accuracy. J Spinal Disord 1993;6(6): 522–34.
42. Feipel V, Rondelet B, Le Pallec J, et al. Normal global motion of the cervical spine: an electrogoniometric study. Clin Biomech(Bristol, Avon) 1999;14(7):462–70.
43. Ishii T, Mukai Y, Hosono N, et al. Kinematics of the cervical spine in lateral bending: in vivo three-dimensional analysis. Spine 2006;31(2):155–60.
44. Ishii T, Mukai Y, Hosono N, et al. Kinematics of the subaxial cervical spine in rotation in vivo three-dimensional analysis. Spine 2004;29(24): 2826–31.
45. Fryette H. Principles of osteopathic technic. Carmel, California: Academy of Applied Osteopathy; 1954.
46. Mitchell F, Mitchell P. The muscle energy manual. East Lansing, Michigan: MET Press; 1995.
47. Nijs J, Daenen L, Cras P, et al. Nociception affects motor output: a review on sensory-motor interaction with focus on clinical implications. Clin J Pain 2012;28(2):175–81.
48. Commerford M, Mottram S. Kinetic control. The management of uncontrolled movement. Australia: Churchill Livingstone; 2012.
49. Sahrmann S. Diagnosis and treatment of movement. Impairment syndromes. St. Louis: Mosby; 2002.
50. Dvorak J, Panjabi MM, Grob D, et al. Clinical validation of functional flexion/extension radiographs of the cervical spine. Spine 1993;18(1): 120–7.
51. Good CJ, Mikkelsen GB. Intersegmental sagittal motion in the lower cervical spine and discogenic spondylosis: a preliminary study. J Manipulative Physiol Ther 1992;15(9):556–64.
52. Swinkels R, Beeton K, Alltree J. Pathogenesis of upper cervical instability. Man Ther 1996;1(3): 127–32.
53. Fryer G, Morris T, Gibbons P. Paraspinal muscles and intervertebral dysfunction: part one. J Manipulative Physiol Ther 2004;27(4):267–74.
54. Fryer G, Morris T, Gibbons P. Paraspinal muscles and intervertebral dysfunction: part two. J Manipulative Physiol Ther 2004;27(5):348–57.
55. Bialosky JE, George SZ, Bishop MD. How spinal manipulative therapy works: why ask why? J Orthop Sports Phys Ther 2008;38(6):293–5.
56. Wallwork TL, Stanton WR, Freke M, et al. The effect of chronic low back pain on size and contraction of the lumbar multifidus muscle. Man Ther 2009;14(5):496–500.
57. Hodges PW, Tucker K. Moving differently in pain: a new theory to explain the adaptation to pain. Pain 2011;152(3 Suppl.):S90–8.
58. Lund JP, Donga R, Widmer CG, et al. The pain-adaptation model: a discussion of the relationship between chronic musculoskeletal pain and motor activity. Can J Physiol Pharmacol 1991;69(5):

683–94.

59. Sohn MK, Graven-Nielsen T, Arendt-Nielsen L, et al. Inhibition of motor unit firing during experimental muscle pain in humans. Muscle Nerve 2000;23(8):1219–26.
60. Wang K, Arima T, Arendt-Nielsen L, et al. EMG-force relationships are influenced by experimental jaw-muscle pain. J Oral Rehabil 2000;27(5):394–402.
61. Graven-Nielsen T, Svensson P, Arendt-Nielsen L. Effects of experimental muscle pain on muscle activity and co-ordination during static and dynamic motor function. Electroencephalogr Clin Neurophysiol 1997;105(2):156–64.
62. Hallgren RC, Greenman PE, Rechtien JJ. Atrophy of suboccipital muscles in patients with chronic pain: a pilot study. J Am Osteopath Assoc 1994;94(12):1032–8.
63. McPartland JM, Brodeur RR, Hallgren RC. Chronic neck pain, standing balance, and suboccipital muscle atrophy – a pilot study. J Manipulative Physiol Ther 1997;20(1):24–9.
64. Elliott J, Jull G, Noteboom JT, et al. Fatty infiltration in the cervical extensor muscles in persistent whiplash-associated disorders: a magnetic resonance imaging analysis. Spine 2006;31(22): E847–55.
65. Jull G, Kristjansson E, Dall'Alba P. Impairment in the cervical flexors: a comparison of whiplash and insidious onset neck pain patients. Man Ther 2004;9(2):89–94.
66. Falla D, Jull G, Dall'Alba P, et al. An electromyographic analysis of the deep cervical flexor muscles in performance of craniocervical flexion. Phys Ther 2003;83(10):899–906.
67. Roland MO. A critical review of the evidence for a pain-spasmpain cycle in spinal disorders. Clin Biomech(Bristol, Avon) 1986;1(2):102–9.
68. Sterling M, Jull G, Wright A. The effect of musculoskeletal pain on motor activity and control. J Pain 2001;2(3):135–45.
69. Hodges PW. Pain and motor control: from the laboratory to rehabilitation. J Electromyogr Kinesiol 2011;21(2):220–8.
70. Sterling M, Jull G, Vicenzino B, et al. Development of motor system dysfunction following whiplash injury. Pain 2003; 103(1–2):65–73.
71. Jull G, Trott P, Potter H, et al. A randomized controlled trial of exercise and manipulative therapy for cervicogenic headache. Spine (Phila, Pa 1976) 2002;27(17):1835–43, discussion 1843.
72. Jesus-Moraleida FR, Ferreira PH, Pereira LS, et al. Ultrasonographic analysis of the neck flexor muscles in patients with chronic neck pain and changes after cervical spine mobilization. J Manipulative Physiol Ther 2011; 34(8):514–24.
73. Sterling M, Jull G, Wright A. Cervical mobilisation: concurrent effects on pain, sympathetic nervous system activity and motor activity. Man Ther 2001;6(2):72–81.
74. Giamberardino MA, Affaitati G, Lerza R, et al. Relationship between pain symptoms and referred sensory and trophic changes in patients with gallbladder pathology. Pain 2005; 114(1–2):239–49.
75. Gunn C. The Gunn approach to the treatment of chronic pain. Intramuscular stimulation for myofascial pain of radiculopathic origin. 2nd ed. New York: Churchill Livingstone; 1996.
76. Fischer A. Functional diagnosis of musculoskeletal pain and evaluation of treatment results by quantitative and objetive techniques. In: Rachlin E, Rachlin I, editors. Myofascial pain and fibromyalgia. 2nd ed. St. Louis: Mosby; 2002. p. 145–73.
77. Dewitte V, Beernaert A, Vanthillo B, et al. Articular dysfunction patterns in patients with mechanical neck pain: a clinical algorithm to guide specific mobilization and manipulation techniques. Man Ther 2014;19(1):2–9.
78. Edwards B. Manual of combined movements. Edinburgh: Churchill Livingstone; 1992.
79. Jull G, Bogduk N, Marsland A. The accuracy of manual diagnosis for cervical zygapophysial joint pain syndromes. Med J Aust 1988;148(5):233–6.
80. Panjabi MM. The stabilizing system of the spine. Part II. Neutral zone and instability hypothesis. J Spinal Disord 1992;5(4):390– 6, discussion 397.
81. Nijs J, Torres-Cueco R, van Wilgen CP, et al. Applying modern pain neuroscience in clinical practice: criteria for the classification of central sensitization pain. Pain Physician 2014;17(5): 447–57.
82. Woolf CJ. Central sensitization: implications for the diagnosis and treatment of pain. Pain 2011; 152(3 Suppl.):S2–15.

83. Nijs J, Malfliet A, Ickmans K, et al. Treatment of central sensitization in patients with 'unexplained' chronic pain: an update. Expert Opin Pharmacother 2014;15(12):1671–83.
84. Schmid AB, Nee RJ, Coppieters MW. Reappraising entrapment neuropathies – mechanisms, diagnosis and management. Man Ther 2013; 18(6):449–57.
85. Adams JC. Outline of orthopaedics. 9th ed. London: Churchill Livingstone; 1981.
86. Inami S, Kaneoka K, Hayashi K, et al. Types of synovial fold in the cervical facet joint. J Orthop Sci 2000;5(5):475–80.
87. Inami S, Shiga T, Tsujino A, et al. Immunohistochemical demonstration of nerve fibers in the synovial fold of the human cervical facet joint. J Orthop Res 2001;19(4):593–6.
88. Mercer S. The menisci of the cervical synovial joints. In: Boyling J, Palastanga N, editors. Grieve's modern manual therapy. The vertebral column. 2nd ed. London: Churchill Livingstone; 2000. p. 69–72.
89. Webb AL, Collins P, Rassoulian H, et al. Synovial folds – a pain in the neck? Man Ther 2011;16(2): 118–24.
90. Grieve G. Common vertebral joint problems. 2nd ed. Edinburgh: Churchill Livingstone; 1988.
91. Koss J, Wolf J. Les ménisques intervértebraux et leur rôle possible dans les blockages vertébraux. Ann Med Phys 1972;15:2003.
92. Scher AT. Unilateral locked facet in cervical spine injuries. AJR Am J Roentgenol 1977;129(1):45–8.
93. Giles LG. Pressure related changes in human lumbosacral zygapophyseal joint articular cartilage. J Rheumatol 1986;13(6): 1093–5.
94. Bogduk N, Jull G. The theoretical patology of acute locked back: a basis for manipulative therapy. Man Med 1985;1:78–82.
95. Bogduk N, Engel R. The menisci of the lumbar zygapophyseal joints. A review of their anatomy and clinical significance. Spine 1984;9(5):454–60.

7 경추의 도수치료에 대한 임상적 추론

CLINICAL REASONING IN THE MANIPULATIVE TREATMENT OF THE CERVICAL SPINE

DARREN A. RIVETT

경추의 장애는 임상적 복합성과 수동적으로 목을 움직이는 것과 관련된 위험 때문에 도수치료사들에게 상당한 도전이 된다. 경추의 도수치료 후 척추 및 내경동맥, 척수 및 척추신경/신경근의 손상과 관련된 합병증이 잘 문서화되어 있다. 특히, 경추의 독특하고 복잡한 구조는 많은 임상의들을 당혹스럽게 하고, 앞에서 언급한 위험과 함께 이 영역에서 도수치료 절차의 적용을 방해할 수 있다. 틀림없이 경추장애는 다른 구조의 장애보다 더 효과적인 치료 결과를 보장할 뿐 아니라 환자에게 해를 끼칠 가능성을 최소화하기 위해 고급 수준의 임상추론기술이 필요하다.

Joy Higgs와 Mark Jones의 연구 덕분에 최근 몇 년 동안 임상추론이 도수치료에서 두각을 나타내게 되었지만, Geoffrey Maitland[2]와 도수치료의 다른 창시자들의 출판물에서 그러한 기술의 적용이 새로운 것이 아님이 분명하다. 달라진 점은 임상추론 과정의 인식이 높아지고 이해도가 높아졌을 뿐 아니라 이러한 기술을 개발할 수 있는 방식이 증가했다는 것이다. 그러나 고유한 임상적 표현을 가진 개인으로서 문제 해결 과정에 환자를 참여시키는 주의깊고 정확한 경청 및 검사기술이 중요하다는 점은 변함 없으며, 정기적 치료 진행 상황을 확인(예: 징후 및 증상 재평가)하여 임상적 결정 및 관련 조치가 실제로 올바른지 확인한다.

임상추론은 임상실습을 뒷받침하는 사고 및 의사결정 과정으로 정의할 수 있다.[3] 임상적 의사결정, 임상 판단 및 임상문제 해결은 문헌에서는 일반적으로 동의어로 사용되지만, 임상실습에서 발생하는 모든 다면적 인지 과정을 적절하게 포괄하지는 않는다. 일부 임상추론 기술은 개인들 간에 다양할 수 있지만 선천적이고 특정 임상문제와 함께 작동하려면 건전한 지식 기반과 효과적인 데이터 수집 기술이 필요하다.

다른 추론 기술은 신중한 수련을 통해서만 습득할 수 있지만, 모든 것은 임상경험에 대한 세심한 연습과 비판적 성찰을 통해 향상될 수 있다. 이러한 기술을 달성하기 위해 임상의가 임상추론과정을 이해하고, 체계적인 지식 기반을 개발하고, 비효과적이거나 심지어 유해한 개입으로 이어질 수 있는 추론 오류를 피하기 위해 자신의 사고에 대한 충분한 인식을 가져야 한다.

임상추론의 모델
MODELS OF CLINICAL REASONING

의학 및 기타 전문분야에서 수행된 연구에서 임상추론의 두가지 기본 모델이 있다는 것이 명백해졌다. 첫 번째 가설 연역적 추론은 임상적 문제를 명확히 하는 임상 문제의 한 측면에 대한 가능한 대답(진단적 추론에서 이것을 잠정적 진단이라고 할 수 있음)인 가설의 생성을 포함하고 그런 다음 가설을 검사하기 위해 결과를 찾기 때문에 일반적으로 후향추론[3]이라고 불린다. 이런 추론의 모델은 경험이 적거나 초보 임상의가 선호한다. 두 번째 모델인 패턴인식은 의사가 도출된 검사 결과에서 임상패턴(예: 징후 및 증상의 친숙한 집합)을 인식하는 것을 포함하기 때문에 일반적으로 전향(귀납)추리라고 불린다. 추론의 모델은 경험이 많고 전문적인 임상의가 선호한다. 실제로, 임상경험과 전문지식의 수준과 관계없이 모든 의사는 당면한 문제에 대한 친숙도에 따라 자동적으로 두 모델의 조합을 사용하고 수련의는 가설연역적추론에 더 의존하고 전문의는 패턴인식에 더 의존한다.

인지적 임상 과정은 도수치료사가 환자에 대한 초기 신호를 인식하고 해석하는 것으로 시작된다. 예를 들어, 환자가 목을 약간 굴곡시키고 반대측 측면 굴곡 및 회전을 하는 동안 표정에서 알 수 있는 명백한 고통을 겪고 있다고 생각해보자.

임상의 구독자는 이 초기 임상 정보에 대한 반응으로 이미 여러 가지 가설을 생성했을 가능성이 있다. 추가적인 임상 정보를 고려하면 이런 가설들을 수정하거나 거부하거나 순위를 변경할 수 있다. 예를 더 들면, 걱정하는 어머니와 함께 있고 외관상으로 건강한 12세 소녀 환자의 경우, 이 임상패턴에 대한 반응으로 급성 사경(acute torticollis)의 진단 가설이 선호되는 가설로 나타날 가능성이 있다. 반면에 77세의 남성 환자라면 급성 사경의 가능성이 훨씬 낮고 추간공 퇴행성 변화와 연관된 척추신경/신경근 손상 대안 가설은 과거 경험의 임상 패턴을 인식한 후 다시 선호되는 가설로 나타날 것이다.

추가 임상결과가 도출되면 검사가 완료되고 진단 결정에 도달하기에 충분한 데이터가 있을 때까지(보통 여러 개) 가설을 추가로 검사하고 수정한다. 그런 다음 적절한 조치 또는 개입이 실행되고 결과가 평가된다(즉, 주요 결과가 재평가됨). 결과에 따라, 가설은 이 단계에서 재평가되고 이에 따라 조치가 변경될 수 있다. 이 과정의 효율성과 정확성은 임상의의 인지기술과 지식기반의 풍부함과 접근성에 좌우된다.

그림 7-1[4]은 치료사의 사고와 기술(인지 및 데이터수집에 사용되는 모두) 및 지식과의 관계의 순차적 및 순환적 특성을 모두 보여준다. 이 과정의 이해와 자신의 인지에 대한 인식 및 통제, 즉 '메타인지'[3]라는 기술은 초보자에서 전문가로 연속체를 따라 진행하는데 필요하다. 지식 기반 구성, 그것의 풍부함(이론적 및 경험적) 및 지식 덩어리와 성공적인 행동의 연관성 또한 임상추론 기술의 수준에 영향을 미친다. 지식 기반은 징후 및 증상의 임상 패턴과 관련된 적절한 조사전략 및 치료가 있는 곳이며, 이 모든 것은 쉽게 접근할 수 있어야 한다.

그림 7-1을 자세히 보면 환자는 임상추론 과정에서 중추적 역할을 하여 도수치료에 대한 환자 중심 접근방식을 용이하게 한다는 것을 알 수 있다. 이는 환자가 재활에 적극적으로 참여하고 회복에 대한 많은 책임을 져야 한다는 점을 강조한 편타장애와 관련된 만성 척추통증 예방 및 관리의 이해는 최근 발전과 일치한다.

필요한 임상 결정에 도달하는 과정일 뿐 아니라 임상 추론 모델은 반사적 임상의가 각 임상적 만남에서 배울 수 있는 가능성을 강조한다. 임상 경험 중 및 이후에 반영함으로써 도수치료사는 점차적으로 그들의 지식기반을 강화하고 그들의 인지 및 초인지적 기술을 발전시킴으로써 점차 전문지식을

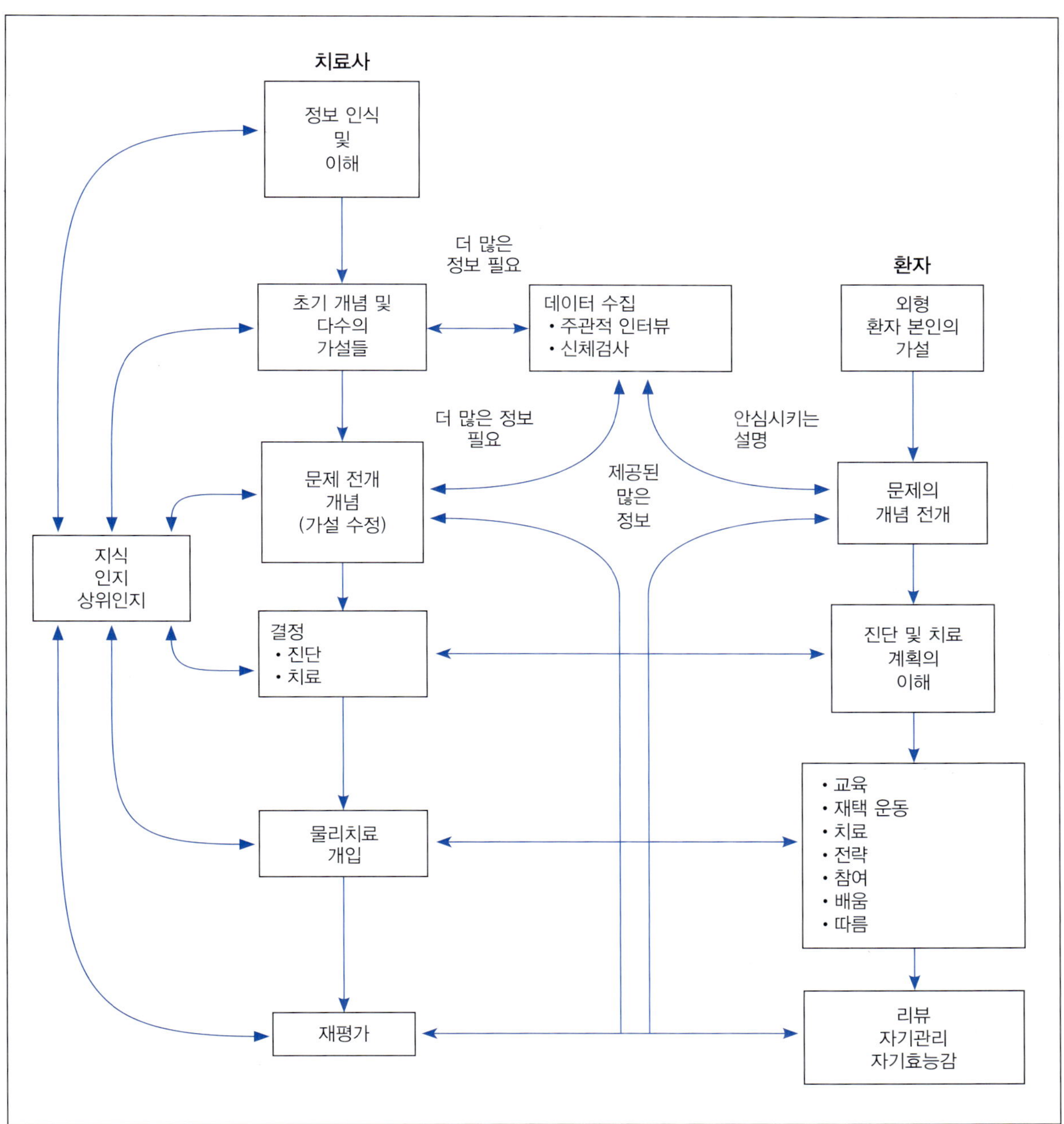

그림 7-1 ■ 임상 추론의 환자중심모델. (Jones과 Rivett.[4]으로부터 허가받아 복제함.)

향해 나아갈 것이다. Maitland[2]와 Mulligan[6]와 같은 유명한 도수치료사들을 나머지와 구분하는 것은 그들의 저술에서 분명하다. 그들은 각 환자의 경험을 충분히 경청하고, 관찰하고 반영하여서 배운다.

풍부하고 강력하지만 검사 가능한 가설들은 이러한 사전 학습 및 경험을 통해서 만들어진다. 정확하고 구체적인 가설을 효율적으로 생성하는 능력은 전문가의 특징이다.[7]

가설 범주
HYPOTHESIS CATEGORIES

구체적인 가설의 생성을 용이하게 하면서도 광범위한 임상 추론을 촉진하려면(즉, 제한된 진단 추론을 넘어서) 가설들을 분류하는 것이 도움이 된다. 연구[8] 및 사례보고[4]는 전문적인 도수치료사들이 동시에 여러 영역에서 가설을 세우는 것으로 나타났다.

여기에는 개인으로서 환자에게 나타나는 임상 문제의 영향에 대한 고려가 포함된다. 이러한 가설 범주의 사용은 임상의들이 임상 영향의 패턴을 쉽게 인식할 수 있고 평가절차 또는 치료에 관계없이 다양한 조치의 예상 결과와 연관되도록 그들의 지식기반을 구성하는데 도움이 될 수 있다.

도수치료사들에게 8가지 범주의 가설이 있다.[4]

- 활동 및 참여능력 및 제한 – 환자가 특정 활동을 수행하고 특정 생활 상황에 참여하는데 있어서의 능력 및 어려움
- 심리사회적 요인 – 그들의 회복에 대해 장애물이 될 수 있는 이해, 신념 및 감정을 포함하여 환자가 그들의 문제에 대해 갖는 관점
- 병태생리학적 기전 – 여기에는 식별 가능한 병리 및 연관된 조직 치유 상태, 통증이 매개되는 기전(입력, 과정 및 결과)이 포함된다.
- 신체적 손상 및 조직 출처 – 손상될 수 있는 문제와 관련된 조직의 식별 (예:심부 목굴곡근의 신경근 조절 저하, 환축 관절 회전의 감소)
- 문제의 발병 및 유지에 기여하는 요인들 – 예: 유전, 생체역학, 인체공학 및 행동요인
- 검사 및 치료에 대한 금기사항 및 예방조치 – 예: 과민한 표현(신체 검사 시 주의), 척추뇌저동맥순환부전(경추 교정에 대한 금기사항)
- 문제 관리
- 환자의 예후 – 회복이 될 것인가? 그렇다면 어느 정도, 얼마나 걸릴 것인가? (이 결정에 영향을 미치는 요인에 대해서는 Jones과 Rivett[4]을 참조)

가설 범주 및 일반적인 임상추론 과정의 이해는 전문성을 높이는데 중요하지만 자신의 추론 과정에 대한 상위인지적 인식도 마찬가지로 중요하다.

특히, 부정확하고 경추에서 잠재적으로 위험한 임상결정으로 이어질 수 있는 추론의 편견, 결함 또는 오류에 대한 인식이다.

임상추론의 오류
ERRORS IN CLINICAL REASONING

잘못된 추론은 부정확한 가설과 그에 따른 잘못된 임상결정으로 이어져 비효과적인 개입과 자원낭비를 초래할 수 있다. 경추에서, 추론 오류의 결과는 특히 심각할 수 있다. 예를 들어, 도수치료 절차를 부적절하게 적용하면 환자의 증상이 악화되거나 생명을 위협하는 부작용이 발생할 수 있다.

Rivett와 Reid[9]는 임상의가 환자의 병력에서 최근의 일과성 반맹의 관련성을 인식하지 못하고 계속해서 척추뇌저 뇌졸중과 함께 도수치료를 진행한 사례를 문서화한다. 이런 경우, 정보를 '금기사항 및 주의사항' 가설 범주로 처리하여 환자를 긴급 의료 조사에 의뢰하기로 결정해야 한다. 호주 물리치료 협회(Australian Physiotherapy Association)는 이러한 치명적 결과를 피하기 위해 경추의 도수치료를 고려하는 임상의를 돕기 위해 최근 '경추장애 관리에서 척추뇌저 뇌졸중 평가를 위한 임상 지침'[10]을 제작했다. 특히 지침은 실무 방법을 규정하지 않고 대신 각 경우, 고급 임상 기술을 적용할 책임을 도수치료사에게 확실히 둔다. 따라서, 추론능력을 지속적으로 개발할 책임은 임상의에게 있다.

Rivett와 Jones는[11] 어느 정도 깊게 이런 오류에 대해 논의했고 다음과 같이 요약할 수 있다.[12]

- 초기 신호의 잘못된 해석이나 인식하지 못함 때문에 문제의 잘못된 초기 개념을 형성
- 그럴듯한 가설을 생성하고 적절하게 검사하지 못함
- 선택적 검사 및 가설의 성급한 수용

Scott[12]은 대부분의 추론 오류의 원인이 다음과 관련 있다고 제안한다.

- 불충분한 임상 기술 – 도출된 임상 데이터에 결함이 있거나 무시되거나 잘못해석되면 인지 과정이 잘못된 진단 및 관리 결정을 초래할 가능성이 높다 (컴퓨터 비유: garbage in, garbage out).
- 불충분한 전문적 지식 – 필요한 과학적 또는 임상적 지식이 부적절하거나 접근할 수 없는 경우 도출된 임상 데이터는 당면한 문제에 대한 의미나 관련성이 거의 없거나 전혀 없을 것이다.
- 불충분한 임상 추론 기술 – 임상의가 환자의 문제에 정보를 올바르게 적용할 능력이 부족하다면(도출 또는 저장) 최고의 테크닉 기술과 건전한 지식기반은 기본적으로 무용지물이다(컴퓨터 비유를 계속하기 위해 이것은 소프트웨어 누락 또는 결함과 유사하다).

자신의 추론에서 잠재적 임상추론오류 및 결함에 대한 인식은 임상 추론 기술과 전문성의 개발을 발전시키는 핵심 단계이다. 이 목표를 달성하기 위해 사용할 수 있는 다양한 활동이 있다.

임상 추론 기술 향상
IMPROVING CLINICAL REASONING SKILLS

도수치료사는 환자를 학습의 가장 큰 잠재적 원천으로 보아야 한다. 이 맥락에서 학습된 내용은 유사한 임상 단서가 감지될 때 쉽게 접근할 수 있기 때문에 적용되는 맥락에서 학습하는 것이 틀림없이 최고의 학습유형[13]이다. 그러나, 수년간의 임상 경험이 있는 임상의가 자동으로 동료로부터 전문가로 간주되는 것은 아니다. 이것은 경험이 임상 추론기술을 개발하는데 중요하지만 임상전문가가 되기 위해 요구되는 유일한 요소는 아니기 때문이다. 경험이 사용되는 방법은 특히 중요하다–즉, 의사가 각 환자로부터 독특한 임상 표현을 가진 개인으로서 배우려 시도하는가 아니면 편협한 방안 유형의 치료 접근 방식을 하는가?

초인지적 기술의 적용을 포함한 임상적 만남 동안 성찰(행위 중 성찰)과 만남에 따른 성찰(행동에 대한 성찰)은 경험적 학습 과정과 임상 추론능력 발달에 중요하다.[11] 실제 환자의 경우, 성찰은 개별 과정이 될 수도 있고 임상의의 생각에 도전하고 환자의 표현에 대한 새로운 통찰력과 해석을 제공할 수 있는 멘토를 포함할 수도 있다. 그 멘토는 임상의가 관찰하는 대로 환자를 검사와 치료를 통해 발전된 임상 추론 기술 또한 나타낼 수 있다. 전문 멘토가 가능하지 않다면 임상의는 때때로 자신의 편안한 영역에서 벗어나 환자의 문제에 대한 생각을 동료나 심지어 학생과 비교하려고 노력해야 한다. 열린 마음을 유지하고 개인적으로 어떤 도전도 하지 않는 것이 학습활동에 매우 중요하다.

임상의가 임상추론 기술[14]을 향상시키려는 경우 실제 환자를 사용하는 대안이 있다:

- ***서면 및 구두 사례 보고서:*** 저널(예: 도수치료) 및 텍스트(예: spencer[15])는 일반적으로 임상 사례를 문서화한다. Jull[16]와 Pettman[17]은 도수치료 분야에서 기본적인 임상추론과 함께 상세한 경추 사례 보고서의 훌륭한 예를 제공한다. 때때로 임상 사례에 대한 패널 토론과 공식 대학원 교실 상황에서 상당히 복잡한 '어항' 학습 형식의 사용을 포함하여 컨퍼런스 및 세미나에서 사례 보고서를 발표할 수도 있다. 최고의 사례 보고서는 임상저자의 추론을 분석하여 청중에게 투명하게 만들고 사례 결과가 점진적으로 공개됨에 따라 청중이 그들의 생각과 저자의 생각을 비교하도록 권장한다. 그럼에도 불구하고 서면 및 구두사례 보고서의 경우 학습자의 상호작용이 다소 제한되고 학습이 더 부수적인 경향이 있다.

- ***시청각 기록 및 컴퓨터 기반 사례 보고서:*** 기술은 임상 추론 활동에 대한 임상적 현실감과 학습자 참여를 촉진한다. 환자가 전문 임상의가 검사하고 치료하는 경우의 사례 비디오 테잎 및 DVD로 시각 및 청각 신호를 사용할 수 있다. (예: Sexton 등[20]의 DVD에는 경추성 팔목 및 엄지 통증을 보이는 환자가 포함되어 있다.) 보다 최근, 컴퓨터 지원 학습으로 인해 텍스트, 사진, 비디오, 오디오 클립 및 그래픽과 함께 기술을 결합하여 임상사례보고서에서 사용할 수 있다. 또한 사용자는 컴퓨터 프로그램과 상호작용하여 임상결과 및 환자의 반응의 점진적으로 드러냄과 함께 검사 순서와 치료 선택을 결정할 수 있는 방식으로 가상 환자(실제 환자를 기반으로 하거나 인위적으로)를 검사할 수 있다. 사례는 추가 지식기반 학습 자원이(관련 온라인 저널 기사) 포함되거나 연결될 수 있음에도 불구하고 도수치료사는 현재 그러한 기술들을 사용하여 그들의 테크닉 기술을 행사할 수 없다.

- ***모의 환자:*** 실제 환자를 제하고 임상추론능력을 함양할 수 있는 가장 현실적인 자원은 모의 환자이다. 환자는 자신이 접했을 수 있는 흥미로운 환자를 동료역할로 연기하거나 특정 임상사례를 모의실험하는데 대한 자세한 대본과 교육을 받은 배우를 사용하여 매우 간단히 모의실험할 수 있다. 후자는 분명히 다소 비용이 들고 시간 소모가 되며 공식적 그룹 학습 상황에 더 적합하다. 그럼에도 불구하고 모의 환자가 높은 수준의 임상적 사실감을 생성한다는 좋은 증거가 있다. 주요 이점은 테크닉 기술(예: 인터뷰 기술, 일부 신체 검사 및 치료 기술)을 학습 경험에 통합할 수 있고 임상의가 모델과 상호작용할 때 임상추론기술을 실시간으로 사용할 수 있다는 것이다. (아마) 수동적 분절 움직임 검사를 제외하고 경추장애가 있는 환자의 대부분 신체적 소견을 모의실험할 수 있다. 경추 영역에서는 실제 임상환경에 사용되기 전에 안전한 환경에서 모의실험된 환자에게 많은 테크닉 기술 및 기본 임상추론(예: 척추뇌저동맥순환부전 검사)을 가장 잘 수행할 수 있다.

임상추론 및 임상 예측규칙
CLINICAL REASONING AND CLINICAL PREDICTION RULES

가능한 경우 근거기반 임상지침과 임상 예측규칙은 편향된 사고 및 기타 오류를 피하도록 도와줌으로써 도수치료사가 의사결정을 내리는데 도움을 줄 수 있지만 임상추론 과정을 대체할 수는 없다. 즉, 임상 예측규칙은 임상의가 진단을 하거나 예후를 설정하거나 수치 지표와 결과의 확률을 제공하기 위해 다양한 임상 특성의 상대적 기여도를 정량화하여 최적의 중재를 결정하는 데 도움이 되도록 설계되었다.[23–25] 중요하게, 근거기반 실천[26]과 임상예측규칙[23]의 옹호자들은 임상의에게 책임이 있고 과학적 증거를 염두에 두고 임상적 판단을 내려야 함을 분명히 나타낸다.

그럼에도 불구하고 최근에 도수치료에서 임상예측규칙에 대한 관심이 증가하면서 임상추론에서의 역할과 관련하여 어느 정도 논쟁과 양극화가 발생했다. 특히 미국에서 임상 예측규칙은 초기 발달 상태에도 불구하고 물리치료서비스에 대한 자금 흐름에 영향을 미치기 시작했다. 요통의 물리치료 관리의 임상 예측규칙에 대한 최근의 체계적인 검토는 현재 증거의 본체가 어떤 임상 예측규칙의 확실한 직접 임상 적용을 가능하게 하지 않고 파생 규칙의 검증이 일반적으로 필요하다는 강조를 결론지었다. 그리고 환자 결과 또는 치료비용에 대한 영향에 대한 평가가 거의 전무하다. 경추에 대한 유사한 검토는 아직 수행되지 않았지만 상황은 다르지 않을 것이다.

유사하게, 도수치료사의 임상추론과정에 대한 임상예측규칙의 영향은 이제 막 조사되기 시작했다. 최근 흥미로운 연구에서 Learman 등[28]은 일상적인 추력 도수치료를 사용하는 미국 물리치료사를 대상으로 설문조사를 하여 임상추론에 대한 요추 도수치료 임상예측규칙[29]의 영향을 조사했다.

9단계 임상 증례(vignette)는 의학적 우려가 없다는 규칙을 충족하는 가상환자 시나리오를 환자의 일반적 건강을 위한 심각한 우려가 포함된 시나리오로 진행했다. 임상적으로 규칙을 사용하는 물리치료사는 삽화의 첫 두 시나리오에서 환자를 도수치료하기로 선택하는 가능성이 더 높았지만(임상적으로 규칙을 사용하지 않는 사람들과는 반대됨) 두 그룹 모두 의학적 우려가 있는 케이스의 도수치료를 동등하게 피했다고 보고되었다. 그 결과는 일상적으로 요추 추력 도수치료를 하는 물리치료사들이 도수치료의 적용을 잠재적으로 금기하는 의학적 합병증을 수용하기 위해 임상추론을 수정했음을 나타냈다. 이 연구는 경추에 대해 비교가능한 임상적 예측규칙을 사용하여 복제되어야 하지만, 이 예비연구는 그러한 규칙이 도수치료에 '맹목표로' 적용되지 않고 대신 임상추론과정에 정보를 제공하고 임상결정을 게으르게 지시하지 않는 것으로 보여 안심시킬 수 있다.

도수치료의 임상예측규칙은 임상의의 요구와 확립된 임상추론과정을 고려하지 않고는 외부와 단절된 상태에서는 개발할 수 없다는 것이 점점 더 분명해지고 있다. 실제로 호주 뉴사우스웨일즈 출신의 근골격계 물리치료 임상의로 구성된 집중집단을 사용한 Haskins 등[30]의 최근 기술 연구에 따르면, 임상예측규칙의 채택에 영향을 미치는 요인에는 복잡성, 인터페이스, '규칙'이라는 용어 사용 및 정확성과 정밀도가 포함되었다는 것을 발견했다.

대부분 참가자는 임상경험이 한정된 초보 임상의가 임상예측규칙의 사용으로 가장 많은 이익을 얻을 수 있다고 믿었으며, 이는 그러한 규칙이 본질적으로 임상패턴의 단순한 공식화라는 참가자의 견해와 일치한다. 분명히 잠재적 장벽, 임상의의 요구 및 임상예측규칙이 구현되는 상황을 이해하는 것은 도수치료 임상추론과 임상실무에 최적으로 영향을 미칠 수 있는 가장 큰 잠재력을 가진 도구의 개발을 촉진하는데 도움이 될 것이다.

결론
CONCLUSION

경추 질환은 그 복잡성과 내재된 위험성 때문에 임상의에게 어려울 수 있다. 결과를 극대화하고 위험을 최소화하는 올바른 임상결정이 만들어지도록 하기위해서는 숙련된 임상적 추론이 중요하다. 임상적 전문지식은 임상적 추론과정의 이해와 추론부족 및 오류에 대한 자각이 필요하다. 전문지식을 얻기 위해서 도수치료사는 정기적으로 임상경험을 반영하고 임상 추론기술의 개발을 촉진하는데 이용가능한 다양한 사례기반 및 근거기반 자원을 활용해야 한다.

참고문헌

1. Rivett D. Adverse effects of cervical manipulative therapy. In: Boyling J, Jull G, editors. Grieve's modern manual therapy. 3rd ed. Edinburgh: Churchill Livingstone; 2004. p. 533–49.
2. Maitland G, Hengeveld E, Banks K, et al. Maitland's vertebral manipulation. 7th ed. Oxford: Elsevier Butterworth-Heinemann; 2005.
3. Higgs J, Jones M. Clinical reasoning in the health professions. In: Higgs J, Jones M, editors. Clinical reasoning in the health professions. 2nd ed. Oxford: Butterworth-Heinemann; 2000. p. 3–14.
4. Jones M, Rivett D. Clinical reasoning for manual therapists. Edinburgh: Butterworth-Heinemann; 2004.
5. MAA. Guidelines for the management of whiplash-associated disorders. Motor Accidents Authority of NSW; 2001 .
6. Mulligan B. Manual therapy NAGS, SNAGS, MWMS etc. 5th ed. Wellington: Plane View Services Ltd; 2003.
7. Glaser R, Chi M. Overview. In: Chi M, Glaser R, Farr R, editors. The nature of expertise. Hillsdale, NJ: Erlbaum; 1988. p. xvii–xx.
8. Rivett D, Higgs J. Hypothesis generation in the clinical reasoning behavior of manual therapists. J Phys Ther Educ 1997;11: 4–45.
9. Rivett DA, Reid D. Risk of stroke for cervical spine manipulation in New Zealand. NZ J Physiother 1998;26:14–17.
10. Rivett D, Shirley D, Magarey M, et al. Clinical guidelines for assessing vertebrobasilar isufficiency in the management of cervical spine disorders. Australian Physiotherapy Association; 2006.
11. Rivett D, Jones M. Improving clinical reasoning in manual therapy. In: Jones M, Rivett D, editors. Clinical reasoning for manual therapists. Edinburgh: Butterworth-Heinemann; 2004. p. 403–31.
12. Scott I. Teaching clinical reasoning: a case-based approach. In: Higgs J, Jones M, editors. Clinical reasoning in the health professions. 2nd ed. Oxford: Butterworth-Heinemann; 2000. p. 290–7.
13. Higgs J. Educational theory and principles related to learning clinical reasoning. In: Jones M, Rivett D, editors. Clinical reasoning for manual therapists. Edinburgh: Butterworth-Heinemann; 2004. p. 379–402.
14. Rivett DA, Jones MA. Using case reports to teach clinical reasoning. In: Higgs J, Jones MA, Loftus S, editors. Clinical Reasoning in the Health Professions. 3rd ed. Amsterdam, Netherlands: Elsevier, Butterworth-Heinemann; 2008. p. 477–84 [chapter 46].
15. Spencer P. Case studies for manual therapy. A problem-based approach. New York: Churchill Livingstone; 1998.
16. Jull G. Headache in a mature athlete. In: Jones M, Rivett D, editors. Clinical reasoning for manual therapists. Edinburgh: Butterworth-Heinemann; 2004. p. 135–48.
17. Pettman E. Craniovertebral dysfunction following a motor vehicle accident. In: Jones M, Rivett D, editors. Clinical reasoning for manual therapists. Edinburgh: Butterworth-Heinemann; 2004. p. 215–28.
18. Carr J, Jones M, Higgs J. Learning reasoning in physiotherapy programs. In: Higgs J, Jones M, editors. Clinical reasoning in the health professions. 2nd ed. Oxford: Butterworth-Heinemann; 2000. p. 198–204.
19. Higgs J. Fostering the acquisition of clinical reasoning skills. NZ J Physiother 1990;18:13–17.
20. Sexton M, French H, Kedroff L, et al. Practical techniques of physiotherapy examination and treatment of the cervical and thoracic spine. DVD. Dublin: Clinics in Motion; 2005.
21. Schneiders A, Rivett D. Evaluation of a computer assisted learning(CAL) program for clinical reasoning in manipulative physiotherapy. Proceedings of the International Federation of Orthopaedic and Manipulative Therapists Conference. In: Singer K, editor. International Federation of Orthopaedic and Manipulative Therapists. Perth: 2000. p. 395–9.
22. Ladyshewsky R, Baker R, Jones M, et al. Reliability and validity of an extended simulated patient case: a tool for evaluation and research in physiotherapy. Physiother Theory Pract 2000;16: 15–25.
23. Beattie P, Nelson R. Clinical prediction rules: what are they and what do they tell us? Aust J Physiother 2006;52(3):157–63.
24. Childs JD, Cleland JA. Development and application of clinical prediction rules to improve decision making in physical therapist practice. Phys Ther 2006;86(1):122–31.

25. Laupacis A, Sekar N, Stiell IG. Clinical prediction rules. A review and suggested modifications of methodological standards. JAMA 1997;277(6):488–94.
26. Sackett D, Straus S, Richardson W, et al. Evidence-based medicine: how to practice and teach EBM. 2nd ed. Edinburgh: Churchill Livingstone; 2000.
27. Haskins R, Rivett DA, Osmotherly PG. Clinical prediction rules in the physiotherapy management of low back pain: a systematic review. Man Ther 2012;17(1):9–21
28. Learman K, Showalter C, Cook C. Does the use of a prescriptive clinical prediction rule increase the likelihood of applying inappropriate treatments? A survey using clinical vignettes. Man Ther 2012;17(6):538–43.
29. Flynn T, Fritz J, Whitman J, et al. A clinical prediction rule for classifying patients with low back pain who demonstrate shortterm improvement with spinal manipulation. Spine(Phila Pa 1976) 2002;27(24):2835–43.
30. Haskins R, Osmotherly PG, Southgate E, et al. Physiotherapists' knowledge, attitudes and practices regarding clinical prediction rules for low back pain. Man Ther 2014;19:142–51.

8 환자의 임상 평가
CLINICAL EVALUATION OF THE PATIENT

RAFAEL TORRES CUECO

환자 평가는 두 가지 필수요소로 구성된다: 하나는 환자의 ***임상평가*** 및 ***감별진단***의 완료이고 다른 한편으로는 ***기능장애 및 손상의 평가***이다. 이 장은 첫 번째 부분의 가장 중요한 측면을 다루는 반면, 두 번째 부분은 다른 장에서 다루어질 것이다.

환자의 임상평가는 병리학의 존재를 식별하고 도수치료로 관리할 수 있는지 여부를 결정하는 반면, 기능장애 평가는 관절, 신경 또는 근육 조절 장애의 특정한 특성을 분석하여 가장 적절한 치료전략을 수립하는데 도움이 된다.

결국, 환자의 임상평가는 ***주관적 평가*** 및 ***신체적 평가***의 두 부분을 포함한다. 주관적 평가를 통해 수집된 정보는 진단 가설을 확인하는데 필요한 신체적 평가 및 추가검사의 유형을 결정한다. 게다가, 주관적 평가를 기반으로 치료사들은 동맥박리 또는 척추뇌저부전증, 주요 불안정성 등과 같은 도수치료를 금하는 심각한 병리의 존재를 의심할 수 있다. 실제로 신체적 평가와 달리 주관적 평가는 예를 들어, 종양 과정의 조기 발견에 더 필요한 데이터를 제공한다. 또한 임상기록의 올바른 실행은 효과적이고 위험이 없는 진단 및 치료 절차의 적용을 보장한다. 따라서 주관적 평가는 진단에 중요할 뿐 아니라 환자의 상태에 맞는 적절한 치료법을 설계하는데 매우 가치있는 정보를 제공한다.

주관적 평가 및 신체적 평가를 통해 감별진단이 내릴 수 있으며, 이를 통해 기능장애의 평가 및 치료계획을 수립할 수 있다.

환자평가는 ***임상 평가*** 및 ***기능장애 평가***의 두 가지 부분으로 구성된다.

임상 평가는 병리의 존재를 식별하고 이것이 도수치료로 치료가 가능한지 여부를 설정한다.

임상 평가는 ***주관적 평가***와 ***신체적 평가***로 구성되어 감별진단으로 이어진다.

기능장애 평가를 통해 특정 장애를 식별하고 가장 적절한 치료법을 설계할 수 있다.

감별진단을 수행하기 위한 첫 번째 단계는 심각한 병리의 존재를 배제하는 것이다. 그 후에 임상 상황과 관련된 신체적 및 심리사회적 측면과 함께 환자의 증상의 주요 원인을 확인해야 한다.

이와 관련하여, Waddell[1]이 개발한 **진단분류** 개념이 도움이 된다. 첫째로, 경추동맥박리, 두개골의 불안정성, 급성 전신질환, 심각한 척추관협착증 또는 감염 또는 종양과정과 같은 병리(적신호)의 존재를 배제하는 것이 필요하다. 둘째로 경추 신경근병증과 같은 조기 치료가 필요한 병리의 유무를 평가하여 장기적인 후유증이 나타나지 않도록 해야 한다. 셋째로, 경추의 병리나 기능장애가 심한 통증을 유발하지만 장기적인 영향을 미치지 않는지 확인해야 한다. 현재, 모든 임상 지침은 진단분류의 일부 형태를 제안하고 적신호의 배제를 강조한다. 각 임상 프레젠테이션에서 식별해야 하는 다양한 적신호[2-4]를 아는 것은 필수이다. 이런 적신호는 경추의 임상 증후군을 다루는 각 장에서 검토될 것이다. 이것들은 일반적으로 징후와 증상의 조합으로 나타난다. 가능성은 낮지만 항상 ***최악의 시나리오 배제 원칙***(rule out worst case scenario, ROWS)에 따라 고려해야 한다. 우리는 많은 심각한 질병들이 적어도 초기에는 조용히 발병한다는 특징이 있다는 것을 명심해야 한다.

게다가, 심리사회적 위험요소(황색기)는 문제가 만성화되고 장애발생에 기여할 수 있으므로 반드시 고려해야 한다.[5] 환자가 겪고 있는 고통에 대해 아는 것만큼이나 고통을 겪고 있는 환자에 대해 가능한 많이 아는 것이 중요하다.

감별진단을 수행하기 위해서 Waddell의 ***진단분류***는 다음의 ***목표***로 유용하다:

1. 심각한 병리의 배제: ***적신호***
2. 장기적인 후유증을 피하기 위해 조기치료가 필요한 병리 발견
3. 장기 후유증을 남기지 않는 병리 발견.

또한 심리사회적 위험요소 또는 ***황색기***를 염두에 두어야 한다.

목통증의 임상패턴은 복잡하고 다양하다. 근골격계의 다른 영역에서처럼 통증이 주요 증상이고 주관적인 지각이므로 정량화하기 어렵다. 더욱이 진단 용어나 라벨의 개발이 문제가 된다. 그 중 다수(경추 수축, 관절염 등)는 부정확하고 사실이 아님에도 불구하고 현재 많은 임상적 상황에서 쓰인다. 사실, 추간판 탈출증 같은 동일한 임상 개체가 여러 가지 다른 방식으로 임상적으로 나타날 수 있고 다른 임상 개체들은 매우 유사한 증상을 나타날 수 있다.

반대로, 병리학 또는 특정 임상 상황에 대한 과학적 지식은 지속적인 개정의 대상이 된다. 진단명 사용의 한계와 과학적 지식과 환자의 임상 프레젠테이션 사이 상호의존관계를 확립할 필요성을 강조하기 위해 Maitland는 ***투과성 벽돌벽***의 개념[6]을 개발했다. 이 저자에 따르면, 치료사들은 주관적 평가 및 신체적 평가에 관한 모든 정보를 두 개의 칸에 저장해야 한다. 한 구획에는 특정 병리학(해부학, 생체역학, 생리학 및 병리학)의 이론적이고 추측적인 측면이 저장되고 다른 구획에는 환자의 징후 및 증상의 모음으로 구성된 임상 프리젠테이션이 저장된다.

문화적 변형을 제외하고 임상 프리젠테이션이 역사적으로 변화하지는 않았지만 이론적 지식은 지속적인 검토와 변화하는 과정의 대상이 된다. 예를 들어, 몇 년 전에는 근육 병리와 관련되었던 징후가 오늘날에는 디스크 병리에 대한 새로운 지식 덕분에 디스크의 연관통으로 해석될 수 있다.

두 구획이 분리되어 있고 서로 다른 지식 분야에 속한다는 것을 이해하는 것이 중요하다. 이론적-추측 구획은 임상 실체에 관한 해부학, 생체역학, 생리학 및 병리학 관련 지식을 말하며 진단 라벨을 설정하는 데 자주 사용된다. 그러나 모든 가능한 임상 증상을 알려진 진단으로 표시하는 것이 항상 가능한 것은 아니다. 사실, 일부는 전형적인 '교재 예시 진단'일 수 있지만 나머지는 그렇지 않을 수 있다. 이러한 이유로, 벽돌벽 개념을 통해 임상의들이 특정 진단명이 아닌 병력, 징후 및 증상과 관련하여 환자의 임상 프리젠테이션에 주의를 기울일 수 있다. 벽돌벽 접근의 투과성은 이론적-추측 칸과 환자의 임상적 프리젠테이션 사이의 지속적인 정보흐름을 촉진하고 임상의가 사실에 대한 더 나은 이해를 얻음에 따라 진단을 수정할 수 있다.

또한 지식을 분리하는 이러한 방식은 치료사가 환자의 증상을 선호하는 임상 범주나 더 편안하게 느끼는 범주로 맞추려는 유혹을 피하는데 도움이 된다.

벽돌벽 접근법은 병리와 관련된 과학적 지식과 환자의 임상적 표현 사이의 관계를 설명한다. 치료사는 자신의 지식을 다음 두 부분으로 분류할 수 있어야 한다:

- ***이론적-추측 부분:*** **임상 개체에 관한 해부학, 생체역학, 생리학 및 병리학 관련 지식을 나타낸다.**
- ***환자의 임상적 표현:*** **환자의 징후 및 증상 그룹.**

평가 과정을 통해 치료사는 환자의 현재 임상 상황에 맞는 치료 전략을 계획할 수 있다. 따라서 환자 평가는 치료사가 특정 진단을 확립할 뿐만 아니라 특히 동일한 진단 개체가 나타낼 수 있는 다양한 임상 패턴을 인식하도록 요구한다. 사실, 각 임상 프리젠테이션에는 서로 다른 치료 접근 방식이 필요하다.[7] 서로 다른 임상 패턴을 인식할 때 각 치료사의 전문적인 경험이 중요한 역할을 한다.

전통적으로 임상 평가의 목표는 치료사가 효과적인 치료를 계획할 수 있도록 하는 특정 진단을 확립하는 것이다. 이 사고의 모델은 환자의 징후 및 증상이 병리 또는 부상의 직접적인 반영임을 확립한다.[8] 이 병리해부학적 모델과 달리 생물심리사회적 모델은 지난 수십 년 동안 시행되어 왔으며, 이에 따라 환자의 임상적 표현, 진화, 예후 및 치료는 특정 병리학 또는 신체 기능장애에만 의존하지 않는다. 유사한 병리학적 실체를 가진 피험자는 종종 매우 다르게 진행된다. 따라서 생물심리사회적 모델은 기능장애의 물리적 측면뿐만 아니라 심리사회적 측면도 설명한다. 특정 임상 상황에 영향을 미치는 다양한 측면을 다루기 위해 임상 추론의 개념이 개발되었다.

임상 추론 및 진단 과정 CLINICAL REASONING AND DIAGNOSTIC PROCESS

지난 수십 년 동안 의료 전문가들은 임상 추론에 상당한 관심을 보였다. 이러한 관심은 Higgs와 Jones,[9] Jones,[10,11] Jones와 Rivett[12], Rivett와 Jones에 의해 물리치료 분야에서 발전되었다.[13]

임상 추론은 임상의가 임상 실무에서 다루는 문제에 대해 생각하는 방식으로 정의되었다.[14] 따라서 임상 추론은 문제 해결, 의사 결정 및 비판적 사고를 함축하는 인지 과정이다.

임상 추론은 진단 과정뿐만 아니라 임상의가 환자 정보를 얻고, 이 정보를 처리하고, 환자의 문제와 관련된 모든 개인적, 맥락적 측면을 이해하고, 최상의 관리 전략을 계획하고, 예후에 대한 단서를 식별하고, 특정 환자의 결과를 평가하는 방식을 다룬다. 좋은 임상 추론의 한 가지 중요한 측면은 이 과정에서 성찰하고 배우는 것이다.[15]

잘못된 임상적 추론은 잘못된 진단으로 이어지거나 환자의 문제를 완전히 해결하지 못한다. 이는 부적절한 환자 관리로 이어질 수 있으며 때로는 환자에게 실질적인 피해를 줄 수 있다. 인지 편향 및 정서적 영향과 같은 요인이 부적절한 임상 추론을 결정한다.

임상적 추론은 Higgs와 Jones[9]에 의해 '치료사가 환자 및 중요한 타인(예: 가족 및 기타 의료팀 구성원)과 상호작용하고, 임상 데이터를 기반으로 의미, 목표 및 건강 관리 전략을 구조화하고, 내담자 선택과 전문적인 판단과 지식'으로 정의되었다.

임상 추론에는 각 환자를 개별적으로 치료하기 위해 관련 지식과 충분한 임상 기술의 적용이 필요하다.[16] 임상 실습에서 관련 지식은 해부학, 생체역학 및 생물학에 대한 방대한 지식을 의미하지만 무엇보다도 통증 기전 및 근골격 임상 조건에 대한 지식을 의미한다. 관련 임상 기술에는 좋은 주관적 평가, 신체 검사, 진단, 치료, 통증 관리 및 결과 측정을 수행하는 방법을 아는 것이 포함된다. 가장 중요한 기술 중 하나는 임상 패턴을 인식하는 것이다.

임상 추론은 임상 가설을 생성하고 적절한 환자 관리를 위해 필수적이다. 신체검사는 목 통증이 있는 모든 환자에 대해 특정 프로토콜(연구계획서)을 따라야 하는 것이 아니라 주관적인 평가에서 제공한 데이터와 환자의 임상 상황에 따라 구성되어야 한다. 따라서 문제는 치료사가 올바른 임상 가설을 생성할 수 있는 방법이다.

무엇보다도 환자와 임상의와의 만남은 주기적인 성격을 띠기 때문에 그 과정에 대한 지속적인 성찰이 필요하다.

임상 추론은 정신 추론 전략의 두 가지 구별되지만 배타적이지 않은 부류, 즉 가설연역적 추론[9] 및 귀납적 추론[9]으로 구성된다는 증거가 있다. 이 두 가지 전략은 귀납적 추론을 위한 시스템 1 또는 비분석적 또는 발견적 추론과 가설연역적 추론을 위한 시스템 2 또는 분석적 추론으로도 알려져 있다.

시스템 2는 주관적인 평가를 기반으로 감별 진단 목록을 생성한 다음 가설 중 하나를 확인하기 위해 신체 검사를 수행하는 고전적인 분석 방법이다. 이러한 유형의 추론은 최종 진단을 확인하기 위한 정보를 얻는 데 많은 시간이 소요된다.

시스템 1은 알려진 임상 패턴에 맞는 관련 단서 및 상황적 문제의 인식에 기초한다. 시스템 1은 경험 많은 임상의가 많은 임상 패턴에 익숙해지고 암기하기 때문에 자주 사용한다. 전문가는 초보자보다 주관적인 평가 중에 더 많은 핵심 단서와 더 넓은 범위의 정보를 수집할 수 있다.[17] 이 임상 추론 전략은 시스템 2보다 빠르고 효율적이다.[18] 전문 임상의가 상담 후 10초 이내에 올바른 진단을 일치시키는 것으로 나타났다.[19]

주관적 평가의 이 초기 단계에서 수집된 정보의 일부를 사용하여 전문가는 보다 효율적인 평가를 개발하기 위해 지식을 구성한다. 잘 구조화되고 조직된 지식은 전문 임상의의 특징이다.[13] 따라서 그들이 환자에게 던지려는 모든 질문은 매우 구체적인 임상 패턴을 인식하고 이를 다른 임상 조건과 구별하는 것을 목표로 한다.

임상의는 경험을 쌓고 임상 패턴을 축적함에 따라 점차 시스템 1 추론을 더 많이 사용하기 시작한다. 따라서 시스템 1은 과거 경험과 직관에 더 의존하는 것으로 보이며, 새롭고 생소한 임상 상황에 직면했을 때 임상의는 유형 2 추론을 사용해야 한다.

Croskerry[20]가 말했듯이 '귀납적 사고는 경험의 논리'이다. 의료인의 전문성이 높을수록 환자의 임상 상태를 식별할 확률이 높아진다. 이 두 가지 유형의 추론은 상호 배타적이지 않으며 임상의가 임상 실습에서 두 가지를 모두 사용하는 것이 중요하다.[21] 따라서 최적의 임상 추론은 평가 중에 시스템 1과 시스템 2가 모두 사용되는 2단계 프로세스로 간주되어야 한다.[22] 주관적 평가의 첫 번째 단계에서는 시스템 1이 가설 생성에서 우세하지만 이 가설은 나중에 시스템 2 추론에 의해 확인되거나 배제되어야 한다. 가설을 분석적으로 확인하지 못하면 경험이 풍부한 임상의라도 조기 진단이 종결될 수 있다.[22,23] 인지적 요인은 의료계에서 진단 및 관리 오류의 가장 흔한 원인이다. 두 시스템 모두 진단 오류로 이어질 수 있다. 시스템 1에서 가장 흔한 오류는 성급한 결론이지만 시스템 2에서 가장 흔한 오류는 잘못된 가설 생성이다.[18] Norman과 Eva[24]에 따르면 정보 수집 시 인지 편향, 데이터 해석 및 확률 평가, 피로, 스트레스 및 환경 요인으로 인한 태도 문제 등으로 인지 오류가 발생할 수 있다.

임상 추론 및 임상 상태 진단
CLINICAL REASONING AND CLINICAL CONDITION DIAGNOSIS

도수치료 분야에서 가장 심각한 문제 중 하나는 최근 발달된 병리를 잊어버리는 경향이 있다는 것이다. 능동적 통각수용원에 반드시 의존하지 않는 뇌 산물로서의 통증의 인식과 생물심리사회적 모델의 임상 실습 내 통합은 임상적 맥락에서 일부 오해를 불러일으켰다. Ford와 Hahne[25]이 주장한 바와 같이, 일부 임상의와 연구자들은 임상 의사 결정에서 병리해부학적 요인이 덜 중요하다고 가정했다.[26] 이러한 상황의 예는 현재 임상 지침에서 병리해부학적 원인에 따라 환자를 분류하거나 치료하는 것을 권장하지 않는다는 것이다.[27,28] 심지어 미국물리치료협회(APTA; American Physical Therapy Association)의 지침과 같은 일부 전문 임상 지침에서도 요통의 분류 및 치료에 대한 병리해부학적 접근 방식이 적절하지도 유용하지도 않다고 명시하고 있다.[29]

심리사회적 요인은 통증이 있는 환자의 분류 및 치료에 분명히 필수적이다. 그러나 임상 영역과 연구 모두에서 병리해부학적 요인의 배제를 정당화하려는 주장은 현재 문헌과 일치하지 않다.[25,30,31]

임상 패턴의 기초가 되는 생물학적 및 병리해부학적 과정을 배제하는 것은 대다수의 임상 실체 또는 질병의 의학적 접근에 반대된다.[30]

부적절하고 정당하지 않은 믿음은 병리해부학적 측면에 기반한 분류가 임상적 유용성을 제한하고 결과를 개선하기보다는 악화시키는 경향이 있다고 말한다.[32,33]

임상의로서 우리가 직면한 다양한 병리와 임상 상황을 아는 것이 필수적이다. 따라서 여기에 제시된 접근 방식은 경추의 다양한 임상 증후군을 식별하는 것을 기반으로 한다. 임상 증후군을 이해하려면 자연사, 가능한 치료 반응 및 예후를 이해해야 한다. 불충분한 임상 지식이 낮은 임상 성과로 이어진다는 증거가 있다.[18]

Jul[30]이 지적한 바와 같이 사회적 압박과 직업적 경향에도 불구하고 도수치료의 사용을 잊어서는 안 된다는 증거가 추가로 제시되는 경우 환자가 나타낼 수 있는 다양한 임상 증후군에 대한 최신 지식을 보유하는 것이 중요하다.

언급한 바와 같이, 이 문제는 단순히 학문적 문제가 아니며 통증을 해결하기 위한 적절하고 정확하며 신뢰할 수 있는 전략의 개발은 임상 증후군 또는 임상 증상과 관련된 원인과 기전에 대한 충분한 이해에 달려 있다.[34] 따라서 임상 증후군과 다양한 임상 증상, 진단 기준, 병태생리 및 자연사, 특정 신체 검사 및 치료 가능성에 대한 최신 지식이 필요하다. 따라서 우리는 양방향 모델을 지지한다.

첫째, 해부학적 요소의 구조와 기능의 변화와 관련된 임상적 증후군, 둘째, 환자의 통증과 관련된 심리사회적 측면에 대한 추가 연구가 필요하다. 그래야만 고통 경험에서 '생체학적' 역할과 '심리사회적' 역할에 대해 보다 균형 잡힌 관점을 갖게 될 것이다.

진단 절차
DIAGNOSTIC PROCEDURE

진단 절차 모델은 패턴 인식, 가설연역적 추론 및 해석적 추론의 세 단계로 구성된다.

설명한 바와 같이, 임상 패턴의 인식은 임상의가 임상 패턴에 대한 광범위한 지식을 가지고 있다면 임상 상황의 조기 식별을 달성하고 올바른 임상 결정을 수행하는 효율적이고 빠른 방법이다. 따라서 임상의는 우수한 임상 경험을 보유해야 한다. 경험은 시간에만 의존하는 것이 아니라 성찰적 실천을 특징으로 하는 임상의의 최신 지식과 작업에도 의존한다. 우리의 추론이 우리의 지식에 의존한다면, 우리는 지식의 본질과 질, 그리고 이것이 어디에서 왔는지 분석해야 한다. 성찰적 실천은 무엇보다도 임상의가 환자를 대할 때 감지하는 지식의 격차를 메워야 한다. 지식은 환자의 문제에 대한 이해를 향상시킬 수 있다.

패턴 인식은 항상 초기 가설부터 시작하여 첫 번째 가설의 타당성을 분석하고 대안 가설을 생성하고 가설의 반증을 시도하는 가설연역적추론으로 이어져야 한다. 가설은 검증과 반증의 대상이 되어야 한다. 진단 과정과 임상 결정이 안전한지 확인하려면 가설을 설정할 때 다음과 같은 여러 전략을 따라야 한다. 단순하고 안전하게(simple and safe, KISS) 유지하고, 적정성의 원칙, 최악의 시나리오(rule out worst case scenario, ROWS) 및 악마의 변호인을 배제해야 한다. 단순하고 안전하게(KISS) 원리는 문제의 복잡성이 줄어들지 않는다면 가장 단순한 가설이 일반적으로 가장 적합하다는 것이다.

적절성의 원칙에 따라 특정 임상 상황(무엇)이 발생하기 위해서는 필요한 조건(왜)이 충족되어야 하며 이 임상 상황은 특징적인 징후와 증상(어떻게)으로 표현되어야 한다. 최악의 시나리오 배제(ROWS) 원칙은 임상의가 환자의 임상 패턴이 특정 임상 개체에 해당한다고 거의 완전히 확신하지만 더 심각한 대안 가설을 염두에 두어야 한다는 것을 의미한다. 목표는 특별히 심각한 상황이 가능한 가설로 폐기되지 않도록 하는 것이다. 악마의 변호인 원칙은 최종 가설이 환자의 임상 양상을 설명할 수 있는 다른 가설도 고려해 볼 때 최종 가설은 반증의 대상이 되어야 한다.

임상 추론 과정은 7장에 자세히 설명되어 있다.

해석적 추론(Interpretive reasoning)

진단을 목표로 하는 임상적 추론은 의사결정 과정에 충분하지 않다. 모든 차원에서 환자에 대한 문제의 중요성을 이해하기 위한 다른 추론 전략이 필요하다. 이것이 주관적 평가의 필수적인 부분이 환자의 신념과 행동을 평가하는 이유이다.

해석적 추론의 필요성은 환자가 만성적이고 복잡한 임상 패턴을 나타낼 때 훨씬 더 분명하다. 통증에 대한 지식의 발전은 임상적 표현에서 인지 및 기타 맥락적 측면의 중요한 역할을 보여준다. 환자의 문제를 관리하려면 각 환자의 고유한 질병 경험에 대한 이해가 필요하다.[35] 이러한 측면은 2권 11장에서 자세히 검토된다.

임상 범주(Clinical categories)

임상 추론은 각 환자의 임상 상황에 따라 치료사가 일련의 가설 범주를 설정하는 것을 기반으로 한다.

가설의 범주는 다음과 같다:

- ***임상 증후군 및 발현 패턴:*** 임상 증후군 및 다양한 임상 표현, 증상/발현, 진단 기준, 병태생리학 및 자연사, 특정 신체 검사 및 치료 가능성.
- ***기능장애의 유형:*** 가능한 한 기능장애의 유형(관절, 신경 또는 움직임 조절)이 확립되어야 한다. 임상 평가의 목표는 환자의 현재

임상 상황과 관련될 수 있는 기능장애를 감지하는 것임을 명심해야 한다. 본질적인 질문은 발견된 기능장애가 환자의 임상 상태와 관련이 있는지 아니면 반대로 우연하고 관련 없는 발견인지 여부이다.

- *병리생물학적 기전:* 이 범주에는 조직 치유 기전이 포함된다. 첫째, 치유 과정(염증, 증식 및 재형성 단계)에서 기능장애 조직의 상태를 알아야 한다. 신체 평가 및 치료의 신전 또는 강도는 조직의 상태에 맞게 조정되어야 한다.
- *통증 기전:* 통증을 통각수용성, 염증성 또는 신경병증성(주관적 검사: 통증의 질 참조) 및 관련된 통증 기전으로 분류하기 위해서는 통증의 질을 결정하는 것이 필수적이다.
- Gifford에 따르면[35] 통증의 존재를 설명하기 위해 입력 수준(통각 정보), 처리 수준(중추 통증 처리) 및 출력 수준(통증에 대한 반응의 발달)의 세 가지 기전을 설정할 수 있다(5장 참조). 환자의 통증 경험을 지배하는 구성요소는 통각수용성, 신경병증성, 말초성, 중추 처리에 의해 유발되거나 반응 기전에 의해 지배되는 것으로 식별되어야 한다.
- *조직 특성:* 신체 평가 및 치료에 사용된 조작의 강도를 결정할 뿐만 아니라 과정의 진행 및 예후에 미치는 영향을 결정하기 위해 조직의 질을 인식하는 것이 중요하다. 선천적 구조 변화 및 정상 표준 내 변이, 외상성 또는 퇴행성 후천성 변화, 대사 질환(예: 당뇨병), 콜라겐 질환(엘러스 단로스 증후군(Ehlrs-Danlos syndrome), 마르판 증후군(Marfan syndrome)), 전신 과이완, 류마티스 염증 질환과 같은 특정 상태의 존재를 분석해야 한다. 이를 염두에 두고 이러한 조직 변화는 환자 평가 및 관리를 수정해야 한다.
- *환자의 특성:* 연령, 신체 상태, 신체 활동 정도, 약물복용 및 기타 물질의 사용 등.
- *기계적 상태에 기여하고 이를 지속시키는 유발 요인:* 골반 비대칭, 하지 길이 불일치 등.
- *심리사회적 상태에 기여하고 지속시키는 유발 요인:* 2권 11장에서 자세히 설명한다.
- *평가 및 신체검사 시 주의사항.*
- *진행 과정 및 예후:* 이는 환자에게 영향을 미치는 임상 증후군, 유사한 사건의 수, 구조적 변화의 출현, 연령, 신체 및 일반적인 상태, 신체 활동 수준 등과 같은 여러 요인에 따라 달라진다.
- *국제기능장애건강분류(ICF)에서 설정한 범주.* 환자 평가 과정에서 세계보건기구(WHO)[36]의 국제기능장애건강분류(ICF)는 환자의 임상 상황과 치료 및 진화에 대한 가능한 반응을 모두 인식할 수 있는 매우 흥미로운 임상 도구이다. 국제기능장애건강분류(ICF)는 생물학적, 개인 및 사회적 관점에서 다양한 건강 차원에 대한 응집력 있는 관점을 제공하기 위해 생물심리사회적 모델을 통합한다. 이 분류는 일련의 정의를 설정한다.
    - *신체 기능:* 신체 시스템의 생리적 기능(심리적 기능 포함).
    - *신체 구조:* 장기, 사지 및 그 구성요소와 같은 신체의 해부학적 부분.
    - *결핍:* 심각한 치우침이나 상실과 같은 신체 기능 또는 구조의 문제.
    - *활동:* 개인에 의한 작업 또는 행동의 수행.
    - *활동 제한:* 개인이 일부 활동을 수행하는 데 어려움.
    - *참여:* 중요한 상황에 참여하는 행위.
    - *참여 제한:* 개인이 중요한 상황에 참여할 때 가질 수 있는 문제.
- *환경적 요인:* 개인이 생활하고 삶을 영위하는 물리적, 사회적 맥락.

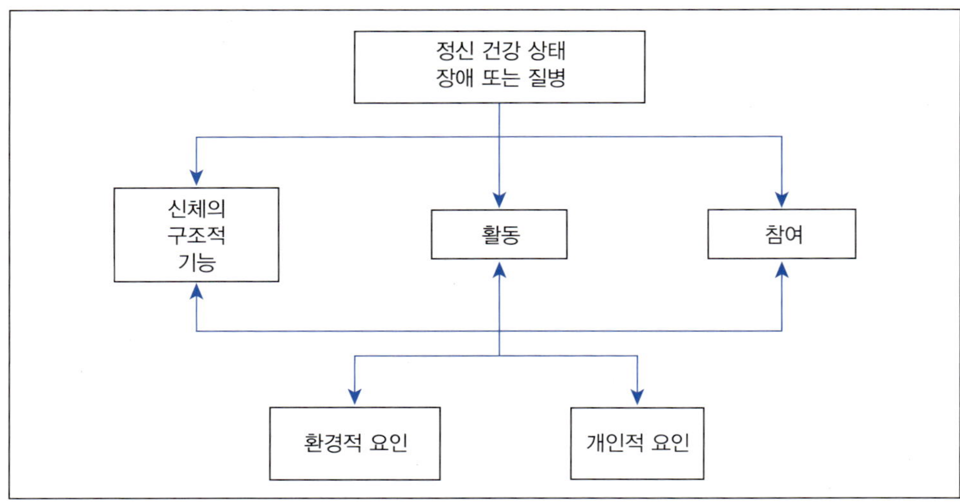

그림 8-1 ▪ 국제기능장애건강분류(ICF)의 개념적 체계

국제기능장애건강분류(ICF)는 두 부분으로 구성되며 각 부분은 두 가지 구성 요소로 구성된다(그림 8-1):

파트 I. 기능 및 장애:
- 신체 기능 및 구조.
- 활동 및 참여.

파트 II. 상황적 요인:
- 환경적 요인.
- 개인적 요인.

이 책은 도수치료 분야에서 이 분류에 대한 적용을 제안한다(그림 8-2).

임상 영역(Clinical domains)

환자의 임상 상황에 대한 분석은 신체 기능장애, 신체 장애, 사회적 참여 및 상호작용의 변경과 같은 여러 영역으로 나눌 수 있다.

주관적인 검사 및 신체 평가에서 가장 관련성이 높은 요소는 다음 세 가지 단계에서 설정되어야 한다:

신체 기능장애: 병리학적 상태(임상 증후군) 및 기능장애의 중증도 및 유형(관절, 신경 또는 신경근 조절).

신체 장애: 주관적이고 객관적인 평가에서 관찰된 신체 기능장애의 징후. 예: 목 회전의 어려움.

사회적 참여 및 상호작용의 변화: 일 또는 일상 활동의 제한(예: 운전 불능) 및 사회적 상호작용이 필요한 활동의 변화(예: 병가로 인한 결근 또는 여가 활동 회피).

그러나 이 세 가지 측면만으로는 환자의 임상 상태를 이해하기에 충분하지 않다. 신체적 및 심리적인 개인적 측면뿐만 아니라 가족, 직업 상태 등과 같은 사회적 및 환경적 측면도 중요하다. 이러한 개인적 및 상황적 요인은 종종 환자의 특정 임상 양상을 설명할 수 있으며, 이는 환자 관리 및 예후의 핵심이다.

임상의로서 우리의 목표는 조직 손상을 '교정'하거나 환자의 신체 기능장애를 개선하는 것이 아니라 환자가 작업과 사회적 참여 및 상호작용을 재개하도록 돕는 것이다. 따라서 이러한 영역 외에도 모든

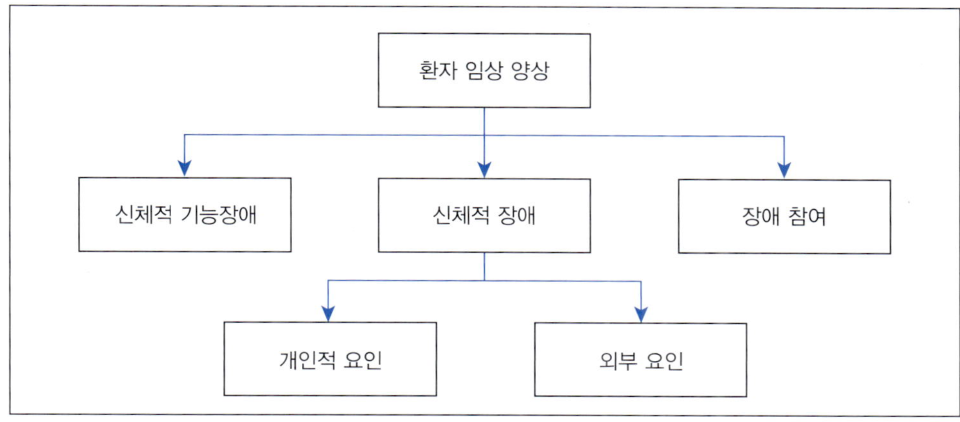

그림 8-2 ■ 환자에 대한 평가는 신체적 기능장애, 신체적 장애, 사회적 상호작용 및 참여의 변화의 세 가지 단계로 설정되어야 한다. 이 세 가지 단계는 환경적 요인(일, 가족, 사회생활, 문화 등)과 개인적 요인(신체적, 심리적 등)을 고려해야 한다.

개인 및 상황적 요인을 알고 환자의 인지 및 행동을 필수적으로 평가해야 한다.

환자의 신념, 행동 및 사회적 맥락은 임상적 표현 및 과정 개발에 중요하다. 건강 개념의 맥락에서 이러한 변화의 필요성을 반영하여 세계보건기구(WHO)는 국제기능장애건강분류(ICF)를 발표했다.[36] 고전적인 병리해부학적 모델은 개별 주제와 상황적 요인 사이의 역동적인 상호작용으로서 통증과 장애에 대한 새로운 생물심리사회학적 모델에 자리를 내주었다. 따라서 통증과 기능장애는 고통 상태에 대한 생물학적, 심리적, 사회적 측면의 상호작용의 결과이다. 생물심리사회적 측면은 2권 11장에서 더 자세히 다룬다.

주관적인 검사 및 신체 평가가 완료되면 환자의 임상 상태와 관련된 가장 중요한 측면을 다루어야 한다. 이것은 평가할 최상의 치료 결과가 될 것이다.

주관적 평가
SUBJECTIVE ASSESSMENT

주관적 평가의 목표는 증상에 대한 충분한 정보를 얻어 임상의가 환자에 대한 효과적이고 위험 없는 신체 평가를 계획할 수 있도록 하는 것이다.

임상 평가의 전체 과정에서 가장 중요한 부분은 주관적인 검사이다. 과거력에서 수집된 데이터가 진단 가설을 확인하는 데 필요한 신체 검사의 유형과 추가 검사를 결정하기 때문이다.

Jones[37]에 따르면, 물리치료사가 수행하는 검사는 진단에 해당하는 증상이나 임상적 증후군의 원인을 식별하는 것뿐만 아니라 치료사 자신의 절차를 포함하는 환자에게 적절한 치료 계획을 개발하는 것이다.

Jone[37]에 따르면, 주관적 검사의 목표는 다음에 관한 정보를 얻는 것이다:

- 임상적 증후군과 그 임상적 양상에 따른 임상적 상태.
- 증상 및/또는 기능장애의 원인: 즉, 환자의 증상에 책임이 있는 구조.
- 기여 요인: 기능장애에 영향을 미칠 수 있는 환경적, 정서적, 행동적, 신체적 또는 생체역학적 요인.
- 신체평가 및 치료 중 주의사항 또는 금기사항.

- 적절한 관리: 즉, 환자의 임상 상황을 관리하는 최선의 접근 방식
- 기능장애의 단계, 손상의 정도, 구조적 변화의 존재 및 환자, 기타 인지 및 기대, 연령, 성격이나 생활방식과 관련된 다른 모든 면과 같은 병리학과 관련된 측면을 포함하는 예후. 통증의 모든 차원을 염두에 두고 환자의 고통스러운 경험을 이해하는 것이 중요하다.

주관적 평가의 목표는 임상의가 효율적이고 효과적이고 안전한 신체 검사를 계획할 수 있도록 환자의 증상과 가능한 임상적 실체에 대한 충분한 정보를 얻는 것이다.

주관적인 검사에서 얻은 정보의 정확성은 주로 임상의와 환자 간의 원활한 의사 소통 능력에 달려 있다. 의사소통은 기본적으로 언어적 및 비언어적이어야 한다. 주관적인 검사의 성공 여부는 이 두 가지 형태의 의사소통을 적절히 관리하는 물리치료사에 달려 있으며, 물리치료사는 환자의 임상 상태에 관한 가능한 가장 정확한 정보를 얻기 위해 특정 의사소통 전략을 준수하고 만족스러운 임상 면담을 수행할 수 있어야 한다.

현재 기록(Current history)

임상 병력을 자세히 설명하면서 첫 번째 단계는 환자가 치료를 찾는 이유를 아는 것이다. 상담의 동기가 되는 장애나 장애의 유형: 경추 통증, 두통, 상지 또는 흉추의 통증, 이상감각 또는 감각 변화, 경추 경직, 현기증 증상, 불안정 등을 이해하는 것이 필요하다. 따라서 임상의는 어디가 아픈지 묻기만 해서는 안 된다. 환자는 통증에 대해서만 이야기할 것이고 이것이 주요 문제가 아닐 수 있기 때문이다. 환자가 다른 증상을 보일 경우, 임상의의 관점에서 관련 징후나 증상을 잊지 말고 환자에게 중요도에 따라 평가를 우선시해야 한다.

환자가 현기증, 불안정, 두통과 같은 증상을 언급할 때 이러한 증상과 경추의 관계를 평가해야 한다. 따라서 목의 움직임과 자세에 의해 증상이 유발되는지 여부를 아는 것이 도움이 되며, 그렇지 않으면 증상의 경추 이외의 원인이 의심될 수 있다.

경추의 진단은 매우 다양할 수 있으며 어떤 경우에는 환자가 경추의 기원을 알지 못하고 일부 증상을 언급하지 않는다. 따라서 주관적인 검사를 통해 이러한 증상을 식별하는 것이 심각한 병리를 찾는 데 중요할 수 있다. 임상의와 환자 사이에 확립된 의사소통 과정은 중요한 관련성을 갖게 되는데, 의사와 환자가 그러한 정보를 얻을 수 있도록 올바른 질문을 할 수 있어야 하기 때문이다. 그럼에도 불구하고 데이터를 수집하는 것 외에도 임상의는 데이터를 해석해야 한다. 예를 들어, 특정 증상은 실제로 관련이 없을 때 종종 많은 주의를 끌 수 있지만 외상 사건과 같은 환자의 삶에서 중요한 사건은 간과된다.[38] 그러므로 Grieve가 주장한 것처럼 증거만큼 기만적인 것은 없으며 명백한 것은 우리를 잘못하게 하지 않아야 한다. 덜 중요하다고 간주될 수 있는 것이 무시되어서는 안 된다.[38]

증상 발병의 형태(*Forms of symptom onset*)

임상의는 이러한 일이 발생했을 때 증상의 발병에 대해 질문하고 사건의 시간적 순서에 대해 자세히 질문해야 한다.

발병이 급성 또는 진행성, 외상성인지 아닌지에 대한 여부를 물어야 한다. 증상의 발병에 기계적 측면과 심리사회적 측면 모두의 관련성을 아는 것이 중요하다. 환자는 증상의 시작과 관련이 없어 보이지만 그 당시 또는 이전 몇 주 또는 몇 달 동안 발생한 생활 사건뿐만 아니라 증상의 의심되는 원인에 대해 질문해야 한다.

환자에게 증상이 얼마나 오래 지속되었고 어떻게 나타났는지 물어보아야 한다. 갑자기 나타나거나 환자가 가능한 원인(예: 외상성 사건)을 알고

있는 경우인지 또는 반대로 환자가 자신의 기원을 확신하지 못하고 특정 사건과 관련이 없는 경우인지에 대해 물어보아야 한다.

그에 따르면, 환자에게 증상을 유발할 수 있던 요인에 대해 질문해야 한다. 다른 증상들 사이의 관계를 확인하기 위해 환자에게 특정 증상의 기원이 다른 영역의 증상 발병과 관련이 있는지 질문받아야 한다. 예를 들어, 환자가 3주 전에 발생한 경추통증을 언급하고 이 경추통증이 악화되기 2일 전에 상지에 통증이 나타나면 두 증상이 관련될 가능성이 있으며 동일한 구조가 두 가지 모두에 책임이 있을 수 있다.

예를 들어, 머리를 갑자기 빠르게 움직인 후에 후방 또는 후외측 경추 영역에서 다소 고립된 통증이 갑자기 급성으로 시작되면, 예를 들어, 돌기사이관절의 활막염으로 이어질 수 있다. 후관절 통증과 달리 추간판 통증과 경추 신경근병증은 거의 자각되지 않고 나타나며 그 강도가 점차 증가한다.

환자가 특정 사건과 증상의 발병을 연관시키지 않으면 초기 증상의 진행을 평가해야 한다. 증상의 긍정적인 진행은 좋은 예후를 가져오는 반면, 증상의 악화는 회복 과정의 지연을 나타낸다.

외상성 임상 증상이 있는 환자는 골절이나 인대 약화와 같은 잠재적으로 심각한 조직 손상을 배제할 수 있는 보다 광범위한 주관적 평가와 신체 검사가 필요하다. 모든 외상에서 경추 구조가 받는 스트레스를 결정하기 위해 힘과 방향을 아는 것이 중요하다. 예를 들어, 경추 편타손상의 경우 후방 충돌의 결과는 측면 충돌의 결과와 동일하지 않다. 마찬가지로 환자가 머리에 충격을 받은 경우 증상을 입을 가능성이 더 높다.

마지막으로, 환자가 상지 통증과 결합된 흉부 통증 또는 이상감각을 동반한 경추 통증과 같은 다른 관련 증상을 언급하는 경우 이러한 증상의 시간 순서를 이해할 필요가 있다.

이전 기록(Previous history)

환자의 현재 병력 외에도 임상의는 환자가 이전에 증상을 느낀 적이 있는지 질문하여 이전에 유사한 사건의의 존재를 알고 있어야 한다. 그렇다면 임상의는 증상이 이전에 동일한 방식으로 나타났는지, 발병, 특성, 중증도 등의 측면에서, 그리고 처음 그 증상의 원인(환자가 기억하는 경우), 기간, 완전한 회복이 있거나 반대로 장기적인 부작용이 있는 경우를 알아내야 한다. 또한 이전 치료의 결과가 치료사가 환자에게 가장 적합한 치료 프로그램을 선택하는 데 지침이 될 수 있으므로 이전에 받은 치료 유형 및 결과에 대한 정보를 수집해야 한다.

따라서, 증상이 새로운 것인지 아닌지 또는 유사한 이전 병력이 있는지 아는 것이 매우 중요하다. 어떤 경우에는 이것이 심각한 상태의 진단을 결정할 수 있다. 예를 들어, 환자가 전에 경험한 적이 없는 갑작스럽고 심한 두통은 척추 또는 내경동맥 박리를 시사할 수 있다.

증상 부위(Area of the symptoms)

통증의 위치는 경추 조직에 신경지배를 제공하는 수준의 수와 증상의 원인이 될 수 있는 조직의 양으로 인해 정확한 통증 원인을 설정하기 위한 목표로는 거의 가치가 없다. 또한, 디스크, 후관절 또는 특정 목과 어깨근육과 같은 다른 구조로부터 연관통 패턴이 겹치면 이 진단이 훨씬 더 어려워진다. 따라서 연관통의 위치와 특성만으로는 영향을 받은 조직과 부상의 분절 레벨을 찾는 데는 불충분한 도구이다.[39]

환자가 증상을 호소하는 부위를 정확히 파악하기 위해서는 통증의 정확한 위치를 전신의 실루엣으로 그리는 것이 이상적이다. 증상 지도는 해당 영역 및 증상 유형에 대한 정보를 기록하는 빠르고 유용한 방법이다(그림 8-3).

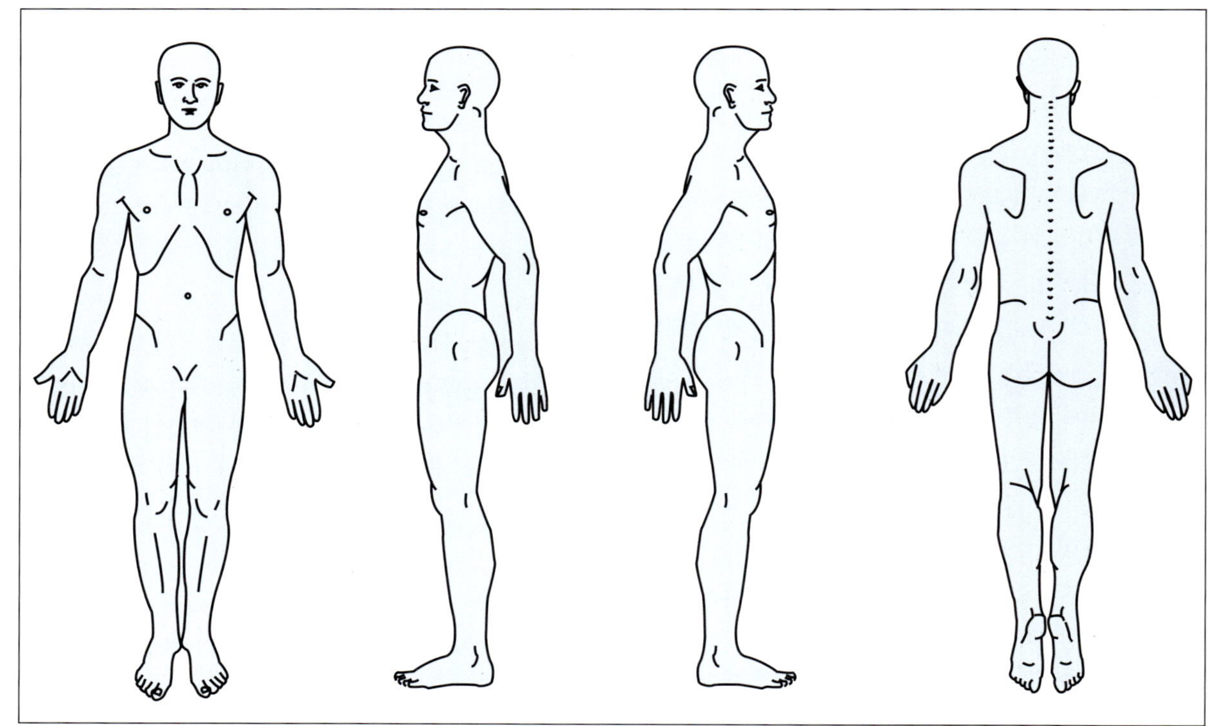

그림 8-3 ■ 증상 지도.

환자가 그림으로 증상을 표현하지 못하는 경우가 많기 때문에 치료사가 직접 증상 부위를 그리는 것이 좋다. 그러나 다른 경우, 특히 만성 통증이 있는 환자의 경우, 환자가 자신의 증상을 그릴 수 있도록 하는 것이 흥미로울 수 있다. 일반적으로 비해부학적 분포와 함께 격렬통에 대한 설명은 중추 감작 과정을 암시할 수 있다(2권 11장 참조)(그림 8-4). 환자가 증상을 설명하고 증상 지도에 기록하는 방식을 통해 치료사는 환자가 자신의 임상 상황을 어떻게 인식하는지 이해하고 종종 문제가 개인에게 미치는 정서적 영향에 관한 정보를 제공한다.

증상 지도는 색상 코드를 사용할 수 있고 여기서 빨간색은 통증을 나타내고 노란색은 이상감각 또는 감각이상 증상을 나타낸다. 격렬통 부위는 빨간색으로 표시되고 통증이 덜한 부위는 옅은 빨간색으로 표시된다.

그림이 완성되면 환자에게 자신의 증상을 정확하게 반영하는지 확인한다. 이 그림은 환자의 초기 상황에 대한 객관적인 기록이 되며 나중에 치료 과정에서 증상의 진행을 평가하는 데 사용할 수 있다. 때때로 결과 그림은 치료사가 익숙한 통증 패턴을 식별하는 데 도움이 될 수 있다. 성공적인 치료는 진단에서 이러한 임상 패턴의 식별에 크게 좌우된다.

환자가 통증을 느끼는 부위를 지적하는 방식은 통증의 원인에 대한 몇 가지 단서를 제공할 수 있다. 따라서 예를 들어, 통증이 후관절에서 비롯된 경우 환자는 증상이 있는 부위를 정확하게 인식하고 해당 부위를 직접 가리킬 수도 있다. 그러나 통증이 디스크성 기원인 경우 환자는 통증 부위를 정확하게 파악하기 어렵고 넓은 부위를 향해 몸짓을 할 수

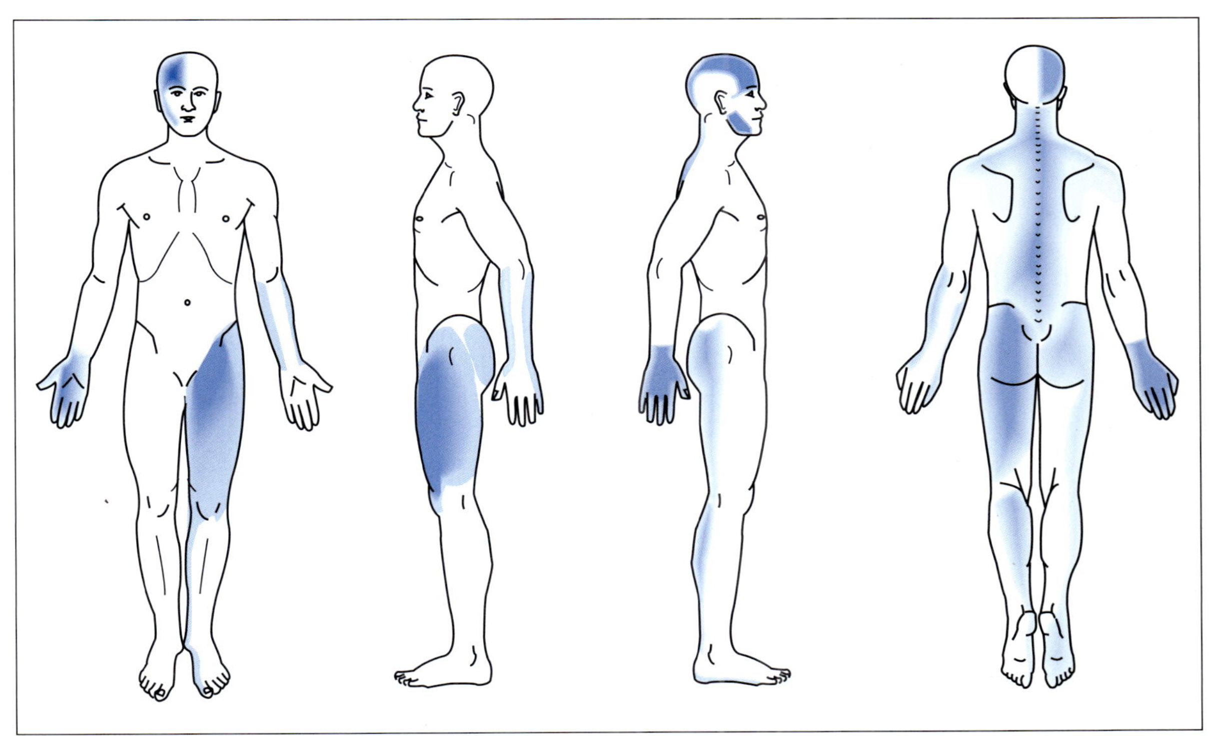

그림 8-4 ■ 만성통증증후군 환자의 증상 지도.

있다. 여러 영역에 증상이 있는 경우 신체 평가를 수행하기 전에 이들 간의 직접적인 관계를 설정하지 않고 독립적으로 분석해야 한다. 증상을 나타내는 다른 영역 간의 잠재적인 관계는 이러한 증상을 담당하는 구조에 대한 정보를 제공할 수 있다. 다른 증상 부위와 다른 유형의 증상이 발견되면 치료사는 그림에서 통증, 강직 및 감각 이상 부위를 명확하게 구분해야 한다. 이러한 방식으로 증상 지도의 전체 구성은 해당 증상 간의 관계를 설정하는 데 도움이 될 수 있다. 또한, 신체 평가 과정에서 임상의는 치료가 어떻게 발전하는지 평가하는 데 유용할 수 있는 가장 관련성이 높은 소견을 증상 지도에 기록해야 한다.

증상의 영역이 항상 이를 담당하는 구조의 위치와 일치하는 것은 아니라는 점에 유의해야 한다. 이것은 연관통 현상 때문이다.

예를 들어, 경추 디스크성 연관통은 종종 요추까지 확장될 수 있다. 피험자는 종종 연관통 부위에서 통증을 느끼고 증상을 담당하는 구조가 위치한 국소적 부위가 아니다. 다른 경우, 특히 중추 감작을 나타내는 만성통증증후군 환자의 경우, 증상 지도가 매우 조밀할 수 있으며 심지어 신체의 한계를 벗어나 확장될 수도 있다.

일반적으로, 통증이 국소화될수록 증상을 유발하는 구조가 통증 부위 바로 아래에 위치할 가능성이 높아진다.

환자가 증상을 호소하는 부위 외에도 ***일련의 관련 부위에*** 특별한 주의를 기울여야 한다.

일반적으로, 환자는 약간의 불편함을 느끼는 부위가 아니라 통증이 더 심한 부위를 말한다. 환자의 증상을 이해하는 것은 종종 후자의 영역을 식별하는 데 달려 있다.

해당 영역은 짝지어진 관절을 검사할 때 증상이 있는 관절의 반대쪽 대칭 관절을 검사해야 한다. 같은 방식으로 한쪽 경추 통증을 분석할 때, 예를 들어, 반대쪽 돌기사이 관절의 이동성과 증상을 유발하는 능력도 분석해야 한다.

반면, 연관통 부위에 인접한 관절도 검사해야 한다. 예를 들어, 경추의 임상 검사에서는 통증 패턴에 따라 견갑대 뿐만 아니라 흉부 영역, 상지 또는 턱관절을 분석해야 한다. 치료사는 증상이 있는 영역에 통증을 유발할 수 있는 영역과 증상이 있는 영역의 추천 부위의 일부를 평가해야 한다. 경추와 관련된 관절이 환자의 진단에 관여하는 정도를 결정하기 위해, 기능장애에 대한 영향을 확인하기 위해 신속한 이동성 평가를 수행할 수 있다. 이를 위해 증상에 대한 관련성을 평가하기 위해 일련의 생리적 움직임이 수행된다. 검사 부위의 움직임 범위가 반대쪽과 같거나 완전하고 통증이 없다면 검사 부위는 환자의 증상에 관여하지 않는 것이다. 반대로 정상적인 움직임과 통증 범위의 감소 또는 변형이 있는 경우에는 검사 부위가 환자의 현재 상황과 관련된다. 이 경우, 검사 부위가 환자의 증상에 대해 영속적 또는 선행적 기계적 요인으로 작용하거나, 1차 원인이 되거나, 2차 원인이 되어 환자의 증상에 참여함으로써 증상에 직접적으로 관여할 수 있다. 따라서 증상의 1차적 원인을 찾는 것이 중요하지만 통증이 있는 증상에 참여하는 다른 2차적 원인이 있을 수 있다는 점을 항상 염두에 두어야 한다.

예를 들어, 치료사들이 자주 범하는 실수는 어깨 관절과 견갑골의 성능을 먼저 확인하지 않고 어깨의 증상이 경추에서 유래한다고 가정하는 것이다. 다음의 관절들은 해부학적 및 생체역학적 관계에 따라 목 통증이 있는 환자에서 검사 대상이 될 수 있고, 이것들은 견갑대(상완와관절, 복장빗장관절, 봉우리빗장관절, 및 봉우리밑관절), 상지, 턱관절, 상부늑골 및 흉추 특히 상부흉추 영역이다.

또한 환자에게 통증을 유발하는 자세나 움직임을 확인하도록 요청하는 것이 중요하다. 이러한 움직임이나 자세는 증상의 기원을 찾을 수 있는 특정 해부학적 구조에 스트레스를 유발한다. 증상의 원인이 되는 해부학적 구조 또는 영역을 결정하기 위해 ***감별 검사***가 적용된다. 예를 들어, 환자가 경추의 오른쪽 회전 시 통증을 호소하는 경우 아래에서 설명하는 것처럼 경추와 흉추 사이에 감별 검사를 할 수 있다. 환자가 통증을 감지할 때까지 오른쪽 경추 회전 지표가 도입된다. 이 위치에서 경추 회전을 수정하지 않고 어깨에서 오른쪽 흉추 회전이 증가된다. 증상이 증가하면 흉추를 원인으로 고려해야 한다. 동일한 경추 회전 위치에서 우측 흉추 회전이 제거되면(몸통을 어깨에서 좌측으로 회전) 경추가 증상의 원인일 가능성이 높다.[6]

통증의 질: 설명어
(Quality of pain: descriptors)

통증 설명어는 관련된 통증의 기전을 결정하는 핵심 요소 중 하나이다. 통증이 체성, 염증성, 신경병증성 또는 기능장애이고 활성 통각수용원과 관련이 없는지 여부를 말한다. 이런 목표로 환자에게 설명어를 사용하여 통증을 설명하도록 요청해야 한다. 둔통, 작열감, 찌르는 것, 발작, 압박 등으로 정의되는 통증의 질은 통증의 유형과 관련된 병태생리학적 기전에 대한 관련 정보를 제공한다. 환자에게 제안을 해서는 안 되며 설명어를 찾는 데 어려움이 있는 경우 다음과 같은 질문을 해야 한다. 무엇과 비슷합니까?

5장에서 설명한 것처럼 경추 영역은 신경병증성 통증과 통각수용성 통증의 두 가지 유형의 통증을 나타낼 수 있다. 통증의 특징은 통증의 원인이 척추체 구조인지 신경 조직인지 확인하는 데 도움이 된다. 그러나 어떤 경우에는 증상의 원인이 되는 구조를 결정하는 것이 어려울 수 있다.

통증은 다음과 같이 분류할 수 있다:

통각수용성: 표재성이거나 깊다.
신경병증성

표재성 통각수용성 통증은 피부와 같은 표재성 구조에 위치한 감각 수용체의 자극으로 인해 발생한다. 이러한 유형의 통증은 날카로우며 고통스러운 자극을 가하는 즉시 피험자가 인지한다. 이것은 빠른 전도 섬유에 의해 척수시상로를 통해 전달된다. 이 신경 섬유는 우수한 신체 부위(somatotopical) 위치를 용이하게 하는 작은 수용장을 가지고 있다.

심부 체성 통각수용성 통증은 광범위하고 둔하며 위치를 찾기 어렵고 근육이나 관절과 같은 심부 구조에서 발생한다. 근육통은 일반적으로 더 정확하게 언급되는 관절통보다 더 깊고 광범위하다.신경병증성 통증과 달리 심부 체성 통증은 전기적 특성이 없다. 유해한 자극(신장, 압박 또는 움직임)에 대한 반응은 예측 가능하다. 소극적 치료와 진통제 및 항염증제 사용으로 호전될 수 있다. 심부 체성 통증은 주로 느린 전도 다중접합 망상체시상 신경로(multisynaptic reticulothalamic tract)에 의해 전달된다. C 섬유는 심부 체성 통증 전달에 관여하는 주요 통각수용기이다.

내장 통증은 내장(예: 복막염) 또는 내장 자체에 가깝거나 내장과 관련된 체조직의 자극으로 인해 발생할 수 있다. 전자의 경우는 근골격계 통증과 유사한 특성을 갖는 체성 통증인 ***체벽 내장 통증***에 관한 것이다. 그러나, ***진정한 내장 통증***은 환자에 의해 깊고 광범위하며 때로는 대장통으로 설명되며 자율신경증상과 자주 연관된다. 사실, 내장 신경 분포는 매우 광범위하고 다중 시냅스이며 신경총에서 조직화되어 진정한 내장 통증을 느린 전달 통증으로 만든다. 또한 기계적 자극에 의해 재생되거나 완화되지 않아 근골격계 통증과 구별된다. 그러나, 어떤 경우에는 구별하기 어려울 수 있다.

주관적 검사에서 치료사는 증상과 식이 및 식습관과의 관계를 확인해야 한다. 또한, 내장 증상이 의심되는 경우 환자에게 이러한 증상과 근골격계 문제 사이에 관계가 있음을 인지하지 못할 가능성이 있으므로 환자에게 구체적으로 질문해야 한다.

신경성 또는 신경병증성 통증은 신경 조직의 자극 또는 손상으로 인해 발생한다. 환자들은 이를 전기 쇼크와 유사한 작열통, 예리한 통증, 발작성 통증으로 설명하지만 지속적인 심부통으로도 나타난다. 이것은 일반적으로 이질통, 이상감각 또는 감각이상과 관련이 있으며 때로는 자율신경 변화 및 근육 약화와 관련이 있다. 체성 통증과 달리 진통제 및 비스테로이드성 항염증제(NSAID)에 대한 반응이 좋지 않다. 그러나 가바펜티노이드 및 삼환계 항우울제로 호전될 수 있으며 부수적 치료에 대한 반응은 매우 다양하다. 신경병증성 통증은 신경 결합초의 자극으로 인한 ***체성 신경성 통증*** 또는 축삭의 생리병리학적 변화에 따른 ***감각이상 통증***으로 표현될 수 있다. 두 가지 유형의 통증의 근간이 되는 생태병리학적 특성과 기전은 5장에 설명되어 있다.

경추의 특징적인 발현이 신경근 통증인 신경병증성 통증 외에, 다른 신경학적 장애는 환자의 임상 병력에서 고려되어야 하는데, 이러한 장애는 처음 물리치료사를 방문할 때, 통증이 여전히 유일한 증상일 때 첫 단계일 수 있기 때문이다. 대상포진(Herpes zoster, shingles), 당뇨병성 신경병증, 다발신경병증 등이 그 예이다. 이러한 경우, 통증 분포 패턴은 신경근 통증(예: stocking or glove pain)과 다르다. 부적응 중추 감작과 관련된 기능장애 통증은 비해부학적 분포인 광범위한 부적응 중추 감작 통증과 같이 다양한 방식으로 환자에 의해 설명될 수 있다는 점을 고려하는 것이 중요하지만, 중요한 것은 많은 환자들이 체감각 시스템에 부상이나 질병이 없을 때 신경병증성 통증의 설명어를 사용한다. 임상의는 이러한 신경병증 유사 증상이 신경병증과 관련이 없으며 기능장애 통증이 있는 환자에게 매우 자주 발생한다는 사실을 알고 있어야 한다.

통증 강도(Pain intensity)

통증의 강도는 일반적으로 시각 아날로그 척도(VAS)로 측정된다. 환자에게 통증 강도를 더 잘 나타내는 지점을 10 cm 선에 표시하도록 요구한다. 이 선에서 0 cm는 통증이 없음을 나타내고, 10 cm는 가능한 최대 통증을 나타낸다. 환자가 눈금에 표시한 거리는 밀리미터로 측정되며, 이 값은 치료에 따른 통증의 진행을 후속적으로 평가하기 위해 기록된다.

최근 15일간의 평균 통증(average VAS), 가장 심한 통증 강도(severe VAS), 상담 당시의 통증(상담 시 VAS)을 물어보기를 권한다. 이런 방식으로, 진찰 시 통증이 평소보다 훨씬 크거나 작을 수 있다는 점에 주목하는 것이 특히 흥미롭다. 통증의 강도는 또한 통증의 원인 및 가능한 병리에 관한 정보를 제공할 수 있다.

예를 들어, 활동을 방해하는 심한 두통은 긴장형 두통이나 경추성 두통이 아니라 편두통이나 군발성 두통일 가능성이 더 크다.

통증의 깊이(Depth of pain)

통증이 감지되는 깊이는 증상의 원인이 되는 구조를 가리킬 수 있다. 일반적으로 더 깊은 구조는 표면 구조보다 더 표면적인 통증을 유발한다. 예를 들어, 관절 또는 감각이상 신경병증성 통증은 관절 통증보다 표면적으로 더 인지된다.

그러나, 통증의 깊이는 가이드로서만 유용하며 특히 중추 통증 처리 현상을 고려할 경우 치료사가 통증의 기원에 대해 잘못된 해석을 하도록 유도해서는 안 된다.

통증 방사(Pain irradiation)

통증 방사는 일반적으로 다음에 따라 다르다:

- *자극의 강도:* 자극이 클수록 통증의 방사가 커진다.
- *자극의 근원:* 자극이 근접할수록 방사 능력이 높아진다.
- *자극의 위치:* 자극이 표재적일수록 방사량이 낮아진다.

따라서, 통증의 상당히 강렬한 방사는 일반적으로 급성 장애 및 근위 위치를 나타낸다.

간헐적이거나 지속적인 증상 (Intermittent or constant symptoms)

환자에게 증상이 지속적인지 아니면 간헐적인지 질문해야 한다:[39]

*지속적인 통증*은 하루 종일 강도가 변하지 않고 자세나 움직임에 따라 크게 개선되지 않으며 신체 검사 중에 재현할 수 없다. 일반적으로 내장 병리에서 발생하며 밤에 악화되고 어떤 종류의 약물에도 반응하지 않을 때 진단은 심각한 병리 또는 종양을 시사한다.

*간헐적 통증*은 유발 요인에 따라 강도가 다르며 일반적으로 기계적 근원이다. 근골격계 통증은 일반적으로 간헐적이다.

*지속적인 통증*은 항상 존재하지만 강도는 다양하다. 지속적인 자극과 무관한 통증으로 조직의 화학적 자극에 따라 강도가 다르다. 자세, 활동 등에 따라 증가하거나 감소한다. 이러한 유형의 통증은 일반적으로 염증 또는 감염 과정과 관련이 있다. 또한 화학적 조직 자극 현상으로 인해 처음 3주 동안 외상 과정의 결과로 나타날 수도 있다.

임상의는 매우 빠르게 시작되고 매우 강렬하지만 짧은 지속 시간의 통증을 특징으로 하는 돌발통증의 존재에 대해 질문해야 한다. 피험자는 하루에 하나 이상의 에피소드를 경험할 수 있다.

초기에 암통증이 있는 환자에서 설명된 이러한 유형의 통증은 중증 신경병증성 통증, 복합부위통증 증후군 및 기능장애 통증이 있는 환자에서도 발견될 수 있다. 이러한 유형의 통증에 직면했을 때 임상의는 이것이 환자의 방문을 유도하는 동일한 통증이지만 돌발성 통증의 형태로 나타나는지 또는 통증이 다른 원인인지 확인해야 한다. 이 경우, 심각한 병리를 배제하는 것이 중요하지만 앞서 언급한 바와 같이 덜 심각한 다른 상태의 환자 또는 통각 소스가 없는 기능장애 통증의 경우에도 관찰될 수 있다.

관련 증상 및 이상 감각 (Related symptoms and abnormal sensations)

경추의 병리 또는 장애와 관련된 증상은 영향을 받는 신경 조직에서 파생되는 증상, 현기증 증상, 두통 등 매우 다양하다. 예를 들어, 신경병증성 통증이 있는 피험자의 경우 환자가 정상적인 상황에서 무해할만한 자극에 의해 유발된 통증을 언급할 때 감각저하, 감각과민, 지각이상, 통각과민 또는 이질통의 존재를 등록해야 한다.

이상감각의 기원은 위치에 따라 다를 수 있다.[39]

- 말초: 말초 신경.
- 분절: 척수 신경 또는 신경근.
- 양측 및 사변형(quadrilateral): 척수.
- 반측: 뇌간.
- 안면: 삼차신경.
- 입주위: 뇌간 또는 시상.
- 스타킹-장갑(stocking-glove): 신경 또는 혈관 장애.

또한 중추 신경학적 기원의 징후 또는 증상의 존재를 배제해야 한다. 중추신경계 증상이 널리 퍼져 있다. 그들의 분포는 알려진 해부학적 패턴을 따르지 않으며 강도는 명백한 이유 없이 변할 수 있다. 자극과 수동적 치료에 대한 반응의 일관성도 부족하다. 중추신경계 손상이 의심되는 경우 뇌신경 검사와 함께 철저한 신경학적 검사를 시행해야 한다.[39]

또 다른 관련 측면은 환자가 지난 며칠 동안 경험했을 수 있는 비정상적인 감각을 기록하는 것이다. 치료사가 이러한 문제에 대해 질문하지 않으면 환자가 비정상적인 감각과 현재 문제 사이의 관계를 설정하지 않기 때문에 간과될 수 있다. 환자에게 삼키기(연하) 및 말하기(구음장애) 어려움, 집중력 및 기억력 변화, 흐릿한 시력 등의 가능성에 대해 질문해야 한다. 이러한 모든 질문으로 인해 치료사는 다른 상황에서는 간과될 수 있는 심각한 병리를 진단할 수 있다.

증상의 작용(Behaviour of the symptoms)

증상의 행동은 주관적 평가의 핵심 요소이다. 관련 측면은 유발, 악화 또는 완화 요인, 하루 동안의 행동 및 증상을 바꾸는 자세 또는 움직임이다.

환자의 주관적인 평가 시 증상의 작용은 그러한 증상의 영역이나 위치보다 더 많은 정보를 제공하며, 치료 과정에서 환자의 현재 상황과 기능 개선의 지표로 사용될 수 있다. 예를 들어, 신경병증성 통증이 시간이 지남에 따라 체성 통증으로 변하는 것은 그 과정의 긍정적인 진화를 나타낼 수 있다. 통증의 감작에서도 동일한 현상이 발생하는데, 이는 자극의 강도가 감소했거나 고통스러운 자극이 연관통을 지시할 수 없는 구조로 이동했음을 나타낸다.[39]

그러나, 움직임-감각 결손 징후의 증가와 함께 통증 증상의 감소가 나타날 수 있기 때문에 이 마지막 진술과 관련하여 주의해야 한다.

또한, 중요한 것은 임상의가 환자의 신경학적 상태(힘, 감각도 및 반사)를 자주 검토해야 한다는 것이다.

첫째, 치료사는 통증을 ***악화시키고 완화시키는*** 요인을 알아야 한다. 환자에게 어떤 자세, 움직임 또는 활동이 통증을 증가시키고 감소시키는지 질문한다. 이러한 데이터는 증상의 기원을 인식하고 이 기원이 여러 증상에서 공유되는지 여부를 이해하여 관계를 확인하는 데 도움이 된다. 같은 움직임이나 자세로 인해 다른 증상이 악화된다면 그 원인을 같은 구조에서 찾을 수 있다고 의심할 수 있다. 어떤 자세가 환자의 증상을 증가시키거나 감소시키는지 알면 특히 나중에 보여지듯 환자가 높은 과민성을 보이는 경우, 신체 검사에서 파생되는 잠재적인 부작용을 피할 수 있다.

또 다른 중요한 측면은 증상의 ***중증도***와 ***과민성***이다.[6] ***중증도***는 증상이 움직임이나 기능을 제한하는 정도를 말하며, 이 개념은 통증의 강도와 관련이 있다. 과민성의 개념은 치료사가 가하는 육체적 스트레스의 강도와 환자의 고통스러운 반응 사이에 비례성이 없다는 것을 의미한다. 과민성의 개념 내에서 치료사가 가한 기계적 자극에 따라 증상이 나타나는 데 걸리는 시간으로 정의되는 ***잠복기***도 고려해야 한다. 잠복기는 디스크성 목 통증이나 신경근 자극에 이차적인 신경병증성 통증과 같은 염증 과정에서 나타나는 현상이다.

중증도와 과민성이 항상 비례하는 것은 아니다. 어떤 경우에는 디스크 탈출로 인한 급성기 경추 신경근병증과 같이 통증이 심하고 과민성이 높다. 다른 경우에는 아급성기의 측방관 협착증과 같이 높은 과민성과 함께 통증이 적다. 이 경우, 추간공 협착 검사와 신경역학 검사를 통해 약간의 통증과 손의 이상감각을 재현할 수 있다.

그러나, 평가 후 몇 시간 동안 환자는 극심한 통증을 호소할 수 있다–격렬통과 낮은 과민성을 나타내는 임상 상황이 있다.

마지막으로 온–오프 통증(on–off pain)을 언급해야 한다. 온–오프 통증은 통증을 담당하는 구조에 스트레스가 가해진 직후에 유발되며 기계적 자극이 멈추자마자 사라진다. 이러한 유형의 통증은 명백한 기계적 특성을 채택하기 때문에 양성 과정과 관련이 있다.

따라서, 신체 검사에 앞서 증상의 강도와 과민성을 파악하여 증상의 악화를 방지해야 한다. 증상이 심하거나 환자의 임상 병력이 잠재적으로 과민성 손상을 나타내는 경우, 신체 평가를 주의해서 수행해야 한다. 이 경우, 치료사는 환자가 통증을 느끼기 시작하는 지점을 초과하지 않도록 해야 한다. 그러나 증상이 심하지 않고 과민성이 낮은 장기간의 임상 상황에서 신체 평가의 목표는 환자의 통증을 재현하는 것이다. 따라서 유발 및 이동성 검사는 모두 통증 유발을 목표로 한다. 치료사에 의한 통증의 통제는 적어도 초기에는 증상에 책임이 있는 구조에 대한 선택적 접근을 보장한다. 그러나 통증 처리 기전에 대한 지식의 발전과 중추 감작 개념의 발전을 항상 염두에 두어야 한다.

마지막으로, 강도 또는 과민성의 개념은 신체 검사뿐만 아니라 치료 중에도 치료사를 안내해야 한다. 사용되는 기술의 강도, 기간 및 투여량은 환자의 임상 상황에 따라 다르다.

하루 종일 증상의 행동

하루 동안의 통증과 증상의 변동을 파악하는 것은 매우 가치있는 정보를 제공할 수 있다. 예를 들어, 아침에 일어났을 때 환자가 즉시 언급한 경추 통증은 후관절 기원일 수 있다. 기상 후 경추성 두통이 자주 나타난다. 환자는 '베개싸움(pillow fight)' 후관절 병리를 가질 수 있다. 즉, 침대에서 편안한 자세를 찾는 데 어려움을 겪을 수 있으며, 주말이나 휴가 기간 동안 더 오래 자는 경우 기분이 더 나빠진다. 아마도 밤에 척추의 움직임은 돌기사이관절의 자극적인 기전으로 작용할 수 있다. 반면에,

디스크성 통증은 종종 환자가 앙와위에서 편안한 자세를 찾는 것을 방해한다.

환자가 깨어났을 때 나타나는 통증과 움직임으로 최소한으로 개선되고 강도를 감소시키는 데 최소 1시간이 필요한 경직이 뒤따르는 것은 염증성 병리를 시사한다. 반면에 아침 통증이 미미하거나 존재하지 않지만 상당한 강직과 관련이 있는 경우 퇴행성 관절 병리를 시사한다.

점심 시간에 나타나는 통증은 음식 섭취 후에 나타나는 식후통증을 나타낸다.

하루가 끝날 때 통증 증상이 증가하고 움직임에 의해 악화되고 휴식에 의해 완화되는 경우 근골격계의 기계적 문제가 존재할 수 있다. 활동과 관련된 통증은 반복적인 기계적 스트레스, 관절 퇴행성 변화 또는 염증성 병리로 인한 것일 수 있다.

점진적이고 끊임없는 야간 통증은 악성 과정과 관련이 있다. 그러나 암의 첫 단계에 항상 야간 통증이 따르는 것은 아니며, 이는 특히 전이와 함께 병리의 진행 단계에 존재한다.[39] 우리는 또한 피험자가 취한 자세와 상관없이 앙와위 자세에서 경추의 자세와 관련된 통증과 밤에 악화되는 통증을 구별해야 한다. 따라서 환자에게 침대에서 어떤 자세를 취하는지, 통증으로 인해 자세가 바뀌는지, 수면-각성 주기가 바뀌는지 묻는 것이 중요하다. 또한, 포착증후군의 특징인 야간 지각이상 현상을 기록해야 한다.

통증 리듬(*Pain rhythm*)

다양한 자세(앉기, 눕기, 서기)가 통증에 미치는 영향과 일상 활동, 직장 및 스포츠에서 증상이 어떻게 조절되는지 아는 것이 중요하다. 예를 들어, 신경근병증은 환자가 수평 자세에서 통증을 완화시키는 자세를 찾기 어려운 것이 특징이며, 예를 들어, 경추 안정성의 경우, 환자는 경추의 빠른 움직임에 따라 사경이 빈번하게 발생하는 병력을 말한다. 피험자는 머리의 움직임을 제한하는 경향이 있으며, 종종 주관적인 감각의 약화와 경추의 통제력 상실을 나타낸다. 경추 안정화가 필요한 자세는 유지하기 어렵다.

기능장애의 단계(*Stage of the dysfunction*)

기능장애의 단계를 알고 장애의 진행 정도를 분석하는 것도 필요하다. 증상의 개선, 악화 또는 지속 여부를 알면 치료사는 기능장애의 단계에 대한 정보를 얻을 수 있고 회복 시간을 예측할 수 있다. 현재 악화되고 있는 증상은 긍정적으로 발전하는 증상보다 치료에 대한 반응이 느린 경향이 있다. 따라서, 환자가 현재 과정에 초기, 지속 또는 해결 단계에 있는지 확인할 수 있다. 예를 들어, 격렬통이 있지만 움직임 장애가 없는 신경근병증의 초기 단계에 있는 환자는 움직임 결손 징후가 더 분명하더라도 신경근병증이 더 오래 진행된 환자보다 일반적으로 관리하기가 더 어렵다.

환자가 통증의 결과로 활동을 변경하거나 포기한 경우, 특히 증상이 만성이거나 재발하는 경우 전체 기능에 영향을 미치지 않아야 한다. 일시적인 활동을 피하는 것이 부상을 극복하는 효과적인 전략일 수 있지만, 이것이 며칠에 걸쳐 발생하면 기능의 급격한 저하가 발생하고 기능장애가 만성화될 수 있다.

특별 고려사항 (Special considerations)

치료를 시작하기 전에 임상의는 환자 병리의 정확한 특성을 이해해야 한다. 그들은 도수치료로 치료할 수 있는 양성 신경근 병리학, 전신성 또는 악성 병리 또는 근골격계에 기원이 없는 병리를 구별할 수 있어야 한다.

경추의 신체 평가에 앞서 현기증, 불균형, 움직임 협응 변화, 움직임 실조, 시각 변화(복시), 일시적인 의식 상실, 메스꺼움, 적하발작 등과 같은 척추뇌저동맥순환부전(VBI)과 관련될 수 있는 징후 및 증상와 존재를 배제하는 것이 필요하다.

위험 신호의 존재는 치료사에게 경추의 심각한 병리 가능성을 경고한다. 뇌저동맥순환부전(VBI)외에도 환자에게 물어야 하는 일련의 특별한 질문이 있다:

- ***척수 상태***(손과 발의 양측 이상감각 및/또는 움직임의 균형 변경) 또는 말총증후군(회음부 무감각 또는 감각 이상 또는 이상감각 및 괄약근 조절의 변경)과 관련된 증상.
- ***최근 감염***, 특히 소아에서 더 빈번한 상기도 감염은 잠재적으로 증가된 불안정성으로 인해 발생한다(2권 5장을 참조).
- ***염증성 관절병증***의 특징적인 징후 및 증상. 임상의는 특히 환자가 치료의 초기 단계에 있을 때 가족력을 알아야 한다.
- 포착증후군 또는 ***파소니지-터너 증후군*** *(Parsonage-Turner syndrome)*과 같은 말초신경증상(2권 1장을 참조).
- 쇄골하 정맥의 급성 혈전증 또는 *Paget-von Schroetter* 증후군과 같은 ***혈관 증상***(2권 3장을 참조).
- ***일반 건강:*** 일반 건강 상태는 도수치료를 금할 수 있는 잠재적으로 심각한 병리를 나타낼 수 있다. 치료사는 불편감, 피로, 발열, 메스꺼움, 구토, 스트레스, 불안 또는 우울증과 같은 일반적인 증상이 있는지 환자에게 질문해야 한다. 일반적 불편한 느낌은 일반적으로 류마티스 관절염, 감염 또는 종양학적 병리와 관련이 있다.[40] 반면에 명백한 설명 없이 급격한 체중 감소는 악성을 시사할 수 있다.
- ***수면의 질:*** 임상의는 수면 시간에 대해 질문해야 한다. 통증으로 인해 깨어났는지, 일어날 때와 휴식을 취할 때 충분히 휴식을 취했는지에 대한 것들이다.
- ***약리학적 치료***는 영향을 받는 구조에 대한 정보를 제공할 수 있다. 예를 들어, 통증이 신경병성인 경우, 비스테로이드성 항염증제(NSAID)와 단순 진통제는 통증에 거의 영향을 미치지 않는다. 가바펜티노이드, 삼환계 항우울제, 신경조절제(선택적 세로토닌 재흡수 억제제 또는 이중 억제제), 아편류 등의 치료를 확인해야 한다. 신체 평가 및 치료에서 취해야 하는 예방 조치 때문에 피험자가 코르티코스테로이드, 항응고제 또는 면역억제제로 장기간 치료를 받았는지 아는 것도 중요하다. 또한, 특정 약물의 처방은 환자가 궁금해 할 수 있는 구역, 통증, 전신 쇠약 등과 같은 부작용이 있을 수 있다. 예를 들어, 암 환자에게 스테로이드를 처방하면 콜라겐 저항과 체액 저류가 감소하고 허약함과 전반적인 불편함을 유발할 수 있다.[40]
- ***진단 기준 및 임상 알고리즘:*** 현재 특정 진단 기준의 유용성에 대해 합의가 이루어졌다[예: 신경병증성 통증 진단 기준 IASP 2008, *Classification of Headache Disorders, 3rd edition*(ICHD–III) of the International Headache Society(IHS 2013)][41] 그리고 임상 및 진단 알고리즘. 부적응 중추 감작으로 인한 기능장애 통증을 식별하기 위해 Nijs와 저자가 국제 통증 전문가 그룹과 공동으로 개발한 알고리즘이 권장된다.[41]
- ***중추 과민성의 증상 확인:*** 목 통증이 있는 많은 환자는 중증 중추 과민성으로 고통받는다. 이 중추 감작의 한 가지 징후는 광선 공포증, 소리 공포증, 삼투 공포증, 추위나 열 또는 화학적 자극에 대한 불내성 등과 같이 근골격계와 관련이 없는 감각의 과민 반응이다.
- ***부적응 중추 감작의 확인:*** 기능장애 통증은 다음과 같이 인식할 수 있게 하는 임상적 특징을 나타낸다:

- 일관성 없는 임상 패턴. 통증이 인식 가능한 임상 패턴과 일치하지 않다.
- 통증 경험은 부상이나 병리의 성격과 정도에 비례하지 않는다.
- 신체적 소견으로는 통증의 징후를 설명하기에 충분하지 않다.
- 통증, 이질통 및 통각과민은 광범위하고 다양한 신체 부위를 덮는다.
- 통증은 정당한 이유 없이 갑자기 발생할 수 있다.
- 약간의 잠복기를 거쳐 통증이 발생한다. 당시에는 아프지 않은 신체 활동은 수일 내에 심각하고 무력한 통증을 유발할 수 있다.
- 치료에 대한 반응이 예측할 수 없고 일반적인 패턴에 맞지 않다. 어느 날 성공적인 기술이 다른 날은 재앙이 될 수 있다.

보완 진단 검사(Complementary diagnostic test)

- *영상 검사*는 골절, 관절염, 감염, 골다공증 또는 종양과 같은 특정 개체의 진단에 유용하며 병리학 및 퇴행성 변화에 관한 관련 정보를 제공할 수 있다. 중요한 것은 종종 구조적 변화와 환자의 현재 상태 사이에 반드시 관계가 있는 것은 아니지만 다른 한편으로는 영상 검사가 진단에 도움이 될 수 있다는 것이다. 일반 엑스레이 외에도 컴퓨터 단층촬영(CT), 자기공명영상(MRI), 디스크 조영술 또는 관절조영술과 같이 병리의 기원을 결정할 수 있는 여러 영상 검사가 있다. 그러나 관찰된 병리학적 이미지와 환자의 증상 사이에는 직접적인 관련이 없는 경우가 많다.[42]
- *신경생리학적 검사:* 신경 전도와 근전도 검사는 예를 들어, 말초 포착증후군과 신경근병증을 구별하는 데 필요하다(10장 참조).

사회심리적인 측면
PSYCHOSOCIAL ASPECTS

환자의 행동과 치료에 대한 반응에 대한 영향을 기반으로 한 흥미로운 측면은 사회경제적 배경, 사회 직업력 및 가족 상황이다. 연령, 직업, 가족 상황, 취미 및 사회 및 직업 환경에 대한 정보를 얻는 것 외에도 피험자가 병가를 요청했거나 계류 중인 소송에 연루되어 있는지 아는 것이 중요하다.

또한 문제에 대한 환자의 믿음, 두려움, 자질 및 기대와 더 적합하다고 간주되는 치료 형태를 탐색하는 것과 관련이 있다.

환자들에게 다음과 같이 질문해야 한다. 무엇이 잘못되었다고 생각합니까? 다른 의료 전문가로부터 어떤 정보를 받았습니까? 통증의 원인은 무엇입니까? 통증을 완화하기 위해 무엇을 합니까? 걱정하는 것은 무엇입니까? 삶에 어떤 영향을 미칩니까? 가족들의 반응은 어떻습니까? 직장에서 어떻게 반응합니까?

자신의 문제에 대한 환자 자신의 해석에 대한 평가는 최종 결과에 대한 강력한 예측 요소이기 때문에 절대적으로 관련이 있다. 잘못된 믿음, 파국화, 자기 효능감, 두려움, 문제 및 치료에 대한 기대가 최종 결과를 결정할 수 있다. 중요하게도 저조함, 우울증, 불안 등과 같은 환자의 기분이 설정되어야 한다.

또한 환자에게 자신의 행동에 대해 질문해야 한다. 두려움 회피 행동과 같이 적응력이 있거나 부적응적인 경우, 고통이 시작된 이후 그들의 삶이 어떻게 변했는지, 능동적 또는 수동적인 경우, 여가 활동을 포기하고 사회적 자기 배제를 발전시키는 경우 등이다.

주관적 검사 후 치료사는 환자의 병력 파일에서 증상이 더 두드러지는 신체 부위와 기능 제한이 더 높은 부위에 밑줄을 그어야 한다. 이것은 환자의 상태에 대한 치료의 효과를 평가하는 데 도움이 될 수 있다.

주관적 검사가 완료되면 신체 평가를 계획해야 하며 임상의는 다음 가설을 세워야 한다:

- 환자의 임상 증후군과 임상 양상은 무엇인가? 또는 대조적으로 환자의 불만 사항에 불일치가 있어 알려진 임상 패턴에 맞지 않는 경우가 있는가?
- 그 과정이 심하거나 짜증이 납니까? 중증도와 과민성은 물리치료사가 수행하는 신체 평가의 강도와 기간을 결정한다.
- 중추감작 현상이 있는가?
- 통각수용원이 없는 기능장애 통증이 있습니까?
- 어떤 해부학적 구조가 환자의 임상 상태와 관련되어 있는가? 신체 평가는 특히 신경근골격계의 각 구성요소에 대한 검사를 지시할 수 있다.
- 환자의 임상 상태를 완전히 파악하려면 어떤 다른 검사가 필요한가?
- 검사해야 할 다른 기계적 요인: 다른 근위 관절의 영향이 있는가? 자세 등의 요인이 있는가?
- 문제에 대한 잘못된 해석, 두려움 회피 행동, 정서적 고통, 낮은 자기 효능감 등 심리사회적 요인이 있는가?
- 예후는 어떻습니까?

치료사는 하나 이상의 작업 가설을 세운 후 이러한 가설을 확인하거나 거부하기 위해 신체 검사에 포함될 임상 검사를 결정해야 한다. 진단 절차는 특별히 상태가 특히 심각하거나 과민할 경우 가능한 한 최단 시간에 최대한의 정보를 얻을 수 있도록 계층적으로 구성되어야 한다.

더 판별력이 있는 검사를 선택해야 하며 치료사가 여러 검사를 수행할 경우, 더 고통스러운 검사보다 덜 고통스러운 검사부터 시작해야 한다.

예후와 관련하여 치료사는 환자의 증후군, 증상의 기원 및 특성, 관련된 통증 기전, 과정의 단계 또는 질병의 존재 또는 영속화하거나 유발하는 요인과 같은 환자의 임상 상황과 관련된 다양한 측면에 따라 결정된다. 심리사회적 또는 환경적 위험 요인의 존재는 환자의 진행 상황과 소송 절차 또는 보상이 계류 중인 상황을 결정할 수 있다.

신체 검사
PHYSICAL EXAMINATION

경추의 신체 평가는 항상 주관적인 검사와 환자의 임상 상태를 기반으로 수행되어야 하므로 특정 프로토콜을 따르지 않는다. 그 정도와 깊이는 통증의 중증도, 증상의 과민성, 과정의 특성 및 기능장애의 단계와 같은 관련 측면에 의해 결정된다.

따라서 예를 들어, 증상이 심하거나 주관적 검사가 급성 또는 과민성 장애를 나타내는 경우 신체 평가는 간단하고 수행된 검사는 초기 통증을 초과하지 않을 것이다. 그러나, 중등도의 통증이 있는 만성 과정이 있는 경우 이동성 검사의 목표는 증상을 재현하기 위해 가능한 한 관절 이동성의 가장 높은 범위를 포괄하는 것이다.[43]

신체 검사의 목표는 증상을 유발하는 구조 및/또는 요인을 결정하여 임상 가설을 확인하는 것이다. 여기에는 임상의가 기능장애 또는 손상의 원인을 식별하기 위해 객관적인 징후를 얻을 수 있도록 하는 일련의 검사를 수행하는 것이 포함된다. 이런 방식으로 신체검사를 통해 임상의는 주관적 검사 후에 형성된 가설을 확인하거나 기각할 수 있다. 신체 평가는 일련의 기술 절차를 체계적이고 무분별하게 적용하는 것이 아니라 주관적인 검사에서 생성된 가설을 기반으로 하는 체계적이고 논리적이며 순차적인 과정이어야 한다.

신체 평가는 주관적인 검사로 간주되지만 환자를 만지고 움직일 때 임상의의 기술이 결과에 영향을 미칠 수 있다. 또한 검사에 사용된 검사는 하나 이상의 조직을 자극하므로 어떤 구조가 증상을 유발하는지 정확하게 결정하지 못할 수 있다.[44] 중추 감작 및 속발성 통각과민이 있는 경우 유발 검사의 신뢰도가 매우 낮을 수 있다는 점에 유의해야 한다. 임상의는 이러한 모든 장애물을 알고 있어야 하며 몇 가지 검사의 수행을 기반으로 잘못된 결론에 도달하지 않아야 한다.

다양한 경추증후군의 신체 평가는 2권에 자세히 설명되어 있다. 경추 신체 검사의 일반적인 측면은 다음과 같이 요약되어 있다.

- 관찰.
- 관절 검사.
- 근육 검사.
- 신경학적 검사.
- 특별 검사.
- 촉진.

관찰(Observation)

관찰 단계는 환자가 전문적인 의견을 구할 때 시작된다. 움직임의 질, 진통 자세의 존재 또는 얼굴 표정은 임상의와 환자의 첫 만남에서 관찰되어야 하는 관련 측면이다. 임상의는 환자의 임상 상황에서 심리적 행동 측면의 역할을 고려해야 한다.[39]

초기 관찰 후 자세 분석은 전방, 후방 및 측면의 3개 평면에서 수행된다. 일반적으로 자세 분석은 전체 자세, 척추 형태, 경추 형태 및 자세로 나눌 수 있다.

자세 관찰(*Observation of posture*)

먼저 대상이 서 있는 동안 자세에 대한 전반적인 분석을 수행한다(그림 8-5).

이 첫 번째 평가는 공간(머리, 몸통, 상지 및 하지)의 다양한 신체 분절의 분포를 고려하고 자세 비대칭의 존재가 기록된다. 자세는 동적 행동이 아니라 개인의 정적 행동과 관련된 측면을 반영하므로

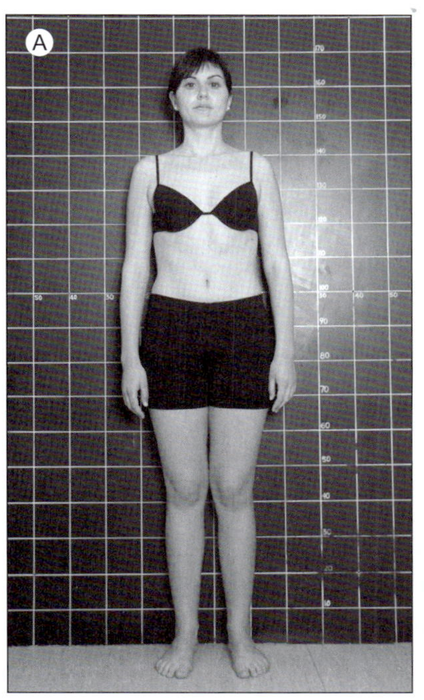

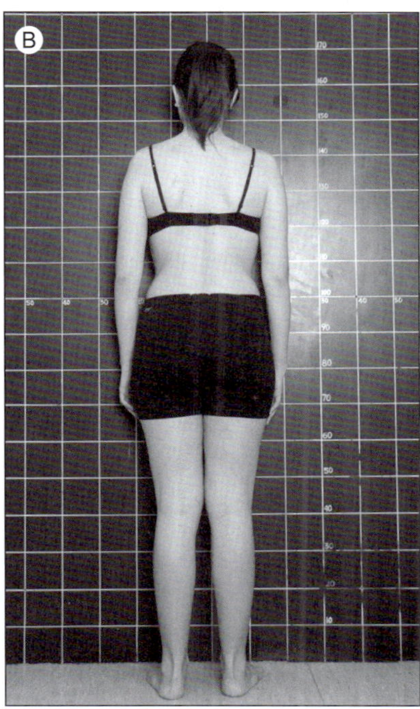

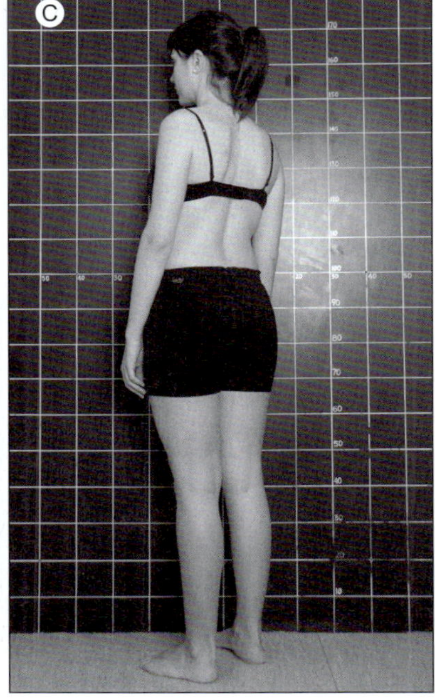

그림 8-5 ■ 검사는 이족보행 자세에서 자세를 관찰하는 것으로 시작된다. 전방(A) 면 및 후방(B) 면 및 3/4(C) 면.

임상의가 얻은 정보는 주의해서 해석해야 한다. 언뜻보기에는 검사의 첫 번째 단계이기 때문에 자세 변경과 기능장애 사이에 직접적인 관계가 설정되어서는 안된다. 예를 들어, 수십 년 동안 머리의 전방 위치가 매우 중요해졌다. 그러나 현재 이 자세가 증상의 존재와 상관관계가 있다는 증거는 없다. 그러나, 어떤 경우에는 자세 분석에서 얻은 정보가 물리치료사에게 가능한 기계적 기여 요인을 알려줄 수 있다. 예를 들어, 디스크성 경추통이나 급성 후관절 활막염(급성 돌기사이관절 관절통)의 경우, 굴곡, 굽힘 및 반대쪽 회전 시 목의 진통자세가 발생할 수 있다. 이 경우, 패턴의 차이와 기능장애의 경추 기원 확인은 물리치료 전반에 걸쳐 사용되는 다른 절차로 확인된다. 마지막으로, 자세는 신경근골격계 조직의 상태뿐만 아니라 통증 및 환자의 감정 상태와 같은 다른 측면도 알려준다.

둘째, 척추 만곡 형태의 일반적인 증가 또는 감소를 찾기 위해 서 있는 자세에서 피험자의 전체 척추의 시상 구성을 평가한다(***척추 분석***). 피험자의 자세 경향이 분석되어 경직된 후만 흉추와 같은 자세 기여 요인을 식별한다. 그 후, 환자가 서 있는 상태에서 치료사는 경추 영역을 더 자세히 평가한다(영역 분석). 먼저 정면에서 볼 때 머리의 위치(정렬, 기울어짐, 회전 등), 경추의 형태(측면 굽힘, 회전 등), 상지 위치(예: 어깨가 아래로 회전하는 견갑골 내전). 환자의 증상이 앉은 자세에서 나타난다면 이 자세에서 경추 자세를 관찰해야 한다(그림 8-6). 빈번하게, 피험자는 흉추 후만을 취한 후 중부 또는 상부 경추의 신전을 취한다.

일반적으로 후두돌기의 비대칭과 관련된 두개안면 비대칭의 존재를 분석하는 것이 중요하다. 일반적으로, 교합면과 평행한 양동면에서 동공과 입꼬리 사이의 거리는 양쪽에서 대칭이어야 한다(그림 8-7). 또한, 경추와 견갑골의 상승된 뷰에서 비대칭 가능성을 볼 수 있으며, 후방 뷰에서 견갑대의 성능을 조절하는 근육의 불균형을 찾아 양쪽 견갑골의 위치를 평가한다.

그림 8-6 ▪ 특히 환자가 이 자세에서 증상을 언급하는 경우, 환자는 앉아 있는 동안 관찰되어야 한다.

마지막으로, 시상면에서 치료사는 머리가 정렬되었는지, 앞으로 또는 뒤로 젖혀 있는지 여부와 경추 전만(대칭, 편평 또는 과전만) 형태를 평가한다.

영역 분석에 이어 ***분절 분석***을 수행하여 경추의 각 관절 분절의 생체역학적 행동을 개별적으로 평가한다.

연조직 및 근육 구조 관찰*(Observation of the soft tissues and muscular structures)*

환자의 자세 외에도 물리치료사는 다음 측면을 평가해야 한다:

- 순환계, 말초신경계 또는 자율신경계의

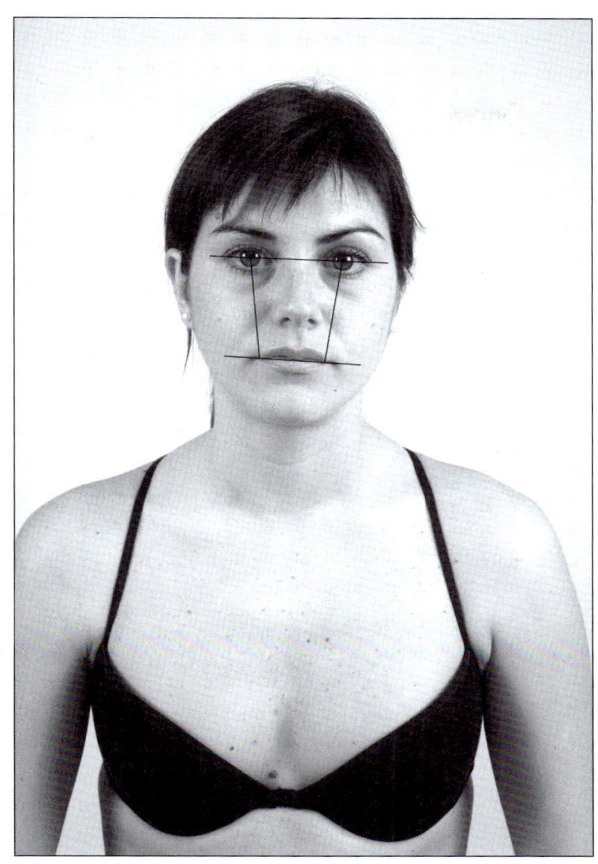

그림 8-7 ■ 양동면(bipupillary plane)은 교합면과 평행해야 하고 동공과 입가 사이의 거리는 양쪽에서 대칭이어야 한다.

장애를 나타내는 피부색 및 질감의 변화. 예를 들어, 복합부위통증증후군이나 말초신경 손상은 피부 외양에 변화를 일으킬 수 있다.

- 자세의 중대한 변형을 일으키거나 환자의 현재 임상 상황에 간접적으로 영향을 미칠 수 있는 흉터의 존재.
- 연조직의 염증, 관절 삼출액 등

전신 과이완(*Systemic hyperlaxity*)

전신 과이완은 대부분의 윤활 관절에서 정상보다 높은 가동범위의 존재를 특징으로 한다. 최근 몇 년 동안 일부 저자들은 근골격계 통증을 유발하고 기여하는 요인으로서 이 개체를 중요시하기 시작했다.[45] 이 장에서는 전신 과이완의 평가에 대해 논의하지만 특정 상황에서, 특정 증상을 이해하는 데 도움이될 때, 신체 평가를 계획하고 적절한 치료 기술을 선택할 때에만 중요한 측면으로 간주되어야 한다. 임상 실습에 따르면, 이러한 환자에게 과도하게 집중적인 기술을 사용하면 결과가 좋지 않으며 금기일 수도 있다.

과이동성은 인대 및 기타 결합 요소의 과이완으로 인해 발생하며 특히 콜라겐, 엘라스틴, 피브릴린, 피브로넥틴 및 테나신과 같은 원섬유 단백질의 유전적 변화에 의해 결정된다. 이것은 여성에게 더 흔한 가족 성향을 보이고, 나이가 들면서 줄어들고 인종에 따라 다르다.[46-48] 전신 과이완은 관절통이나 관절 불안정과 같은 근골격계 증상과 관련된 ***전신 과이동증후군***[49]을 유발할 수 있다.[50-53] 과이동성 증후군이 있는 피험자들은 또한 관절 고유감각이 부족한 경향이 있다.[54]

이 증후군은 승모판 탈출증,[55] 제대 탈장, 호흡 변화[56] 및 때때로 직장 또는 자궁 탈출과 같은 관절 외 징후를 자주 동반한다.[57] 이러한 환자 중 일부는 자율신경 기능이상을 보일 수도 있다.[58] 이 교감신경성 미주신경 장애는 혈압 조절이 잘 되지 않는 결과를 초래하며, 이는 급성 기립성 저혈압, 실신, 추위에 대한 불내성, 피로 등을 통해 나타난다. 일부 저자는 국소 마취제의 희소 효과가 진단 검사로 사용될 수 있다고 제안한다.[59]

과이동성 증후군은 말판증후군이나 엘러스 단로스 증후군(Ehlrs–Danlos syndrome)과 같은 다른 결합조직 장애와 공통적 특징을 가진 결합조직의 유전 장애의 불충분한 형태로 간주될 수 있다. 현재, 적어도 임상적 관점에서 이전에 III형 엘러스 단로스 증후군(Ehlrs–Danlos syndrome)과 유사하거나 심지어 동일한 것으로 간주된다.[60] 과이동성 증후군은 상염색체 우성 패턴을 가진 강력한 유전적 요소를 가지고 있다.[61]

표 8-1

Beighton 점수

능력	오른쪽	왼쪽
1. 다섯 번째 손가락의 손허리손가락관절의 ≥90° 수동 후방 굴곡 수행	1	1
2. 엄지손가락을 부수적으로 팔뚝의 손바닥쪽에 놓는 것	1	1
3. ≥10° 팔꿈치의 부수적 과신전	1	1
4. ≥10° 무릎의 부수적 과신전	1	1
5. 몸통의 능동적 굴곡과 무릎굽힘 없이 손을 편평하게 바닥에 대기		1
전체	9	

전신의 과이완(systemic hyperlaxity)을 감지하기 위해 Beighton과 Horan[62]은 이후 Beighton 등[63]에 의해 수정된 척도를 기술했으며, 후자가 가장 일반적으로 사용된다(표 8-1). 이 척도는 0에서 9까지의 값을 포함하며, 값이 4를 초과할 때 과이완이 존재하는 것으로 간주된다. 이 척도는 15세에서 45세 사이의 여성을 위한 선별 도구로서 높은 검사자 내 및 검사자 간 신뢰도를 제공한다(그림 8-8).

이 분류의 한 가지 단점은 제한된 수의 관절을 포함하고 과이동성의 정도를 나타내지 않기 때문에 진단 도구로 불충분하다는 사실이다.[65] 또한 우리의 의견으로는 과이완은 피험자가 7에서 9점 사이의 값을 나타낼 때만 고려되어야 하는 요소이다. 제안된 또 다른 분류는 Hospital del Mar[66]의 분류이다. 이러한 관절에 더하여, 과이완에 대한 더 나은 평가를 수행하기 위해 다음을 검사할 수 있다:

- 손과 손가락의 백조목변형(그림 8-9).
- 손목과 손의 신전.
- 상부 어깨의 90° 외회전(그림 8-10).
- 엄지 손가락손허리관절의 과신전.
- 요추의 과신전.
- W자세로 앉기(그림 8-11).

글상자 8-1

과이동성 증후군의 진단기준

주요 기준

1. 현재 및 인생의 초기 단계 모두에서 ≥4의 Beighton의 점수
2. 최소 3개월 동안 4군데 이상 관절에서의 관절통.

부 기준

1. 1,2 또는 3 Beighton의 점수 (환자가 50세 이상일 때는 0,1,2 또는 3점)
2. 1~3개 관절의 관절통(3개월 이상) 또는 요통(3개월 이상), 척추굳음증, 척추분리증/척추전방전위증
3. 1개 이상의 관절 에서 또는 동일 관절에서 여러 번의 탈구/아탈구
4. 연조직 류마티즘, 3가지 이상의 부상 (예: 상과염, 건초염, 활액낭염)
5. 마르파노이드 체질(마르고 큰 키, > 1.03의 폭/키 비율, 상지/하지 비율은 0.89 미만); 거미가락증(스테인버그의 손목징후 양성).
6. 비정상적 피부, 튼살, 과신장성, 얇은 피부, papyraceous scarring
7. 눈 징후: 안검하수 또는 근시 쳐진 눈.
8. 정맥류 또는 탈장 또는 직장/자궁 탈출

과이동성 증후군은 두 개의 주요기준 또는 2개의 주요 및 2개의 부 기준 또는 4개의 부 기준이 존재할 때 진단될 수 있다.
명백히 영향을 받는 직계가족이 있는 경우, 두 개의 부 기준으로 충분하다.
과이동성 증후군은 마르판 증후군 또는 엘러스-단로스 증후군 진단이 있는 경우 제외되며, 과이동성-유형 엘러스-단로스 증후군(이전 유형 III 엘러스-단로스로 알려짐)은 제외된다.
첫 번째 주요기준 및 부 기준은 상호 배타적이며, 두 번째 주요기준 및 부 기준 또한 상호 배타적이다.

위에서 언급했듯이 과이완은 과이동성 증후군과 동일하지 않다. 과이동성 증후군의 진단을 위해 Grahame 등[47]은 Beighton의 진단 기준을 검토하여 두 가지 주요 기준과 여러 가지 사소한 기준을 설정했다(글상자 8-1).[67]

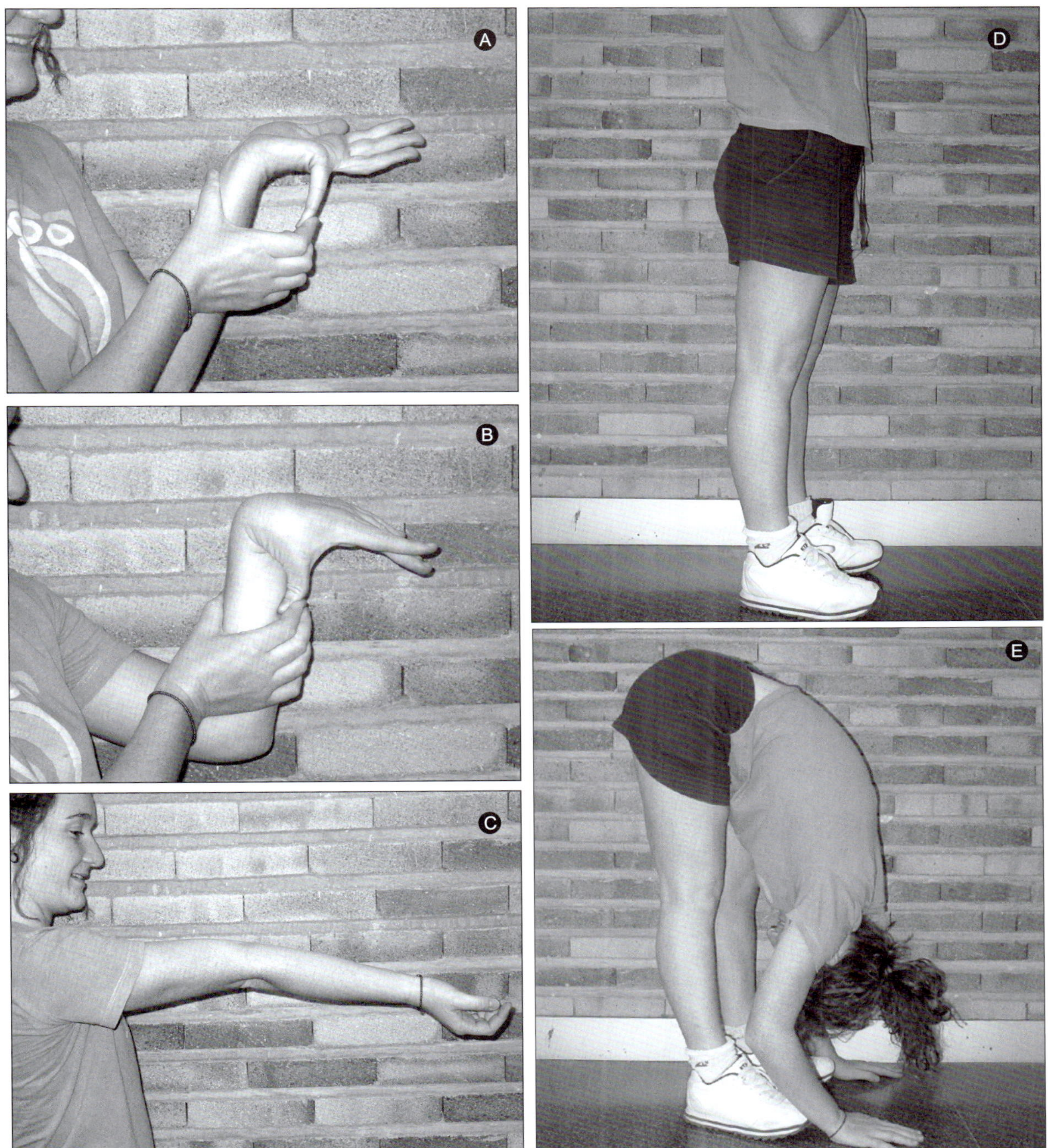

그림 8-8 ■ (A-E) Beighton 점수를 사용한 과이동성 평가. 이 이미지는 9점을 받은 젊은 여성을 보여준다.

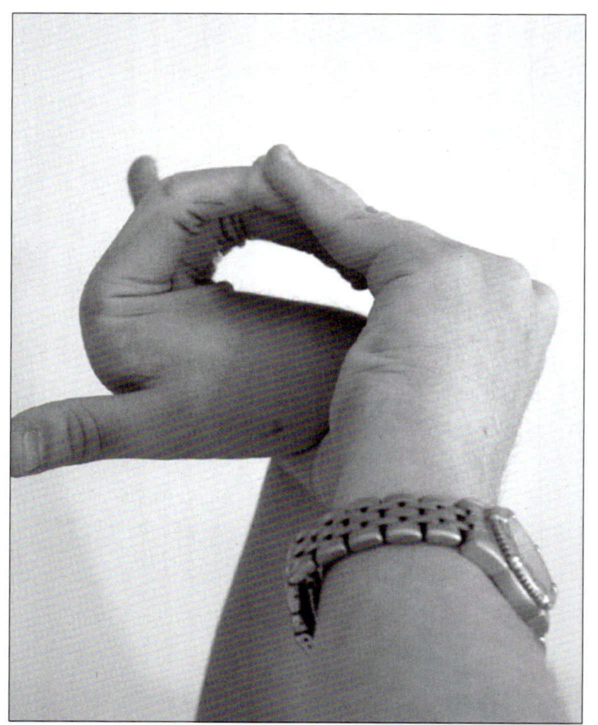

그림 8-9 ■ 손가락의 과신전.

그림 8-11 ■ W자세로 앉기.

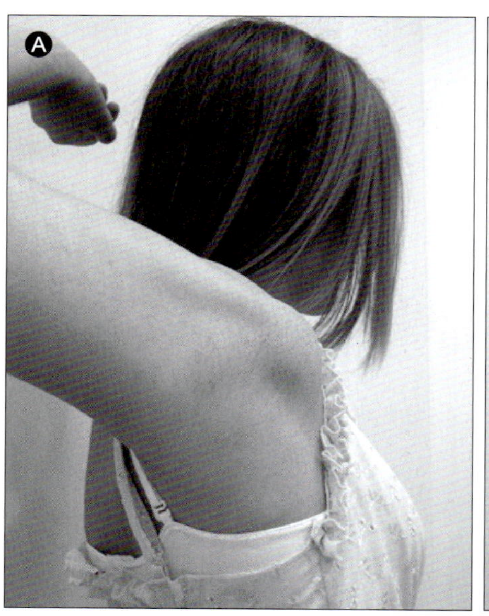

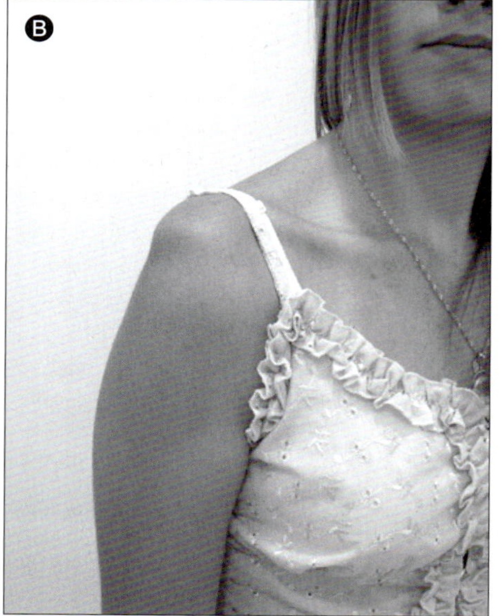

그림 8-10 ■ (A, B) 같은 환자가 자신의 어깨를 모든 방향으로 아탈구시킬 수 있다.

그림 8-12 ■ (A, B) 경추의 전체 능동 이동성: 굴곡-신전 및 좌우 회전.

현재 논란이 되고 있는 문제는 전신 이완과 통증의 상관관계이다. 일부 저자들은 과이완(hyper-laxity) 및 통증[70] 또는 엘러스 단로스 증후군(Ehlrs-Danlos syndrome) 및 통증 사이에 긍정적인 관계가 있다고 여전히 주장하지만,[68] 다른 많은 저자들은 그러한 긍정적인 관계를 찾지 못한다.[69-73] 현재 과이완은 유효한 병인 요인으로 보이지 않으며 근골격계 통증이나 관절 병리의 발달에 기여하지도 않는다.[69,73,74] Murray에 따르면[73], 모든 과이동성 개인이 증상을 나타내거나 근골격 장애의 더 큰 위험을 겪지는 않는다는 것이 분명하다. 문제는 여전히 과이동성과 관련된 증상을 올바르게 해석하는 것이다.

최근의 대규모 일반 인구 기반 설문 조사에서는 심리적 고통과 같은 측정되지 않은 교란 요인으로 설명될 수 있는 비교적 완만한 관계를 관찰했다.[75]

그러나, 이러한 환자에서 동맥벽의 잠재적인 취약성으로 인해 도수치료, 특히 고속 기술을 사용할 때 위험 요소가 될 수 있기 때문에 전신 과이완 및 과이동성 증후군을 고려하는 것이 중요하다.[76-79]

관절 검사(Articular tests)

관절 평가 검사에는 다음이 포함된다:

- 경추의 전체 능동 이동성 검사.
- 경추의 전체 능동/수동 이동성 검사.
- 목 부위별 수동/능동 이동성 검사.
- 결합된 움직임의 평가.
- 분절 관절 이동성의 평가.
- 부수적 움직임 평가.
- 특정 검사.

경추의 전체 능동 이동성 검사 *(Global active mobility test of the cervical spine)*

관절 검사는 경추 이동성의 일반적인 평가로 시작된다. 환자에게 앉은 자세에서 경추의 생리적 움직임인 굴곡-신전 및 좌우 회전을 능동적으로 수행하도록 요청한다. 오른쪽 및 왼쪽 측면 굽힘의 평가는 일반적으로 필요하지 않다(그림 8-12).

Jull[80]에 따르면, 능동 이동성 검사의 목표는 환자의 통증을 재현하고 패턴, 품질 및 관절가동범위를 분석하는 것이다. 치료사는 관절가동범위를 평가하기 위해 참조를 사용해야 한다. 예를 들어, 턱에서 가슴까지의 거리를 사용하여 굴곡 범위를 평가하고 어깨 이음구조의 평면을 회전을 측정하는 데 사용할 수 있다.

1. 증상 재현(국소 및/또는 연관통).
2. 기능장애를 일으키거나 결과적으로 나타난 요인 식별.
3. 치료의 효과를 평가하는 데 도움이 되는 객관적인 신체적 징후를 얻는다.

능동 이동성 검사는 관절 기능뿐만 아니라 움직임과 관련된 신경근 요소에 대한 정보를 제공한다. 능동 이동성 검사는 관절가동범위가 완전하고 움직임 패턴이 정상이며 통증이 없을 때 정상으로 간주된다. 움직임의 감소(저이동성) 또는 증가(과이동성), 움직임 중 또는 움직임 종료 시의 저항, 통증 및 근육 경련은 관절 기능장애의 존재를 시사하는 징후이다.

통증이 있을 때 가동범위 전체에 나타나는지 또는 가동범위의 끝 부분에 나타나는지 확인하는 것이 중요하다. 가동범위 시 나타나는 통증은 활막염, 급성 디스크성 병리 또는 관절 내 관절 주름의 기능장애와 같은 급성 관절 염증 상황을 시사한다. 그러나 범위 끝부분의 통증은 돌기사이관절의 통증이 있는 열림 또는 닫힘, 관절낭 인대 수축 또는 비급성 디스크성 통증으로 인한 것일 수 있다.

생리적 움직임에 대한 일반적인 평가 외에도 치료사는 환자에게 경추 각 영역의 특징적인 움직임 패턴을 재현하는 기능적 움직임을 수행하도록 요청할 수 있다. 예를 들어, 경추의 이동성 패턴을 평가하기 위해 환자에게 능동적 굴곡, 회전 및 동측 측면 굽힘을 수행하도록 요청한다(그림 8–13). 두개 척추의 경우 신전, 회전 및 반대쪽 측면 굽힘이 필요하다(그림 8–14). 이런 방식으로 경추의 각 영역의 움직임을 구체적으로 분석하여 환자의 증상에 미치는 영향을 판단한다.

그림 8–13 ▪ 경추의 이동성 패턴.

경추의 전체 능동/수동 이동성 검사
(Global active/passive mobility test of the cervical spine)

이 경우 증상이 심하지 않다면 치료사는 각 동작이 끝날 때 추가 압력을 가한다. 첫째, 환자는 4가지 경추 움직임 각각을 능동적으로 수행해야 한다. 최대 범위에 도달하면 물리치료사는 추가로 점진적인 가벼운 압력을 가하거나 작은 반복 동작을 조심스럽게 적용한다(그림 8–15).

적용되는 압력은 임상의가 최종 범위 동작에서 발견되는 저항의 질을 감지할 수 있도록 점진적이고 부드러워야 한다.

끝 범위에서 추가 수동 압력을 적용할 때 물리치료사는 다음을 수행할 수 있어야 한다:

그림 8-14 ■ 두개경추 척추의 이동성 패턴.

- 이 움직임의 질을 인지.
- 능동 이동과 수동 이동의 범위의 차이를 인지.
- 마지막 신장 또는 끝 범위에서 발견된 저항 유형을 분석.
- 가능한 통증(국소 및/또는 연관통)의 출현과 끝 범위에서의 행동을 기록한다. 이것은 통증 중증도에 대한 정보를 제공하고 치료 조작의 강도를 결정하는 데 도움이 된다.
- 움직임에 반응하는 근육 경련을 인지.

정상적인 상황에서 생리학적 움직임은 통증이나 저항 없이 가장 먼 관절 궤적까지 부드럽게 발달하며, 이 지점에서 저항이 점진적으로 증가하여 움직임이 제한된다. 저항은 평가되는 관절의 특징이 아닐 때 또는 움직임의 호에서 너무 빠르거나 너무 일찍 나타날 때 비정상으로 간주될 수 있다.

목 하위영역별 수동/능동 이동성 검사
(Passive/active mobility tests by neck subregions)

경추의 능동 및 전체 능동/수동 평가가 완료되면 하위 영역별 이동성 분석이 진단을 더욱 구체화하는 데 도움이 된다. 앞 절과 동일한 절차를 적용하되, 이 경우, 경추의 다른 영역(상부, 중부, 하부)의 이동성을 별도로 분석한다.

첫째, 전체 수동/능동 이동성 검사에서 언급한 바와 같이 환자는 능동적인 움직임을 수행해야 한다. 그런 다음 물리치료사는 작은 압박을 가하거나 끝 범위에서 작은 복귀 움직임을 유발한다. 이 평가의 목표는 경추의 전체 능동/수동 평가에서 설명한 것과 동일하다.

두개경추의 능동/수동 이동성 평가. 굴곡-신전은 후두-경추1번 분절의 일반적인 움직임이다. 경추1번-경추2번 분절에서 이 움직임의 범위는 유사하다. ***시상면***에서 두개경추의 이동성은 ***전인*** 및 ***후인*** 움직임으로 평가된다.

전인 움직임은 환추와 관련하여 후두골 신전을 결정하는 반면, 후인은 환추와 관련하여 후두골의 굴곡을 의미한다. 전인 및 후인 시 경추의 움직임은 두개경추의 움직임과 반대이다. 따라서 전인 시 경추는 굴곡 움직임을 수행하고 두개경추는 신전 움직임을 수행한다.

설명된 바와 같이, 환자는 능동적으로 전인 및 후인 동작을 수행하고 치료사는 끝 범위에서 추가 가벼운 압력을 가한다(그림 8-16).

평가는 또한 환자에게 처음에 중립 위치에서 30-40° 경추 회전을 하도록 요청하여 수행할 수 있다. 이 위치에서 두개경추 굴곡의 움직임 및 신전이 수행된다(그림 8-17).

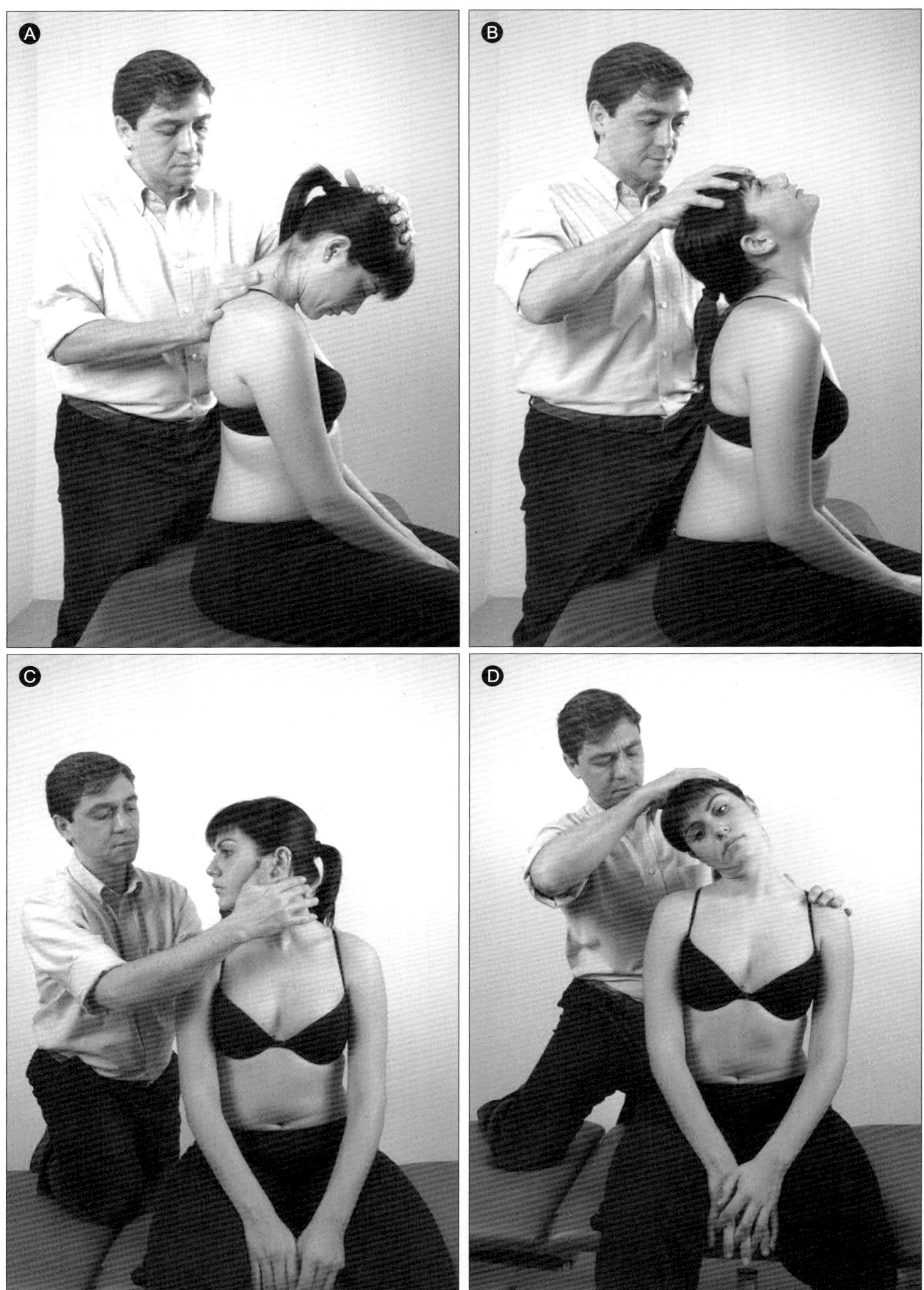

그림 8-15 ■ (A-D) 능동/수동 이동성 검사에서 환자는 능동적으로 가장 높은 가동범위에 도달해야 하며 치료사는 점진적으로 약간의 압력을 가하거나 튀는 압력(bouncing pressure)을 조심스럽게 가해야 한다.

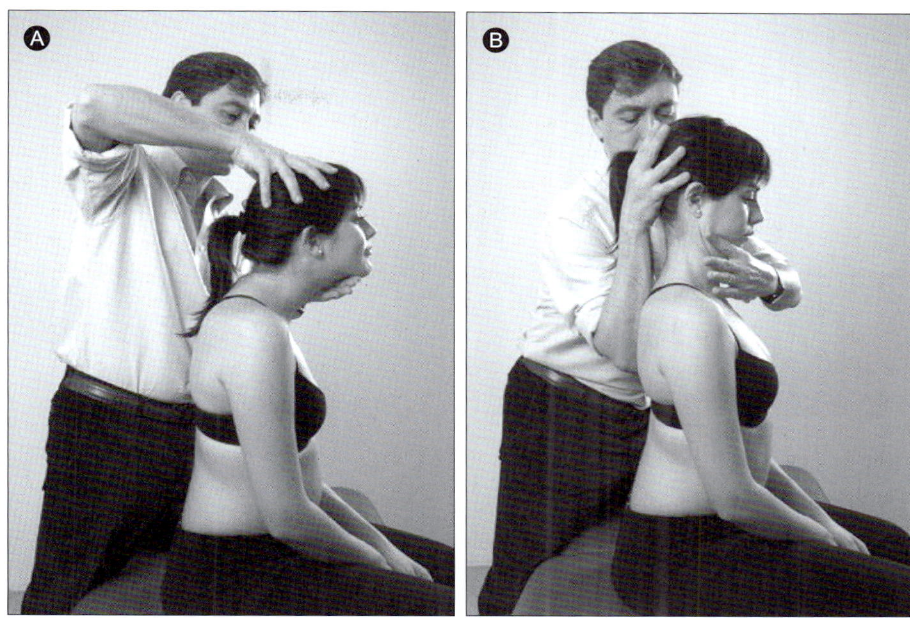

그림 8-16 ■ 상부 두개경추 척추의 시상 이동성: 신전(A) 및 굴곡(B).

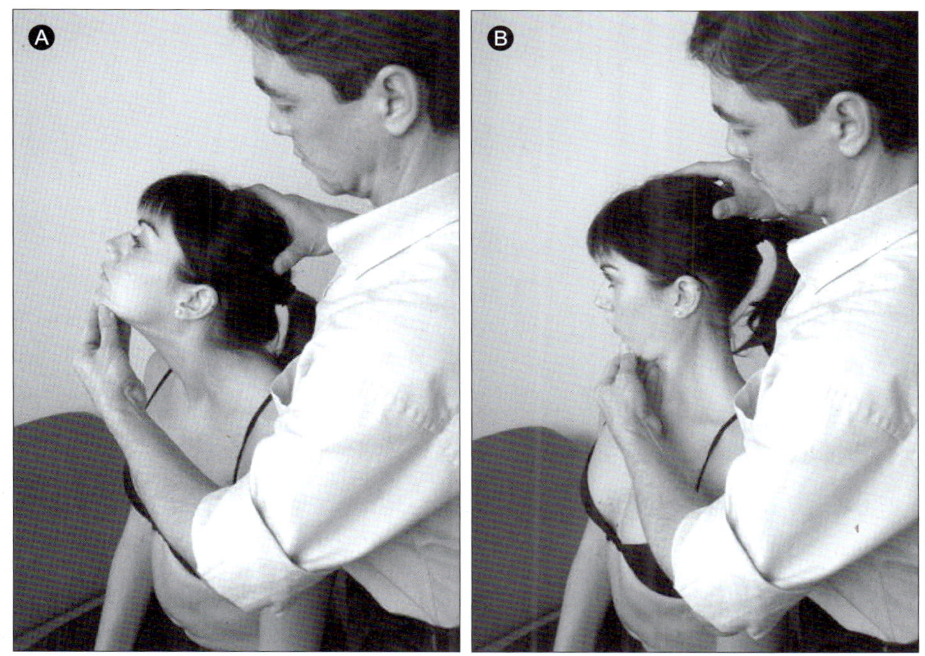

그림 8-17 ■ 두개경추의 시상 이동성: 이전에 30~40°의 경추 회전이 도입된 다음, 두개경추 굴곡(A) 및 신전(B)이 적용된다.

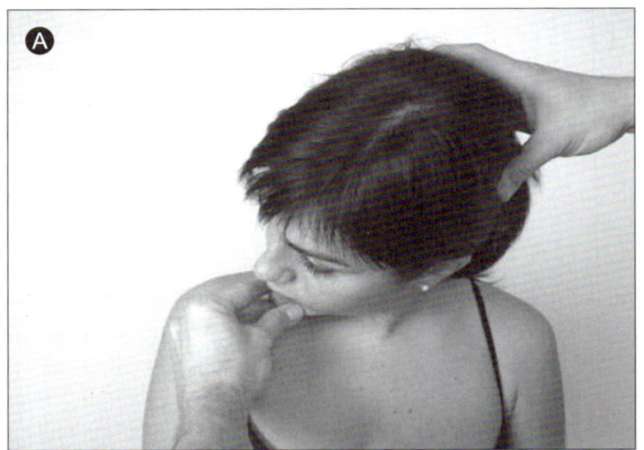

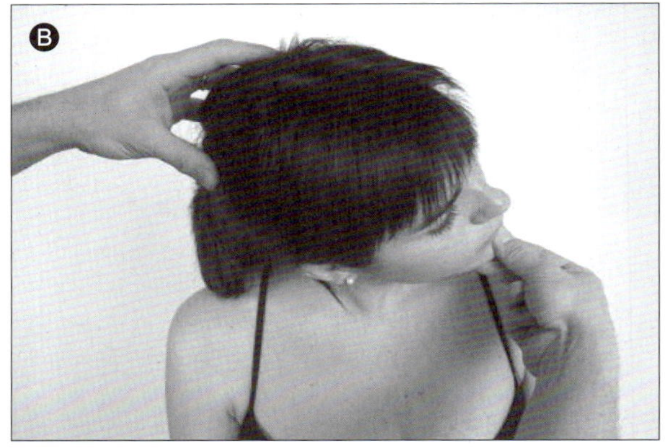

그림 8-18 ■ (A, B) 두개경추 회전의 이동성: 경추의 완전한 굴곡 위치에서 시작하여 환자는 끝 범위에서 임상의의 도움을 받아 양쪽으로 능동 경추 회전을 수행한다.

두개경추 척추(C1-C2)의 회전 시 능동/수동 이동성 평가. 경추의 완전한 굴곡 위치에서 시작하여 환자는 수동 움직임의 도움으로 양쪽으로 능동적인 경추 회전을 수행한다(그림 8-18).

또한, 엄지와 검지로 경추2번의 극돌기를 안정화시키고, 다른 손으로 머리를 움직여서 두개척추의 이동성을 평가할 수 있다(그림 8-19).

중부 경추의 능동/수동 이동성 평가. 중부 경추 영역의 움직임에 초점을 맞추기 위해 물리치료사는 움직임이 필요한 관절 부분에 손가락을 놓는다(그림 8-20A).

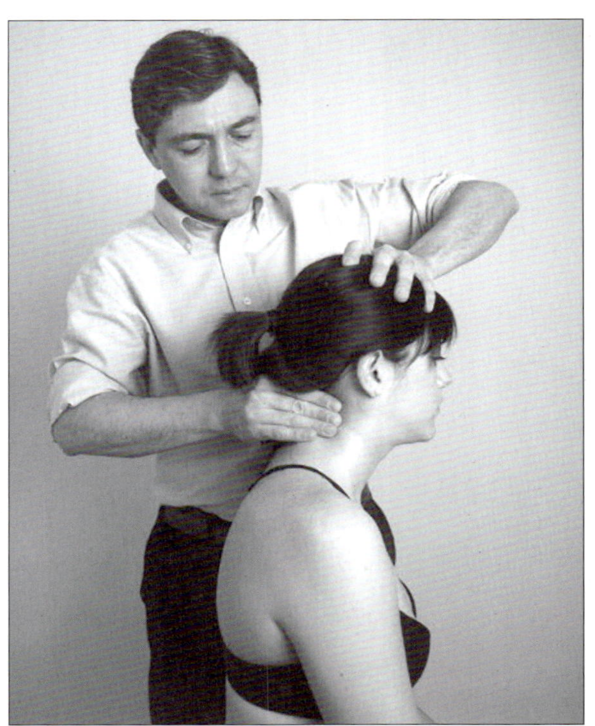

그림 8-19 ■ C2의 극돌기를 안정화시키는 두개경추 회전의 이동성.

예를 들어, 신전이 분석된다면, 치료사의 손가락은 평가된 척추 분절의 뒤쪽, 극돌기의 측면 레벨에 위치한다(그림 8-20B).

굴곡 움직임을 평가하기 위해 손가락은 경추의 전방 부분인 횡돌기의 전외측 레벨에 위치해야 하며 그 위치에 움직임이 집중된다(그림 8-20C).

두 경우 모두, 경추 영역과 접촉하지 않은 손이 환자 머리와 함께 굴곡-신전 움직임을 지시한다.

하부 경추의 능동/수동 이동성 평가. 하부 경추의 신전 움직임에 집중하기 위해 환자는 이 움직임에서 상부 움직임의 참여를 제한하기 위해 이중턱을 수행해야 한다. 그런 다음, 치료사는 한 손은 전두엽 부위에, 다른 한 손은 상부 흉추 영역에 놓는다. 전두엽에 손을 대고 치료사는 끝에 작은 압박

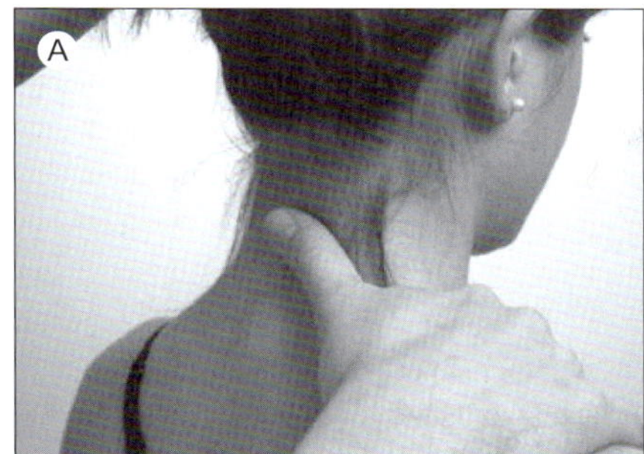

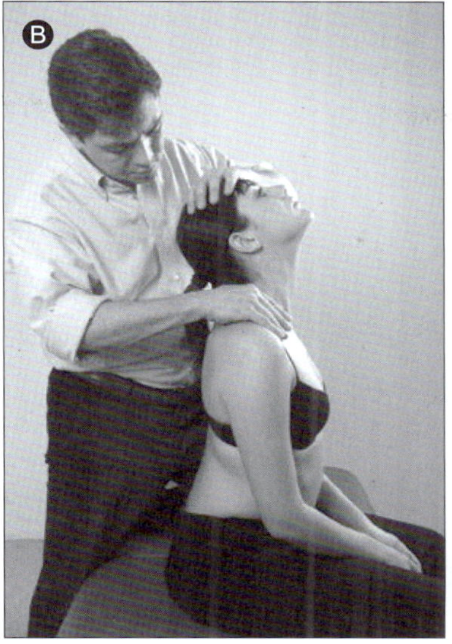

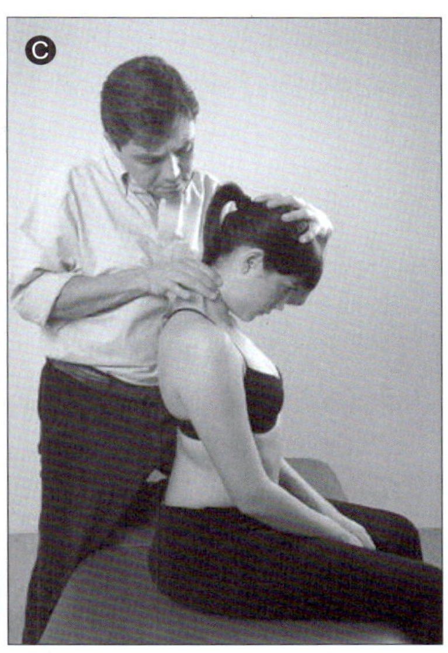

그림 8-20 ■ 중부 경추의 시상 이동성 검사: 움직임이 필요한 관절 영역에 손가락을 댄다(A). 신전(B) 및 굴곡(C).

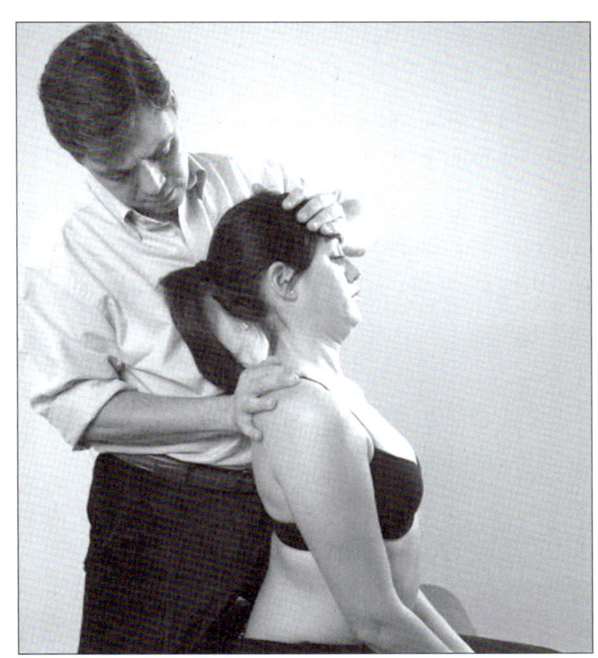

그림 8-21 ■ 신전 시 하부 경추의 시상 이동성 검사.

요소를 사용하여 경추 신전 움직임을 적용한다. 다른 한 손은 움직임의 지렛대 역할을 하여 상부 후방영역을 안정화한다(그림 8-21).

굴곡을 달성하기 위해 환자는 하부 경추를 굴곡시키는 머리의 전인을 수행해야 한다. 그런 다음, 치료사는 굴곡 방향으로 중부 경추 부위 레벨에서 추가로 작은 압박을 가한다. 다른 손은 움직임의 지렛대 역할을 하는 상부 등쪽 영역에 위치한다.

결합된 움직임의 평가
(Assessment of combined movements)

경추의 생리적 움직임은 종종 환자의 증상을 재현하지 못한다. 이러한 경우 경추의 구조를 찾고 증상을 유발하기 위해 다른 순서로 결합된 움직임을 사용할 수 있다.[81]

부위별 경추의 복합적인 움직임을 살펴보면 이동성 뿐만 아니라 환자의 임상증상에서 영역별 역할에 대한 정보를 얻을 수 있다. 일반적으로 두 가지 유형의 결합된 움직임이 사용된다:

- ***개방*** 및 ***스트레칭*** 동작, 반대쪽 굴곡, 측면 굽힘 및 회전 동작을 평가된 분절과 연관시킨다. 이러한 움직임은 후관절 확산(facet divergence)과 관절낭 스트레칭을

유발한다.

- ***폐쇄*** 또는 ***압박*** 움직임, 평가된 분절과 동측 신전, 측면 굽힘 및 회전 움직임 연관성. 이러한 움직임은 후관절 수렴과 관절내 압력의 증가를 유발한다.

결합된 움직임의 평가는 다음을 목표로 한다:

- 경추의 각 영역에서 결합 움직임의 양과 질을 결정.
- 환자의 증상을 재현.
- 환자의 통증 패턴 확인:
  - 규칙 패턴:
    - 폐쇄 또는 압박.
    - 개방 또는 스트레칭.
  - 불규칙 패턴.

모든 스트레칭 동작 또는 모든 압박 동작에서 증상이 재현될 때 통증 패턴이 규칙적인 것으로 간주된다.[81]

규칙적인 개방 패턴은 증상이 관절 움직임의 반대쪽에 나타날 때 발생한다. 따라서 예를 들어, 굴곡, 오른쪽 측면 굽힘 및 오른쪽 회전 중에 왼쪽 경추에 통증이 나타난다. 따라서 개방 패턴이 있는지 확인하기 위해 사용되는 움직임은 굴곡 및 반대쪽 측면 굽힘 및 회전이다.

그러나, ***규칙적인 폐쇄 패턴***은 관절 움직임과 같은 쪽에 증상이 나타날 때 발생한다. 이것의 예는 신전, 왼쪽 측면 굽힘 및 왼쪽 회전을 동반한 왼쪽 경추 통증이다. 따라서 환자의 증상이 폐쇄 패턴을 따르는지 확인하기 위해 신전 및 동측 측면 굽힘 및 회전의 결합된 움직임이 사용된다.

통증이 이러한 패턴 중 어느 것도 명확하게 따르지 않는 환자는 ***불규칙한 패턴***을 보인다. 이 경우 증상은 압박 및 스트레칭 동작의 조합으로 인해 발생한다.

두개경추 척추의 결합 움직임. 두개경추 영역의 결합된 움직임에 대한 평가는 두 가지 유형의 움직임 패턴을 기반으로 한다:

- 동측 패턴:
  - 동측 신전-회전-측면 굽힘
  - 동측 굴곡-회전-측면 굽힘
- 반대쪽 패턴:
  - 반대쪽 신전-회전-측면 굽힘
  - 반대쪽 굴곡-회전-측면 굽힘

동측 패턴: 동측 신전-회전-측면 굽힘. 처음에는 환자에게 머리를 내밀도록 요청한다. 이 위치에서 치료사는 신전 요소를 유지하면서 동측 회전 및 경사 요소를 도입한다(그림 8-22A).

동측 패턴: 동측 굴곡-회전-측면 굽힘. 먼저 환자에게 이중턱을 보여달라고 한다. 이 위치에서 치료사는 굴곡 요소를 유지하면서 동측 회전 및 경사 요소를 도입한다(그림 8-22B).

반대쪽 패턴: 반대쪽 신전-회전-측면 굽힘. 처음에는 환자에게 머리를 내밀도록 요청한다. 이 위치에서 치료사는 신전 요소를 유지하면서 반대쪽 회전 요소와 경사 요소를 도입한다(그림 8-22C).

반대쪽 굴곡-회전-측면 굽힘. 이 패턴은 일반적으로 임상 검사에서 사용되지 않는다.

중부 경추의 결합 움직임. 중부 경추의 결합 움직임 평가에는 두 가지 유형의 움직임 조합이 사용된다:

- 동측 신전-회전-측면 굽힘.
- 동측 굴곡-회전-측면 굽힘.

동측 신전-회전-측면 굽힘 패턴. 환자가 앉는 동안 치료사는 환자 뒤에 머물며 지렛대 역할을 하기 위해 평가된 분절의 후방 관절면에 엄지손가락을 놓는다. 그런 다음 다른 손의 도움으로 치료사는 이마 영역에 기대고 동측 신전-회전-측면 굽힘의 지표를 소개한다. 이러한 방식으로 물리치료사

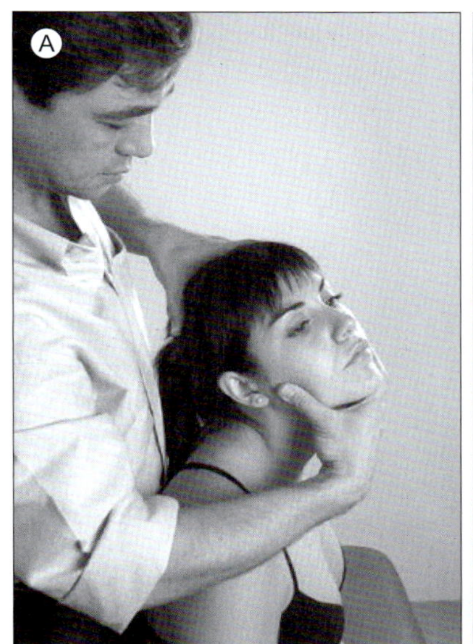

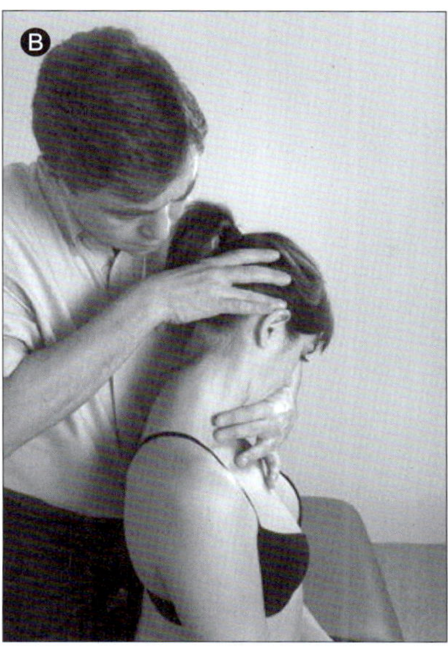

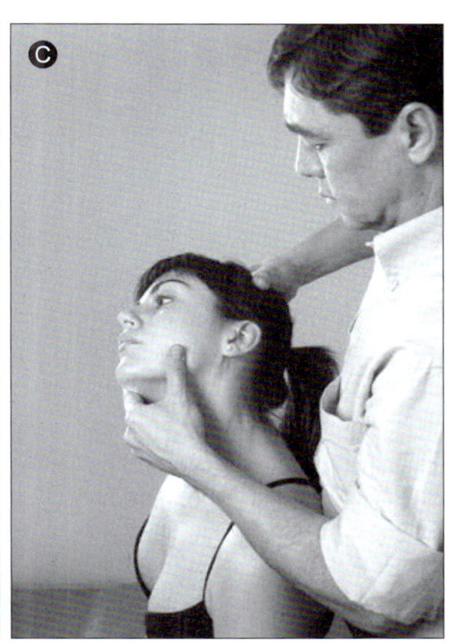

그림 8-22 ■ 두개경추 결합 움직임의 검사: 동측 신전-회전-측면 굽힘 동측 패턴(A), 동측 굴곡-측면 굽힘 경사 동측 패턴(B), 반대쪽 신전-회전-측면 굽힘 반대쪽 패턴 (C).

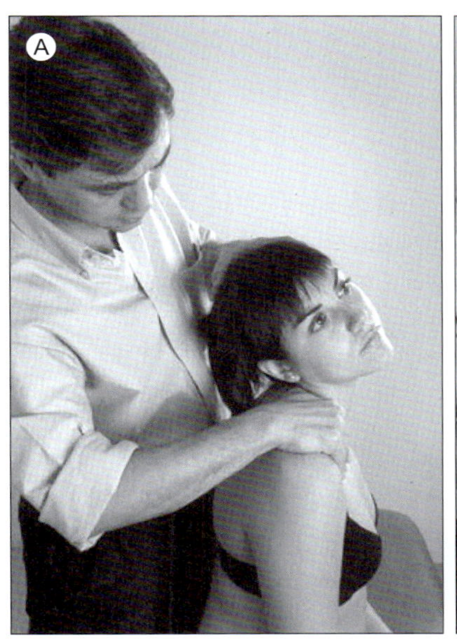

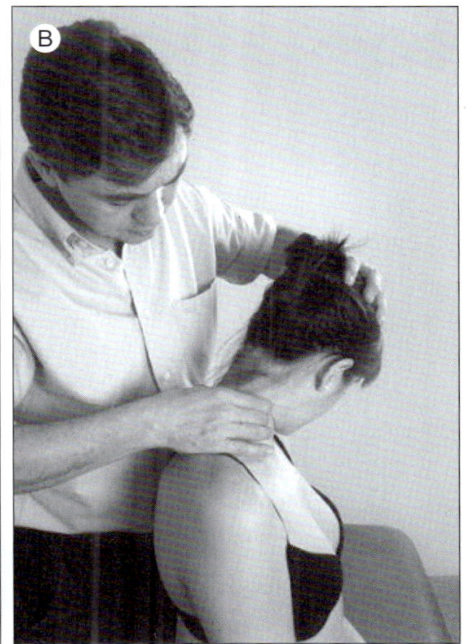

그림 8-23 ■ 중부 경추의 결합된 움직임: 동측 신전-회전-측면 굽힘(A) 및 동측 굴곡--회전-측면 굽힘(B).

는 중부 경추의 각 척추 분절의 모든 움직임 요소를 분석적으로 집중할 수 있다(그림 8-23A).

동측 굴곡-회전-측면 굽힘 패턴. 치료사는 앉는 환자 뒤에 서서 회전 반대측의 횡돌기의 앞쪽 부분에 손을 얹는다. 그런 다음 치료사는 머리에 굴곡, 회전 및 동측 측면 굽힘 움직임을 적용한다(그림 8-23B).

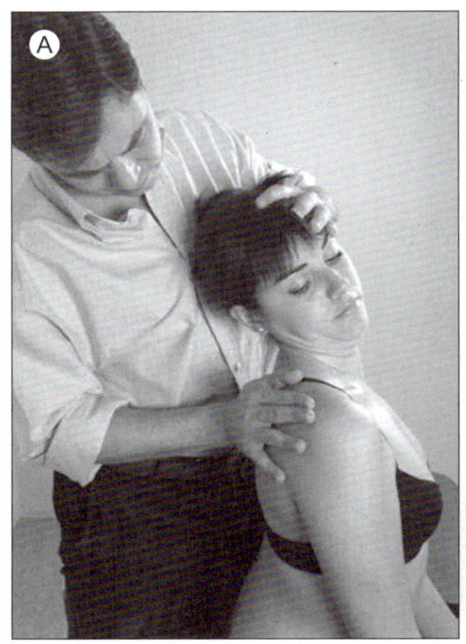

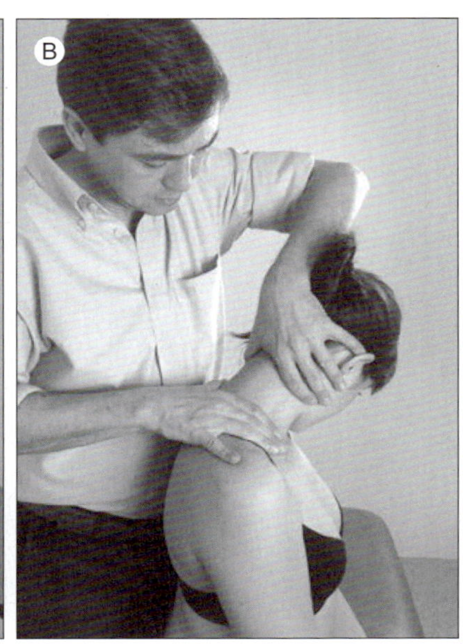

그림 8-24 ▪ 하부 경추의 결합 움직임: 동측 신전-회전-측면 굽힘(A) 및 동측 굴곡-회전-측면 굽힘(B).

하부 경추의 결합 움직임. 중간 경추에는 두 가지 유형의 움직임 조합이 사용된다:

- 동측 신전-회전-측면 굽힘.
- 동측 굴곡-회전-측면 굽힘.

동측 신전-회전-측면 굽힘 패턴. 치료사는 앉아 있는 환자 뒤에 서서 이 동작에서 위쪽 영역의 참여를 제한하기 위해 환자에게 이중 턱(후인)을 보여 달라고 요청한다. 그런 다음 치료사는 한 손은 이마 부위에, 다른 한 손은 상부 흉추 부위에 놓는다.

환자가 후인 요소를 유지하는 동안 물리치료사는 정면 손으로 동측 신전-회전-측면 굽힘 지표를 도입한다. 다른 손은 상부 후방 영역을 안정화시키고 움직임의 지렛대 역할을 한다(그림 8-24A).

동측 굴곡-회전-측면 굽힘 패턴. 치료사는 앉아 있는 환자의 옆에 서서 환자에게 머리를 내밀도록 요청하고, 이는 하부 경추를 굴곡시키고 두개경추의 움직임을 차단한다. 그런 다음 치료사는 한 손은 중부 경추 부위에, 다른 한 손은 흉추 상부에 놓는다. 그런 다음 임상의는 한 손은 중간 경추에 놓고 다른 손은 상부 등쪽 영역을 안정화하고 움직임의 지렛대 역할을 하여 동측 굴곡-회전-측면 굽힘 지표를 도입한다(그림 8-24B).

관절 분절 이동성 평가
(Assessment of the joint segmental mobility)

경추의 각 움직임에서 활성 가동범위는 다양한 척추 분절의 참여 결과이다. 전체 이동성의 호는 치료사가 기능장애를 일으키는 분절을 결정하는 것을 허용하지 않는다. 따라서 전체 이동성 검사와 경추 영역별 검사 후에 치료사는 부수적으로 분절 이동성을 평가해야 한다. 치료사는 부수적 이동성 검사에서 다음 정보를 얻는다.

- 각 척추 분절의 세 평면(굴곡-신전, 측면 굽힘 및 회전)에서의 가동범위.
- 범위 시 및 수동 움직임의 끝에서 발견되는 저항 유형.
- 검사 중 증상 재현.

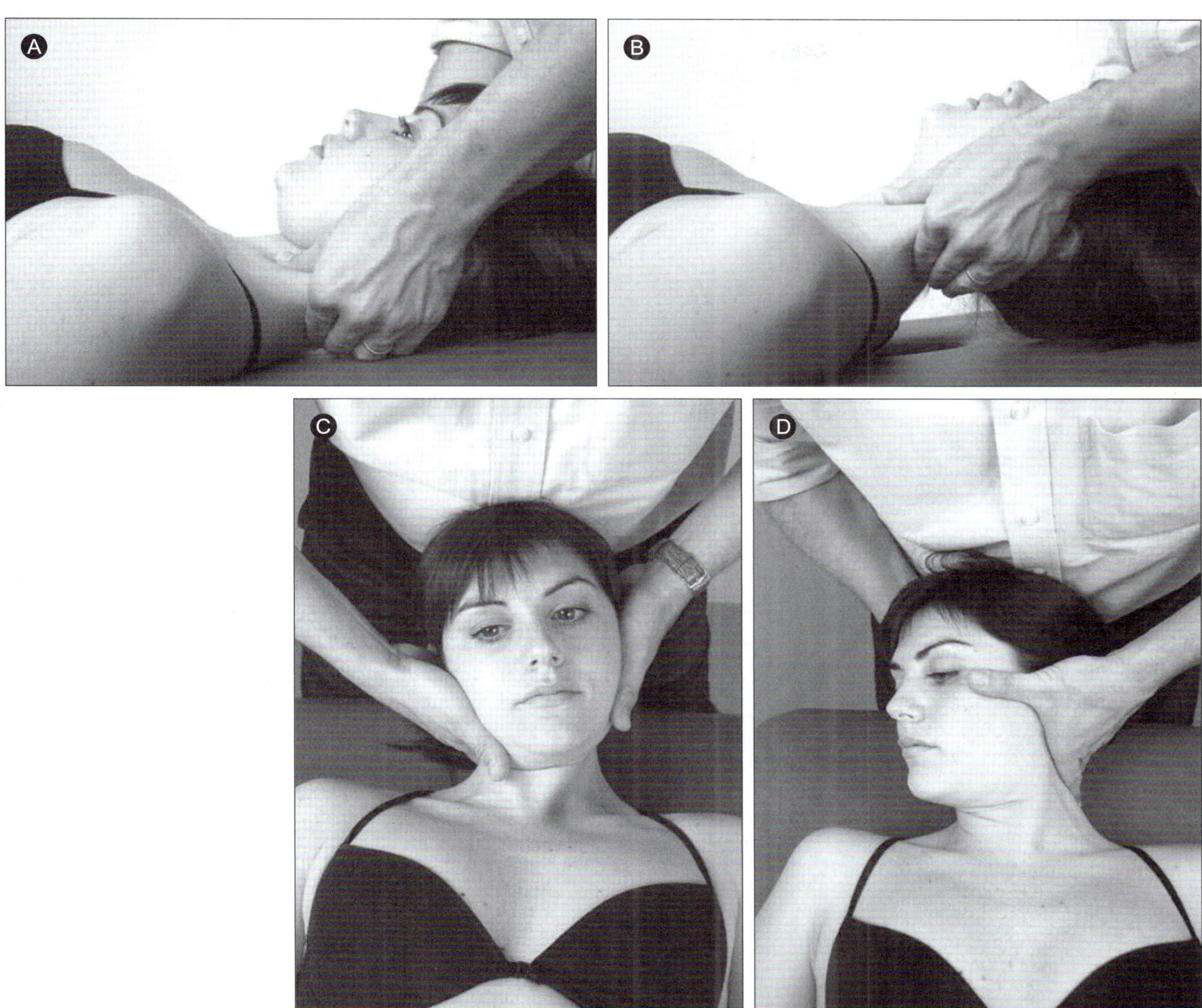

그림 8-25 ■ 굴곡(A), 신전(B), 측면 굽힘(C) 및 회전(D)에서 분절 수동 이동성의 수동 검사.

분절 분석은 저이동성과 과이동성의 의미에서 관절 기능장애의 유형을 구체적으로 결정하는 데 도움이 된다.

부수적 분절 평가에서 굴곡(그림 8-25A)과 신전(그림 8-25B), 좌우 측면 굽힘(그림 8-25C), 좌우 회전(그림 8-25D) 움직임은 독립적으로 평가된다. 경추의 각 영역에서 수동 분절 이동성을 평가하는 절차는 12장에 설명되어 있다.

부수적 움직임 평가
(Assessment of accessory movements)

부수적 움직임은 환자가 능동적으로 수행할 수 없는 움직임이므로 치료사의 외력 적용이 필요하다.[6] 부수적 움직임의 방향은 이동 관절 표면의 형태에 따라 다르다.

Jull[80]에 따르면, 부수적 움직임을 조사하면 다음을 수행할 수 있다:

- 증상이 있는 관절을 식별하고 찾는다.

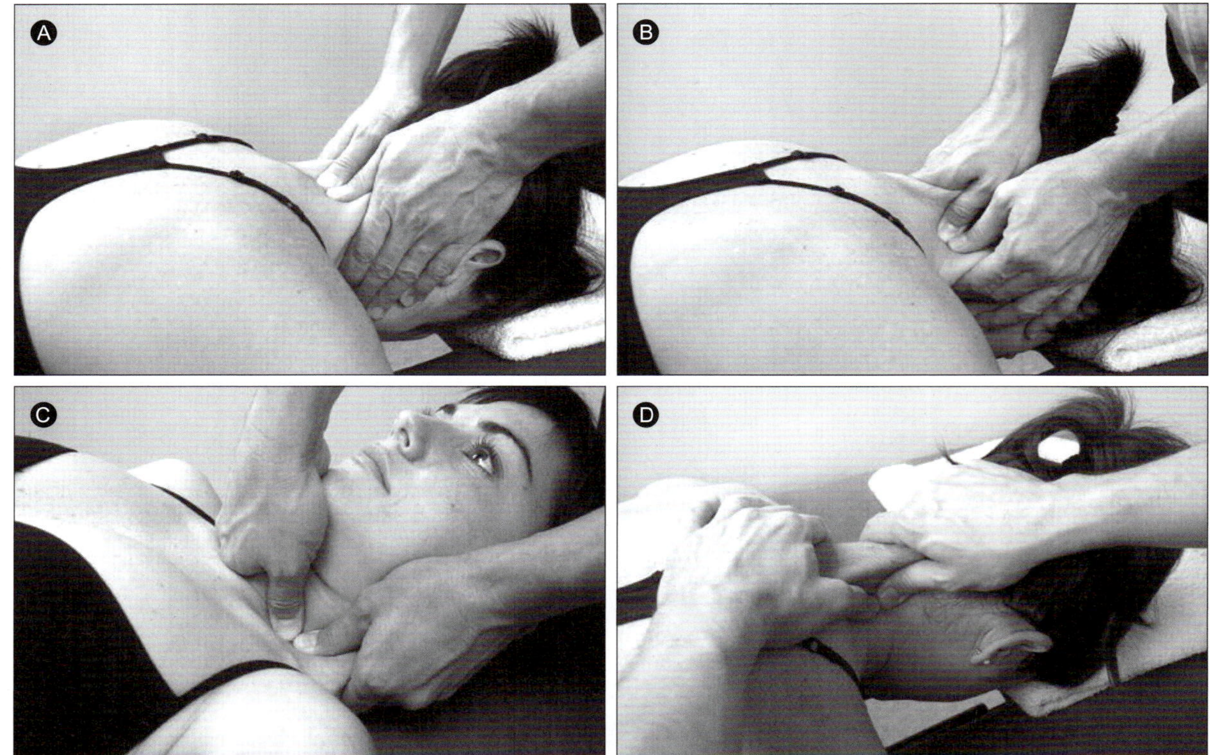

그림 8-26 ■ 부수적 움직임: 후전방 중앙 압박(A); 후전방 일측 압박(B); 전후방 편측 압박(C); 및 횡돌기(D)에 측면으로 적용되는 횡단 압박.

- 관절 움직임의 이상 특성을 정의한다.
- 관절 움직임에 이상이 있는 관련 부위를 식별한다.
- 가장 적합한 치료 유형을 선택한다.

부수적 움직임은 전체 움직임의 호를 따라 부수적이고 점진적으로 수행된다.

이 움직임을 하는 동안 물리치료사는 다음에 관한 정보를 얻어야 한다:

- 움직임의 질.
- 움직임 량.
- 움직임 중 증상의 행동
- 움직임 호의 끝과 도중에 발견되는 저항.
- 근육 경련의 발생.

증상의 기원이 의심되는 관절에는 부수적 움직임이 적용된다. 부수적 움직임을 검사한 후 치료사는 그러한 평가가 환자의 임상 상황에 미치는 영향을 평가할 수 있다.

경추에 사용되는 부수적 추간 움직임은 다음과 같다:

- 극돌기에 적용된 후전방 중심 움직임(그림 8-26A).
- 후방 관절주에 적용된 후전방 일측 움직임(그림 8-26B).
- 횡돌기의 전방 부분에 적용되는 전후방 일측 움직임(그림 8-26C).
- 극돌기에 측면으로 가해지는 횡단 움직임(그림 8-26D).

특정 검사(Specific tests)

경추 검사에서는 일반적으로 치료사가 환자의 증상을 유발하는 구조와 임상 상태를 결정하는 데 도움을 주기 위해 일련의 특수 검사가 사용된다.

이 섹션에는 다음 검사가 포함된다:

- ***관절 완전성 검사:*** 이 검사는 특히, 두개경추 영역의 경추의 안정성을 평가한다(2권 5장 및 6장 참조). 불안정성이 의심되는 경우 주관적인 검사(예: 외상성 전례 또는 염증성 관절병증) 후에 시행한다(그림 8-27). 후자의 결과로 인한 부작용을 피하기 위해 항상 물리적 평가 전에 수행해야 한다.
- ***경추동맥의 기능검사:*** 특히 두개경추에서 도수치료 전에 반드시 수행해야 한다(2권10장 참조).
- ***흉곽출구 검사:*** 이 검사는 이 해부학적 영역의 신경혈관 압박을 감지하는 데 사용된다(2권 3장 참조).

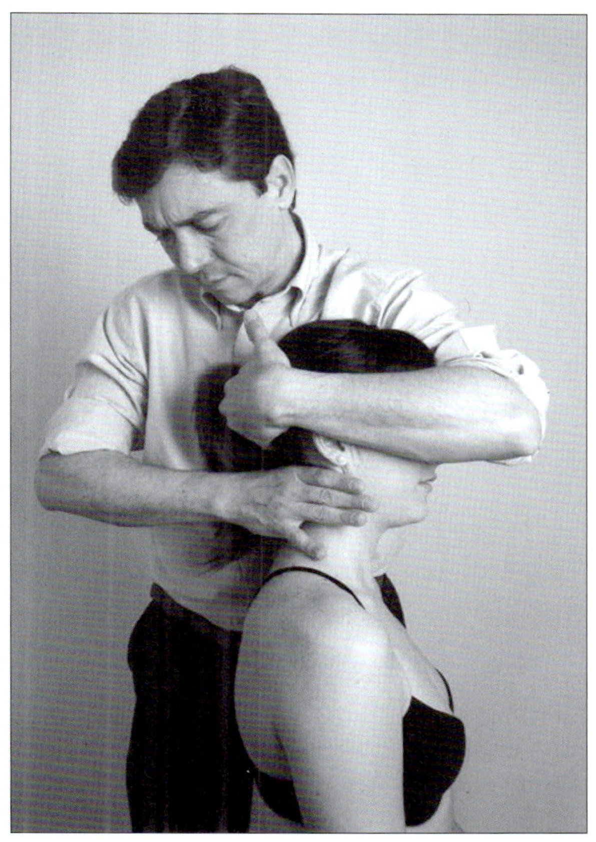

그림 8-27 ■ 횡인대의 완전성 검사

신경근 조절 평가 (Evaluation of neuromuscular control)

근육 병태생리학 및 관절 안정성에서 근육의 역할과 관련된 여러 연구의 발전은 해부학적 측면보다는 기능적 측면을 기반으로 근육 분류를 확립하는 데 도움이 되었다. 강한 표재 근육이 높은 진폭의 움직임을 담당하는 반면, 심부 근육은 관절 분절 안정화 역할을 하는 것으로 보인다. 관절 통증에 대한 이들 근육의 반응에는 차이가 있다. 활성화가 증가하고 신전성[82-84]이 변경되는 경향이 있는 표재 근육과 달리, 심부 근육은 억제되어 관절 통증[82,85-91]과 함께 변경된 이동 패턴을 보인다. 만성 목 통증[92-94]이 있는 환자의 후두하 근육에서 위축 및 지방 침윤과 함께 퇴행성 변화도 관찰되었다. 이러한 신경근 조절의 모든 결손은 13장에서 설명한다.

기능 그룹에서 제안된 근육 분류 중 하나는 Comerford와 Mottram[95,96]에 의해 설명되었으며 이는 근육을 국소 안정근, 전체 안정근 및 전체 가동근으로 나눈다. 각각은 특정한 기능을 가지고 있다. 따라서 예를 들어, 척추에서 국소 안정근은 분절간 안정성을 보장한다. 그렇기 때문에 그들은 낮은 수축 레벨을 유지하며 동시에 관절 움직임의 방향과 독립적이고 연속적이다. 국소 안정근의 기능장애는 억제의 형태로 나타난다. 반면에 전체 안정근은 특정 이동 방향에 따라 활성화되며 주로 편심 이동 제어 및 회전 제어를 담당한다. 그들의 기능장애는 관련된 연장 및 약화로 나타난다.

마지막으로, 전체 가동근은 동심원의 움직임을 담당하며 부과된 움직임의 방향에 따라 활성화된

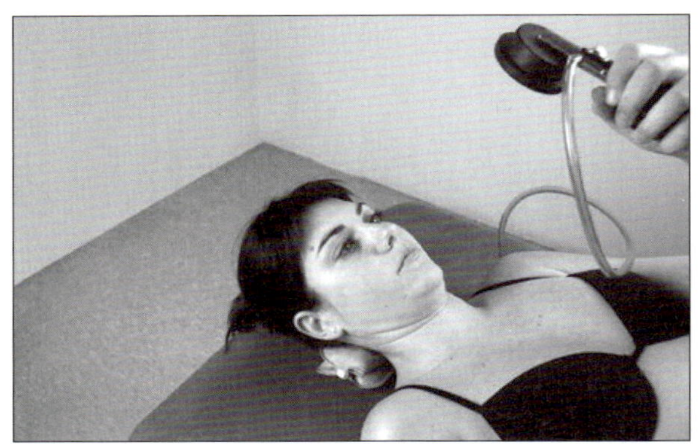

그림 8-28 ■ 압력 바이오피드백을 사용한 두개경추 굴곡 검사.

다. 이들의 기능장애는 단축과 과다행동으로 나타난다.[97] 이러한 경추 근육의 기능적 분류는 2장에서 논의된다.

신경근 조절의 평가는 Jull 등[98](그림 8-28)에 설명된 대로 두개경추 굴곡과 같은 특정 검사를 통해 또는 환자에게 기능적 움직임을 수행하도록 요청함으로써(13장 및 2권 5장, 6장 참조) 달성된다(그림 8-29 및 8-30).

신경학적 검사(Neurological test)

신경계의 평가는 두 부분으로 나뉜다:

- *신경학적 검사*를 통한 신경계의 기능적 변화 평가.
- *신경역학적 검사*를 통한 신경 기계감각 평가.

신경학적 검사

신경학적 검사는 충동 전달 역할에 필요한 신경계의 기능적 완전성(integrity)을 평가한다. 이것은 다음을 구성한다:

- 경추 및 경완신경총의 신경학적 검사.
- 경추 척수병증 징후 및 상부 움직임 뉴런 침범 검사.

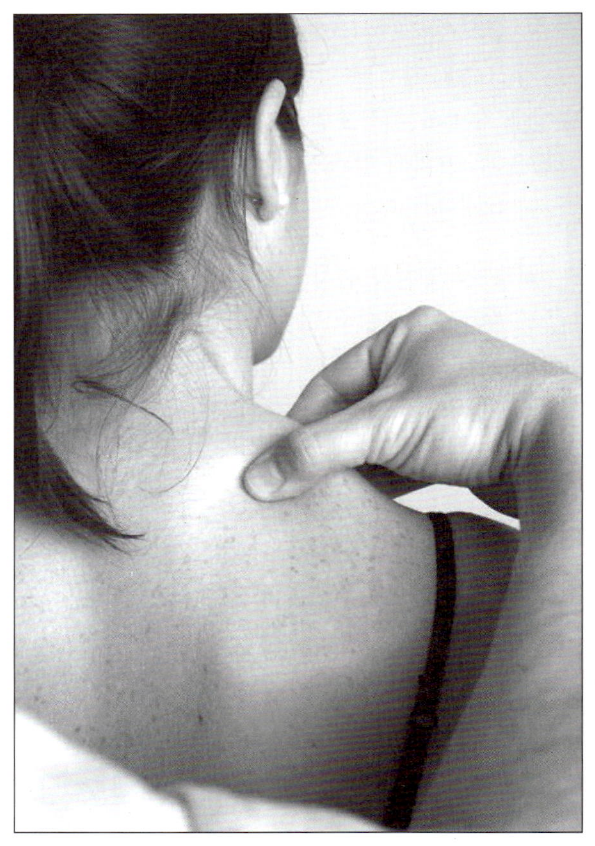

그림 8-29 ■ 중립 위치에서 신전 위치로의 능동적 움직임 평가.

경추 및 경완신경총의 신경학적 검사. *경추 및 경완신경총 신경학적 검사*는 경추 신경근병증의 진단에 중요하다(2권 1장 참조). 3개의 섹션으로 구성되어 있다:

- 감각도 검사.
- 움직임 기능 검사.
- 심부힘줄반사 평가.

*감각도*는 피부분절 검사를 통해 평가된다. 각 신경근에 해당하는 피부 부위에서 환자의 눈을 감고 면봉을 사용하여 피부 감각도 검사를 수행한다(그림 8-31).

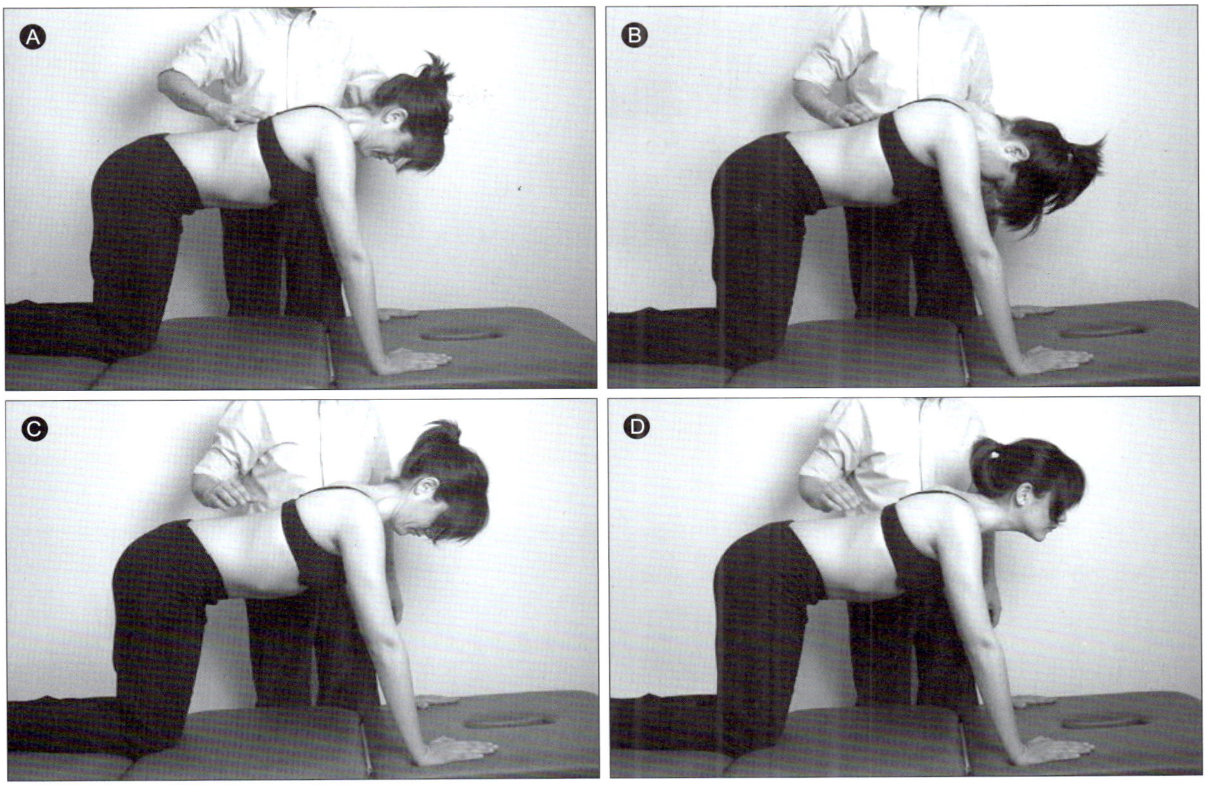

그림 8-30 ■ 경추 신전근 검사. (A) 10초 동안 경추를 중립 위치에 유지한다. (B) 경추의 제어된 굴곡. (C) 중립 위치로 돌아간다. (D) 표재 신전근의 과도한 활성화.

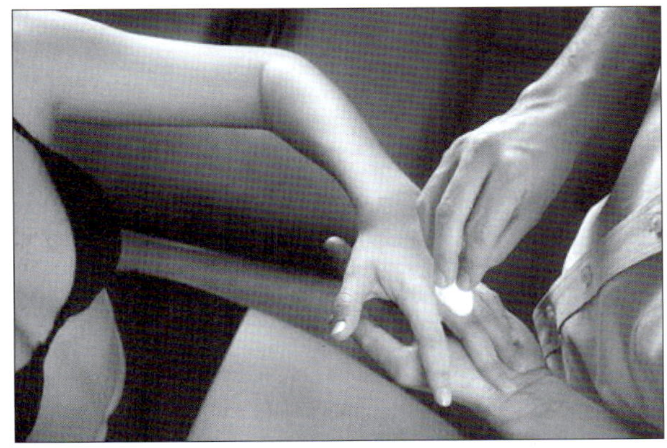

그림 8-31 ■ 피부 감각도 평가.

환자는 자극이 적용되는 시기와 장소를 치료사에게 알려야 한다. 이러한 자극은 환자가 어떤 영역이 자극될지 예측하지 못하도록 불규칙해야 한다. 촉각 감각도 외에도 두 점 식별능력 검사, 진동 감도, 열 감각 분석, 고유감각 또는 입체 인식과 같은 다른 유형의 검사를 수행할 수 있다.

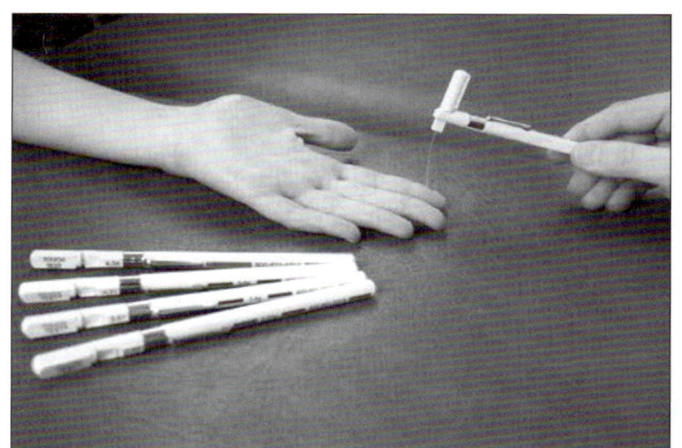

그림 8-32 ▪ Semmes-Weinstein 모노필라멘트를 사용한 감각도 평가.

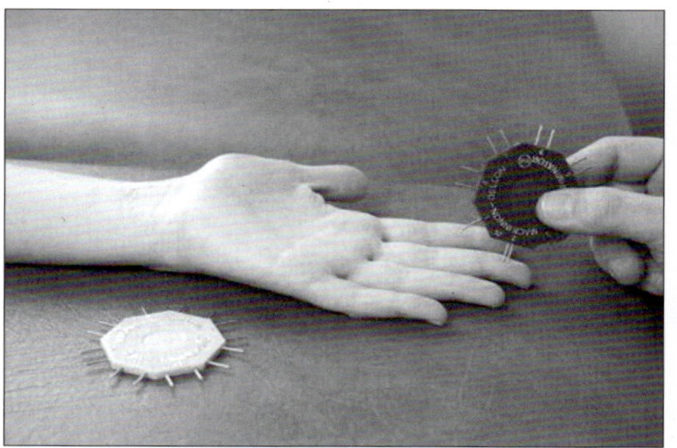

그림 8-33 ▪ Disk-Crimminator 선별기를 사용한 두 점 식별능력 검사.

감각도 평가는 *Semmes-Weinstein* 모노필라멘트(그림 8-32)와 *Disk-Criminator* 선별기(그림 8-33)로 두 지점 사이의 구별을 통해 달성할 수 있다.

감각도 평가는 치료사가 신경근과 말초신경의 피하 분포에 대한 철저한 이해를 필요로 하며, 이를 통해 말초신경 손상과 신경근 현상을 구별할 수 있다.

강도를 평가하기 위해 근육을 중간 위치에 놓고 환자에게 임상의가 가하는 힘에 대해 몇 초 동안 등척성 수축을 유지하도록 요청한다. 대부분의 근육은 하나 이상의 신경근에 의해 신경지배를 받으므로 근육 약화를 입증하기 위해 반복적인 근육 수축이 필요할 수 있음을 상기해야 한다. 그 신경근이 지배하는 모든 근육이 영향을 받는 신경근 손상과 해당 신경에 해당하는 근육만 약해지는 말초신경 손상 사이에는 차이가 있다. 근육분절과 말초신경의 신경지배 영역에 대한 지식은 감별진단을 가능하게 한다(표 8-2).

자마 악력계는 악력(그림 8-45)과 키 핀치(그림 8-46) 및 펄프 핀치(그림 8-47)를 수행하는 데 필요한 강도를 정량화하는 데 사용할 수 있다.

골건 반사의 평가는 치료사에게 관련 정보를 제공할 수 있다. 반사 반응의 증가는 상부 움직임 뉴런의 손상을 나타낼 수 있다. 그러나 신경근병증에서는 그 신경근과 관련된 심부힘줄반사의 감소 또는 결핍이 예상된다. 평가된 심부힘줄반사는 윗팔두갈래근(상완이두근)(C5 신경근)(그림 8-48), 경상노신경(C6 신경근)(그림 8-49) 및 윗팔세갈래근(상완삼두근)(C7 신경근)(그림 8-50)이다. 반사 반응이 스트레스나 불안과 같은 비병리학적 상황에 의해 변경될 수 있기 때문에 감각-움직임 변화를 동반하지 않을 때 반사의 단독 감소는 임상적 관련성이 부족할 수 있다는 점을 언급할 가치가 있다.

표 8-2

근육분절의 평가

신경근	강도 검사
C1	두개경추 굴곡 (그림 8-34)
C2	두개경추 신전 (그림 8-35)
C3	경추 측면굴곡 (그림 8-36)
C4	어깨 올림 (그림 8-37)
C5	어깨 외전 (그림 8-38)
C6	팔꿈치 굴곡 (그림 8-39)/손목 굴곡 (그림 8-40)
C7	팔꿈치 신전 (그림 8-41)
C8	엄지 신전 (그림 8-42)/손가락 굴곡 (그림 8-43)
T1	손가락 외전 (그림 8-44)

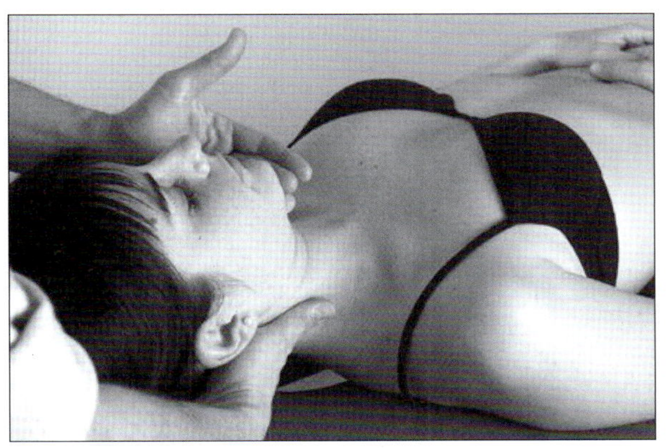

그림 8-34 ■ 두개경추 굴곡을 동반한 C1 근육분절의 평가

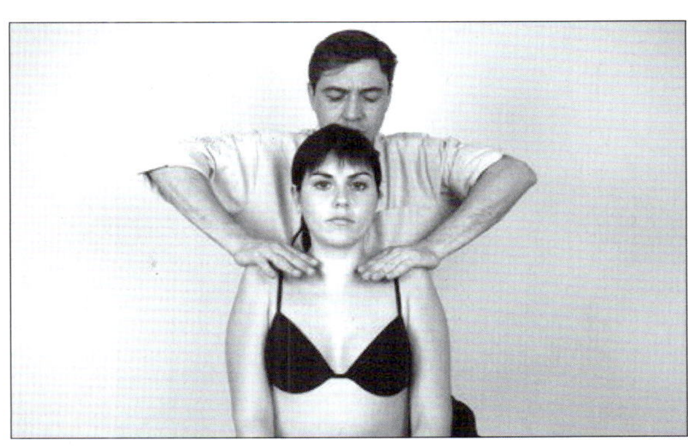

그림 8-37 ■ 어깨 올림을 동반한 C4 근육분절의 평가

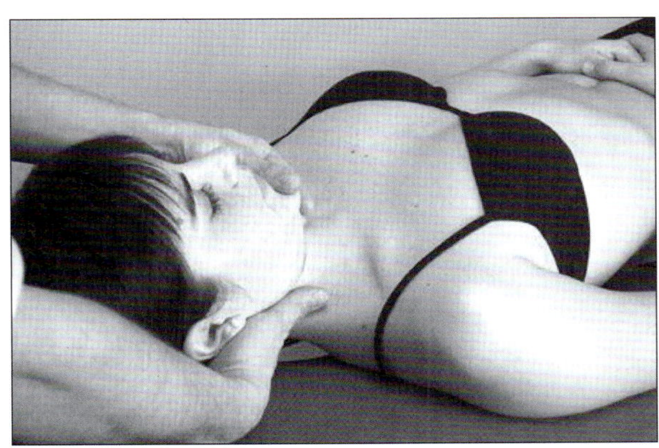

그림 8-35 ■ 두개경추 신전을 동반한 C2 근육분절의 평가

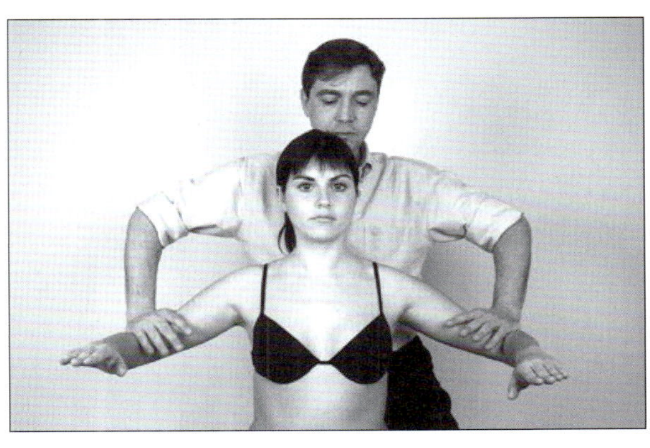

그림 8-38 ■ 어깨 외전을 동반한 C5 근육분절의 평가

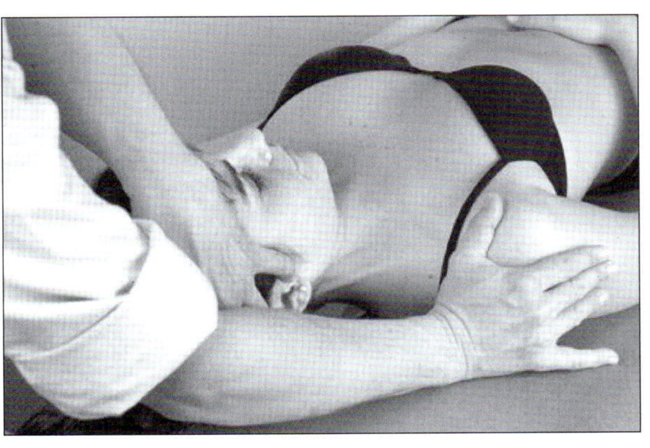

그림 8-36 ■ 경추 측면굴곡을 동반한 C3 근육분절의 평가

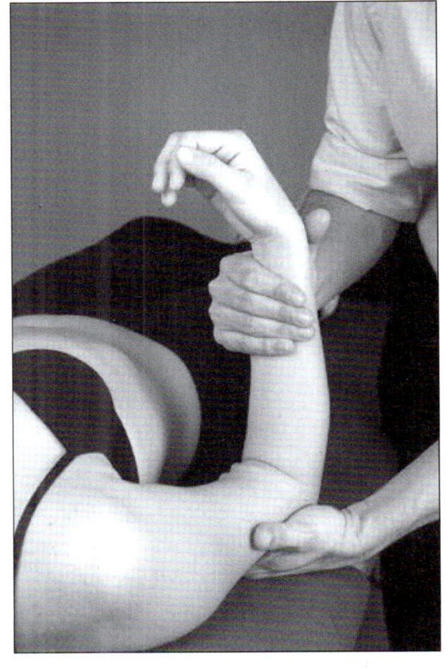

그림 8-39 ■ 팔꿈치 굴곡을 동반한 C6 근육분절의 평가

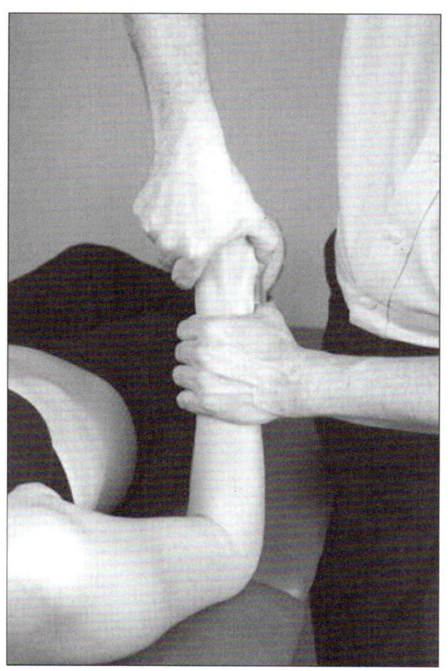

그림 8-40 ▪ 손목 신전을 동반한 C6 근육분절의 평가

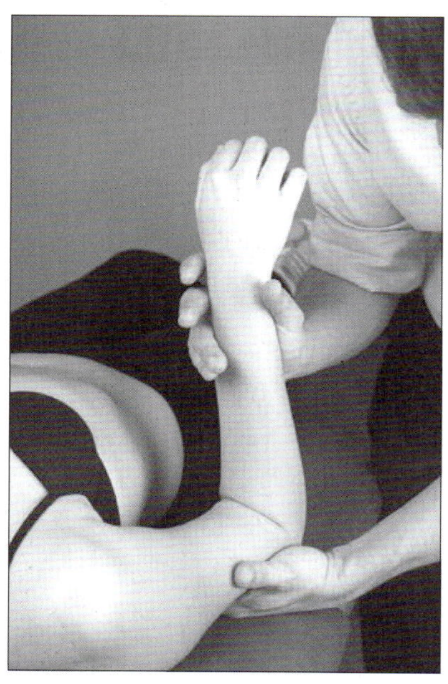

그림 8-41 ▪ 팔꿈치 신전을 동반한 C7 근육분절의 평가

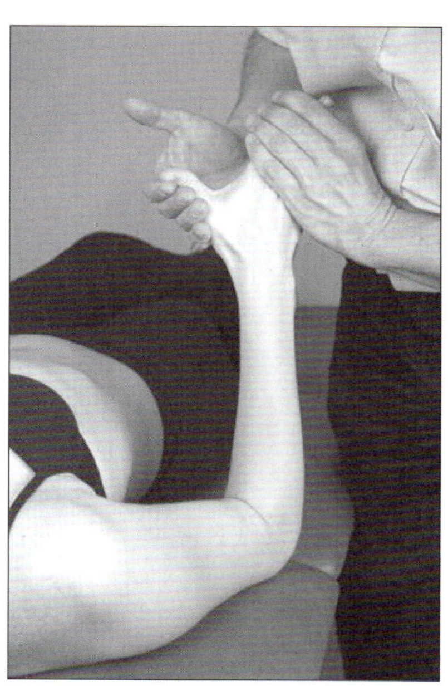

그림 8-42 ▪ 엄지 신전을 동반한 C8 근육분절의 평가

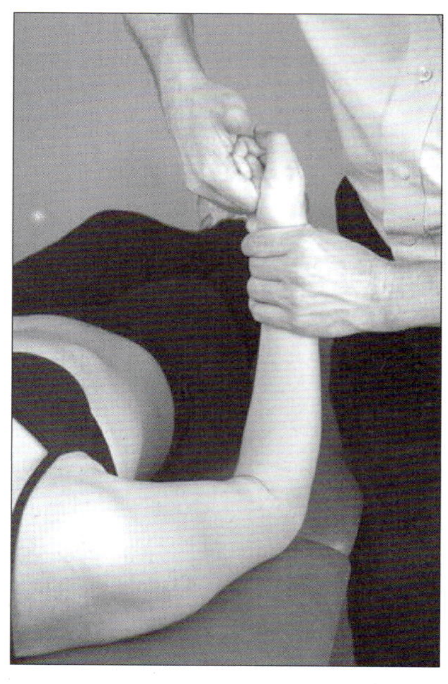

그림 8-43 ▪ 손가락 굴곡을 동반한 C8 근육분절의 평가

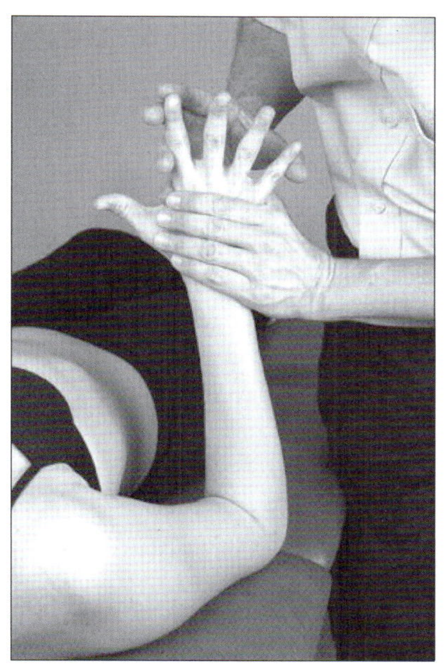

그림 8-44 ▪ 손가락 외전을 동반한 T1 근육분절의 평가

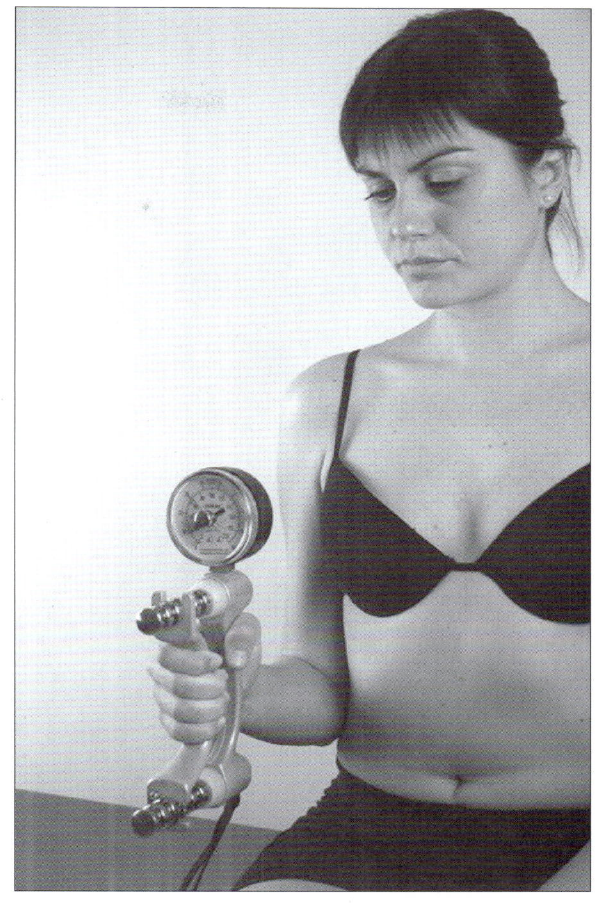

그림 8-45 ▪ 자마 악력계를 사용한 그립 강도 평가.

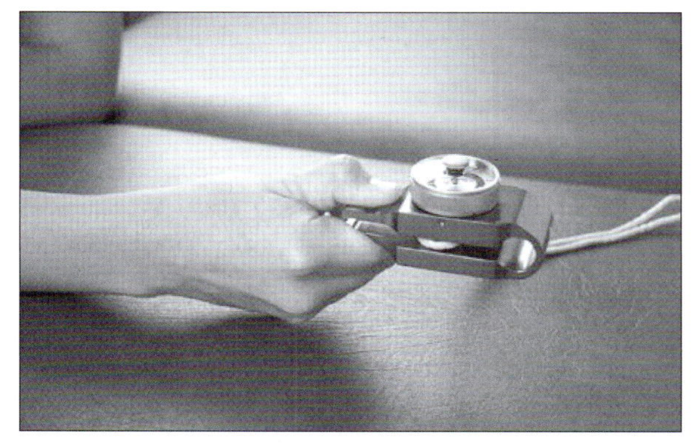

그림 8-46 ▪ 자마 악력계를 사용한 키 핀치 강도 평가.

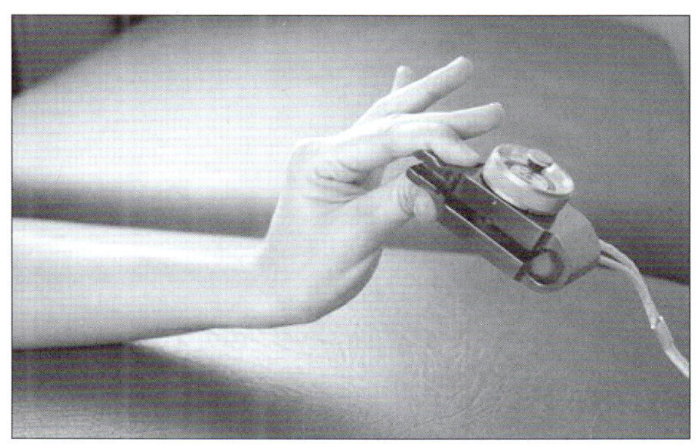

그림 8-47 ▪ 자마 악력계를 사용한 펄프 핀치 강도 평가.

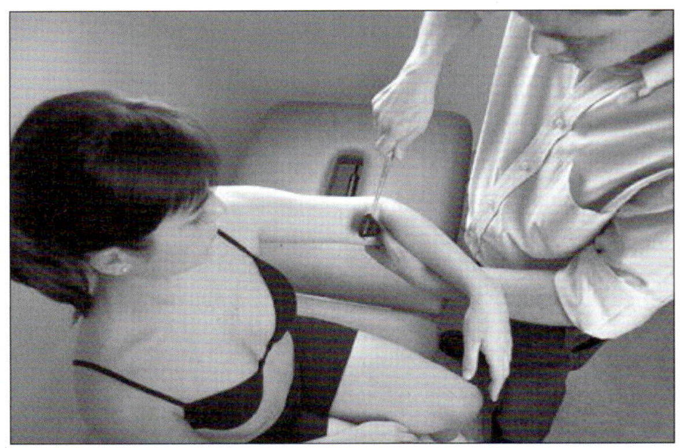

그림 8-48 ■ 상완두갈래근 반사 평가(C5).

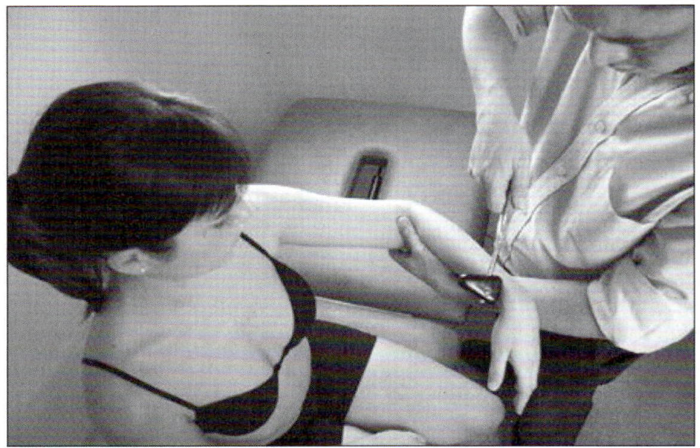

그림 8-49 ■ 경상노신경 반사 평가(C6).

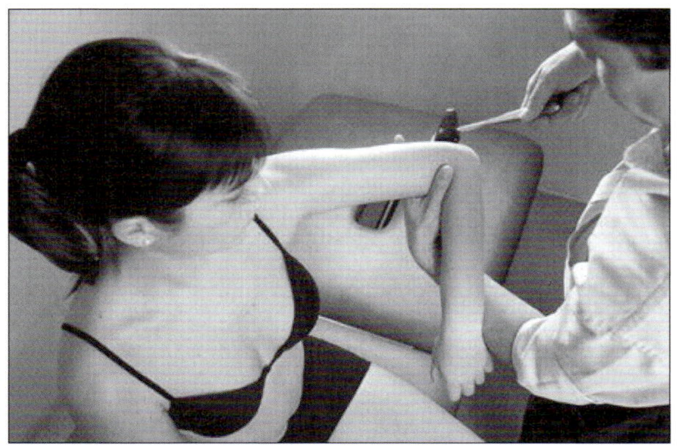

그림 8-50 ■ 상완세갈래근 반사 평가(C7).

뇌신경의 특정 검사
(Specific examination of the cranial nerves)

환자의 신경학적 평가 시, 특히 경두부 영역에 영향을 미친 외상 후에는 뇌신경을 평가해야 한다. 여러 연구에서 얻은 결과를 바탕으로 경추의 편타 손상을 입은 환자의 비율이 중추신경계(CNS)에서 어느 정도의 손상을 보이는 것으로 추정된다.[99,100] 일반적으로, 손상 수준은 낮고 주로 뇌간에 영향을 미친다.

마찬가지로, 척추 동맥의 손상은 경추 외상에 의해 유발될 수 있으며 뇌신경 기능의 변화로 나타날 수 있다. 그러나 영향을 받은 뇌신경에서 파생된 증상은 몇 가지 예로, 뇌진탕이나 뇌 외상, 종양 과정 또는 신경 장애와 같은 다른 원인이 있을 수 있다. 뇌신경 평가 결과가 양성이면 임상의는 문제의 원인을 정확하게 파악하기 위해 환자를 신경과 전문의에게 의뢰해야 한다.

후각 신경(I). 이 신경은 때때로 얼굴 충격의 결과로 손상된다. 환자는 후각을 잃거나(후각상실), 이 감각이 냄새에 대한 인식 증가로 인해 변화를 겪을 수 있다(이상후각). 이 신경을 평가하기 위해 환자는 눈을 가리고 한쪽 콧구멍을 덮는다. 그런 다음 치료사는 예를 들어, 환자가 냄새를 식별할 수 있도록 열린 콧구멍 아래에 비누 막대를 놓는다. 그 후, 다른 콧구멍에도 동일한 절차를 반복하고 환자에게 품목이 변경될 것이라는 말을 한다.(물론 동일한 비누 막대기가 사용된다.) 환자가 다른 냄새를 식별하면 검사는 양성이다(그림 8-51).

이 뇌신경의 검사는 중추신경계의 현저한 변화를 거의 드러내지 않는다. 검사 중 반응 감소가 상기도 폐쇄로 인한 것일 수 있으므로 결과를 평가하기 어려운 경우가 많다.

시신경(II). 척추뇌저계는 외측슬상체의 관개와 후두엽의 시신경 방사선(geniculocalcarine fascicle, 슬상조거 다발) 및 시각 피질을 담당한다. 임상 실습에서 임상의는 두 가지 문제에 직면한다. ***반맹***(시야의 절반 손실) 또는 ***사분맹***(시야의 1/4 손실).

그림 8-51 ■ 제1 뇌신경(후각 신경)의 평가.

또한 척추뇌저부전증 환자가 자주 경험하는 다른 증상으로는 흐린 시력과 복시가 있다. 검사는 대면 시야 검사를 통해 진행된다.

치료사와 환자는 서로 마주보고 앉아 같은 높이에 눈을 맞추고 처음에는 서로의 눈을 쳐다본다. 물리치료사는 측면 시야에 물체를 소개하고 환자에게 머리를 움직이지 않고 시각적으로 물체를 인지할 때 말하도록 한다. 치료사는 측면 지표에서 결핍을 찾기 위해 환자의 시야를 자신의 시야와 비교한다(그림 8-52).

내측 시야를 평가하기 위해 환자와 치료사 모두 한쪽 눈을 가린다(반대 눈, 즉 치료사의 오른쪽 눈과 환자의 왼쪽 눈). 그런 다음 치료사는 내측 영역

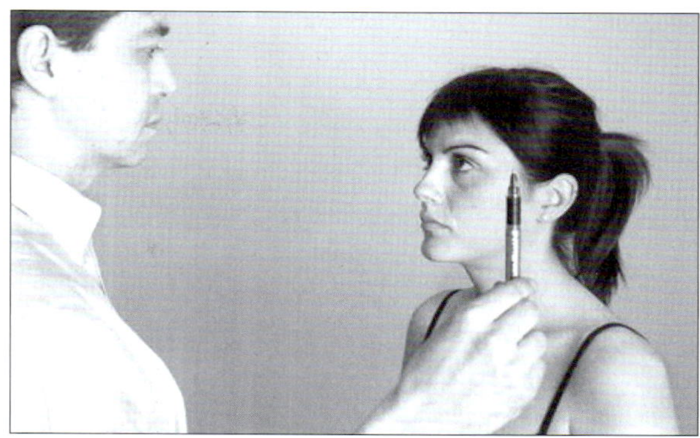

그림 8-52 ■ 제2 뇌신경(시신경)의 평가. 대면 시야 검사: 측면 지표의 평가.

에 새로운 대상을 점진적으로 도입하여 환자가 인식할 때 표시하도록 요청한다. 이러한 방식으로 중간 필드의 가능한 결손을 감지할 수 있다.

눈돌림(동안)신경(III), 도르래(활차)신경(IV), 및 갓돌림(외전)신경(VI). 평가는 두 부분으로 나뉜다. 한편으로는 빛에 반응하는 동공의 능력(III)이 평가되고, 다른 한편으로는 움직이는 물체를 따라가는 눈의 능력, 즉 뇌신경 IV와 VI가 공유하는 능력이 평가되어야 한다. 영향을 받은 뇌신경 III의 증상 중 하나는 복시와 광선공포증이다.

동감반사 평가. 두 동공의 일치 원리(한 동공은 다른 동공이 수행하는 작업을 반영)에 따라 다음 검사를 수행한다. 환자가 앉아 있는 동안 지나치게 밝은 조명 없이 양 동공의 대칭성을 관찰하여 두 동공의 크기가 동일한지(등색성) 또는 크기가 다른지(비등색성) 확인한다. 그런 다음 환자의 눈 중 하나를 가리고 덮지 않은 눈을 관찰한다. 이것은 빛의 부족에 적응하기 위해 동공이 신전된 덮인 눈처럼 행동해야 한다. 그 후 가려졌던 눈이 풀리면 다른 동공이 수축한다(그림 8-53). 이 절차를 다른 쪽 눈으로 반복하고 동공 행동의 비대칭 가능성을 평가한다.

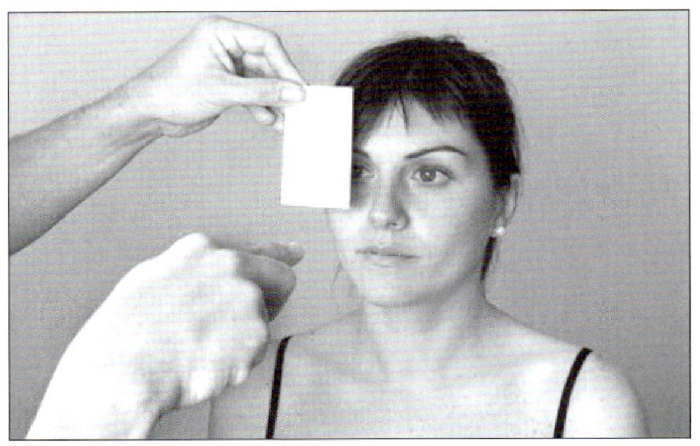

그림 8-53 ■ 제3(눈돌림[동안]신경), 제4 (도르래[활차]신경) 및 제6(갓돌림[외전]신경) 뇌신경의 평가: 동감 반사.

순조로운 추적 평가. 환자는 앉고 치료사는 0.5미터 거리에서 물건을 들고 앞에 서 있는다. 환자에게 머리를 움직이지 않고 움직이는 물체를 따라가도록 요청한다. 물리치료사는 H(수직 및 수평)를 만들면서 물체를 천천히 움직인다(그림 8-54). 물체는 생리학적 눈떨림의 출현을 방지하기 위해 중앙선에서 측면으로 45° 이상 움직이지 않아야 한다. 눈떨림 또는 획보기 안구움직임의 존재 및 어지러움, 현기증, 복시 등과 같은 증상의 재현을 평가한다.

도르래(활차)신경(IV). 제4 뇌신경은 눈을 하강하게 만드는 상사근의 신경지배를 담당한다.
이 뇌신경이 영향을 받으면 복시가 나타날 수 있다. 평가는 제3 뇌신경과 동일한 방식으로 수행된다.

삼차신경(V). 삼차신경이 영향을 받으면 특히 상악 및 하악 가지에 해당하는 감각 부위에 안면 감각 이상이 나타날 수 있다. 또한 삼차 신경이 고막긴장근을 신경지배하기 때문에 청각과민을 유발할 수 있다. 검사 시에는 삼차신경의 감각 부위가 측면에 중첩되어 있으므로 환자의 얼굴 중앙에 바늘을 사용하여 감각 검사를 시행한다(그림 8-55). 무감각 또는 감각저하의 존재가 결정된다.

삼차신경의 감각 기능을 평가하는 가장 정확한 검사는 각막반사이다. 이 반사의 감각은 삼차신경(Ⅴ)의 안과적 신경갈래이고, 운동은 얼굴신경(Ⅶ) 속한다. 환자는 양쪽 눈을 뜨고 한쪽을 바라보고, 임상의는 반대쪽에서 면봉 끝으로 부드럽게 각막을 건드린다(그림 8-56). 환자가 두 눈으로 깜박이면 반응이 정상으로 간주된다. 안신경이 손상되면 반응이 나타나지 않는다. 부상이 얼굴신경에 영향을 미치는 경우 부상의 측면에서 반응이 보이지 않지만 부상당하지 않은 눈은 깜박인다.

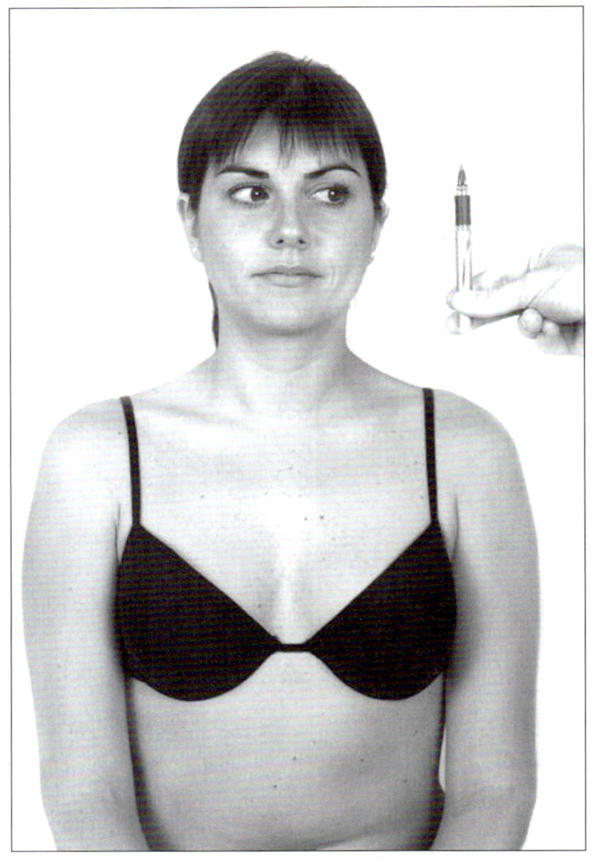

그림 8-54 ■ 세 번째(눈돌림[동안]신경), 네 번째(도르래[활차]신경) 및 여섯 번째(갓돌림[외전]신경) 뇌신경의 평가: 순조로운 추적.

물리치료사가 이 근육의 긴장을 촉진하는 동안 환자에게 관자근 및 교근을 수축하도록 요청할 수도 있다(가능한 한 이를 세게 물음으로써).

그림 8-55 ■ 제5뇌신경(삼차신경) 평가: 안면 피부 감각 평가.

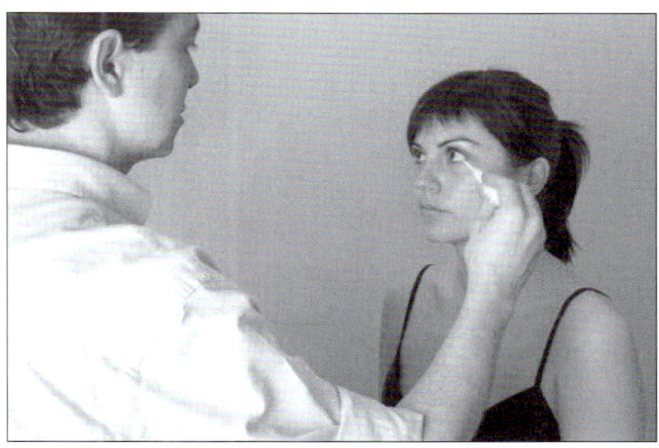

그림 8-56 ■ 제5 뇌신경(삼차신경) 평가: 각막 반사.

갓돌림(외전)신경(VI). 제6뇌신경은 눈을 바깥쪽으로 향하게 하는 외측직근을 지배한다. 제6신경의 마비 또는 감각이상은 눈을 확산할 수 없고 복시를 유발할 수 있다. 이 평가는 제3, 제4 뇌신경과 함께 시추적검사로 시행한다.

얼굴 신경(VII). 얼굴 신경은 표정 근육, 등골근 및 혀의 앞쪽 부분을 자극한다. 제7 뇌신경의 변화는 쓴맛이나 금속성 맛, 영향을 받은 등골근에 의한 고통스러운 청각과민 및 표정의 변화의 형태로 나타난다. 평가 시 환자에게 눈썹을 올리고 눈을 감고 미소를 지으라고 요청하고(그림 8-57 A 및 B), 안면근육 표현의 비대칭 가능성이 관찰된다.

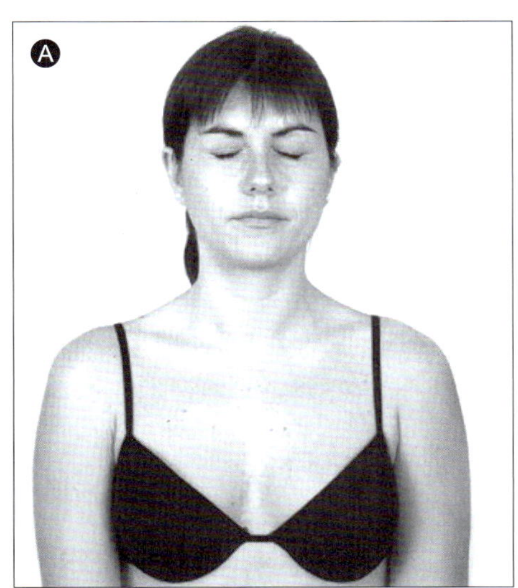

그림 8-57 ■ 제7 뇌신경(얼굴) 평가: 눈감기(A)및 미소(B).

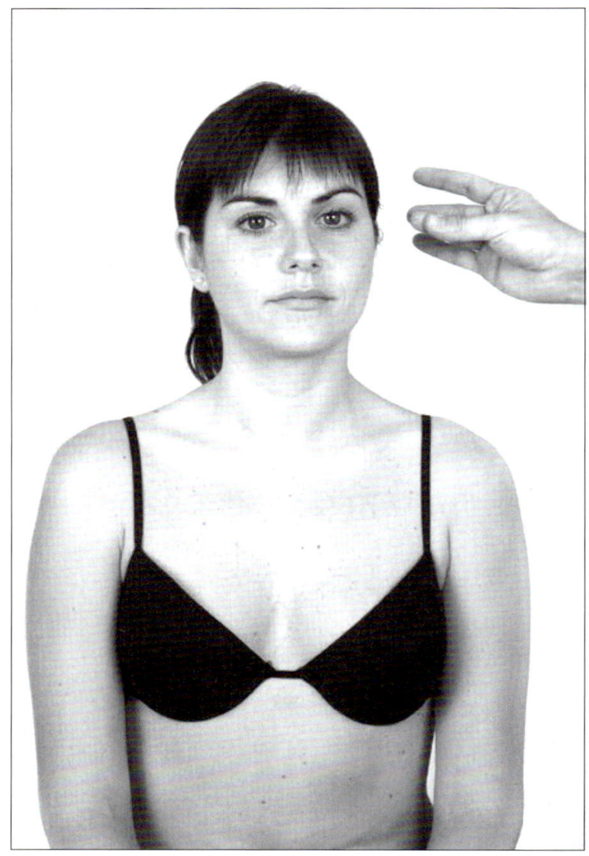

그림 8-58 ■ 제8 뇌신경(속귀)의 평가.

***속귀 신경**(VIII).* 이 신경은 청각을 담당하는 달팽이관 부분과 균형을 담당하는 전정 부분의 두 가지 기능 부분으로 구성된다. 청력을 평가하기 위한 간단한 검사는 손가락을 서로 비비거나 문지르거나 환자의 귀에서 같은 거리에 종이를 구겨서 환자에게 청력을 통해 감지된 가능한 차이를 보고하도록 요청하는 것이다(그림 8-58).

같은 방식으로 환자에게 이명의 존재, 배경 소음이 있을 때 대화를 따라가기 어려움, 청력 문제로 인해 전화를 귀에서 귀로 바꾸는 것에 대해 어려움이 있는지 질문해야 한다. 제8 뇌신경은 현기증(회전하는 움직임의 착각) 또는 진동시각(선형 움직임의 착각)의 영향을 받을 수 있다. 전정 기능의 임상 평가

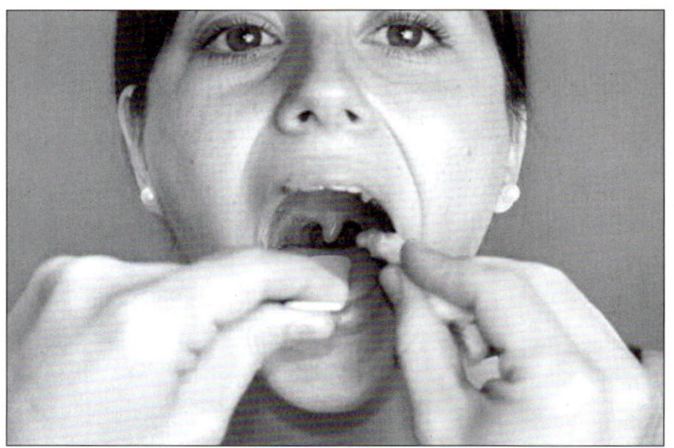

그림 8-59 ■ 제9 뇌신경(혀인두) 평가: 구역반사.

검사는 복잡하며 부분적으로 2권 8장에 자세히 설명되어 있다.

***혀인두신경**(IX).* 혀인두신경의 변화는 구음장애, 연하곤란 또는 미각장애와 같은 증상으로 나타난다. 혀인두신경(IX)의 검사는 구역반사를 평가하여 수행할 수 있다. 혀인두신경(IX)은 구역반사의 구심성 신경 분포를 담당하고 미주신경(X)은 원심성 신경 분포를 담당하므로 두 뇌신경을 평가하는 데 사용할 수 있다. 검사는 설압자로 혀를 눌러 작은 면봉으로 양쪽의 인두 측벽을 가볍게 터치하여 수행한다(그림 8-59). 일반적으로, 이 검사는 구역반사를 유발하며 연구개는 대칭적으로 올려야 한다.

***미주신경**(X).* 미주신경의 변화는 메스꺼움, 질병 또는 목소리의 변화(발음 장애)를 유발할 수 있으며, 이는 쉰 목소리로 거칠어진다. 미주 신경 기능의 평가는 환자에게 입을 벌리고 '아'라고 말하게 하여 수행된다. 임상의는 목젖과 연구개가 대칭적으로 올라가야 하는지 관찰해야 한다.

***더부신경**(XI).* 더부 신경에는 감각 구성 요소가 없다. 움직임 요소는 어깨거상검사(등세모근) 및 경추 회전(목빗근[흉쇄유돌근, SCM])으로 등세모근(승모근, trapezius)과 목빗근(SCM)의 강도를

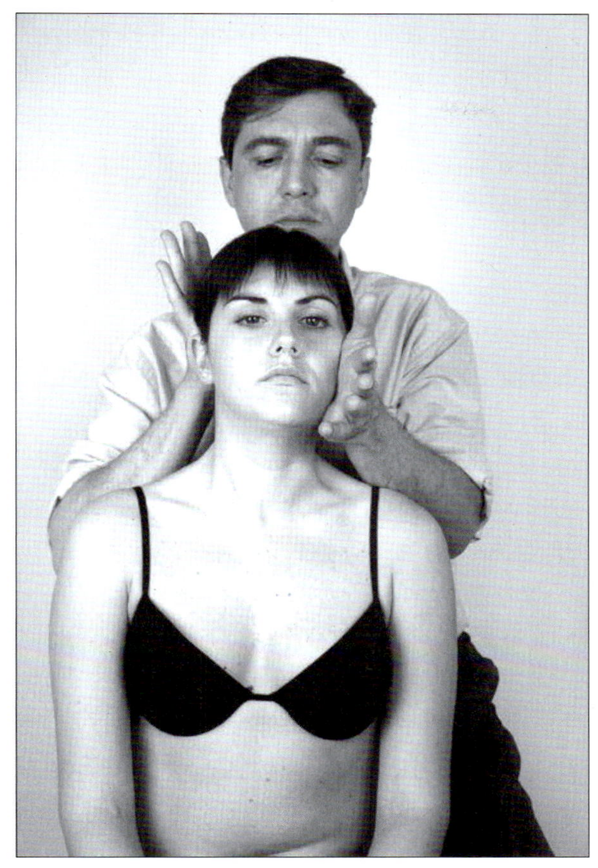

그림 8-60 ■ 11번 뇌신경(더부) 평가: 경추 회전이 있는 ECOM에 대한 강도 검사.

그림 8-61 ■ 12번 뇌신경의 평가(혀밑).

검사하여 평가된다(그림 8-60).

혀밑 신경(XII). 혀밑 신경의 변화는 연하 곤란, 구음 장애 및 혀 위축의 형태로 나타난다. 임상 실습에서 이 신경은 환자에게 혀를 내밀게 하고 치우침이 있는지 관찰하여 평가한다(그림 8-61).

경추 척수병증 징후 및 상부 움직임 뉴런의 변형 검사. 척수병증은 압박 아래에 있는 상부 움직임 뉴런의 변화와 척수 압박 레벨에서 하부 움직임 뉴런의 기능장애를 특징으로 한다. 상부 움직임 뉴런의 기능장애는 주로 경직 및 보행 변화의 형태로 표시된다. 하부 움직임 뉴런의 변화는 반사저하증 및 섬유화와 같은 감각-움직임 결핍 징후로 나타난다.

초기 임상 증상은 일반적으로 수동 능력의 감소와 균형 및 보행의 미묘한 변화이다. 단추를 잠그는 옷처럼 작은 물건을 다루기 어려운 것이 특징이다. 초기 단계에서 환자는 경직을 다리에 가해지는 압박감을 말한다. 의복에 닿는 것만으로도 통각과민과 같은 감각과민 형태의 감도 변화는 매우 빈번하다. 요실금과 성기능장애는 덜 빈번하지만 존재하는 경우 급성 증상과 관련이 있다.

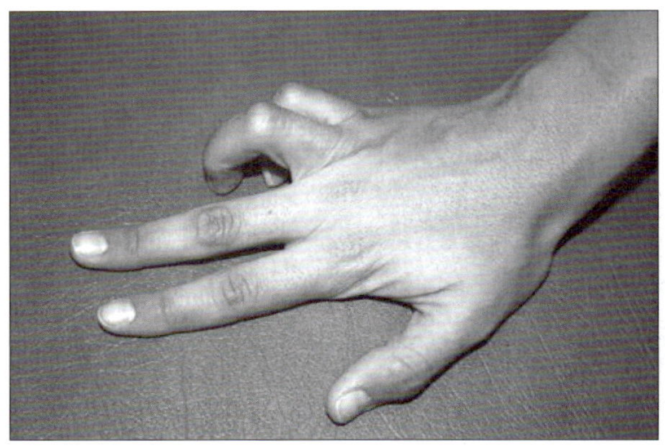

그림 8-62 ■ 수지도피 징후(Sign of finger escape).

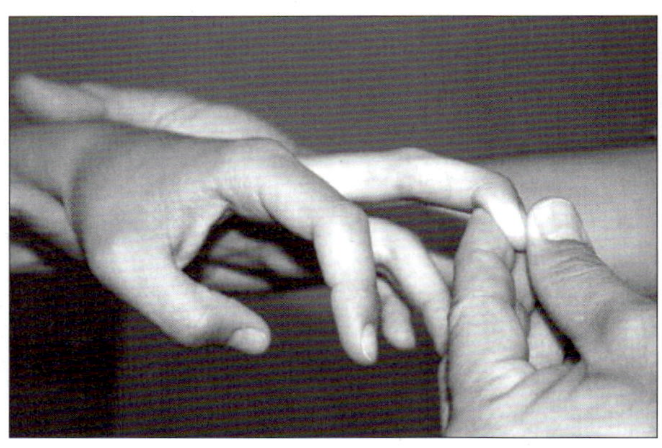

그림 8-64 ■ 호프만 징후(Hoffman's sign)

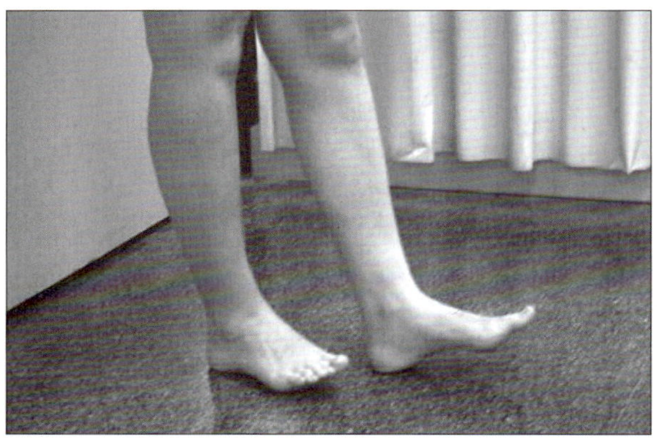

그림 8-63 ■ 발뒤꿈치로 걷기.

경직(spasticity)의 존재는 상지에서 감지되어야 한다. 환자가 손을 빠르게 쥐고 풀 수 있는 능력을 평가해야 한다. 이 징후는 환자에게 손가락을 신전시킨 상태를 유지하도록 요청함으로써 탐색되고, 약지와 새끼손가락을 구부리고 외전하면 양성이다(그림 8-62).

하지의 움직임 기능 평가는 환자에게 정상적인 보행, 발뒤꿈치에서 발끝까지, 발끝과 발뒤꿈치로 일직선으로 걷도록 하여 수행할 수 있다(그림 8-63).

감각도 변화는 척수 기능장애의 위치와 정도에 따라 크게 다르다. 상지의 통증과 이상감각이 가장 흔한 증상이다. 척수병증이 만성이거나 중증인 경우 깊은 접촉, 진동 및 고유수용성 감각도가 자주 상실된다.

롬버그 검사(Romberg's test)는 후방기둥(posterior column)의 변경으로 인한 고유감각 감각도의 변경을 평가하는 데 사용된다. 선택적으로 앞서 설명한 대로 환자에게 직선으로 걷도록 요청할 수 있다.

골건반사의 변화는 경추 척수병증 환자의 평가에 중요하다. 일반적으로, 하지에는 반사항진(hyperreflexia)이 나타난다. 반면에 상지의 반사는 척수 손상의 정도에 따라 반사저하 또는 반사항진일 수 있다.

경추 척수병증의 진단을 위해서는 호프만 징후, 견갑상완 반사, 바빈스키 징후 및 ***간대(clonus)***와 같은 특정 병리학적 반사의 출현을 탐색하는 것이 필수적이다.

호프만 징후(Hoffman's sign)는 상지의 상부 움직임 뉴런의 변화를 보여주는 데 유용하다. 이 징후는 환자 중지의 끝마디뼈를 빠르게 구부릴 때 유발된다. 엄지가 지간관절 레벨에서 구부러지면 검사는 양성이다(그림 8-64).

상부 경추(C1-C3)의 압박은 견갑상완 반사를 악화시킬 수 있다. 이 반사를 유발하기 위해 치료사는 어깨뼈가시의 가장자리 및 어깨뼈봉우리를 꼬리 방향으로 두드린다.

과민성 반사는 견갑골의 상승과 어깨의 외전을

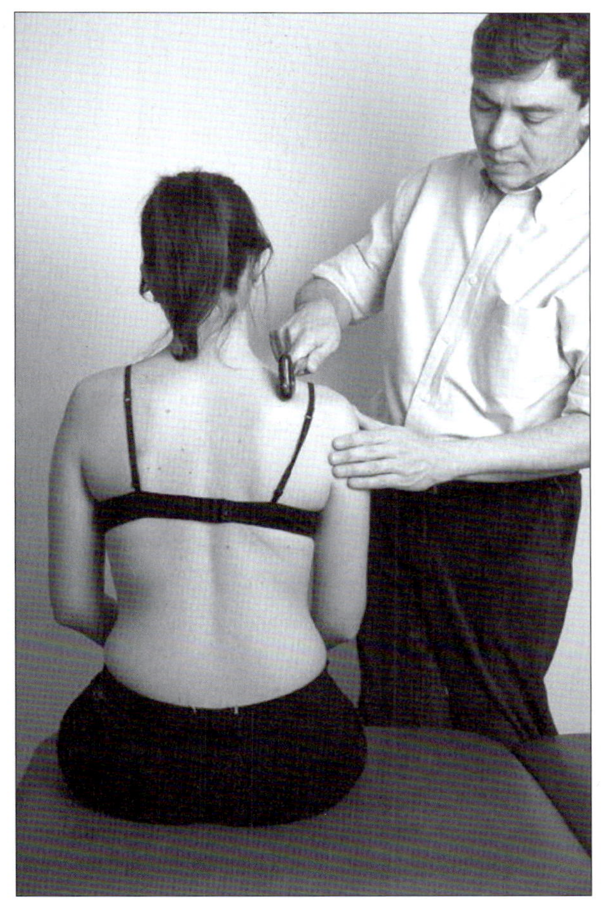

그림 8-65 ▪ 견갑상완 반사의 평가.

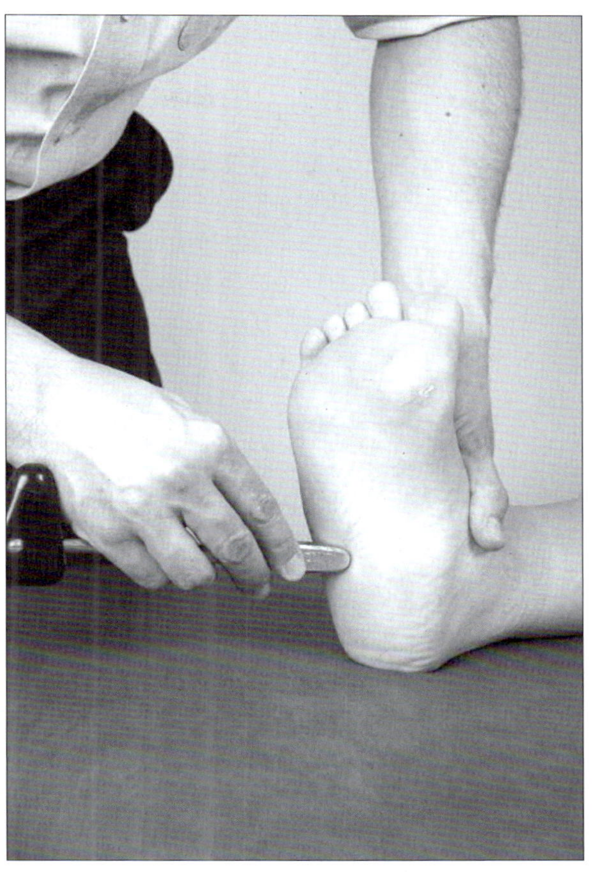

그림 8-66 ▪ 바빈스키 징후의 평가.

일으킨다(그림 8-65).

바빈스키 징후는 발바닥 표면에서 발의 측면 가장자리를 자극하여 탐색된다. 발가락의 굴곡에 의해 음성 반응이 나타난다. 양성 반응은 나머지 발가락의 분리와 관련된 첫 번째 발가락의 신전이다(그림 8-66).

척수의 압박을 나타내는 또 다른 징후는 러미츠 징후(Lhermitte's sign)이다. 환자가 앉는 동안 임상의는 수동적으로 환자 머리를 구부린다. 피험자가 척추에서 상지와 하지까지 이어지는 전기 충격 감각을 언급하는 경우 양성이다(그림 8-67).

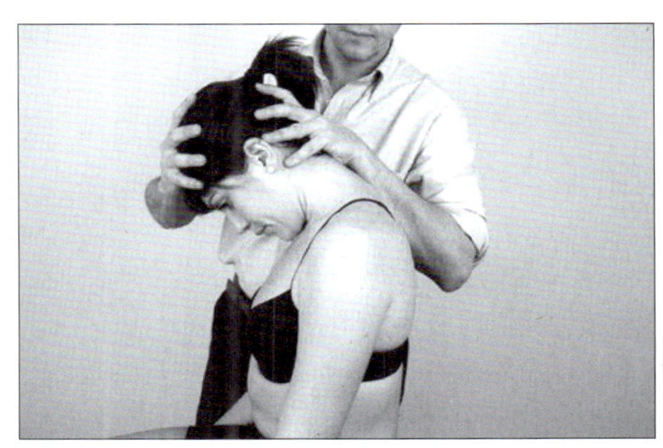

그림 8-67 ▪ 러미츠 징후(Lhermitte's sign)의 평가.

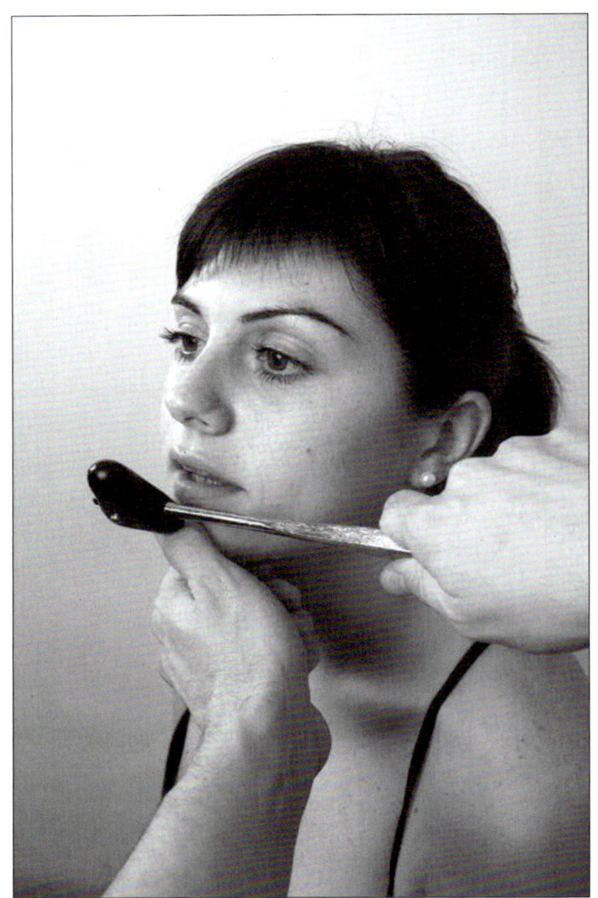

그림 8-68 ▪ 턱 반사 평가.

그림 8-69 ▪ 손-코 동작.

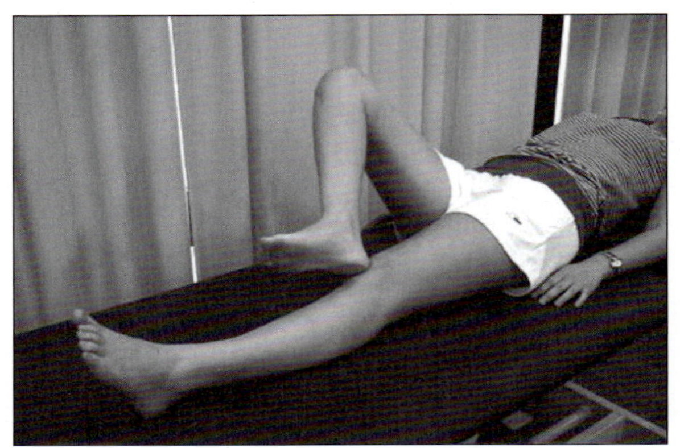

그림 8-70 ▪ 발뒤꿈치-무릎-다리 동작.

턱반사 평가: 과잉 반사(입을 닫는 방향으로 과도한 수축)의 존재는 두개내 병리를 나타낼 수 있다. 이 반사에 관여하는 교근과 측두 근육은 제5 뇌신경의 지배를 받는다. 이 반사를 탐색하기 위해 임상의가 턱을 두드리는 동안 환자는 입을 약간 벌리고 있어야 한다(그림 8-68).

소뇌 기능 검사 (Examination of the cerebellar function)

소뇌 기능의 검사는 피험자의 움직임 조정 능력을 평가한다. 환자에게 손-코 또는 발뒤꿈치-무릎-다리 움직임과 같은 다양한 동작을 수행하도록 요청한다. 손-코 조작에서 환자는 교대로 임상의의 손과 자신의 코를 빠르게 터치해야 한다(그림 8-69).

발뒤꿈치-무릎-다리 동작에서 환자는 발뒤꿈치가 반대쪽 무릎에 닿도록 하고 다리의 앞쪽 면 위로 천천히 미끄러질 수 있어야 한다(그림 8-70).

손가락의 위치를 변경하고 환자에게 손가락이 움직인 방향을 물어봄으로써 고유 감도를 탐색할 수 있다. 물리치료사는 손가락을 움직이고 환자는 눈을 감고 움직임의 방향을 지시해야 한다.

신경역학 검사(*Neurodynamic test*)

이 유형의 검사는 신경계의 기계적 감각도와 움직임에 적응하는 능력을 평가한다. 가장 일반적으로 사용되는 검사는 다음과 같다:

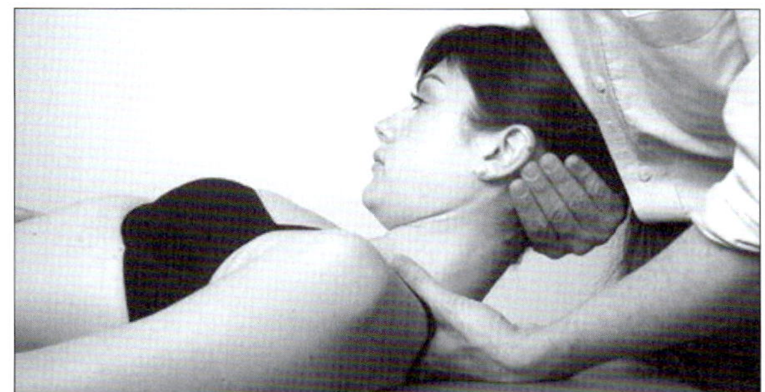

그림 8-71 ■ 목의 수동적 굴곡 검사.

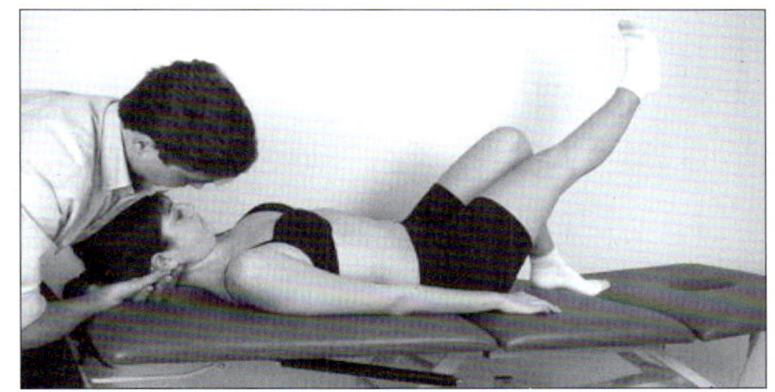

그림 8-72 ■ 수동적 두개경추 굴곡 검사.

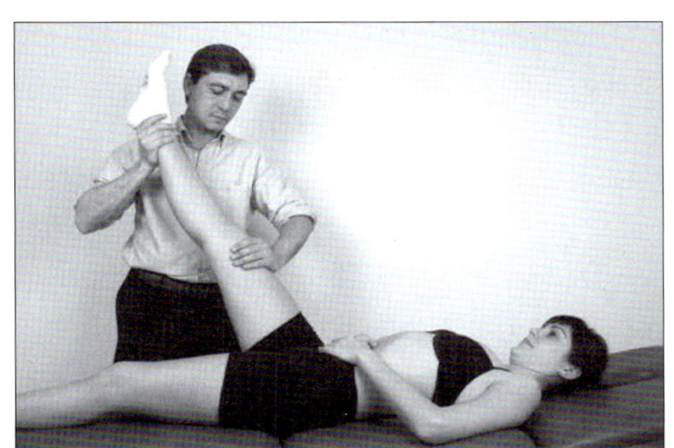

그림 8-73 ■ 하지직거상 평가.

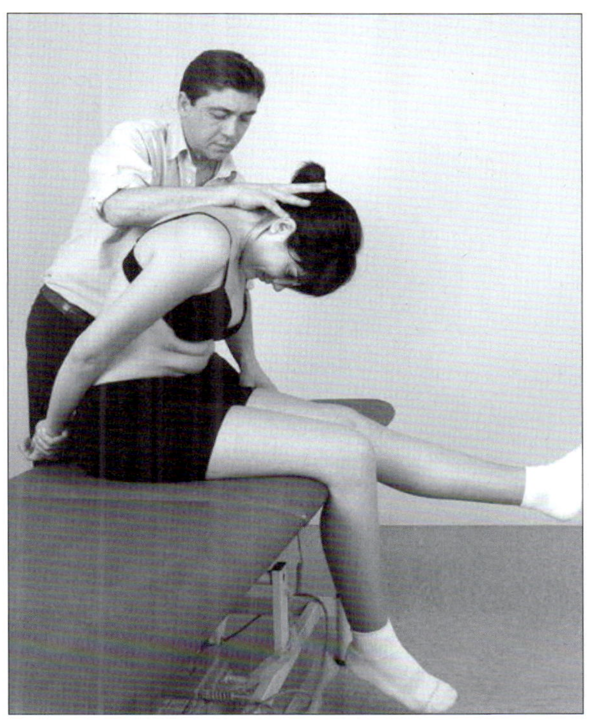

그림 8-74 ■ 슬럼프 검사.

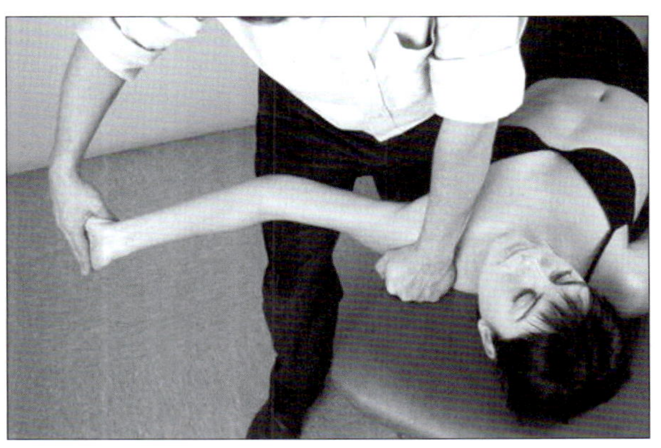

그림 8-75 ■ ULNT1.

- 수동적 목 굴곡(Passive neck flexion, PNF) 검사(그림 8-71) 및 수동적 두개경추 굴곡 검사(그림 8-72).
- 하지직거상(SLR) (그림 8-73).
- 슬럼프 검사(그림 8-74).
- 상지 신경역학 검사(ULNT):
  - ULNT1: 정중신경(그림 8-75).
  - ULNT2: 정중신경(그림 8-76).
  - ULNT2: 요골신경(그림 8-77).
  - ULNT3: 팔목신경(그림 8-78).

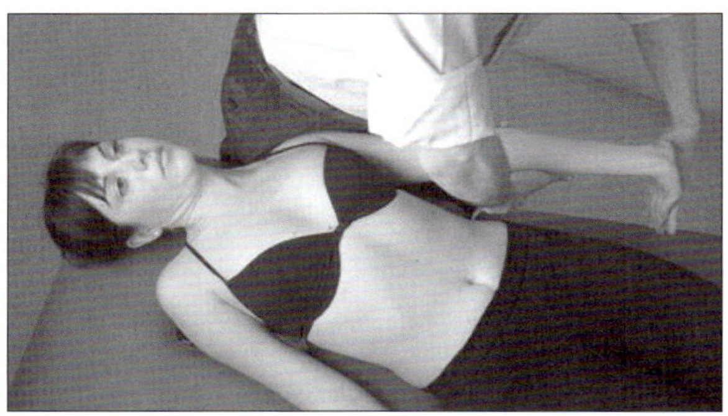

그림 8-76 ■ 정중 신경에 대한 ULNT2 변형.

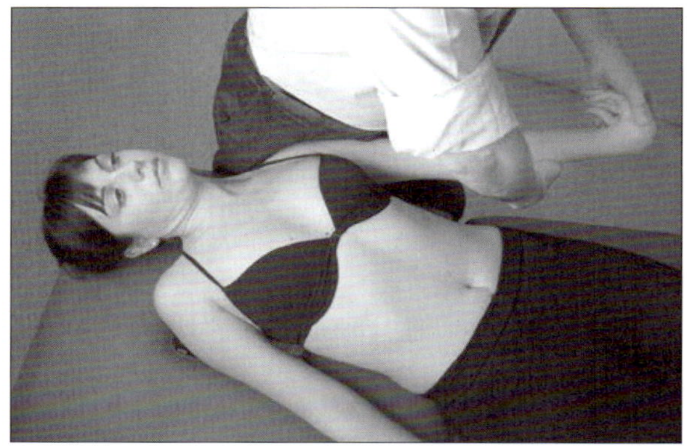

그림 8-77 ■ 요골 신경에 대한 ULNT2 변형.

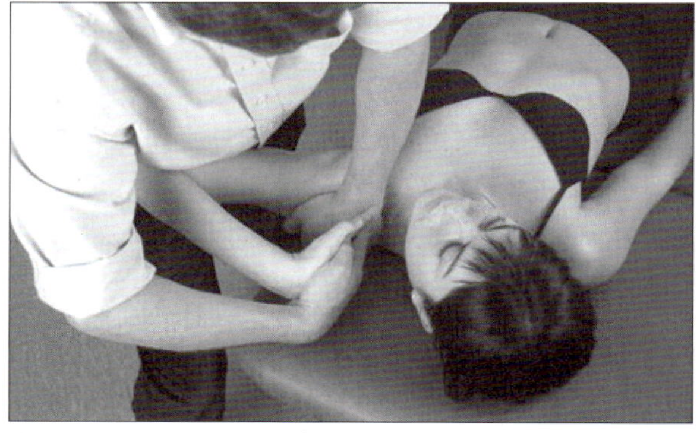

그림 8-78 ■ ULNT3.

신경 역학적 검사는 다음 조건 중 하나 이상이 충족되면 양성으로 간주된다:

- 검사를 통해 환자의 증상 전체 또는 일부를 재현한다.
- 각 검사에서 정상으로 간주되지 않는 증상이 나타난다.
- 증상 측면의 이동 범위가 감소하고 신경 기계 감각도가 높아진다. 이러한 움직임 범위의 차이는 반대쪽 사지와 대조되어야 한다.

증상의 원인을 신경계에 돌리기 위해서는 환자의 증상을 조절할 수 있는 과민성 및 둔감성 움직임을 수행해야 한다.

촉진(Palpation)

촉진은 관절 기능장애 검사에 필요한 절차이며, 이것이 없으면 신체 평가가 불완전하다. 일반적으로 경추 촉진을 위한 이상적인 자세는 앉은 자세, 앙와위 자세 및 복와위 자세이다(그림 8-79A 및 B).

처음에 치료사는 피부에 표재적인 접촉을 하여 조직의 탄력, 온도 및 영양에 관한 정보를 기록한다. 피부와 피하조직의 감각도와 두꺼워짐은 피부 롤링검사(skin-rolling test)로 평가할 수 있다(그림 8-80).

고리판, 극돌기 및 돌기사이 관절 근처에 위치한 연조직도 촉진하여 관절낭 비후, 뼈 외골증 등을 찾으려고 시도한다. 관절 주위 연조직의 변화가 기본 관절이 환자의 증상에 직접 관련되어 있음을 의미하지는 않는다. 이러한 변화는 분절 이동성의 변화와 촉진 시 환자가 보고한 통증의 존재와 관련되어야 한다. 경추의 촉진에 사용되는 기준점은 극돌기와 관절면이다. 횡돌기도 사용될 수 있지만 어떤 경우에는 촉진이 고통스러울 수 있다. 극돌기는 중간선에 위치할 수 있으며 경추의 정상적인 전만 형태에 해당하는 원의 곡선을 형성해야 한다. 극돌기의 단독 촉진은 척추의 위치에 관한 잘못된 정보를 제공할 수 있다. 회전하지 않고 한쪽으로 치우치는 경우가 많으며, 결절이 하나 또는 여러 개 없으면 더 혼란스러울 수 있다.

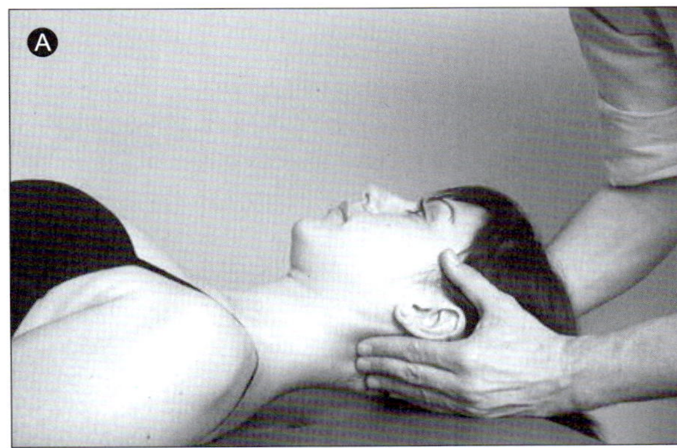

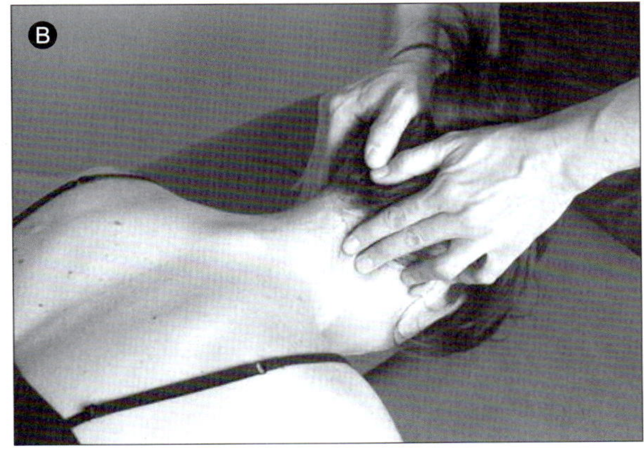

그림 8-79 ■ 경추 촉진에 사용되는 자세: 앙와위 자세(A)와 복와위(B).

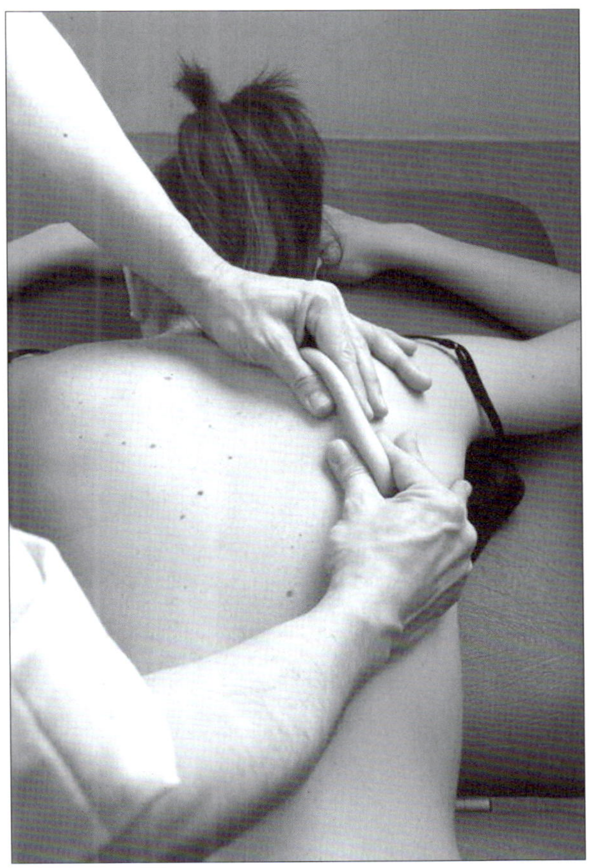

그림 8-80 ■ 피부 롤링 검사(skin-rolling test).

극돌기가 중앙에 있지 않으면 관절돌기와 고리판간 공간을 촉진하여 검사된 척추에 회전 또는 측면 굽힘이 있는지 확인해야 한다. 환추에는 극돌기가 없기 때문에 경추2번의 극돌기가 후두하부에서 가장 먼저 촉진된다. 경추2번에는 하나의 결절만 있을 수 있으며 회전된 것처럼 보일 수 있다. 이 회전이 실제가 되려면 후방 관절돌기 중 하나가 다른 것보다 더 두드러져야 한다. 경추2번의 극돌기에서 아래쪽으로 손가락을 수직으로 밀면 일반적으로 촉진되는 다음 극돌기가 경추6번에 있다. 예를 들어, 편타손상으로 인해 중간 경추 분절의 후만증이 있는 경우 굴곡 중에 경추4번 또는 경추5번의 극돌기의 더 큰 돌출부를 촉진해야 한다. 경추6번과 경추7번의 극돌기 사이의 비정상적인 폐쇄를 감지하는 것도 일반적이다.

관절주와 이에 상응하는 돌기사이관절은 촉진 측면에서 가장 관련성이 높은 구조이다. 관절주는 극돌기의 중간 선의 양쪽 뒤쪽에서 촉진된다. 관절주위 조직의 두꺼워짐과 이 레벨에서 뼈 외골증의 존재는 촉진 중에 쉽게 인식할 수 있다.

결론
CONCLUSION

치료 절차를 적용하기 전에 환자에 대한 임상 평가를 수행해야 한다. 이 평가 과정은 주관적 검사와 신체 검사로 구성되며, 그 목표는 증상의 기원과 원인에 대한 감별 진단에 도달하고 모든 임상 상황에 필연적으로 수반되는 다양한 작업 가설을 수립하는 것이다. 이를 바탕으로 예후를 정하고 치료를 계획할 수 있다. 임상의가 진단을 수립하는 동안 발견할 수 있는 장애물은 임상 추론 과정에서 임상 패턴의 식별과 대상의 징후 및 증상 이력에 초점을 맞춰야 하는지 여부를 결정한다. 특정 병리 또는 임상 상황에 대한 이론적-추측 지식과 함께 환자의 임상적 표현을 통해 치료사는 사실에 대한 더 나은 이해를 얻음에 따라 진단을 수정할 수 있다.

주관적인 검사는 나중에 적용되는 진단 및 치료 과정이 환자에게 효과적이고 위험하지 않도록 환자의 임상 증상의 특성에 관한 정보를 얻으려고 시도한다. 이 정보를 수집할 때 무엇보다도 적신호와 황신호(red and yellow flags)가 있을 수 있음을 미리 경고하므로 치료사와 환자 간의 원활한 의사 소통이 필수적이다. 신체 평가는 확립된 진단 가설을 확인하거나 거부하려고 시도하는 주관적인 검사의 확장이다. 프로토콜의 문제가 되어서는 안 되며, 주관적인 검사 결과와 환자의 임상 상황에 따라 논리적이고 순차적인 순서를 따른다.

임상 평가의 목표는 진단 가설을 공식화하는 것 외에도 치료를 계획하고 예후를 설정하는 것이다. 치료는 항상 증거를 기반으로 해야 하며 강도, 과민성 또는 과정의 특성과 같은 여러 요인에 따라 환자의 현재 임상 상황에 맞게 조정되어야 한다.

환자는 회복 과정에서 적극적인 역할을 해야 하며, 임상 평가 결과부터 치료 계획 및 예후까지 치료에 관한 모든 정보를 가지고 있어야 한다. 또한 임상 상황과 관련될 수 있는 생체심리학적 측면에 대해서도 알려야 한다.

참고문헌

1. Waddell G. An approach to backache. Br J Hosp Med 1982;28(3):187, 190–1, 193–4, passim.
2. Clinical Standards Advisory Group. Annex to the CSAG Report on Back Pain. London: HMSO; 1994.
3. Overmeer T, Linton SJ, Holmquist L, et al. Do evidence-based guidelines have an impact in primary care? A cross-sectional study of Swedish physicians and physiotherapists. Spine 2005; 30(1): 146–51.
4. Staal JB, Hlobil H, van Tulder MW, et al. Occupational health guidelines for the management of low back pain: an international comparison. Occup Environ Med 2003;60(9):618–26.
5. Kendall N, Linton S, Main C. Guide to assessing psychosocial yellow flags in acute low back pain: risk factors for long-term disability and work loss. Wellington, NZ: Accident Rehabilitation and Compensation Insurance Corporation of New Zealand and the National Health Committee; 1997.
6. Maitland G, Hengeveld E, Banks K, et al. Maitland's vertebral manipulation. 6th ed. Oxford: Butterworth-Heinemann; 2001.
7. Jones M, Jones H. Principles of the physical examination. In: Boyling J, Palastanga N, editors. Grieve's modern manual therapy. The vertebral column. 2nd ed. London: Churchill Livingstone; 2000. p. 491–501.
8. Haldeman S. North American Spine Society: failure of the pathology model to predict back pain. Spine 1990;15(7): 718–24.
9. Higgs J, Jones M. Clinical reasoning in the health professions. In: Higgs J, Jones M, editors. Clinical reasoning in the health professions. 2nd ed. Oxford: Butterworth-Heinemann; 2000. p. 3–14.
10. Jones M. Clinical reasoning and pain. Man Ther 1995;1(1): 17–24.
11. Jones M. Clinical reasoning: the foundation of clinical practice. Part 1. Aust J Physiother 1997;43(3):167–70.
12. Jones M, Rivett D. Introduction to clinical reasoning. In: Jones M, Rivett D, editors. Clinical reasoning for manual therapists. Edinburgh: Butterworth-Heinemann; 2004. p. 3–24.
13. Rivett D, Jones M. Improving clinical reasoning in manual therapy. In: Jones M, Rivett D, editors. Clinical reasoning for manual therapists. Edinburgh: Butterworth-Heinemann; 2004. p. 403–31.

14. Elstein A, Bordage J. Psychology of clinical reasoning. In: Dowie J, Elstein A, editors. Professional judgment: a reader in clinical decision-making. New York: Cambridge University Press; 1991.
15. Levett-Jones T, Hoffman K, Dempsey J, et al. The 'five rights' of clinical reasoning: an educational model to enhance nursing students' ability to identify and manage clinically 'at risk' patients. Nurse Educ Today 2010;30(6):515–20.
16. Jones MA. Clinical reasoning in manual therapy. Phys Ther 1992;72(12):875–84.
17. Hoffman KA, Aitken LM, Duffield C. A comparison of novice and expert nurses' cue collection during clinical decisionmaking: verbal protocol analysis. Int J Nurs Stud 2009;46(10): 1335–44.
18. Phua DH, Tan NC. Cognitive aspect of diagnostic errors. Ann Acad Med Singapore 2013;42(1):33–41.
19. Kuhn GJ. Diagnostic errors. Acad Emerg Med 2002;9(7): 740–50.
20. Croskerry P. The cognitive imperative: thinking about how we think. Acad Emerg Med 2000;7(11):1223–31.
21. Eva KW, Hatala RM, Leblanc VR, et al. Teaching from the clinical reasoning literature: combined reasoning strategies help novice diagnosticians overcome misleading information. Med Educ 2007;41(12):1152–8.
22. Eva KW. What every teacher needs to know about clinical reasoning. Med Educ 2005;39(1):98–106.
23. Klein JG. Five pitfalls in decisions about diagnosis and prescribing. BMJ 2005;330(7494): 781–3.
24. Norman GR, Eva KW. Diagnostic error and clinical reasoning. Med Educ 2010;44(1):94–100. 25. Ford JJ, Hahne AJ. Pathoanatomy and classification of low back disorders. Man Ther 2013;18(2):165–8.
26. Weiner BK. Spine update: the biopsychosocial model and spine care. Spine (Phila Pa 1976) 2008; 33(2):219–23.
27. Dagenais S, Tricco AC, Haldeman S. Synthesis of recommendations for the assessment and management of low back pain from recent clinical practice guidelines. Spine J 2010;10(6): 514–29.
28. Kamper SJ, Maher CG, Hancock MJ, et al. Treatment-based subgroups of low back pain: a guide to appraisal of research studies and a summary of current evidence. Best Pract Res Clin Rheumatol 2010;24(2):181–91.
29. American Physical Therapy Association guide to physical therapist practice. 2nd ed; 2001.
30. Jull G, Moore A. Hands on, hands off? The swings in musculoskeletal physiotherapy practice. Man Ther 2012;17(3):199–200.
31. Hancock M, Maher C, Macaskill P, et al. MRI findings are more common in selected patients with acute low back pain than controls? Eur Spine J 2012;21(2):240–6.
32. Deyo RA, Mirza SK, Turner JA, et al. Overtreating chronic back pain: time to back off? J Am Board Fam Med 2009;22(1):62–8.
33. Pransky G, Buchbinder R, Hayden J. Contemporary low back pain research and implications for practice. Best Pract Res Clin Rheumatol 2010; 24(2):291–8.
34. Carragee EJ, Alamin TF, Miller JL, et al. Discographic, MRI and psychosocial determinants of low back pain disability and remission: a prospective study in subjects with benign persistent back pain. Spine J 2005;5(1):24–35.
35. Gifford L. The mature organism model. In: Gifford L, editor. Topical issues in pain 1. Falmouth: CNS Press; 1998. p. 45–56.
36. OMS. Clasificación Internacional del Funcionamiento, de la Discapacidad y de la Salud: Ministerio de Trabajo y Asuntos Sociales. Secretaría General de Asuntos Sociales. Instituto de Migraciones y Servicios Sociales (IMSERSO); 2001.
37. Jones M. Clinical reasoning process in manipulative therapy. In: Boyling J, Palastanga N, editors. Grieve's modern manual therapy. The vertebral column. 2nd ed. London: Churchill Livingstone; 2000. p. 471–89.
38. Grieve G. Movilización de la columna vertebral: manual básico del método clínico. Barcelona: Paidotribo; 1997.
39. Meadows J. Diagnóstico diferencial en fisioterapia. Madrid: McGraw-Hill Interamericana; 2000.
40. O'Connor MI, Currier BL. Metastatic disease of the spine. Orthopedics 1992;15(5):611–20.
41. Nijs J, Torres-Cueco R, van Wilgen CP, et al. Applying modern pain neuroscience in clinical practice: criteria for the classification of central sensitization pain. Pain Physician 2014;17(5):

447–57.
42. Bogduk N, McGuirk B. Management of acute and chronic neck pain. Edinburgh: Elsevier; 2006.
43. Magarey M. Examination of the cervical and thoracic spine. In: Grant R, editor. Physical therapy of the cervical and thoracic spine. 3rd ed. London: Churchill Livingstone; 2002. p. 105–37.
44. Shacklock M. Clinical neurodynamics. Edinburgh: Elsevier; 2005.
45. Hakim A, Grahame R. Joint hypermobility. Best Pract Res Clin Rheumatol 2003;17(6):989–1004.
46. Hakim AJ, Cherkas LF, Grahame R, et al. The genetic epidemiology of joint hypermobility: a population study of female twins. Arthritis Rheum 2004;50(8):2640–4.
47. Grahame R. Heritable disorders of connective tissue. Baillières Best Pract Res Clin Rheumatol 2000;14(2):345–61.
48. Bird HA. Joint hypermobility. Musculoskeletal Care 2007; 5(1):4–19.
49. Kirk JA, Ansell BM, Bywaters EG. The hypermobility syndrome. Musculoskeletal complaints associated with generalized joint hypermobility. Ann Rheum Dis 1967;26(5): 419–25.
50. Grahame R. Hypermobility not a circus act. Int J Clin Pract 2000;54(5):314–15.
51. Grahame R. Pain, distress and joint hyperlaxity. Joint Bone Spine 2000;67(3):157–63.
52. Adib N, Davies K, Grahame R. Joint hypermobility syndrome in childhood. A not so benign multisystem disorder? Rheumatology (Oxford) 2005;44(6):744–50.
53. Kerr R, Grahame R. Hypermobility syndrome. Recognition and management for physiotherapists. Edinburgh: Butterworth-Heinemann; 2003.
54. Hall MG, Ferrell WR, Sturrock RD, et al. The effect of the hypermobility syndrome on knee joint proprioception. Br J Rheumatol 1995;34(2): 121–5.
55. Mishra MB, Ryan P, Atkinson P, et al. Extra-articular features of benign joint hypermobility syndrome. Br J Rheumatol 1996;35(9):861–6.
56. Morgan AW, Pearson SB, Davies S, et al. Asthma and airways collapse in two heritable disorders of connective tissue. Ann Rheum Dis 2007.
57. Norton PA, Baker JE, Sharp HC, et al. Genitourinary prolapse and joint hypermobility in women. Obstet Gynecol 1995; 85(2):225–8.
58. Gazit Y, Nahir AM, Grahame R, et al. Dysautonomia in the joint hypermobility syndrome. Am J Med 2003;115(1):33–40.
59. Arendt-Nielsen L, Kaalund S, Bjerring P, et al. Insufficient effect of local analgesics in Ehlers Danlos type III patients (connective tissue disorder). Acta Anaesthesiol Scand 1990; 34(5): 358–61.
60. Grahame R. Joint hypermobility and genetic collagen disorders: are they related? Arch Dis Child 1999;80(2):188–91.
61. Magnusson SP, Julsgaard C, Aagaard P, et al. Viscoelastic properties and flexibility of the human muscle-tendon unit in benign joint hypermobility syndrome. J Rheumatol 2001; 28(12):2720–5.
62. Beighton P, Horan F. Orthopaedic aspects of the Ehlers-Danlos syndrome. J Bone Joint Surg Br 1969; 51:444–53.
63. Beighton P, Solomon L, Soskolne CL. Articular mobility in an African population. Ann Rheum Dis 1973;32(5):413–18.
64. Boyle KL, Witt P, Riegger-Krugh C. Intrarater and interrater reliability of the Beighton and Horan Joint Mobility Index. J Athl Train 2003;38(4):281–5.
65. Grahame R. Hypermobility and hypermobility syndrome. In: Kerr R, Grahame R, editors. Hypermobility syndrome. Recognition and management for physiotherapists. Edinburgh: Butterworth-Heinemann; 2003.
66. Bulbena A, Duro JC, Porta M, et al. Clinical assessment of hypermobility of joints: assembling criteria. J Rheumatol 1992;19(1):115–22.
67. Grahame R, Bird HA, Child A. The revised (Brighton 1998) criteria for the diagnosis of benign joint hypermobility syndrome (BJHS). J Rheumatol 2000;27(7):1777–9.
68. Voermans NC, Knoop H, Bleijenberg G, et al. Pain in EhlersDanlos syndrome is common, severe, and associated with functional impairment. J Pain Symptom Manage 2010;40(3): 370–8.
69. Mikkelsson M, Salminen JJ, Kautiainen H. Joint hypermobility is not a contributing factor to musculoskeletal pain in preadolescents. J Rheumatol 1996;23(11):1963–7.
70. Arroyo IL, Brewer EJ, Giannini EH. Arthritis/arthralgia and hypermobility of the joints in schoolchildren. J Rheumatol 1988;15(6):978–80.

71. Leone V, Tornese G, Zerial M, et al. Joint hypermobility and its relationship to musculoskeletal pain in schoolchildren: a crosssectional study. Arch Dis Child 2009;94(8):627–32.
72. Juul-Kristensen B, Kristensen JH, Frausing B, et al. Motor competence and physical activity in 8-year-old school children with generalized joint hypermobility. Pediatrics 2009;124(5): 1380–7.
73. Murray KJ. Hypermobility disorders in children and adolescents. Best Pract Res Clin Rheumatol 2006;20(2):329–51.
74. Remvig L, Jensen DV, Ward RC. Epidemiology of general joint hypermobility and basis for the proposed criteria for benign joint hypermobility syndrome: review of the literature. J Rheumatol 2007;34(4):804–9.
75. Mulvey MR, Macfarlane GJ, Beasley M, et al. Joint hypermobility is modestly associated with disabling and limiting musculoskeletal pain: results from a large-scale general population-based survey. Arthritis Care Res (Hoboken) 2013; 65(8):1325–33.
76. North KN, Whiteman DA, Pepin MG, et al. Cerebrovascular complications in Ehlers-Danlos syndrome type IV. Ann Neurol 1995;38(6): 960–4.
77. Schievink WI, Wijdicks EF, Michels VV, et al. Heritable connective tissue disorders in cervical artery dissections: a prospective study. Neurology 1998;50(4):1166–9.
78. Mondon K, de Toffol B, Georgesco G, et al. [Ehlers Danlos type IV syndrome presenting with simultaneous dissection of both internal carotid and both vertebral arteries]. Rev Neurol (Paris) 2004;160(4 Pt 1):478–82.
79. Schievink WI. Cerebrovascular involvement in Ehlers-Danlos syndrome. Curr Treat Options Cardiovasc Med 2004;6(3): 231–6.
80. Jull G. Examination of the articular system. In: Boyling J, Palastanga N, editors. Grieve's modern manual therapy. The vertebral column. 2nd ed. London: Churchill Livingstone; 2000.
81. Edwards B. Manual of combined movements. Edinburgh: Churchill Livingstone; 1992.
82. Jull G, Barrett C, Magee R, et al. Further clinical clarification of the muscle dysfunction in cervical headache. Cephalalgia 1999;19(3):179–85.
83. Treleaven J, Jull G, Atkinson L. Cervical musculoskeletal dysfunction in post-concussional headache. Cephalalgia 1994;14(4):273–9, discussion 257.
84. Zito G, Jull G, Story I. Clinical tests of musculoskeletal dysfunction in the diagnosis of cervicogenic headache. Man Ther 2006;11(2):118–29.
85. Falla DL, Jull GA, Hodges PW. Patients with neck pain demonstrate reduced electromyographic activity of the deep cervical flexor muscles during performance of the craniocervical flexion test. Spine 2004;29(19):2108–14.
86. Jull G, Kristjansson E, Dall'Alba P. Impairment in the cervical flexors: a comparison of whiplash and insidious onset neck pain patients. Man Ther 2004;9(2):89–94.
87. Falla D, Jull G, Dall'Alba P, et al. An electromyographic analysis of the deep cervical flexor muscles in performance of craniocervical flexion. Phys Ther 2003;83(10):899–906.
88. Falla D, Jull G, Rainoldi A, et al. Neck flexor muscle fatigue is side specific in patients with unilateral neck pain. Eur J Pain 2004;8(1):71–7.
89. Falla D, Jull G, Hodges PW. Feedforward activity of the cervical flexor muscles during voluntary arm movements is delayed in chronic neck pain. Exp Brain Res 2004;157(1):43–8.
90. Falla D, Bilenkij G, Jull G. Patients with chronic neck pain demonstrate altered patterns of muscle activation during performance of a functional upper limb task. Spine 2004; 29(13):1436–40.
91. Falla D. Unravelling the complexity of muscle impairment in chronic neck pain. Man Ther 2004;9(3):125–33.
92. Hallgren RC, Greenman PE, Rechtien JJ. Atrophy of suboccipital muscles in patients with chronic pain: a pilot study. J Am Osteopath Assoc 1994;94(12):1032–8.
93. McPartland JM, Brodeur RR, Hallgren RC. Chronic neck pain, standing balance, and suboccipital muscle atrophy a pilot study. J Manipulative Physiol Ther 1997;20(1):24–9.
94. Elliott J, Jull G, Noteboom JT, et al. Fatty infiltration in the cervical extensor muscles in persistent whiplash-associated disorders: a magne-tic resonance imaging analysis. Spine 2006;31(22): E847–55.
95. Comerford MJ, Mottram SL. Functional stability re-training: principles and strategies for managing mechanical dysfunction. Man Ther 2001;6(1): 3–14.

96. Comerford MJ, Mottram SL. Movement and stability dysfunction contemporary developments. Man Ther 2001;6(1): 15–26.
97. Gibbons S, Comerford M. Strength versus stability: Part 1: concept and terms. Orthop Div Rev 2001;March/April:21-7.
98. Jull G, Falla D, Treleaven J, et al. A therapeutic exercise approach for cervical disorders. In: Boyling J, Jull G, editors. Grieve's modern manual therapy. The vertebral column. 3rd ed. Edinburgh: Elsevier Churchill Livingstone; 2004.
99. Fischer D, Palleske H. [EEG after so-called whiplash injury of cervical vertebral column (cervicocephalic acceleration trauma)]. Zentralbl Neurochir 1976;37(1):25–35.
100. Ettlin TM, Kischka U, Reichmann S, et al. Cerebral symptoms after whiplash injury of the neck: a prospective clinical and neuropsychological study of whiplash injury. J Neurol Neurosurg Psychiatry 1992;55(10):943–8.

9 경추 영상
CERVICAL SPINE IMAGING

EVA LLOPIS SAN JUAN ■ SANDRA GONZALEZ IBAÑEZ

도입 INTRODUCTION

영상기술은 경추의 우수한 해부학적 영상을 제공한다. 다른 기술은 임상 시나리오 및 치료 옵션에 따라서 적절히 선택되어야 한다. 단순필름은 정렬 및 뼈 구조의 평가, 그리고 수술 후 추적 관찰에 여전히 필수적이다. 새로운 다중검출기 전산화 단층촬영(multidetector computed tomography; MDCT)은 CT의 개념을 완전히 바꾸어 다중평면 영상을 제공하므로 외상 후 골절의 평가를 위한 선택 방식이 되었다. 게다가, 더 큰 공간의 분해능력은 특히 퇴행성 변화의 경우에 추간공 평가를 위한 유용한 정보를 제공한다. 자기공명영상(MRI)은 향상된 대조 해상도로 인해 추간판, 인대 및 골수를 포함하는 연조직 평가를 하는데 가장 효과적인 영상기술이다.

이 장에서는 다양한 이미지 기술과 환축 회전 탈구, 퇴행성 척추 및 외상성 경추와 같은 특정 질병 진단에 사용하는 방법에 대해 설명한다.

영상기술은 임상 시나리오 및 연구할 구조에 따라 선택되어야 한다.

해부학 ANATOMY

경추는 상부 및 하부 경추로 나누어질 수 있고, 각각 다른 생체역학 및 해부학적 특징이 있다. 상부 경추는 주로 경추 회전을 책임지는 반면, 하부경추는 굴곡 및 신전, 그리고 측면 굽힘에 책임이 있다(그림 9-1 및 9-2).[1-4]

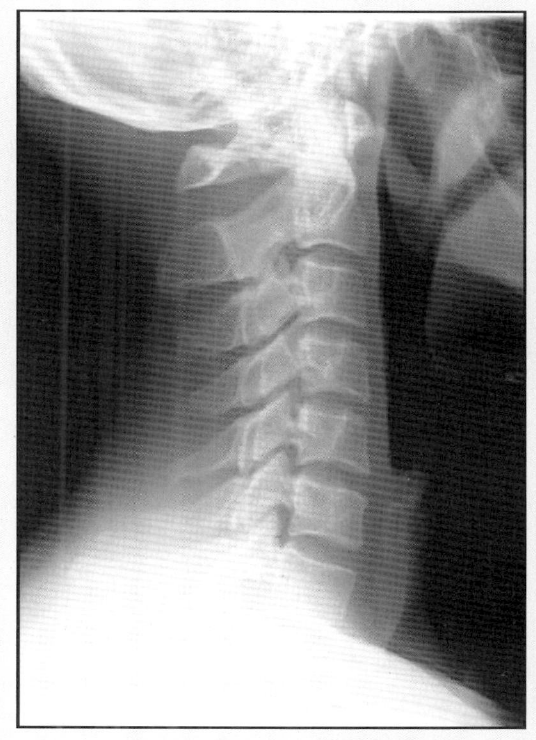

그림 9-1 ■ 단순 측면 엑스레이

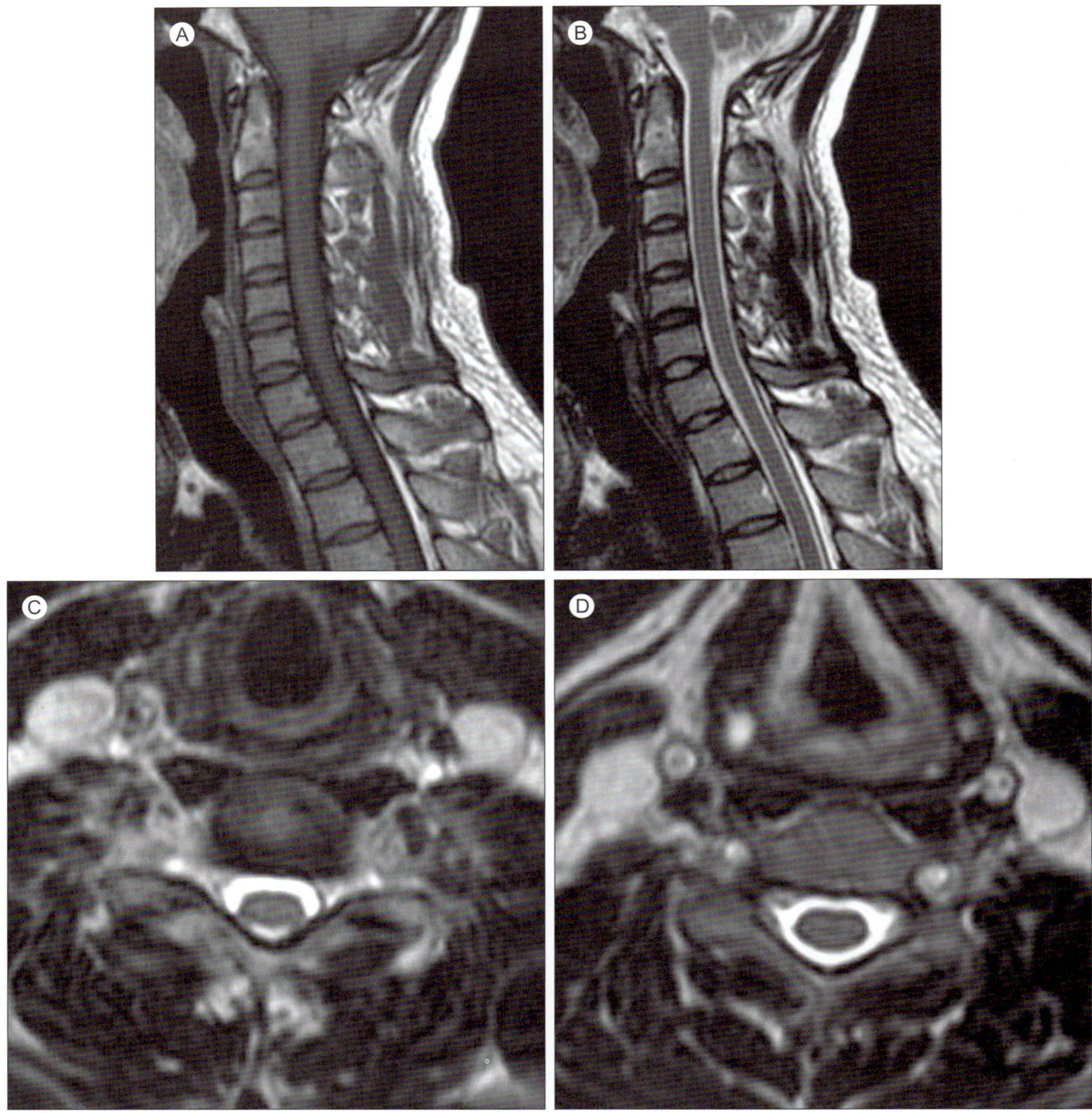

그림 9-2 ■ 자기공명영상. (A) 시상 T1WI. (B) 시상 T2WI. (C) 디스크 레벨에서 축상. (D) 추간공 레벨에서 축상.

상부경추 또는 경두부는 두개골에서 경추2번까지 연장되는 척추의 일부로 정의된다. 이것은 환추후두관절(C1의 상부면을 가진 후두돌기), 환축내측관절, 환추 및 치상돌기가 있는 윤활 관절, 그리고 외측 환축윤활관절을 포함한다.

환축관절은 굴곡과 신전 모두에서 두개골의 회전을 허용하는 축추의 치상돌기와 환추의 전궁사이 지렛대 관절이다(그림 9-3). 환축막, 환추후두막, 천막인대, 익상인대 및 치첨인대 그리고 십자인대 같은 많은 중요한 인대들이 뼈 구조를 지지한다.

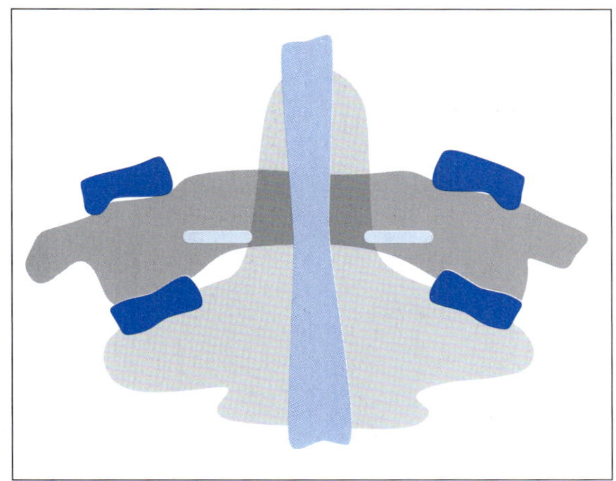

그림 9-3 ■ C1-C2의 관상 도식

많은 해부학적 정상 변이체와 다양한 생리학적 움직임이 있는 복잡한 해부학은 영상기술을 사용한 해석과 평가를 더 어렵게 만든다(그림 9-4).

요추디스크와 비교해서 경추디스크는 더 얇고 외부 섬유륜이 더 작다. 갈고리관절(uncovertebral joint)는 특화되어 있다. 하부척추체의 갈고리돌기와 상부척추체의 갈고리돌기 사이에 있는 이 관절(그림 9-5)은 비스듬한 방향을 갖는다. 주요 인대들은 앞세로인대(전종인대, anterior longitudinal ligament) 및 뒤세로인대(후종인대, posterior longitudinal ligament), 황색인대(ligamentum flavum) 그리고 극간인대(interspinous ligament)이다.

방사선학 평가
RADIOLOGICAL EVALUATION

영상기술(IMAGING TECHNIQUES)

1. 단순 엑스레이.
2. MRI.
3. CT.
4. 기타: 척수조영술, 추간판조영술

방사선촬영술(Radiographs)

경추 평가는 측면, 전후방 및 개구투사를 포함한다(그림 9-1 참조). 가능한 경우, 측면필름은 경추7번-흉추1번 접합부를 볼 수 있게 하기 위해 어깨를 당겨야 한다. 측면뷰에서 정렬은 쉽게 평가할 수 있다. 세 개의 부드럽고 끊어지지 않은 선을 추적해야 한다. 첫 번째 선은 척추체의 앞쪽 가장자리를 그린다. 두 번째 선은 척추체의 뒤쪽 가장자리에 의해 정의된다. 세 번째 선은 극돌기를 통한

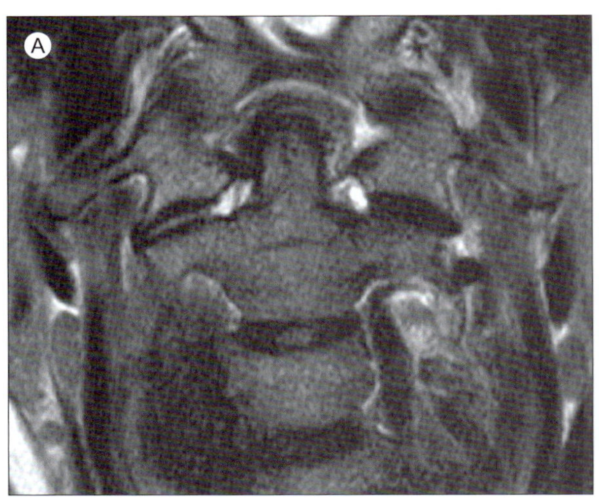

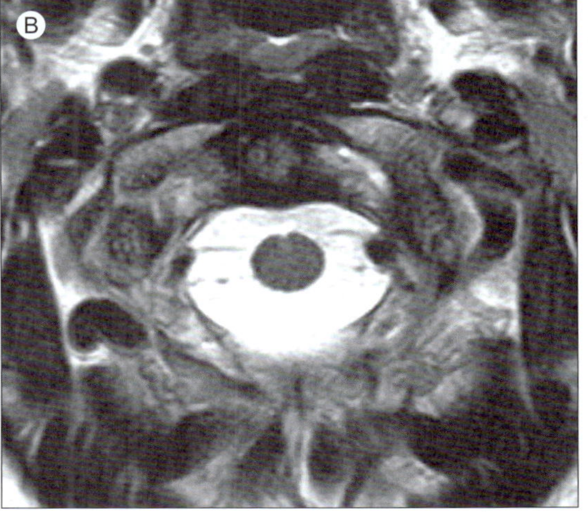

그림 9-4 ■ (A) 십자인대를 보이는 축상 T2WI. (B) 치상돌기, 외측 환축관절 및 익상인대를 보이는 관상 T1WI.

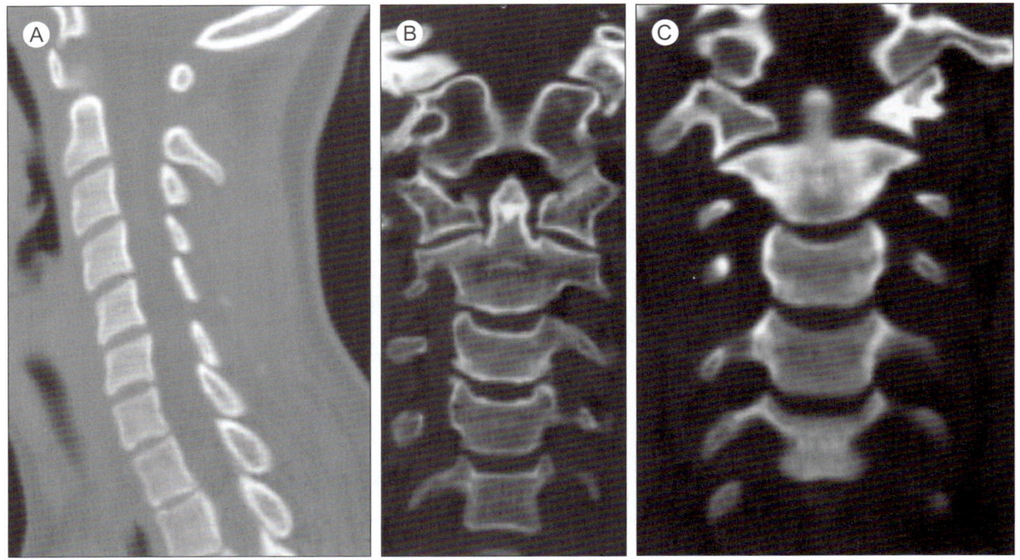

그림 9-5 ■ (A-C) 경추의 다중검출기 전산화 단층촬영(multidetector computed tomography; MDCT)

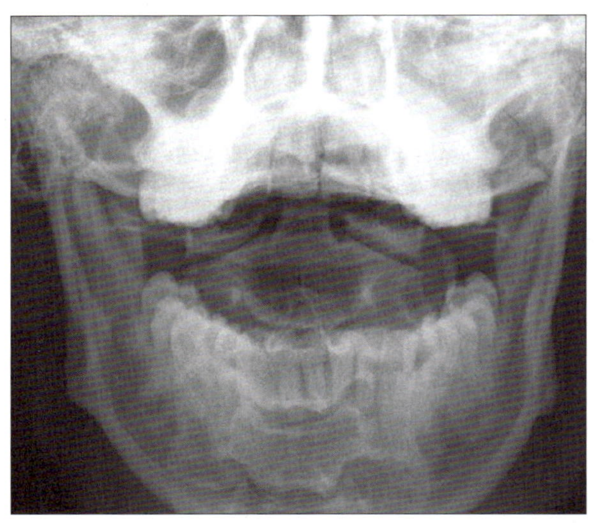

그림 9-6 ■ 구강단순엑스레이

극돌기거리판 선(spinolaminar line)이다. 환추의 후궁과 치상돌기의 앞쪽 가장자리 사이에서 측정되는 치아돌기전방 공간(preodontoid space)은 나이가 들어감에 따라 변한다. 성인의 경우, 최대 3mm, 9세 미만 어린이의 경우, 최대 5mm까지 정상으로 간주된다.

전후방정렬은 극돌기를 통한 일직선을 그려서 평가해야 하고, 극돌기와 후관절 공간사이의 거리는 유사해야 한다. 개구투사의 해석은 많은 구조들이 겹치기 때문에 해석이 더 어렵다(그림 9-6). 치상돌기는 환추의 외측괴(가쪽덩이, lateral mass) 사이에 대칭적으로 위치해야 하고, 정상범위 내에 1mm 편차만 남도록 허용해야 한다.[1-3]

자기공명영상(Magnetic resonance imaging)

다양한 맥동파 순서열에서 시상면 및 축면의 조합이 일반적으로 수행된다(그림 9-2 참조). T1강조영상(T1WI)는 해부학적 세부사항 평가에 사용이 되고, T2강조영상(T2WI)은 골수조영효과가 있으며 세포 및 세포외기질이 수분함량을 증가시킬 때를 보여주며 지방억제가 적용되면 더 두드러진다. T2 경사에코시퀀스(gradient echo sequence)는 골극감지에 더 유용하며 척수와 주변 구조 사이의 우수한 대조를 제공한다. 조영제주입은 수술후 척추, 감염 또는 염증이 의심되는 경우, 또는 비외사성척수경막내 또는 뼈병변에 사용해야 한다. 평가를 위한

구조는 척수, 뇌척수액(CSF), 추간판, 인대 및 신경근 및 추간공이 포함된다.[1,2]

다중검출기 전산화 단층촬영(MDCT)

Volume acquisition(체적 획득) 및 다중 다면재구 성(MPR)과 Volume isotropic reconstructions(체적등방성 재현)을 허용하는 다중검출기 전산화 단층촬영(MDCT)에서 새로운 개발로 인해 환자가 경추 골절의 위험이 높거나 단순필름이 불확실한 결과를 제공할 때 CT가 외상 환자를 위한 선택방법이 되었다(그림 9-5 참조).

다중검출기 전산화 단층촬영(MDCT)은 우수한 공간해상도를 갖고 있어서 추간공 협착증 평가에 도움이 되고, 뼈와 디스크 구성요소의 구별을 돕는다. 하지만 갑상선, 수정체 및 유방은 현저한 방사선량의 증가에 노출된다. 따라서, 일반적으로 MRI를 보완하는 적절한 임상환경에서 사용해야 하며, 방사선량을 줄이기 위해 노력해야 한다.[5]

환축추회전고정(AARF) ATLANTOAXIAL ROTATORY FIXATION

환축추 회전 고정 또는 아탈구는 환추의 탈구 및 비정상적 고정을 포함하는 드문 상태이다. 이것은 어린시절에 주로 발생하고 성인시기에서는 드물다. 비외상성 사경은 상부 호흡기 감염(그리셀 증후군, Grisel syndrome) 또는 경추 외상에 따르는 염증 상태와 관련된 근육 경련에 이차적일 수 있다. 조기 진단은 적절한 치료를 위해 필수적이다. 진단은 일반적으로 임상적으로 수행되며 더 심각한 경우에서만 방사선학적 징후가 양성이다.

오늘날, 방사선적 진단은 AARF에서 환축 복합체의 정상회전의 상실을 평가하기 위해 동적 CT 소견을 기반을 해야 한다. 순차적 CT스캔은 환자가 중립자세이고, 환자의 머리가 불편함(그림 9-7)으로 인해 제한될 때까지 왼쪽 및 오른쪽으로 회전되어 있을 때 얻어진다. 기준선을 교차하는 CT 스캔은 환추를

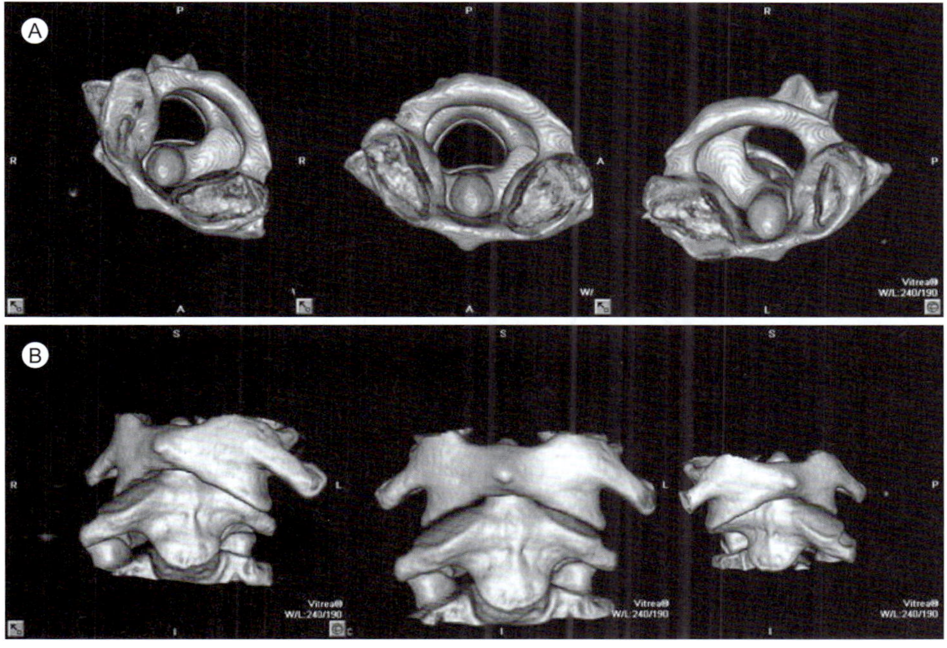

그림 9-7 ■ 정상 C1-C2에서 보이는 축상(A) 및 관상(B)에서 볼륨 렌더링(volume-rendering) 재구성을 사용한 다중검출기 전산화 단층촬영(multidetector computed tomography; MDCT).

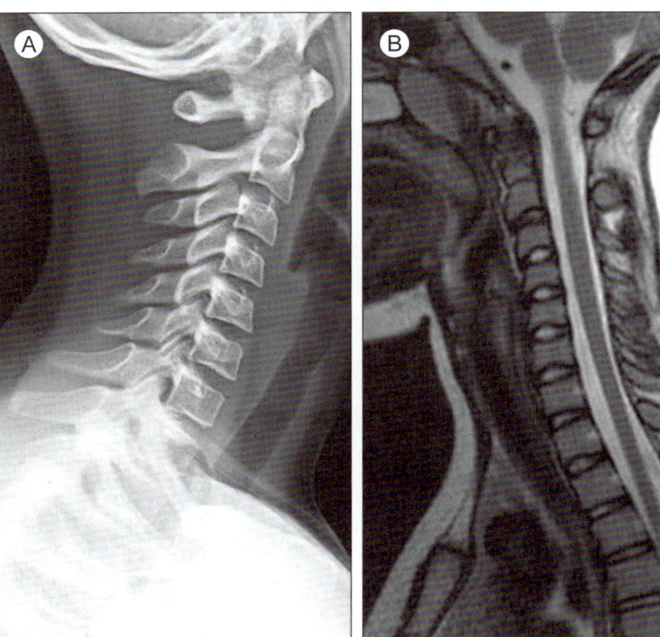

그림 9-8 ■ (A) 어린 소년의 정상 경추의 측면단순필름. (B) 해당 시상 T2WI. 디스크의 고강도신호가 기록됨.

통해 횡단으로 그려지고 치상돌기의 전후방 측면의 수직선을 가로질러 그려진다. 경추1번 및 경추2번 후관절은 경추2번 앞에 위치한 경추1번의 관절면의 한쪽의 정상적인 회전과 함께 수평면에서 배향되고 반면에 반대쪽 회전은 경추2번의 뒤쪽으로 경추1번 후관절을 이끈다. 정상 가동범위는 29° ~50° 사이이고, 평균은 45°이다. 인대는 정상 회전을 허용하고, 횡인대는 전방 변위를 억제하고 익상인대는 과도한 회전을 막는다. 정상회전과 근육 사경의 경우 경추1번이 정중선 위치로 회전하면 각도는 거의 0으로 감소하고 머리를 반대쪽으로 회전하면 경추2번을 교차할 수 있다. AARF에서 경추1번-경추2번 각도는 정중선을 향한 머리위치 변화에 따라 줄어들지 않고 절대 경추2번을 가로지르지 않는다.[3,4,6-8]

방사선학적 이상

1. **환추치상돌기 간격**(Atlanto-dense interval, ADI)**의** > 3mm **신전은** 5mm**보다 더 클 때 병리학적이며 양쪽 관절주머니인대**(capsular ligament)**의 손상과 연관이 있다.**
2. **치상돌기와** C1**의 외측괴**(**가쪽덩이,** lateral mass)**의 내측 가장자리 사이의 비대칭**
3. C1-C2 **관절덩이의 비정상적인 탈구.**
   정상 회전에서 C1**의 외측괴는 한쪽에서** C2**의 앞쪽으로, 다른 쪽에서** C2**의 뒤쪽으로 변위된다. 관절주머니인대**(capsular ligament) **및 횡인대가 찢어졌을 때, 비정상 회전이 생기고** C2**에 비해** C1**이 전방으로 변위되고** ADI**가 넓어진다.**

Fielding 및 Hawkins 분류가 가장 널리 사용된다. 유형 I은 인대손상과는 관련이 없으며 회전은 정상 해부학적 관계를 유지하는 반면, ADI는 정상이며 환자는 보존적 치료를 받는다. 유형 II 및 III은 진행성 인대 손상을 포함한다. 유형 II의 환추-치상돌기 간격(atlantodens space)은 3~5mm로 측정하고 파열된 관절낭 인대에 이차적이며, 경추1번과 경추2번 사이에 회전으로 관계를 유지한다.

유형 III은 5mm보다 더 증가된 ADI 및 후관절 탈구를 특징으로 하는 외과적 징후이다. 유형 IV는 예외적이며 치상돌기가 저형성이고, 경추1번이 후방으로 변위될 때 발생한다.[6-8]

퇴행성 질환 DEGENERATIVE DISEASE

이 장에서는 영향을 받을 수 있는 다양한 해부학적 구조를 다룬다.[9]

디스크(Disc)

추간판은 MRI상 구별될 수 있는 3개의 구조적 구성요소를 가지고 있다. 물의 비율이 높기 때문에 T2WI에서 과강도인 중심수핵, T2WI에서 상대적으로 저강도의 모양을 만드는 층판성 치밀 환형섬유(lamellar dense circular fiber)를 가진 주변 섬유륜 및 2개의 연골 척추 종판이 있다. 인생의 두 번째 10년이 지나면서(10대가 지나면서) 디스크의 퇴행성 과정이 시작하여 수핵의 수분 성분이 감소하기 시작하여 섬유륜에 가해지는 하중이 증가하여서 섬유륜이 파열된다. 30세의 디스크는 수분이 20% 감소한다(그림 9-8 및 9-9). MRI는 감소된 디스크의 신호강도에 의한 이런 변화를 보여주며 디스크의 형태 변화 및 섬유륜의 파열이 뒤따를 수 있다.

요추의 표준화된 명명법은 척추 질환과 관련된 과학 학회가 참석한 과학 회의에서 합의에 의해 승인되었다(그림 9-10). 이 명명법은 경추에도 사용할 수 있다. 돌출은 디스크가 원주방향으로 신전될 때 발생하며 정상적인 노화 현상이다. 추간판탈출증은 추간공간의 한계를 넘어 디스크 물질의 국소적 변위로 정의되며, 변위된 물질의 모양에 따라 밑면이 넓은 경우 돌출(protrusion), 그리고 축면에서 전후방 직경이 횡단 직경보다 더 큰 경우 돌출(extrusion) 또는 시상면에서 추간공간의 높이를 초과하는 경우로 알려져 있다. 디스크 조각과 나머지 디스크 사이의 연속성이 끊어지면 분리증이 관찰된다. 이동은 디스크 탈출 돌출(herniation extrusion)이며, 이 이동은 머리방향 또는 꼬리방향일 수 있다. 디스크의 위치는 중심에서 외측, 중심, 중심외측 또는 관절하, 추간공 및 추간공외 오른쪽 또는 왼쪽으로 정의된다.

디스크 탈출증은 경추4번과 경추7번 사이에서 가장 흔하게 위치하고, 경추5번-경추6번이 가장 빈번하게 관련되는 디스크이다(그림 9-11).[1,2,9,10]

무증상 집단에서 경추의 퇴행성 발견의 빈도는 노화와 함께 증가한다. 이러한 소견은 주의해서 해석해야 하며 디스크의 줄어든 신호 강도와 관의 경미한 압박을 유발하는 돌출도 포함해야 한다. 탈출 및 단면적의 현저한 감소는 신경근병증 및 골수병증과 더 자주 관련된다.[11,12]

관절 퇴행(Joint degeneration)

척추에서 관절 퇴행은 골수부종 및 연골하 낭종 형성과 함께 다른 곳의 골관절염, 연골 얇아짐 및 변연 골극 형성과 유사한 패턴을 따른다. 후관절은 관상면에서 45° 후방경사로 비스듬하게 배향된다. 이것들은 관절낭에 많은 자유신경종말로 풍부하게 신경분포가 되어 있다. 골관절염은 과이동성 분절인 경추4번-경추6번에서 발생한다. 경추 근접면 낭종(juxtafacet cyst)은 경추 척추증과 관련된 특이한 경막외 병변이다. 대부분 환자는 척추관절증과 척추 분절의 과이동성을 가지고 있다. 위치는 일반적으로 경흉추 이행 접합부에 있다.[13,14]

다중검출기 전산화 단층촬영(multidetector computed tomography; MDCT)는 공간해상도가 더 높고 뼈 평가에 더 좋으며, 연조직 구성요소, 디스크 석회화, 또는 디스크 진공현상으로부터 골극을 보다 효율적으로 구별하고 경추협착을 과대평가하지 않는다(그림 9-12). 짧은 검사 시간은 모션 인공물을 감소시킨다. 그러나 연조직은 구별되지 않으며

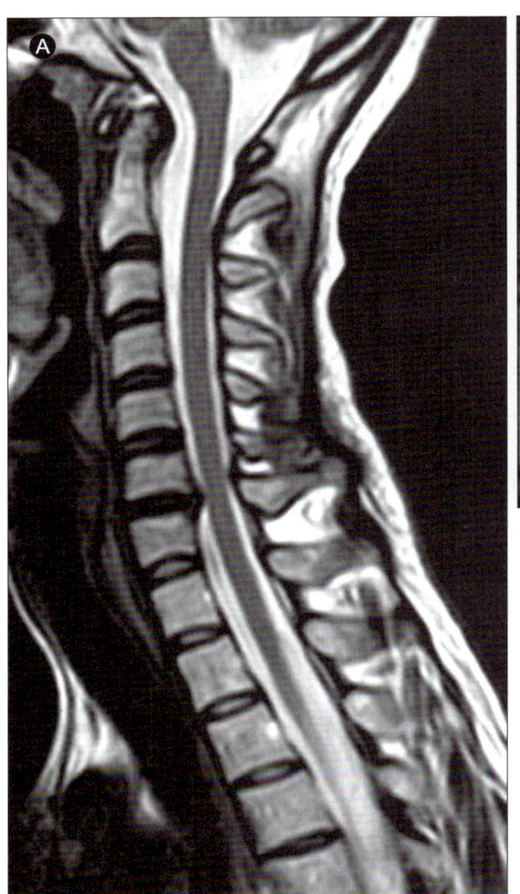

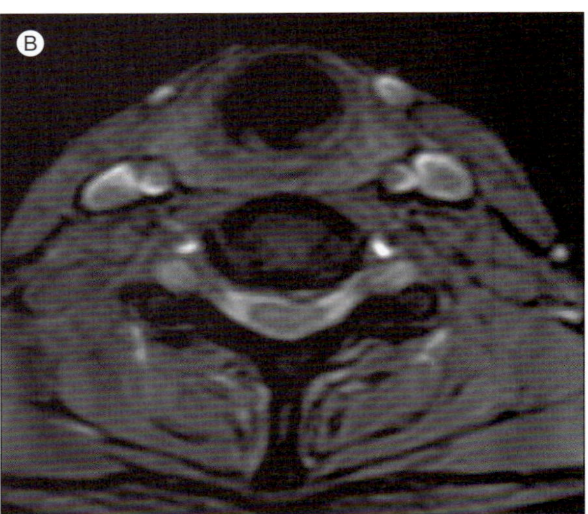

그림 9-9 ■ (A) 중년여성의 시상 T2WI. 디스크 퇴행의 시작, 저강도 신호 및 C5-C6의 측면 탈출이 보인다. (B)축상 경사에코 T2WI.

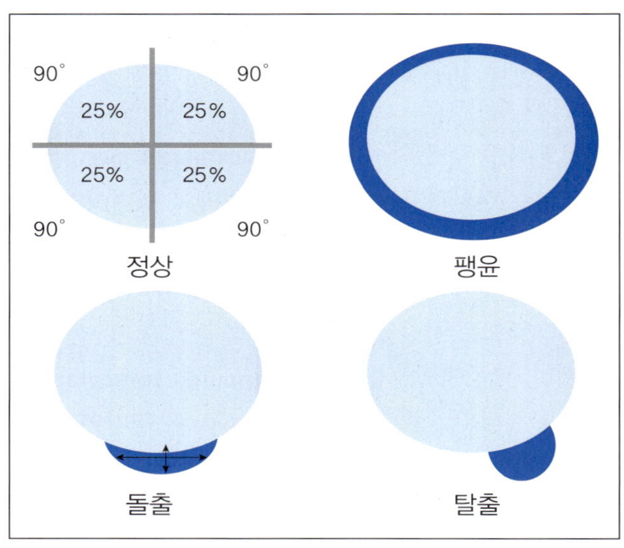

그림 9-10 ■ 합의 명명법의 도식.

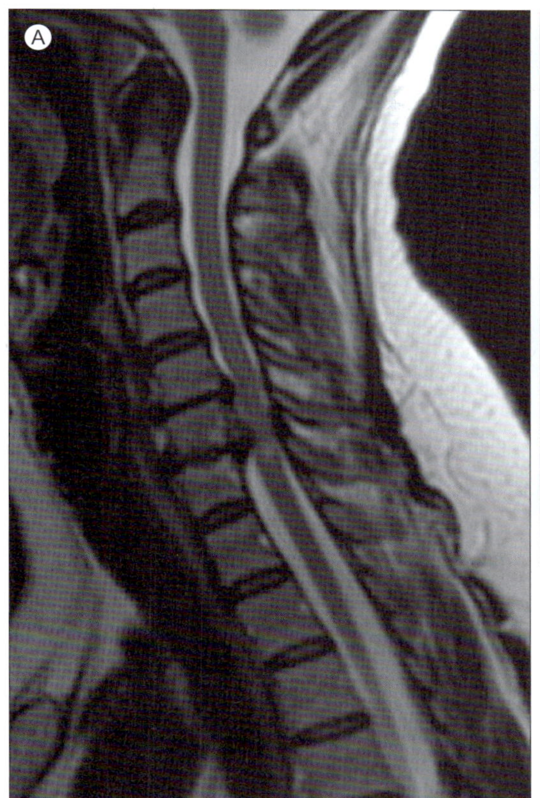

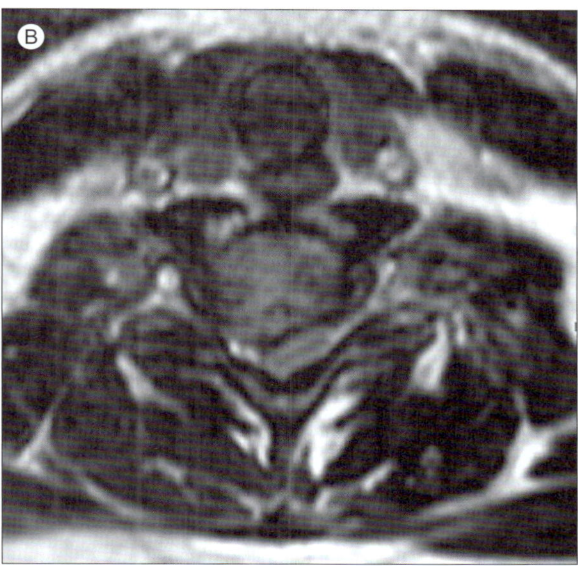

그림 9-11 ■ (A) 시상면 T2WI. (B) 경사에코 T2WI가 C5-C6 및 C6-C7에서 감소된 추간판공간이 있는 디스크 퇴행, C5-C6의 팽윤 및 C6-C7에서 외측 오른쪽 돌출을 나타낸다. 고강도는 척수병증에 이차적으로 인접한 척수에서 보인다.

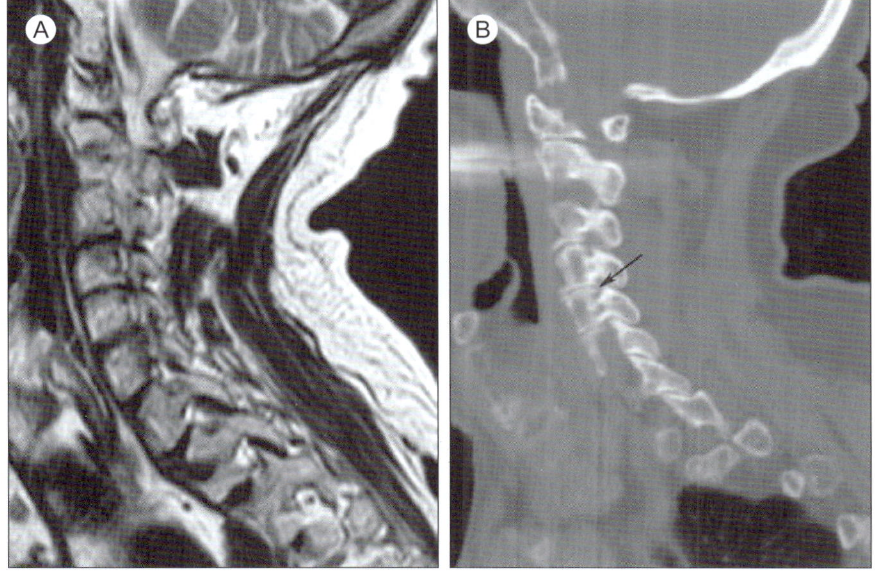

그림 9-12 ■ (B) 시상면 재구성을 사용한 다중검출기 전산화 단층촬영(multidetector computed tomography; MDCT)와 비교한 (A) 추간공 협착의 시상 T1W1의 골극(화살표)의 선명한 이미지.

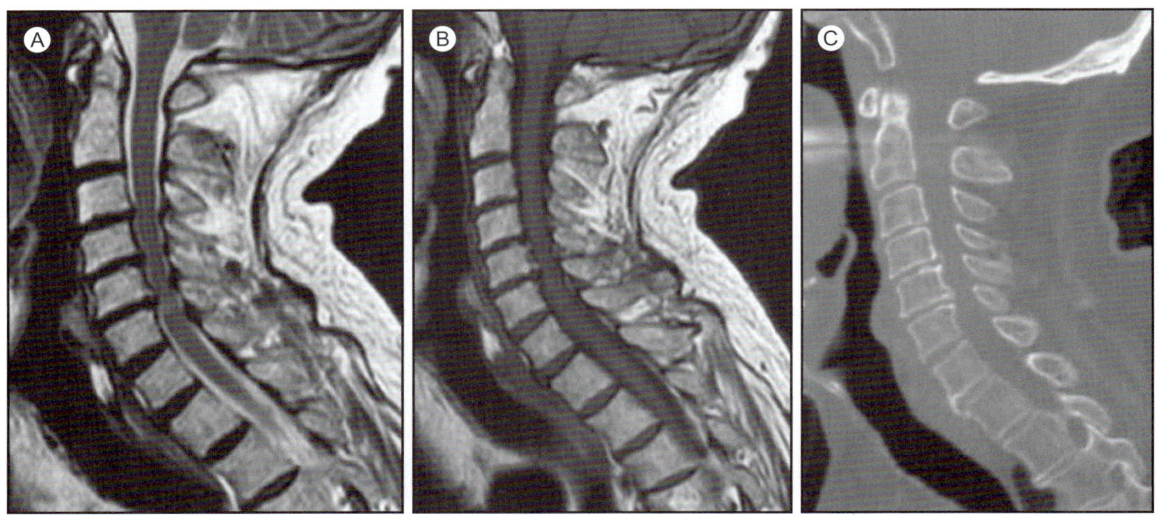

그림 9-13 ■ (A)시상 T2WI. (B)시상 T1WI. (C) 다중레벨 디스크 퇴행 및 C4-C5레벨에서의 석회화을 보여주고, C5-C6레벨에서 척수병증과 함께 경추 협착 야기를 보여주는 시상 다면재구성(MPR) CT.

이 기술은 척수병변 평가에 둔감하다. 따라서 수술 전 평가에서 보완적인 도구로 남아있다.

상부경추에서의 골관절염은 뚜렷한 자연사와 방사선학적 패턴이 있다. 위치는 주로 외측 환축관절에 있다. 이것은 전방 골극이 경추 식도에 영향을 주고, 척수압박을 수반하는 큰 후외측 골극에 영향을 미치는 외측괴(가쪽덩이, lateral mass) 효과이다.[15]

경추 협착(Cervical stenosis)

경추 척추관 협착은 디스크나 골극(bone osteophyte), 또는 종종 이 둘의 조합으로 인해 발생할 수 있다. 다양한 형태의 경사(gradient) 척추 경추 협착이 있는데, 이들 모두 지주막하 공간의 소멸, 척수의 변형 또는 변위 및 골수강 내 신호 강도의 증가에 근거한다. 척수 변위의 중증도는 임상증상의 중증도와 관련이 있다.

T2강조영상(T2WI)에서 증가된 신호강도로 나타나는 관련 척수병증은 나쁜 예후 소견이다. 시상 T2WI는 경추관협착의 평가에 더 중요한 순서이다 (그림 9-13).[16]

염증성 질환
INFLAMMATORY DISEASES

류마티스 관절염은 경추에 영향을 미치는 가장 흔한 염증성 장애이다. 척추 개입은 활막염 및 지방층 형성에 이차적이다. 상부경추는 후두-경추1번 및 경추1번-경추2번 관절이 순전히 활액이기 때문에 가장 흔하고 영향을 받는다. 지방층 형성은 축추 위에 있는 환추의 불안정성 및 전방 아탈구, 치상돌기 침식 및 흔치 않게 전외측괴 침식을 야기한다(그림 9-14 및 9-15).[17,18]

강직척추염은 주로 축 골격에 영향을 미치는 혈청음성반응 관절병이지만 결국에는 경추와 관련이 있다. 표적은 종인대 및 후방인대 삽입 시의 유착이다. MRI는 단순필름에서 방사선 징후가 분명해지기 전에 조기 척추염증성 질환을 보여준다.

방사선학적 징후는 골염, 골수 부종 및 골단부 및 늑골척추관절의 유착염, 비패혈성 척추디스크염 및 불유합 골절이다(그림 9-16).[19]

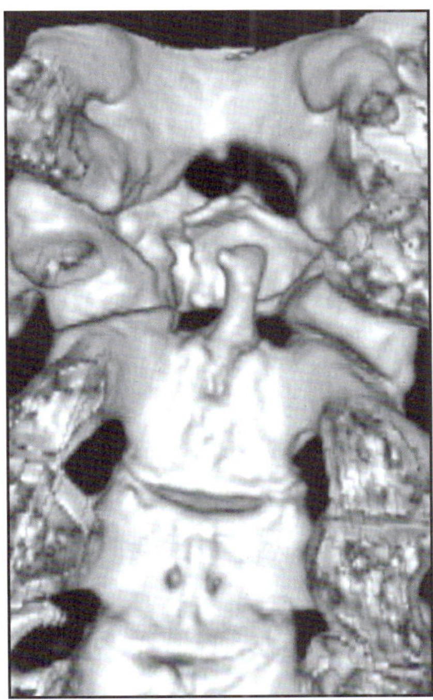

그림 9-14 ■ 상부경추의 관상 볼륨 렌더링 재현(volume rendering reconstruction)은 현저한 치상돌기의 파손을 보여준다.

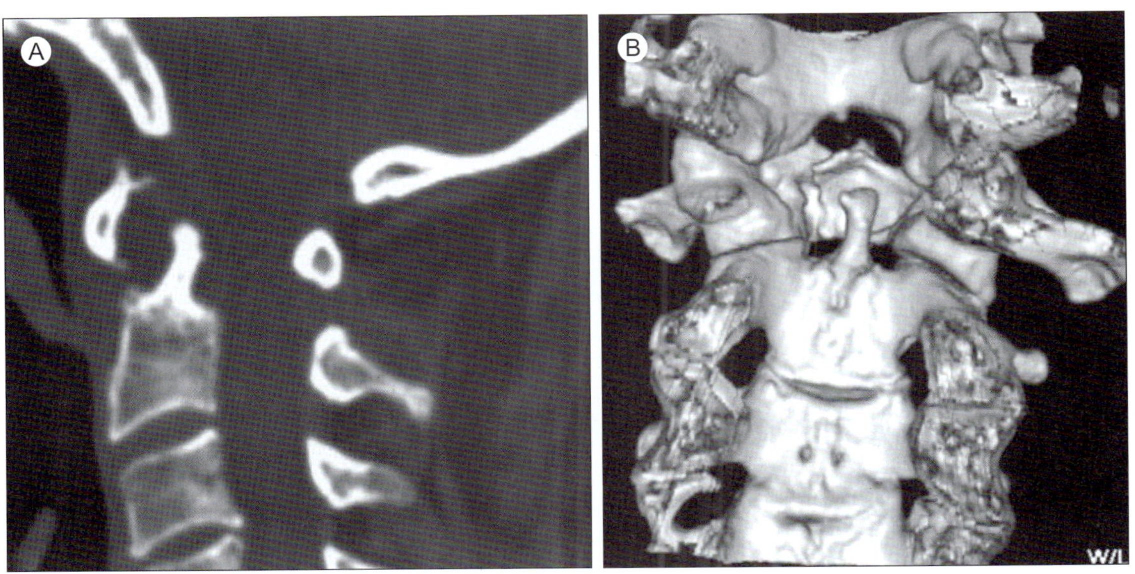

그림 9-15 ■ 치상돌기의 현저한 파손이 있는 류마티스 관절염의 증례의 시상 다중검출기 전산화 단층촬영(multidetector computed tomography; MDCT) 재현(A) 및 관상 3D 재현(B).

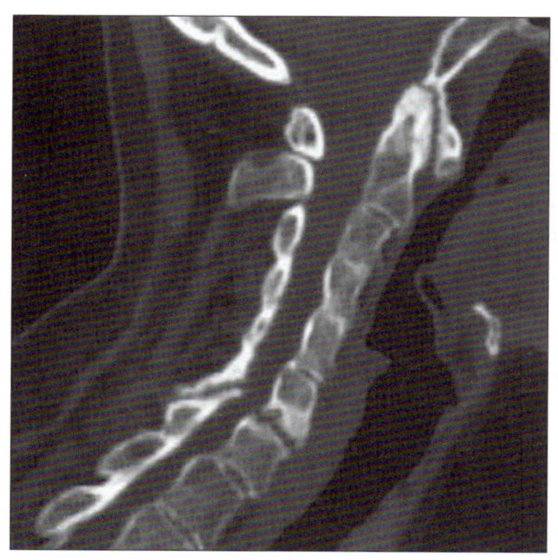

그림 9-16 ■ 경화증 및 인대증식(syndesmophyte) 비정상적 골극을 보이는 강직척추염의 시상 MDCT 재현.

미만성측발성골격과증(Diffuse Idiopathic Skeletal Hyperostosis, DISH)은 적어도 4개의 인접한 척추체의 전외측 가장자리를 따라 골화의 존재를 특징으로 하는 원인 불명의 전체적인 골관절염이다. 경추의 골화는 연하곤란을 유발할 수 있다. 주요 합병증 중 하나는 불유합, 기형 또는 신경학적 결손으로 이어질 수 있는 급성 척추 골절이다. 일반적으로 경미한 외상 후 척추가 약해진 환자에게서 발생하며 흉추 또는 요추에서 더 흔하게 발생한다(그림 9-17).[20]

DISH의 방사선학적 기준

1. 적어도 4개의 인접한 척추체의 앞세로인대(전종인대, anterior longitudinal ligament) 내 석회화 및 골화
2. 디스크 공간 높이의 보존
3. 경미하게 경화된 돌기사이관절, 그러나 골다관절 강직 및 늑골척추관절 유합 없음
4. 정상 천장골관절

경추 외상
CERVICAL SPINE TRAUMA

영상 기술(Imaging techniques)

영상기술은 손상의 위치를 확인하고, 안정성을 평가하고 척추관, 추간공, 척수 및 신경근의 상태를 정의하기 위해 척추 외상의 설정에 필요하다. 젊은층의 척추골절은 주로 교통사고 이후에 발생하고, 65세 이상은 저에너지 외상이 주요 원인이 되며, 특히 골다공증이 있는 고령의 여성에 경우 더욱 그렇다. 더 빈번한 분절 위치는 경추1번-경추2번 및 경추5번-경추7번이다. 경추골절은 척수 병변과 보통 관련이 있다. 구조적 척수 손상을 피하기 위해 압박 시작 후 6~8시간 사이에 감압을 수행해야 한다.[21-25]

경추의 단순필름은 응급실에서 효율성 없이 사용되어왔다. 임상의가 급성외상 상황에서 경추 영상의 사용을 결정하는데 도움이 되도록 두 가지 세계지침이 개발되었다. 캐나다 경추 규칙(CCR) 및 National Emergency X-Radiography Utilization (NEXUS)는 경추 영상을 안전하게 피할 수 있는 감각 환자의 척추병변에 대한 낮은 위험 기준을 정의했다. NEXUS에 따라 경추 방사선촬영은 후방 정중선 압통, 국소 신경학적 결손 및 고통스러운 산만한 손상 없는 경우를 제외하고 민감한 환자에게 나타난다. 캐나다 경추규칙(CCR)은 환자가 목 회전을 할 수 있는 능력과 기전의 유형을 추가한다.[26]

초기 평가는 여전히 단순 전후방 및 측면 엑스레이를 기반으로 한다. 그러나 단순 엑스레이는 골절의 수와 범위를 과소평가하고 반복이 필요한 경우가 많아서 어렵다. 따라서 다중검출기 전산화 단층촬영(multidetector computed tomography; MDCT)은 고위험 환자 또는 초기 단순 엑스레이 검사가 결정적이지 않은 경우 일차적 방법으로 사용한다(그림 9-18).

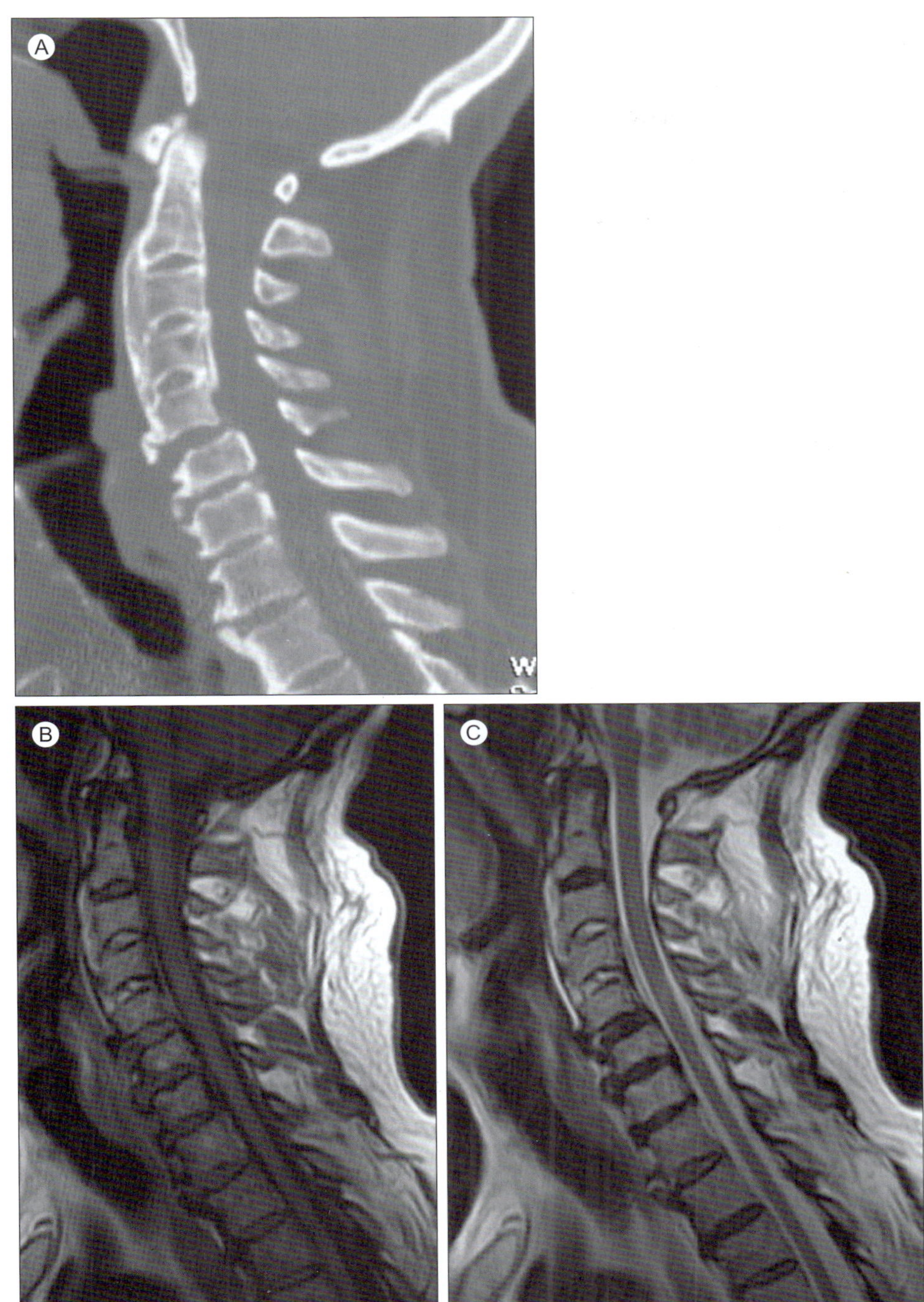

그림 9-17 ■ (A) MDCT 시상 재현 필름. (B) 시상 T1WI. (C) DISH 및 전방 척추인대의 파열이 있는 C5-C6 사이 fusion block의 골절 환자의 시상 T2WI.

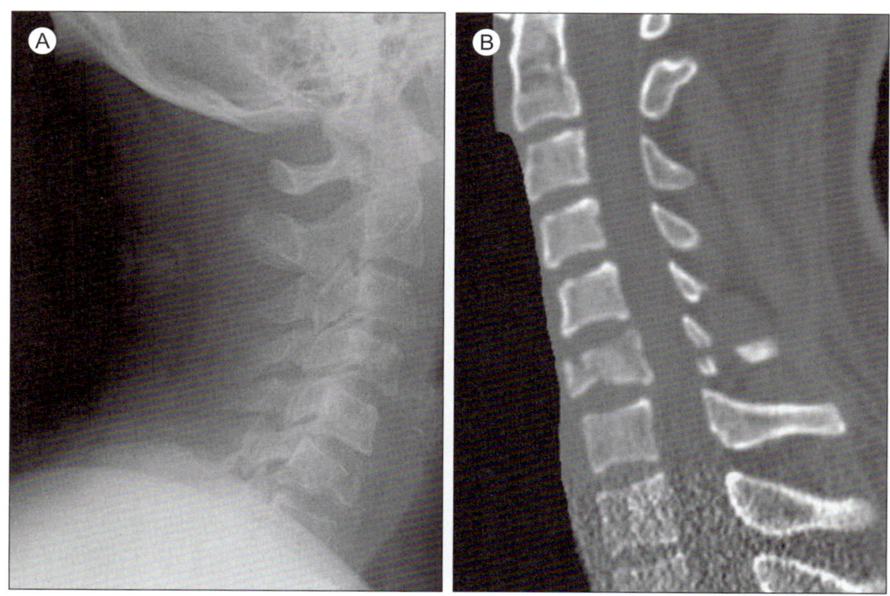

그림 9-18 ■ (A) 하부경추를 적절히 보기 어려운 단순 엑스레이(B) 불안정한 파열 골증은 시상 MDCT 재현에서 입증되었다.

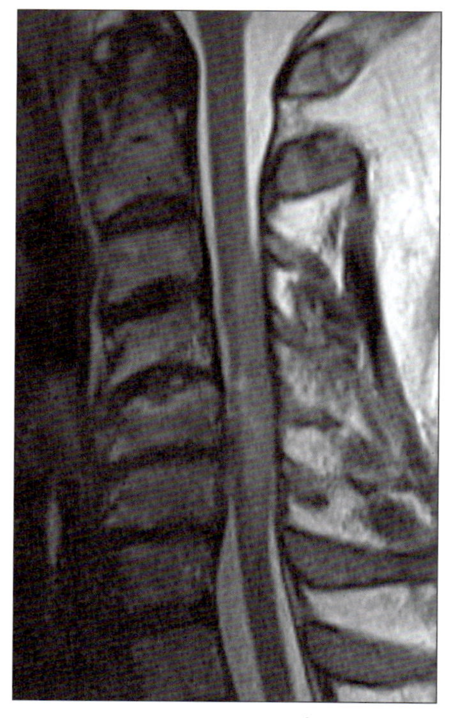

그림 9-19 ■ 나이든 환자의 골절 없는 외상후 척수 부종.

MDCT가 단순 엑스레이에 비해 비용이 들지만 거짓음성 영상연구에서 마비의 발생률이 낮기 때문에 궁극적으로 비용을 줄이는 것으로 나타났다.

CT의 가장 중요한 한계는 디스크, 인대 및 척수 병변과 같은 연조직 구조를 평가할 수 없다는 것이다(그림 9-19). 물론 soft tissue window가 있는 CT도 일부 이상을 묘사할 수 있지만, MRI이 더 큰 대비 해상도로 인해 더 우수하다. 단순 엑스레이와 CT는 정상인데 척수손상이 의심되는 경우 MRI을 시행해야 한다. MR은 또한 예후 가치가 있는데 척수 부종이나 타박상은 출혈이나 척수절개보다 예후가 좋다. SCIWORA는 방사선학적 이상이 없는 척수손상(spinal cord injury without radiological abnormality) 환자의 약어이고, 주로 어린이에게 나타나는 드문 부상이다.

영상 핵심사항 확인:

1. 척추선: 전방, 후방 및 극돌기고리판 선(spinolaminar line)은 연속적이어야 한다.
2. 극간 거리 균일
3. 척추앞연조직 공간이 C2에서 <5mm 이고, C에서 <15mm이다.
4. 상돌기 큰구멍앞점(basion) 거리 <9.5mm
5. 환추-치상돌기 거리가 성인은 <3mm, 어린이는 5mm.
6. 환추후두 및 환축관절은 일치되어야 한다.
7. 후관절의 균일한 정렬

안정성(Stability)

척추골절의 치료전략은 척추 안정성의 결정을 기반으로 한다. Dinis의 3기둥분류체계(Denis three-column classification system)는 가장 쉬운 방법 중 하나이며 흉추와 요추에 대해 설명되었지만 경추에도 사용된다. 전방 기둥은 척추체의 전방 절반 및 인접한 디스크의 전방 구조를 포함한다. 중간 기둥은 후방 척추체, 해당 디스크 및 뒤세로인대(후종인대, posterior longitudinal ligament)를 포함한다. 후방 기둥은 후방 뼈 요소들과 후방인대 구조를 포함한다. 두 개 또는 세 개의 기둥이 파열되면 기둥 불안정이 된다.[25]

특정 골절(Specific fractures)

제퍼슨골절(Jefferson fracture)로 알려진 환추의 골절은 힘이 후두돌기를 통해 외측괴(가쪽덩이, lateral mass)로 전달되는 축 하중에 대해 이차적으로 경추1번의 고리의 파열 골절이다. 횡인대가 찢어지고 환형고리가 열려서 불안정해진다면 경추1번-경추2번 탈구가 발생할 수 있다. 횡인대 완전성은 MRI로 평가해야 한다.[27]

교수형골절(Hangman fracture)은 경추2번의 외상성 양쪽 척추전방전위증이다. 추간공이 포함되거나 신경 결손과 관련이 있는 경우, 척추동맥 손상을 배제하기 위해 혈관 CT를 수행해야 한다.

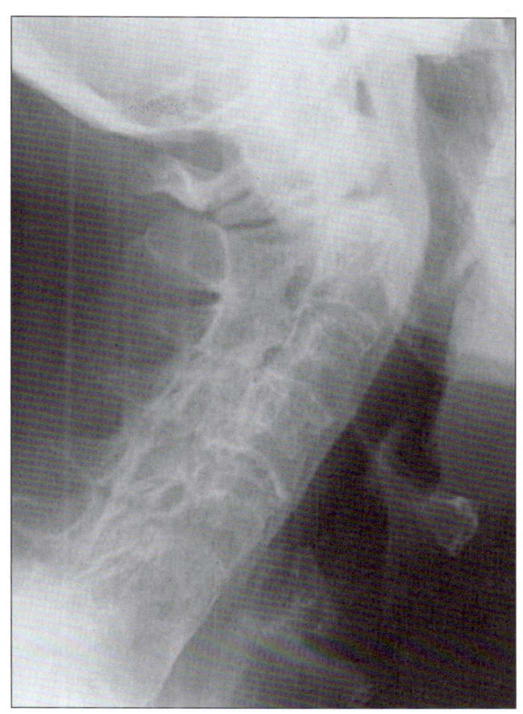

그림 9-20 ■ 강직성 척추염 환자의 치상돌기 골절.

치상돌기 골절(odontoid fracture)에는 여러 가지 분류체계가 있지만 가장 많이 사용되는 체계는 Anderson 및 D'Alonzo 분류인데, 유형 I은 치상돌기의 상부 박리, 유형 II는 치상돌기와 축추 척추체 사이 접합부 골절, 유형 III은 축추의 척추체로 신전되는 골절이다. 유형 II는 골절의 가장 흔한 형태이며 변위가 발생하면 불유합이 발생할 위험이 더 크다(그림 9-20).[28]

경추골절은 손상기전에 따라 과굴곡, 과신전 및 회전골절로 나눌 수 있다. 회전골절은 생체역학적 특성 때문에 하부경추에서는 드물다.

과굴곡 손상은 전방아탈구에 대한 후방인대 복합체의 점진적 파열을 포함한다. 방사선학적으로 말하면, 극간 신전, 덮이지 않은 후관절 및 증가된 후방 디스크공간이 나타난다(그림 9-21).

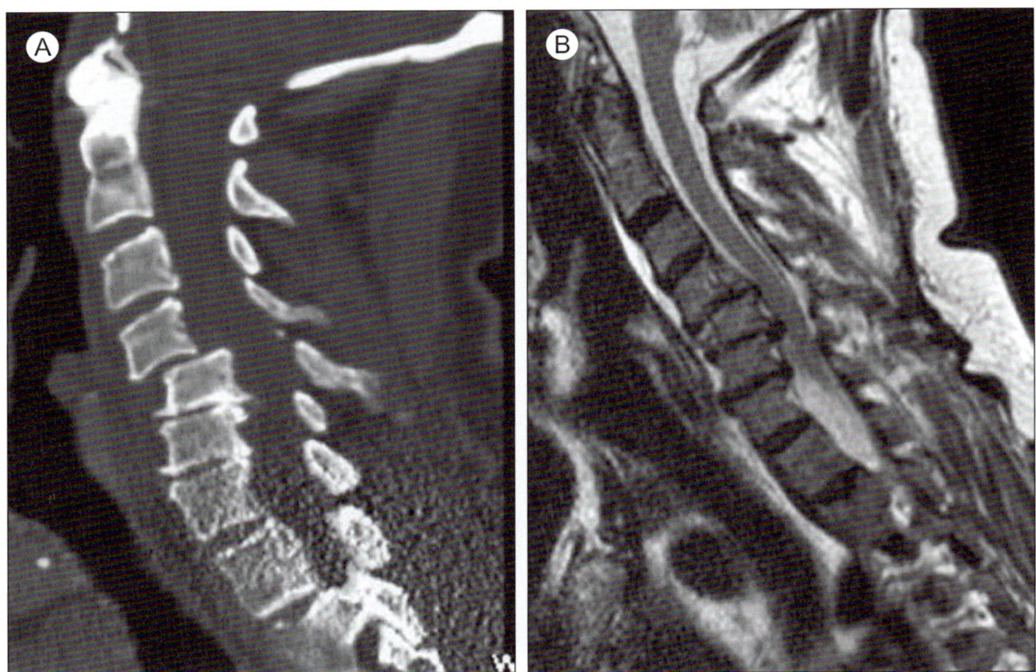

그림 9-21 ■ (A)후방요소 파열이 있는 과굴곡 골절 유형의 MDCT 시상 재현. (B)T2WI에서 연조직 및 척수부종이 나타난다.

과신전 손상은 직접적인 충격이나 하부경추를 포함하는 편타 효과를 통해 이차적으로 나타난다. MDCT 및 MRI 징후는 앞세로인대(전종인대, anterior longitudinal ligament)의 파열, 전방 추간판 공간의 넓어짐 및 전방 척추체 박리 파편이다.[21-23]

척추골절에 따른 이차 변형은 척추 높이의 손실에 따라 반정량적으로 등급이 매겨질 수 있다.

1등급 척추체높이가 정상값의 > 75%, 2등급 높이가 50%에서 75% 사이, 3등급 척추체 높이가 정상값의 <50%. 이 등급 시스템은 골다공증 골절에 사용된다.

결론 CONCLUSION

영상기술은 경추 구조의 우수한 해부학적 이미지를 제공한다. MRI는 척수내 내용물, 추간판 및 골수를 감지하는데 탁월하다. 피질골은 CT로 더 잘 묘사되고 다중평면 영상의 발달은 골절이나 추간공의 평가를 위한 중요한 도구로서의 가치를 높였다. 임상방사선학적 상관관계는 영상기술의 올바른 선택과 감별진단의 목표를 위해 필수적이다. 증상이 있는 많은 영상 소견과 퇴행성 척추질환이 있는 무증상 환자는 환자가 아닌 영상 치료를 피하도록 항상 염두에 두어야 한다. 척추 외상의 경우 구조적 척수 손상을 피하기 위해 시간요소가 필수적이다.

참고문헌

1. Jindal G, Pukenas B. Normal spinal anatomy on magnetic resonance imaging. Magn Reson Imaging Clin N Am 2011;19(3): 475–88.
2. Khanna AJ, et al. Magnetic resonance imaging of the cervical spine. Current techniques and spectrum of disease. J Bone Joint Surg Am 2002;84A(Suppl. 2):70–80.
3. Harris J Jr. The cervicocranium: its radiographic assessment. Radiology 2001;218(2):337–51.
4. Lustrin ES, et al. Pediatric cervical spine: normal anatomy, variants, and trauma. Radiographics 2003;23(3):539–60.
5. Chan PN, Antonio GE, Griffith JF, et al. Computed tomography for cervical spine trauma. The impact of MDCT on fracture detection and dose deposition. Emerg Radiol 2005;11(5): 286–90.
6. Rhea JT. Rotational injuries of the cervical spine. Emerg Radiol 2000;7(3):149–59.
7. Fielding JW, Hawkins RJ. Atlanto-axial rotatory fixation(fixed rotatory subluxation of the atlanto-axial joint). J Bone Joint Surg Am 1977;59(1):37–44.
8. Hicazi A, Acaroglu E, Alanay A, et al. Atlantoaxial rotatory fixation-subluxation revisited: a computed tomographic analysis of acute torticollis in pediatric patients. Spine 2002;27(24): 2771–5.
9. Todd A. Cervical spine: degenerative conditions. Curr Rev Musculoskelet Med 2011;4(4):168–74.
10. Fardon DF, Milette PC. Nomenclature and classification of lumbar disc pathology. Recommendations of the Combined Task Forces of the North American Spine Society, American Society of Spine Radiology, and American Society of Neuroradiology. Spine(Phila Pa 1976) 2001; 26(5):E93–113.
11. Matsumoto M, Fujimura Y, Suzuki N, et al. MRI of cervical intervertebral discs in asymptomatic subjects. J Bone Joint Surg Br 1998;80(1):19–24.
12. Siivola SM, Levoska S, Tervone O, et al. MRI changes of cervical spine in asymptomatic and symptomatic young adults. Eur Spine J 2002; 11(4):358–63.
13. Costa F, Menghetti C, Cardia A, et al. Cervical synovial cyst: case report and review of literature. Eur Spine J 2010;19(Suppl. 2):S100–2.
14. Yamamoto A, Nishiura I, Handa H, et al. Ganglion cyst in the ligamentum flavum of the cervical spine causing myelopathy: report of two cases. Surg Neurol 2001;56(6):390–5.
15. Papadopoulos SM, Chen JC, Feldenzer JA, et al. Anterior cervical osteophytes as a cause of progressive dysphagia. Acta Neurochir(Wien) 1989;101(1–2):63–5.
16. Kang Y, Lee JW, Koh YH, et al. New MRI grading system for the cervical canal stenosis. AJR Am J Roentgenol 2011;197(1): W134–40.
17. Reiter MF, Boden SD. Inflammatory disorders of the cervical spine. Spine(Phila Pa 1976) 1998; 23(24):2755–66.
18. Bouchaud-Chabot A, Lioté F. Cervical spine involvement in rheumatoid arthritis. A review. Joint Bone Spine 2002;69(2): 141–54.
19. Koivikko MP, Kiuru MJ, Koskinen SK. Multi-detector computed tomography of cervical spine fractures in ankylosing spondylitis. Acta Radiol 2004;45(7):751–9.
20. Cammisa M, De Serio A, Guglielmi G. Diffuse idiopathic skeletal hyperostosis. Eur J Radiol 1998;27(Suppl. 1):S7–11.
21. Parizel PM, van der Zijden T, Gaudino S, et al. Trauma of the spine and spinal cord: imaging strategies. Eur Spine J 2010; 19(Suppl. 1):8–17
22. Saifuddin A. MRI of acute spinal trauma. Skeletal Radiol 2001;30(5):237–46.
23. Blackmore CC. Clinical prediction rules in trauma imaging: who, how, and why? Radiology 2005; 235(2):371–4.
24. Daffner RH, Brown RR, Goldberg AL. A new classification for cervical vertebral injuries: influence of CT. Skeletal Radiol 2000;29(3):125–32.
25. Denis F. Spinal instability as defined by the three-column spine concept in acute spinal trauma. Clin Orthop Relat Res 1984; 189:65–76.
26. Stiell IG, Clement CM, McKnight RD, et al. The Canadian C-Spine Rule versus the NEXUS low-risk criteria in patients with trauma. N Engl J Med 2003;349:2510–18.
27. Benedetti PF, Fahr LM, Kuhns LR, et al. MR imaging findings in spinal ligamentous injury. AJR Am J Roentgenol 2000; 175(3):661–5.

28. Anderson LD, D'Alonzo RT. Fractures of the odontoid process of the axis. J Bone Joint Surg Am 1974;56(8):1663–74

10 경추 신경근병증의 전기진단평가

ELECTRODIAGNOSTIC EVALUATION IN CERVICAL RADICULOPATHY

SILVIA PARRA ESCORIHUELA ■ ELVIRA MILLET SANCHO

도입
INTRODUCTION

경추 신경근병증(cervical radiculopathy)을 앓고 있는 것으로 의심되는 환자의 진단은 주로 임상적이며 상지에 통증을 조사하고 관련 신경학적 지표를 기반으로 한다. 자주 증상이 특이적이지 않으므로 현재 보편적으로 인정되는 진단 임상 기준이 없다. 영상 연구는 해부학적 변형에 관한 정보를 제공하지만, 매우 구체적이지 않고 비기계적 근골 변형을 객관화할 수 없다. 따라서 전기 생리학적 연구는 경추 신경근의 역할을 연구할 수 있게 해주기 때문에 도움이 될 수 있다.

전기생리학적 연구는 경추 신경근의 역할을 연구할 수 있게 해주기 때문에 도움이 될 수 있다.

해부학
ANATOMY

해부학적으로 8쌍의 경추 신경근이 있다. 각 척수신경은 후근(척추체 감각)과 추간공(신경) 근위부의 척수내 영역에서 연결된 전근(척추체-운동)으로 구성된다.

척추외 영역에서 신경근은 두 부분으로 나뉜다. 척추주위 근육을 자극하는 작은 후방1차가지와 팔다리와 몸통을 자극하는 큰 전방1차가지이다. 8개의 경추 신경근과 7개의 경추만 존재하기 때문에, 경추7번과 흉추1번 사이에 나오는 경추8번을 제외하고, 신경근은 동일한 수의 척추체(C4-C5의 척추체 사이의 C5 신경근)의 척추체 위로 나온다.

신경근 동맥은 신경근에 혈관 형성을 제공하고 후근보다 전근에 더 높은 밀도의 모세혈관이 있다. 따라서 후자(감각)가 더 취약하다. 운동 섬유의 세포체는 척수의 앞뿔에 위치하는 반면, 감각 섬유의 세포체는 등쪽 척수 외근의 신경절에 있다. 따라서, 디스크에 가까운 신경근의 감각 부분은 신경절에 인접하고, 따라서 중심에 있으므로, 그 변경으로 인해 말초 감각 뉴런은 손상되지 않는다(그림 10-1). 동일한 전근의 신경분포를 공유하는 모든 근육은 근육분절을 형성하는 반면(그림 10-2), 동일한 후근의 감각 신경분포를 받는 피부 영역은 피부분절을 형성한다(그림 10-3). 근육분절과 피부분절의 인접 영역이 어느 정도 겹치는 것을 볼 수 있다는 점은 주목할 가치가 있다.[1,2]

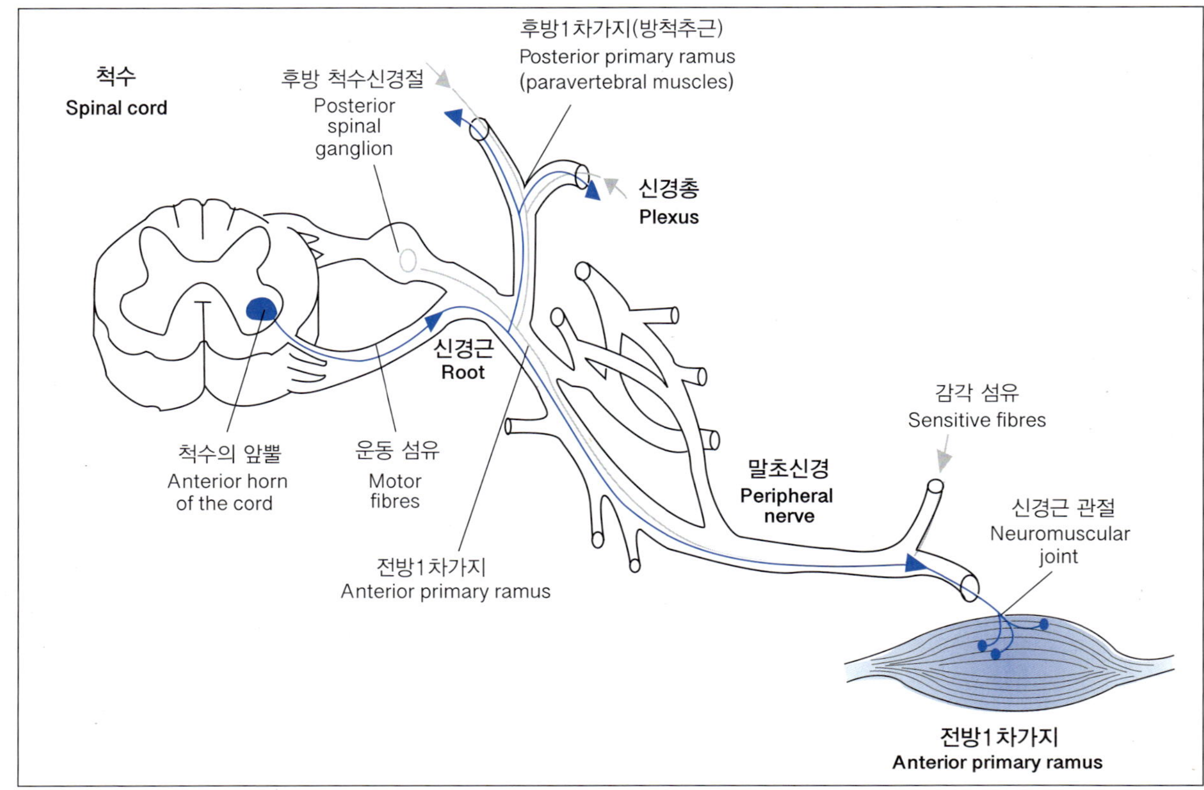

그림 10-1 ■ 운동 부분과 감각 부분 모두의 경추 신경근 해부학.

생태병리학 PHYSIOPATHOLOGY

근신경 섬유는 포착, 압박(후관절, 구상관절 또는 디스크에 의한), 침윤, 염증, 허혈 및 절개와 같은 다른 말초신경과 동일한 유형의 손상에 취약하다. 추간공에서 신경근은 단단한 경막 호스로 둘러싸여 있어 부종이나 말초신경의 압박에 더 취약할 수 있으며 감각 섬유는 항상 가장 취약하다.[2,3] 전통적으로, 대부분의 근골 변화는 기계적 압박에 기인한다. 그러나 Saal 등[4]은 부러진 디스크가 포스포리파제 A2를 방출한다는 것을 보여주었다. 이 효소는 아라키돈산 캐스케이드의 염증 반응에서 중심적인 역할을 하며, 근골 증상의 발달에 중요한 역할을 하는 것으로 보인다.[4,5]

신경근의 변화는 국소 탈수초화를 초래할 수 있으며, 이는 신경전도 속도의 감소 또는 그 지점에서만 신경의 흥분성 부족을 유발한다. 이 부상은 재수초화를 통해 일반적으로 몇 주 안에 치료될 수 있으므로 예후가 좋다. 손상이 심하면 축삭 손상이 발생할 수 있으며, 이는 영향을 받은 축삭의 전체 길이에서 월러 변성(wallerian degeneration)을 일으켜 일부 근육 섬유에 신경 분포가 부족할 수 있다.[6]

증상 SYMPTOMS

신경근병증은 일반적으로 상지에 조사되는 목 통증으로 임상적으로 나타나며, 감각 변화, 운동 기능의 상실 및 영향을 받는 신경근의 분포에서 골건 반사의 변화를 동반할 수 있다.[7] 그러나 임상 양상

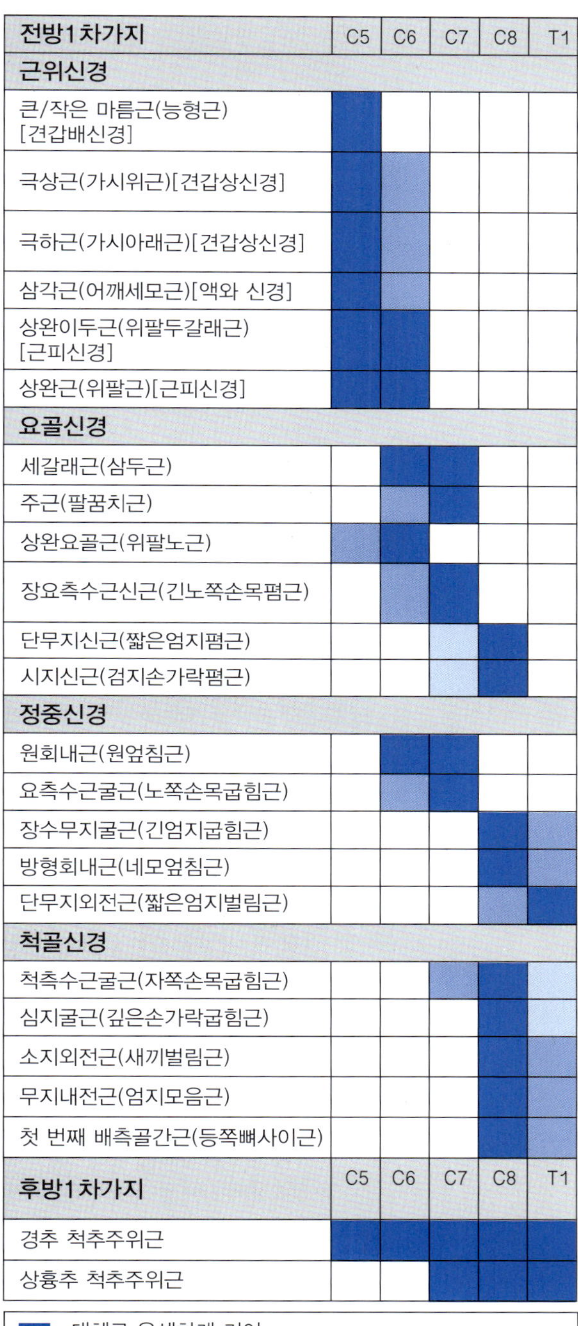

전방1차가지	C5	C6	C7	C8	T1
근위신경					
큰/작은 마름근(능형근) [견갑배신경]	■				
극상근(가시위근)[견갑상신경]	■	▒			
극하근(가시아래근)[견갑상신경]	■	▒			
삼각근(어깨세모근)[액와 신경]	■	▒			
상완이두근(위팔두갈래근) [근피신경]	■	■			
상완근(위팔근)[근피신경]	■	■			
요골신경					
세갈래근(삼두근)		■	■		
주근(팔꿈치근)		▒	■		
상완요골근(위팔노근)	▒	■			
장요측수근신근(긴노쪽손목폄근)		▒	■		
단무지신근(짧은엄지폄근)			░	■	
시지신근(검지손가락폄근)			░	■	
정중신경					
원회내근(원엎침근)		■	■		
요측수근굴근(노쪽손목굽힘근)		▒	■		
장수무지굴근(긴엄지굽힘근)				■	▒
방형회내근(네모엎침근)				■	▒
단무지외전근(짧은엄지벌림근)				▒	■
척골신경					
척측수근굴근(자쪽손목굽힘근)			▒	■	░
심지굴근(깊은손가락굽힘근)				■	░
소지외전근(새끼벌림근)				■	▒
무지내전근(엄지모음근)				■	▒
첫 번째 배측골간근(등쪽뼈사이근)				■	▒
후방1차가지	C5	C6	C7	C8	T1
경추 척추주위근	■	■	■	■	■
상흉추 척추주위근			■	■	■

■ 대체로 우세하게 기여
▒ 가끔 중요하게 기여
░ 애매/덜 기여

그림 10-2 ■ 근육분절 지도.

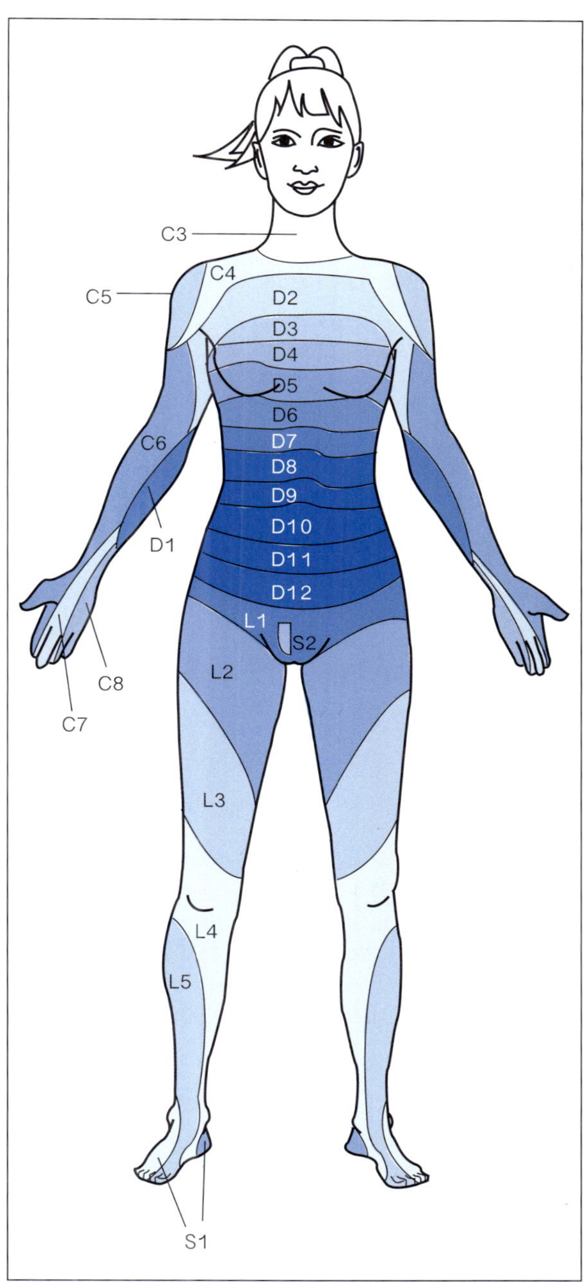

그림 10-3 ■ 피부분절.

은 매우 다양할 수 있으며 임상 탐색은 일반적으로 정보를 제공하지 않는다. 이상감각과 같은 감각 증상은 흔히 매우 광범위하며, 모든 근육이 일반적으로 2개 또는 3개의 신경근에 의해 신경지배를 받기 때문에 약점이 없다. 반면에 통증이나 기능적 결함으로 인해 탐색이 불가능한 경우가 많다.

감별 진단 DIFFERENTIAL DIAGNOSIS

사지까지 확장되는 모든 증상이 반드시 신경근 손상에 이차적인 것은 아니기 때문에 신경근병증을 임상적으로 진단하는 데 어려움이 증가한다. 모든 중배엽(mesodermic) 구조(인대, 힘줄 등)는 기계적 또는 화학적 자극에 의해 통각수용성 활성화를 재현할 수 있는 신경 섬유를 포함하며 조사통증으로 나타날 수 있다. 다른 한편으로, 상지에 갇힌 말초신경(정중, 척골 또는 요골) 및 신경총병증(예: 근위축성 신경통)은 이상감각뿐만 아니라 팔에 조사통증을 나타낼 수 있다.[3]

신경생리학적 평가 NEUROPHYSIOLOGICAL EVALUATION

전기진단 검사는 신경 임상 검사의 연장선이며, 특히 신경근의 생리학적 기능장애를 객관화하고 말초신경 변형을 배제하기 위해 경추 신경근병증으로 고통받는 것으로 의심되는 환자에서 사용된다. 컴퓨터 장치(그림 10-4)를 사용하여, 전기생리학적 검사에 사용될 수 있는 다양한 기술이 많이 있으며,[1,6] 각각은 아래에 설명된 것처럼 고유한 장점과 한계[8-15]가 있다.

전기생리학적 검사는 신경근의 생리학적 기능장애를 객관화하고, 증상이 신경근 변형을 시뮬레이션할 수 있는 말초신경 변형을 배제하기 위해 경추 신경근병증에서 자주 사용된다.

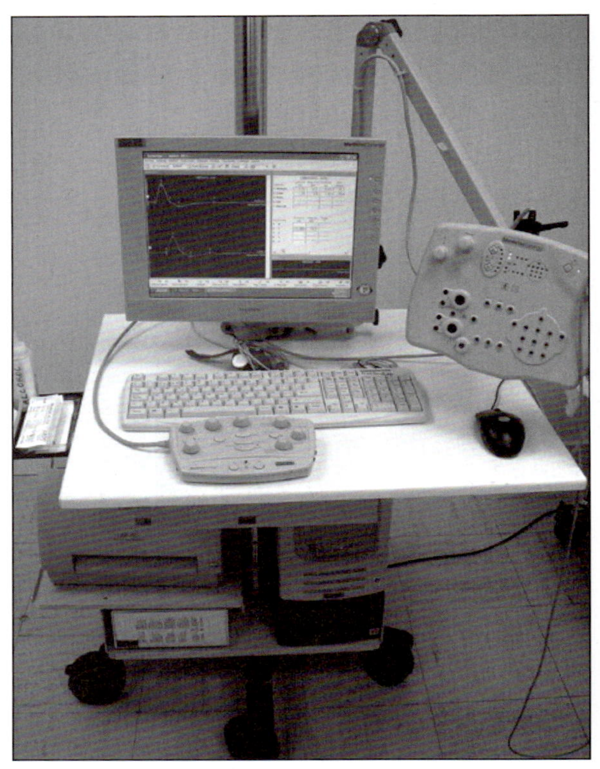

그림 10-4 ■ 근전도 장비.

신경전도 검사: 일반적인 고려사항

신경전도 검사는 말초신경 구조의 해부학적 기능과 완전성을 평가한다. 이것들은 주어진 지점(감각, 혼합, 운동 모두)에서 신경의 전기적 자극과 특정 거리에서 신경에 의해 생성되고 전달되는 전위의 판독을 기반으로 한다. 측정된 전위에 대해 전기 충격을 전달하는 섬유의 수(진폭) 및 전도 속도와 같은 신경의 완전성을 연구할 수 있는 다양한 지표를 측정할 수 있다(그림 10-5).

경추 신경근병증의 평가에 사용되는 신경전도 검사

신경근병증에서 감각 신경전도 검사는 감각 증상이 있는 경우에도 정상이다. 변화는 감각 섬유의 신경절 이전 부분에 위치하므로 신경 병증 및 신경총

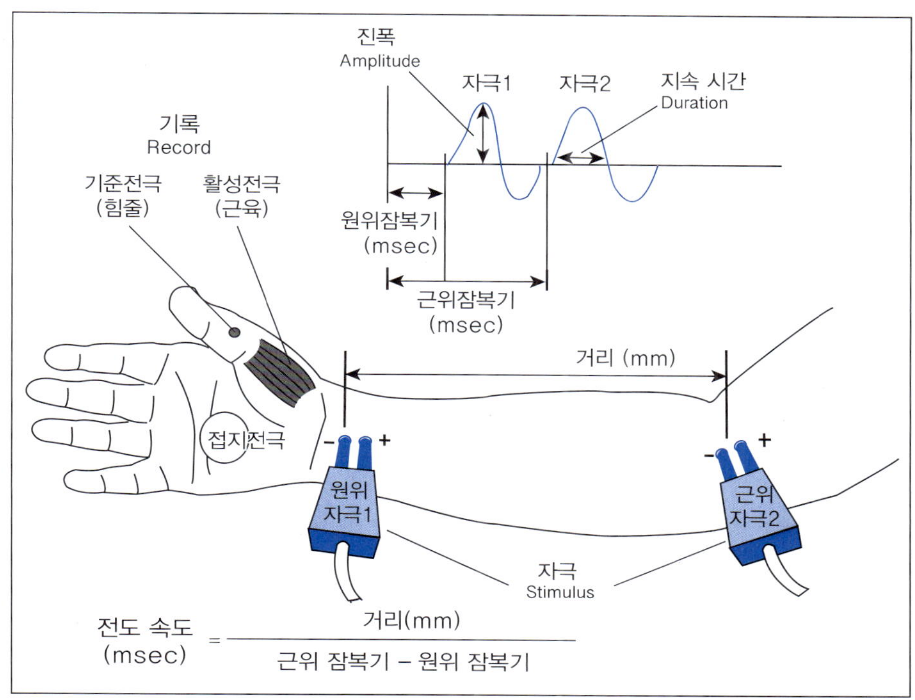

그림 10-5 ■ 신경전도 검사.

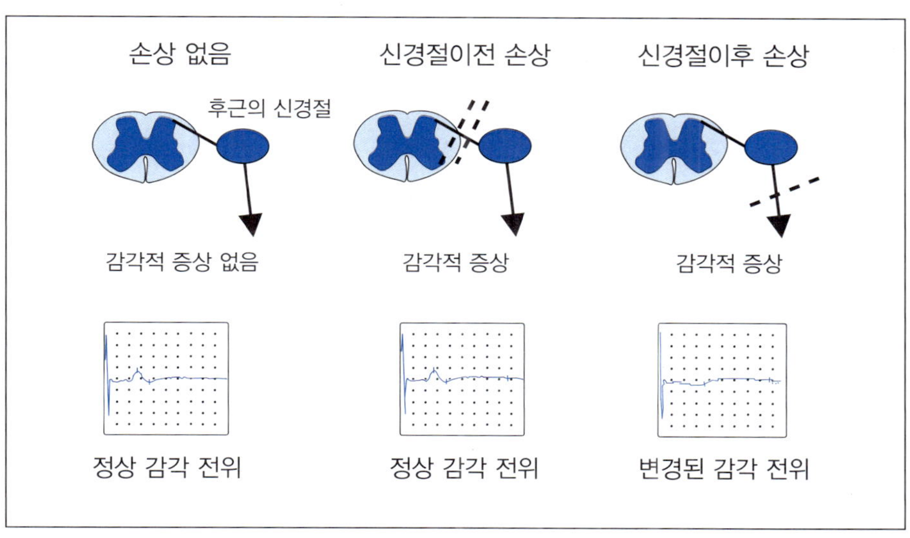

그림 10-6 ■ 손상 부위에 따른 감각 전위의 작용: 신경절이전(신경근) 또는 신경절이후(신경총 신경줄기)

병증(신경절이후 변화)과 달리 말초 감각 뉴런이 존중된다(그림 10-6). 예외적인 상황에서 신경절이 영향을 받는 신경근병증이나 악성 침윤, 감염 또는 수막종과 같이 척수 내 공간에서 추간공으로 침투하거나 확장되는 과정에서 감각 전위의 변화가 나타날 수 있다.

유사하게, 운동 전도 검사는 고립된 신경근 손상의 진단에 상대적으로 둔감하다. 운동 활동 전위의 진폭 감소는 근육이 영향을 받은 신경근의 근육분절에 위치한 신경을 탐색할 때 그리고 축삭 손실이 예외적으로 심각하거나 근육을 공급하는 하나 이상의 신경근이 영향을 받은 경우에만 관찰된다.

기타 신경전도 검사

그들은 근위부 분절의 국소 변화를 평가하는 데 유용하다(그림 10–7):

- ***F* 파:** 활동전위가 근위부로 확장되면 전방 척수뿔에 도달하고 인접한 축색돌기를 자극하여 F파가 기록되는 근육으로 다시 자극을 유도한다. 따라서 그들은 척수로 가는 전체 신경 궤적의 전도를 측정하고 이론적으로 국소 탈수초화에서 손상된 부분을 통한 전도를 연구하는 데 사용할 수 있다. 그러나 민감도가 낮아 감각 섬유의 경로를 검사하는 데 사용할 수 없다.
- ***H* 반응:** 신축반사에 해당하는 것으로 간주. 성인의 경우 가자미근(S1 섬유)에서만 일정하므로 경추 신경근병증 검사에는 유용하지 않다.
- ***체성감각유발전위(Somatosensory evoked potential; SSEP)*:** 말초 레벨에서 감각 또는 혼합된 접근 가능한 신경을 전기 자극한 후 얻어지는 뇌의 감각피질 전기 반응으로 전체 감각 경로를 연구한다. 이론적으로 말초신경계의 근위부 영역에서 감각 기능을 연구하는 데 사용할 수 있기 때문에 가치있는 도구이다. 그러나 신경근병증 검사에서도 민감도가 낮다.

바늘 전극을 사용한 근전도 검사: 일반사항

바늘 근전도(Electromyography; EMG)는 바늘 전극을 근육에 삽입하여 근육의 전기적 활동을 기록한다. 이 기술은 운동 뉴런, 축삭 및 이 축삭에 의존하는 모든 근육 섬유로 구성된 운동단위의 구조와 기능에 대한 연구를 용이하게 한다(그림 10–8). 동심 바늘 전극은 운동단위에 의존하고 전극의 반경(일반적으로 1 mm) 내에 있는 모든 근육 섬유의 전기적 활동의 총합인 운동단위전위(motor unit potential, MUP)를 기록한다.

근육의 구조 및 기능을 정확하게 평가하기 위해서는 3단계를 연구해야 한다:

- **휴식 중 활동:** 정상 근육은 휴식 시 침묵한다. 축삭이 손상되면 축삭에 의존하는 근육 섬유가 신경지배가 없는 상태로 남는다(탈신경). 이 상황에서 이 섬유는 과흥분성이 되어 휴식 중에 자발적인 활동을 한다 (양의 파동 및 세동으로 알려짐). 이것이 일어나기 위해서는 축삭이 손상 위치에서 완전히 퇴화하는 데 충분한 시간이 경과해야 한다. 이는 손상과 신경지배된 근육 사이의 거리(근위부–원위부 순서로)에 따라 다르며 최대 21일 지속된다. 따라서, 위음성을 피하기 위해서는 이 기간 이후에 탐색을 수행하는 것이 매우 중요하다. 반대로 생리병리학적 기전이 축삭 변성없이 탈수초인 경우 근육은 손상되지 않는다.
- **가벼운 수의적 수축:** 환자는 구조 및 기능에 대한 정보를 제공하는 다양한 지표를 분석하여 평가할 수 있는 여러 운동단위를 활성화한다 (그림 10–9). 가장 중요한 지표는 운동단위를 구성하는 섬유의 양을 평가하는 운동단위전위(MUP)의 진폭과 해당 섬유의 신경근육 전달을 평가하는 지속시간이다. 축삭이 손상되고 말단부가 퇴화되면 근처의 운동단위가 신경이 제거된 근육 섬유에 재신경을 공급한다 (그림 10–10).

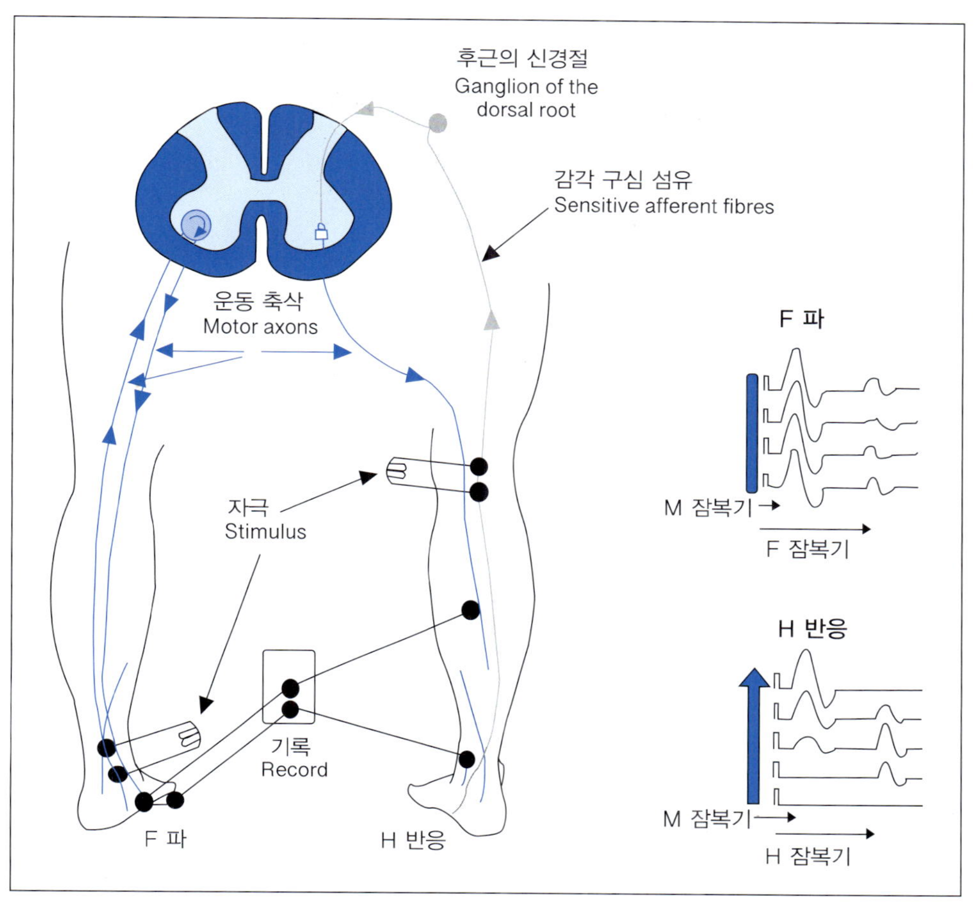

그림 10-7 ■ F 및 H 반응.

최근 재신경지배에서 운동단위는 미성숙한 구성으로 인해 지속시간이 증가하여 관찰된다.
더 오래되고 안정적인 재신경에서 전달 시간은 균일하며 진폭이 크게 증가한 운동단위가 관찰된다.

- 최대 수의적 수축 또는 간섭 패턴: 건강한 피험자에서 모든 운동단위가 참여(중간 패턴으로 알려짐)되는 반면, 구조적(축삭 퇴행)으로 인한 것인지 기능적(전도 차단) 변경, 중앙 변경 또는 협력 부족 여부에 관계없이 운동단위 손실(단순 패턴)이 있을 때 더 적은 단위가 참여한다.

EMG 검사는 변화를 감지하고 위음성을 최소화하기 위해 신경학적 증상이 시작되고 21일 후에 수행해야 한다.

경추 신경근병증 평가에 대한 기존의 근전도(EMG) 검사

근전도(EMG) 검사는 움직임 요소만을 평가하지만, 신경근병증에서 축삭 손실을 식별하는 것과 관련하여 전기 진단 검사 중 가장 구체적이고 예민하다. 동일한 체절 신경근에 의해 신경지배를 받지만, 다른 말초신경에 의해 신경지배되는 둘 이상의 근육에 이상이 있고, 정상적인 인접 신경근에 의해 신경

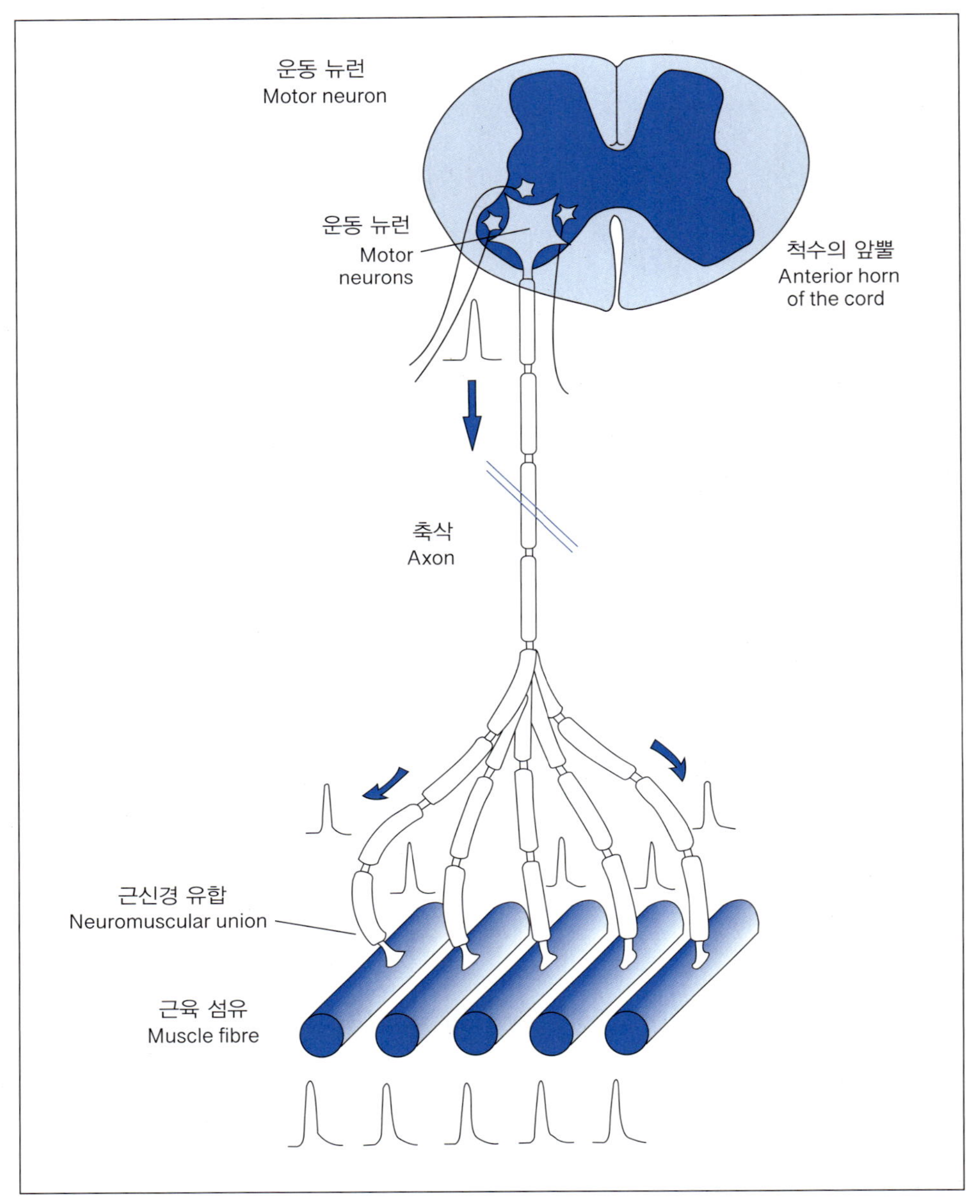

그림 10-8 ■ 운동단위의 구조.

지배되는 근육의 변화가 감지되지 않는 경우 검사는 양성인 것으로 간주될 수 있다.

기형(Anomalies)은 다음 구성 요소인 비정상적인 자발적 활동, 최대 노력 패턴에서 운동단위의 참여 감소 및 운동단위전위(MUP)의 재신경지배 특성 중 하나 이상을 포함해야 한다.

EMG 검사를 통해 우리는 많은 경우, 신경근 변화의 유무, 변화의 수준, 축삭 손실의 정도, 과정의 만성 및 그 활동에 관한 정보를 얻을 수 있다.

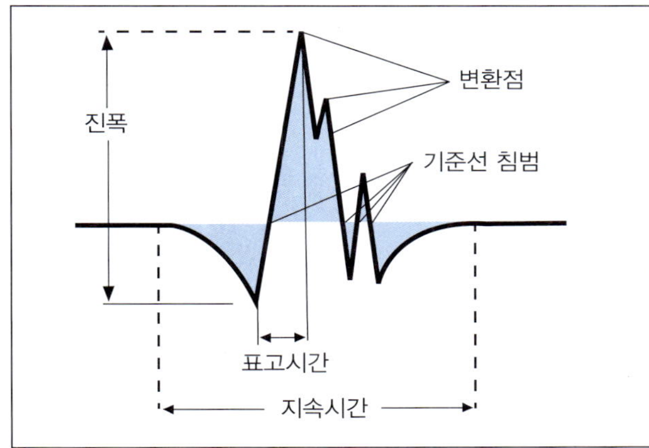

그림 10-9 ■ 운동단위전위를 측정하는 데 사용되는 지표.

근전도 검사를 통해 우리는 많은 경우 신경근 변화의 유무, 변화의 수준, 축삭 손실의 정도, 과정의 만성 및 그 활동에 관한 정보를 얻을 수 있다. 변화의 신경뿌리 위치를 평가하기 위해 근육분절 지도가 발표되었다(그림 10-2 참조). 이들은 각 근육의 체절 신경지배를 나타낸다. 변화의 레벨은 특정 근육을 지배하는 신경근에 상당한 개별적 다양성이 있고 모든 운동 섬유가 신경근병증에 영향을 받지 않을 때 영향을 받는 근육의 공통 체절 신경지배를 통해 찾을 수 있다. 일부 근육은 다른 근육보다 더 많은 영향을 받는다. 또한 근육분절 사이, 특히 경추6번-경추7번의 신경근 사이에 겹침이 있으며 어떤 경우에는 구별하기 어렵다는 점에 유의해야 한다.[16]

척추주위 근육에 대한 연구는 검사의 민감도를 높인다. 그러나 다른 상황{운동 뿔(motor horn) 또는 근육 변형, 국소 척추 외상(경막외 차단), 당뇨병 및 심지어 건강한 환자의 14%}에서도 관찰될 수 있으므로 신경근병증은 존재만으로 진단할 수 없다. 또한 영향의 결핍이 신경근병증의 진단을 배제하지 않는다. 또한 4~6개의 분절이 겹칠 수 있기 때문에 분절 레벨을 정확하게 찾지 못한다.[17]

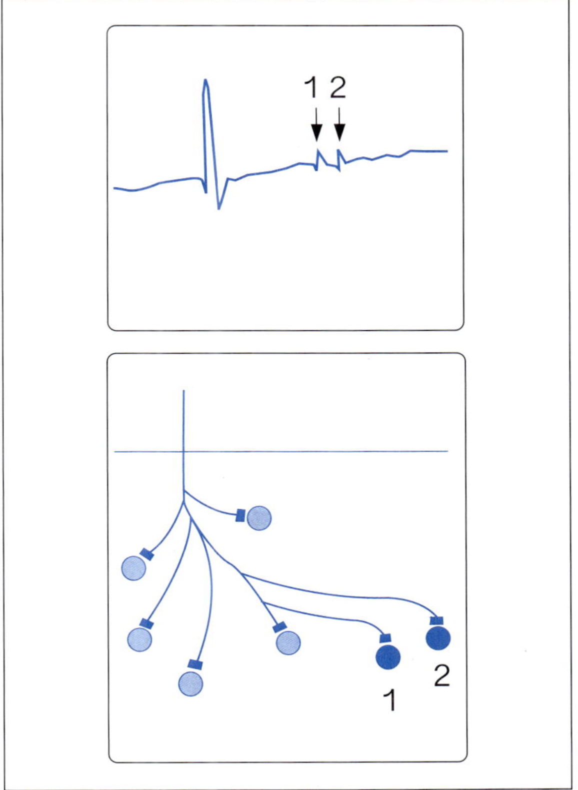

그림 10-10 ■ 재신경지배 후 운동단위전위 변화.

근전도(EMG)는 EMG 검사에서 얻은 데이터와 증상의 지속 기간에 관한 정보를 결합하여 부상 진행 시간을 평가하는 데 사용할 수도 있다. 탈신경 데이터(양성 급성 파동 및 세동)의 유일한 존재는 최소 3주의 최근 축삭 손실을 나타낸다. 불안정한 재신경지배 데이터가 관찰되면(다형성 및 지속시간 증가) 신경 손상이 발생한 후 6~26주가 경과한 것이다.[6] 재신경지배가 안정적이면(범위 증가), 이는 원격 손상이 남아 있음을 나타낸다. 이러한 변경 사항은 영구적이므로 운동단위전위(MUP)는 이전 형태로 돌아가지 않는다. 지속적인 과정 또는 새로운 신경분비의 존재는 원위부 및 근위부 근육의 활성 신경분포와 함께 재신경지배를 나타낼 것이다.

상황의 중증도는 최대 노력으로 수행할 때 수축과 운동 전위의 진폭 모두에서 근골 분포에서 운동 단위의 손실 정도에 따라 다르다.

장점 및 한계
ADVANTAGES AND LIMITATIONS

근골 변화가 의심되는 경우 전기진단 검사는 신경근의 생리학적 완전성을 직접 분석할 수 있는 유일한 검사이기 때문에 보완적 탐색에 유용한 추가 정보를 제공할 수 있다. 또한 진단 정보와 예후에 대한 정보를 제공하고 축삭 손실의 유무와 중대성을 결정한다. 반면에 히스테리 또는 시뮬레이션, 통증으로 인한 기능적 결손, 중추 변이에 의한 이전 쇠약으로 인해 임상 검사가 만족스럽지 않은 상황에서 치료사는 객관적인 검사를 수행할 수 있다. 이것들을 통해 신경병증, 단일신경병증 및 다발신경병증과 같은 다른 신경학적 변화를 배제할 수 있다. 숙련된 신경생리학자가 수행할 때 EMG 검사는 영상 검사를 통해 특히 관련 증상이 없는 중년 또는 노인 환자에서 발견되는 진단적 의미가 없는 빈번한 이상과 달리 위양성을 거의 생성하지 않는다. 마지막으로, EMG 검사는 이환율이 낮고 외래진료를 받는 환자에서 수행될 수 있다.[1]

그러나, 이전에 설명된 바와 같이 정상적인 EMG 검사에서는 근골 변이의 존재를 배제하지 않기 때문에 한계가 있고(글상자 10-1), 과정의 병인에 관한 정보를 제공하지 않는다. 마지막으로, 당뇨병, 다발신경병증 및 소아마비와 같이 노인 환자에게 겹치는 몇 가지 혼란스러운 요인이 있다. 이러한 병리학은 신경근 변형(축삭 변형 및 재신경지배)과 유사한 생리병을 공유하므로 이러한 변화가 경미하거나 대칭인 경우 환자에서 신경근 변형을 감지하기 어려울 수 있다.

글상자 10-1

경추 신경근병증의 평가에서 전기진단적 검사의 장점, 한계 및 적응증

장점

- 신경근의 생리학적 완전성을 직접적으로 검사하는 유일한 방법이다.
- 축삭 손실의 유무와 중증도를 결정한다.
- 예후에 대한 정보를 제공한다.
- 진화 시간과 활동에 대한 정보를 제공한다.
- 신경근 증상(신경총병증, 단일신경병증)을 모의(시뮬레이트)하는 신경학적 변화를 배제할 수 있다.
- 임상검사가 만족스럽지 못할 때 객관적인 정보를 제공한다(모의, 기능적 결함 또는 이전 중심 변경).
- 위양성을 거의 나타내지 않는다.
- 이환율이 낮고 외래 환자에서도 시행이 가능하다.

한계

- 신경근 변화가 다음과 같을 때 EMG는 일반적으로 정상이다:
  - 주로 감각적
  - 축삭 손실 없는 탈수초화
  - 매우 최근(<21 일)
- 과정의 병인을 결정할 수 없다.
- 근육분절의 겹침은 부적절한 위치로 이어질 수 있다.
- 신경 및 근육의 구조나 기능을 변경하는 병리(당뇨병, 소아마비 등)는 식별을 방해할 수 있다.

적응증

- 증상과 탐색만으로는 증상이 신경근 변화로 인한 것인지 신경학적 변화로 인한 것인지(신경병증성, 신경총병증 등) 판단할 수 없다.
- 증상이 영상결과와 상관관계가 없다.
- 향후 치료를 위해 영향을 받는 신경근 분절을 정확히 찾는 것이 좋다.
- 진화 시간, 변경의 중대성 및 현재 활동의 존재를 알아야 한다.
- 의학적 및 법적 이유로 변경에 대한 객관적인 문서가 필요하다.

민감도와 특이성
SENSITIVITY AND SPECIFICITY

위에서 언급한 제한 사항으로 인해 가능한 근병증 검사에서 전기진단의 가치는 매우 다양하다. 전기생리학적 검사의 민감도 범위는 20%~81%이고 특이도는 81~90%이다.[5,18] 이 변동성은 **표준 진단** 방법이 없기 때문이다.

영상방법과 전기생리학적 검사[19] 사이의 상관관계가 연구되었으며, 신경학적 검사가 변경된 환자에서 좋은 상관관계가 있는 것으로 관찰되었다. 그러나 경증/중등도 신경근병증과의 상관관계는 거의 없다. 결론적으로, 영상 검사는 염증이 탈장 또는 디스크 돌출을 수반하는지 여부를 보여줄 수 없으므로 증상이 있는 디스크와 무증상 디스크를 구별하거나 비기계적 신경근병증을 객관화할 수 없다. 이러한 전기생리학적 및 영상 검사는 상호 보완적이어야 한다.[17,19]

적응증(Indications)

근전도(EMG)의 적응증은 경추 신경근병증과 다른 말초신경학적 변화 사이에서 진단적 선택이 있을 때, 통증으로 인해 임상의가 적절한 임상 검사를 수행할 수 없을 때, 또는 영상 검사가 환자의 증상과 일치하지 않을 때 명확하게 확립된다. 그러나 증상이 분명한 경우 적응증에 의문이 제기되었다.[2] 이러한 경우, 신경생리학적 검사는 법의학적 요구 사항이나 국소 치료에 필요한 경우 유용한 추가 정보를 제공할 수 있다.

결론
CONCLUSION

전기진단 기술은 신경근의 구조적 또는 기능적 변화, 심각도, 위치, 진화 시간을 객관화하고 특히 근골 증상을 자극하는 말초신경학적 변화를 배제할 수 있게 함으로써 경추 신경근병증 검사에서 중요한 보완적 역할을 한다. 증상이나 임상적 탐색이 잘 정의되지 않은 환자와 영상 검사와 관련이 없는 증상을 가진 환자에게 주로 적합하여 비압축 병인으로 근골 변화를 진단할 수 있다.

그러나, 전기생리학적 검사가 음성일 수 있으므로 특히 민감하거나 탈수초성 변화가 우세한 환자의 경우 자신의 한계를 인식해야 한다. 또한 EMG 검사를 수행하는 동안 권장 기준을 따라야 하며, 양성파동의 및 세동 가능성의 검출을 허용하고 증상 시작 후 최소 3주 또는 4주를 연기해야 함을 기억하는 것이 중요하고, 따라서 위양성 및 음성의 출현을 최소화한다.

참고문헌

1. Wilbourn AJ, Aminoff MJ. AAEM minimonograph 32: the electrodiagnostic examination in patients with radiculopathies. American Association of Electrodiagnostic Medicine. Muscle Nerve 1998;21(12):1612–31.
2. Fisher MA. Electrophysiology of radiculopathies. Clin Neurophysiol 2002;113(3):317–35.
3. Ellenberg MR, Honet JC, Treanor WJ. Cervical radiculopathy. Arch Phys Med Rehabil 1994;75(3):342–52.
4. Saal JS, Franson RC, Dobrow R, et al. High levels of inflammatory phospholipase A2 activity in lumbar disc herniations. Spine 1990;15(7):674–8.
5. Robinson LR. Electromyography, magnetic resonance imaging, and radiculopathy: it's time to focus on specificity. Muscle Nerve 1999;22(2):149–50.
6. Levin KH. Electrodiagnostic approach to the patient with suspected radiculopathy. Neurol Clin 2002;20(2):397–421, vi.
7. Carette S, Fehlings MG. Clinical practice. Cervical radiculopathy. N Engl J Med 2005;353(4):392–9.
8. So YT. Guidelines in electrodiagnostic medicine. Practice parameter for needle electromyographic evaluation of patients with suspected cervical radiculopathy. Muscle Nerve Suppl 1999;8:S209–21.

9. Kimura J. Electrodiagnosis in diseases of nerve and muscle: principles and practice. 3rd ed. Oxford: Oxford University Press; 2001.
10. Murphy D, Gruder M, Murphy L. Cervical radiculopathy and pseudoradicular syndromes. In: Murphy D, editor. Cervical spine syndromes. New York: McGraw-Hill; 2000. p. 189–219.
11. Dumitru D, Amato A, Zwarts M. Electrodiagnostic medicine. 2nd ed. Hanley & Belfus; 2002.
12. Dvorak J, Vohanka S, Sutter M. Diagnosis of cervical spine disorders: neurophysiologic tests. In: Clark C, editor. The cervical spine. 4th ed. Philadelphia: Lippincott Williams & Wilkins; 2005. p. 220–3.
13. Mallik A, Weir AI. Nerve conduction studies: essentials and pitfalls in practice. J Neurol Neurosurg Psychiatry 2005;76(Suppl. 2):ii23–31.
14. Mills KR. The basics of electromyography. J Neurol Neurosurg Psychiatry 2005;76(Suppl. 2):ii32–5.
15. Preston D, Saphiro B. Eletromyography and neuromuscular disorders. 2nd ed. Philadelphia: Elsevier; 2005.
16. Levin KH, Maggiano HJ, Wilbourn AJ. Cervical radiculopathies: comparison of surgical and EMG localization of single-root lesions. Neurology 1996;46(4):1022–5.
17. Aminoff MJ. Electrophysiological evaluation of root and spinal cord disease. Semin Neurol 2002;22(2):197–204.
18. Albeck MJ, Taher G, Lauritzen M, et al. Diagnostic value of electrophysiological tests in patients with sciatica. Acta Neurol Scand 2000;101(4):249–54.
19. Nardin RA, Patel MR, Gudas TF, et al. Electromyography and magnetic resonance imaging in the evaluation of radiculopathy. Muscle Nerve 1999;22(2):151–5.

섹션 III. 치료 접근법

TREATMENT APPROACHES

SECTION OUTLINE

11 도수치료의 진통효과
ANALGESIC EFFECTS OF MANUAL THERAPY

RAFAEL TORRES CUECO ▪ ENRIQUE J. LLUCH GIRBÉS ▪
MOISES GIMÉNEZ-COSTA ▪ MARK D. BISHOP

도입
INTRODUCTION

도수치료(Manual therapy, MT)는 통증 조절 및 기능 개선을 목표로 연조직 및 관절 구조를 진단하고 치료하기 위해 특정 도수적 기술(hand-on technique)을 사용하는 임상 접근 방식으로 정의할 수 있다.[1,2] 종종 도수/가동 기술과 동일시되지만, 도수치료는 원칙적으로 특히 관절, 근육 및 신경계를 다루는 매우 다양한 기술을 포함한다.[3]

도수치료는 고통스러운 문제의 치료를 위한 도수 기술의 단순한 적용이 아니라 '프로세스' 또는 추론 모델에 기반한 환자 관리 접근 방식이다.[4] 따라서 도수치료는 ***치료***와 관련된 측면(예: 관절 가동)뿐만 아니라 근골격계 통증 환자에게 종종 결정적인 환자 관리와 관련된 주변 문제(예: 교육, 조언, 인지 행동 요인 등)를 다룬다.[5]

도수치료의 이론적 입증은 진단 및 치료에 대한 다양한 철학적 모델을 기반으로하여 다양하다. 일부는 신뢰성이 거의 없는 부조화 구성에 기반을 두고 있다.[6] 그럼에도 불구하고 많은 도수치료사는 과학적 타당성이 결여된 모델에 개인적 및 감정적으로 결속되어 있다.[6] 도수치료를 지지하는 수많은 이론적 모델 외에도, 그 용어는 표준화되지 않는다. 이 표준화는 치료의 일관성, 균일한 적용 및 치료의 재현성 및 이전 가능한 연구 결과를 보장하려는 경우에 필요하다.[7-10]

현재, 요통,[11] 어깨 통증,[12-15] 경추 통증,[11,16,17] 전방 무릎 통증[18] 또는 외측 상과통(epicondylagia)과 같은 다양한 근골격계 통증 패턴을 치료하는 데 있어 도수치료 효과를 입증한 문헌이 많이 있다.[19-21]

도수치료와 관련된 연구는 기전을 심층적으로 연구하는 것보다 임상 효과를 입증하는 데 더 중점을 두었다. 따라서 현재까지 도수치료의 작용 기전은 아직 잘 확립되어 있지 않다.[3] 작용 기전에 대한 더 나은 이해가 도수치료[3]에 반응할 환자를 적절히 선택하는 데 필수적일 수 있다. 이것은 차례로 근골격계 통증이 있는 환자에게 제공되는 치료의 효율성, 품질 및 비용을 최적화할 것이다. 작용 기전의 식별은 의료 제공자가 도수치료 기술을 더 많이 수용하고 도수치료를 더 적절하게 사용하는 것을 추가로 제공할 것이다.[3]

역사적으로, 일부 도수치료 접근법은 관절 기능장애의 생체역학적 식별을 기반으로 했으며 치료는 생체역학적 원리를 사용하여 적용되었다. 따라서 때때로 지나치게 정교한 평가 기술은 이러한 모델에 따라 환자의 통증을 유발하는 특정 조직 기능장애를 결정하는 데 여전히 사용된다. 치료 기술의 후속 선택은 일반적으로 치료사의 사고 방식이나 자신의 선호도 및 전반적인 실습 개념에 따라 다르다.[23] 특정 기술 선택의 필요성은 보통 도수치료 교육자 자신에 의해 강화되며, '올바른' 기술(예: 정도, 방향, 분절 레벨 등의 측면에서)을 선택하는 실수가 좋지 않은 임상 결과를 결정할 수 있으며 환자에게 잠재적으로 해로울 수도 있다. 이러한 접근 방식 이면의 의미는 도수치료의 성공 여부는 이론적 생체역학 구성에 따라 임상 검사에서 감지된 생체역학 이상을 교정하는 데 달려 있다는 것이다.[24]

앞에서 설명한 바와 같이(6장 참조), 기능장애를 나타내는 관절은 퇴행성, 외상 후 또는 퇴행성 변화의 존재와 관계없이 설명된 기계적 모델에 따라 기계적 행동을 취한다고 잘못 가정되며, 이는 매우 가능성이 낮다.

도수치료는 특히 근거 기반 및 정보 기반 실습의 발달과 통증 과학의 혁명이라는 두 가지 중요한 측면으로 인해 지난 수십 년 동안 크게 발전했다. 이는 보다 환자 중심적인 접근 방식을 갖는 진단 및 치료 절차의 적용을 용이하게 했다.

중추신경계의 반응으로서 통증의 인식은 능동적 통각수용원에 반드시 의존할 필요는 없으며 생물심리사회적 모델의 실행에 통합으로써 임상환경에서 약간의 혼란을 야기했다. 예를 들어, 일부 임상의는 질병과 관련된 요인이 통증이 있는 환자의 임상적 의사 결정에 거의 중요하지 않다고 잘못 가정했다.[25,26] 환자의 병리에 근거한 진단과 치료는 임상적 유용성이 제한적이며 결과를 개선하는 대신 악화된다는 부당하고 정당하지 않은 믿음이 있다.[27,28]

심리사회적 요인은 만성 통증 환자의 분류 및 치료에 분명히 필수적이다. 그러나 임상 환경과 연구 모두에서 병리학적 요인의 배제를 정당화하는 주장은 현재 문헌과 호환되지 않는다.[29–31]

역설적이게도 특정 병리의 식별을 거부한 이후 오늘날 일부 도수치료 모델의 진단은 여전히 통증의 근원 조직과 치료에 대한 반응의 식별을 기반으로 한다. 이를 장기 기반 진단이라고 할 수 있다. 치료사는 병리학적 진단을 확립하지 않고 책임이 있는 다른 관절, 근육 및 신경 조직을 보유하고 이러한 조직의 통각수용성 반응을 기반으로 진단 범주가 생성된다. 치료의 선택과 적용은 통증 반응의 수정에 따라 결정된다.[24] 이 모델을 사용하는 치료사는 개인적으로 선호하는 도수치료 기술을 기반으로 자주 그렇게 한다.

문제 중 하나는 도수치료가 기능장애 또는 기능장애를 진단하고 치료하기 위해 고안된 절차의 적용을 포함하지만 이 기능장애는 해석해야 하는 관절 구조의 변화 때문일 수 있다는 점을 여전히 이해하지 못한다는 것이다. 관절 기능장애는 조직학적 실체가 아니라 비정상적인 관절 움직임 행동으로 간주되어야 한다는 점을 강조해야 한다. 관절 기능장애는 보통 병리학적 상태 또는 추간 관절의 변화의 표현이다. 관절 기능장애의 치료를 환자의 임상 상태와 연관시키는 것이 중요하다. 따라서 도수치료는 단지 노화된 신체 관절, 신경 또는 근육 기능장애에 효과적일 수 있는 도구일 뿐이며 항상 환자의 임상 상태와 관련되어야 한다.

도수치료의 생체역학적 효과 BIOMECHANICAL EFFECTS OF MANUAL THERAPY

실용적인 관점에서 도수치료 기술은 적용되는 구조의 움직임을 유발할 수 있는 기계적 자극을 생성한다. 이러한 움직임은 예를 들어, 관절[32,33] 또는 신경을 표적으로 하는 치료에서 정량화되었다.[34] 여러 개념적 모델이 생체역학적 용어로 도수치료의 작용 기전을 설명하려고 시도했다. 예를 들어, 도수치료에 관한 원래 문헌의 대부분은 본질적으로 생체역학적인 작용 기전에 초점을 맞추었다.[35] 따라서 관절뿐만 아니라 근육, 신경 또는 혈관의 다양한 '부상'에 대한 도수치료의 작용을 설명하기 위해 '신장',

'관절 유착 파열', '조직 윤활', '아탈구 교정', '감소(디스크 감소)' 또는 '교정(adjustment)'과 같은 용어를 사용했다.

다양한 개념 모델이 생체역학 용어로 도수치료의 작용기전을 설명하려고 시도했다. 가장 잘 알려진 것 중 일부는 '척추 아탈구' 모델,[37] '위치 결함',[38] 수동 움직임에 대한 '경직성'[39] 또는 추간판 병리 가설이다.[40]

척추 아탈구는 신경 기능을 방해하여 임상적으로 중요한 영향을 미치는 것으로 생각되는 생체역학적 척추 이상으로 정의된다.[37] 기계적 관점에서 척추 아탈구는 조직의 구심성 및 원심성 입력을 변경하고 개인의 건강에 영향을 미치는 추간공 또는 척추관의 잠식을 의미한다.[37,41]

척추 아탈구는 촉진이나 방사선 검사를 통해 확인할 수 있는 관절 오정렬(misalignment)이 특징이다. 그러나, 정적 촉진 방법은 수용 가능한 검사자 내 및 검사자간 신뢰성[42-45]을 입증하지 못했다. 또한 정적 방사선 분석은 경미한 척추 오정렬을 식별하는 신뢰할 수 있는 방법이 아니며 오정렬만으로는 치료 개입이 필요한 임상적으로 관련된 증상이나 병리를 유발할 수 있다는 증거가 없다. Haas 등[46]이 지적한 바와 같이 임상 실습에서 방사선 척추 변위 분석을 사용하는 것은 정당화되지 않는다.

'위치 결함' 개념은 외상성 또는 비외상성 미세/거시적 손상(예: 근육 불균형으로 인한)으로 인한 경미한 위치 뼈 불일치의 존재를 말하며, 이는 환자의 증상 및 기능장애의 원인이 될 수 있다.[47] 이러한 위치상의 결함은 관절 기전의 비정상적 기능과 결과적으로 신경-근육-골격 구조의 과부하로 인한 통증 및 장애의 출현을 선호한다. 그러나 다른 연구에서 감지된 위치 결함은 다양하고 유사하지 않은 것으로 나타났으며 현재까지 이러한 위치 오류를 감지하는 유효하고 신뢰할 수 있는 방법이 없다.[47,48] 또한 도수치료는 관절의 위치 결함을 변경할 수 있지만 이러한 생체역학적 효과는 일시적이며 관절 위치의 지속적인 변화를 의미하지 않는다.[49-51]

척추 경직 평가는 임상 진단 및 치료 선택의 일부로 도수치료 실무자가 널리 사용한다. 경직은 힘과 변위 사이의 관계로 정의된다.[52] 수동적 움직임에 대한 경직 모델에 따라 척추 경직의 평가는 특정 치료에 대한 반응을 예측하는 데 도움이 될 수 있다.[53] 이 '경직'은 관절의 병리학적 또는 퇴행성 변화뿐만 아니라 조직 손상에 따른 결합조직 리모델링에 이차적인 변화에 의해 발생한다.

관절 경직에 대한 도수치료의 영향과 관련하여 '역설적인' 해석이 있다. 상지와 하지의 대관절에서 객관화 가능한 관절 경직과 통증 사이의 관계는 의심의 여지가 없는 것 같지만, 척추 관절을 침범할 때 그 관계에 의문이 생긴다. 분명히, 통증은 관절낭 및 관절주위 조직의 병리학적 단축으로 인해 발생할 수 있다. 예를 들어, 골절 또는 장기간 관절 고정 후이다. 또한 관절 경직과 통증 사이에 상관관계가 있는 경우 치료적 접근은 통증 관절 경직을 감소시키는 것을 분명히 목표로 해야 한다. 문제는 객관적 또는 도구적 방법을 통해 척추와 같은 작은 관절의 관절 경직을 입증하는 것이 어렵거나 불가능하기 때문에 발생한다. 이 어려움은 치료사가 임상적으로 고통스러운 관절 경직을 식별할 때 도수치료를 무효화하지 않는다.

그러나, 척추 경직과 도수치료 결과(즉, 통증 또는 장애) 사이의 연관성에 대한 증거가 없기 때문에 수동 움직임 모델의 경직은 종종 도수치료가 작동하는 이유를 설명하기에 충분하지 않다.[52,54] 현재로서는 도수치료의 효과에 대해 다른 설명을 모색할 필요가 있다.

일부 치료사는 일반적으로 척추 통증이 있는 환자에서 어느 척추 수준을 조작/이동해야 하는지를 결정하기 위해 상세한 임상 검사가 필요하다고 주장한다. 척추 도수치료의 이 모델은 기능장애 척추 분절을 식별하고 이 분절에 도수치료 기술을 적용하여 이동성을 회복하고 통증을 완화하는 것을 목표로 하는 분절 임상 의사결정 접근법[55]으로 명명되었다.

결합 생체역학(예: Fryette의 법칙), 볼록-오목 법칙 또는 캡슐 패턴(capsular patterns)은 임상의사결정을 위해 일부 치료사가 따르는 추론 이론이며 생체역학을 기반으로 한다.[56,57] 그러나, 근거에 따르면 이러한 이론 중 일부는 타당성이 부족하다. 예를 들어, 하부 경추에 대한 경추 결합패턴만이 일관성이 있는 것으로 나타나서 부가 및 치료 적용 중 임상 사용을 권장한다.[58]

대조적으로, 흉추와 요추의 결합 생체역학은 모두 일관된 것으로 나타나지 않았으므로,[59,60] 물리치료사는 요통 또는 흉추 통증 환자의 평가 및 치료에 결합 움직임 개념을 적용할 때 주의해야 한다. 볼록-오목 법칙은 관절 치료 기술 및 관절운동학에서 친숙한 개념이며 관절 가동술 시 관절 표면에 적용되는 병진 활주 방향을 지시하는 데 도움이 된다. 적어도 일부 관절(예: 견갑상완 관절)에 대해 이 규칙의 개정이 문헌에서 주장되었다.[61]

분절적 임상 의사결정 접근법과 달리 응답자 임상 의사결정 접근법은 도수치료에 대해 긍정적인 반응을 보일 가능성이 있는 징후 및 증상 패턴을 기반으로 개인을 분류하려고 시도하는 접근법이다. 실제로 환자 중심 접근법과 일관되게 많은 경우에 중요한 것은 도수치료를 적용할 때 선택한 특정 기술이 아니라 치료가 효과적일 수 있는 환자를 적절하게 선택하는 것이다.[62,63]

더욱이, 도수치료 평가 및 치료에 사용된 일부 생체역학적 평가(예: 해부학적 참고문헌의 촉진, 분절간 척추 이동성 평가)의 신뢰성은 물론 특정 도수치료 기술[67-70]에서 기대되는 정밀성과 정확성의 부족에 의문[54,64-66]을 제기했다.

또한, 척추 이동성/조작이 이점을 얻기 위해 척추 레벨에 특정해야 하는지 여부에 대한 논란이 있다. 최근 체계적인 검토는 관절 가동술을 사용할 때 특정 레벨 vs. 비특정 레벨 이동성에 대한 필요성이 해부학적 영역에 의해 영향을 받을 수 있다고 결론지었다. 특히, 경추에서 효과의 방향은 특정 이동성을 향하고 요추에서는 비특이적 이동을 향하지만,[71] 경추와 관련된 일부 연구에서는 다양한 레벨 또는 랜덤으로 도수치료를 사용하는 것으로 나타났고,[72-74] 또는 다른 운동학적 지표[75]를 사용하면 유사한 결과를 얻을 수 있다. 도수치료는 소위 ***지역상호의존성***(regional interdependence)[77]에 따라 치료 부위[76]와 관련하여 원격 위치에서 치료 효과를 생성할 수 있다.

요약하자면, 도수치료가 생체역학적 효과를 생성한다고 결론지을 수 있지만, 이것이 도수치료를 적용한 후 관찰되는 모든 임상 결과를 완전히 설명하지는 못한다. 물리치료사는 이러한 결론에 편안함을 느껴야 한다.[78] 이러한 결론은 도수치료 실습에서 환자 관리를 위한 전문적인 수동 기술 개발을 계속 강조해야 할 필요성을 감소시키지 않는다. 그러나 이러한 기술의 개발은 입증되지 않았거나 무효한 생체역학 알고리즘으로 인해 방해를 받아서는 안 된다. 중요한 문제는 도수치료의 진통 효과와 관련된 다양한 작용 기전을 더 잘 이해할 필요가 있다는 것이다.

도수치료의 신경생리학적 효과 NEUROPHYSIOLOGICAL EFFECTS OF MANUAL THERAPY

생체역학적 작용 기전과 관련된 어려움과 논란에도 불구하고 도수치료는 효과적이므로 그 효과를 설명하기 위한 추가 기전을 고려해야 한다. 최근 몇 년 동안 통증의 신경생리학에 대한 더 나은 이해 덕분에 중추신경계에 대한 도수치료의 직접적인 영향이 연구되고 있다. 이러한 신경생리학적 효과는 생체역학적 효과보다 더 적절한 것으로 보이며 도수치료 적용의 효과를 설명하기 위해 엄격한 생체역학적 모델에서 벗어나 패러다임 전환을 촉진했다.[79,80]

도수치료는 중추신경계에서 일련의 반응을 유발할 수 있는 기계적 자극으로 간주되어서 도수치료 적용 후 관찰된 임상 결과는 말초 및 중추신경계를 따라 분포된 여러 신경생리학적 기전의 상호작용에서 기인할 수 있다.[3]

말초 조직 레벨에서 도수치료의 효과

일부 저자는 도수치료가 조직 손상 과정에서 발생하는 염증 매개체와 말초 통각수용체 사이의 상호작용에 영향을 줄 수 있다고 제시한다. 따라서 도수치료는 사이토카인,[81] 세로토닌, β-엔도르핀[82] 또는 내인성 대마초와 같은 염증 및 통증 매개 물질의 농도를 수정하여 말초 감작 과정에 영향을 미치는 것으로 나타났다.[83] 도수치료 후 조직 복구와 관련된 기전에서도 긍정적인 효과가 관찰되었다.[84,85] 조직 레벨에서 물질 농도의 이러한 모든 변화는 손상 부위의 염증 반응을 수정하여서 통증 반응을 수정할 수 있다. 이러한 효과는 도수치료에만 국한되지 않으며 능동이든 수동이든 조직의 이동을 유도하는 모든 치료법에 기인할 수 있다.

척추 레벨에서 도수치료의 효과

도수치료는 척추 레벨에서 중추 기전을 효과적으로 자극할 수 있다. 도수치료는 척수의 뒤뿔 내에 있는 관문조절기전의 척추 구성요소를 활성화할 수 있다.[86] 적용된 자극이 고통스럽지 않은 한 큰 저역치 Aβ 섬유를 수동으로 자극하면 효과적이고 빠른 통증 감소가 발생할 수 있다. 뒤뿔 세포에서 연접하는 Aβ 섬유는 척수 게이트를 통한 통각수용 출력 흐름을 감소시킬 수 있다.

이 도수치료 효과는 중추 감작으로 인한 척추 신경가소성 변화의 경우와 같이 Aβ 섬유 입력이 통증으로 처리되지 않는 경우에만 달성될 수 있다. Aβ 자극은 또한 척수중뇌로를 통해 수도 주변 회백질(periaqueductal grey matter, PAG)과 같은 중추 신경 핵의 활성화로 인해 여러 억제 하강 경로를 활성화할 수 있다(그림 11-1).

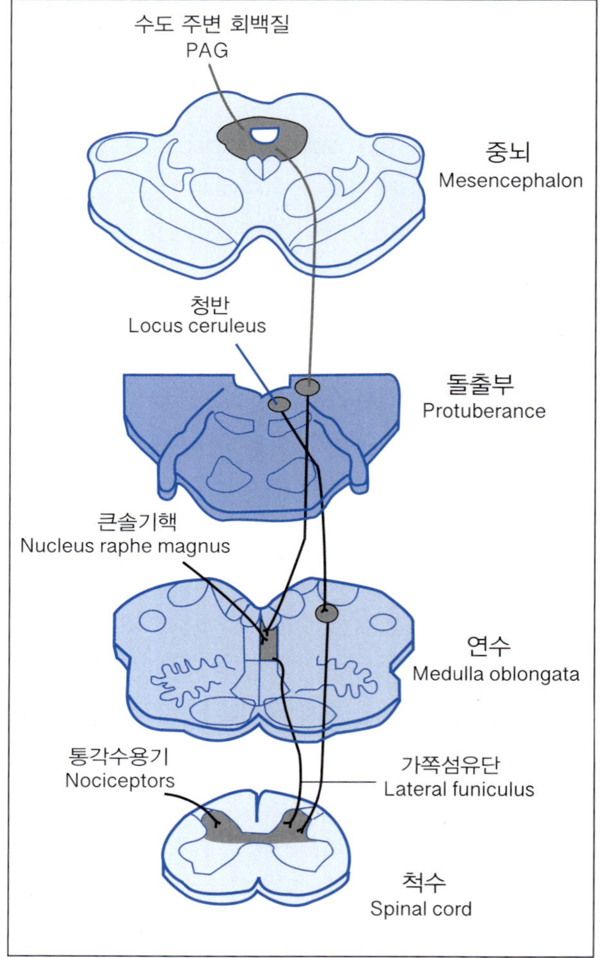

그림 11-1 ■ 하행 조절 시스템 경로. 수도 주변 회백질(PAG) 영역의 한 경로는 큰솔기핵(nucleus raphe magnus)으로 돌출되어 외측 가쪽섬유단(lateral funiculus)을 통해 척수의 뒤뿔에 도달한다. 다른 경로는 청반(locus ceruleus)에서 뒤뿔의 동일한 영역으로 이어진다.

도수치료를 사용하여 적용된 자극이 반대 자극제로 작용하면 Aδ와 C 섬유가 활성화될 수 있다.[87] 이 역자극 자극이 환자의 일차 통증 부위에 국소적으로 적용되면 특정 하행 억제 기전이 유발된다. 수도 주변 회백질(PAG)과 주측복내측연수(RVM)

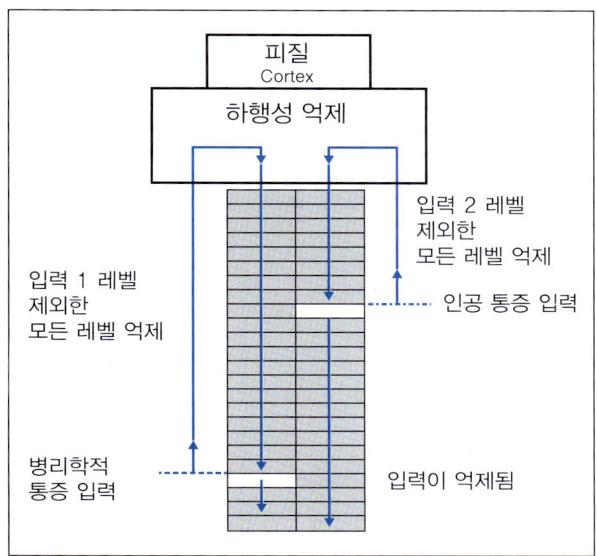

그림 11-2 ■ 광범위 유해억제기전(diffuse noxious inhibitory control, DNIC).

는 억제 정보를 척추 뒤뿔로 보내 구심성 통증 정보를 차단한다.

역자극 자극이 환자의 원발성 통증 부위에 비해 먼 부위에 가해지면 광범위 유해억제기전(diffuse noxious inhibitory control, DNIC)이 활성화[88-90]된다(그림 11-2). 이 영역에서 인지된 통증 강도를 증가시키면서 한 영역에 통각자극을 적용하면 자극된 영역의 외부영역에서 순 진통 효과가 나타날 것이다. 이 반응은 신척수시상로와 연수의 등쪽 망상하핵을 연결하는 말초 C 섬유의 측부 가지에 의해 유발된다.[90] 그러나, 광범위 유해억제기전(DNIC)는 만성 통증이 있는 환자에서 제대로 작동하지 않는 것으로 밝혀졌으며, 이러한 경우, 환자가 고통스럽거나 불쾌한 것으로 인식하는 모든 종류의 개입을 피해야 한다.[91,92]

따라서, 도수치료는 척추 레벨에서 통증 처리를 조절하여 척추 과민성 또는 중추 감작 상태를 감소시킬 수 있다. 이것은 도수치료 적용 후 신경 유발 검사[98]와 관련된 시간적 합산[95-97] 또는 움직임 반응의 통각수용성 굴곡 반사의 감소[93,94]에 의해 입증된다. 그것들은 모두 중추 감작에 대한 간접적인 정보를 얻는 데 사용된 신경생리학적 반응이다.

중추신경계에서 도수치료의 효과

동물 모델에서 MRI을 사용한 결과 도수 관절 이동 후 유해한 자극에 대한 대뇌피질 활동의 감소가 밝혀졌다.[99] 최근에는 척추 도수술[100]을 사용하여 인간의 중추신경 중재의 통각저하에 대한 기여가 조사되었다. 척추조작(manipulation)을 적용한 후, 통증기질(pain matrix)과 관련된 영역에 대한 혈액 산소 공급으로 측정된 뇌 혈류의 감소가 관찰되었다. 또한 수치 통증 등급 척도에서 도피질의 활성화 감소와 주관적 통증 등급 감소 간에는 유의한 상관관계가 있었다. 이 연구는 흉추 추력 조작[100]으로 달성된 통각저하를 매개하는 중추신경 기전의 예비 증거를 제공했다. 또 다른 연구에서는 세 가지 유형의 도수치료 기술(척추 조작, 척추 가동화 및 치료적 접촉)에 따라 통증 경험을 처리하고 조절하는 뇌 영역 간의 기능적 연결성의 즉각적인 변화를 조사하기 위해 기능적 MRI를 사용했다.[101]

휴식 상태 기능 연결의 변화는 세 가지 도수치료 시술 모두에 공통된 여러 뇌 영역 사이에서 발견되었으며, 이는 도수치료 이후의 신경생리학적 변화가 통증 완화의 기본 기전일 수 있음을 시사한다. 도수치료의 치료 효과를 중재하는 데 있어서 중추신경계의 관여는 동시 통각저하, 교감신경계(SNS)의 흥분 및 도수치료 기술[80,102,103]의 적용과 관련된 움직임 기능의 변화의 관찰을 통해 확증되었다. 이러한 변화는 수도 주변 회백질(PAG) 또는 주측복내측연수(RVM)[80,104]와 같은 하행성 통증 조절을 담당하는 상위 중추를 인공적으로 자극할 때 동물에서 관찰된 것과 유사하다. 이러한 하행성 억제 기전은 신경전달물질[105]로 세로토닌과 노르아드레날린을 사용한다. 도수치료 적용을 통한 통각저하는 자극 적용 부위에서 국소적 및 원격으로 얻어진다.[76,77] 후자가 일관되게 관찰되지는 않았지만,[102] 도수치료는 열 통증 역치[102]에 영향을 미치지 않고 비아편계이기 때문에 본질적으로 기계적이다. 왜냐하면 날록손(naloxone)으로 가역적이지 않고 반복적인 자극에 내성이 없기 때문이다. 도수치료로 달성된 통각저하의 지속시간은 최대 24시간까지 지속될 수 있으며,[80] 따라서 단기 효과를 의미한다.[106]

따라서 교감신경계(SNS)의 반응은 도수치료 기술에 대한 중추신경계의 조정된 반응의 일부로 간주된다.[103] 도수치료의 맥락에서 교감신경계(SNS) 반응은 주로 도수치료의 치료 효과보다는 도수치료의 작용 기전을 규명하기 위한 목표로 연구되어 왔다.[80] 이와 관련하여 심박수, 혈압, 피부 전도도 또는 피부 혈류[107]와 같은 생리학적 측정 범위의 변화는 교감신경계(SNS) 활성화[80,103]의 지표로 간주된다. 그러나, 교감신경계(SNS)에서 이러한 변화의 임상적 관련성, 즉 임상 치료 결과와의 가능한 연관성은 아직 완전히 이해되지 않았다. 도수치료 기술이 교감신경계에 미치는 영향을 평가한 체계적인 검토는 현재까지 2건에 불과하다.[80,103] 이런 연구는 경추[80] 또는 일반적으로 전체 척추에 적용될 때 수동적 관절 이동화를 다루었다. 둘 다 진통 효과를 생성하는 데 도구가 될 수 있는 척추 수동 관절 가동 기술의 교감-흥분 효과를 지원했다.

비록 일관성은 없지만 도수치료를 적용한 후 운동 기능(운동 촉진)의 개선이 보고되었다.[80] 운동 기능의 변화는 도수치료의 통증 억제 효과에 이차적이며 운동 기능이 이전에 손상된 경우에만 달성 가능한 것으로 보인다.[108]

도수치료를 설명하는 현재 모델
CURRENT MODEL EXPLAINING MT

도수치료의 작용 기전을 설명하기 위해 현재 제안된 모델은 생체역학 및 신경생리학적 효과를 결합한다.[3,36] 이 모델에 따르면, 도수치료에 의해 제공되는 기계적 자극은 관찰된 임상 결과에 책임이 있는 일련의 특정 신경 생리학적 효과를 시작한다.[12,20] 더욱이, 적용된 기계적 자극과 얻어진 신경생리학적 효과 사이에는 밀접한 관계가 있는 것으로 보이며, 따라서 주어진 도수치료 기술의 지표는 고유하거나 용량 의존적 신경생리학적 반응을 생성할 수 있다. 예를 들어, 가해지는 방향[109]과 수동 압력의 크기[33,110] 모두 진통의 정도와 도수치료 적용에서 파생된 근전도(EMG) 반응의 변화에 영향을 미친다. 생체역학적 측면은 사용된 기술에 따라 다를 수 있지만 신경생리학적 반응은 유사하기 때문에 이 모델은 모든 형태의 도수치료에 적용될 수 있다.[3]

도수치료가 다중 중추신경계(CNS) 네트워크를 활성화하여 통증 억제 또는 통증 촉진을 유발할 수 있다는 점은 주목할 만하다. 이 자극에 대한 개별적인 반응은 자극의 위치, 강도 및 지속 시간과 같은 요인뿐만 아니라 더 중요한 것은 전달되는 맥락 및 그것이 개인에게 의미하는 것과 같은 요인에 따라 달라진다.

일부 저자는 학습 및 통증 기억 이론을 기반으로 특히 장기간 효과를 정당화하기 위해 도수치료의 진통 효과를 설명하기 위해 다른 가상 기전을 제안했다.[111,112] 도수치료로 전달되는 자극은 습관화 과정을 통해 통증을 감소시킬 수 있는 기계적 자극에 대한 노출로 분류할 수 있다.[111] 습관화는 신경의 시냅스 전 말단에서 칼슘 이온 채널의 반복적인 자극 및 개방 후에 발생하는 것으로 나타났다. 이것은 시냅스 신경전달물질의 방출에 필수적인 이용 가능한 칼슘의 현저한 감소를 초래한다. 그러나 반복적으로 가해지는 자극에 대한 환자의 해석과 확신은 진통 효과를 얻기 위해 다시 한 번 중요하다.[113]

또한 첫 번째 평가 및 치료 세션에서 주로 얻은 진통 효과는 환자가 신체 구조의 촉진 및 가동 중에 느끼는 것에 대해 지속적으로 질문할 때 피질재구성을 일반화할 수 있는 일종의 감각 식별 훈련과

관련이 있을 수 있다고 제안되었다.[114]

지속적인 통증은 통증 기억의 산물일 수 있다. Zusman[112]은 도수치료가 새롭고 덜 위협적인 자극에 노출되어 새로운 고통 없는 기억을 획득하는 것을 선호할 수 있다고 제안하여 이전에 그 자극과 관련된 혐오 기억을 제거한다. 따라서 도수치료는 신체적(즉, 위협적이지 않은 기계적 자극에 점진적으로 노출) 및 인지적 정서적(환자 교육, 심리사회적 측면에 대한 관심 등을 통해) 모두에서 신경계를 둔감화하는 기술로서 운동을 통해 작용하여 통증에 대한 후천적 기억을 제거하는데 도움이 될 것이다. 이러한 개념은 최근에 만성 근골격 통증에 대한 운동 요법으로 추론되었다.[115]

또한, 도수치료는 치료사–환자 관계와 관련된 다른 중재와 마찬가지로 보통 간과되기는 하지만, 적용되는 기술에 국한되지 않고 치료 결과에 결정적인 영향을 미치는 많은 효과와 반드시 관련이 있다.

따라서, 기계적 및 신경생리학적 효과 외에도 기대,[116–118] 플라시보 효과[119–121]와 같은 기타 비특이적 기전 및 제공자와 환자 간의 설정 또는 치료적 동맹[122]과 같은 맥락적 요인이 치료 결과에 결정적일 수 있다.

비특이적 효과는 환자 의존적이거나 치료사 의존적이거나 중재의 맥락과 분명히 임상 상태에 의해 중재될 수 있다.

환자 관련 문제에는 환자의 기대가 포함되며, 특히 이전에 받은 치료에 대해 긍정적인 경험이 있는 경우에 그렇다.[116–118]

주어진 종류의 수동 개입에 대한 환자의 기대는 실제 적용된 수동 개입보다 치료 결과에 더 결정적일 수 있다.[116] 그러나 이러한 기대가 반드시 환자의 개인적인 경험[123]의 결과는 아니지만, 대중 매체와 같은 다양한 정보 출처 또는 다른 사람의 반응을 관찰함으로써 얻을 수 있다.[124] 따라서, 환자의 도수치료를 선택할 때 환자의 기대와 선호도를 고려하는 것이 필수적이다. 물리치료사는 그 치료의 효과에 대한 증거를 바탕으로 치료에 대한 긍정적인 반응의 가능성을 감안하여 환자의 기대를 높일 때 도수치료의 효과를 높일 수 있다.[116]

플라시보 효과는 치료 효과나 비교 개입이 없는 불활성 제제가 아니라 도수치료와 관련된 치료 효과를 부분적으로 설명하는 활성 피질 기전으로 개념화되어야 한다.[99,119] 플라시보 효과의 계산은 전통적으로 도수치료 연구 설계 내에서 고려되지 않았다. 그러나 최근 연구에서는 도수치료 관련 결과[97]에서 플라시보 효과의 크기를 구체적으로 평가했다.

Moerman[125]이 말했듯이 플라시보 효과가 스스로 할 수 있는 것은 분명히 없지만 그 의미는 할 수 있다. 그래서 본 저자는 '의미반응'이라는 용어의 사용을 제안한다. 의미반응은 질병의 기원이나 치료에서 의미의 생리학적 또는 심리적 효과로 정의될 수 있다.[126] 결정적인 요인은 불활성 치료 그 자체가 아니라 오히려 의학적 치료를 둘러싼 의미와 의미 유발 기대이다. 플라시보 효과는 무엇보다도 치료 중인 임상 상태에 따라 다르다.[127] 불임, 세균 감염 또는 감기가 아닌 통증 상태의 치료에서 상당한 플라시보 효과가 발견되었다.[127]

치료사 효과는 모든 치료 개입에서 매우 강력하다. 치료사의 열정, 사용된 언어 및 자신감(때로는 오류가 있음)은 사용된 기술의 유익한 효과 등에 대해 강력한 진통 효과를 조절할 수 있다.[128] 개입이 일어나는 맥락도 상당한 영향을 미친다. 아마도 가장 강력한 중재자 중 하나는 환자가 겪는 동일한 통증의 발생과 관련이 있으며, 일상 활동에서는 용인되지 않지만 지금은 중재의 결과 및 치료적 맥락에서 경험한다.

플라시보/의미반응과 특정 효과가 가산적일 수 있기 때문에 치료의 플라시보/의미반응 구성 요소를 강화함으로써 치료 결과도 마찬가지로 향상될 수 있다.[127] 플라시보/의미반응을 극대화하기 위해 물리치료사는 통증 상태에 대한 환자의 부정적인 기분/생각을 최소화하고 증거 기반 중재[119]에 대한

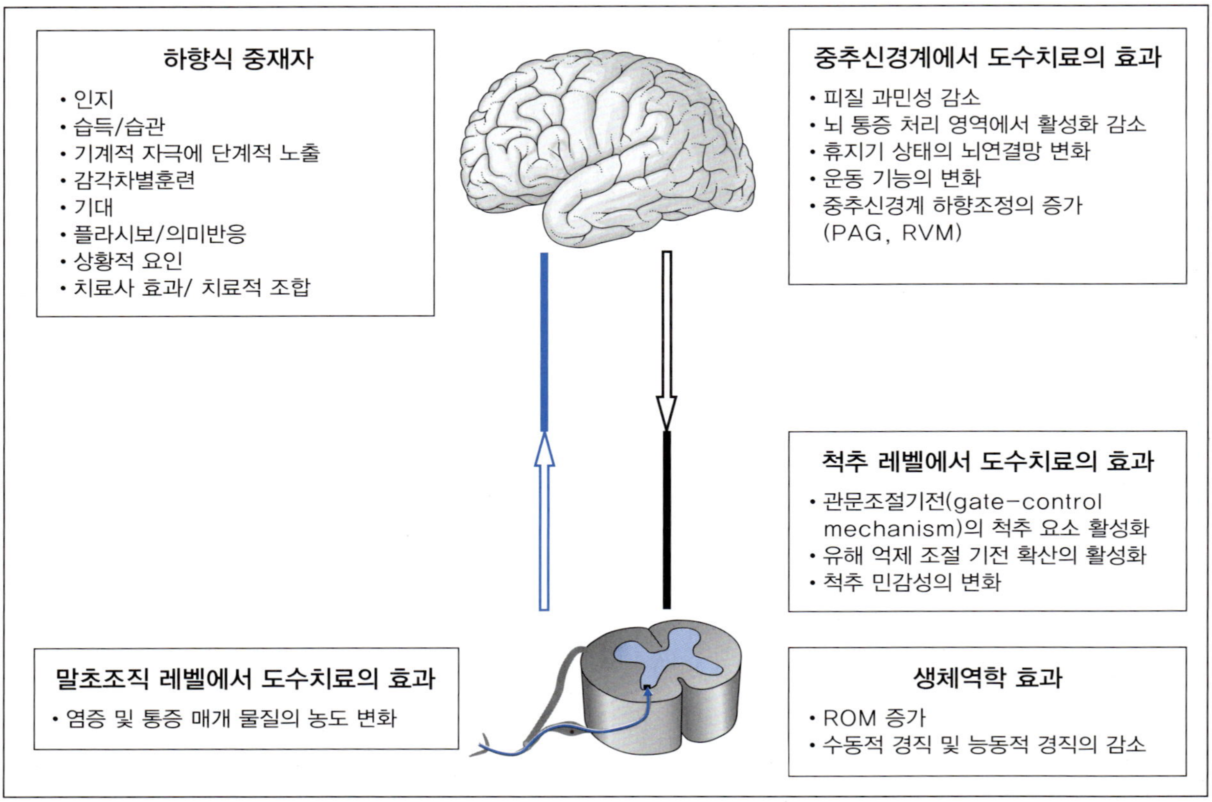

그림 11-3 ■ 도수치료 및 가능한 진통 기전: 생체역학, 말초 조직, 척추 레벨, 중추신경계 및 하향식 중재자. MT = 도수치료; PAG = 수도 주변 회백질(부분); RVM = 주측복내측연수; ROM = 움직임 범위.

환자의 선호도와 과거 경험을 활용하도록 권장된다. 환자의 상태를 설명하기 위해 환자와 더 많은 시간을 보내는 것은 결과를 향상시키는 데 필수적이다. 이렇게 하면 가능한 치료 전략을 설명하고 현실적인 기대치를 최대화하며 좋은 치료 동맹을 구축하는 데 더 많은 주의를 기울이면서 통증에 대한 설명을 찾는 데 있어 정서적 고통을 줄일 수 있다.[129] 치료적 동맹의 주요 요소는 치료자와 정서적 유대를 형성하는 환자의 능력과 치료자가 자신을 배려하고 감각적인 사람으로 표현하는 능력이다(그림 11-3).

또한 때때로 유리한 결과가 개입 자체에서만 파생되는 것이 아니라 질병의 자연사, 자발적 완화 및 평균으로의 회귀와 같은 측면에서 파생된다는 점에 특히 유의해야 한다. 따라서 이 책의 저자는 경추에 영향을 미치는 각 임상 상태의 자연사를 이해하는 것이 중요하다고 강조한다. 자연사에 대한 지식 없이는 치료 효과의 중요성을 확신할 수 없다.

결론
CONCLUSION

현재 도수치료의 정확한 작용 기전은 완전히 명확하지 않다. 도수치료 기술로 얻은 치료 결과는 기계적 및 신경생리학적 효과의 조합과 플라시보 효과/의미 반응, 환자 및 치료사의 인지, 설정 및 치료사와 환자 사이의 동맹과 같은 상황적 요인과 같은 비특이적 효과의 영향에서 파생된다.

현재까지 내장된 통증 억제 시스템을 '켜기 turning on'를 통해 달성되는 주로 단기적인 신경생리학적 효과를 제외하고는 도수치료의 긍정적인 효과 뒤에 있는 기전이 명확하게 이해되지 않았다. 미래의 연구는 즉각적인 효과를 일으키고 임상 결과를 정의하도록 설계된 도수치료 중재 세트가 실제로 장기적인 임상 이점으로 이어지는지 결정해야 한다.

신경계를 직접 관찰하고 비특이적 요인의 가능한 영향을 고려하여 도수치료로 얻은 반응을 입증하려면 추가 연구가 필요할 것이다. 치료 반응의 특정 매개체 및 수정자에 대한 더 많은 연구가 필요하다.

도수치료는 기능 회복에 기여하는 효과적인 치료법이지만, 단일 또는 단독 치료법으로 사용되어서는 안된다. 사실, 도수치료 기술은 치료의 유일한 또는 가장 중요한 부분이 되어서는 안 되며, 환자의 기능 회복을 목표로 하는 다중 모드 접근 방식에 포함되어야 한다. 오늘날 증거에 따르면 도수치료, 움직임 및 교육을 포함한 다중 모드 접근 방식이 도수치료 단독보다 더 나은 결과를 제공하는 것으로 보인다.[130,131]

도수치료의 사용으로 더 크고 지속적인 이점을 얻으려면 환자의 상태에 대한 교육 및 설명, 치료 연습 및 특히 환자의 기능적 장애에 기초한 각 환자의 요구에 대한 기능적 움직임 및 일상생활과 연관을 시키는 것이 필수적이다. 진정한 다중 모드 접근 방식은 물리적 관리뿐만 아니라 환자의 고유한 통증 경험의 심리적, 심리사회적 측면을 고려해야 한다. 환자의 필요를 진정으로 충족시키려면 도수치료가 생물심리사회적 접근 방식에 통합되어야 한다.[132]

참고문헌

1. Orthopaedic manual therapy: Description of advanced clinical practice. In: American Academy of Orthopaedic Manual Physical Therapists. 1999. p. 29.
2. Guide to physical therapist practice. In: American Physical Therapy Association: Phys Ther 2001. p. 9–744.
3. Bialosky JE, Bishop MD, Price DD, et al. The mechanisms of manual therapy in the treatment of musculoskeletal pain: a comprehensive model. Man Ther 2009;14(5):531–8.
4. Silvernail J. Manual therapy: process or product? J Man Manip Ther 2012;20(2):109–10.
5. Elvey R, O'Sullivan P. A contemporary approach to manual therapy. Modern manual therapy. 3rd ed. Amsterdam: Elsevier; 2004.
6. Cook CE. Philosophical differences in manual therapy. J Man Manip Ther 2008;16(1):5–6.
7. Flynn TW. Manual physical therapy: moving beyond the theoretical. J Orthop Sports Phys Ther 2004;34(11):659–61.
8. Flynn TW, Childs JD, Bell S, et al. Manual physical therapy: we speak gibberish. J Orthop Sports Phys Ther 2008;38(3):97–8.
9. Mintken PE, DeRosa C, Little T, et al. AAOMPT clinical guidelines: a model for standardizing manipulation terminology in physical therapy practice. J Orthop Sports Phys Ther 2008; 38(3): A1–6.
10. McDowell JM, Johnson GM, Hetherington BH. Mulligan concept manual therapy: standardizing annotation. Man Ther 2014;19(5):499–503.
11. Bronfort G, Haas M, Evans RL, et al. Efficacy of spinal manipulation and mobilization for low back pain and neck pain: a systematic review and best evidence synthesis. Spine J 2004; 4(3): 335–56.
12. Ho CY, Sole G, Munn J. The effectiveness of manual therapy in the management of musculoskeletal disorders of the shoulder: a systematic review. Man Ther 2009;14(5):463–74.
13. Brantingham JW, Cassa TK, Bonnefin D, et al. Manipulative therapy for shoulder pain and disorders: expansion of a systematic review. J Manipulative Physiol Ther 2011;34(5): 314–46.
14. Jain TK, Sharma NK. The effectiveness of physiotherapeutic interventions in treatment of frozen shoulder/adhesive capsulitis: a systematic review. J Back Musculoskelet Rehabil 2014; 27(3):247–73.
15. Camarinos J, Marinko L. Effectiveness of manual physical therapy for painful shoulder conditions: a systematic review. J Man Manip Ther 2009; 17(4):206–15.

16. Miller J, Gross A, D'Sylva J, et al. Manual therapy and exercise for neck pain: a systematic review. Man Ther 2010;15(4): 334–54.
17. Gross A, Miller J, D'Sylva J, et al. Manipulation or mobilisation for neck pain: a Cochrane Review. Man Ther 2010;15(4): 315–33.
18. Collins NJ, Bisset LM, Crossley KM, et al. Efficacy of nonsurgical interventions for anterior knee pain: systematic review and meta-analysis of randomized trials. Sports Med 2012;42(1): 31–49.
19. Bisset L, Beller E, Jull G, et al. Mobilisation with movement and exercise, corticosteroid injection, or wait and see for tennis elbow: randomised trial. BMJ 2006;333(7575):939.
20. Herd CR, Meserve BB. A systematic review of the effectiveness of manipulative therapy in treating lateral epicondylalgia. J Man Manip Ther 2008;16(4):225–37.
21. Bisset L, Paungmali A, Vicenzino B, et al. A systematic review and meta-analysis of clinical trials on physical interventions for lateral epicondylalgia. Br J Sports Med 2005;39(7):411–22, discussion 411–22.
22. Fisher BE, Davenport TE, Kulig K, et al. Identification of potential neuromotor mechanisms of manual therapy in patients with musculoskeletal disablement: rationale and description of a clinical trial. BMC Neurol 2009;9:20.
23. Thomson OP, Petty NJ, Moore AP. Clinical decision-making and therapeutic approaches in osteopathy – a qualitative grounded theory study. Man Ther 2014;19(1):44–51.
24. Jull G, Moore A. Are manipulative therapy approaches the same? Man Ther 2002;7(2):63.
25. Weiner BK. Spine update: the biopsychosocial model and spine care. Spine(Phila Pa 1976) 2008;33(2):219–23.
26. Hancock MJ, Maher CG, Laslett M, et al. Discussion paper: what happened to the 'bio' in the bio-psycho-social model of low back pain? Eur Spine J 2011;20(12):2105–10.
27. Deyo RA, Mirza SK, Turner JA, et al. Overtreating chronic back pain: time to back off? J Am Board Fam Med 2009;22(1):62–8.
28. Pransky G, Buchbinder R, Hayden J. Contemporary low back pain research – and implications for practice. Best Pract Res Clin Rheumatol 2010; 24(2):291–8.
29. Jull G, Moore A. Hands on, hands off? The swings in musculoskeletal physiotherapy practice. Man Ther 2012;17(3):199– 200.
30. Ford JJ, Hahne AJ. Pathoanatomy and classification of low back disorders. Man Ther 2013;18(2):165–8.
31. Hancock M, Maher C, Macaskill P, et al. MRI findings are more common in selected patients with acute low back pain than controls? Eur Spine J 2012;21(2):240–6.
32. Gal J, Herzog W, Kawchuk G, et al. Movements of vertebrae during manipulative thrusts to unembalmed human cadavers. J Manipulative Physiol Ther 1997;20(1):30–40.
33. Colloca CJ, Keller TS, Harrison DE, et al. Spinal manipulation force and duration affect vertebral movement and neuromuscular responses. Clin Biomech(Bristol, Avon) 2006;21(3):254–62.
34. Coppieters MW, Butler DS. Do 'sliders' slide and 'tensioners' tension? An analysis of neurodynamic techniques and considerations regarding their application. Man Ther 2008;13(3): 213–21.
35. Paris SV. Mobilization of the spine. Phys Ther 1979;59(8): 988–95.
36. Vicenzino B, Hall T, Hing W, et al. A new proposed model of the mechanisms of action of mobilisation with movement. In: Vicenzino B, Hing WA, Rivett D, et al., editors. Mobilisation with movement: the art and the science. Australia: Churchill Livingstone; 2011.
37. Henderson CN. The basis for spinal manipulation: chiropractic perspective of indications and theory. J Electromyogr Kinesiol 2012;22(5):632–42.
38. Mulligan B. Manual therapy – 'NAGS', 'SNAGS', 'PRPS, etc. 6th ed. Wellington: Plane View Services; 2010.
39. Maitland GD, Hengeveld E, Banks K, et al. Maitland's vertebral manipulation. 6th ed. Oxford: Butterworth-Heinemann; 2001.
40. McKenzie R, May S. The lumbar spine mechanical diagnosis and therapy. 2nd ed. New Zealand: Spinal Publications; 2003.
41. Cooperstein R, Gleberzon B. Technique system in chiropractic. Churchill Livingstone; 2004.
42. French SD, Green S, Forbes A. Reliability of chiropractic methods commonly used to detect manipulable lesions in patients with chronic low-back pain. J Manipulative Physiol Ther 2000;

23(4):231–8.
43. Haneline MT, Young M. A review of intra-examiner and interexaminer reliability of static spinal palpation: a literature synthesis. J Manipulative Physiol Ther 2009;32(5):379–86.
44. Stovall BA, Kumar S. Anatomical landmark asymmetry assessment in the lumbar spine and pelvis: a review of reliability. PM R 2010;2(1): 48–56.
45. Holmgren U, Waling K. Inter-examiner reliability of four static palpation tests used for assessing pelvic dysfunction. Man Ther 2008;13(1):50–6.
46. Haas M, Taylor JA, Gillette RG. The routine use of radiographic spinal displacement analysis: a dissent. J Manipulative Physiol Ther 1999;22(4): 254–9.
47. Vicenzino B, Hing W, Rivett DA, et al. Mobilisation with movement: the art and the science. Australia: Churchill Livingstone; 2011.
48. Vicenzino B, Paungmali A, Teys P. Mulligan's mobilizationwith-movement, positional faults and pain relief: current concepts from a critical review of literature. Man Ther 2007; 12(2):98–108.
49. Tullberg T, Blomberg S, Branth B, et al. Manipulation does not alter the position of the sacroiliac joint. A roentgen stereophotogrammetric analysis. Spine(Phila Pa 1976) 1998;23(10):1124–8, discussion 1129.
50. Hsieh CY, Vicenzino B, Yang CH, et al. Mulligan's mobilization with movement for the thumb: a single case report using magnetic resonance imaging to evaluate the positional fault hypothesis. Man Ther 2002;7(1):44–9.
51. Coronado R, Bialosky J, Cook C. Temporal effects of a single session of high-velocity, low-amplitude thrust manipulation on subjects with spinal pain: a systematic review. Phys Ther Rev 2010;15:1–7.
52. Snodgrass S, Haskins R, Rivett DA. A structured review of spinal stiffness as a kinesiological outcome of manipulation: its measurement and utility in diagnosis, prognosis and treatment decision-making. J Electromyogr Kinesiol 2012; 22(5): 708–23.
53. Koppenhaver SL, Hebert JJ, Kawchuk GN, et al. Criterion validity of manual assessment of spinal stiffness. Man Ther 2014;19(6):389–94.
54. Ferreira ML, Ferreira PH, Latimer J, et al. Relationship between spinal stiffness and outcome in patients with chronic low back pain. Man Ther 2009;14(1):61–7.
55. Bialosky JE, Simon CB, Bishop MD, et al. Basis for spinal manipulative therapy: a physical therapist perspective. J Electromyogr Kinesiol 2012;22(5):643–7.
56. Kirby K, Showalter C, Cook C. Assessment of the importance of glenohumeral peripheral mechanics by practicing physiotherapists. Physiother Res Int 2007;12(3):136–46.
57. Cook C, Showalter C. A survey on the importance of lumbar coupling biomechanics in physiotherapy practice. Man Ther 2004;9(3):164–72.
58. Cook C, Hegedus E, Showalter C, et al. Coupling behavior of the cervical spine: a systematic review of the literature. J Manipulative Physiol Ther 2006;29(7):570–5.
59. Legaspi O, Edmond SL. Does the evidence support the existence of lumbar spine coupled motion? A critical review of the literature. J Orthop Sports Phys Ther 2007;37(4):169–78.
60. Sizer PS Jr, Brismee JM, Cook C. Coupling behavior of the thoracic spine: a systematic review of the literature. J Manipulative Physiol Ther 2007;30(5):390–9.
61. Brandt C, Sole G, Krause MW, et al. An evidence-based review on the validity of the Kaltenborn rule as applied to the glenohumeral joint. Man Ther 2007;12(1):3–11.
62. Cleland JA, Fritz JM, Whitman JM, et al. The use of a lumbar spine manipulation technique by physical therapists in patients who satisfy a clinical prediction rule: a case series. J Orthop Sports Phys Ther 2006;36(4):209–14.
63. Kent P, Mjosund HL, Petersen DH. Does targeting manual therapy and/or exercise improve patient outcomes in nonspecific low back pain? A systematic review. BMC Med 2010;8:22.
64. Troyanovich SJ, Harrison DD, Harrison DE. Motion palpation: it's time to accept the evidence. J Manipulative Physiol Ther 1998; 21(8):568–71.
65. Seffinger MA, Najm WI, Mishra SI, et al. Reliability of spinal palpation for diagnosis of back and neck pain: a systematic review of the literature. Spine(Phila Pa 1976) 2004; 29(19): E413–25.

66. Pattyn E, Rajendran D. Anatomical landmark position — can we trust what we see? Results from an online reliability and validity study of osteopaths. Man Ther 2014;19(2):158–64.
67. Kleinrensink GJ, Stoeckart R, Mulder PG, et al. Upper limb tension tests as tools in the diagnosis of nerve and plexus lesions. Anatomical and biomechanical aspects. Clin Biomech(Bristol, Avon) 2000;15(1):9–14.
68. Ross JK, Bereznick DE, McGill SM. Determining cavitation location during lumbar and thoracic spinal manipulation: is spinal manipulation accurate and specific? Spine(Phila Pa 1976) 2004; 29(13):1452–7.
69. Kulig K, Landel R, Powers CM. Assessment of lumbar spine kinematics using dynamic MRI: a proposed mechanism of sagittal plane motion induced by manual posterior-to-anterior mobilization. J Orthop Sports Phys Ther 2004; 34(2):57–64.
70. Lee RY, McGregor AH, Bull AM, et al. Dynamic response of the cervical spine to posteroanterior mobilisation. Clin Biomech(Bristol, Avon) 2005;20(2):228–31.
71. Slaven EJ, Goode AP, Coronado RA, et al. The relative effectiveness of segment specific level and non-specific level spinal joint mobilization on pain and range of motion: results of a systematic review and meta-analysis. J Man Manip Ther 2013;21(1):7–17.
72. Aquino RL, Caires PM, Furtado FC, et al. Applying joint mobilization at different cervical vertebral levels does not influence immediate pain reduction in patients with chronic neck pain: a randomized clinical trial. J Man Manip Ther 2009; 17(2):95–100.
73. Schomacher J. The effect of an analgesic mobilization technique when applied at symptomatic or asymptomatic levels of the cervical spine in subjects with neck pain: a randomized controlled trial. J Man Manip Ther 2009;17(2):101–8.
74. Kanlayanaphotporn R, Chiradejnant A, Vachalathiti R. The immediate effects of mobilization technique on pain and range of motion in patients presenting with unilateral neck pain: a randomized controlled trial. Arch Phys Med Rehabil 2009;90(2):187–92.
75. Ngan JM, Chow DH, Holmes AD. The kinematics and intraand inter-therapist consistencies of lower cervical rotational manipulation. Med Eng Phys 2005;27(5):395–401.
76. Coronado RA, Gay CW, Bialosky JE, et al. Changes in pain sensitivity following spinal manipulation: a systematic review and meta-analysis. J Electromyogr Kinesiol 2012;22(5): 752– 67.
77. Bialosky JE, Bishop MD, George SZ. Regional interdependence: a musculoskeletal examination model whose time has come. J Orthop Sports Phys Ther 2008;38(3):159–60, author reply 160.
78. Bialosky JE, George SZ, Bishop MD. How spinal manipulative therapy works: why ask why? J Orthop Sports Phys Ther 2008;38(6):293–5.
79. Schmid A, Brunner F, Wright A, et al. Paradigm shift in manual therapy? Evidence for a central nervous system component in the response to passive cervical joint mobilisation. Man Ther 2008;13(5):387–96.
80. Hegedus EJ, Goode A, Butler RJ, et al. The neurophysiological effects of a single session of spinal joint mobilization: does the effect last? J Man Manip Ther 2011;19(3):143–51.
81. Teodorczyk-Injeyan JA, Injeyan HS, Ruegg R. Spinal manipulative therapy reduces inflammatory cytokines but not substance P production in normal subjects. J Manipulative Physiol Ther 2006;29(1):14–21.
82. Vernon HT, Dhami MS, Howley TP, et al. Spinal manipulation and beta-endorphin: a controlled study of the effect of a spinal manipulation on plasma beta-endorphin levels in normal males. J Manipulative Physiol Ther 1986; 9(2):115–23.
83. McPartland JM, Giuffrida A, King J, et al. Cannabimimetic effects of osteopathic manipulative treatment. J Am Osteopath Assoc 2005; 105(6):283–91.
84. Black DW. Treatment of knee arthrofibrosis and quadriceps insufficiency after patellar tendon repair: a case report including use of the graston technique. Int J Ther Massage Bodywork 2010; 3(2):14–21.
85. Zusman M. There's something about passive movement. Med Hypotheses 2010;75(1):106–10.
86. Melzack R, Wall PD. Pain mechanisms: a new theory. Science 1965;150(3699):971–9.
87. Boal RW, Gillette RG. Central neuronal plasticity, low back pain and spinal manipulative therapy. J

Manipulative Physiol Ther 2004;27(5):314–26.

88. Le Bars D, Dickenson AH, Besson JM. Diffuse noxious inhibitory controls(DNIC). II. Lack of effect on non-convergent neurones, supraspinal involvement and theoretical implications. Pain 1979;6(3):305–27.
89. Le Bars D, Dickenson AH, Besson JM. Diffuse noxious inhibitory controls(DNIC). I. Effects on dorsal horn convergent neurones in the rat. Pain 1979;6(3):283–304.
90. Le Bars D, Villanueva L, Bouhassira D, et al. Diffuse noxious inhibitory controls(DNIC) in animals and in man. Patol Fiziol Eksp Ter 1992;(4):55–65.
91. Lewis GN, Rice DA, McNair PJ. Conditioned pain modulation in populations with chronic pain: a systematic review and meta-analysis. J Pain 2012;13(10):936–44.
92. Nijs J, Van Houdenhove B. From acute musculoskeletal pain to chronic widespread pain and fibromyalgia: application of pain neurophysiology in manual therapy practice. Man Ther 2009;14(1):3–12.
93. Sterling M, Pedler A, Chan C, et al. Cervical lateral glide increases nociceptive flexion reflex threshold but not pressure or thermal pain thresholds in chronic whiplash associated disorders: a pilot randomised controlled trial. Man Ther 2010;15(2):149–53.
94. Courtney CA, Witte PO, Chmell SJ, et al. Heightened flexor withdrawal response in individuals with knee osteoarthritis is modulated by joint compression and joint mobilization. J Pain 2010;11(2):179–85.
95. Bialosky JE, Bishop MD, Robinson ME, et al. Spinal manipulative therapy has an immediate effect on thermal pain sensitivity in people with low back pain: a randomized controlled trial. Phys Ther 2009;89(12):1292–303.
96. Bishop MD, Beneciuk JM, George SZ. Immediate reduction in temporal sensory summation after thoracic spinal manipulation. Spine J 2011;11(5):440–6.
97. Bialosky JE, George SZ, Horn ME, et al. Spinal manipulative therapy-specific changes in pain sensitivity in individuals with low back pain (NCT01168999). J Pain 2014;15(2): 136–48.
98. Coppieters MW, Stappaerts KH, Wouters LL, et al. The immediate effects of a cervical lateral glide treatment technique in patients with neurogenic cervicobrachial pain. J Orthop Sports Phys Ther 2003;33(7):369–78.
99. Malisza KL, Gregorash L, Turner A, et al. Functional MRI involving painful stimulation of the ankle and the effect of physiotherapy joint mobilization. Magn Reson Imaging 2003; 21(5):489–96.
100. Sparks C, Cleland JA, Elliott JM, et al. Using functional magnetic resonance imaging to determine if cerebral hemodynamic responses to pain change following thoracic spine thrust manipulation in healthy individuals. J Orthop Sports Phys Ther 2013;43(5):340–8.
101. Gay CW, Robinson ME, George SZ, et al. Immediate changes after manual therapy in resting-state functional connectivity as measured by functional magnetic resonance imaging in participants with induced low back pain. J Manipulative Physiol Ther 2014;37(9):614–27.
102. Voogt L, de Vries J, Meeus M, et al. Analgesic effects of manual therapy in patients with musculoskeletal pain: a systematic review. Man Ther 2015;20(2):250–6.
103. Kingston L, Claydon L, Tumilty S. The effects of spinal mobilizations on the sympathetic nervous system: a systematic review. Man Ther 2014;19(4):281–7.
104. Wright A. Hypoalgesia post-manipulative therapy: a review of a potential neurophysiological mechanism. Man Ther 1995;1(1):11–16.
105. Skyba DA, Radhakrishnan R, Rohlwing JJ, et al. Joint manipulation reduces hyperalgesia by activation of monoamine receptors but not opioid or GABA receptors in the spinal cord. Pain 2003;106(1–2):159–68.
106. Cook C. Immediate effects from manual therapy: much ado about nothing? J Man Manip Ther 2011;19(1):3–4.
107. Zegarra-Parodi R, Park PY, Heath DM, et al. Assessment of skin blood flow following spinal manual therapy: a systematic review. Man Ther 2014;20(2):228–49.
108. Soon BT, Schmid AB, Fridriksson EJ, et al. A crossover study on the effect of cervical mobilization on motor function and pressure pain threshold in pain-free individuals. J Manipulative Physiol Ther 2010;33(9):652–8.

109. Abbott JH, Patla CE, Jensen RH. The initial effects of an elbow mobilization with movement technique on grip strength in subjects with lateral epicondylalgia. Man Ther 2001;6(3): 163–9.
110. McLean S, Naish R, Reed L, et al. A pilot study of the manual force levels required to produce manipulation induced hypoalgesia. Clin Biomech (Bristol, Avon) 2002;17(4):304–8.
111. Gifford L. Editorial: Therapist and patient fear of bending: Does the McKenzie approach – need a shift? Physiother Pain Assoc News 2002; December(4):3–8.
112. Zusman M. Mechanisms of musculoskeletal physiotherapy. Phys Ther Rev 2004;9:39–49.
113. Robson S, Gifford L. Manual therapy in the 21st century. In: Gifford L, editor. Topical issues in pain 5: CNS Press. 2006.
114. Moseley G. Personal communication. 2010.
115. Nijs J, Lluch Girbes E, Lundberg M, et al. Exercise therapy for chronic musculoskeletal pain: innovation by altering pain memories. Man Ther 2015;20(1):216–20.
116. Bialosky JE, Bishop MD, Cleland JA. Individual expectation: an overlooked, but pertinent, factor in the treatment of individuals experiencing musculoskeletal pain. Phys Ther 2010;90(9): 1345–55.
117. Bishop MD, Mintken PE, Bialosky JE, et al. Patient expectations of benefit from interventions for neck pain and resulting influence on outcomes. J Orthop Sports Phys Ther 2013;43(7): 457–65.
118. Bishop MD, Bialosky JE, Cleland JA. Patient expectations of benefit from common interventions for low back pain and effects on outcome: secondary analysis of a clinical trial of manual therapy interventions. J Man Manip Ther 2011; 19(1):20–5.
119. Bialosky JE, Bishop MD, George SZ, et al. Placebo response to manual therapy: something out of nothing? J Man Manip Ther 2011;19(1): 11–19.
120. Gay CW, Bishop MD. Research on placebo analgesia is relevant to clinical practice. Chiropr Man Therap 2014;22(1):6.
121. Benz LN, Flynn TW. Placebo, nocebo, and expectations: leveraging positive outcomes. J Orthop Sports Phys Ther 2013;43(7):439–41.
122. Fuentes J, Armijo-Olivo S, Funabashi M, et al. Enhanced therapeutic alliance modulates pain intensity and muscle pain sensitivity in patients with chronic low back pain: an experimental controlled study. Phys Ther 2014;94(4):477–89.
123. Colloca L, Benedetti F. How prior experience shapes placebo analgesia. Pain 2006;124(1–2):126–33.
124. Colloca L, Benedetti F. Placebo analgesia induced by social observational learning. Pain 2009;144(1–2):28–34.
125. Moerman DE. Against the 'placebo effect': a personal point of view. Complement Ther Med 2013;21(2):125–30.
126. Moerman DE, Jonas WB. Deconstructing the placebo effect and finding the meaning response. Ann Intern Med 2002; 136(6):471–6.
127. Kirsch I. The placebo effect revisited: lessons learned to date. Complement Ther Med 2013; 21(2):102–4.
128. Gracely R. Charisma and the art of healing: can nonspecific factors be enough? In: Devor M, Rowbotham M, WiesenfeldHallin Z, editors. 9th World Congress on Pain. IASP Press; 2000. p. 1045–67.
129. Ferreira PH, Ferreira ML, Maher CG, et al. The therapeutic alliance between clinicians and patients predicts outcome in chronic low back pain. Phys Ther 2013;93(4):470–8.
130. Gross AR, Hoving JL, Haines TA, et al. Manipulation and mobilisation for mechanical neck disorders. Cochrane Database Syst Rev 2004;(1): CD004249.
131. Verhagen AP, Scholten-Peeters GG, de Bie RA, et al. Conservative treatments for whiplash. Cochrane Database Syst Rev 2004; (1):CD003338.
132. Jull G, Sterling M. Bring back the biopsychosocial model for neck pain disorders. Man Ther 2009;14(2):117–18

경추의 도수치료
MANUAL THERAPY OF THE CERVICAL SPINE

RAFAEL TORRES CUECO ▪ MOISES GIMÉNEZ-COSTA

도입
INTRODUCTION

저자의 임상 접근법은 환자의 임상 상황과 필요한 경우, 관련된 통증 기전의 측면에서 환자 교육의 중요성에 중점을 둔다. 더욱이, 환자 관리 및 치료는 기능, 움직임 제어, 신경 가동, 감각 운동 결손의 재활 및 점진적 노출 치료 움직임을 포함하는 전략을 통합한다. 일부 환자, 특히 만성 통증이 있거나 만성 통증으로의 전환 가능성을 제시하는 환자의 경우 치료의 중요한 측면은 환자의 경험과 관련된 신념과 행동 및 다양한 심리사회적 측면을 다루는 것이다.

그러나, 이 장에서는 관절 기능장애에 적용되는 진단 검사와 치료 기술에 대해서만 논의한다. 운동 제어 전략과 관련된 측면은 이 책의 13장과 2권의 5장에서 다룬다. 신경 가동 기술은 이 책의 15장에서 다루며 몇 가지 예는 2권의 1, 2, 3장에 포함되어 있다.

다양한 영향 요인의 결과로 관절 기능장애에 대해 제안된 접근 방식은 반드시 절충적이며 모든 것을 포함하려고 시도하지 않는다. 경추 및 경흉추에 사용할 수 있는 몇 가지 기술이 표시된다. 첫 번째 부분에서는 각 기술에 포함된 몇 가지 원칙에 대해 설명하고 이들 중 몇 가지는 나중에 설명한다.

도수치료는 통증 조절, 움직임 범위(ROM) 증가, 연조직 염증 감소 또는 제거, 이완 유도, 수축성 및 비수축성 조직 복구, 신전성, 및/또는 안정성 개선, 운동 촉진 및 기능 개선을 목표로 연조직 및 관절 구조를 진단하고 치료하기 위해 물리치료사가 사용하는 조작/가동을 포함하지만 이에 국한되지 않는 숙련되고 구체적인 손으로 하는 기술을 활용하는 임상적 접근법으로 정의되었다.[1–3]

도수치료에는 관절, 근육 및 신경계에 적용되는 매우 다양한 기술이 포함된다.[4] 이 장에서는 낮은 진폭, 보조 장치, 움직임을 동반한 가동 및 고속을 포함하여 다양한 속도와 범위를 사용하여 적용되는 수동 관절 가동의 다양한 방식을 설명한다.[4]

다양한 도수치료의 원칙
PRINCIPLES OF THE DIFFERENT MANUAL THERAPY MODALITIES

생리적 움직임 기술
(Physiological movement techniques)

생리적 움직임 기술은 관절 또는 그 일부의 전체 움직임 범위 내에서 수행되는 수동적 움직임의 사용을 나타낸다. 치료사는 치료 중 사용 가능한 움직임의 진폭과 품질을 지속적으로 평가하기 때문에 이러한 기술에는 진단 및 치료 방법이 모두 포함된다. 이것들은 이동성의 범위를 평가하기 위한 진단 과정의 치료적 신전으로 간주된다.

이러한 기술의 가장 중요한 측면은 환자-치료사 피드백이다. 치료사는 손으로 만져지는 조직의 반응에 따라 행동해야 한다. 치료사는 정상적인 관절 이동성과 환자의 통증을 개선할 목표로 관절 움직임에 대한 장벽 감각을 영구적으로 모니터링해야 한다.

지렛대를 사용하여 치료사가 큰 힘을 가하는 것을 피하고 기동의 기계적 효과를 향상시키는 저속 기술로 간주된다. 환자의 필요에 따라 넓거나 좁은 움직임으로 수행할 수 있다. 예를 들어, 급성 관절 상태에서는 전체 관절 궤적의 중앙 부분이나 중립 영역 내에서 작용하는 관절 기술을 사용하여 관절 낭인대 요소를 스트레칭하여 관절 통증의 발병을 예방한다. 그러나 아급성 또는 만성 과정에서 관절 움직임 범위의 점진적인 증가를 유발하기 위해 마지막 움직임 범위에 기술을 적용하는 것이 흥미로울 수 있다.

생리학적 움직임은 일반적으로 치료 중인 관절에서 사용 가능한 움직임 평면에서 수행된다. 힘 벡터는 개별적으로 적용하거나 조직의 느슨함을 더 잘 흡수하기 위해 시작 위치에서 움직임을 조합하여 적용할 수 있다.

Edwards[5]는 유발검사 뿐 아니라 치료로도 생리학적 움직임의 동시 조합 사용을 제안했다. 이러한 결합된 움직임의 적용은 항상 증상의 유발과 그 과민성의 수준에 따라 결정된다.

생리적 움직임은 환자의 임상 상황에 따라 필요한 진폭과 강도로 수행되는 한 통증에 상당한 영향을 미칠 수 있다.

부수적인 움직임 기술 *(Accessory movement techniques)*

이것은 Maitland 등[6]이 기술한 수동적 가동 기술로, 일반적으로 척추의 극돌기, 횡돌기 또는 관절 돌기에 엄지를 사용하여 진동하고 리드미컬하게 적용된다. 경추에서 일반적으로 사용되는 이 기술은 후전방 중앙 추간 움직임, 후전방 편측 추간 움직임, 전후방 편측 추간 움직임 횡 추간 움직임이다. 생리학적 움직임에서와 같이 이러한 움직임을 조합하여 적용할 수 있다. 이러한 기술의 목표는 관절 움직임의 진폭과 품질, 통증의 존재 및 근육 경련의 모양에 관한 정보를 얻는 것이다. 이러한 기술은 진단적 관심을 가질 뿐만 아니라 치료적 방법으로도 사용된다.

근육 에너지 기술 *(Muscle energy techniques)*

근육 에너지 기술은 조절된 방향으로 환자 근육의 자발적인 수축을 의미하며, 다양한 강도와 치료사가 가하는 저항에 대항한다. 따라서 관절 장벽에 대항하여 작용하기 때문에 직접적인 근육 수축을 통한 환자의 참여가 필요하므로 능동 기술로 간주된다. 이러한 기술은 치료사가 외력을 가하는 고속 기술보다 실행 위험이 낮다.

근육 에너지 기술은 분절간 이동성을 제어하는 단관절 근육이 관절 기능장애를 유발 및/또는 유지하는 기본 원리를 기반으로 한다. 그러나 이 가설은 다른 연구[7-10]에서 보여주듯이 특히 만성인 경우 관절 기능장애가 섬유지방 변성 외에도 단관절 근육의 억제 및 위축을 동반하기 때문에 정확하지 않을 수 있다. 그럼에도 불구하고 이 기술의 올바른 수행은 단일 관절 근육의 활성화를 의미하여 안정화 및 고유수용성 기능을 개선하는 데 도움이 될 수 있다.

이 기술의 적절한 수행을 위한 첫 번째 단계는 공간의 세 평면 중 하나에서 관절 장벽을 향해 관절을 수동적으로 이끄는 것이다. 일단 달성되면, 환자는 제한 장벽의 반대 방향으로 3~5초간 근육 수축을 수행하도록 요청받는다. 치료사는 환자의 노력에 대해 동일한 저항력(등척성 수축)을 가한다. 환자가 수축을 완료하고 기술이 올바르게 수행되었다면 장벽이 무너지고 조직이 새로운 제한 지점에 도달할 수 있도록 한다. 관절을 이 새로운 장벽으로 연결하려면 수축 후 근육의 불응기가 관찰되어야 한다. 이 과정을 3~5회 반복하여 반복할 때마다 새로운 관절 장벽에 도달한다. 그 후, 환자는 부수적으로 중립 위치로 돌아가고 관절 가동성은 재평가된다. 이 기술은 완전한 정상 범위의 움직임에 도달할 때까지 필요한 만큼 반복할 수 있다.

위에서 언급한 바와 같이, 이 기술의 목표는 이동성과 분절 안정성의 제어를 담당하는 심부 근육의 수축을 찾는 것이다. 따라서 환자는 표면 근육의 활성화를 방지하기 위해 치료사가 제공하는 저항에 맞게 부드럽고 적당한 힘을 가할 필요가 있음을 상기시켜야 한다.

움직임을 통한 가동 (Mobilization with Movement)

움직임을 동반한 가동은 수동적인 힘의 적용(치료사 또는 환자 자신에 의한)을 포함하는 도수치료 방식으로, 일반적으로 가동될 관절에 대한 지속적인 보조 활주 움직임과 동시에 생리학적 움직임을 반복적이고 능동적으로 환자가 수행한다.[11] 이 힘의 방향은 일반적으로 움직임 평면에 수직이고 때로는 치료 평면에 평행한다. 기술이 올바르게 수행된 것으로 간주되려면 수동적 활주와 능동적 움직임 모두 통증이 없어야 한다. 수동적인 움직임은 레벨에 따라 후관절면과 최대한 평행하게 이루어지며 중심 또는 편측 레벨에서 수행할 수 있다. 방향 제한 및 과수렴 기능장애에서 끝 범위에서 제한된 움직임의 경우에 특히 유용하다.

조작 기술(추력 조작) (Manipulation techniques) (thrust manipulation)

조작 기술은 직접적이고 수동적이며 치료사는 특정 방향으로 높은 속도와 낮은 진폭의 추력을 사용하여 기사이관절의 표면 사이에 매우 작은 진폭의 움직임을 만든다. 조작은 전체 경추에 걸쳐 적용되어서는 안 되며 치료사가 이동하려는 척추 부분에만 집중해야 한다. 따라서 움직임 지랫대를 사용하여 특정 척추 수준에서 기동의 집중을 허용하는 후관절 차단 또는 배치의 개념을 알아야 한다. 이 기술을 수행하는 동안 힘의 집중과 관절 주위 연조직의 이완은 치료사가 작은 힘을 가할 수 있게 하고 힘이 조직에 고통스럽거나 해롭지 않음을 보장한다. 다른 모델과 달리[12,13] 이 장에서 다루는 기술과 다른 저자의 관점에 따르면[14,15] 추력은 이동 범위의 끝에서 적용되지 않는다. 다른 저자들은 끝범위에서 적용되는 추력 조작이 많은 단점과 문제를 제기한다고 믿는다.[14–16]

실제로, 추력 조작은 관절의 중립 영역 주변이나 근처의 관절 위치에 적용되며 관절 역할의 다른 이차 구성 요소의 조합을 통해 적용된다. 따라서 해부학적 장벽에 접근하지 않고도 특정 관절 조작 위치에 도달할 수 있으며 고속 추력 충격을 피할 수 있다.[15] 추력 기술은 관절면에 평행하거나 수직으로 수행되며 기동을 수행하기 위해 신체 지렛대를 사용하여 직접 또는 간접적으로 적용될 수 있다. 결과적인 움직임은 관절 간격 또는 활주 움직임 또는 이 둘의 조합이다.[17]

그러나 특정 상황(관절 통증, 노인 환자 등)에서는 추력 기술을 위해 선택한 동일한 위치에서 관절 장벽에 대해 작은 반복적이고 리드미컬한 진동 움직임을 적용할 수 있다.

이것은 제한 장벽에 대한 점진적인 접근을 허용하고 그러한 환자에서 이러한 유형의 기술 사용으로 인한 위험을 방지한다. 치료사가 경추에서 치료적 접근을 선택할 때 많은 환자들이 불안을 나타낸다. 현재, 경추 도수의 특정 측면은 사고 위험이 더 높은 것으로 알려져 있다(2권 10장 참조). 따라서 경추 부위, 특히 두개경추 척추에 적용되는 추력 기술은 매우 낮은 움직임 범위와 적당한 속도로 적은 힘을 사용해야 한다.

추력 기술은 첫 번째 선택으로 사용되어서는 안 되며, 기술의 강도 측면에서 점진적인 접근 방식으로 사용해야 한다. 생리학적, 진동적 또는 수동적 기술이 우선적으로 권장되는 반면, 추력 기술은 필요할 때 차후에 적용될 수 있다.

기술 선택
CHOICE OF TECHNIQUE

치료사의 치료 기술 선택은 임상 추론의 '치료' 가설 범주 내 작업에서 중요한 역할을 한다. 적용할 특정 치료법을 설정하는 '레시피'를 프로그래밍하거나 사전 설정된 표준 연구계획 알고리즘을 사용하도록 유혹받기 쉽다. 이와는 거리가 멀고, 임상 추론은 치료사의 지식과 기술뿐만 아니라 환자의 임상적 표현과 기술을 뒷받침하는 증거에 기초하여 한 기술 또는 다른 기술을 적용하는 결정을 안내해야 한다. 이를 위해 임상 추론은 환자의 임상 상태에 가장 적합한 기술에 대한 의사결정으로 이어져야 한다. 이러한 추론은 뒷받침하는 증거가 부족하거나 특정 임상 프레젠테이션에 적합하지 않을 수 있는 전통적인 방법론적 경향, 유행하는 기술 또는 제안에 의해 취해진 결정을 무시해야 한다.

제시된 도수치료 모델은 관절 기능장애를 치료의 주요 목표로 두지 않는다. 도수치료 기술은 환자의 임상 상태에 따라 회복 과정을 도울 수 있는 간단한 도구이다. 따라서 기술의 선택은 주로 관절 기능장애의 유형에 따라 결정되지만 더 관련성이 있다고 간주되는 다른 측면에 따라 결정된다.

병리학은 첫 번째 단계로 환자의 임상적 표현이 허용되는 경우 특정 기술 또는 기술 그룹의 선택을 결정할 것이다. 병리학적 인식은 알려진 임상 증후군 내에서 추론 및 분류의 산물이어야 한다. 따라서 추간판 탈출증이나 후관절 관련 문제, 추간판 탈출로 인한 신경근병증, 불안정성 또는 중심관이나 외측관 협착증이 있는지 여부를 판단하는 것이 필요하다. 따라서 기술을 선택할 때 환자의 병리 또는 임상 증후군과 그 급성, 아급성 및 만성 단계를 아는 것이 중요하다. 따라서 다른 병리학에 대해 동일한 기술을 사용하고, 반대로 단일 병리학에서 다른 기술을 사용할 수 있다.

가능하다면 훨씬 더 중요한 것은 환자의 임상적 표현의 기초가 되는 ***기전***이며, 보다 구체적으로 통증 기전이다. 따라서 통증의 원인이 통각수용성인지, 염증성인지, 신경병성인지 또는 기능장애인지를 명확히 밝혀야 한다. 이것은 특히 기술의 선택(예: 가장 중요한 기본 기전이 신경병증인 경우 신경역학적 기술)뿐만 아니라 모든 유형의 기동(예: 염증성분이 있는 통증 범위의 끝에 도달하지 않고 중립 영역 내에서 가동)에서 고려해야 할 측면을 결정한다.

환자의 증후군의 특정 ***단계***를 설정해야 하므로 임상 증후군의 자연사에 대한 다양한 단계를 정의할 필요가 있다. 이는 환자 관리의 의사결정, 적절한 회복 시간 관찰 또는 적절한 단계에서의 행동에 중요할 뿐만 아니라 결과를 평가하고 환자 상태의 변화가 치료의 작용으로 인한 것인지 질병의 자연사 때문인지 또는 둘 다 인지 여부를 결정할 때에도 중요하다. 또한 사용된 기술을 결정할 때 조직 상태뿐만 아니라 외상 후 또는 퇴행성 변화 또는 취약성과 관련된 상황의 존재를 확인해야 한다.

고려해야 할 또 다른 요소는 ***환자의 민감도***이다. 이것은 관련된 기전의 유형, 병리학 또는 현재 단계, 그리고 존재할 수 있는 연령 및 퇴행성 변화 또는 과민성, 증상의 중증도 및 주관적으로 허용되는 재현성에 의해 결정된다. 중요한 측면은 환자의 임상 양상에서 중추 감작을 식별하는 것이다. 이 경우 환자가 불편하거나 고통스러운 것으로 인식할 수 있는 모든 기술을 피하고 그 목표는 주로 신경조절이다.

심리사회적 측면은 특정 물리치료 중재의 효과에 있어 중재자로 간주되어 왔다. 공포 회피 행동,

움직임 공포증, 우울증 또는 부적절한 대처 전략은 얻은 결과에 큰 영향을 미치므로 해당 환자에게 적합한 기술을 결정할 때 처음부터 고려해야 한다. 이러한 측면을 무시하는 것은 실수이며 치료를 선택할 때 고려해야 할 뿐만 아니라 이러한 요소에 긍정적인 영향을 미치는 것을 목표로 해야 한다 (자세한 내용은 2권 11장 참조).

또한 주목해야 하고 심리사회적 측면과 연결된 환자 선호도에는 과거 개입에 대한 환자의 이전 반응과 치료에 대한 선입견이 포함된다. 이것은 우리로 하여금 기대 효과(치료사의 수행과 치료사 자신에서)와 플라시보 효과의 적절한 사용을 고려하도록 이끈다. 이것은 이러한 요인의 오용 또는 환자 기반 모델에 의존하는 비근거(non-evidence) 기반 요법의 적용을 정당화하지 않는다.

마지막으로, 특정 기술의 선택은 ***신체 기능장애***의 유형에 따라 결정된다. 환자의 문제에서 가장 지배적인 요인인 통증 또는 기능장애를 확인해야 한다. 이를 위해 양(움직임의 양과 과이동성 또는 뻣뻣함이 우세한 경우)과 질(움직임의 질) 측면에서 움직임 패턴을 기록하면서 환자의 움직임 특성을 평가하는 것도 필요하다. 마지막으로, 이러한 기능장애 및 통증이 적응 패턴에 반응하는지 부적응 패턴에 반응하는지 확인해야 한다.

이 모든 것이 적용된 힘의 특성(강도, 방향, 시간 및 힘 증가) 및 대상 구조, 치료사의 손 및 신체 위치 또는 환자의 위치와 같은 측면을 결정한다.

기술의 성능과 관련된 측면 (Aspects relating to the performance of the technique)

시작 위치는 기술의 다른 특성을 조절한다. 따라서 이러한 사항은 처음부터 명확히 해야 한다. 모든 움직임 진폭의 중간 범위는 더 큰 진폭[6]을 얻기 위해 구조에서 더 적은 노력과 장력을 필요로 하는 영역이다. 그러나, Edwards[5]에서 제안한 결합 움직임의 원리에 따라 사전 위치 지정을 사용할 수 있다. 이러한 결합 움직임은 생리적 움직임과 부수적 움직임의 시작 위치 모두로 수행될 수 있다.

목표는 더 많은 생리학적 범위, 자극적이지 않은 위치 또는 가동을 위해 더 유리한 결합된 동작 패턴을 허용하는 위치에서 작동하는 것이다. 예를 들어, 증가된 확산을 추구하는 기술의 경우, 상승 움직임을 개선하기 위해 굴곡 및 반대쪽 경사가 가장 좋은 위치일 수 있다(결합 움직임 기술 p.344 참조). 치료사의 손 방향(따라서 힘의 방향)도 원하는 방향으로 움직임을 지시하는 데 도움이 될 수 있다.[18,19]

진폭은 기술 적용에 관한 의사결정에서 가장 중요한 원칙 중 하나이다. 전통적으로, 움직임의 시작 시 작은 진폭(등급 I)에서 움직임의 끝에서 작은 범위(등급 IV)에 이르기까지 다양한 정도의 이동성이 설명되었다. 등급 II(자유 범위 내) 및 등급 III(첫 번째 저항에서 두 번째 저항으로 이동)에는 더 큰 진폭이 포함된다. 통증이 없는 범위 영역에 있으므로 통증이 가장 중요한 구성 요소일 때 등급 I 및 II가 선택된다. 반대로 이동성을 향상시키는 것이 목표이라면 3등급(저항 내에서 전체 동작 범위에 걸쳐 작동)과 4등급(동작이 끝날 때의 뻣뻣함을 극복하는 것을 목표로 할 때)이 선택된다.[6]

인지된 ***저항***에 따라 이동성의 정도도 선택된다. 끝 범위에서 짧은 진폭 또는 저항 내의 큰 진폭은 경직 또는 감소된 동작 범위를 해결하는 데 가장 적절해 보인다. 급성 관절 기능장애의 경우 관절을 과도하게 자극하지 않도록 노력하면서 통증이 없는 전체 범위에 걸쳐 움직임을 해야 한다. 모든 고통스러운 저항은 신경조절 효과를 추구하면서 통증 역치 아래에서 짧은 가동으로 초기에 개선될 수 있다. 근육 경련의 형태로 저항이 감지되면 경련을 줄이기 위해 낮은 리듬과 속도가 필요하다.

도수치료에서 매우 중요한 기술적 요인이기는 하지만 치료사들 사이에 힘의 ***강도***에 큰 변동이 있는 반면, 검사자내 신뢰도는 낮다.[20] 저강도는 통증

역치 이하에서 작동하는 신경조절 효과를 추구할 때 더 적합하다. 움직임[21]과 수동적 가동[22]을 포함한 가동 기술에서 더 높은 강도는 가장 효과적인 것으로 입증된 최적의 힘 강도 역치를 포함한다. 더욱이, 이러한 더 높은 강도는 경직 감소에 더 유리한 결과를 제공한다.[22] 조작과 관련하여 예압력은 적용된 최종 힘보다 효과가 더 결정적인 것으로 보인다.[23]

일부 과정은 근육 경련 구성요소와 관련된 것과 같은 더 긴 ***치료*** 시간에 더 잘 반응하는 것으로 관찰되었지만, 이는 항상 인지된 반응[24]에 따라 조정되어야 하며, 통증 있는 과정에서 과도한 자극을 피해야 한다. 필요한 도수치료 세션의 수는 다양할 수 있지만 통증 치료[25]를 위한 단일 세션은 권장되지 않는다.

위에서 언급한 바와 같이, 기술의 **속도**는 임상적 표현, 고속 기술을 적용할 필요성 및 환자 선호도와 비교하여 평가되어야 한다. 고속 및 저속 기술 간에 효과가 어떻게 다른지는 여전히 불확실하다.[25] 반복적인 가동이 증상의 자극을 초래하는 경우에는 매우 짧은 진폭의 조작이 권장된다. 높은 관련 안전성을 바탕으로 치료사는 저속 가동 기술을 첫 번째 선택으로 선호하는 것으로 여겨진다.[26]

일반적으로, 가동 리듬은 1 Hz에서 2 Hz 사이이며, I–IV 등급에서는 더 높은 주파수를 사용하고 II–III 등급[27]에서는 더 낮은 주파수를 사용한다. 통증이 없는 범위 내[6]에서 고통스러운 상태의 치료를 위해 안정적인 속도와 느린 속도의 사용 권장된다. 그러나, 경직을 극복하기 위한 가동은 더 많은 간헐적 속도와 더 빠른 속도가 필요하다. 경추 가동률이 높을수록 교감-흥분 효과가 증가할 수 있다는 것이 관찰되었다.[28]

목표(Objectives)

이러한 모든 변수가 주어지면 목표는 사용할 기술 유형을 결정하는 것이며 이를 위해서 세 그룹으로 나누어진다:

- ***신경조절 효과***를 얻기 위한 기술.
  일반적으로 적용 영역 및 생체역학적 지표 측면에서 비특이적 조작을 고려해야 한다.
  주요 목표는 하행로의 활성화 또는 통각 구심성 억제를 통해 통증에 대한 효과를 생성하는 것이다(11장 참조).
  통증 관리를 위해 증상이 없는 자세를 취하는 것이 좋다.
  진폭은 통증 없이 달성할 수 있는 가능한 가장 커야 한다. 비특이적 기술이라는 사실이 환자와 관련된 임상적 측면과 기술 구현의 기술적 세부 사항을 무시할 핑계는 되지 않는다.
- ***경직***이 통증보다 우세하고 정상적인 가동 범위를 회복하는 것이 임상적 결정인 경우에는 기능장애 치료를 위해 특정 가동이 필요하지 않은 경우가 많다.
  문제의 고통스러운 요소에 따라 조작의 강도가 더 높거나 낮을 수 있다.
  특정한 기동을 포함하지 않음에도 불구하고 방향, 지속 시간 및 힘의 강도와 같은 요소를 고려해야 한다.
- 마지막으로, 발견된 ***특정 유형의 기능장애를 교정하는 것이*** 목표인 경우, 기술은 기능장애-표적 치료에 초점을 맞출 것이다. 이러한 조작의 표적 구조가 더 국소화됨에 따라 힘의 방향, 관절 분절의 위치 및 환자 위치와 같은 기술적 측면이 더 중요해진다.

전술한 특정 목표의 치료 및 달성을 위해 기술이 중요하지만 이것이 환자의 삶의 질 향상으로 이어지지 않을 수 있으며 이것이 재활 과정의 궁극적인 목표임에 유의해야 한다.

임상 지침은 복합치료 내에서 도수 및 가동의 사용을 권장한다. 운동은 도수치료에서 권장되는 보조제이다.[25]

기능장애 유형에 따른 가능성

급성 관절 기능장애. 이러한 유형의 상황에서 통증이 지배적인 요소이다. 따라서 진통 자세를 촉진하거나 허용하는 시작 자세가 적절하다. 움직임은 통증 부위에서 멀어지며 기본 목표는 신경조절이다. 일반적인 원칙은 통증이 없다면 중립 관절 위치 근처에서 저항을 일으키지 않고 광범위하고 리드미컬한 움직임이다. 과민 반응을 피하는 것이 필수적이다.

관절내(Intra-Articular) 관절 기능장애. 이 기능장애는 일반적으로 급성 형태로 표현되기 때문에, 그 관리는 이러한 유형의 기능장애에 적용되는 위의 많은 원칙을 따라야 한다. 한편으로 흥미로운 접근법은 굴곡, 측면 또는 반대측 회전과 같은 관절 확산을 허용하는 생리학적 움직임 기술을 포함한다. 관절 간격과 확산을 허용하는 부수적 움직임 기술도 유용할 수 있다. 반면에 사전 조작 시작 위치가 허용하는 경우 관절 간격을 생성하기 위한 목표로 고속 조작을 수행할 수 있다. 이러한 기술 중 일부는 2권 4장에 설명되어 있다.

수렴 관절 기능장애. 이러한 유형의 기능장애의 목표는 통증 없는 관절 수렴을 회복하는 것이다. 치료는 후관절 하강을 유발하는 기술로 직접 수행할 수 있으며, 생리학적 움직임(예: 동측 경사가 있는 신전) 또는 부수적 움직임(예: 후전방 동측 추간 움직임) 또는 간접적(예: 동측 경사에서 사전 배치)에서 접합 수렴을 선호한다. 수렴 기능장애는 이전에 관절 확산을 촉진하는 기술을 사용하거나 확산 및 간격에서 후관절을 이동하는 부수적 움직임 기술을 사용하여 간접적으로 초기에 종종 해결할 수 있다. 이 전처리는 일반적으로 동측 회전에서 경추의 사전 배치와 함께 후관절의 면에서 수행되는 진동 기술과 같은 수렴에서 가동 기술의 후속 효과를 촉진한다.

수렴의 직접적인 처리는 또한 고속 수렴 기술로 수행될 수 있으며, 이는 후관절 하강을 유발한다. 때때로 수렴 가동이 환자에게 과도하게 자극적이면 초기에 반대쪽에서 측면굽힘-회전 조작을 수행하여 후관절에 관절 간격을 생성할 수 있다. 무통 수렴은 보통 이 조작 후에 더 빠르게 획득된다.

확산 관절 기능장애. 이것은 관절낭인대 조직의 수축이 있는 기능장애이므로 목표는 점진적인 스트레칭이 될 것이다. 목표는 굴곡 및 반대쪽 측면굽힘 및 회전의 제한과 동측 상승 이동성 관절 제한을 회복하는 것이다. 반복적인 리드미컬한 생리학적 및 부수적 가동 기술뿐만 아니라 반대쪽 회전에서 경추의 사전 위치 지정과 함께 후관절면에서 수행되는 진동 기술 및 필요한 경우 확산하는 고속 조작 기술이 적절하다.

과수렴 관절 기능장애. 과수렴 패턴은 돌기사이관절의 과도한 수렴에 의해 생성된다. 이러한 유형의 기능장애는 관절 이동성의 제한을 포함하지 않는다. 관절 중립 관절 위치가 변경되어 한 후관절의 과도한 하강이 발생한다. 이것은 확산에서 생리학적 또는 부수적 가동으로 치료될 수 있지만, 이들의 조합은 확산을 보조하는 부수적 움직임과 관절을 관절 하강을 제한하는 중립 위치로 관절을 되돌리는 능동적 움직임에 특히 적합하다. 움직임을 이용한 가동 기술은 이러한 기능장애에 특히 적합하다.

혼합 기능장애 패턴. 이러한 유형의 기능장애는 돌기사이관절이 수렴 및 확산 패턴을 모두 나타내는 것이 특징이다. 후관절 상승 및 하강 이동에는 제한이 있다. 이것은 일반적으로 돌기사이 및/또는 체간 관절에서 관절의 구조적 변화(즉, 퇴행성 변화)와 관련되며 증상은 일반적으로 심각하지 않다.

치료에는 확산 및 수렴 모두에서 점진적 가동이 포함될 수 있다. 비특정 기술은 일반적으로 특정 기술보다 더 잘 작동한다.

목표는 모든 방향에서 이동성을 높이는 것이다. 이 기능장애는 일반적으로 급성 형태로 나타나지 않기 때문에 관절 간격 기술은 가능한 한 관절 이동성을 증가시키는 데 도움이 될 수 있다.

평가 및 치료 기술
Assessment and treatment techniques

경추(C3 – C7)
CERVICAL SPINE

이 섹션에 설명된 평가 절차는 관절 기능장애를 감지하고 다양한 제한 지표를 이해하는 것을 목표로 한다. 이 분석은 특정 치료 방법의 타당성을 정당화하기에는 불충분하다. 도수치료 기술의 선택은 환자의 임상 평가와 진단 가설에 의해 제공된 데이터를 기반으로 한다(이러한 측면은 8장에서 논의됨).

경추의 기능장애 평가
(Assessment of the dysfunctions of the cervical spine)

경추의 기능장애 평가는 공간의 세 평면에서 관절 이동성의 평가를 요구하며, 앙와위 또는 앉은 자세에서 수행될 수 있다.

앙와위에서의 평가
(Assessment in the supine position)

분절 굴곡-신전 평가(그림 12-1).

목표: 경추의 굴곡 또는 신전에서 잠재적인 제한 또는 과이동성을 감지한다.

치료사의 위치: 환자의 머리 옆에 선다.

환자의 자세: 앙와위 자세.

절차: 평가할 척추 분절의 두 횡돌기에 치료사의 엄지손가락을 대고 두 번째 및 세 번째 손가락이 두 관절돌기에 접촉한다. 치료사의 손길은 불쾌한 압력을 가하지 않고 손가락 끝으로 부드럽게 해야 한다. 치료사는 분절 신전을 평가하기 위해 관절돌기에서 전방 병진 움직임을 가하고, 분절 굴곡을 평가하기 위해 횡돌기에서 후방 병진 움직임을 적용한다.

분절 측면굽힘 평가(그림 12-2).

목표: 경추의 측면굽힘과 관련하여 잠재적인 제한 또는 과이동성을 감지한다.

치료사의 위치: 사용된 분절 병진 벡터에 따라 환자의 머리 옆에 선다.

환자의 자세: 앙와위 자세.

절차: 먼저 치료사는 환자의 머리 옆에 한쪽(예: 왼쪽으로 노출됨)으로 선 다음 왼쪽 손의 두 번째 및 세 번째 손가락의 끝마디뼈의 손바닥 쪽을 평가할 척추분절의 왼쪽 관절돌기의 측면에 놓는다(그림 12-2A 참조). 돌기사이관절의 움직임을 감시하지 않는 오른손은 후두부, 상부 경추의 오른쪽에 위치하여서 환자의 머리를 받쳐주는 역할을 한다. 머리는 치료하는 동안 치료사의 복부 그리고 중간

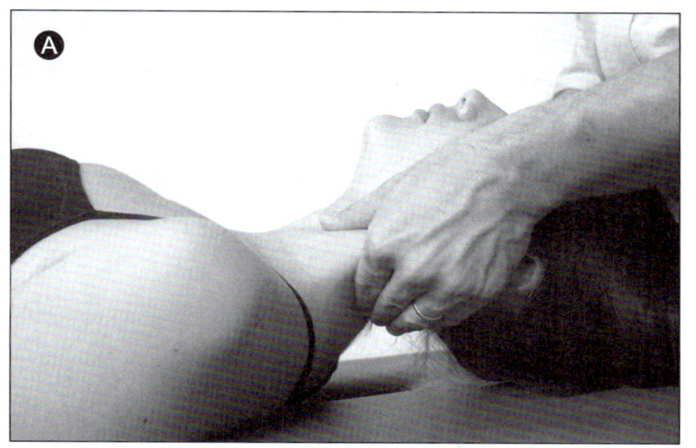

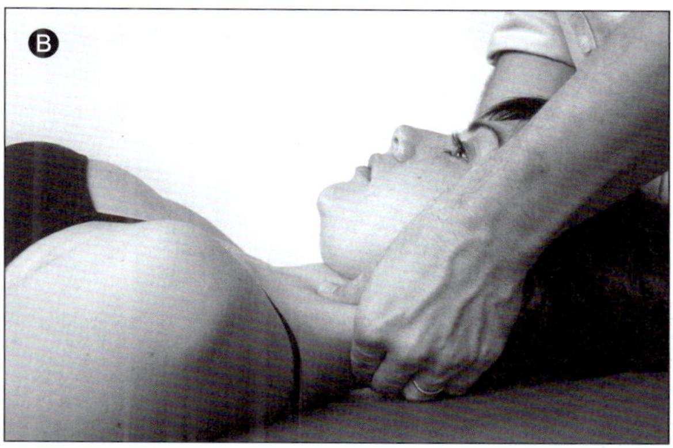

그림 12-1 ■ (A, B) 분절 신전-굴곡 평가.

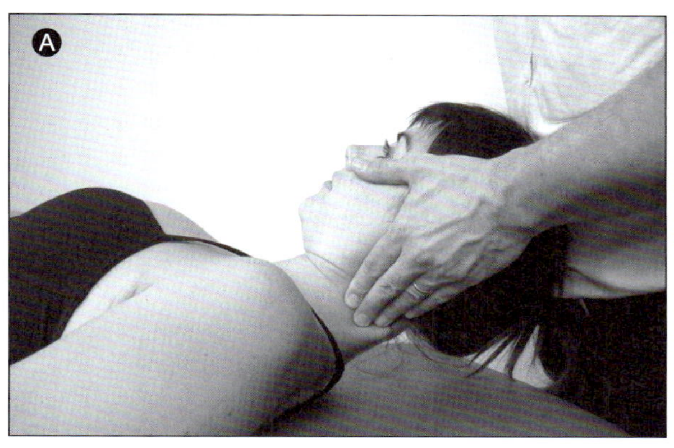

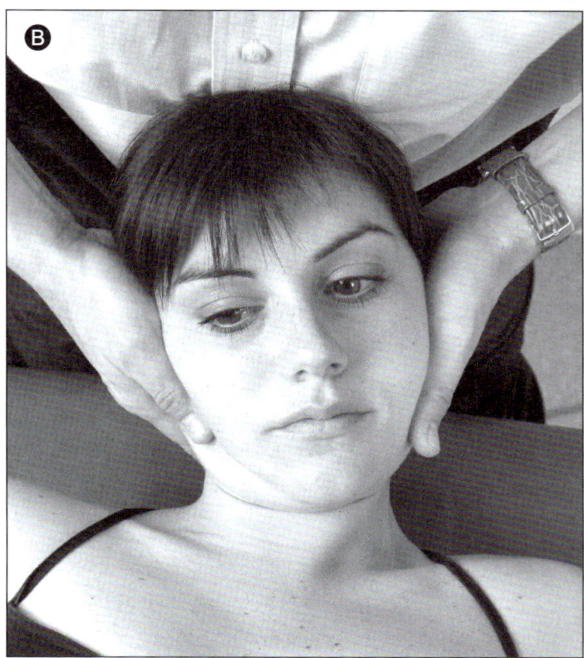

그림 12-2 ■ (A, B) 분절 측면굽힘의 평가.

선에 놓는다. 치료사는 척추 분절의 왼쪽 측면 굽힘 능력을 평가하기 위해 오른쪽 측면 병진 움직임을 적용한다(그림 12-2B 참조).

오른쪽 측면굽힘 움직임을 평가하기 위해서 왼쪽 병진을 적용하여서 오른쪽 관절돌기에서 동일한 절차를 반복한다.

분절 회전 평가(그림 12-3).

목표: 경추의 분절 회전을 분석적으로 평가한다.

치료사의 위치: 환자의 머리 옆에 선다. 이 경우, 오른쪽으로의 분절 회전이 평가된다.

환자의 자세: 앙와위 자세.

절차: 치료사는 평가할 이동성 분절의 상부 척추의 왼쪽 관절돌기에 왼쪽 집게 손가락의 요골 경계를 놓는다. 치료사의 오른손은 환자의 머리를 후두부까지 넓게 잡아서 네 번째와 다섯 번째 손가락이 후두부와 두개경추부에 닿도록 한다. 머리는 치료사의 복부에 둔다. 치료사는 오른쪽 회전 움직임을 적용함과 동시에 왼쪽 손으로 회전 중 후방 왼쪽 관절돌기의 기계적 동작을 모니터링한다. 그런 다음, 그는 움직임에 대한 제한과 관절 진폭의 끝에서 발견되는 제한 유형을 평가한다.

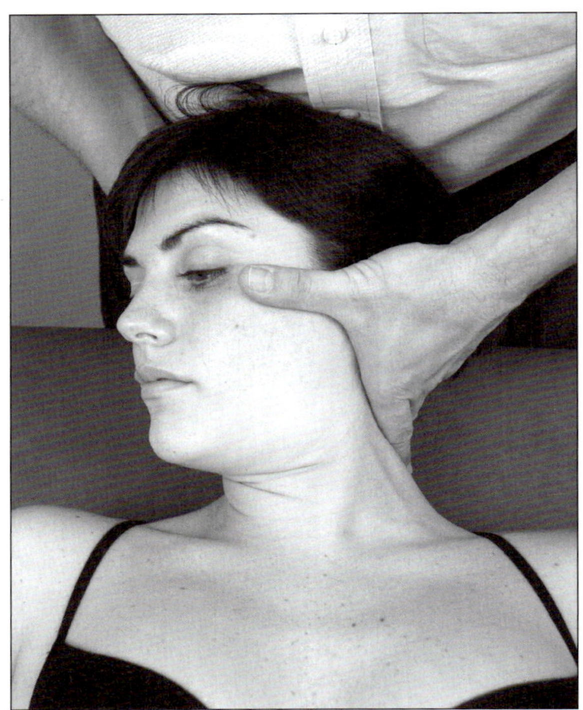

그림 12-3 ■ 분절 회전 평가.

굴곡 및 신전 시 분절 측면굽힘의 평가.

목표: 굴곡-신전 구성요소와 관련된 측면 병진 구성요소를 사용하여 경추의 수렴 또는 확산 기능장애를 감지한다. 일부 치료사들은 이 방법이 경추 관절 기능장애를 진단하기에 충분하다고 주장하지만, 모든 면에서 척추 이동성에 대한 보다 분석적인 분석이 수행되지 않는다면 이것만으로는 충분하지 않다.

치료사의 위치: 환자의 머리 옆에 앉는다.

환자의 자세: 앙와위 자세.

절차: 치료사는 각 손의 검지와 중지를 관절돌기와 평가할 이동성 분절의 상부 척추의 고리판에 놓는다. 다른 손가락은 환자의 경추와 머리를 제어한다.

평가할 분절에 경추의 굴곡 또는 신전 요소를 도입하고, 이때 관절돌기에서 오른쪽 고리판까지 외측 병진 벡터를 오른쪽에서 왼쪽으로 적용한다. 척추가 굴곡상태일 때 나타나는 제한(그림 12-4A)은 왼쪽 후관절이 감소된 확산을 보여주기 때문에 왼쪽 확산 기능장애 패턴을 의미한다. 반대로, 신전에서 나타나는 제한은 오른쪽 후관절이 감소된 하강이므로 오른쪽 수렴기능장애를 의미한다 (그림 12-4B).

그 후, 치료사는 관절돌기와 왼쪽 고리판에서 굴곡과 신전 시 왼쪽에서 오른쪽으로 분절이동을 수행하여 오른쪽 확산과 왼쪽 수렴 기능장애를 각각 평가한다.

앉은 자세에서의 평가

(Assessment in the sitting position)

분절 측면굽힘 평가(그림 12-5).

목표: 이 방법은 C2에서 C6까지의 경추 분절의 측면굽힘을 평가한다.

치료사의 위치: 환자의 머리 옆에 선다.

환자의 자세: 앉은 자세.

절차: 치료사는 평가되는 척추 분절의 경미한 경추 굴곡 요소를 도입하고 평가할 척추의 관절돌기에 두 번째 및 세 번째 손가락을 사용한다. 그런 다음 치료사는 손가락을 사용하여 오른쪽과 왼쪽으로 측면 병진 움직임을 도입하여 분절 측방굽힘을 평가한다. 다른 한 손은 환자 머리의 전두두정 부위에 놓는다.

분절 회전의 평가.

목표: 이 방법은 주로 C2에서 C6까지의 경추 분절에서 회전하는 동안 이동성을 평가한다.

치료사의 위치: 환자의 옆에 선다.

환자의 자세: 앉은 자세.

절차: 치료사는 환자의 경추를 약간 구부리고 두 번째 및 세 번째 손가락을 평가할 척추의 관절돌기에 올려 놓는다(그림 12-6). 다른 손은 환자의 머리에 올려놓고 경추의 회전움직임을 일으키고 관절돌기에 올려놓은 손가락은 분절회전의 범위와 정도를 분석한다.

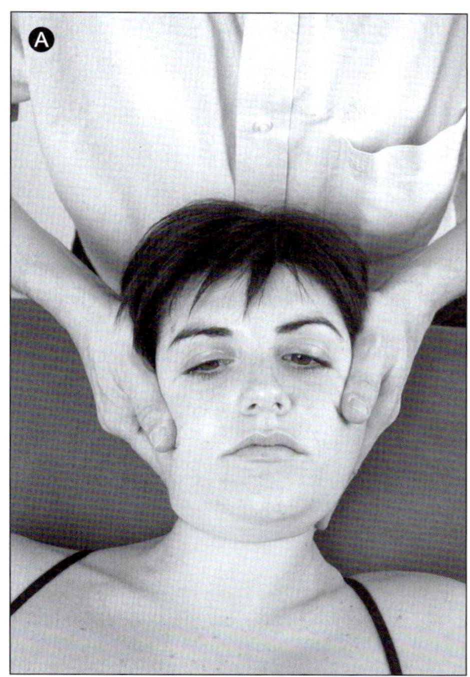

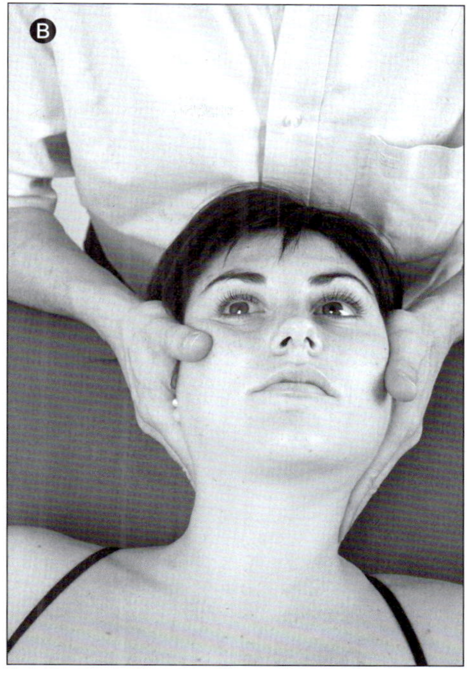

그림 12-4 ▪ 확산(A) 및 수렴(B) 기능장애의 평가.

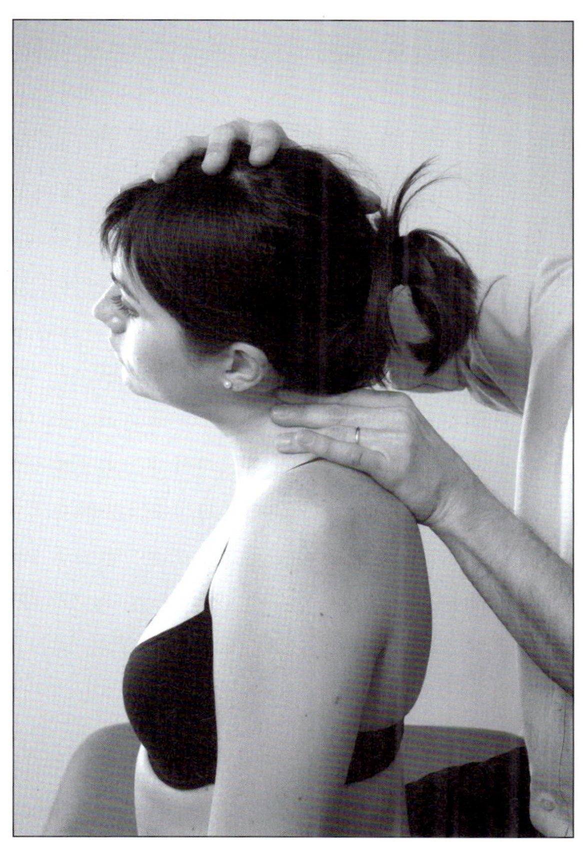

그림 12-5 ▪ 분절 측면굽힘 평가.

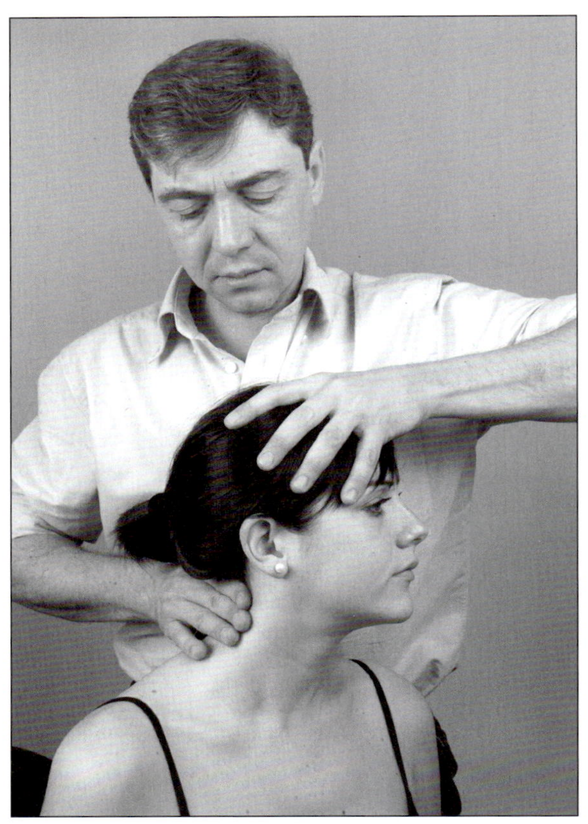

그림 12-6 ■ 분절 회전 평가.

수렴 및 확산 기능장애의 평가.

목표: 굴곡-신전 구성요소와 관련된 측면 병진 구성요소를 사용하여 경추의 수렴 및 확산 기능장애를 감지한다.

치료사의 위치: 환자의 양쪽에 서 있지만 이 경우 왼쪽을 예로 들어 보겠다.

환자의 자세: 앉은 자세.

절차: 치료사는 검사할 관절돌기와 고리판에 오른손의 엄지와 검지를 놓는다. 왼손은 환자의 이마부분에 접촉한다. 수렴 기능장애를 감지하기 위해 치료사는 오른손으로 약간의 분절 신전 요소를 도입하고 평가된 척추를 전방 병진으로 가져온 다음 좌우 병진을 유도한다(그림 12-7). 확산 기능장애를 감지하기 위해 평가할 분절에 초점을 맞춘 약간의 분절 굴곡 구성요소가 도입된다. 그런 다음 해당 척추의 병진 이동이 오른쪽에서 왼쪽으로, 왼쪽에서 오른쪽으로 수행되어 움직임에 대한 제한을 감지하려고 시도한다(그림 12-8).

예를 들어, 분절이 신전되는 동안 오른쪽에 저항이나 제한이 발견되면 오른쪽 후관절의 수렴 부족을 나타내며 오른쪽 수렴 기능장애를 의미한다.

그러나, 분절이 굴곡되는 동안 오른쪽의 저항이나 제한이 발견되면 왼쪽 후관절의 확산 부족을 나타내며 왼쪽 확산 기능장애를 의미한다.

평가 검사 중에는 항상 환자의 머리를 중앙에 유지하는 것이 중요하다. 따라서 치료사의 왼손은 항상 같은 위치에 있어야 한다.

부수적 움직임으로 이동성 평가.

부수적 보조 추간 움직임의 평가는 관절 이동성의 양과 질을 모두 평가하는 유용한 도구이다. 이를 위해 후전방 부수적 중심 추간 움직임이 극돌기에 적용되고(그림 12-9), 후전방 부수적 편측 추간 움직임이 관절돌기 위에(그림 12-10) 그리고 전후방 부수적 편측 추간 움직임이 적용된다(그림 12-11).

경추의 치료 기술

연조직 기술(*Soft tissue techniques*)

전체적 근육 스트레칭 기술.

목표: 이 기술은 경추 근육의 신전성을 개선하여 조직의 점탄성에 작용하고 경추 영역의 관절 이동성을 전반적으로 개선한다.

치료사의 위치: 환자의 머리 옆에 선다.

환자의 자세: 앙와위 자세.

굴곡(그림 12-12). 치료사는 한 손으로 환자의 머리와 경추를 잡고 느슨하게 접촉한다. 환자의 머리는 치료사의 복부에 놓는다. 그런 다음 치료사는 점진적으로 더 넓은 굴곡 움직임을 도입한다. 치료사는 등척성 수축후 이완과 함께 후방 조직의 더 큰 굴곡 및 스트레칭,

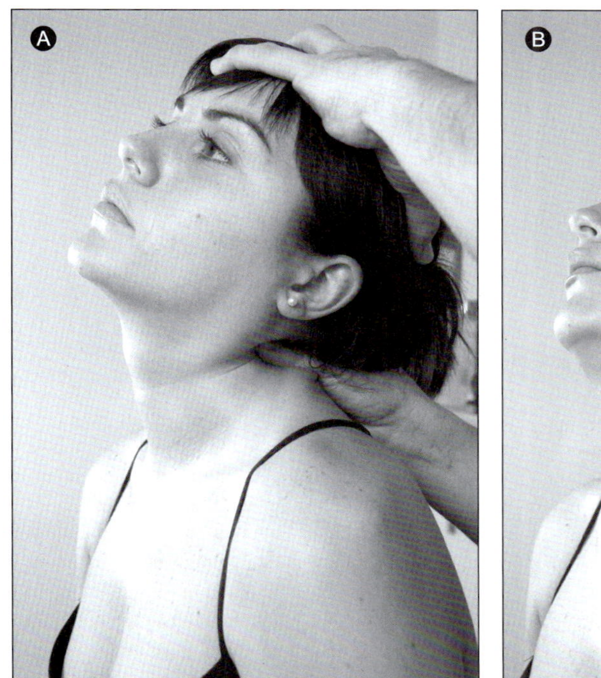

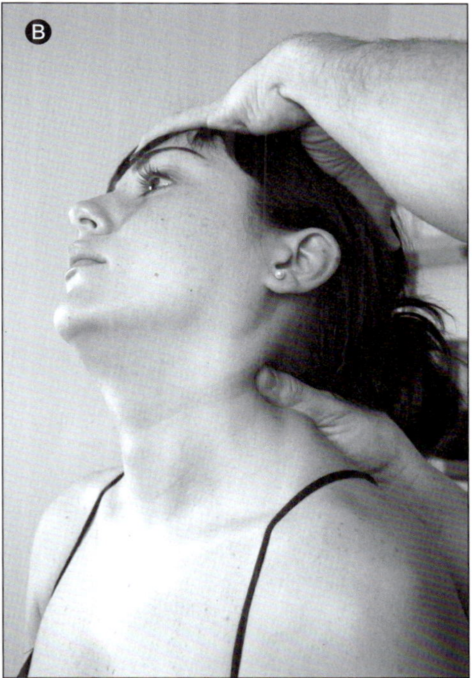

그림 12-7 ▪ (A, B) 수렴 관절 기능장애의 평가.

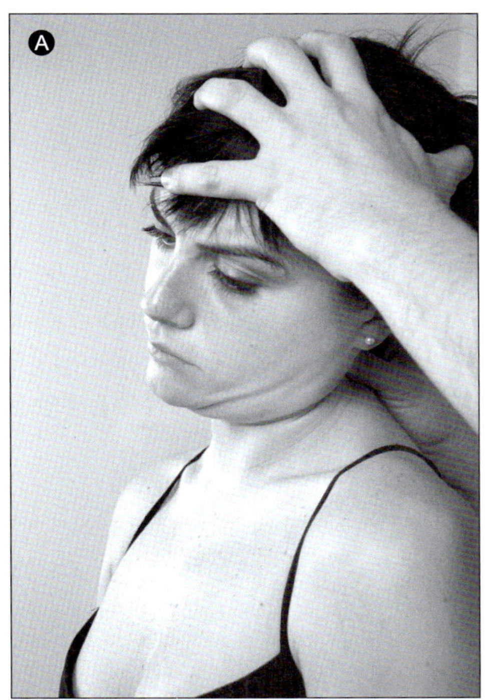

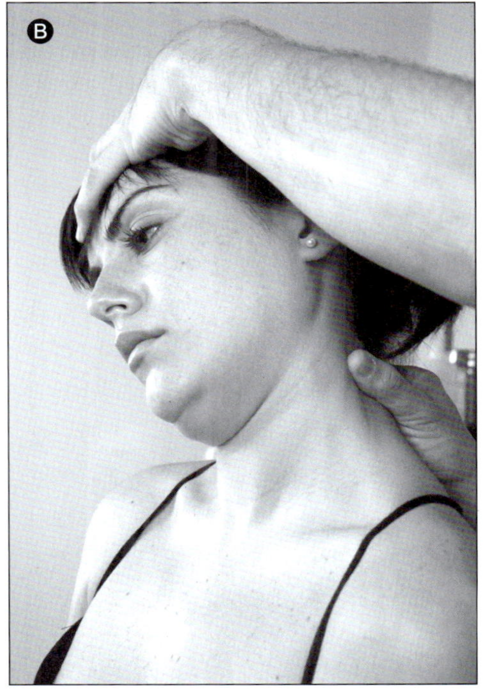

그림 12.8 ▪ (A, B) 확산 관절 기능장애의 평가.

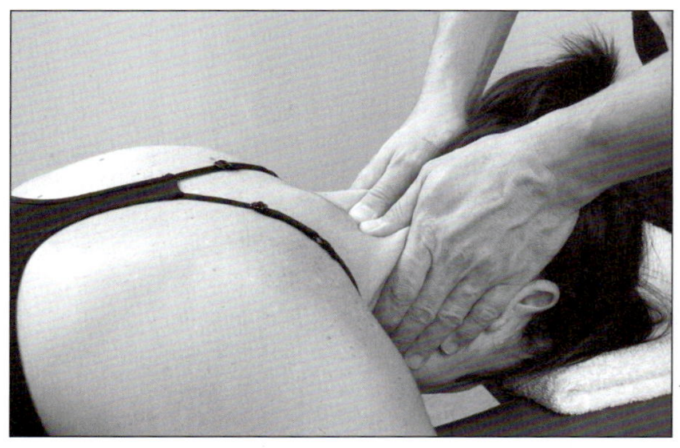
그림 12-9 ■ 후전방 부수적 중심 추간 움직임.

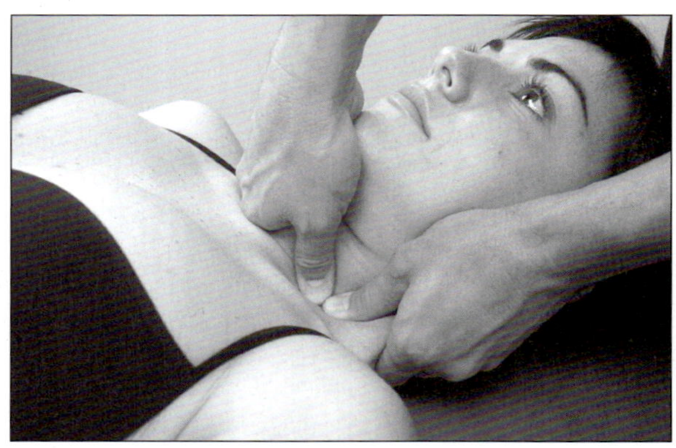
그림 12-11 ■ 전후방 부수적 편측성 추간 움직임.

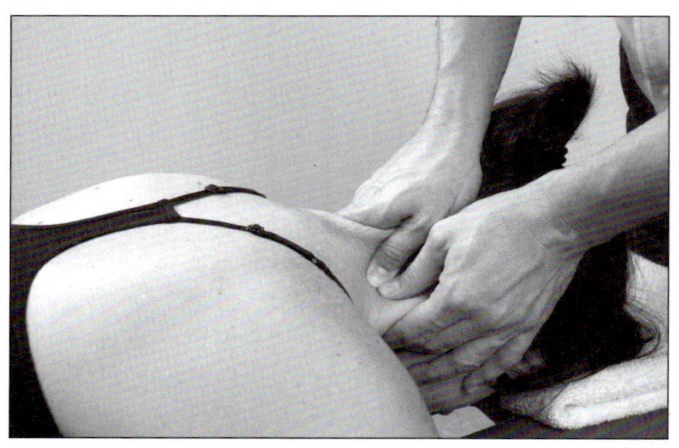
그림 12-10 ■ 후전방 부수적 편측성 추간 움직임.

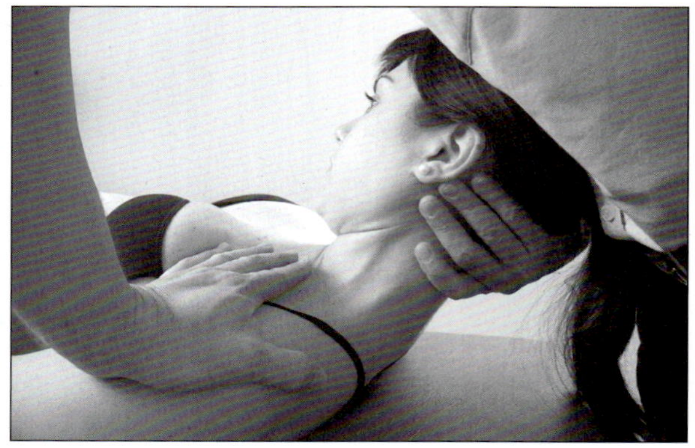
그림 12-12 ■ 굴곡 시 근육 스트레칭 기술.

측면굽힘을 얻기 위해 환자에게 경추 신근의 정적 수축을 수행하도록 요청할 수 있다.

측면굽힘(그림 12-13). 치료사는 한 손으로 환자의 머리와 경추를 잡고 느슨하게 접촉한다. 환자의 머리는 치료사의 복부에 둔다. 다른 손의 손가락은 쇄골에 지지되고 엄지손가락은 상부 등세모근 높이에 놓는다. 치료사는 반복적인 방식으로 경추 측면굽힘 움직임을 도입하여 점차 넓어진다. 머리를 잡고 있는 손의 엄지손가락은 측면굽힘 시 특정 척추분절에 초점을 맞추는 지렛대로 사용할 수 있다. 환자는 더 큰 측면굽힘을 얻기 위해 치료사의 동작과 반대 방향으로 등척성 수축을 수행하도록 요청할 수 있다.

회전(그림 12-14). 치료사는 한 손으로 환자의 머리와 경추를 잡고 느슨하게 접촉한다. 환자의 머리는 치료사의 복부에 놓는다. 다른 손의 손가락은 쇄골에 지지되고 엄지손가락은 상부 등세모근 높이에 놓는다. 치료사는 반복적인 방식으로 경추 회전 움직임을 도입하여 점진적으로 넓어진다.

굴곡, 측면굽힘 및 회전 움직임을 함께 적용할 수 있다. 환자는 움직임장벽에서 후외측 방향으로 등척성 수축을 수행하도록 요청할 수 있으며, 그 후 치료사는 다시 굴곡, 측면굽힘 및 회전 요소를 도입한다.

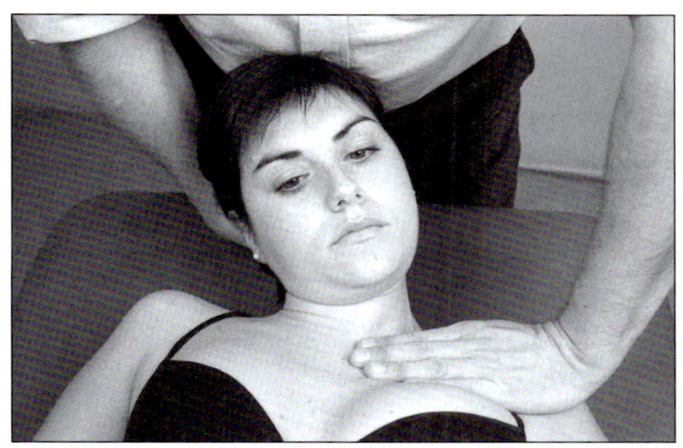

그림 12-13 ▪ 측면굽힘에서 근육 스트레칭 기술.

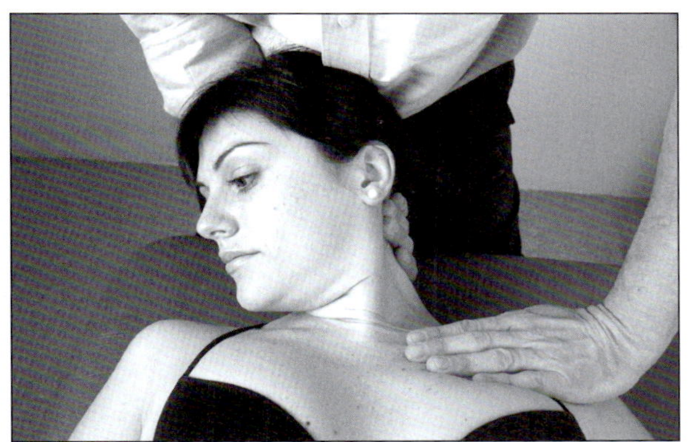

그림 12-14 ▪ 회전 시 근육 스트레칭 기술.

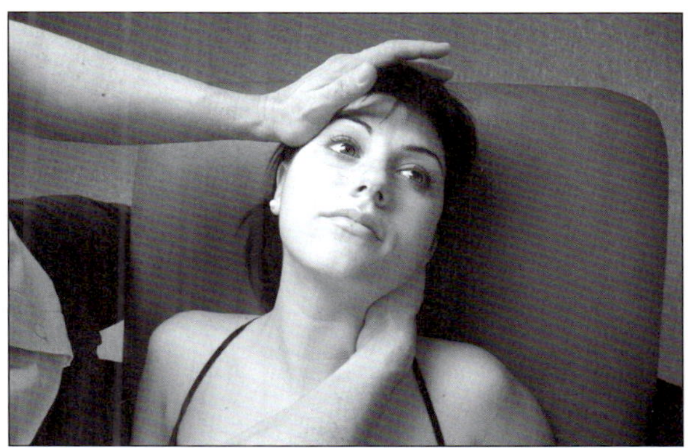

그림 12-15 ▪ 앙와위 자세에서 후외측 근육의 주무르기.

앙와위 자세에서 후외측 근육의 주무르기.

환자는 앙와위 자세이다. 치료사는 환자 앞에 서서 한 손으로 머리의 앞부분을 잡고 다른 손으로 목의 뒷부분을 받친다(그림 12-15). 이 방법은 두 손의 결합된 동작의 결과이다. 머리를 잡고 있는 손은 원을 그리며 다른 손은 목의 후외측 근육을 주무른다.

엎드린 자세(복와위)에서 등세모근과 어깨올림근 주무르기.

환자는 엎드린 자세(복와위), 치료사는 치료할 등세모근(승모근, trapezius)과 어깨올림근(견갑거근, levator scapulae)의 반대쪽에 선다.

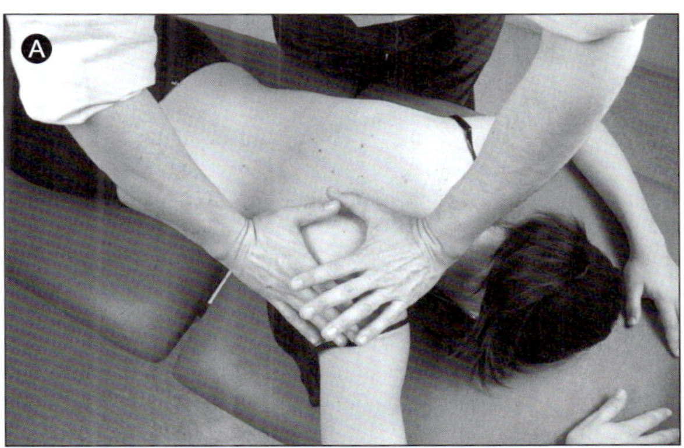

그림 12-16 ▪ (A, B) 엎드린 자세에서 등세모근과 어깨올림근 주무르기.

치료사는 양손을 옆으로 밀면서 상등세모근과 어깨올림근의 하부를 깊숙이 주무른다. 되돌아오는 동안 치료사는 양손으로 근육을 당긴다(그림 12-16).

수동적 분절 가동 기술
(Passive segmental mobilization techniques)

앙와위에서 분절 이동성을 분석적으로 평가하기 위해 설명된 방법과 부수적 움직임을 평가하는 기술은 관절 기능장애의 치료에 매우 효과적인 치료 절차이다.

신전 시 생리학적 가동(그림 12-17).

치료사는 엄지손가락을 횡돌기 위에 놓고 검지와 중지를 척추의 관절돌기에 놓고 움직임이 제한되도록 하여 관절돌기부터 리드미컬하고 반복적인 신전을 향해 움직인다. 사용되는 움직임 범위는 관절 기능장애의 중증도와 과민성에 따라 다르다. 이 방법의 목표는 개선된 후관절 수렴을 얻는 것이다.

굴곡 시 생리학적 가동(그림 12-18).

치료사는 앞의 동작에서와 같은 위치에 손을 놓는다. 이 경우, 치료사는 후관절 확산을 개선하기 위해 엄지손가락을 횡돌기에 대고 뒤쪽 방향으로 밀어낸다.

측면굽힘의 생리적 가동(그림 12-19).

이 방법은 이 움직임의 평가에 대해 설명한 것과 동일한 절차를 따른다. 이 경우, 치료사는 오른쪽 후관절의 수렴 또는 왼쪽 후관절의 확산을 얻기 위해 관절 오른쪽면에 검지의 요골 경계를 지지한다.

회전시 생리학적 가동(그림 12-20).

이 방법이 움직임의 평가에 대해 설명한 것과 동일한 절차를 따른다. 환자의 임상 상황에 따라 이동 범위를 측정할 수 있다.

굴곡과 측면굽힘의 결합된 생리학적 가동
(그림 12-21).

목표: 측면굽힘 시 관절 가동이 중립 위치 또는 신전에서 허용되지 않을 때 주어진 후관절(예로, C4의 오른쪽)을 수렴으로 이동한다. 반대쪽의 후관절을 확산하여 이동한다(예로, 왼쪽). 돌기사이관절 매개 통증 치료.

치료사의 위치: 환자의 머리 옆에 앉기.

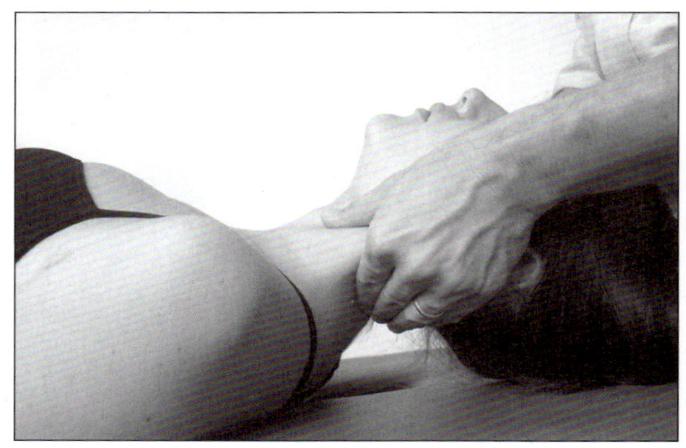

그림 12-17 ■ 신전 시 분절 수동 이동.

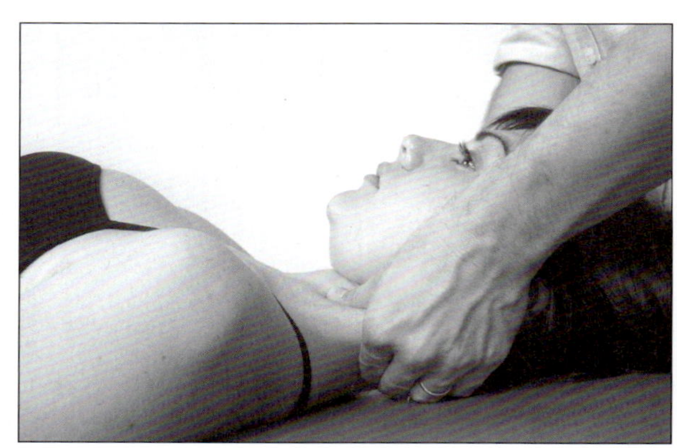

그림 12-18 ■ 굴곡 시 분절 수동 이동.

환자의 위치: 앙와위.

절차: 치료사는 오른손의 검지와 중지의 손바닥 쪽을 관절주에 놓는다. 치료사의 왼손은 상부 경추와 후두부를 잡는다. 환자 머리는 치료사의 복부에 기대어 정중선을 유지한다. 이 위치에서 치료사는 중간 경추를 중심으로 굴곡 상태에서 시작 위치를 적용한다. 오른쪽 후관절에 오른손 검지의 요골 경계를 지지하고 경추4번 위치를 표적으로 왼쪽으로 측면굽힘을 수행한다. 이 움직임은 환자의 임상 상태에 따라 다양한 진폭으로 수행될 수 있다.

그림 12-19 ■ 측면굽힘에서 분절 수동 이동.

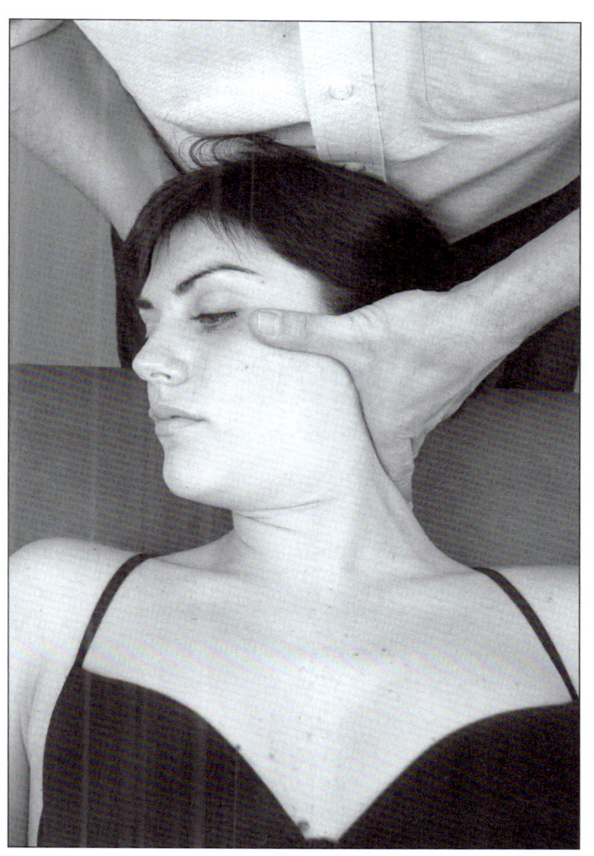

그림 12-20 ■ 회전 시 분절 수동 이동.

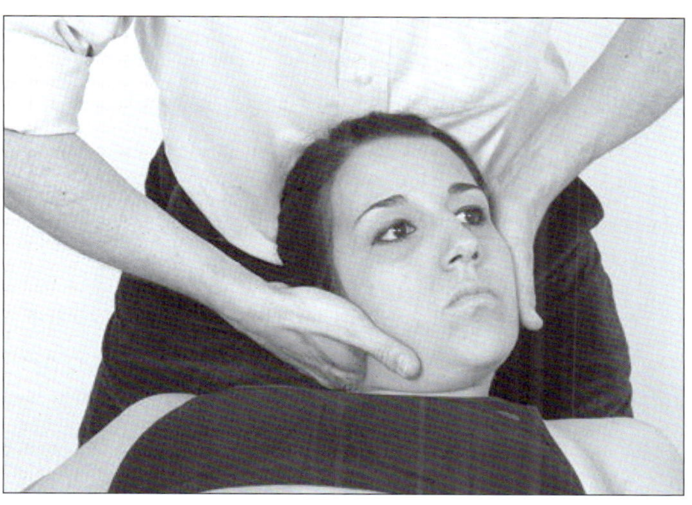

그림 12-21 ■ 굴곡과 측면굽힘의 결합된 생리학적 이동.

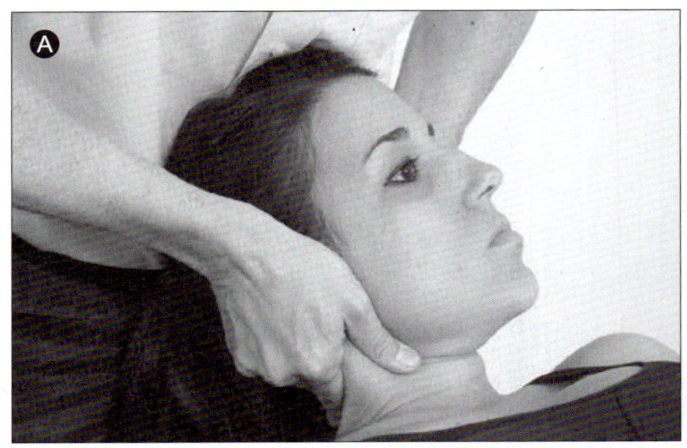

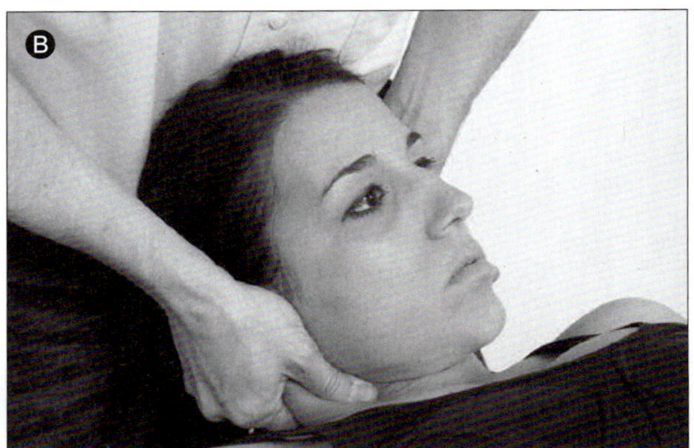

그림 12-22 ■ (A, B) 전후 진동 움직임을 추가하는 굴곡 및 측면굽힘의 결합된 생리학적 이동.

전후방 진동 움직임을 추가하는 굴곡 및 측면굽힘의 결합된 생리학적 가동(그림 12-22).

목표: 측면굽힘 관절 가동이 중립 위치 또는 신전에서 허용되지 않을 때 주어진 후관절(예로, C4의 오른쪽)을 수렴으로 이동한다. 반대쪽의 후관절을 확산하여 이동한다(예로, 왼쪽). 돌기사이관절 매개 통증 감소.

치료사의 위치: 환자의 머리 옆.

환자의 자세: 앙와위 자세.

절차: 치료사의 왼손은 상부 경추와 후두골을 잡는다. 환자의 머리는 치료자의 복부에 두어 조작 중에 정중선을 유지한다. 오른손 엄지의 중앙은 이동할 레벨의 횡돌기에 놓는다. 이 그림으로 치료사는 경추4번 위치에 초점을 맞춘 오른쪽으로 굴곡 및 측면굽힘에서 사전 위치 지정을 적용한다. 그런 다음 전후방 진동 움직임을 수행한다. 전방 압력이 불편해질 수 있으므로 모니터링해야 한다. 이 움직임은 환자의 임상 상태에 따라 다양한 진폭으로 수행될 수 있다.

신전 및 측면굽힘의 결합된 생리학적 가동(그림 12-23).

목표: 돌기사이관절 매개 통증 치료. 수렴에서 전체 범위에 걸쳐 주어진 후관절 이동 (예로, C4의 오른쪽).

치료사의 위치: 환자의 머리 옆에 앉기.

환자의 위치: 앙와위.

절차: 치료사는 오른손의 검지와 중지의 손바닥 쪽을 관절주에 놓는다. 치료사의 왼손은 상부 경추와 후두골을 잡는다. 환자의 머리는 치료사의 복부에 기대어 정중선을 유지한다. 중부 경추를 중심으로 신전된 사전 위치 지정. 오른손 검지의 요골 경계를 그 쪽의 후관절에 지지하고 경추4번 위치를 중심으로 오른쪽으로 측면굽힘을 한다. 이 움직임은 환자의 임상 상태에 따라 다양한 진폭으로 수행될 수 있다.

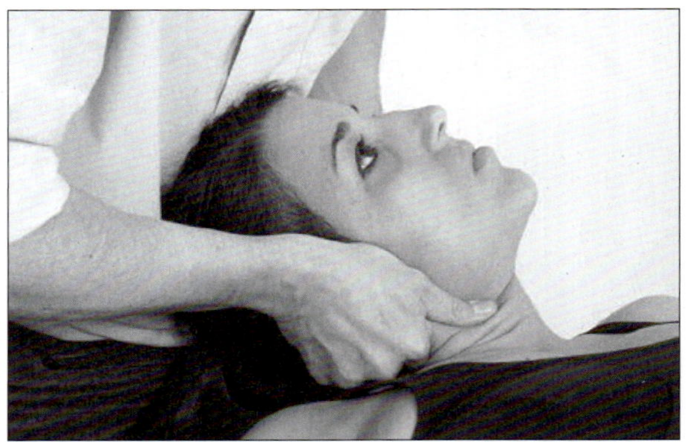

그림 12-23 ■ 신전 및 측면굽힘의 결합된 생리학적 이동.

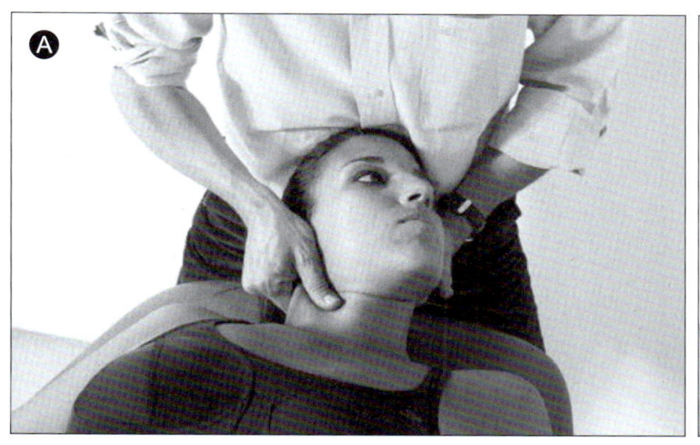
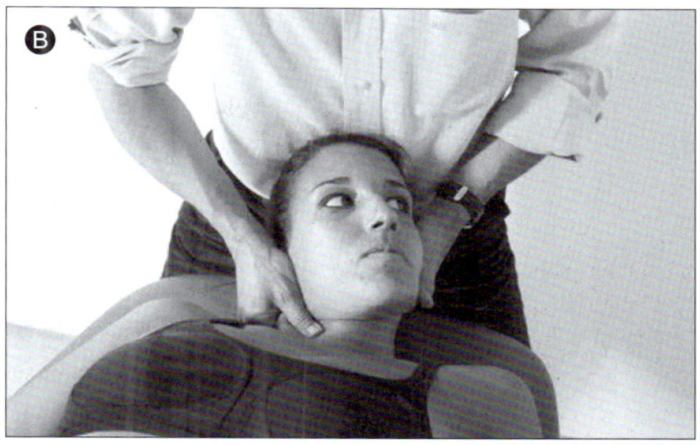

그림 12-24 ■ (A, B) 전후방 진동 움직임을 추가하는 신전 및 측면굽힘의 결합된 생리학적 이동.

신전과 측면굽힘의 결합된 생리학적 가동은 전후방 진동 움직임을 추가한다

(그림 12-24).

목표: 돌기사이관절 매개 통증 완화. 수렴에서 전체 범위에 걸쳐 특정 후관절 이동(예로, C4의 오른쪽).

치료사의 위치: 환자의 머리 옆에 앉는다.

환자의 자세: 앙와위 자세.

절차: 왼손은 왼쪽의 후두골과 상부 경추를 잡는다. 환자의 머리는 치료사의 복부에 기대어 동작 전반에 걸쳐 정중선을 유지한다. 오른손 엄지의 중앙은 이동할 레벨의 횡돌기에 걸쳐 퍼진다. 이 그립으로 경추4번 위치에 초점을 맞춘 신전과 오른쪽 측면굽힘에 사전 위치가 적용된다. 그런 다음 전후방 진동 움직임이 수행된다. 민감한 구조물을 누르거나 불편함을 주지 않도록 주의해야 한다. 이 움직임은 환자의 임상 상태에 따라 다양한 진폭으로 수행될 수 있다.

굴곡과 회전의 결합된 생리학적 가동

(그림 12-25).

목표: 주어진 후관절(예로, C4의 오른쪽)을 확산하여 이동한다.

치료사의 위치: 환자의 머리 옆.

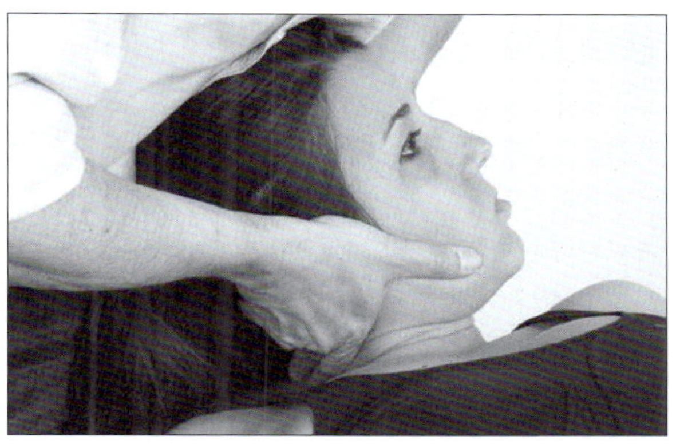

그림 12-25 ■ 굴곡과 회전의 결합된 생리학적 이동.

환자의 자세: 앙와위 자세.

절차: 치료사는 이동을 위해 오른손 집게 손가락의 요골 경계를 관절주에 놓는다. 왼손으로 그는 넓은 그립으로 후두부를 잡고 네 번째 및 다섯 번째 손가락이 두개골 영역과 접촉하도록 한다. 환자의 머리는 치료사의 복부에 놓는다. 이 위치에서 중부 경추에 초점을 맞춘 초기 굴곡 위치가 적용된다. 오른손 두 번째 손가락으로 모니터링하고 경추4번 위치를 중심으로 왼쪽 회전을 수행한다. 이 움직임은 환자의 임상 상태에 따라 다양한 진폭으로 수행될 수 있다.

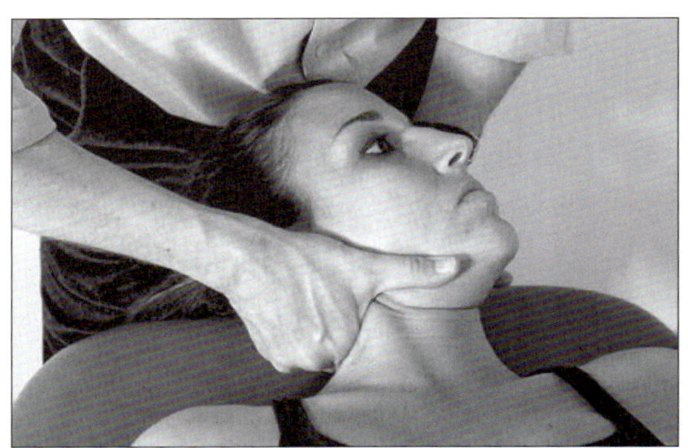

그림 12-26 ■ 신전과 회전의 결합된 생리학적 이동.

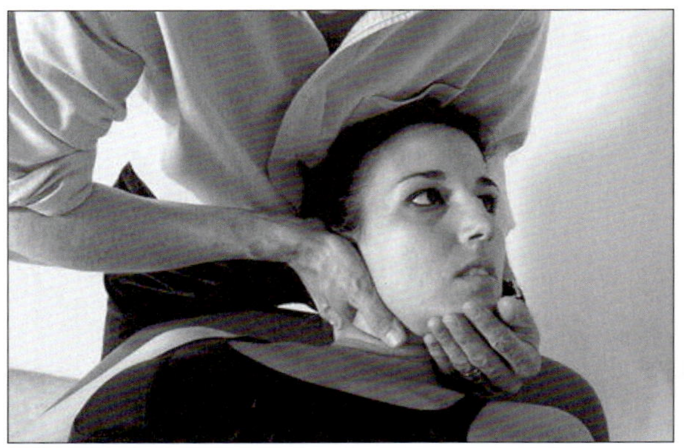

그림 12-27 ■ 측면굽힘과 반대쪽 회전의 결합된 생리학적 이동성.

신전과 회전의 결합된 생리학적 가동

(그림 12-26).

목표: 돌기사이관절 매개 통증 치료. 수렴에서 특정 후관절 이동(예로, C4의 오른쪽).

치료사의 위치: 환자의 머리 옆.

환자의 자세: 앙와위 자세.

절차: 치료사는 이동을 위해 관절돌기에 오른손 집게손가락의 요골 경계를 놓는다. 왼손으로 그는 넓은 그립으로 후두부를 잡고 네 번째와 다섯 번째 손가락은 두개척추 영역과 접촉한다. 환자의 머리는 치료사의 복부에 놓는다. 중부 경추에 초점을 맞춘 신전 시 사전 위치 지정이 적용된다. 그런 다음 경추4번 위치에 초점을 맞춘 오른쪽 회전의 생리적 움직임이 수행된다. 이 움직임은 환자의 임상 상태에 따라 다양한 진폭으로 수행될 수 있다.

측면굽힘과 반대쪽 회전의 결합된 생리학적 가동

(그림 12-27).

목표: 돌기사이관절 매개 통증 치료. 반대쪽 관절면에 간격을 도입한다(예로, C4의 왼쪽). 동측 관절면 이동(예로, C4의 오른쪽).

치료사의 위치: 환자의 머리 옆.

환자의 자세: 앙와위 자세.

절차: 치료사는 이동할 분절의 관절돌기에 오른손 검지의 요골 경계를 놓는다. 왼손으로 넓은 그립으로 후두부를 잡고 네 번째와 다섯 번째 손가락은 후두척추 영역과 접촉한다. 환자의 머리는 치료사의 복부에 놓는다. 이 위치에서 경추4번 위치에 초점을 맞춘 초기 오른쪽 측면굽힘 위치가 적용된다. 왼쪽 후관절에 대한 간격 효과를 방지할 수 있으므로 끝 범위를 피하면서 이전의 굴곡 또는 신전 구성 요소를 추가할 수도 있다. 그런 다음 경추4번 위치에 초점을 맞춘 왼쪽 회전의 생리학적 움직임이 수행된다. 이 움직임은 환자의 임상 상태에 따라 다양한 진폭으로 수행될 수 있다.

고속 조작 기술

(High-velocity manipulative techniques)

회전 조작(Manipulation in rotation)

회전 조작은 경추 관절 기능장애의 치료에 사용되는 기술 중 하나이다. 기계적 관점에서 3장에서 논의한 바와 같이 경추는 시상면 주위에서 하나는 굴곡-신전이고 다른 하나는 관절면을 가로지르는 평면에서 회전, 즉 두 가지 유형의 움직임을 수행한다. 관절 생체역학에 대한 이 새로운 접근 방식은 회전 시 생리학적 이동성을 재현하는 조작 기술을 정당화하고 엄격한 관상면에서 측면 추력을 포함하는 기술에 대해 조언한다. 따라서 이러한 기술을 측면으로 적용할 때 항상 회전 구성 요소와 연결되어야 한다.

'회전 시 조작'이라는 용어는 장력을 가하는 데 사용되는 지표가 회전을 의미하는 것이 아니라 이 조작 중에 회전에 추력이 가해진다는 것이다. 실제로 이 회전의 역효과를 최소화하기 위해 회전은 45°를 초과해서는 안 된다.

회전이 이 제한 내에서 유지되도록 측면굽힘 지표가 미리 설정된다. 또한 경추에 가해지는 스트레스를 줄이기 위해 약간의 굴곡 요소가 도입되지만 경우에 따라 작은 부분 신전 요소가 적용될 수 있다.

고속 기술의 목표는 특정 척추 분절의 정상적인 이동성을 회복하는 것이다. 특정 치료법의 선택은 환자 증상과 관절 기능장애의 유형에 따라 다르다.

두 가지 유형의 치료 방법을 사용할 수 있다. 첫 번째 접근법은 확산 또는 수렴에서 후관절을 이동시키려는 시도이다. 이 효과는 추력 방향에 따라 확산 또는 수렴을 얻기 위해 후관절 평면에서 추력을 일으키기 전에 사전에 분절 측면굽힘이 필요하다. 예를 들어, 오른쪽 확산 관절 기능장애 패턴이 있는 척추 분절에서 먼저 분절을 오른쪽 측면굽힘 상태로 배치한 다음 왼쪽 회전 조작을 적용한다. 척추 분절이 오른쪽 수렴 패턴을 보인다면 먼저 분절을 오른쪽 측면굽힘 상태로 배치한 후 우측 회전 조작을 적용한다.

두 번째 접근법에서 치료사는 관절간격을 달성하기 위해 반대쪽에서 척추 분절을 이동하는 것이 더 적합한지 결정한다. 같은 예에 따라 오른쪽 확산 관절 기능장애처럼 기계적으로 행동하지만 임상 상황에서 오른쪽 면에 간격기술을 권장하는 척추의 경우 관절 간격을 얻기위해 왼쪽 측면굽힘 및 오른쪽 회전 구성 요소를 사용하여 측면 조작을 수행할 수 있다.

측면 추력도 적용될 수 있지만 이미 설명한 것처럼 항상 반대 방향 회전 구성 요소가 수반되어야 한다. 이러한 유형의 추력으로 반대쪽 관절면의 간격을 확보할 수 있다. 이 치료적 접근은 관절내 기능장애에 이차적으로 후관절 활막염이 있는 환자에게도 적용될 수 있다.

앙와위에서의 고속 기술

(High-velocity techniques in the supine position)

회전 조작(그림 12-28).

경추4번의 제한된 왼쪽 회전을 예로 들어 보겠다.

목표:

- C4의 제한된 왼쪽 회전 치료.
- C4의 오른쪽 관절면의 확산을 유발.

치료사의 위치: 환자의 머리 옆에 선다.

환자의 자세: 앙와위 자세.

절차: 치료사는 환자의 머리를 왼쪽 경추 회전으로 놓고 이 위치에서 손가락으로 경추4번의 오른쪽 관절돌기를 찾는다. 그런 다음 치료사는 오른손 검지의 손가락뼈사이 관절 사이의 요골 경계와 경추4번 관절주의 후외측 부분과 접촉한다. 치료사는 이후 환자의 머리를 중립 위치에 놓고 몸을 추력 방향으로 향하게 하기

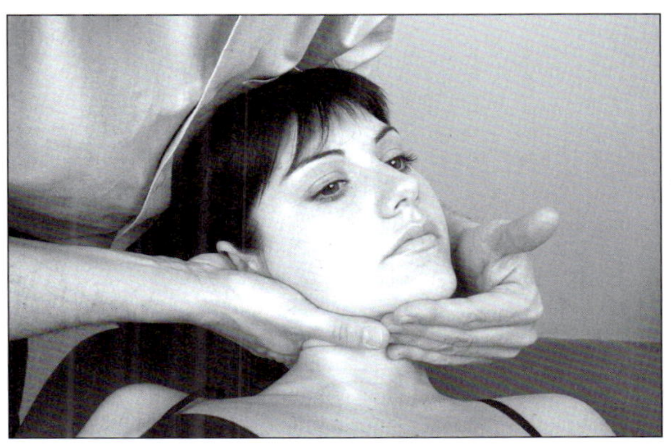

그림 12-28 ■ 회전 조작.

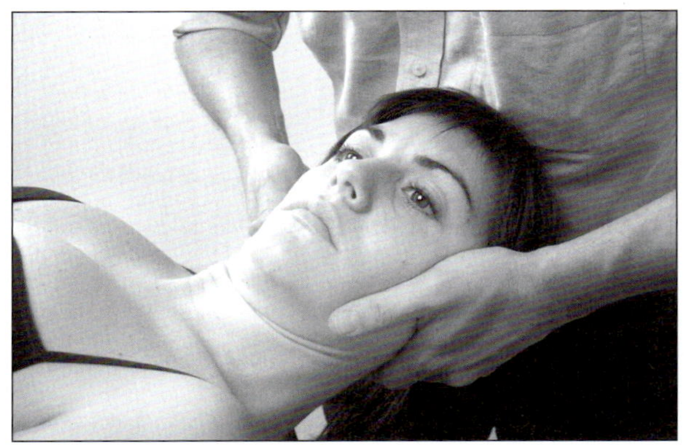

그림 12-29 ▪ 회전 조작: 대체적으로 잡는법.

그림 12-30 ▪ 회전 조작의 변형.

위해 테이블의 오른쪽으로 이동한다. 치료사의 왼쪽 팔뚝은 환자의 왼쪽 측두부를 감싸고 그 손의 손가락으로 턱을 잡는다. 그런 다음 약간의 경추 굴곡 요소가 도입되고 그 움켜쥔 것을 안정시키기 위해 치료사가 환자의 머리와 복부를 접촉한다. 그런 다음 치료사는 오른쪽 측면굽힘 지표를 배치한다. 마지막으로 치료사는 왼쪽 목의 회전 지표를 경추4번의 오른쪽 후관절에 놓고 오른쪽 팔뚝과 엄지 손가락을 추력 방향으로 정렬한다. 이것은 환자의 경추 관절면의 평면에 평행하게 왼쪽 눈의 방향으로 회전하는 것이다.

회전 추력은 치료사의 오른쪽 상지로 빠르게 밀고 몸이 왼쪽으로 회전하는 것과 관련하여 달성된다.

환자의 머리는 팔뚝 대신 치료사의 손바닥으로 잡을 수 있다(그림 12-29).

회전 조작의 변형.

경추4번의 제한된 오른쪽 회전을 예로 든다. 이 방법은 진동 방식과 고속 기술로 적용될 수 있다.

목표:

- C4의 오른쪽 회전에 대한 제한 치료.
- C4의 왼쪽 관절면의 확산을 유발.
- 과수렴 치료.

치료사의 위치: 테이블의 오른쪽에 환자 앞에 선다.

환자의 자세: 앙와위 자세.

절차: 치료사는 오른손 중지의 중지 또는 첫마디뼈의 손바닥면을 경추4번의 왼쪽 관절주의 후외측 부분에 놓는다. 중지 접촉을 개선하고 조작 중 미끄러짐을 방지하기 위해 뼈 접촉을 하기 전에 경추 조직을 테이블 쪽으로 접는다. 왼손의 손바닥과 손가락은 환자의 머리를 잡는다. 치료사는 왼쪽 측면굽힘 지표를 배치한 다음 오른쪽 경추 회전을 배치한다.

진동 변형: 오른쪽 회전을 점진적으로 증가시켜 양손으로 진동 움직임을 수행한다.

고속 변형: 추력이 장력 위치에서 환자의 오른쪽 눈을 향하는 상부내측 방향으로, 경추 후관절의 평면에 평행하게 회전으로 도입된다 (*그림 12-30*).

후관절 수렴의 조작.

예를 들어, 우리는 경추4번의 오른쪽 관절면의 제한된 수렴이 있는 기능장애를 보여줄 것이다. 이 기술의 추력 방향은 다른 고속 기술에서 일반적으로 사용되는 방향과 반대이다.

목표: 경추4번의 오른쪽 관절면의 수렴.

치료사의 위치: 환자의 머리 옆에 선다.

환자의 자세: 앙와위 자세.

절차: 치료사는 오른손 검지의 손가락뼈사이관절 사이의 측면 경계로 경추4번 관절돌기의 전외측 부분과 접촉한다(그림 12-31). 집게 손가락의 접촉을 증진시키고 이동 시 미끄러지는 것을 방지하기 위해 경추 조직을 테이블 방향으로 접은 후 뼈에 닿게 한다. 그런 다음 치료사는 테이블의 오른쪽으로 이동하여 몸을 추력 방향으로 향하게 한다. 왼쪽 팔뚝이 환자의 왼쪽 측두엽을 감싸고 같은 손으로 환자의 턱을 잡는다. 그 후 경추의 약간의 굴곡 요소가 도입되고 치료사는 환자의 머리와 복부를 접촉하여 그립을 안정화한다. 그런 다음 측면굽힘 지표가 추가된다. 이제 치료사는 경추4번의 오른쪽 후관절에서 장력을 감지할 때까지 후관절 부가 잠금(apposition locking)을 얻기 위해 오른쪽 측면굽힘 지표를 배치한다. 오른쪽 팔뚝은 환자의 왼쪽 어깨를 향해 꼬리방향 및 내측 방향이 될 추력 방향으로 정렬되고 경추 관절면의 평면을 따라 테이블을 향해 아래쪽으로 정렬된다(그림 12-32).

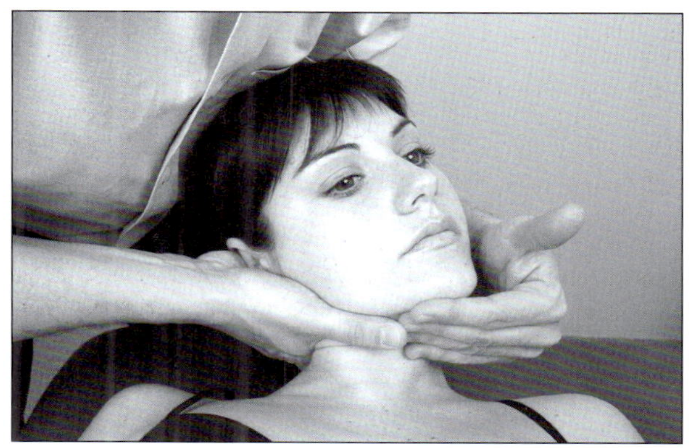

그림 12-31 ■ 후관절 수렴의 조작.

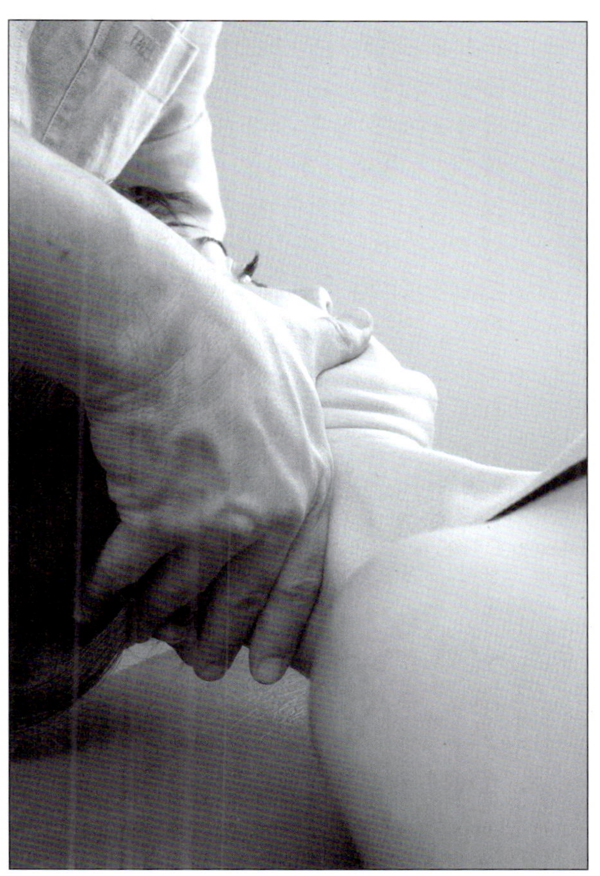

그림 12-32 ■ 후관절 수렴의 조작.

관절 간격의 조작(*그림 12-33*).

이 방법은 측면과 회전에서 추력 조작을 사용하여 관절 간격을 달성하는 것을 목표로 한다. 경추4번의 왼쪽 관절면의 간격을 확보하기 위한 방법을 예로 들어본다.

목표:

- C4의 왼쪽 관절면의 이동성 향상 및 관절 통증 감소.
- 관절 내의 관절 기능장애치료.

치료사의 위치: 환자의 머리 옆에 선다.

환자의 자세: 앙와위 자세.

절차: 치료사는 왼쪽 경추 회전 위치에서 집게 손가락으로 경추4번의 오른쪽 관절돌기를 찾는다. 그런 다음 오른손 검지의 손가락뼈사이관절 사이의 측면 경계와 경추4번의 오른쪽 관절면의 후외측 부분 사이에 접촉이 이루

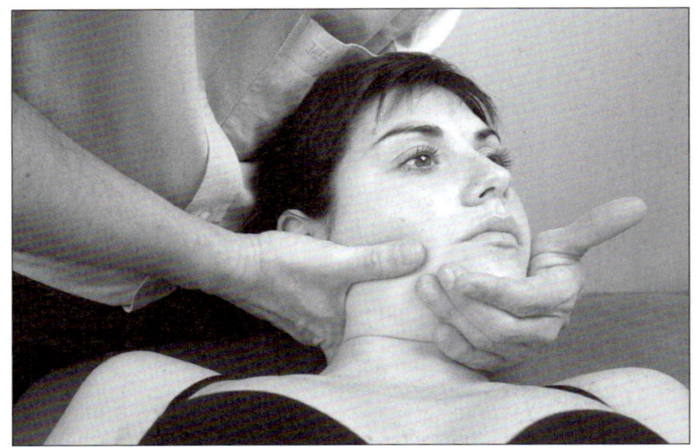

그림 12-33 ■ 간격 조작.

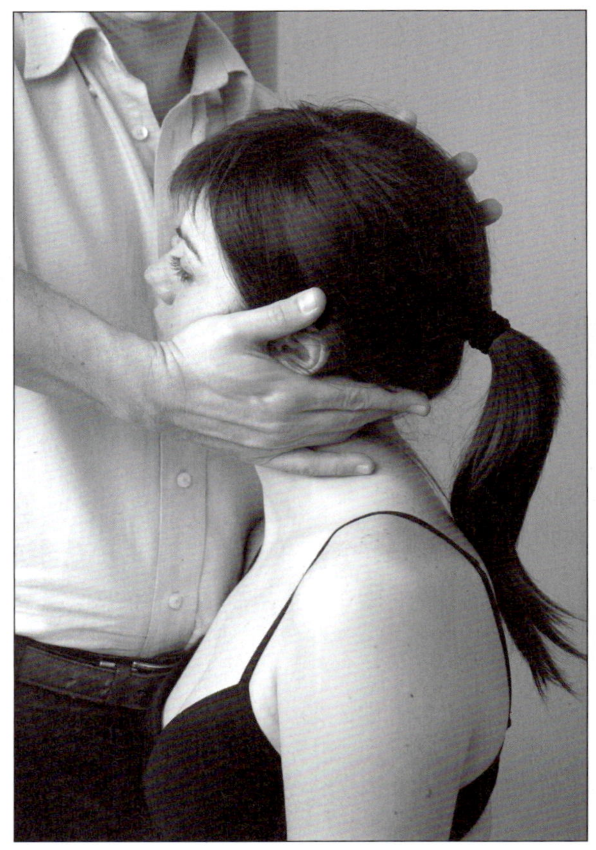

그림 12-34 ■ 회전 조작.

어진다. 그런 다음 치료자는 환자의 머리를 중립 위치에 놓고 테이블의 오른쪽으로 이동하여 환자의 몸을 추력 방향으로 향하게 한다. 왼쪽 팔뚝은 환자의 왼쪽 측두엽을 감싸고 이 손의 손가락은 환자의 턱을 잡는다. 그런 다음 약간의 경추 굴곡 요소를 도입하고 환자의 머리와 복부를 접촉하여 그립을 안정화한다. 먼저 오른쪽 측면굽힘 구성 요소가 도입된다. 마지막으로, 경추4번의 오른쪽 후관절 면에 장력이 감지될 때까지 왼쪽 경추 회전 지표를 배치한다. 치료사의 오른쪽 팔뚝은 경추4번의 왼쪽 관절면의 평면에 수직으로 회전 및 병진이 될 추력 방향으로 정렬된다. 추력은 치료사의 오른쪽 상지의 빠른 측면 추력 덕분에 달성된다.

변형: 환자의 머리는 팔뚝 대신 손바닥으로 잡을 수 있다.

앉은 자세에서의 고속 기술
(High-velocity techniques in the sitting position)

회전 조작.

예를 들어, C4의 오른쪽 회전 제한을 보여준다.

목표:

- C4의 오른쪽 회전에 대한 제한 치료.
- C4의 왼쪽 관절면의 확산.

치료사의 위치: 환자 앞에서 약간 오른쪽으로 선다.

환자의 자세: 앉은 자세.

절차: 치료사는 오른손 중지의 중위 및 손가락뼈사이관절의 손바닥면을 경추4번의 왼쪽 관절면의 후외측 부분에 놓는다(그림 12-34). 왼손의 손바닥과 손가락은 환자의 머리를 잡는다. 치료사는 왼쪽 측면굽힘 지표를 배치한 다음 해당 후관절의 장력이 감지될 때까지 오른쪽 경추 회전을 배치한다. 마지막으로, 회전 추력은 경추 관절면의 평면에 평행한 환자의 오른쪽 눈을 향하여 상내측 방향으로 장력 위치에서 가해진다(그림 12-35).

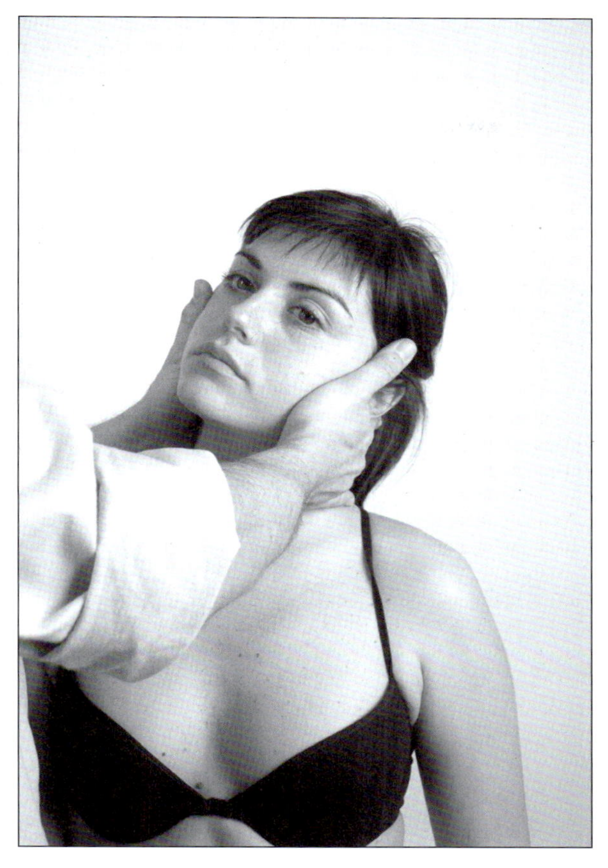

그림 12-35 ■ 회전 조작.

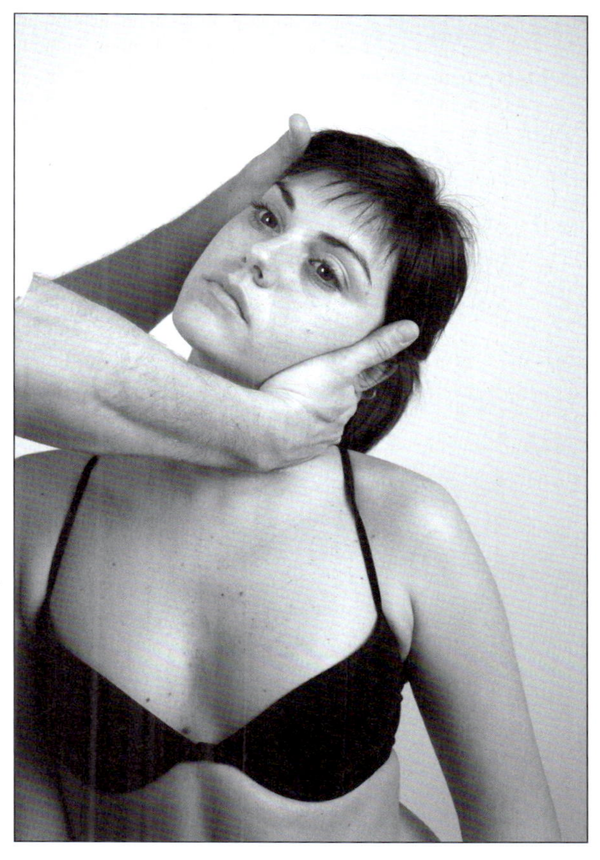

그림 12-36 ■ 측면굽힘-회전 조작.

측면굽힘-회전 조작.

이 방법은 측면에서 추력 조작을 사용하여 관절 간격을 달성하는 것을 목표로 한다. 예를 들어, 경추 4번의 오른쪽 관절면의 간격을 확보하기 위한 조작을 보여준다.

목표:

- C4의 왼쪽 관절면의 이동성 향상 및 관절 통증 감소.
- C4의 관절 내의 관절 기능장애 치료.

치료사의 위치: 환자의 오른쪽에 선다.

환자의 자세: 앉은 자세.

절차: 치료사는 오른손 중지의 중위 및 손가락뼈사이관절의 손바닥면을 경추4번의 왼쪽 관절면의 후외측 부분에 놓는다. 왼손 손바닥과 손가락은 환자의 머리를 잡고 오른쪽 측두엽에 놓는다. 치료사는 경추4번의 왼쪽 후관절에 왼쪽에서 오른쪽으로 약간의 측면 병진 요소를 배치한 다음 관절에서 장력이 감지될 때까지 오른쪽 경추 회전 지표를 도입한다. 마지막으로 경추4번의 왼쪽 관절면의 평면에 수직인 내측 및 머리 방향으로 장력 위치에서 측면 추력이 가해진다(그림 12-36).

근육 에너지 기술
(Muscle energy techniques)

수렴 기능장애를 위한 근육 에너지 기술
(Muscle energy technique for convergence dysfunction)

목표: 근육 에너지 기술로 경추(C3–C7)의 수렴 기능장애 패턴을 치료한다. 예를 들어, 경추 4번의 오른쪽 수렴 기능장애를 보여준다.

치료사의 위치: 환자의 머리쪽에 앉는다.

환자의 자세: 앙와위 자세.

절차: 치료사는 오른손의 검지와 중지를 경추4번의 오른쪽 관절주에 놓고 왼손은 왼쪽의 후두부와 경추 부위에 놓는다. 오른손의 검지와 중지를 사용하여 첫 번째 저항 신호가 나타날 때까지 관절 부분을 신전 방향으로 움직인다(그림 12–37). 왼손으로 그는 오른손으로 저항을 감지할 때까지 왼쪽 경추 측면굽힘 및 회전 지표를 나타낸다. 이 움직임 제한 지점에서 치료사는 환자에게 굴곡, 오른쪽 측면굽힘 및 오른쪽 회전에서 3~5초 길이의 등척성 수축을 수행하도록 요청한다(그림 12–38). 각 등척성 수축 후에 치료사는 항상 조직 반응에 따라 신전, 왼쪽 측면굽힘 및 회전을 진행한다.

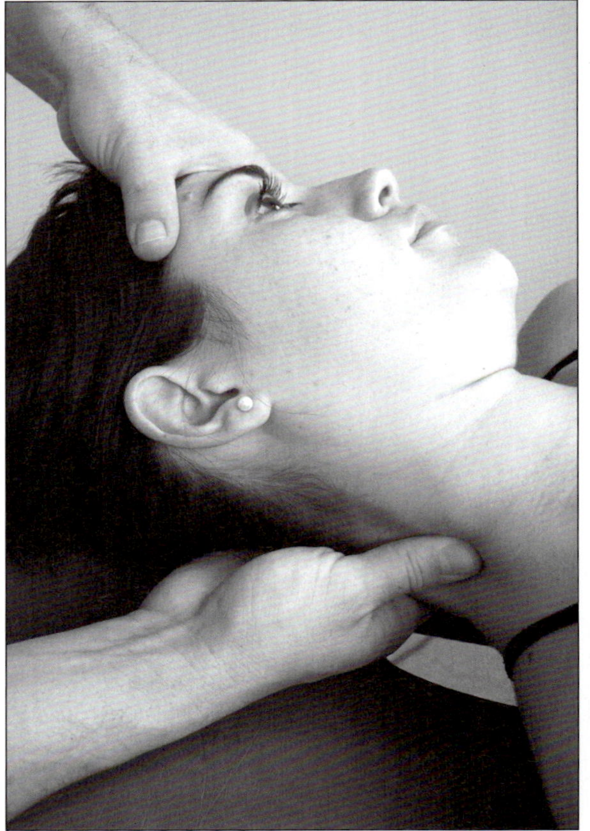

그림 12-37 ■ 수렴 기능장애에 대한 근육 에너지 기술.

확산 기능장애를 위한 근육 에너지 기술
(Muscle energy technique for a divergence dysfunction)

목표: 근육 에너지 기술을 사용하여 경추(C3–C7)의 확산 기능장애 패턴을 치료한다. 경추4번의 왼쪽 확산 기능장애를 예로 보여준다.

치료사의 위치: 환자의 머리쪽에 앉는다.

환자의 자세: 앙와위 자세.

절차: 치료사는 오른손의 중지와 검지를 경추5번의 오른쪽 관절돌기에 놓고 왼손은 왼쪽의 후두 및 경추 부위에 놓는다. 치료사는 오른손의 검지와 중지를 사용하여 첫 번째 저항 징후가 나타날 때까지 관절 분절을 굴곡 방향으로 안내하고 모니터링한다(그림 12–39).

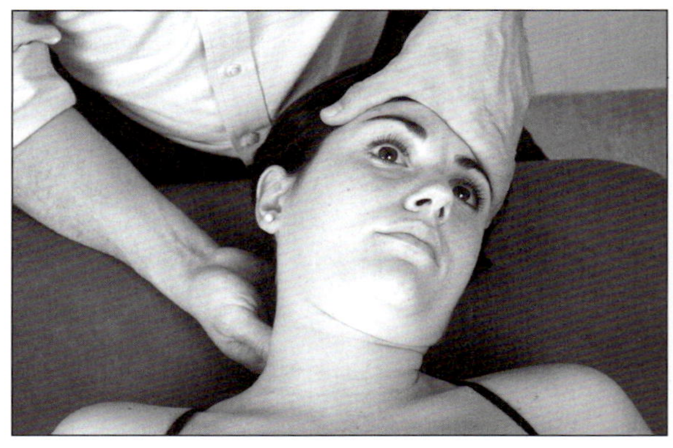

그림 12-38 ■ 수렴 기능장애에 대한 근육 에너지 기술.

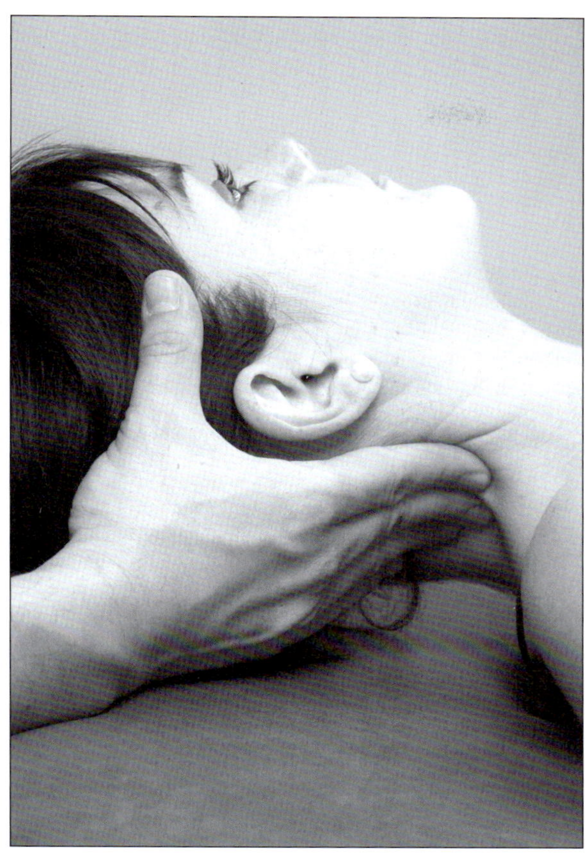

그림 12-39 ■ 확산 기능장애에 대한 근육 에너지 기술.

오른손으로 저항을 감지할 때까지 왼손으로 오른쪽 측면굽힘 및 회전 지표를 경추에 도입한다. 이 움직임 제한 지점에서 치료사는 환자에게 신전, 왼쪽 측면굽힘 및 왼쪽 회전에서 3~5초 길이의 등척성 수축을 수행하도록 요청한다(그림 12-40). 각각의 등척성 수축 후에 치료사는 굴곡, 오른쪽 측면굽힘 방향으로 항상 조직 반응에 따라 움직인다.

부수적 움직임 기술*(Accessory movement techniques)*

후전방 중심 추간 움직임.

목표: 통증을 조절하고 후전방 방향으로 관절 이동성을 증가시킨다.

치료사의 위치: 환자의 머리쪽에 선다.

환자의 자세: 엎드린 자세. 이동을 용이하게 하기 때문에 환자는 이마 아래에 수건을 두는 것이 이상적이다.

절차: 치료사는 이동할 척추의 극돌기에 양쪽 두 엄지손가락을 놓는다. 각 손의 나머지 손가락은 치료 중인 경추 부위에 펼친다. 치료사는 기술의 목표에 따라 1등급과 4등급 사이의 진폭을 갖는 후관절에 후전방 움직임을 적용한다. 목 주위에 손가락을 대면 복귀 움직임이 촉진된다(그림 12-41). 이 압력은 극돌기에 수직으로 또는 꼬리 또는 머리쪽 경사로 수행될 수 있다.

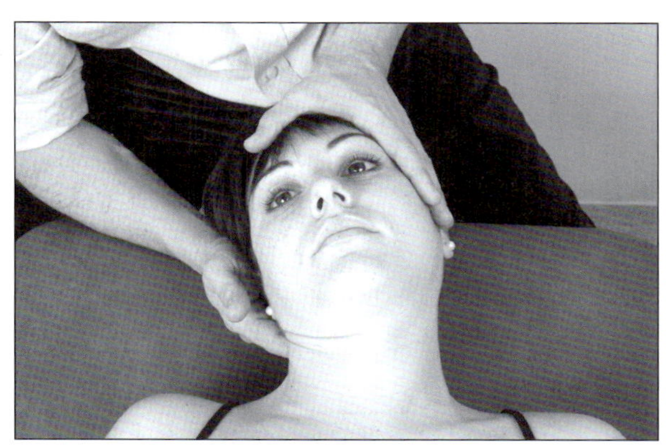

그림 12-40 ■ 확산 기능장애를 위한 근육 에너지 기술.

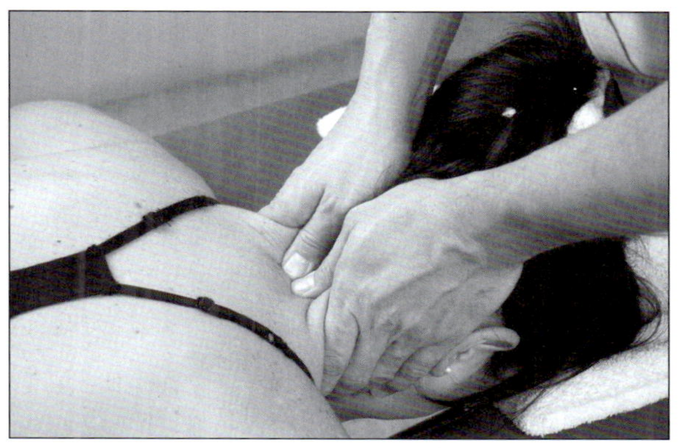

그림 12-41 ■ 후전방 중심 추간 움직임.

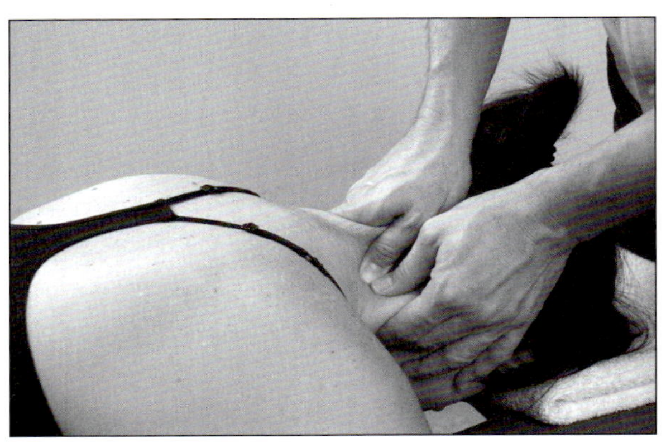

그림 12-42 ■ 후전방 편측 추간 움직임.

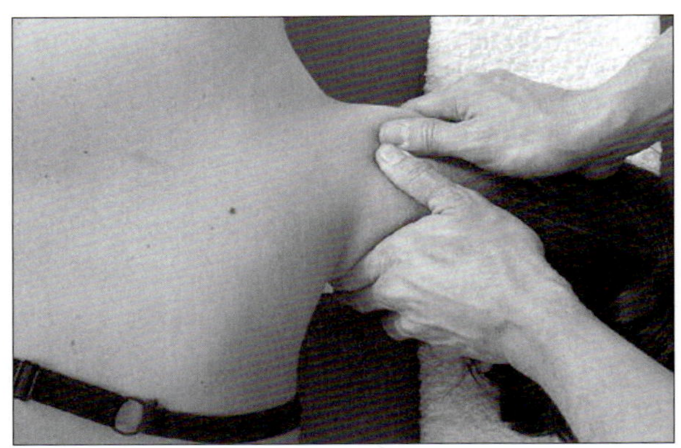

그림 12-43 ■ 반대쪽 측면굽힘에서 후전방 편측 추간 움직임.

후전방 편측 추간 움직임.

목표: 해당 돌기사이관절의 이동성을 증가시키고 증상을 감소시킨다. 편측 경추 통증 및/또는 제한의 경우에 사용된다.

치료사의 위치: 환자의 머리쪽에 선다.

환자의 자세: 엎드린 자세. 이동성을 용이하게 하기 위해 환자가 이마 아래에 수건을 두도록 한다.

절차: 치료사는 치료할 돌기사이관절의 뒤쪽 부분에 양쪽 두 엄지손가락을 놓는다. 각 손의 나머지 손가락은 치료할 경추 부위에 펼친다. 치료사는 목 주위에 위치한 손가락을 사용하여 I–IV 정도 진폭으로 돌기사이관절에 후전방 움직임을 적용하여 복귀 움직임을 적용한다(그림 12-42). 압력은 관절돌기에 수직으로 또는 내측 또는 외측 방향으로 가해질 수 있다. 압력의 외측 또는 내측 방향은 결과적인 이동성에 상당한 변화를 일으킬 수 있다.

반대쪽 측면굽힘에서 후전방 편측 추간 움직임 *(그림 12-43).*

이것은 반대쪽 측면굽힘에서 사전 위치를 지정하는 후전방 부수적 움직임이다.

목표: 해당 관절 범위를 증가시키고 증상을 감소시킨다. 후관절의 관절 확산을 개선한다. 급성 질환이 있는 환자에게 특히 적합하다.

치료사의 위치: 환자의 머리 옆에 선다.

환자의 자세: 엎드린 자세. 환자가 이마 아래에 수건을 두도록 하면 이동성이 용이해진다. 환자는 치료받는 쪽을 향해 반대쪽 경추를 측면굽힘 상태로 미리 위치를 잡는다.

절차: 치료사는 치료할 돌기사이관절의 뒤쪽 부분에 두 엄지손가락을 놓는다. 각 손의 나머지 손가락은 치료할 경추 부위에 펼친다. 치료사는 복귀 움직임을 적용하기 위해 목 주위에 있는 손가락을 사용하여 원하는 정도 돌기사이관절에 후전방 움직임을 적용한다. 압박은 비스듬히 가해져서 후외측 방향으로 복귀 움직임을 신전할 수 있다.

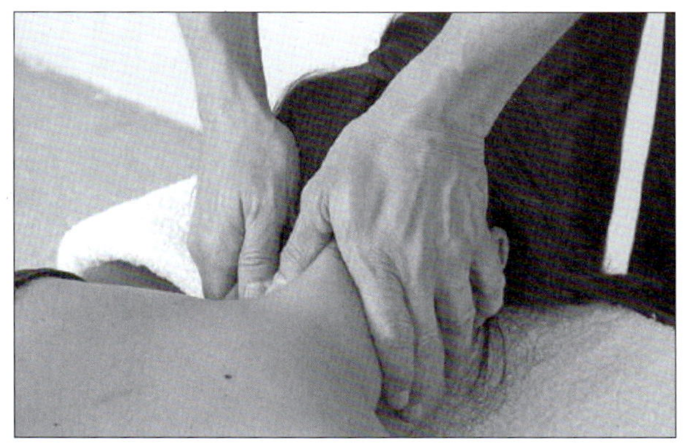

그림 12-44 ■ 동측 측면굽힘에서 사전 위치 지정이 있는 후전방 동측 추간 움직임.

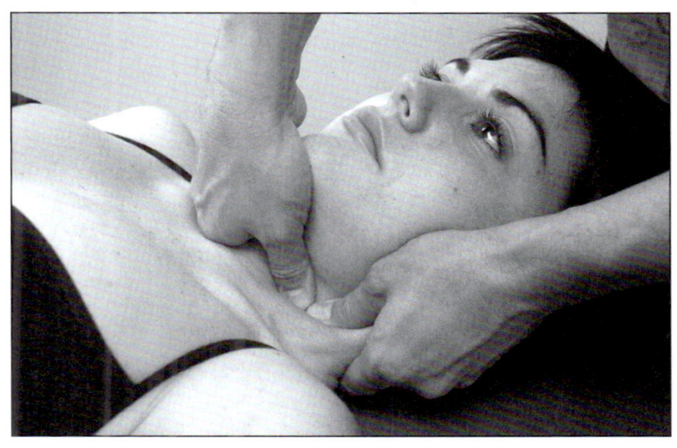

그림 12-45 ■ 전후방 편측 추간 움직임.

동측 측면굽힘에서 사전 위치 지정을 사용한 후전방 편측 추간 움직임(그림 12-44).

이것은 동측 측면굽힘에서 사전 위치를 지정하는 후전방 부수적 움직임이다.

목표: 관련 관절의 이동성을 증가시키고 증상을 감소시킨다. 후관절의 관절 수렴을 개선한다.

치료사의 위치: 환자의 머리 옆에 선다.

환자의 자세: 엎드린 자세. 환자가 이마 아래에 수건을 두도록 하면 이동성이 용이해진다. 환자는 목표 분절을 향해 동측으로 측면굽힘 상태로 미리 배치된다.

절차: 두 엄지손가락이 치료된 돌기사이관절의 뒤쪽 부분과 접촉하도록 기울인다. 다른 손가락은 치료할 부위를 부드럽게 감싸준다. 치료사는 초기 위치를 잃지 않고 원하는 정도의 진폭으로 전후 움직임을 적용하고 다른 손가락을 사용하여 복귀 움직임을 용이하게 한다. 움직임의 방향은 비스듬할 수 있으며, 전내측 방향으로 신전되어 후관절의 관절 수렴을 촉진한다.

전후방 편측 추간 움직임.

오른쪽의 예.

목표: 경추 분절의 이동성을 증가시키고 증상을 감소시킨다. 편측성 경추통, 상지의 증상에 사용한다.

치료사의 위치: 환자의 머리 옆에 선다.

환자의 자세: 앙와위 자세.

절차: 치료사는 두 엄지손가락을 오른쪽 횡돌기에 내측으로 놓고 손가락 끝과 느슨하게 접촉하여 이동성이 불쾌하지 않도록 한다. 오른손의 두 번째와 세 번째 손가락은 오른쪽 관절면의 뒤쪽에 위치한다. 치료사는 엄지손가락을 오른쪽 횡돌기(그림 12-45)에 두고 전후방 진동 움직임을 적용한다.

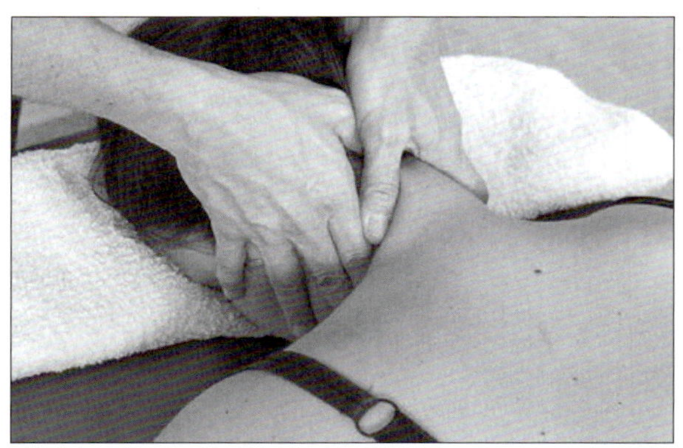

그림 12-46 ■ 측면 부수적 추간 움직임.

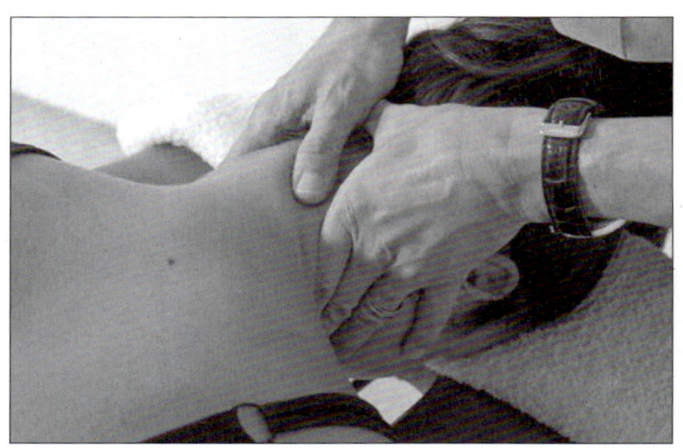

그림 12-47 ■ 굴곡에서 시작하는 외측 부수적 추간 움직임.

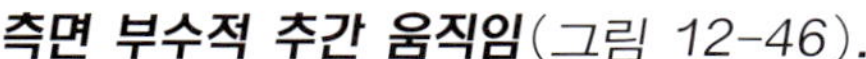

측면 부수적 추간 움직임(그림 12-46).

오른쪽의 예.

목표: 분절의 이동성을 향상시키고 통증 증상을 치료하는 것을 목표로 하는 기술이다. 측면의 수렴 및/또는 반대쪽의 확산을 증가시켜야 할 때 적합하다.

치료사의 위치: 환자의 머리 옆에 선다.

환자의 자세: 엎드린 자세.

절차: 치료사는 한 손의 검지와 세 번째 손가락의 요골 경계를 기능장애 분절의 관절주 측면에 놓는다. 수렴이 필요한 경우 접촉은 동측으로 하고, 확산이 필요한 경우 반대쪽에 접촉한다. 다른 한 손으로 환자의 경추를 잡고 치료사는 외측 움직임을 제어한다. 외측 진동 움직임은 분절의 반대쪽 확산 및 수렴에서 같은 면의 후관절을 이동하는 데 적용된다.

굴곡에서 시작하는 외측 부수적 추간 움직임
(그림 12-47).

왼쪽의 예.

목표: 반대쪽에서 후관절을 이동시켜 관절의 확산을 개선하는 것을 목표로 하는 기술. 편측성 통증이 있고 기능장애 관절이 확산하여 이동되어야 하는 경우에 적합하다.

치료사의 위치: 환자의 머리 옆에 선다.

환자의 자세: 엎드린 자세.

절차: 치료사는 왼손의 두 번째 및 세 번째 손가락의 요골 경계를 오른쪽 관절주의 측면에 놓는다. 치료사는 오른손으로 환자의 경추를 굴곡 상태로 위치시키고 이동될 레벨을 목표로 한다. 측면 진동 움직임이 확산하는 분절의 왼쪽 후관절을 이동하기 위해 적용된다.

신전에서 시작하는 측면 부수적 추간 움직임
(그림 12-48).

오른쪽의 예.

목표: 후관절 평면에서 후관절의 관절 수렴을 향상시키는 것을 목표로 하는 기술. 수렴 패턴의 편측성 통증의 경우와 수렴에서 기능장애 분절을 이동하려는 경우에 적합하다.

치료사의 위치: 환자의 머리 옆에 선다.

환자의 자세: 엎드린 자세.

절차: 치료사는 왼손의 검지와 세 번째 손가락의 요골 경계를 오른쪽 관절주의 측면에 놓는다. 치료사는 오른손으로 환자의 경추를 신전 위치에 놓고 이동할 분절을 목표로 한다.

과도한 신전을 피해야 한다. 측면 진동 움직임이 적용되어 오른쪽 후관절 내리막을 이동하여 수렴을 용이하게 한다.

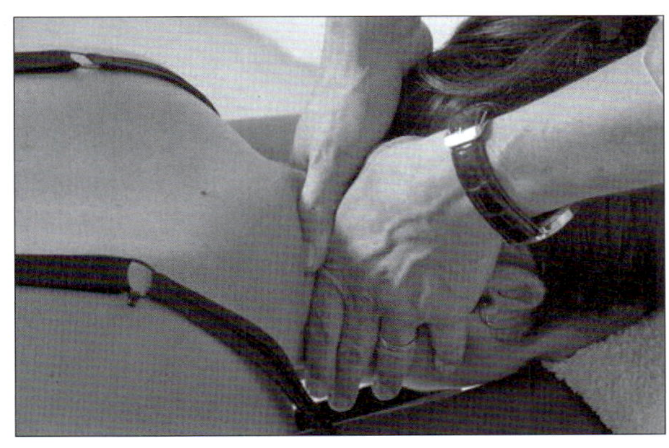

그림 12-48 ■ 신전에서 시작하는 외측 부수적 추간 움직임.

확산의 편측 진동 기술(그림 12-49).

오른쪽의 예.

목표: 후관절 평면에서 후관절을 이동시켜 관절의 확산을 개선하는 것을 목표로 하는 기술. 편측 경추 돌기사이통증의 경우에 적합하다.

치료사의 위치: 환자의 머리 옆에 선다.

환자의 자세: 앙와위 자세.

절차: 치료사는 오른쪽 엄지손가락을 오른쪽 횡돌기의 안쪽과 앞쪽 부분에 놓는다. 오른손의 두 번째와 세 번째 손가락은 오른쪽 관절면의 뒤쪽 부분에 위치한다. 치료사는 왼손으로 환자의 머리와 경추를 잡고 반대측 회전 각도를 다르게 하여 환자의 경추를 위치시키고 오른쪽 돌기사이관절에 리드미컬하고 반복적인 전후방 진동 움직임을 가한다. 환자의 임상 상황에 따라 다양한 회전 범위가 사용된다. 이것은 돌기사이관절의 이동성을 크게 향상시킬 수 있는 매우 효과적인 기술이다.

수렴의 편측 진동 기술(그림 12-50).

오른쪽의 예.

목표: 후관절 평면에서 후관절을 가동시켜 관절의 수렴성을 향상시키는 것을 목표로 하는 기술. 편측 경추 돌기사이 통증의 경우에 적합하다.

치료사의 위치: 환자의 머리 옆에 선다.

환자의 자세: 앙와위 자세.

절차: 치료사는 오른쪽 엄지손가락을 오른쪽 횡돌기의 안쪽과 앞쪽 부분에 놓는다. 오른손의 두 번째와 세 번째 손가락은 오른쪽 관절면의 뒤쪽 부분에 위치한다. 치료사는 왼손으로

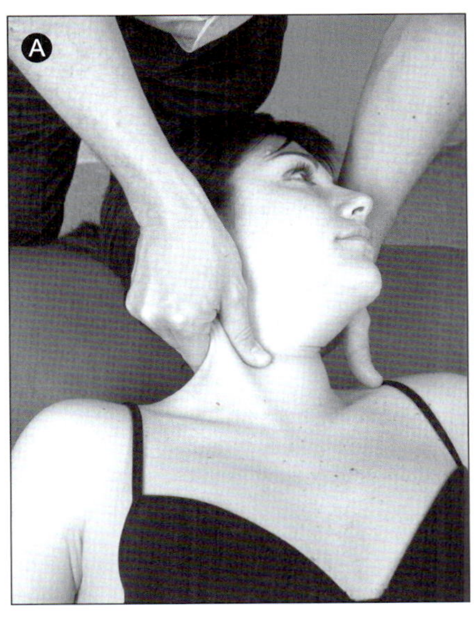

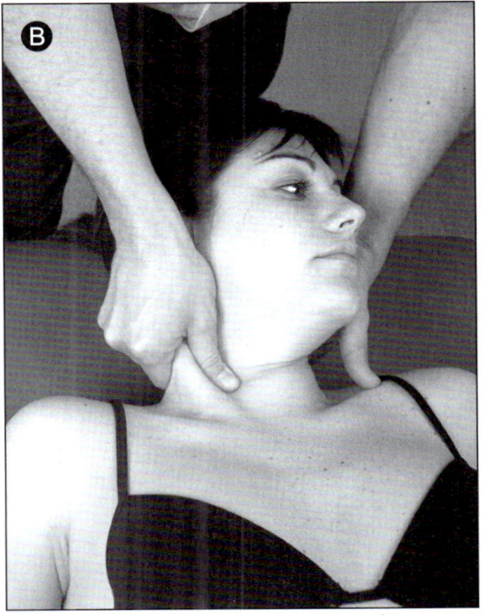

그림 12-49 ■ (A, B) 확산의 편측 진동 기술.

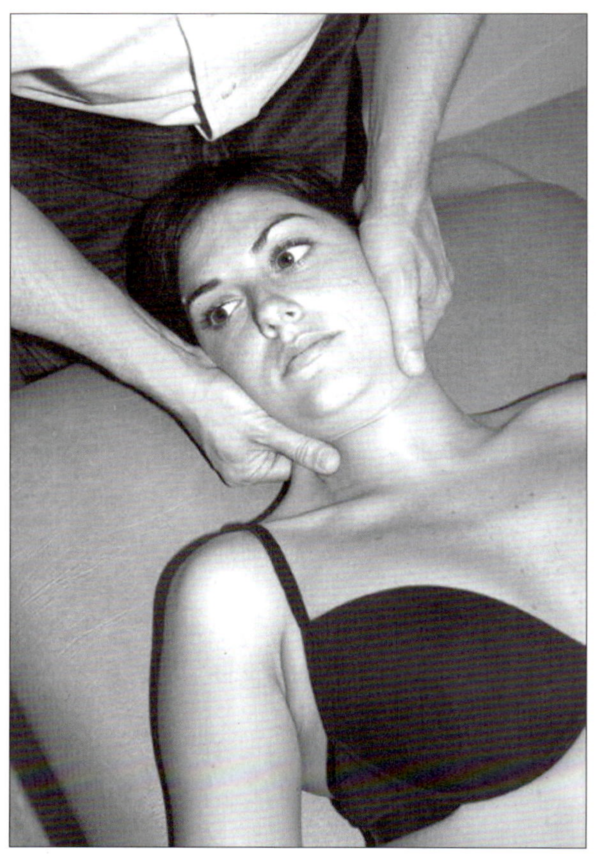

그림 12-50 ■ 수렴의 편측 진동 기술.

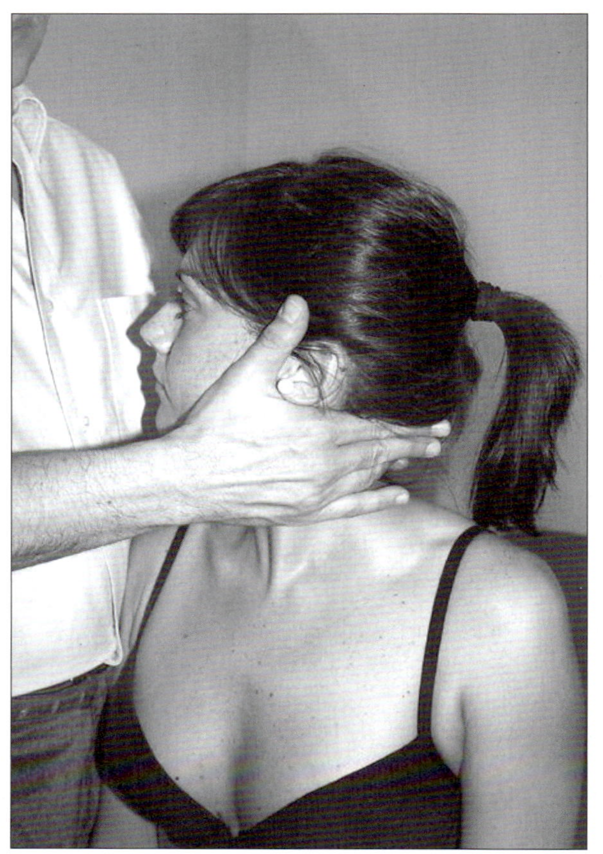

그림 12-51 ■ 관절 과수렴 기술.

환자의 머리와 경추를 잡고, 환자의 경추를 동측 회전 각도를 다르게 하고, 리드미컬하고 반복적인 전후방 진동 움직임을 오른쪽 돌기사이관절에 가한다. 환자의 임상 상황에 따라 다양한 회전 범위가 사용된다. 이것은 돌기사이관절의 이동성을 크게 향상시킬 수 있는 매우 효과적인 기술이다.

관절 과수렴 기술(그림 12-51).

왼쪽의 예.

목표: 과수렴을 치료한다.

치료사의 위치: 환자의 머리 옆에 선다.

환자의 위치: 앉은 자세.

절차: 경추3번-경추4번의 왼쪽 후관절에서 통증 있는 수렴의 예를 들어, 절차는 두 부분으로 구성된다. 첫 번째 부분에서 치료사는 환자의 반대편에 있고 약간 오른쪽에 위치하며 오른손의 세 번째 손가락으로 경추3번의 왼쪽 관절주를 안정시키고 환자가 오른쪽으로 점진적인 경추 회전 1~3 움직임을 수행하여 마침내 최대 통증 없는 범위에 도달하도록 한다. 이 움직임 동안 치료사는 경추3번의 왼쪽 기둥에 관절면에 따라 두개골과 앞쪽 방향으로 압력을 가하여 환자의 능동적인 회전을 동반한다. 두 번째 부분에서 환자는 최대 진폭에 도달하도록 왼쪽으로 다양한 회전 움직임을 수행하도록 한다. 이러한 움직임 동안 치료사는 경추3번의 왼쪽 관절주가 뒤쪽으로 미끄러지는 것을 방지한다.

두개경추
CRANIOCERVICAL SPINE

두개경추 평가
(Assessment of the craniocervical spine)

후두-경추1번 분절(segment)

후두-경추1번 관절의 양측 시상 이동성 평가

(그림 12-52).

목표: 시상면에서 후두-경추1번 관절의 이동성을 평가한다.

치료사의 위치: 환자의 머리 옆에 선다.

환자의 자세: 앙와위 자세.

절차: 치료사는 환자의 머리를 잡고 환추의 횡돌기에 가운데 손가락을 놓는다. 이들은 유양돌기와 하악의 오름가지 사이의 공간에 위치한다. 그런 다음 환추에 대한 머리의 전방 및 후방 시상 회전 움직임이 도입된다. 움직임의 범위와 품질이 평가된다.

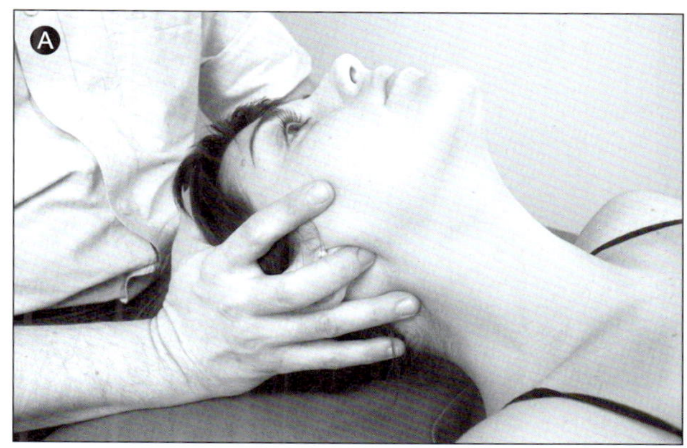

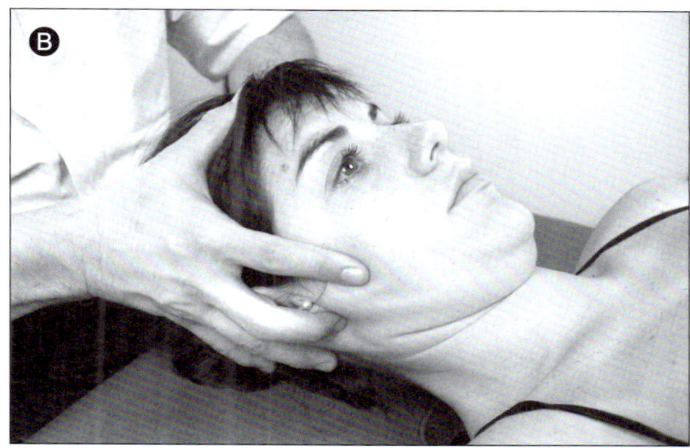

그림 12-52 ■ (A, B) C0-C1 관절의 양측 시상 이동성 평가.

회전 시 후두-경추1번 관절의 이동성 평가

(그림 12-53).

목표: 후두부와 환추 사이의 회전 움직임을 평가한다.

치료사의 위치: 환자의 머리 옆에 앉는다.

환자의 자세: 앙와위 자세.

절차: 치료사는 한 손으로 환자의 머리를 잡고 회전 반대 손의 중지로 유양돌기와 하악의 오름가지 사이에 위치한 환추의 횡단 과정을 모니터링한다. 회전 움직임은 환추의 횡돌기와 반대측 하악의 오름가지 사이의 증가를 인식하면서 머리에 회전움직임을 가한다. 이 공간의 불충분한 증가는 이 방향으로 환추 위에서 후두골의 회전에 대한 제한을 나타낼 수 있다.

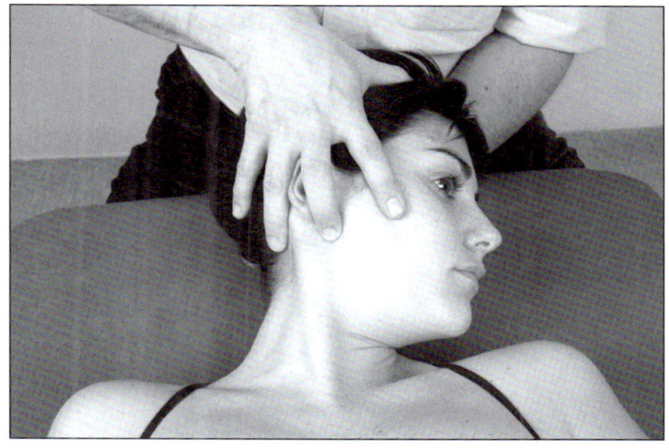

그림 12-53 ■ 회전 시 C0-C1 관절의 이동성 평가.

그림 12-54 ▪ C0-C1 관절의 측면굽힘 평가.

후두-경추1번 관절의 측면굽힘 평가(그림 12-54).

목표: 후두부와 환추 사이의 측면굽힘 움직임 평가.

치료사의 위치: 환자의 머리 옆에 선다.

환자의 자세: 앙와위 자세.

절차: 치료사는 두 손으로 환자의 머리를 잡고 머리 꼭대기가 자신의 복부와 접촉하도록 한다. 가운데 손가락은 유양돌기와 하악골의 오름가지 사이에 위치한 환추의 횡돌기에 배치한다. 그런 다음 치료사는 짧은 진폭이지만 명백한 측면굽힘 움직임과 측면굽힘 쪽을 향한 횡돌기의 병진을 감지하기 위해 경추1번에 대한 후두골의 측면굽힘 움직임을 도입한다. 측면굽힘 또는 측면 병진 움직임의 부족은 이 방향으로 환추 위 후두골의 측면굽힘에 대한 제한을 나타낼 수 있다.

후두-경추1번의 병진 검사(그림 12-55).

목표: 치료사에게 후두 및 경추1번의 이동성에 대한 제한 방향에 대한 첫인상을 제공한다.

치료사의 위치: 환자의 머리 옆에 앉는다.

환자의 자세: 앙와위 자세.

절차: 치료사는 각 손의 가운데 손가락이 환추의 후궁을 모니터링하는 방식으로 양손을 놓고 손바닥이 측두정두 영역에 편평하게 놓이도록 한다. 환자 머리의 병진은 오른쪽에서 왼쪽

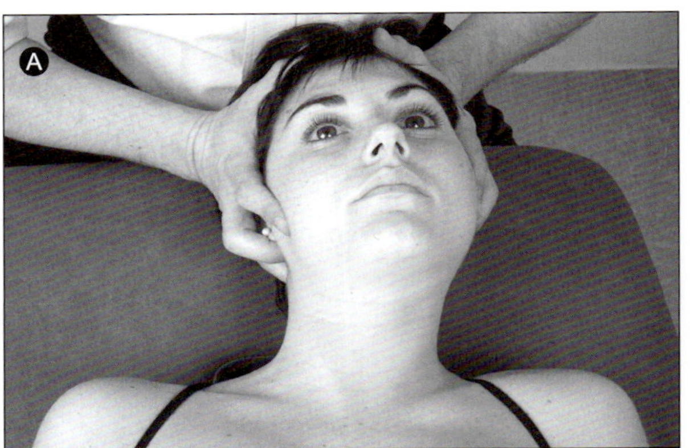

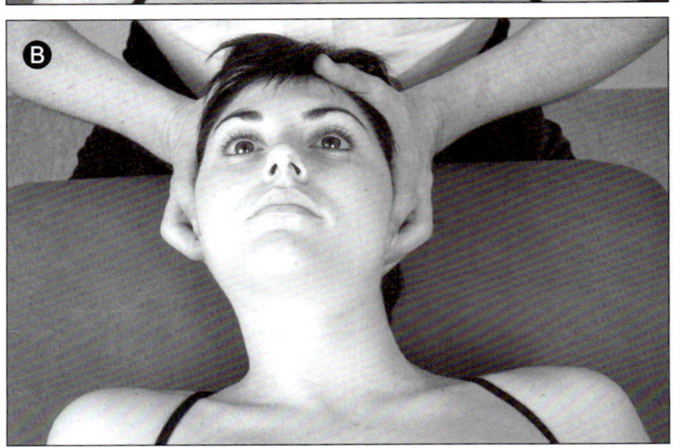

그림 12-55 ▪ (A, B) C0-C1 병진 검사.

(전방 및 내측 방향에서는 오른쪽 후두부, 후방 및 외측 방향에서는 왼쪽 후두부) 및 왼쪽에서 오른쪽(전방 및 내측에서 왼쪽 후두부, 후방 및 외측으로 오른쪽 후두부)으로 수행되고, 치료사에게 환추-후두 관절에 영향을 미칠 수 있는 제한의 위치에 관한 정보를 제공한다. 이 초기 평가를 시작으로 특정 후두 기능장애에 대한 분석적 평가가 이어진다.

우리는 후두부에서 두 가지 유형의 기능장애를 찾을 수 있다. 한편으로 우리는 같은 쪽에 있는 환추의 측면 기둥과 관련하여 전방 내측 활주(돌기의 수렴하는 사선 평면을 따름)를 위한 제한된 용량을 가진 후두 돌기가 있다. 우리는 이 기능장애를 전내측 제한이라고 한다. 한편, 기능장애는 같은 쪽에 있는 환추의 측면 기둥과 관련하여 후두돌기의 제한된

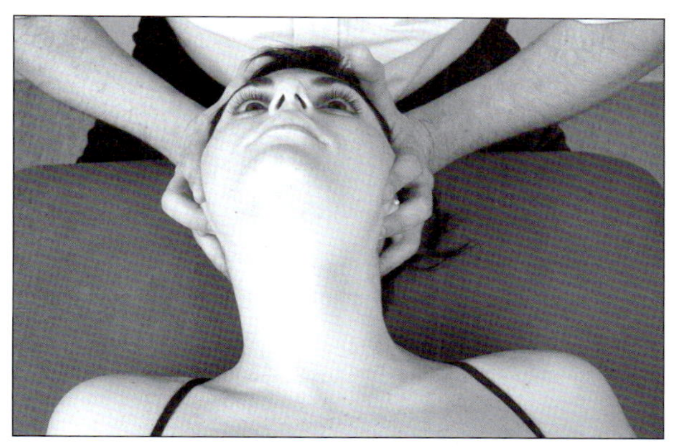

그림 12-56 ■ 후두부 이동성의 전내측 제한에 대한 분석적 평가.

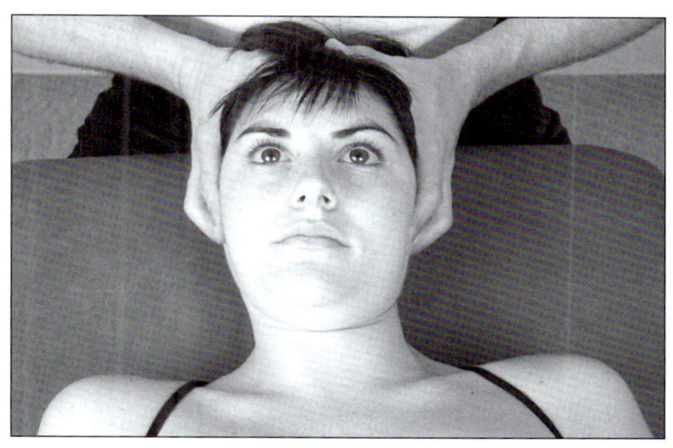

그림 12-57 ■ C0-C1의 후외측 제한에 대한 분석적 평가.

후외측 활주를 의미하며, 이것을 후외측 제한이라 한다.

후두 이동성의 전내측 제한에 대한 분석적 평가 (그림 12-56).

목표: 환추의 해당 측면 기둥과 관련하여 각 후두돌기의 전방 활주를 구체적으로 평가한다.

치료사의 위치: 환자의 머리 옆에 앉는다.

환자의 자세: 앙와위 자세.

절차: 치료사는 각 손의 가운데 손가락이 환추의 후궁을 모니터링하고 손바닥이 측두엽과 정수리 뼈에 편평하게 놓이도록 두 손을 놓는다. 환추 위 후두골의 약간의 신전이 도입되고 이 위치에서 후두부의 측면 병진이 왼쪽에서 오른쪽으로 적용된다. 움직임에 대한 제한이 있다는 것은 왼쪽 후두돌기의 전내측 움직임에 대한 제한이 있음을 나타낸다. 오른쪽 후두부의 전내측 제한을 평가하기 위해 오른쪽에서 왼쪽으로의 후두 병진과 관련된 후두 신전이 적용된다.

후두-경추1번의 후외측 제한에 대한 분석적 평가 (그림 12-57).

목표: 환추의 해당 측면 기둥과 관련하여 각 후두돌기의 후방 활주를 구체적으로 평가한다.

치료사의 위치: 환자의 머리 옆에 앉는다.

환자의 자세: 앙와위 자세.

절차: 치료사는 각 손의 가운데 손가락이 환추의 후궁을 모니터링하고 손바닥이 측두엽과 정수리 뼈에 편평하게 놓이도록 두 손을 놓는다. 환추 위 후두골의 약간의 굴곡이 도입되고 이 위치에서 측방 후두부가 왼쪽에서 오른쪽으로 적용된다. 이 움직임은 오른쪽 후두돌기의 후외측 활주에 대한 제한을 나타낼 수 있다. 왼쪽 돌기의 후외측 활주에 대한 제한을 평가하기 위해 오른쪽에서 왼쪽으로의 후두 병진과 관련된 후두 굴곡이 적용된다.

후두-경추1번 관절의 전내측 및 후외측 활주에 대한 관절 검사.

목표: 환추의 해당 측면 기둥과 관련하여 각 후두돌기의 전내측 및 후외측 활주를 평가한다.

치료사의 위치: 환자의 머리 옆에 앉는다.

환자의 자세: 앙와위 자세.

절차: 치료사는 오른쪽 후두부에 후외측으로 오른손을 얹고 손가락이 그 방향을 가리키도록 한다. 왼손은 측두엽 부분을 느슨하게 잡고 엄지손가락은 광대활(zygomatic arch)에 의해 지지된 상태로 환자의 머리를 잡는다. 치료사는 왼쪽으로 30° 경추 회전을 도입하고 이 위치에서 후두부의 오른쪽 돌기의 활주 능력을 평가하고, 전방 및 내측 방향으로 (그림 12-58A) (신전, 오른쪽 측면굽힘 및 왼쪽 회전이 필요함) 및 후외측 방향으로 활주해야 한다(그림 12-58B). (굴곡 및 왼쪽 측면굽힘이 필요함) 오른쪽 경추 회전을 사용하여 왼쪽 돌기에도 동일한 절차를 따른다. 움직임의 양과 질 모두 관찰된다.

이 기술은 전내측 및 후외측 후두 기능장애를 평가하는 가장 좋은 방법 중 하나이다. 이 평가는 검사 동안 연조직에서 생성된 제한된 장력 때문에 유효한 정보를 제공한다.

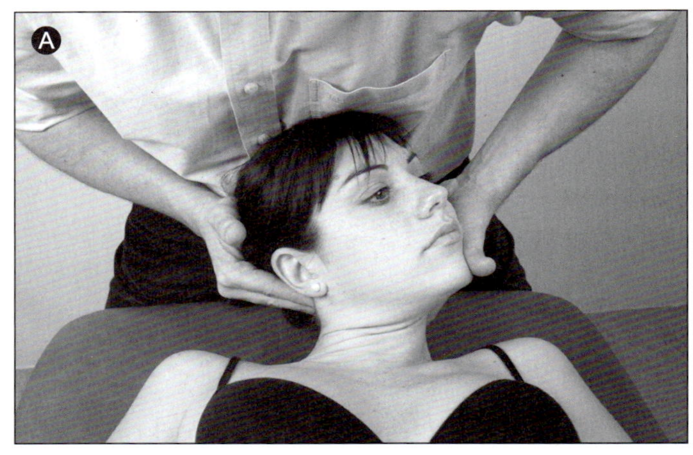

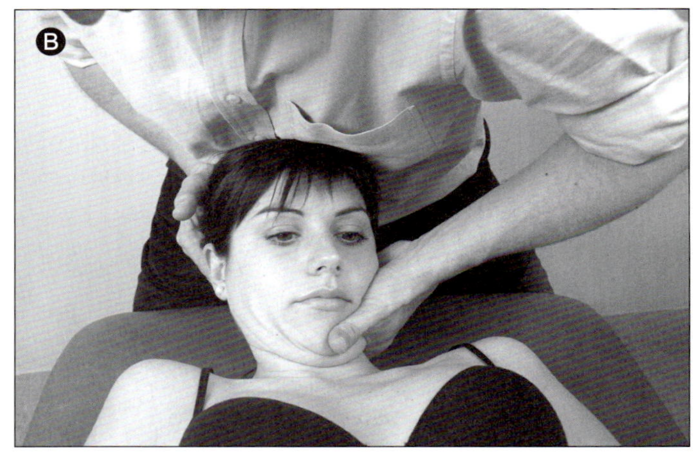

그림 12-58 ■ C0-C1 관절의 전내측(A) 및 후외측(B) 활주에 대한 관절 검사.

경추1번-경추2번 분절(segment)

앉은 자세에서 회전 시 경추1번-경추2번의 이동성 평가(그림 12-59).

목표: 축추를 기준으로 환추의 회전 움직임을 평가한다. 후두부도 이 움직임에 참여한다는 점에 유의해야 한다.

치료사의 위치: 환자의 옆에 선다.

환자의 자세: 앉은 자세.

절차: 치료사는 한 손의 엄지와 검지로 경추2번의 후궁을 잡고 다른 손은 머리 꼭대기에 놓고 오른쪽에서 왼쪽으로 회전 움직임을 도입한다. 움직임에 대한 진폭, 품질 및 끝느낌이 평가된다.

앙와위에서의 회전에서 경추1번-경추2번의 이동성 평가(그림 12-60).

목표: 축추를 기준으로 환추의 회전 움직임을 평가한다.

치료사의 위치: 환자의 머리 옆에 선다.

환자의 자세: 앙와위.

절차: 치료사는 하부경추의 회전 능력을 제한하기 위해 경추의 위치를 약간 구부린다. 이런 식으로 치료사는 주로 경추1번-경추2번 위치에서 회전에 초점을 맞춘다. 그런 다음 한 손의 검지를 환추의 후궁(후두 바로 아래에 위치)에 올려 놓고 회전하는 환추의 동작을 인식하여 양쪽에 회전을 도입한다. 엄지는 그립을 안정시키기 위해 환자의 정수리 뼈 높이에 위치한다. 움직임의 범위와 움직임의 끝 범위에서 발견되는 저항 유형이 모두 평가된다.

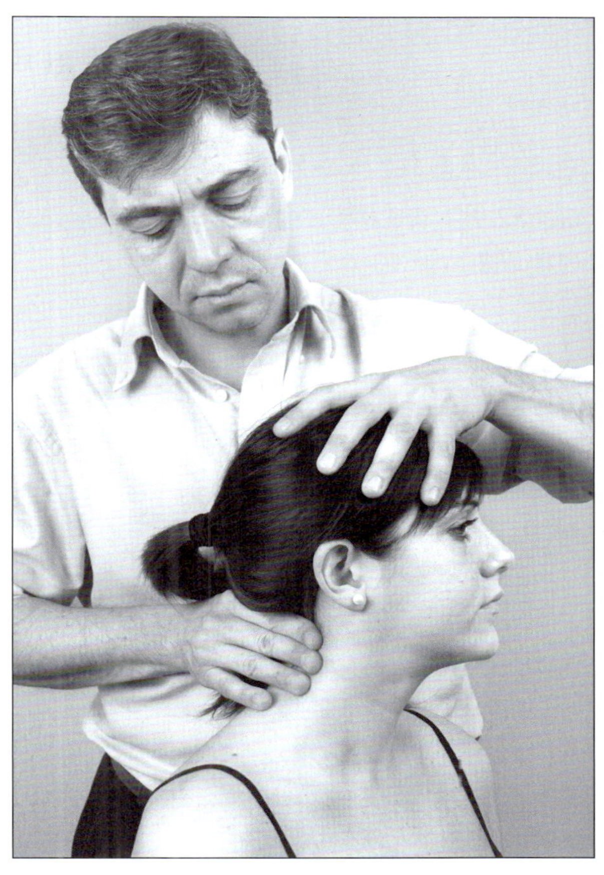

그림 12-59 ■ 앉은 자세에서 회전 시 C1-C2의 이동성 평가.

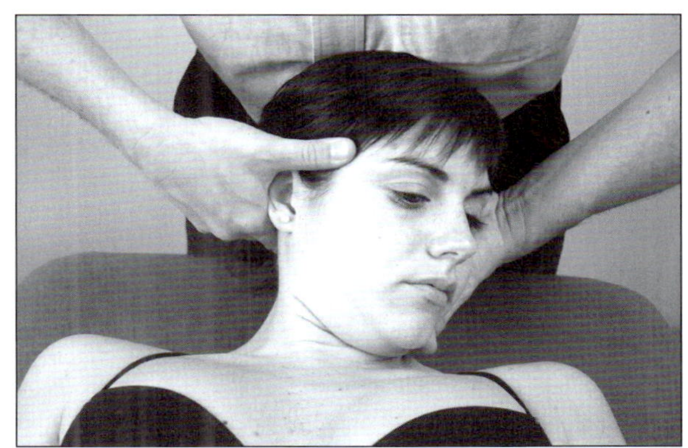

그림 12-60 ■ 앙와위에서 회전 시 C1-C2의 이동성 평가.

두개경추의 치료 기술 (Treatment techniques for the craniocervical spine)

연조직 기술(Soft tissue techniques)

아래머리빗근(하두사근, Obliquus capitis inferior) 억제 기법(그림 12-61).

목표: 치료사의 손가락으로 후두하 연조직에 지속적인 압력을 가하여 통증 조절 효과를 유도한다.

치료사의 위치: 환자의 머리 옆에 앉는다.

환자의 자세: 앙와위.

절차: 치료사는 두 손으로 환자의 머리를 후두부에서 받치게 하고, 두 손은 중간 선에서 연결하고 손가락은 후두골의 가장 낮은 부분에 놓는다. 그런 다음, 치료사는 후두하 영역에서 수직 압축 벡터를 증가시킬 목표로 원위 지골간관절을 굴곡시킨다. 이 방법 동안, 신연 요소가 환추의 측면 기둥과 관련하여 후두돌기에 적용될 수 있다. 이를 위해 치료사는 팔꿈치를 더 가깝게 모으고 후두부를 두개골 방향으로 부드럽게 견인한다.

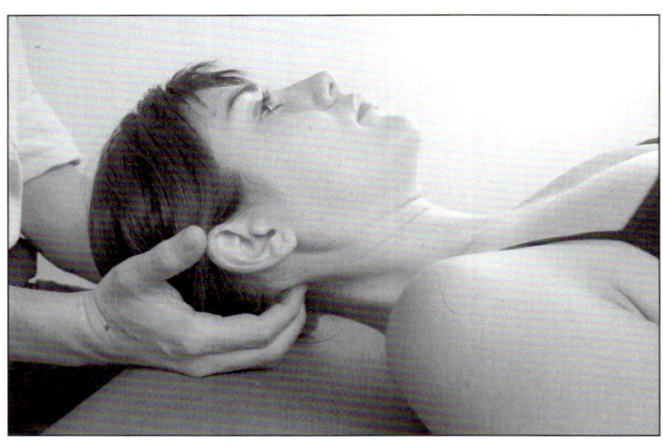

그림 12-61 ■ 아래머리빗근(하두사근) 억제 기법.

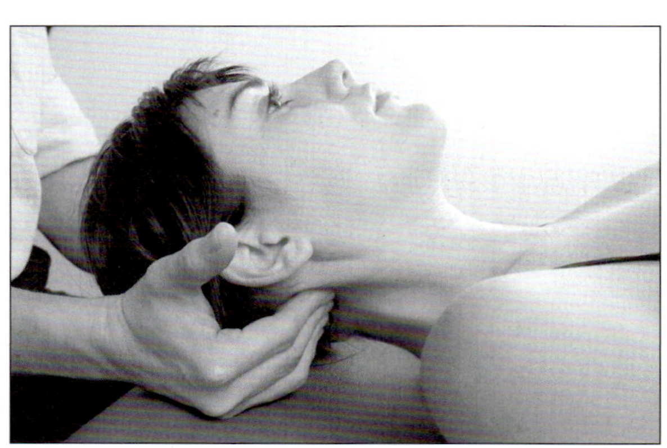

그림 12-62 ■ C0-C1 도수 견인.

후두-경추1번 분절(segment)

후두-경추1번 도수 견인(그림 12-62).

목표: 후두하 부위의 신연효과를 통한 통증 조절 효과 유도.

치료사의 위치: 환자의 머리 옆에 앉는다.

환자의 자세: 앙와위 자세.

절차: 치료사는 두 손으로 후두부를 **안고** 손가락은 후두부의 아래쪽 부분에 둔다. 그런 다음 치료사의 손가락의 가락뼈사이관절 굴곡을 수행하여 후두부의 기저부와 접촉한다. 후두부의 견인은 양손 손허리손가락관절의 굴곡과 치료사의 팔꿈치 굴곡에 의한 종방향 움직임에 의해 달성될 수 있다. 이 방법은 리드미컬할 수 있으며 견인-이완 단계를 교대로 수행할 수 있다.

굴곡 시 두개경추의 가동 기술(그림 12-63).

목표: 굴곡 시 두개경추의 이동 및 후두하 부위의 연조직 스트레칭.

치료사의 위치: 환자의 머리 옆에 앉는다.

환자의 자세: 앙와위.

절차: 치료사는 한 손으로 후두골을 지지하고 다른 손은 이마 영역에 편평하게 놓고 손가락이 꼬리 방향을 향하게 한다. 그런 다음 치료사는 후두부에 있는 손으로 두개골 견인을 적용하고 다른 손으로 두개경추 굴곡 움직임을 적용한다. 이 방법은 리드미컬하고 반복적인 방식으로 수행된다. 먼저 후두부의 측면굽힘을 도입한 다음 더 큰 효과를 달성해야 하는 측면으로 정면을 향하게 하여 양쪽에 초점을

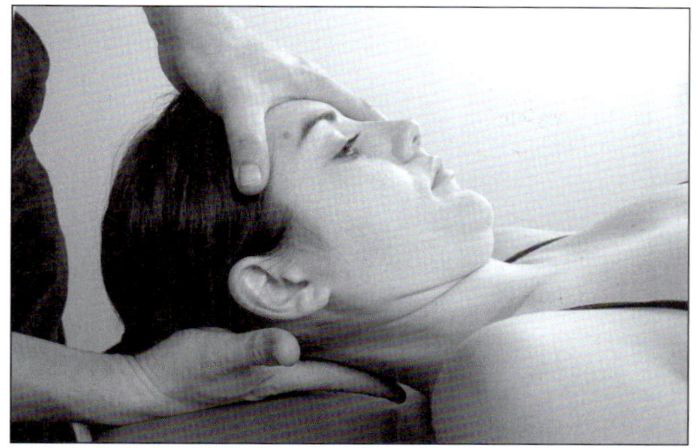

그림 12-63 ■ 굴곡 시 두개경추의 이동화 기술

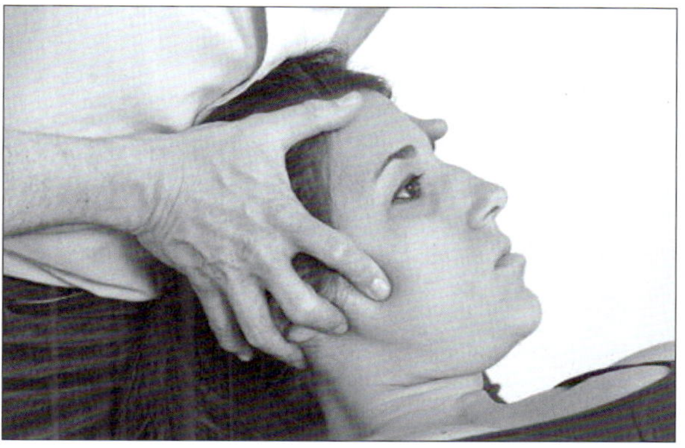

그림 12-65 ■ C0-C1 관절의 생리학적 측면굽힘 움직임.

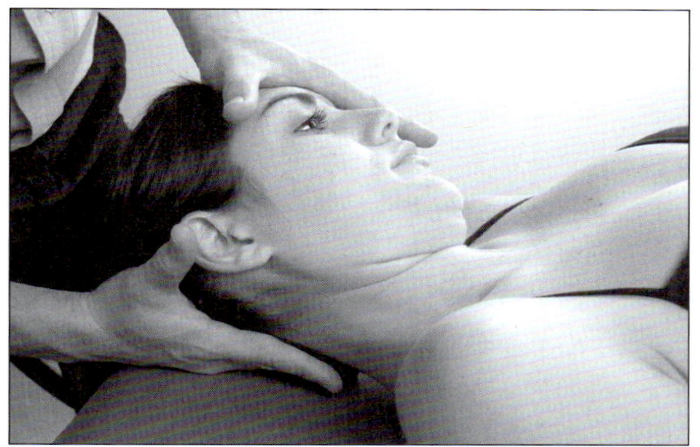

그림 12-64 ■ 굴곡 시 두개경추의 이동화 기술 (편측 변형).

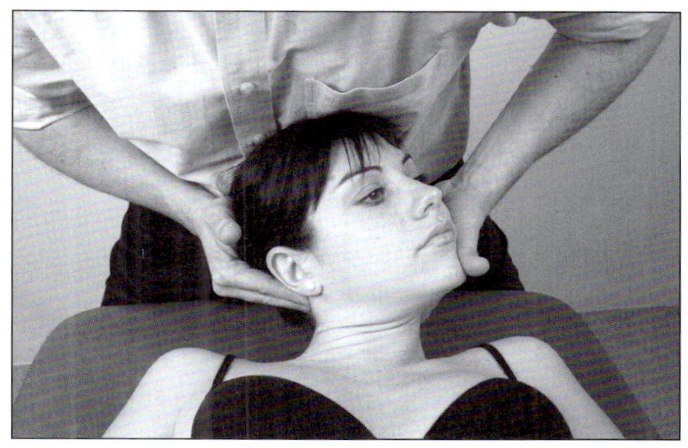

그림 12-66 ■ C0-C1의 전내측 제한을 위한 이동.

맞출 수 있다(그림 12-64).

후두-경추1번 관절의 생리학적 측면굽힘 움직임 (그림 12-65).

목표: 후두부와 환추 사이의 측면굽힘 움직임 개선.

치료사의 위치: 환자의 머리 옆에 선다.

환자의 자세: 앙와위.

절차: 치료사는 두 손으로 후두부 양쪽을 잡고 머리 꼭대기가 자신의 복부에 닿도록 유지한다. 가운데 손가락은 유양돌기와 하악의 오름가지 사이에 위치한 환추의 횡돌기에 배치된다. 그런 다음, 치료사는 리드미컬하고 반복적인 방식으로 경추1번에 대한 후두부에 측면굽힘을 적용한다. 이 움직임의 진폭은 감지할 수 있지만 작다.

후두-경추1번의 전내측 및 후외측 제한을 위한 가동.

이 기술은 후두-경추1번의 전내측 또는 후외측 제한을 치료하기 위해 관절돌기의 전후 활주를 달성하기 위해 관절 검사를 사용한다.

예: **후두부의 오른쪽 전내측 제한(그림 12-66).** 치료사는 오른손을 후외측으로 오른쪽 후두골에 대고 손가락으로 가리키도록 한다. 오른손은 환자의 머리를 잡고 측두엽을 덮고 엄지손가락은 광대활과 환자의 뺨을 지지한다.

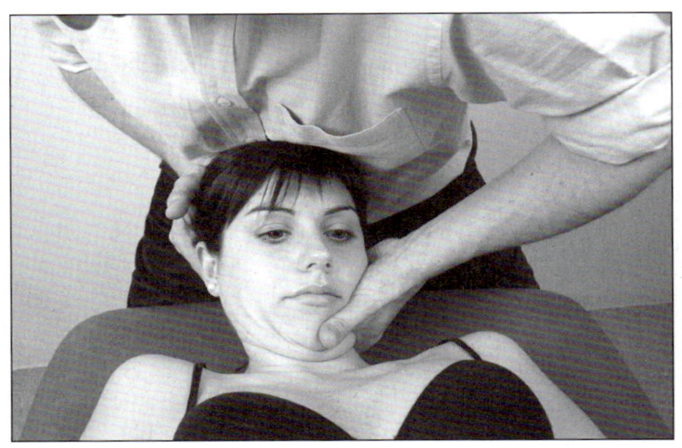

그림 12-67 ■ C0-C1의 후외측 제한을 위한 이동.

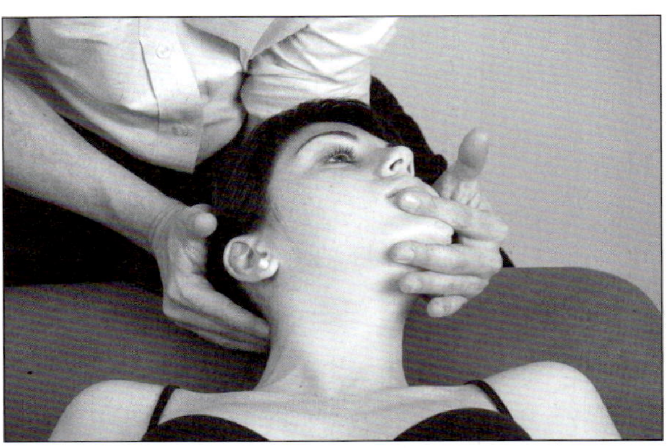

그림 12-68 ■ 전내측 C0-C1 이동성 제한을 위한 근육 에너지 기술.

치료사는 왼쪽으로 30°의 경추 회전을 도입한 다음 오른손으로 오른쪽 후두골을 전방 및 내측 방향으로 적용한다(신전, 오른쪽 측면굽힘 및 왼쪽 회전이 필요함). 이 방법은 리드미컬하고 반복적인 방식으로 수행된다.

예: **후두부의 오른쪽 후외측 제한(그림 12-67).** 치료사는 오른쪽 후두부에 오른손을 후외측으로 놓고 손가락이 그 방향을 가리키도록 한다. 왼손은 환자의 머리를 잡고 얼굴 부위에 펴고 엄지손가락을 턱에 대고 있는다. 치료사는 왼손으로 경추를 왼쪽으로 30° 회전시킨 다음, 왼손으로 오른쪽 후두골을 후방 및 측면 방향으로 움직인다. 이 방법은 리드미컬하고 반복적인 방식으로 수행된다.

전내측 후두-경추1번 이동성 제한을 위한 근육 에너지 기술(그림 12-68).

후두-경추1번의 오른쪽 전내측 제한을 보여준다.

목표: 전내측 후두부 움직임 제한의 치료.

치료사의 위치: 테이블의 오른쪽 가장자리에 환자의 머리 옆에 앉는다.

환자의 자세: 앙와위 자세.

절차: 치료사의 왼손은 검지와 중지로 환자의 턱을 잡고 왼쪽 팔뚝은 왼쪽 얼굴 부위에 둔다. 오른손은 후두골을 가로로 잡고 첫 번째 가락사이관절은 후두하 부위에 위치한다. 신전 및 약간의 측면굽힘 지표가 후두부에 도입되어 후두부가 오른쪽에서 왼쪽으로 이동한다. 환자는 후두부 굴곡(이것은 턱을 가슴으로 가져옴) 쪽으로 수축을 수행하거나 치료사가 제공한 저항에 대해 3~5초 동안 왼쪽 측면굽힘을 하도록 요청할 수 있다. 이완 후에는 신전, 오른쪽 측면굽힘 및 후두부의 약간의 왼쪽 회전에 대한 추가 움직임이 유도된다. 이 과정을 3~5회 반복한다. 환자는 아래머리빗근(하두사근)의 활성 수축을 달성하기 위해 안구 움직임 근육을 활성화해야 한다. 예를 들어, 후두 굴곡을 달성하기 위해 환자에게 발을 보도록 요청할 수 있다.

후외측 후두-경추1번 이동성 제한을 위한 근육 에너지 기술(그림 12-69).

오른쪽 후외측 후두-경추1번 제한을 예로 보여준다.

목표: 후외측 후두부 움직임 제한의 치료.

치료사의 위치: 환자의 머리 옆에 앉는다.

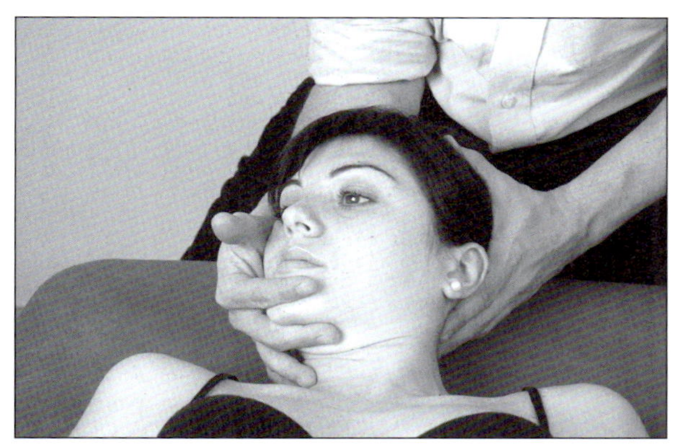

그림 12-69 ■ 후외측 C0-C1 이동성 제한을 위한 근육 에너지 기술.

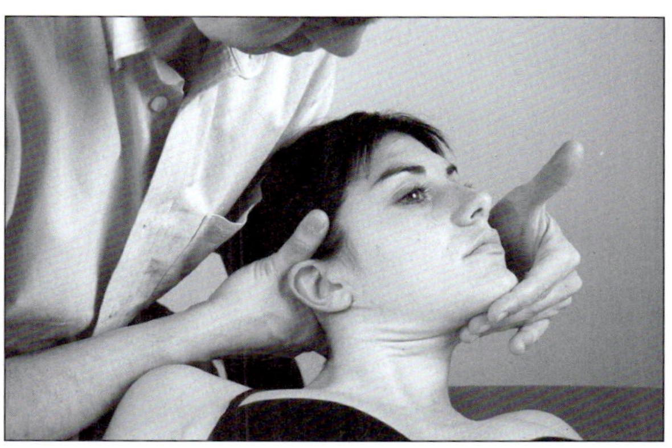

그림 12-70 ■ 전내측 C0-C1 이동성 제한을 위한 추력 조작.

환자의 자세: 앙와위.

절차: 치료사의 오른손은 검지와 중지로 환자의 턱을 잡고 오른쪽 팔뚝은 오른쪽 얼굴 부위에 놓는다. 왼손은 후두골을 가로로 잡고 첫 번째 가락사이관절이 후두부 영역에 위치한다. 굴곡 및 약간의 왼쪽 굽힘 지표가 후두부에 도입되고 후두부가 왼쪽에서 오른쪽으로 이동한다. 환자는 후두부의 신전(턱을 가슴으로 가져옴) 쪽으로 수축하거나 치료사가 제공하는 저항에 대해 3~5초 동안 오른쪽 측면굽힘을 하도록 요청할 수 있다. 이완 후에는 굴곡, 왼쪽 측면굽힘 및 후두골의 약간의 오른쪽 회전에 대한 추가 움직임이 유도된다. 이 과정을 3~5회 반복한다. 환자는 아래머리빗근(하두사근)의 능동적 수축을 달성하기 위해 안구 움직임 근육을 활성화해야 한다. 예를 들어, 후두골의 신전을 달성하기 위해 환자에게 눈을 위로 향하게 할 수 있다.

전내측 후두-경추1번 이동성 제한을 위한 추력 조작

(그림 12-70).

목표: 후두-경추1번의 전내측 기능장애 치료.

치료사의 위치: 환자의 머리 옆에 선다.

환자의 자세: 앙와위.

절차: 치료사는 왼쪽 팔뚝으로 환자의 왼쪽 측두부를 감싸고 그 손의 손가락으로 환자의 턱을 잡는다. 오른쪽 검지의 내측 또는 근위지골의 요골 경계와 접촉은 오른쪽 유양돌기의 후방 및 내측 부분에 설정된다. 치료사는 추력 방향으로 테이블의 오른쪽 모서리로 이동한 다음 약간의 경추 굴곡 요소를 도입하고 환자의 머리와 치료사의 복부를 접촉하여 그립을 안정화한다. 그런 다음, 치료사는 약간의 신전, 오른쪽 측면굽힘 및 왼쪽으로 약간의 회전을 도입한다. 그런 다음, 치료사는 후두돌기의 관절면을 따라 전내측이 될 추력 방향으로 팔뚝을 엄지와 정렬한다. 추력은 이동 제한이 감지되는 지점에서 오른손으로 수행된다.

고령자에서 두개경추 부위에 대한 추력 기술은 권장되지 않는다.

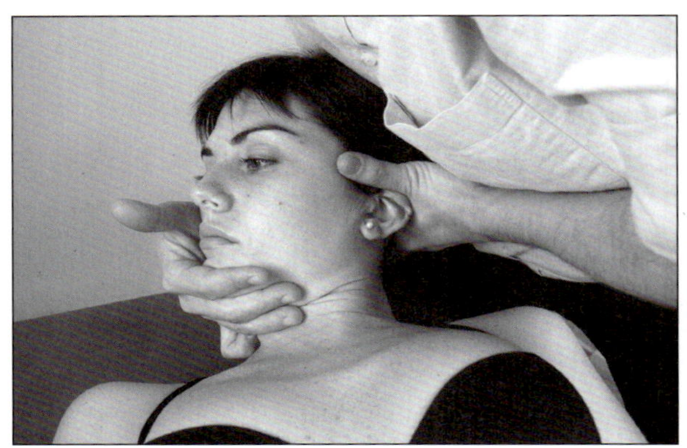

그림 12-71 ▪ 후외측 C0-C1 이동성 제한을 위한 추력 조작.

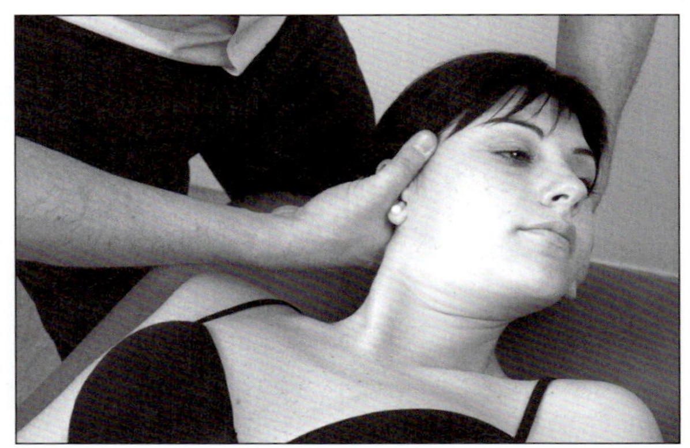

그림 12-72 ▪ 탈응집에서 C0-C1 관절의 조작.

후외측 후두-경추1번 이동성 제한을 위한 추력 조작 (그림 12-71).

후두-경추1번의 오른쪽 후내측 제한이 예로 표시된다.

목표: 후두-경추1번의 후내측 제한 치료.

치료사의 위치: 환자의 머리 옆에 선다.

환자의 자세: 앙와위.

절차: 치료사는 오른쪽 팔뚝으로 환자의 오른쪽 측두부를 감싸고 그 손의 손가락으로 환자의 턱을 잡는다. 왼쪽 검지의 내측 또는 근위지골의 요골 경계와 접촉은 왼쪽 유양돌기의 후방 및 외측 부분에 설정된다. 치료사는 추력 방향으로 테이블의 왼쪽 모서리로 이동한 다음 약간의 경추 굴곡 요소를 도입하고 환자의 머리와 복부를 접촉하여 그립을 안정화한다. 그 후 치료사는 약간의 굴곡, 왼쪽 측면굽힘 및 오른쪽으로 약간의 회전을 도입한다. 그런 다음, 치료사는 후두돌기의 관절면을 따라 전상방이 되는 추력 방향으로 팔뚝을 엄지와 정렬한다. 추력은 움직임 제한이 감지되는 지점에서 양손으로 수행된다. 이 경우, 반대측 돌기에서 이동성이 제한된 돌기 쪽으로 이동을 하기 때문에 간접적인 방법이다.

변형: 치료사는 오른쪽 회전과 관련된 두개경추 굴곡을 도입한다.

후두-경추1번 관절의 간격 조작(그림 12-72).

왼쪽 돌기의 예.

목표: 후두-경추1번 관절의 간격. 적용된 힘은 매우 적고 속도는 낮거나 중간이다.

치료사의 위치: 환자의 오른쪽에 선다.

환자의 자세: 앙와위 자세.

절차: 치료사는 환자의 머리를 왼쪽으로 돌린 다음 환자의 오른쪽 유양돌기의 아래쪽과 측면 부분에 오른쪽 검지 손가락의 요골 경계를 놓는다. 다른 손은 왼쪽 측두두정 영역을 안는다. 약간의 저항이 감지될 때까지 머리의 약간 오른쪽 측면굽힘 지표가 도입된다. 측면굽힘 및 지표는 연조직의 장력에 의한 후두-경추1번 관절의 이동성 제한을 방지하기 위해 감소되어야 한다. 이 위치에서 오른손으로 매우 짧은 추력이 머리 방향과 약간 내측으로 적용되어 왼쪽 후두-경추1번 관절의 간격을 달성한다.

경추1번-경추2번 분절*(C1-C2 segment)*

앙와위에서 회전 시 경추1번-경추2번의 생리학적 움직임(그림 12-73).

목표: 회전하는 축추과 관련하여 환추를 가동한다.

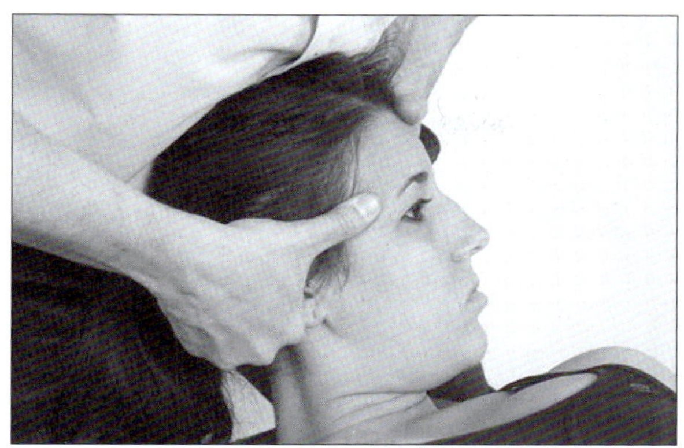

그림 12-73 ■ 앙와위에서 회전하는 C1-C2의 생리학적 움직임.

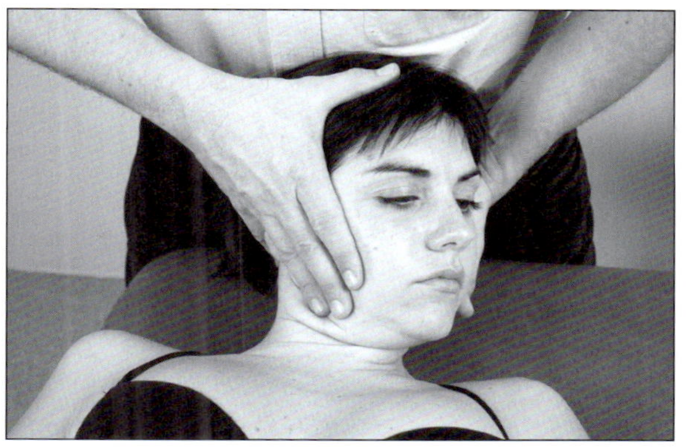

그림 12-74 ■ 회전 시 C1-C2 기능장애어 대한 근육에너지 기술.

치료사의 위치: 환자의 머리 옆에 선다.

환자의 자세: 앙와위 자세.

절차: 치료사는 이전에 하부 경추의 회전 능력을 제한하기 위해 경추를 약간 굽힌 상태로 위치시킨다. 이런 식으로 치료사는 주로 경추1번-경추2번 레벨에 회전에 초점을 맞춘다. 검지 손가락은 움직임을 모니터링하기 위해 후두 아래 환추의 후궁에 배치한다. 엄지는 그립을 안정시키기 위해 환자의 정수리 뼈 높이에 위치한다. 그런 다음 리드미컬하고 반복적으로 해당 측으로 회전을 수행하여 점진적으로 통증이 없는 움직임 범위를 찾는다.

회전 시 경추1번-경추2번 기능장애에 대한 근육 에너지 기술(그림 12-74).

예를 들어, 왼쪽 회전으로의 움직임이 제한되는 경추1번-경추2번의 기능장애.

목표: 회전에서 경추1번-경추2번 움직임의 제한을 치료한다.

치료사의 위치: 환자의 머리 옆에 선다.

환자의 자세: 앙와위.

절차: 치료사는 환자의 머리를 양손으로 잡고 경추 하부 분절의 이동성을 줄이기 위해 약 30° 경추 굴곡을 도입한다. 그런 다음, 치료사는 움직임에 약간의 제한이 감지될 때까지 환자의 머리를 왼쪽으로 회전시킨다. 환자는 치료사의 저항에 맞서 3~5초 동안 머리를 오른쪽으로 돌리도록 한다. 이완 후 이등 제한에 도달한다. 이 과정을 3~5회 반복해야 한다. 환자에게 경추 근육의 수축을 달성하기 위해 안구 움직임 근육을 활성화하도록 요청할 수 있다(예: 환자에게 오른쪽을 바라보도록 요청하면 경추 근육이 오른쪽 회전으로 수축됨).

결합된 생리학적 가동 굴곡, 회전 및 반대쪽 측면굽힘 경추1번-경추2번(그림 12-75).

목표: 측면굽힘을 사용하여 축추의 회전(예제에서 왼쪽으로)을 기준으로 환추를 가동한다. 왼쪽 두개경추에 간격 효과를 얻는다.

치료사의 위치: 환자의 머리 옆에 선다.

환자의 자세: 앙와위.

절차: 치료사는 주로 경추1번-경추2번 위치에서 회전에 초점을 맞추고 하부 경추의 회전 능력을 제한하기 위해 경추를 약간의 굴곡 상태로 위치시킨다. 검지손가락은 움직임을 모니터링하기 위해 후두 아래 환추의 후궁에 놓는다. 엄지는 그립을 안정시키기 위해 환자의 정수리 뼈 높이에 위치한다. 그런 다음 두개

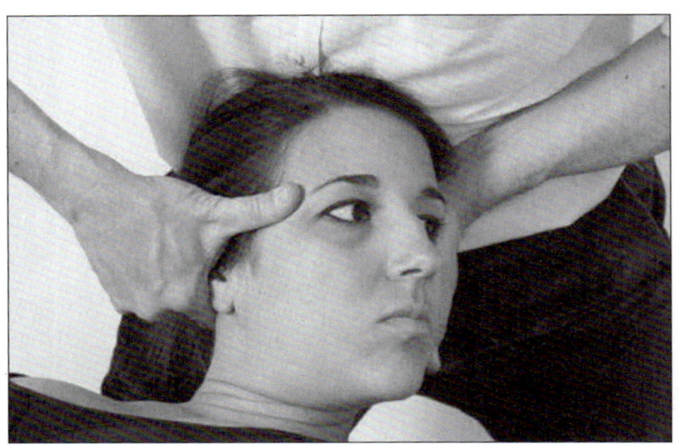

그림 12-75 ■ 굴곡, 회전 및 반대쪽 측면굽힘 C1-C2에서 결합된 생리적 이동.

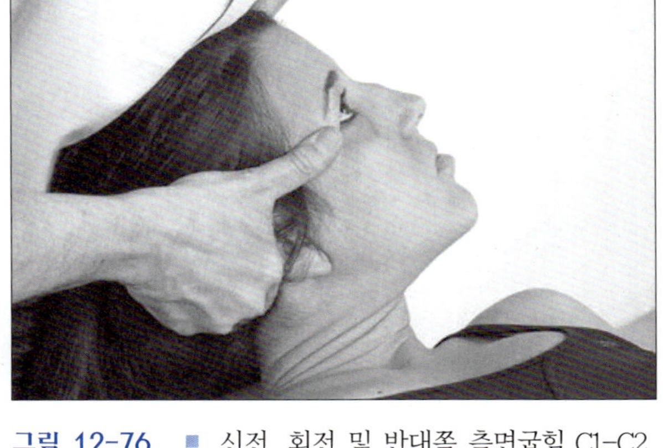

그림 12-76 ■ 신전, 회전 및 반대쪽 측면굽힘 C1-C2에서 결합된 생리적 이동.

경추 굴곡은 끝 범위에 도달하지 않고 왼쪽으로 회전하면서 적용된다. 이 위치에서 경추1번을 중심으로 리드미컬한 진동 측면굽힘 동작이 수행된다. 움직임은 환자의 상태에 따라 다양한 진폭으로 수행될 수 있다.

신전, 회전 및 반대쪽 측면굽힘 경추1번-경추2번에서 결합된 생리학적 가동(*그림 12-76*).

목표: 측면굽힘을 사용하여 축추의 회전(예제에서 왼쪽으로)을 기준으로 환추를 가동한다.

치료사의 위치: 환자의 머리 옆에 선다.

환자의 자세: 앙와위.

절차: 치료사는 주로 경추1번-경추2번 위치에서 회전에 초점을 맞추고 하부 경추의 회전 능력을 제한하기 위해 경추를 약간 굽힌 상태로 위치시킨다. 검지 손가락은 움직임을 모니터링하기 위해 후두 아래 환추의 후궁에 놓는다. 엄지는 그립을 안정시키기 위해 환자의 정수리 뼈 높이에 위치한다. 그런 다음 왼쪽으로의 적당한 두개경추 신전과 회전이 적용된다. 이 위치에서 경추1번을 중심으로 오른쪽으로 리드미컬한 반복적인 측면굽힘 동작을 수행한다. 움직임은 환자의 상태에 따라 다양한 진폭으로 수행될 수 있다.

제한된 경추1번-경추2번 회전을 위한 움직임 기술을 사용한 가동(*그림 12-77*).

목표: 경추1번-경추2번 관절 분절의 제한된 회전을 치료한다.

치료사의 위치: 환자의 머리 옆에 선다.

환자의 위치: 앉은 자세.

절차: 경추1번-경추2번이 오른쪽으로 제한된 회전의 경우가 예로 사용된다. 환자의 약간 앞쪽에 위치한 치료사는 오른손 세 번째 손가락의 손바닥 쪽을 경추1번의 왼쪽 후궁에 놓는다. 왼손으로 환자의 머리를 약간 신전시킨다. 접촉 지점에서 오른손으로 전방 및 머리 방향으로 압력을 가한다. 이 압력을 유지하면서 환자는 오른쪽으로 점진적인 경추 회전을 5~10회 수행하여 마침내 최대 통증 없는 범위에 도달한다. 이 움직임 동안 치료사는 관절면을 따라 압력을 유지하여 환자의 능동적인 회전을 동반한다. 두 번째 단계에서 환자는 왼쪽 회전 방향으로 여러 번 되돌아가도록 요청받고 치료사는 최대 오른쪽 회전에서 경추1번의 후궁을 손가락으로 안정화한다.

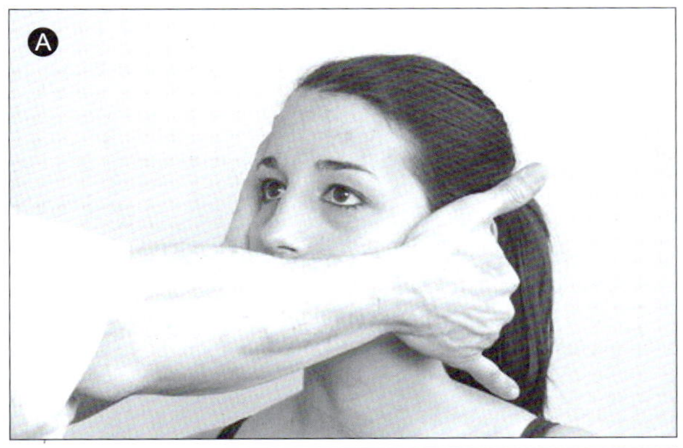

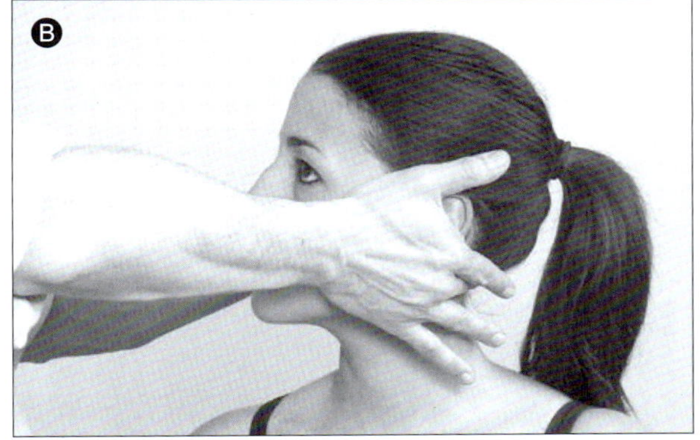

그림 12-77 ■ (A, B) 제한된 C1-C2 회전을 위한 움직임 기술을 사용한 이동.

회전에서 경추1번-경추2번의 추력 조작

(그림 12-78).

왼쪽 회전으로의 움직임이 제한되는 환추의 기능장애가 이 예에서 사용된다.

목표: 회전 중인 환추에 대한 이동성 평가 검사에 의해 밝혀진 회전 중인 환추의 기능장애를 수정한다.

치료사의 위치: 환자의 머리 옆에 선다.

환자의 자세: 앙와위 자세.

절차: 치료사는 왼쪽 팔뚝으로 환자의 왼쪽 측두엽을 감싸고 그 손의 손가락으로 환자의 턱을 잡는다. 오른쪽 검지 손가락의 내측 또는 근위지골의 요골 경계와 접촉은 환추의 오른쪽 후궁에 놓는다. 치료사는 추력 방향으로 테이블의 오른쪽 모서리로 이동한 다음 목에 약간의 경추 굴곡과 머리의 측면굽힘 요소를 도입한다. 회전 추력의 진폭을 제한하기 위해 이 오른쪽 측면굽힘 구성요소를 유지하는 것이 중요하다. 그 후, 환추의 후궁에 위치한 접촉점 아래의 장력이 감지될 때까지 환자의 머리를 왼쪽으로 회전시킨다. 그런 다음 치료사는 환자의 입쪽을 향한 추력 방향으로 팔뚝을 엄지손가락과 정렬한다. 이것은 약간의 경추 굴곡과 중립 위치 모두에서 수행될 수 있는 회전에서 매우 작은 진폭 추력이다(그림 12-79). 치료사는 척추 동맥을 손상시킬 수 있으므로 두개경추를 신전시키는 것을 피해야 한다.

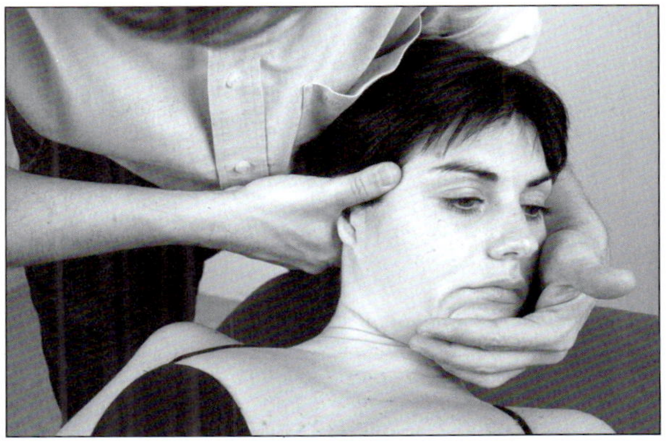

그림 12-78 ■ 회전 시 C1-C2 관절의 추력 조작.

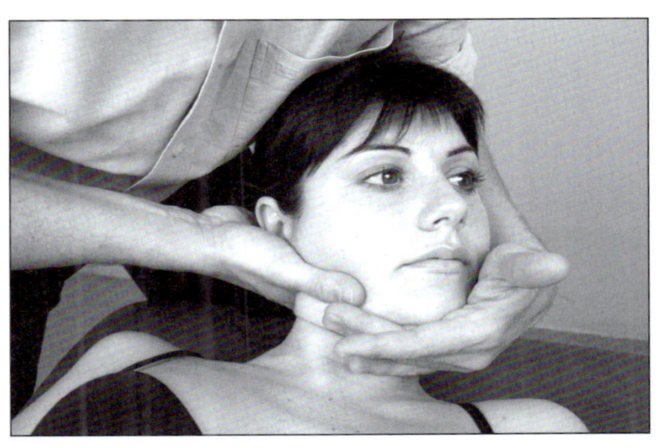

그림 12-79 ■ 중립 위치에서 회전하는 C1-C2의 추력 조작.

경흉추
CERVICOTHORACIC SPINE

경흉추의 평가
(Assessment of the cervicothoracic spine)

앉은 자세에서의 평가

경흉추의 이동성 평가.

목표: 굴곡–신전, 측면굽힘 및 경추 회전에서 경흉추 이동성을 평가한다.

치료사의 위치: 환자 뒤에 선다.

환자의 자세: 앉은 자세.

절차: 굴곡을 평가하기 위해 치료사는 환자의 이마에 한 손을 놓고 다른 손을 경흉추 높이에 놓고 손끝으로 경추7번과 흉추1번과 흉추1번과 흉추2번 사이의 극간 공간을 모니터링한다. 그 후 치료사는 이마에 한 손으로 경추 굴곡 움직임을 도입하고 다른 손으로 극간 공간의 개방을 감지한다(그림 12–80). 신전을 평가하기 위해 치료사의 손이 같은 위치를 취한다. 이 경우, 치료사는 환자에게 상부 경추의 움직임을 줄이기 위해 이중 턱 움직임을 수행하도록 요청한다. 이 위치에서 한 손으로 이마에 경추 신전이 도입되고 다른 손으로 극간 공간의 폐쇄가 감지된다(그림 12–81). 측면굽힘(그림 12–82)과 회전(그림 12–83)을 평가하기 위해 치료사는 한 손을 이마에 대고 다른 손의 두 번째 및 세 번째 손가락을 평가

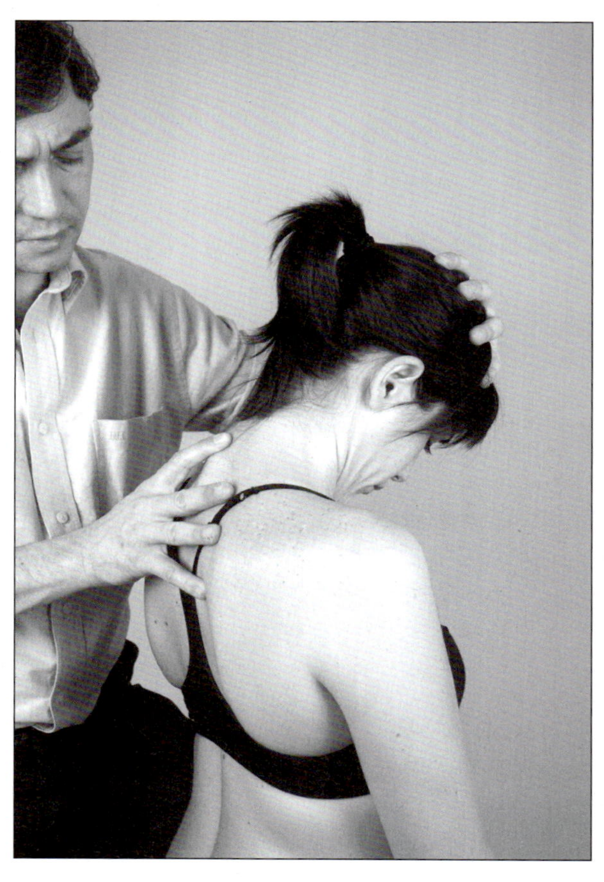

그림 12–80 ■ 앉은 자세에서 경흉추의 굴곡 이동성 평가.

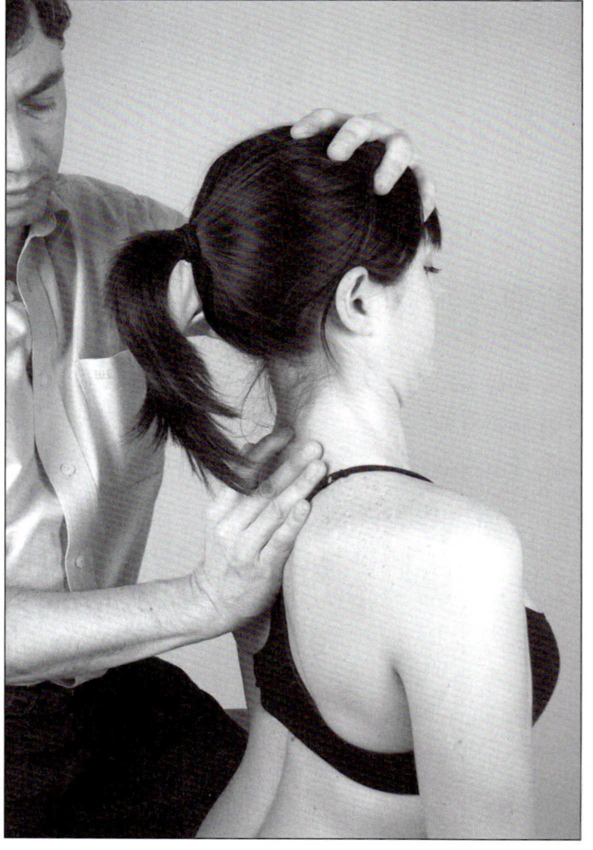

그림 12–81 ■ 앉은 자세에서 경흉추의 신전 이동성 평가.

할 척추의 극돌기 양쪽에 놓는다. 경추에 약간의 굴곡이 도입되며, 한 손은 정면 뼈에 놓고 동측 방향으로의 경사, 회전 또는 두 움직임의 조합과 관련된다. 다른 한 손으로 치료사는 측면굽힘-회전 움직임과 반대 방향으로 움직일 극돌기의 움직임을 관찰한다.

측면 누운자세의 평가.

목표: 경흉추와 흉추의 모든 면에서 대략 흉추4번 레벨까지의 이동성을 평가한다.

치료사의 위치: 환자의 앞.

환자의 위치: 치료사를 바라보는 측면 수평 위치.

절차: 치료사는 한 손으로 환자의 머리를 후두부 높이로 잡고 치료사의 이두근으로 이마를 지지한다. 다른 한 손은 극돌기를 촉진하고 치료사의 팔로 환자의 흉추를 안정화시켜 경흉추 부위의 이동성을 평가한다.

굴곡-신전(그림 12-84)을 평가하기 위해 치료사는 검지를 극간 공간 사이에 놓고 굴곡 시 개방과 신전 시 폐쇄를 관찰한다. 측면굽힘을 평가하기 위해(그림 12-85) 치료사는 측면굽힘이 수행되는 쪽에서 극돌기와 관련하여 측면에 배치된 엄지로 움직임을 인지한다. 회전을 평가하기 위해(그림 12-86) 엄지손가락은 이전 동작과 동일한 위치에 배치된다. 대안적으로, 치료사는 회전 반대측에 검지를 놓을 수 있다.

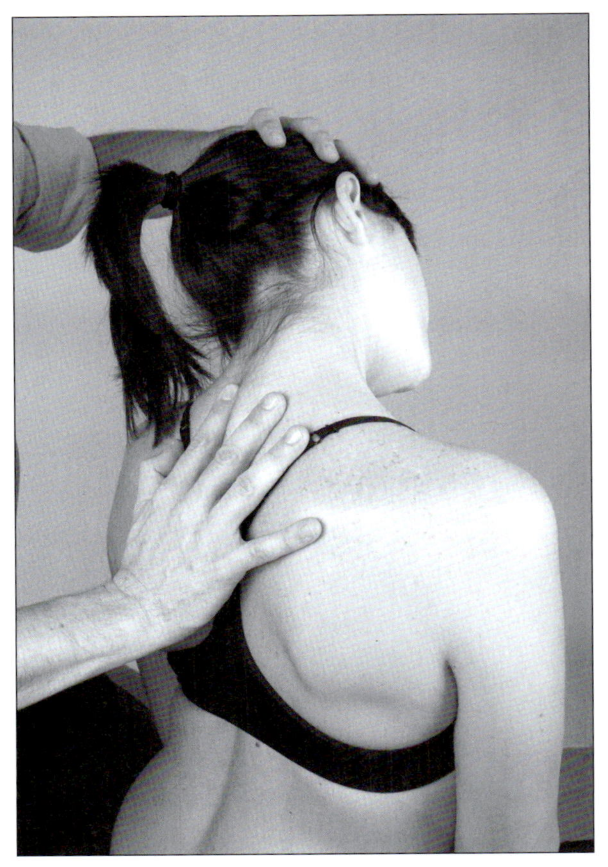

그림 12-82 ■ 앉은 자세에서 경흉추의 측면굽힘 이동성 평가.

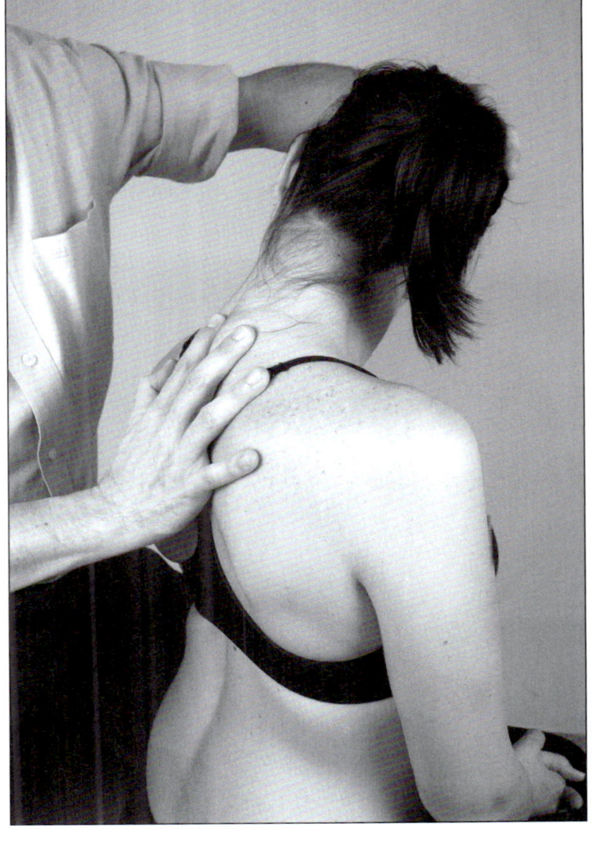

그림 12-83 ■ 앉은 자세에서 경흉추의 회전 이동성 평가.

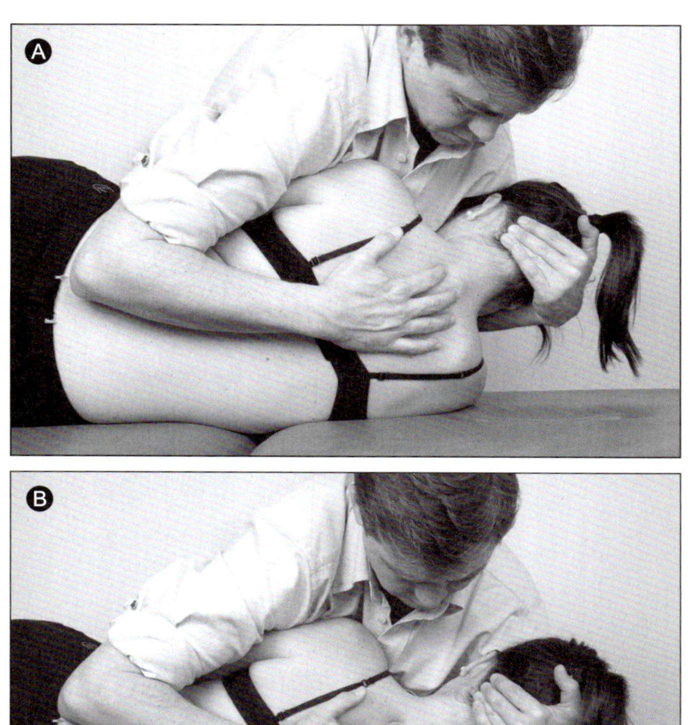

그림 12-84 ■ 측면 누운자세에서 경흉추의 굴곡(A) 및 신전(B) 이동성 평가.

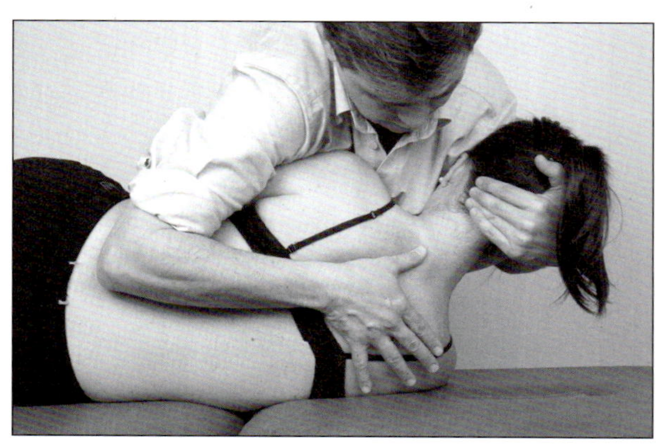

그림 12-85 ■ 측면 누운자세에서 경흉추의 측면굽힘 이동성 평가.

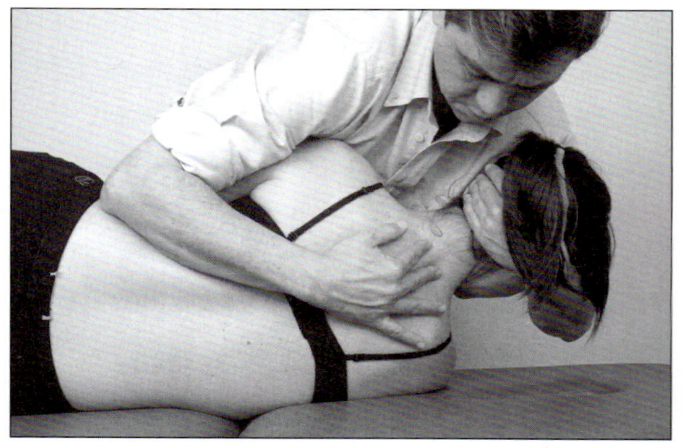

그림 12-86 ■ 측면 누운자세에서 경흉추의 회전 이동성 평가.

경흉추의 치료 기술
(Treatment techniques in the cervicothoracic spine)

근육 에너지 기술(*Muscle energy techniques*)

확산 관절 기능장애 패턴에 대한 근육 에너지 기술 (그림 12-87).

왼쪽 확산 기능장애의 예.

목표: 확산 움직임 제한을 치료한다.

치료자의 위치: 환자 앞에 선다.

환자의 자세: 앉은 자세.

절차: 치료사는 오른손으로 후두부를 감싸고 팔로는 환자의 이마를 받친다. 왼손의 두 번째 및 세 번째 손가락은 기능장애 분절의 극돌기의 양쪽에 놓는다. 치료사는 왼손으로 움직임 제한을 인지할 때까지 오른손으로 경흉추의 굴곡, 오른쪽 측면굽힘 및 오른쪽 회전을 도입한다. 이 위치에서 치료사는 환자에게 신전, 왼쪽 측면굽힘 및 왼쪽 회전에서 3~5초의 등척성 수축을 수행하도록 한다. 각 등척성 수축 후에 치료사는 항상 조직 반응에 따라 기능장애를 교정하는 방향으로 진행한다.

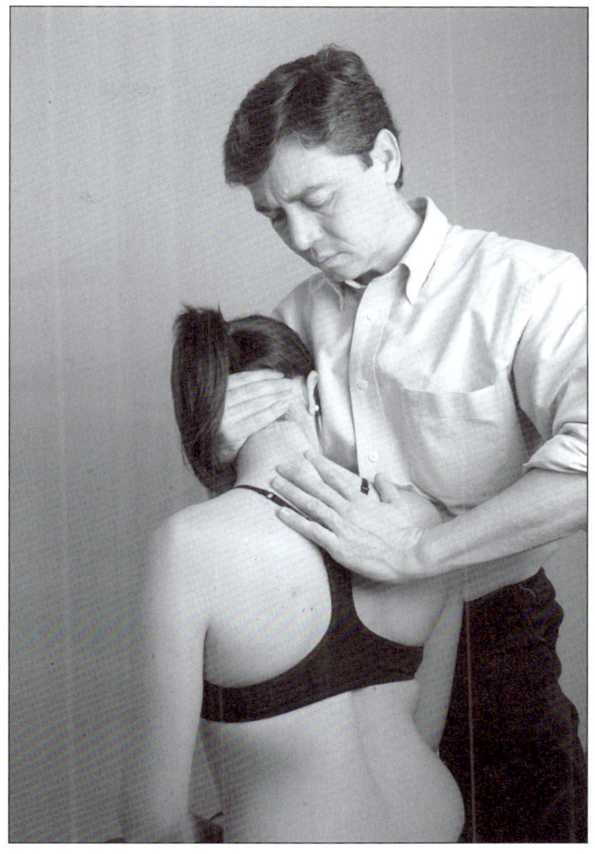

그림 12-87 ■ 확산 관절 기능장애 패턴에 대한 근육 에너지 기술.

수렴 관절 기능장애 패턴에 대한 근육 에너지 기술 (그림 12-88).

목표: 수렴 움직임 제한을 치료한다.

치료사의 위치: 환자 뒤에 선다.

환자의 자세: 앉은 자세.

절차: 치료사는 기능장애가 있는 척추 아래 척추의 오른쪽 횡돌기에 오른손을 놓는다. 환자 머리의 전두두정 부위에 왼손을 놓고 움직임 제한을 인지할 때까지 경흉추에 신전, 회전 및 오른쪽 측면굽힘 구성요소를 도입한다. 이 위치에서 환자는 3~5초 동안 굴곡, 회전 및 왼쪽 측면굽힘에서 등척성 수축을 수행한다. 각 등척성 수축 후에 치료사는 항상 조직 반응에 따라 이동성 제한 방향으로 진행한다.

앉은 자세에서 경흉추의 기능장애의 조작.

예를 들어, 흉추1번에 대한 경추7번의 측면굽힘 및 오른쪽 회전에 대한 제한이 있는 기능장애를 보여준다.

목표: 오른쪽 회전과 오른쪽 측면굽힘을 향한 경추7번의 이동성에 대한 제한을 수정한다.

치료사의 위치: 환자 뒤.

환자의 자세: 앉은 자세.

절차: 치료사가 환자 뒤에 서서 환자의 몸통을 흉골 부위로 고정한다. 오른손의 엄지는 경추7번의 오른쪽 극돌기에 위치한다(그림 12-89).

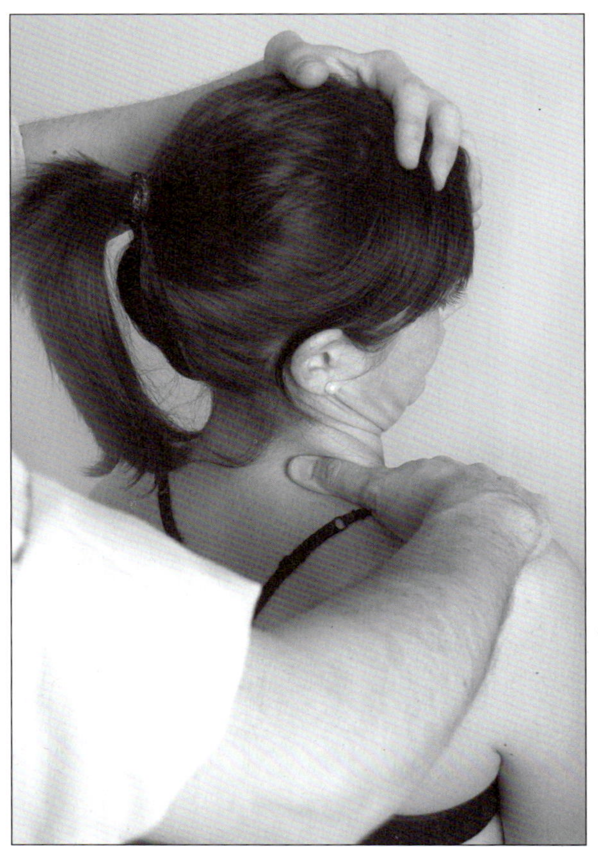

그림 12-88 ■ 수렴 관절 기능장애 패턴에 대한 근육 에너지 기술.

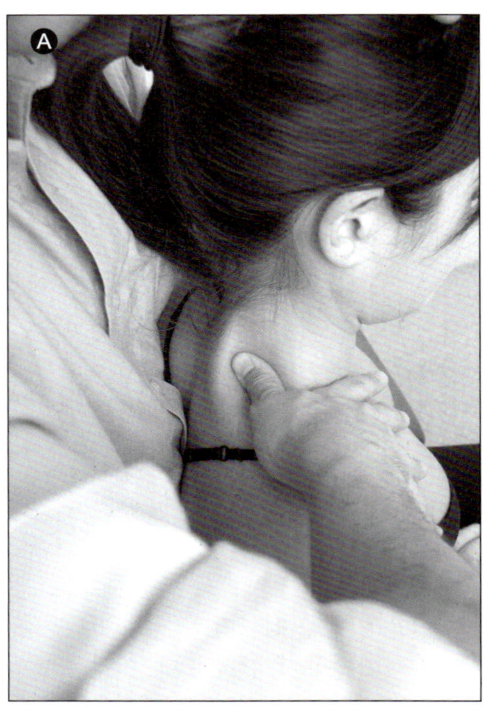

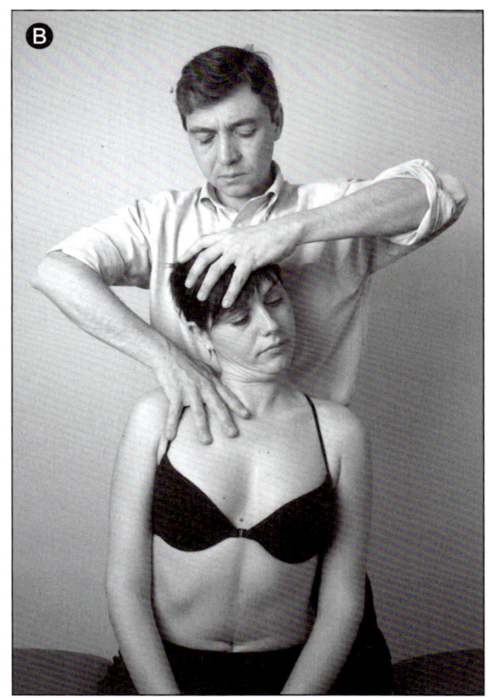

그림 12-89 ■ (A, B) 앉은 자세에서 경흉추의 기능장애 조작.

이 손의 나머지 손가락은 환자의 쇄골의 앞쪽 부분을 안는다. 치료사의 오른쪽 팔뚝은 추력 방향, 하내측 방향으로 비스듬히 향한다. 왼손은 환자의 왼쪽 측두두정 영역에 놓는다. 환자는 상부 경추를 고정하기 위해 이중 턱 움직임을 수행하도록 한다. 그런 다음 치료사가 경추7번의 극돌기가 오른손 엄지와 접촉한다는 것을 인지할 때까지 긴장에 필요한 지표를 왼손으로 인지한다. 이 위치에서 오른쪽 엄지손가락으로 환자의 왼쪽 겨드랑이 쪽으로 내측 방향으로 추력이 도입된다.

엎드린 자세에서 경흉추의 기능장애의 조작
(그림 12-90).

예를 들어, 경추7번의 왼쪽 회전 및 측면굽힘에 대한 제한이 있는 기능장애를 보여준다.

목표: 경추7번의 회전 및 왼쪽 측면굽힘에 대한 이동성 제한을 치료한다.

치료사 위치: 환자의 왼쪽에 선다.

환자의 자세: 머리를 중립 위치에 놓고 경추를 약간 굽힌 엎드린 자세. 경추 굴곡은 테이블의 머리 받침대를 낮추면 생길 수 있다.

절차: 치료사는 왼쪽 엄지손가락을 경추7번의 극돌기의 왼쪽 부분에 놓는다. 이 손의 나머지 손가락은 환자의 쇄골의 앞쪽 부분을 감싼다. 치료사의 왼쪽 팔뚝은 추력 방향, 하내측 방향으로 비스듬히 향한다. 오른손은 환자의 오른쪽 측두두정 영역에 놓는다. 그런 다음 치료사가 경추7번의 극돌기가 왼쪽 엄지손가락과 접촉한다는 것을 인식할 때까지 장력에 필요한 지표를 오른손으로(왼쪽 측면굽힘 및 약간의 오른쪽회전) 도입된다.

이 위치에서 왼쪽 엄지손가락으로 환자의 오른쪽 겨드랑이 쪽으로 내측 방향으로 추력이 도입된다. 오른손은 이 동작에 참여해서는 안 된다.

환자의 머리 옆에 서는 변형(그림 12-91): 선행 기술은 치료사가 환자의 머리 옆에 서서 수행할 수 있다. 수정을 위한 지표는 동일하다.

측면 누운자세에서 경흉추의 기능장애의 조작
(그림 12-92).

예를 들어, 경추7번의 왼쪽 회전 및 측면굽힘에 대한 제한이 있는 기능장애를 보여준다.

목표: 왼쪽 회전 및 측면굽힘을 향한 경추7번의 이동성 제한. 환자 앞에 서있는 치료사의 위치.

환자의 자세: 후방이 있는 쪽의 오른쪽 측면 누운자세는 안정성을 높이기 위해 무릎과 고관절을 굴곡시킨다.

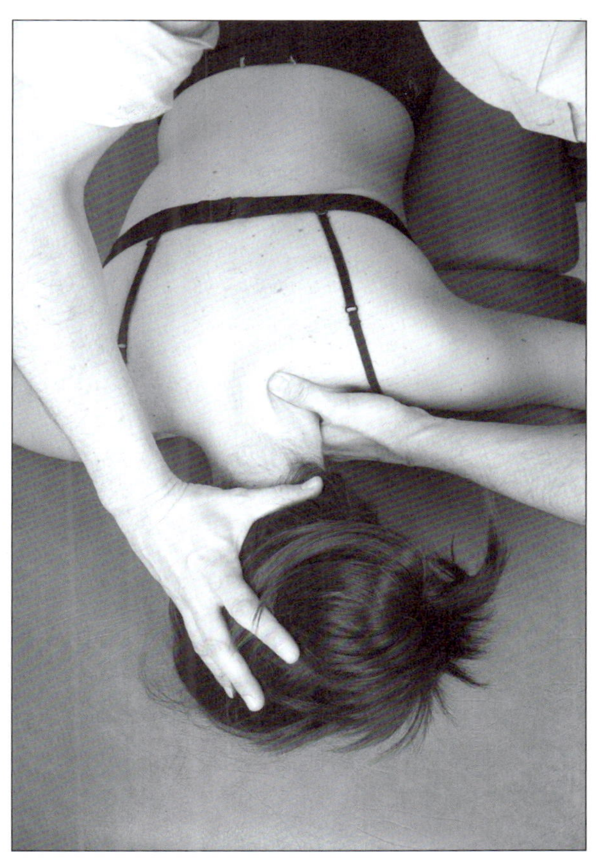

그림 12-90 ■ 엎드린 자세에서 경흉추의 기능장애 조작.

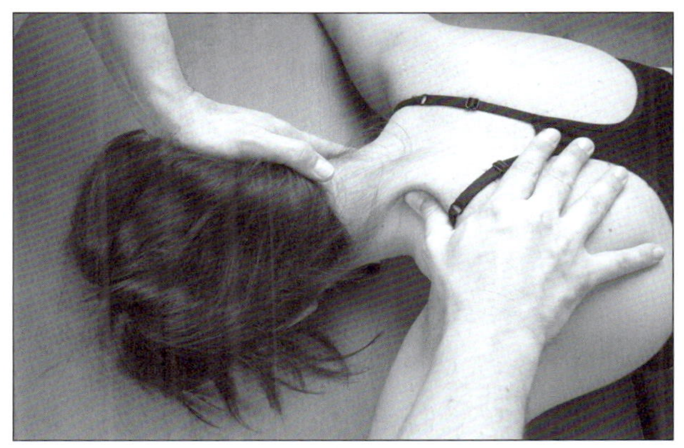

그림 12-91 ■ 환자의 머리 옆에 서서 엎드린 자세의 경흉추의 기능장애 조작.

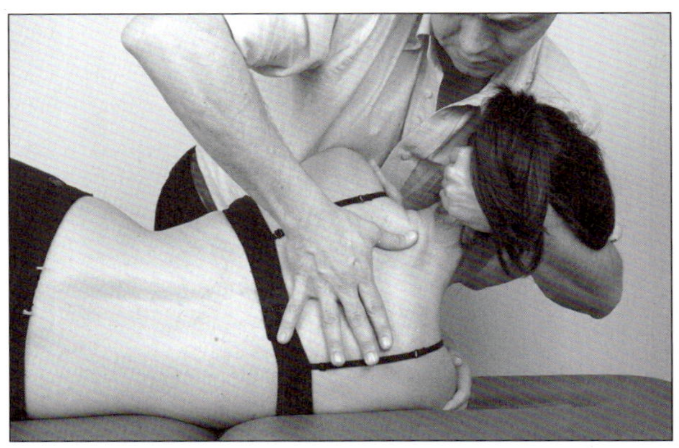

그림 12-92 ■ 측면 누운자세에서 경흉추의 기능장애 조작.

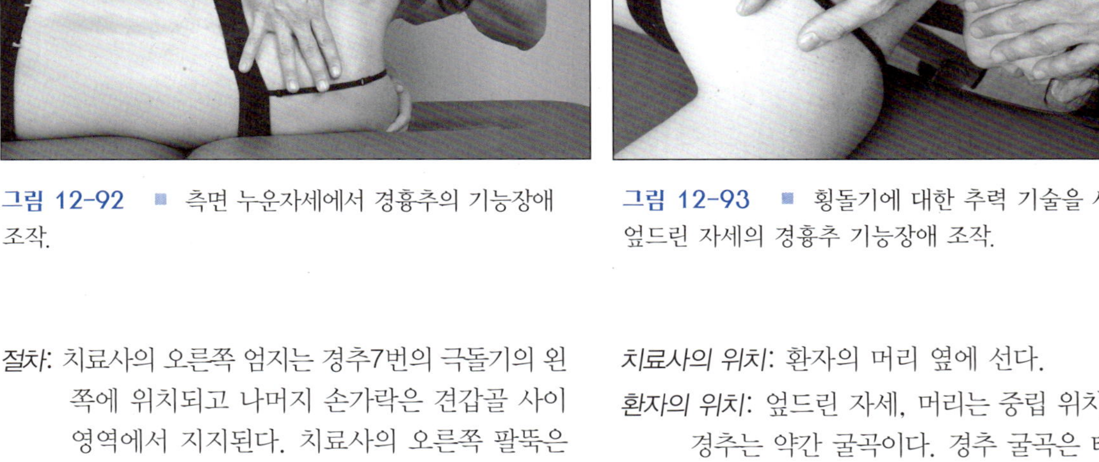

그림 12-93 ■ 횡돌기에 대한 추력 기술을 사용한 엎드린 자세의 경흉추 기능장애 조작.

절차: 치료사의 오른쪽 엄지는 경추7번의 극돌기의 왼쪽에 위치되고 나머지 손가락은 견갑골 사이 영역에서 지지된다. 치료사의 오른쪽 팔뚝은 추력 방향, 즉 환자의 오른쪽 어깨 쪽으로 비스듬히 향한다. 왼팔은 환자의 머리 아래 부분을 감싸고 그 손의 손가락은 후두부에 위치한다. 따라서 환자의 머리는 치료사의 왼팔에 의해 지지되고 치료사의 왼팔과 손은 머리의 무게를 지지한다. 치료사는 몸통으로 환자의 견갑대를 안정화시킨다. 그런 다음 치료사가 경추7번의 극돌기가 오른손과 접촉한다는 것을 인지할 때까지 장력에 필요한 지표를 왼손으로 도입한다. 오른손 엄지가 테이블을 향하게 한 상태에서 환자의 오른쪽 어깨 방향으로 추력이 도입된다.

횡돌기에 대한 추력 기법을 사용한 엎드린 자세의 경흉추 기능장애의 조작

(*그림 12-93*).

예를 들어, 흉추1번의 왼쪽 회전에 제한이 있는 기능장애가 표시된다. 이 기술을 사용하면 경흉추 외에 상부 흉추 분절(T2 - T3 및 T3 - T4)도 조작할 수 있다.

목표: 왼쪽 회전을 향한 흉추1번의 이동성 제한.

치료사의 위치: 환자의 머리 옆에 선다.

환자의 위치: 엎드린 자세, 머리는 중립 위치에 있고 경추는 약간 굴곡이다. 경추 굴곡은 테이블의 머리 받침을 낮추면 얻을 수 있다.

절차: 치료사는 흉추1번의 오른쪽 횡돌기에 오른손의 두상골을 놓는다. 왼손은 환자의 오른쪽 측두두정 부위에 편평하게 놓는다. 그 후, 치료사가 흉추1번의 횡돌기가 오른쪽 두상골과 접촉하는 것을 인식할 때까지 왼손으로 장력에 필요한 지표(왼쪽 측면굽힘 및 약간의 오른쪽 회전)를 도입한다. 이 장력 위치에서 환자의 오른쪽 겨드랑이쪽으로 후방 및 꼬리 방향을 향해 두상골로 추력이 수행된다.

환자 측면에 따른 변형(그림 12-94): 이 기술은 이전 기술과 유사하지만, 이 경우 치료사는 환자의 머리 옆에 있지 않고 환자와 관련하여 측면에 위치한다.

부수적 움직임 기술

(Accessory movement techniques)

경흉추 척추에서는 후전방 부수적 중심 추간 움직임(그림 12-95) 및 후전방 부수적 편측 움직임(그림 12-96) 기술과 같은 동일한 부수적 기술도 유용하다.

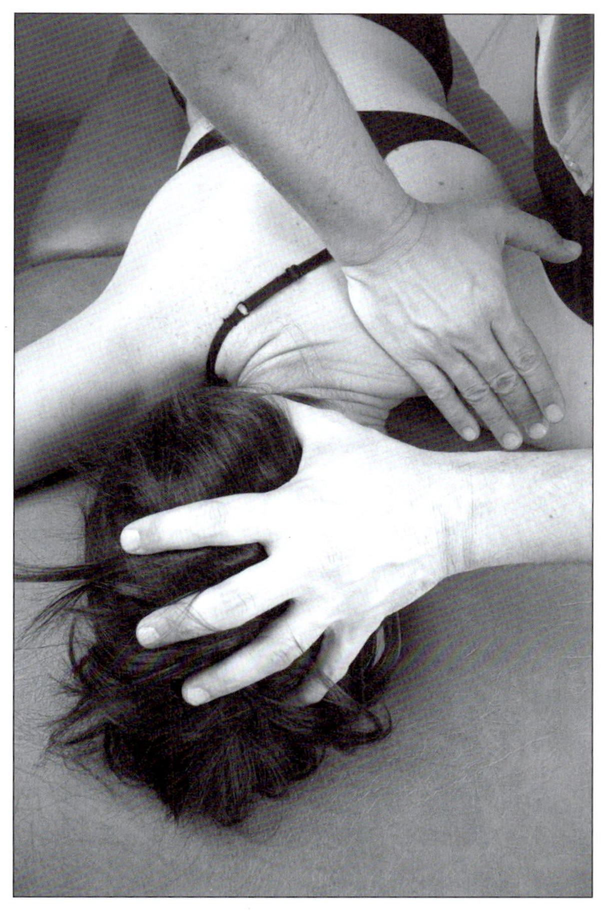

그림 12-94 ■ 횡돌기에 대한 추력 기술을 사용한 엎드린 자세의 경흉추 기능장애의 조작 – 환자의 측면에서의 변형.

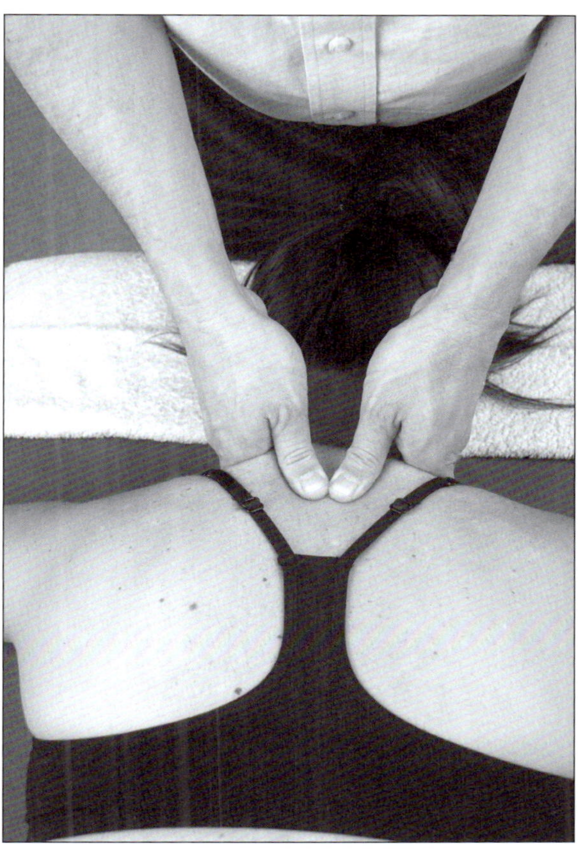

그림 12-95 ■ 경흉추의 후전방 부수적 중앙 추간판 움직임.

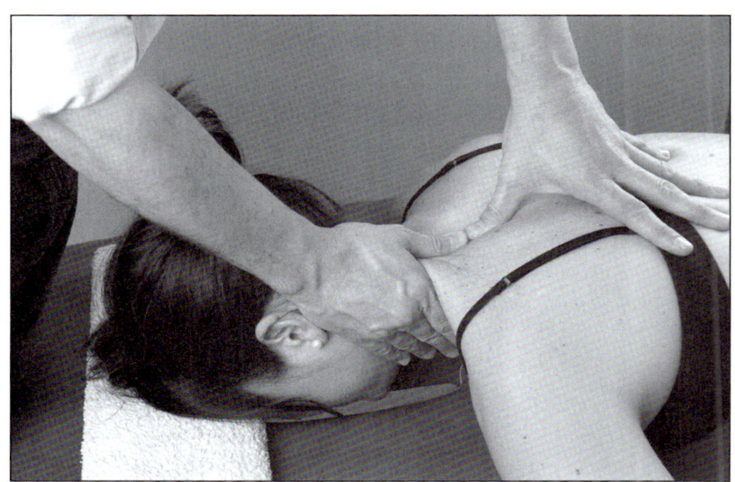

그림 12-96 ■ 경흉추에 대한 후전방 부수적 편측 추간 움직임.

진동 기술. 다음은 경흉추의 이동성을 증가시킬 수 있는 진동 기술의 두 가지 예이다.

경흉추의 후전방 활주(그림 12-97).

목표: 돌기사이관절면의 활주를 통해 아래 척추와 관련하여 척추를 이동한다.

치료사의 위치: 환자의 옆.

환자의 자세: 엎드린 자세.

절차: 치료사는 저이동성 척추 분절의 극돌기에 한 손으로 새끼두덩(hypothenar eminence)을 지지하고, 돌기사이관절면에서 머리방향 및 약간 앞쪽 방향으로 움직임을 적용한다.

경흉추의 횡방향 이동성(그림 12-98).

목표: 인접 척추의 안정화와 함께 경흉추에서 회전하는 저이동성 분절을 이동한다.

치료사의 위치: 환자의 옆.

환자의 자세: 엎드린 자세.

절차: 치료사는 저이동성 척추의 극돌기와 관련하여 손의 엄지를 옆으로 지지한다. 같은 손의 검지와 중지로 하부 척추의 극돌기를 갈고리 잡기(hook grasp)로 안정화한다. 다른 손의 엄지로 치료사는 기능장애 척추의 극돌기에 지지를 강화하고, 같은 손의 검지와 중지로 상부 척추의 극돌기를 안정화시킨다. 치료사는 리드미컬하게 저이동성 척추 분절에 엄지 손가락으로 측면 움직임을 가하여 검지와 중지로 머리쪽 분절 및 꼬리쪽 분절의 움직임을 방지한다.

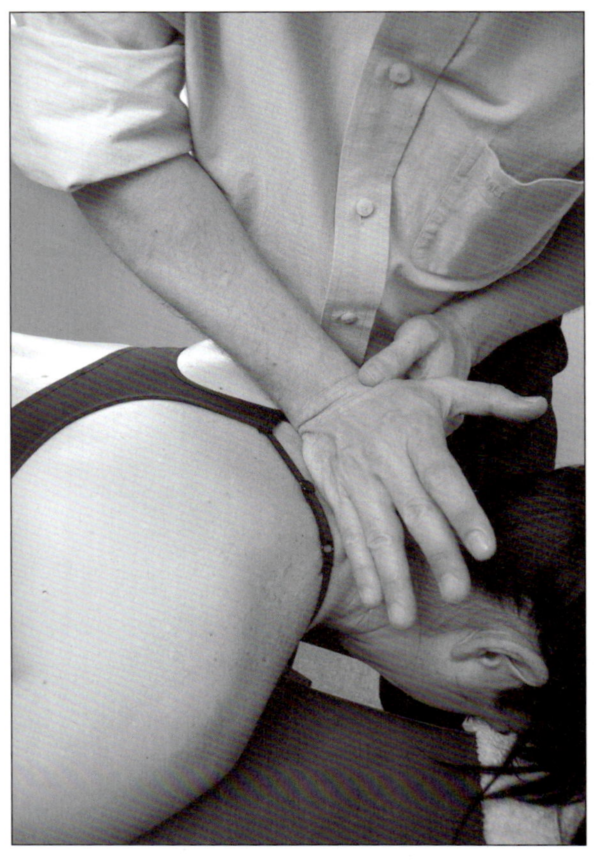

그림 12-97 ■ 경흉추의 후전방 활주.

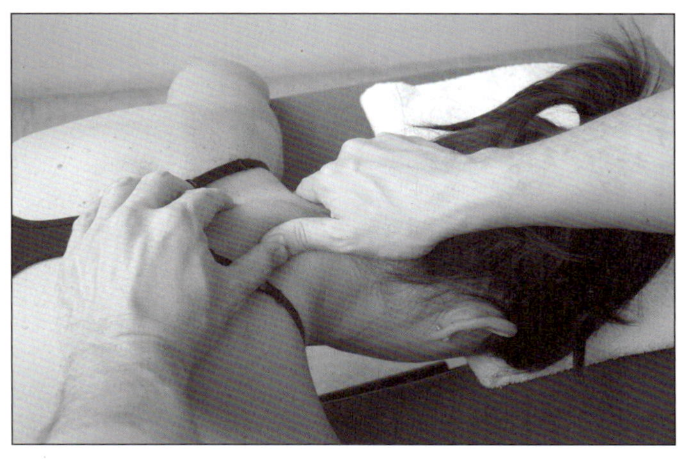

그림 12-98 ■ 경흉추의 횡방향 이동.

앉은 자세에서 경추7번-흉추1번의 제한된 회전을 위한 움직임을 이용한 가동(그림 12-99).

앉은 자세에서 치료사의 엄지는 극돌기 및 고리판 위에 있고 회전을 얻기 위해 환자 뒤에 있는다(고속 조작과 동일한 위치). 흉추1번에 대한 경추7번의 제한된 회전의 경우를 예로 보인다.

목표: 회전을 향한 경추7번의 이동성에 대한 제한을 수정한다.

치료사의 위치: 환자 뒤.

환자의 자세: 앉은 자세.

절차: 치료사가 환자 뒤에 서서 환자의 몸통을 흉골 부위로 고정한다. 오른손 엄지는 경추7번의 오른쪽 극돌기 및 고리판과 접촉한다. 이 손의 나머지 손가락은 환자의 쇄골의 앞쪽 부분을 감싼다. 치료사의 오른쪽 팔뚝은 엄지가 닿는 방향으로 비스듬하게 극돌기를 향한다. 환자는 경추7번의 극돌기에 측면 압력을 가하면서 오른쪽으로 회전을 수행하도록 한다. 5~10회 반복하여 통증이 없는 최대 범위까지 점진적으로 회전을 증가시킨다.

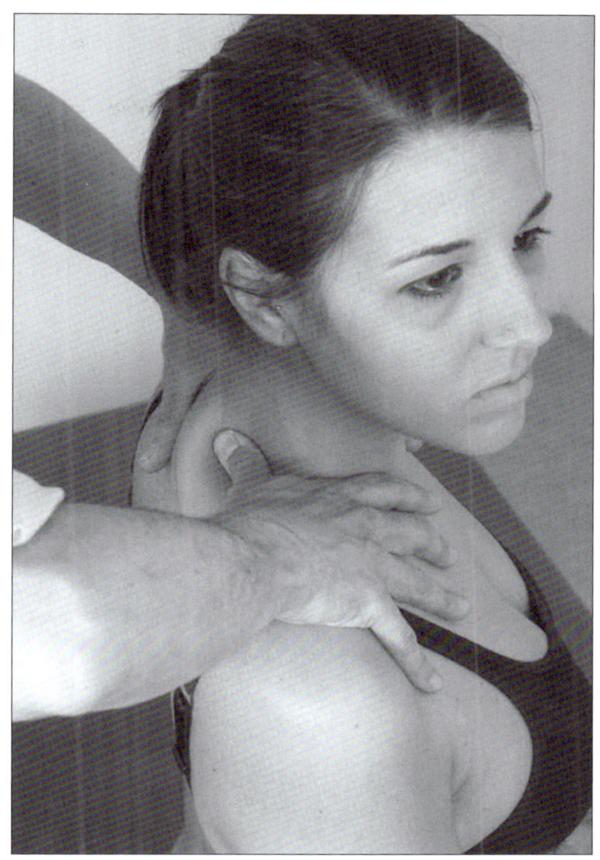

그림 12-99 ■ 제한된 C7-T1 회전을 위한 움직임이 있는 이동화.

상부 흉추
UPPER THORACIC SPINE

상부 흉추 평가
(Assessment of the upper thoracic spine)

굴곡-신전, 측면굽힘 및 회전에서 수동 분절 이동성의 평가

목표: 굴곡-신전, 측면굽힘 및 회전의 수동적 움직임 시 상부 흉추의 다양한 분절의 이동성을 평가한다.

치료사의 위치: 환자 뒤.

환자의 자세: 앉은 자세.

절차: 치료사는 환자의 손에 한 손을 얹고 다른 손은 상부 흉추의 극간 공간을 모니터링한다. 그런 다음 치료사는 환자의 머리에서 굴곡-신전을 도입하여 굴곡 시 극간 공간이 개방되고 신전 시 폐쇄되는 것을 감지한다(그림 12-100A). 그 후 치료사는 환자의 머리를 측면굽힘으로 움직이고 다른 손의 두 번째와 세 번째 손가락을 극돌기의 양쪽에 놓는다. 치료사는 이 움직임 시 척추 분절의 이동성을 평가한다(그림 12-100B).

마지막으로, 이전의 동작과 동일한 그립으로 치료사는 회전 시 척추 분절의 이동성을 평가한다(그림 12-100C).

부수적 수동적 움직임
(Accessory passive movements)

후전방 중심 추간 움직임(그림 12-101).

목표: 분절 이동성을 증가시키고 증상을 감소시킨다.

치료사의 위치: 환자의 머리 옆에 선다.

환자의 자세: 엎드린 자세. 이동을 용이하게 하기 위해 타월을 이마 아래에 두는 것이 이상적이다.

절차: 치료사는 이동될 척추의 극돌기에 두 엄지 손가락을 놓는다. 양손의 나머지 손가락은 엄지를 안정시키기 위해 상부 흉추에 펴둔다.

이 접촉을 시작으로 치료사 몸의 흔들림의 도움으로 리드미컬한 압력이 후전방 방향으로 가해진다. 압력은 극돌기에 수직으로 가하거나 꼬리 또는 머리 방향 경사로 가해져야 한다.

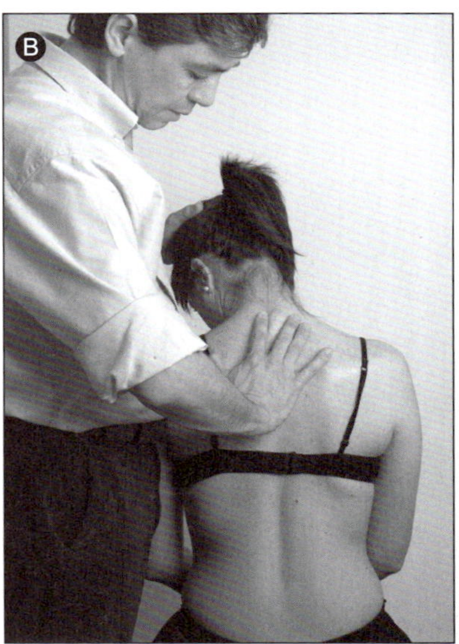

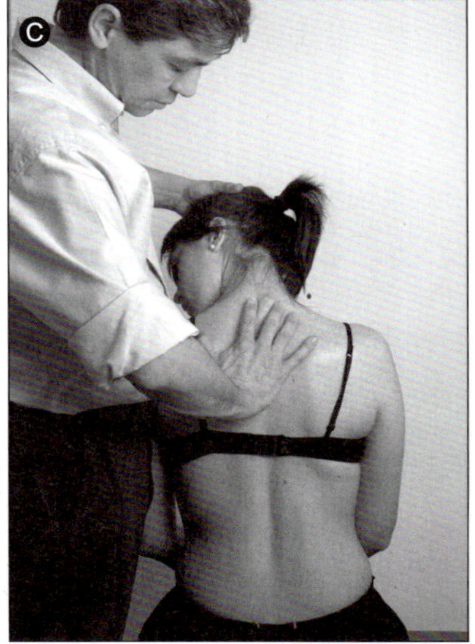

그림 12-100 ▪ 굴곡-신전(A), 측면굽힘(B) 및 회전(C)에서 수동 분절 이동성의 평가.

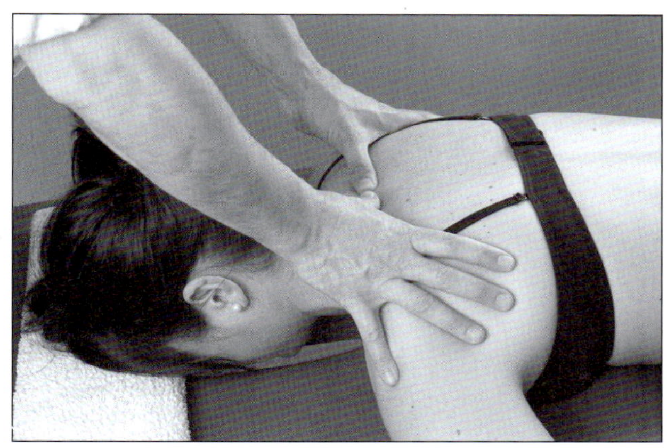

그림 12-101 ■ 상부 흉추의 후전방 중심 추간 움직임.

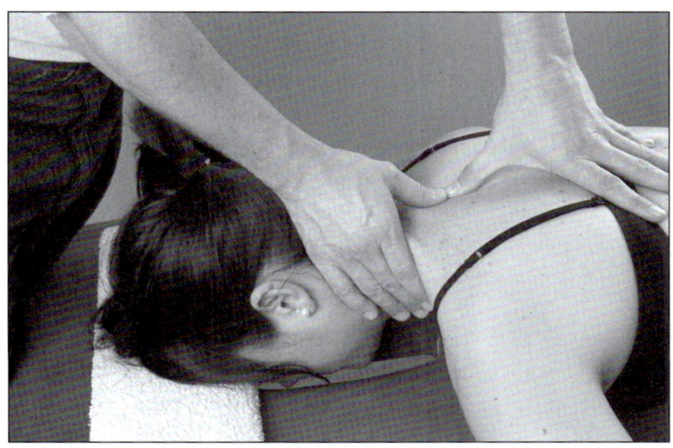

그림 12-102 ■ 상부 흉추의 후전방 편측 추간 움직임.

후전방 편측 추간 움직임(그림 12-102).

목표: 해당 돌기사이관절의 이동성을 증가시키고 증상을 감소시킨다. 통증 및/또는 편측 돌기사이관절 저이동성의 경우에 사용된다.

치료사의 위치: 환자와 관련하여 측면, 이동될 반대쪽 측면.

환자의 자세: 엎드린 자세.

절차: 치료사는 치료할 척추의 돌기사이관절에 두 엄지손가락을 놓는다. 양손의 나머지 손가락은 엄지를 안정시키기 위해 상부 흉추에 펴둔다. 치료사는 후전방 움직임을 돌기사이관절에 적용한다.

상부 흉추의 치료 기술

(Treatment techniques for the upper thoracic spine)

앙와위에서의 고속 기술

(High-velocity techniques in the supine position)

이 기술 그룹에서 환자는 흉부 앞에서 팔을 교차하거나 팔꿈치가 앞쪽을 향하도록 하여 경추 뒤에서 손가락을 깍지낀다. 조작 추력은 치료사의 손에 의해 형성된 지렛대에 대해 환자의 팔꿈치에서 전달된다.

또는 굴곡 및 신전 기능장애에서 고무 쐐기를 지렛대로 사용할 수 있다. 그림은 전반적으로 경직되거나 과이완이 있는 환자에 적응하기 위해 손의 다양한 위치를 보여준다(그림 12-103).

제한된 신전 기능장애에 대한 기술

(*그림 12-104*).

예를 들어, 신전 움직임에 제한이 있는 흉추4번의 기능장애를 보여준다.

목표: 신전을 향한 흉추4번의 이동성 제한.

치료사의 위치: 환자의 한쪽 측면에 서서 테이블의 머리쪽을 바라보고 선다. 이 경우 치료사는 환자의 오른쪽에 있다.

환자의 위치: 앙와위 자세, 양손의 손가락이 경추에 얽힌 상태에서 팔꿈치는 함께 굴곡된다.

절차: 왼손의 도움으로 치료사는 환자를 자신 쪽으로 돌리고 왼쪽 어깨를 지지점으로 삼는다. 그런 다음 치료사는 조작 중 지렛대 역할을 할 오른손을 흉추4번의 횡돌기 레벨에 놓는다. 이 손의 위치는 앙와위 자세에서 다른 모든 고속 기술과 동일하다. 외전 및 신전에서 뻗은 엄지 및 신전상태인 검지를 제하고 주먹을 쥔다. 횡돌기에 대한 지지는 세 번째, 네 번째, 다섯 번째 손가락의 중간마디뼈(오른쪽 횡돌기)와 주먹 쥔 자세에서 굴곡하는 엄지두덩(왼쪽 횡돌기)및 중지골(오른쪽 횡돌기)에 의해 수행된다. 오른손의 지지대를

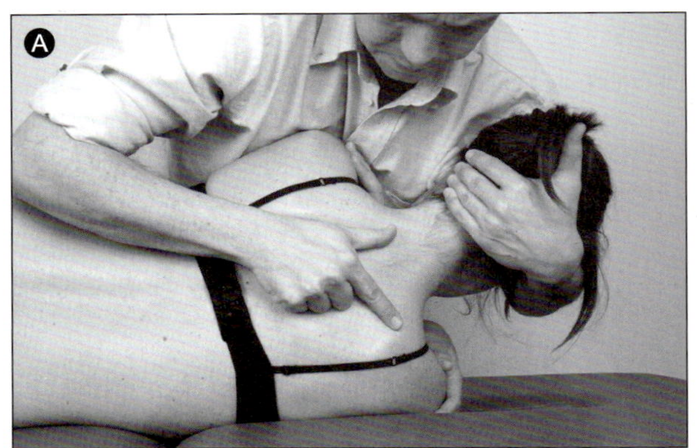

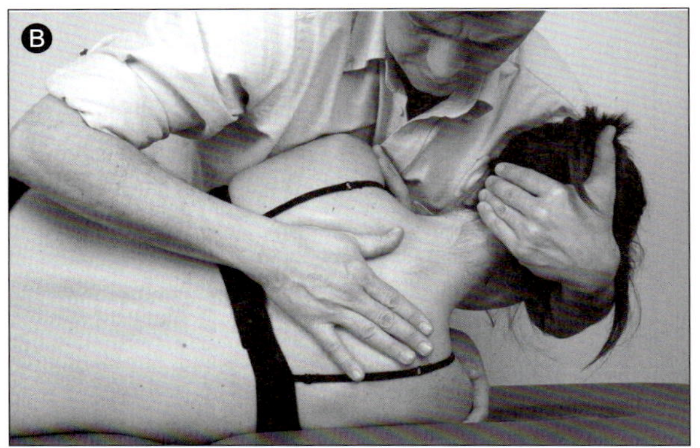

그림 12-103 ■ 경직(A) 또는 과이완(B)이 있는 환자의 손 위치.

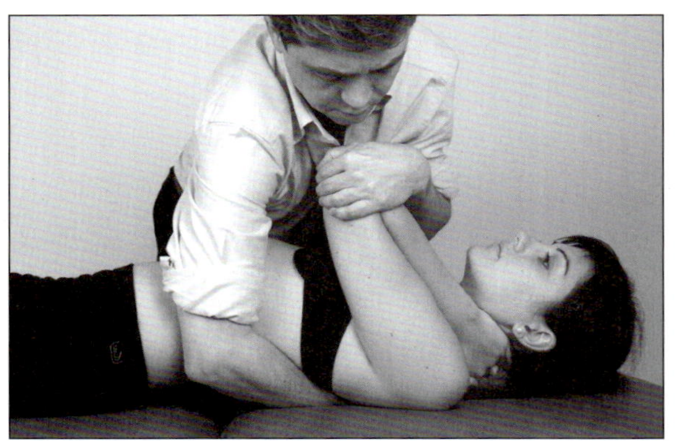

그림 12-104 ■ 신전 제한이 있는 기능장애에 대한 기술.

배치한 후 치료사는 환자를 앙와위로 되돌린다. 환자의 팔꿈치에 지지되는 왼손과 팔뚝으로, 오른손으로 장력을 감지할 때까지 굴곡 구성 요소를 머리, 경추 및 상부 등뼈에 도입한다. 그런 다음 이 장력을 유지하면서 치료사는 흉추4번 레벨에서 동작을 집중하기 위해 환자의 팔꿈치에 몸의 무게를 둔다. 수직 압축 벡터를 유지하고 장력의 위치에서 치료사는 지렛대 역할을 하는 오른손을 향해 수직 방향으로 체중의 도움을 받는 수동 추력을 적용한다.

내쉴 때 이 추력을 적용하면 관절 공동화를 얻기 위해 최소한의 힘이 필요하다.

쐐기가 있는 변형: 흉추4번의 횡돌기 레벨에 고무 쐐기의 끝을 배치하여 동일한 기술을 적용할 수 있다.

제한된 굴곡 기능장애에 대한 기술

(그림 12-105).

예를 들어, 굴곡에 대한 제한이 있는 흉추4번의 기능장애를 보여준다.

목표: 굴곡을 향한 흉추4번의 이동성 제한.

치료자의 위치: 환자의 한쪽에 서서 테이블의 머리 쪽을 마주한다. 이 경우 치료사는 환자의 오른쪽에 있다.

환자의 자세: 앙와위 자세, 양손의 손가락이 경추에 깍지끼고 어깨가 함께 구부러진 상태.

절차: 왼손의 도움으로 치료사는 환자를 자신 쪽으로 돌리고 왼쪽 어깨를 지지점으로 삼는다. 그런 다음 치료사는 조작 중 지렛대로 작용할 오른손을 흉추5번의 횡돌기 레벨에 놓는다. 이 손의 위치는 앙와위에서 다른 모든 고속 기술과 동일하다. 오른손의 지지대를 배치한 후 치료사는 환자를 앙와위로 되돌린다. 환자의 팔꿈치에 지지된 왼손과 팔뚝으로, 오른손으로 장력을 인지할 때까지 굴곡 성분을 머리, 경추 및 상부 등뼈에 도입한다. 그런 다음, 이 장력을 유지하면서 치료사는 흉추5번 위치에서 작용에 집중하기 위해 그의 몸이 환자의 팔꿈치에 가해지도록 한다. 수직 압축 벡터를 유지하고 장력 위치에서 치료사는 흉추

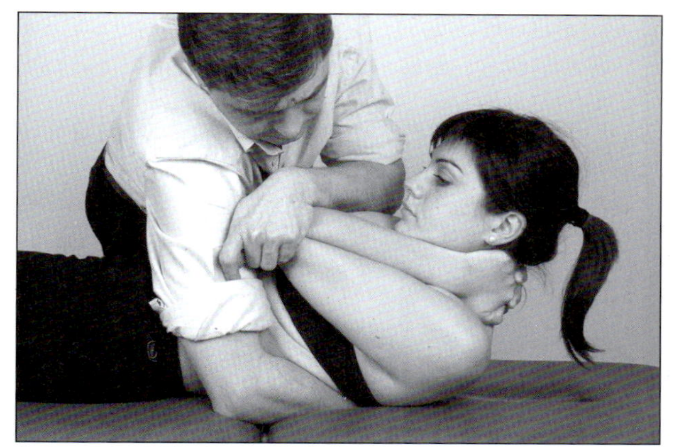

그림 12-105 ■ 굴곡 제한이 있는 기능장애에 대한 기술.

4번-흉추5번에서 후관절 확산을 유발하기 위해 테이블을 향해 약간 머리 방향으로 체중의 도움을 받는 도수적 추력을 적용한다.

내쉴 때, 이 추력을 적용하면 관절 공동화를 얻기 위해 최소한의 힘이 필요하다.

쐐기가 있는 변형: 흉추5번의 횡돌기 레벨에 고무 쐐기의 끝을 배치하여 동일한 기술을 적용할 수 있다.

회전 장애에 대한 기술(*그림 12-106*).

예를 들어, 오른쪽 회전에 제한이 있는 T4의 기능장애를 보여준다.

목표: 오른쪽 회전을 향한 흉추4번의 이동성에 대한 제한을 수정한다.

치료자의 위치: 환자의 오른쪽에 서서 테이블 머리를 마주한다.

환자의 자세: 앙와위 자세, 양손의 손가락이 경추에 깍지끼고 팔꿈치가 함께 구부러진다.

절차: 왼손의 도움으로 치료사는 환자를 자신 쪽으로 돌리고 왼쪽 어깨를 지지점으로 삼는다. 그런 다음 치료사는 흉추4번의 횡돌기 레벨에서 조작 중 지렛대 역할을 할 오른손을 놓는다. 환자의 팔꿈치에 지지되는 왼손과 팔뚝으로, 오른손으로 장력을 감지할 때까지 굴곡 요소를 머리, 경추 및 상부 등뼈에 도입한다. 그런 다음 이 장력을 유지하면서 치료사는 환자의 팔꿈치에서 왼쪽 손과 팔뚝의 도움으로 왼쪽 측면굽힘 및 회전 구성요소를 도입한다. 이것은 흉추4번의 왼쪽 횡돌기와 치료사의 오른손의 엄지두덩 사이의 접촉을 증가시키며, 이는 조작의 지렛대 역할을 한다. 치료사의 체중의 도움을 받아 지렛대를 향해 전후방으로 조작 추력이 가해진다. 추력은 흉추4번의 왼쪽 횡돌기로 전달되어 오른쪽 회전이 달성될 수 있다.

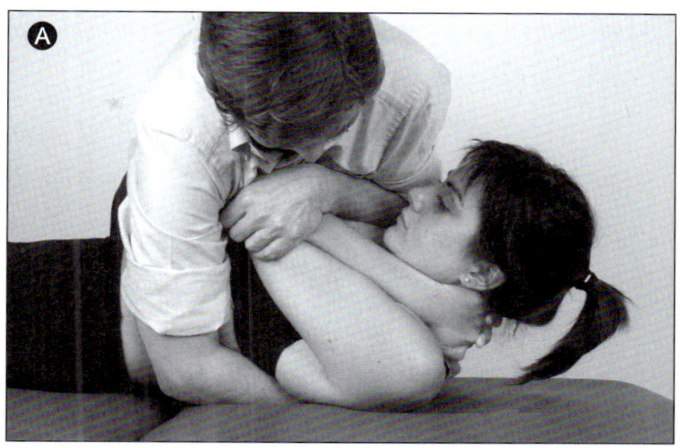

그림 12-106 ■ (A, B) 회전 기능장애에 대한 기술.

내쉴 때, 이 추력을 적용하면 관절 공동화를 얻기 위해 최소한의 힘이 필요하다.

참고: 이 동일한 기술은 흉추 후관절의 간격이 유발될 때마다 적용될 수 있다. 이 예는 왼쪽 후관절 흉추3번-흉추4번과 관련이 있다.

직접 추력 조작 기술
(Direct thrust manipulation techniques)

이 기술은 긴 레버를 사용하지 않고 조작할 척추 부분과 직접 접촉한다. 추력은 매우 짧은 진폭을 가져야 하며 환자가 이완된 상태에서 적용되어야 한다.

신전 제한을 위한 엎드린 자세에서의 조작
(그림 12-107).

예를 들어, 신전에 대한 제한이 있는 흉추4번의 기능장애를 보여준다.

목표: 신전을 향한 흉추4번의 이동성 제한. 측면의 양쪽 수렴을 유발한다.

치료사의 위치: 환자 옆.

환자의 자세: 엎드린 자세.

절차: 치료사는 손을 교차하여 기능장애 척추의 횡돌기에 양손의 두상골(pisiform)을 놓는다. 팔꿈치를 약간 굽힌 상태로 유지하면서 치료사는 환자에게 심호흡을 하도록 요청하고 환자가 숨을 내쉬는 동안 치료사는 팔꿈치를 앞쪽과 위쪽 방향으로 빠르게 신전하면서 도수적 추력을 가한다.

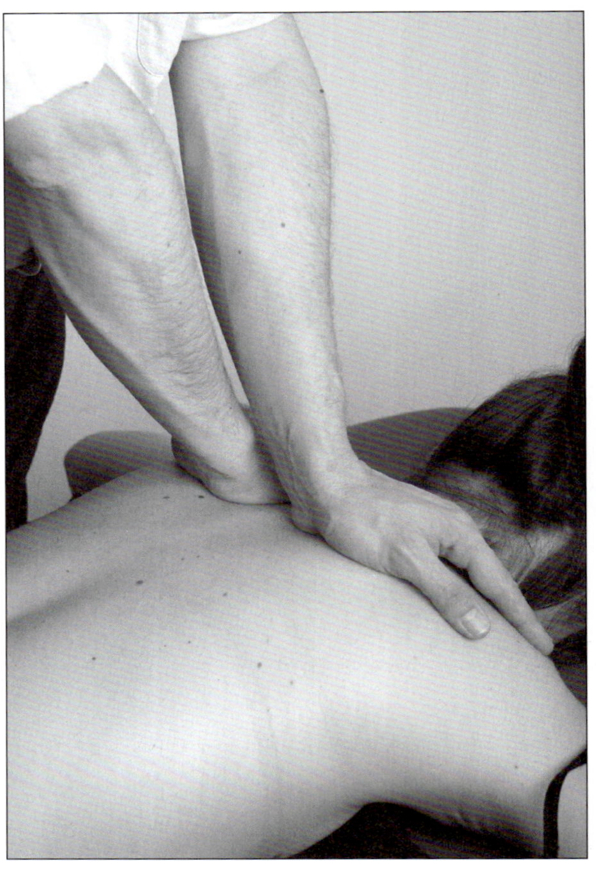

그림 12-107 ■ 신전 제한을 위한 엎드린 자세에서의 조작.

굴곡 제한을 위한 엎드린 자세에서의 조작

예를 들어, 굴곡에 대한 제한이 있는 흉추4번의 기능장애를 보여준다.

목표: 굴곡을 향한 흉추4번의 이동성에 대한 제한을 수정한다. 후관절의 양쪽 확산을 유발한다.

치료사의 위치: 환자 옆.

환자의 자세: 엎드린 자세.

절차: 치료사는 기능장애 척추 바로 아래 척추를 조작하거나 기능장애 척추를 직접 조작하는 두 가지 옵션이 있다.

변형 1: 하부 척추의 조작. 절차는 굴곡 기능장애에서와 동일하지만 이 경우 추력의 방향은 완전히 수직이며 기능장애 분절의 아래쪽 척추에 적용된다. 이 방법은 분절의 양측 후관절 간격을 유발하는 데 사용할 수 있다.

변형 2: 기능장애 척추의 직접 조작(그림 12-108). 이 기술에서 치료사는 팔뚝을 가로지르지 않고 두 손의 엄지두덩을 횡돌기에 둔다. 조작 추력은 돌기사이관절면의 양측 확산을 일으킬 목표로 가능한 한 접선 평면에 적용된다.

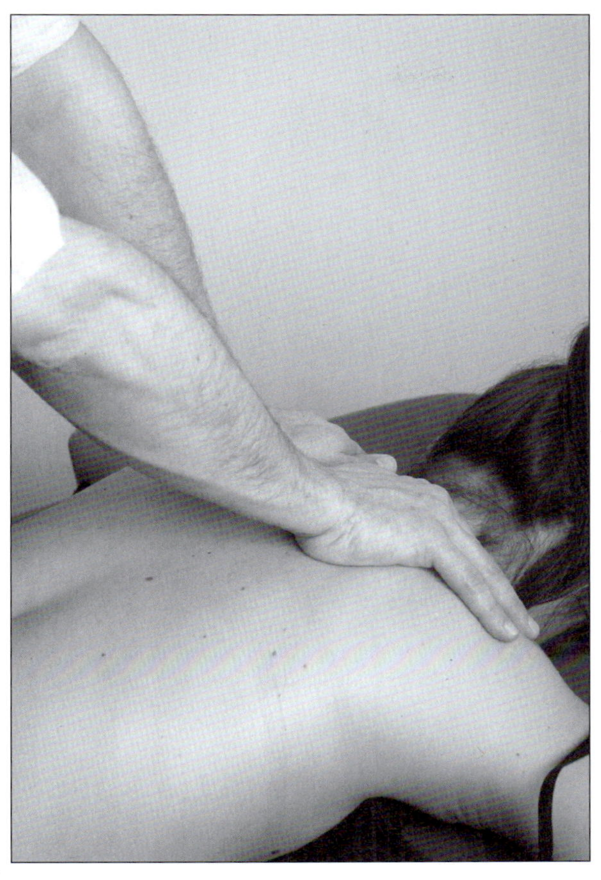

그림 12-108 ■ 굴곡 제한을 위한 엎드린 자세에서의 조작 - 변형.

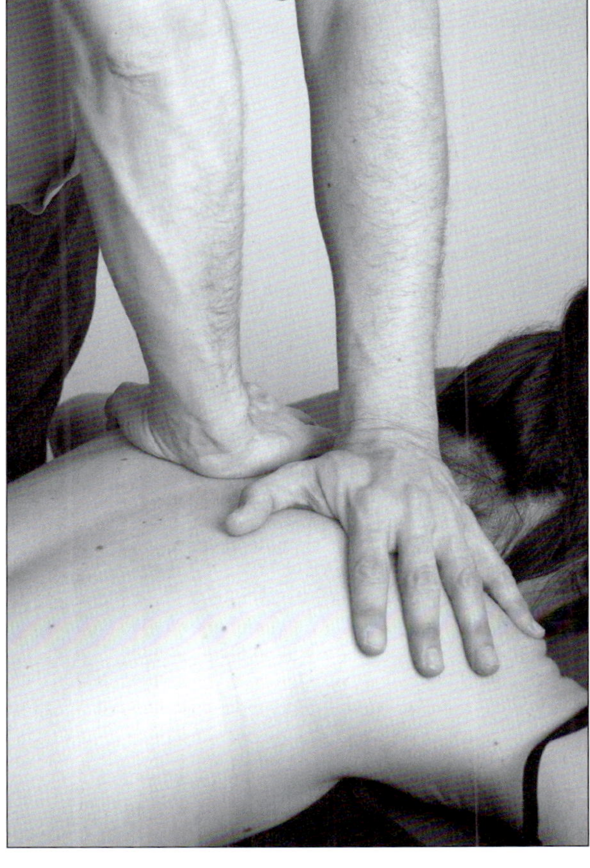

그림 12-109 ■ 회전 기능장애의 엎드린 자세에서의 조작.

회전 기능장애의 엎드린 자세에서의 조작

(그림 12-109).

예를 들어, 왼쪽 회전에 대한 제한이 있는 흉추 3번의 기능장애를 보여준다.

목표: 왼쪽 회전에 대한 객관적인 흉추3번 이동성 제한.

치료사의 위치: 환자의 왼쪽.

환자의 자세: 엎드린 자세.

절차: 치료사는 팔뚝을 교차시키고 팔꿈치를 약간 구부린 상태에서 흉추3번의 오른쪽 횡돌기에 왼손의 엄지두덩을 놓고 흉추4번의 왼쪽 횡돌기에 오른손의 두상골을 놓는다.

그런 다음 치료사는 환자에게 심호흡을 하도록 요청하고 환자가 숨을 내쉬는 동안 치료사는 팔꿈치의 신전 으로 앞쪽과 약간 머리 방향으로 수동 추력을 적용한다. 조작 중 손의 안정성을 용이하게 하기 위해 이 기술 이전에 피부 비틀림(skin torsion)을 수행할 수 있다.

부수적 움직임 기술

(Accessory movement techniques)

부수적 이동성에 사용된 것과 동일한 평가 기술을 가동 기법으로 사용할 수 있다.

상부 늑골
UPPER RIBS

늑골 이동성 평가
(Assessment of costal mobility)

첫 번째 늑골 꼬리방향 이동성의 평가
(그림 12-110).

목표: 첫 번째 늑골의 꼬리방향 움직임에 대한 제한 평가.

치료사의 위치: 환자 뒤.

환자의 자세: 앉은 자세.

절차: 치료사는 상부 등세모근(승모근, trapezius)의 양쪽을 뒤쪽 방향으로 접고 검지와 중지를 첫 번째 늑골의 몸체 상부에 놓는다. 그런 다음 치료사는 환자에게 숨을 쉬도록 요청하고 환자가 숨을 내쉬는 동안 치료사는 양쪽 늑골이 대칭으로 하강하는지 평가하기 위해 꼬리방향에 가벼운 압력을 가한다.

변형: 환자가 앙와위에서 동일한 평가를 수행할 수 있다.

첫 번째 늑골의 꼬리방향 이동성의 평가 및 치료
(그림 12-111).

목표: 첫 번째 늑골의 꼬리방향 움직임에 대한 제한 평가.

치료사의 위치: 환자의 머리.

환자의 자세: 앙와위.

절차: 치료사는 첫 번째 늑골의 위쪽 부분에 하나 또는 두 개의 엄지손가락을 놓고 꼬리 방향으로 리드미컬한 압력을 가하여 해당 늑골이 하강하는 동안 발견되는 진폭과 저항을 평가한다. 이 이동은 치료에도 사용된다.

변형: 이 동일한 평가는 등세모근(승모근)을 후방 방향으로 접는 엎드린 자세에서 수행할 수 있다(그림 12-112).

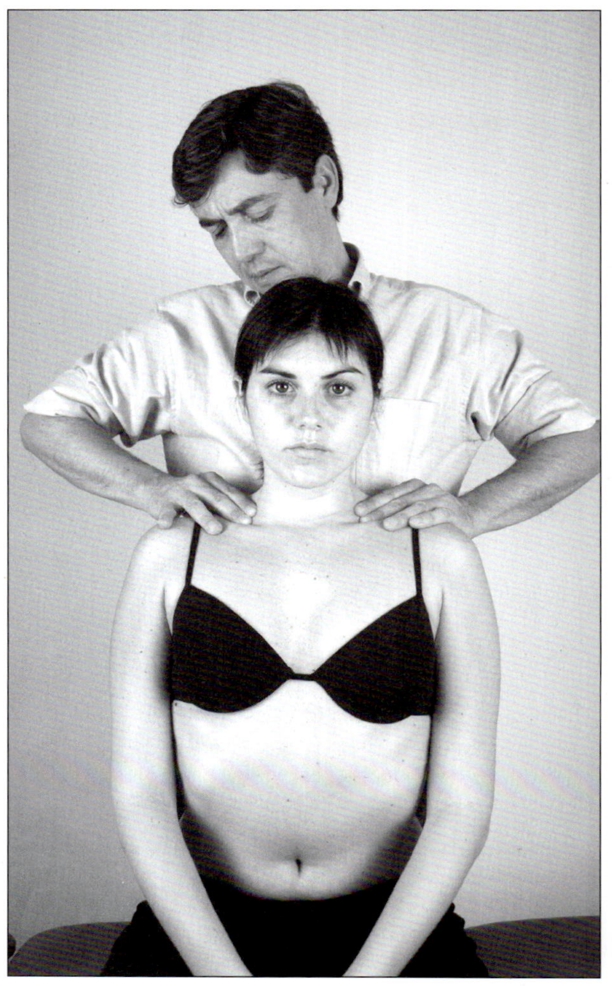

그림 12-110 ■ 첫 번째 늑골 꼬리방향의 이동성 평가.

첫 번째 늑골의 후전방 이동성의 평가 및 치료
(그림 12-113).

목표: 전방 움직임에 대한 제한이 있는 첫 번째 늑골의 기능장애를 평가한다.

치료사의 위치: 환자의 머리.

환자의 자세: 엎드린 자세.

절차: 치료사는 상부 등세모근을 통해 첫 번째 갈비뼈 몸체의 뒤쪽 부분에 하나 또는 두 개의 엄지를 놓고 움직임에 대한 진폭과 저항을 평가하기 위해 앞쪽 방향으로 리드미컬한 압력을 가한다. 이 이동은 치료에도 사용된다.

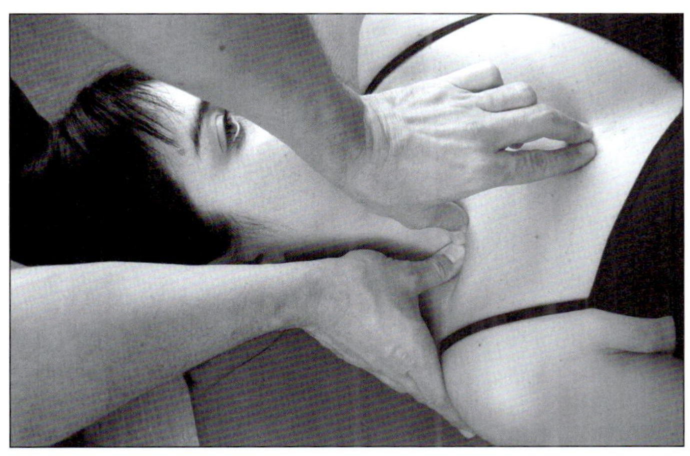

그림 12-111 ■ 첫 번째 늑골 꼬리방향 이동성의 평가 및 치료.

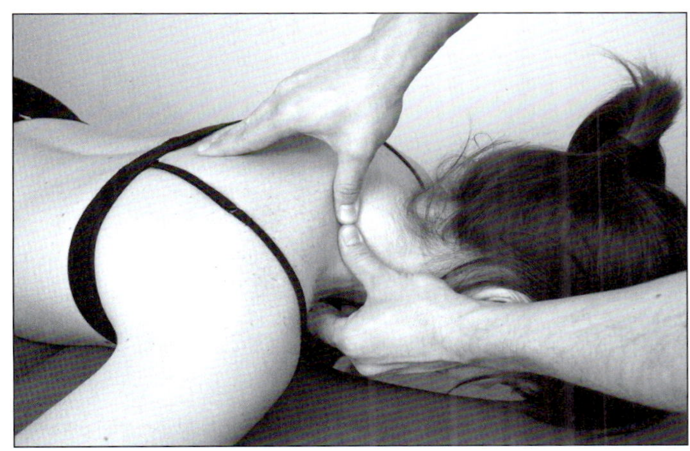

그림 12-112 ■ 평가 및 치료 첫 번째 늑골 꼬리방향의 이동성 – 변형.

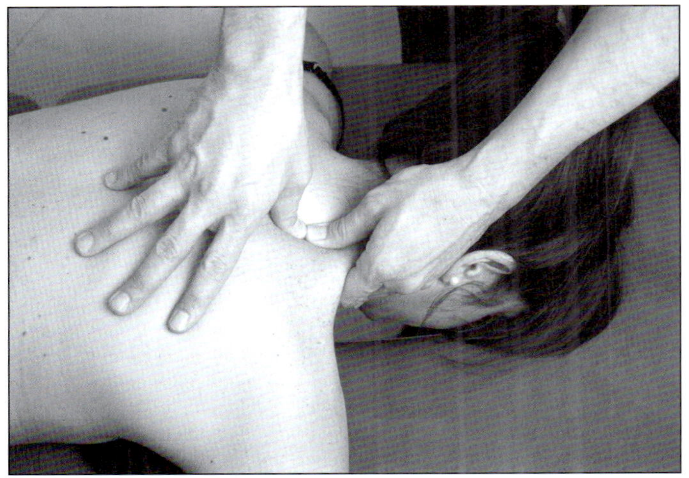

그림 12-113 ■ 첫 번째 늑골의 후전방 이동성의 평가 및 치료.

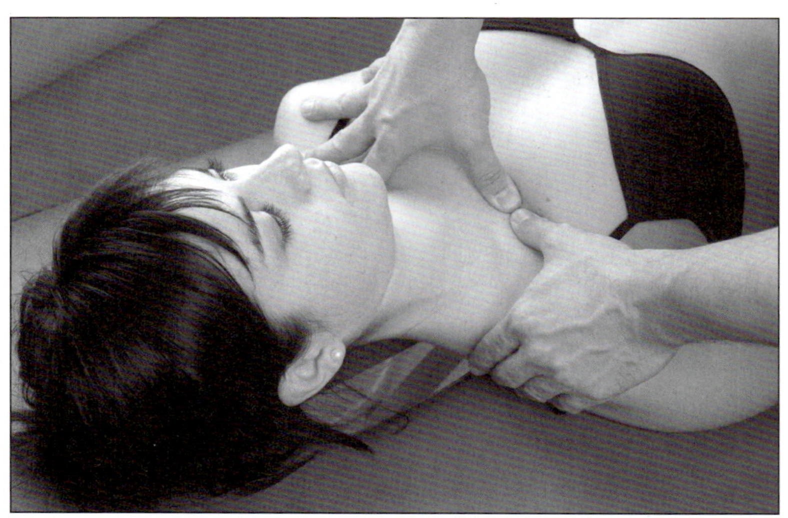

그림 12-114 ■ 첫 번째 늑골 전후방 이동성의 평가 및 치료.

첫 번째 늑골의 전후방 이동성 평가 및 치료
(그림 12-114).

목표: 첫 번째 늑골의 전후방 이동성을 평가한다.

치료사의 위치: 환자 앞.

환자의 자세: 앙와위.

절차: 치료사는 첫 번째 늑골 몸체의 앞쪽 부분에 두 엄지손가락을 놓고 움직임에 대한 진폭과 저항을 평가하기 위해 뒤쪽 방향으로 리드미컬한 압력을 가한다. 이 이동은 치료에도 사용된다.

치료 기술 (Treatment techniques)

앉은 자세에서 첫 번째 늑골에 대한 고속 기술
(그림 12-115).

이 경우 꼬리방향 이동성 제한이 있는 첫 번째 오른쪽 늑골의 기능장애를 보여준다.

목표: 첫 번째 늑골의 꼬리방향 움직임을 증가시킨다.

치료사의 위치: 환자 뒤에 선다.

환자의 자세: 앉은 자세.

절차: 치료사는 등세모근(승모근, trapezius)과 쇄골의 상부 섬유의 앞쪽 가장자리 내 공간에서 첫 번째 늑골을 찾은 다음 오른쪽 검지손가락의 손허리손가락관절의 요골 경계와 첫 번째 늑골을 접촉한다. 조작 중에 이 손가락이 미끄러지는 것을 방지하기 위해 조직은 첫 번째 늑골과 더 잘 접촉할 수 있도록 뒤쪽으로 접혀 있다. 치료사의 왼손은 환자의 왼쪽 측두두정 부위에 놓고 첫 번째 늑골 높이에서 약간의 왼쪽 회전과 관련된 오른쪽 경추 측면굽힘 움직임을 도입한다. 조작 추력은 내측 및 하방에서 오른손으로 수행되고 동시에 왼손은 측면굽힘 구성 요소를 약간 증가시킨다.

앙와위의 첫 번째 늑골에 대한 고속 기술
(그림 12-116).

이 경우 꼬리 움직임 제한이 있는 첫 번째 오른쪽 늑골의 기능장애를 보여준다.

목표: 첫 번째 늑골의 꼬리방향 움직임 제한.

치료사의 위치: 환자의 머리에 서서 환자의 눈을 바라본다.

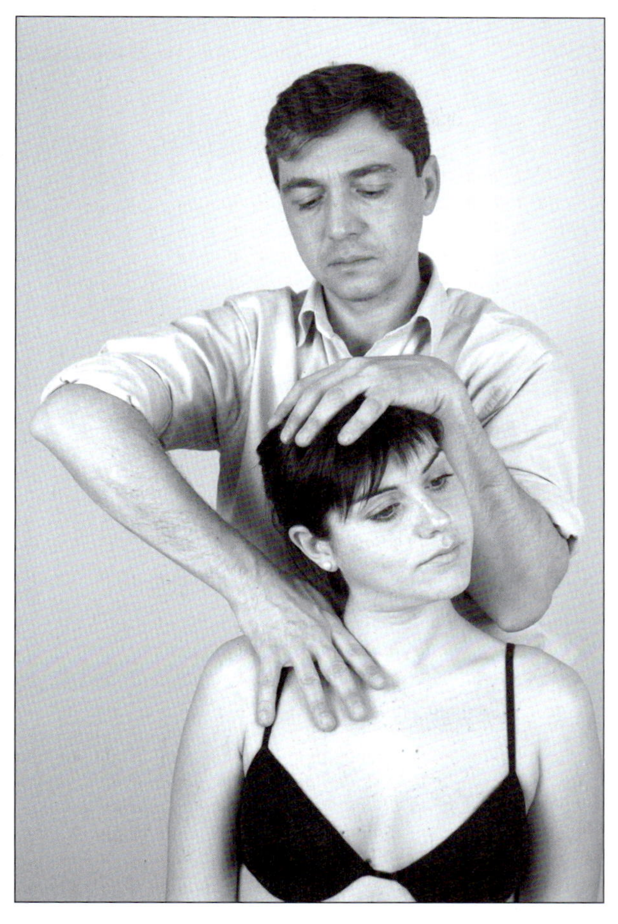

그림 12-115 ■ 앉은 자세에서 첫 번째 늑골에 대한 고속 기술.

그림 12-116 ■ 앙와위 자세의 첫 번째 늑골에 대한 고속 기술.

환자의 자세: 앙와위.

절차: 치료사는 등세모근과 쇄골의 상부 섬유의 앞쪽 가장자리 내 공간에서 첫 번째 늑골을 찾은 다음 오른쪽 검지손가락의 중수지관절의 요골 경계와 첫 번째 늑골을 접촉한다. 조작 중에 이 손가락이 미끄러지는 것을 방지하기 위해 조직은 첫 번째 늑골과 더 잘 접촉할 수 있도록 뒤쪽으로 접혀 있다.

치료사의 왼손은 환자의 오른쪽 측두두정 부위에 놓고 오른손이 첫 번째 늑골 테벨에서 장력을 감지할 때까지 약간의 왼쪽 회전과 관련된 오른쪽 경추 측면굽힘 움직임을 도입한다. 조작 추력은 내측 및 하방에서 오른손으로 수행된다.

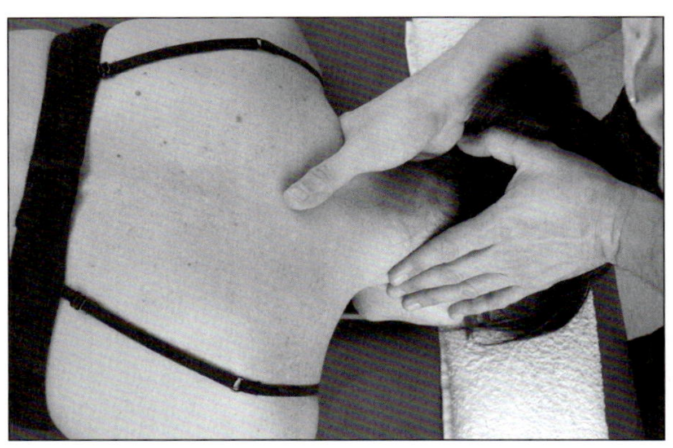

그림 12-117 ▪ 엎드린 자세에서 첫 번째 늑골을 위한 고속 기술.

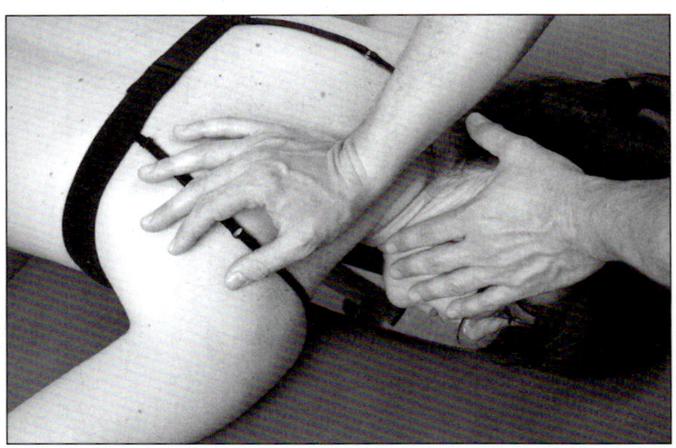

그림 12-118 ▪ 엎드린 자세에서 앞쪽 움직임 제한이 있는 첫 번째 늑골.

엎드린 자세의 첫 번째 늑골에 대한 고속 기술 *(그림 12-117).*

이 경우 첫 번째 왼쪽 늑골의 꼬리방향 이동 제한이 표시된다.

목표: 첫 번째 늑골의 꼬리방향 이동성 제한.

치료사의 위치: 환자의 머리 옆에 서서 환자의 눈을 바라본다.

환자의 자세: 엎드린 자세.

절차: 치료사는 등세모근(승모근)과 쇄골의 상부 섬유의 앞쪽 가장자리 내 공간에서 첫 번째 늑골을 찾은 다음 오른쪽 검지손가락의 중수지관절의 요골 경계와 첫 번째 늑골을 접촉한다. 조작 중에 이 손가락이 미끄러지는 것을 방지하기 위해 조직은 첫 번째 늑골과 더 잘 접촉할 수 있도록 뒤쪽으로 접혀 있다. 치료사의 왼손은 환자의 오른쪽 측두두정 부위에 놓고 오른손이 첫 번째 늑골 레벨에서 장력을 감지할 때까지 약간의 오른쪽 회전과 관련된 왼쪽 경추 측면굽힘 움직임을 도입한다. 조작 추력은 내측 및 하방에서 오른손으로 수행된다.

엎드린 자세에서 전방 움직임 제한이 있는 첫 번째 늑골*(그림 12-118).*

이 경우 전방 이동 제한이 있는 첫 번째 오른쪽 늑골의 기능장애를 보여준다.

목표: 첫 번째 늑골 앞쪽 움직임 제한.

치료사의 위치: 환자의 머리 옆에 서서 환자의 눈을 바라본다.

환자의 자세: 엎드린 자세.

절차: 치료사는 오른손의 두상골을 첫 번째 늑골의 뒤쪽 각도에 놓는다. 동작 중 이 손가락이 미끄러지는 것을 방지하기 위해 팔뚝의 뒤침 움직임으로 인해 피부의 꼬리 방향과 옆 방향으로 비틀림이 수행된다. 치료사의 왼손은 환자의 오른쪽 측두두정 부위에 놓고 오른손이 첫 번째 늑골 레벨에서 장력을 감지할 때까지 약간의 오른쪽 회전과 관련된 왼쪽 경추 측면굽힘 움직임을 도입한다. 조작 추력은 후방 및 측면 방향에서 오른손으로 수행된다. 이 동일한 기술을 두 번째 늑골의 전방 이동 제한으로 인한 기능장애를 교정하는 데 적용할 수 있다.

참고문헌

1. AAOMPT. Orthopaedic manual therapy: description of advanced clinical practice. In: American Academy of Orthopaedic Manual Physical Therapists. 1999. p. 29.
2. APTA. Guide to physical therapist practice. In: American Physical Therapy Association: Phys Ther 2001. p. 9–744.
3. Bialosky JE, Bishop MD, Price DD, et al. The mechanisms of manual therapy in the treatment of musculoskeletal pain: a comprehensive model. Man Ther 2009;14(5):531–8.
4. APTA. Guide to physical therapist practice. 2nd ed. Alexandria, Va: American Physical Therapy Association; 2003.
5. Edwards BC. Manual of combined movements. Edinburgh: Churchill Livingstone; 1992.
6. Maitland G, Hengeveld E, Banks K, et al. Maitland's vertebral manipulation. 7th ed. Edinburgh: Elsevier ButterworthHeinemann; 2005.
7. Hallgren RC, Greenman PE, Rechtien JJ. Atrophy of suboccipital muscles in patients with chronic pain: a pilot study. J Am Osteopath Assoc 1994; 94(12):1032–8.
8. McPartland JM, Brodeur RR, Hallgren RC. Chronic neck pain, standing balance, and suboccipital muscle atrophy – a pilot study. J Manipulative Physiol Ther 1997;20(1):24–9.
9. Elliott J, Jull G, Noteboom JT, et al. Fatty infiltration in the cervical extensor muscles in persistent whiplash-associated disorders: a magnetic resonance imaging analysis. Spine 2006;31(22): E847–55.
10. Elliott JM, Jull GA, Noteboom JT, et al. Magnetic resonance imaging study of cross-sectional area of the cervical extensor musculature in an asymptomatic cohort. Clin Anat 2007; 20(1):35–40.
11. Vicenzino B, Hing W, Rivett D, et al. Mobilisation with movement. The art and the science. Edinburgh: Churchill Livingstone Elsevier; 2011.
12. Maitland GD. Manipulation – mobilisation. Physiotherapy 1966;52(11):382–5.
13. Gatterman MI, Hansen DT. Development of chiropractic nomenclature through consensus. J Manipulative Physiol Ther 1994;17(5):302–9.
14. Evans DW, Breen AC. A biomechanical model for mechanically efficient cavitation production during spinal manipulation: prethrust position and the neutral zone. J Manipulative Physiol Ther 2006;29(1):72–82.
15. Evans DW, Lucas N. What is 'manipulation'? A reappraisal. Man Ther 2010;15(3):286–91.
16. McCarthy C. Combined movement theory: rational mobilization and manipulation of the vertebral column. Elsevier Health Sciences; 2012.
17. Cramer GD, Gregerson DM, Knudsen JT, et al. The effects of side-posture positioning and spinal adjusting on the lumbar Z joints: a randomized controlled trial with sixty-four subjects. Spine (Phila Pa 1976) 2002;27(22):2459–66.
18. Lee R, Evans J. An in vivo study of the intervertebral movements produced by posteroanterior mobilization. Clin Biomech (Bristol, Avon) 1997;12(6):400–8.
19. Caling B, Lee M. Effect of direction of applied mobilization force on the posteroanterior response in the lumbar spine. J Manipulative Physiol Ther 2001;24(2):71–8.
20. Gorgos KS, Wasylyk NT, Van Lunen BL, et al. Inter-clinician and intra-clinician reliability of force application during joint mobilization: a systematic review. Man Ther 2014;19(2):90–6.
21. Cleland JA, Whitman JM, Fritz JM. Effectiveness of manual physical therapy to the cervical spine in the management of lateral epicondylalgia: a retrospective analysis. J Orthop Sports Phys Ther 2004;34(11):713–22, discussion 722–4.
22. Snodgrass SJ, Rivett DA, Sterling M, et al. Dose optimization for spinal treatment effectiveness: a randomized controlled trial investigating the effects of high and low mobilization forces in patients with neck pain. J Orthop Sports Phys Ther 2014; 44(3):141–52.
23. Nougarou F, Dugas C, Loranger M, et al. The role of preload forces in spinal manipulation: experimental investigation of kinematic and electromyographic responses in healthy adults. J Manipulative Physiol Ther 2014;37(5):287–93.
24. Cook C. Orthopedic manual therapy. Upper Saddle River, NJ: Pearson Education; 2012.
25. Gross AR, Kay TM, Kennedy C, et al. Clinical practice guideline on the use of manipulation or mobilization in the treatment of adults with mechanical neck disorders. Man Ther 2002;7(4): 193–205.

26. Jull G. Use of high and low velocity cervical manipulative therapy procedures by Australian manipulative physiotherapists. Aust J Physiother 2002;48(3):189–93.
27. Snodgrass SJ, Rivett DA, Robertson VJ. Manual forces applied during cervical mobilization. J Manipulative Physiol Ther 2007;30(1):17–25.
28. Chiu TW, Wright A. To compare the effects of different rates of application of a cervical mobilisation technique on sympathetic outflow to the upper limb in normal subjects. Man Ther 1996;1(4):198–203.

13 목 통증 장애의 운동성 손상: 목 통증이 있는 사람들의 재활에 대한 시사점

MOTOR IMPAIRMENTS IN NECK PAIN DISORDERS: Implications for the Rehabilitation of People with Neck Pain

DEBORAH FALLA

도입
INTRODUCTION

지난 10년 동안 여러 연구에서 목 통증이 있는 사람들의 두개경추 및 경추 근육 손상에 대해 설명했다. 근전도 신호의 감지, 기록 및 분석을 위한 근전도(EMG) 사용의 최근 발전은 이 지식 기반을 확장하고 이러한 손상의 범위와 특성을 명확히 하는 데 도움이 되었다. 그러한 지식은 근육 기능의 재활을 다방면의 운동 프로그램으로 이끌고 있다. 이 장에서는 목 통증과 관련된 두개경추 및 경추 근육의 기능 장애에 대한 증거를 설명한다. 다음으로, 만성 목 통증이 있는 사람들을 위한 운동의 효능을 자세히 설명하는 최근 근거와 함께 재활에 대한 의미가 제시된다.

목 통증 장애가 있는 사람들의 근육 손상 근거
EVIDENCE OF MUSCLE IMPAIRMENT IN PEOPLE WITH NECK PAIN DISORDERS

근거에 따르면, 환자는 경추의 운동 조절에 복잡한 결함이 있는 것으로 드러났다. 이것은 경추 근육 기능의 복잡한 특성을 고려할 때 놀라운 일이 아니다. 경추 영역 근육의 풍부하고 복잡한 형태는 이것이 신체에서 가장 복잡한 신경기계 시스템임을 암시한다.[1] 머리 무게의 부하를 분산시키는 것 외에도 경추 근육은 상지 기능에 의해 부과되는 부하도 분산한다.[1] 게다가, 경추 근육은 시각,[2–4] 전정 및 고유감각 시스템[5,6]과 밀접한 관련이 있다.

목의 모든 근육이 경추 영역의 움직임과 자세 제어에 기여하지만, 개별 근육의 다양한 위치, 부착, 지렛대 및 섬유 구성이 주요 기능적 역할을 정의한다. 일반적으로 표재성 다분절 근육과 척추의 더 깊은 분절사이 근육층 사이에 기능적 구분이 이루어진다.[7–9] 예를 들어, 경추 근육을 고려할 때 목빗근(흉쇄유돌근, sternocleidomastoid)은 직접적인 부착 없이 경추에 걸쳐 있기 때문에 표재성 근육이다. 경추 운동 분절의 직접적인 지지를 하기 보다는 표재성 다분절 근육이 두개골과 경추 전체를 움직이도록 설계되었다. 대조적으로 긴목근(경장근, longus colli), 긴머리근(두장근, longus capitis), 뭇갈래근(다열근, multifidus)과 같은 심부 근육은 운동 분절에 가깝게 위치하며 분절적 부착을 가지므로 분절 운동을 제어하는 데 가장 적합하다. 생체역학 모델은 목의 심부근육과 표재성 근육의 역할을 모사하려고 시도했다. 컴퓨터 생성 모델[1]은 목의 표재근육만 시뮬레이션하여 움직임을 생성하는 경우, 특히 직립 중립 자세에서 움직임 분절 불안정 영역이 발생한다는 것을 발견했다. 특히 기능적 중간 범위에서 동작 분절을 제어하기 위해 표재성 근육 활동과의 시너지 효과에 심부 근육의 협동이 필요했다.

경추의 심부 근육층과 표재성 근육층 사이의 기능적 차이에 대한 이해와 이해가 개선된 결과, 목 통증이 있을 때 심부 근육 및 표재성 근육의 관계에 대한 연구들이 조사되었다.[10,11] 이전에 문서화된[12,13] 것처럼 모든 근육 그룹의 강도가 전반적으로 감소하기보다는 목 통증이 경추의 심부 및 표재성 근육에 대한 차등 효과와 관련이 있는 것으로 알려져 있다.[10,11] 이 지식은 부분적으로 심부 경추 굴곡근의 활동을 감지하기 위한 근전도(EMG) 기술의 개발 때문이다.[14] 가는 철사 근전도(EMG)가 심부 경추 신전근(extensor muscles)[4]에서 기록하는 데 사용되었지만 심부 경추 굴곡근(flexor muscles)에서 유사한 기록은 경추 디스크조영술에 대해 보고된 것과 같이 전방 경추에 대한 침습 기술과 관련된 위험으로 인해 어렵다.[15-20] 심부 경추 굴곡근에서 직접 기록을 얻을 수 있도록 근전도(EMG) 전극 및 기술이 개발되어 전극을 경추2번-경추3번 추간판 레벨에서 후방 구인두(oropharyngeal) 벽 위에 위치시키고 긴목근(경장근, longus colli) 및 긴머리근(두장근, longus capitis)을 직접적으로 덮는 코인두(nasopharyngeal) 적용을 포함한다.

이 방법론을 사용하여 연구는 심부 경추 굴곡근의 해부학적 작용인 두개경추 굴곡의 단계적 작업 동안 만성 목 통증이 있는 사람들에서 심부 경추 굴곡근의 활성화 장애를 입증했다(그림 13-1). 또한, 심부 경추 굴곡근의 활동 감소는 작업을 위한 두개경추 굴곡 운동 범위의 감소와 함께 표면 경추 굴곡근인 목빗근(흉쇄유돌근) 및 앞목갈비근(전사각근, scalenus anterior)의 활동 증가와 연관되었다.[10] 두개경추 굴곡은 목빗근과 앞목갈비근의 해부학적 작용이 아니므로 두개경추 굴곡 작업 시 이들 근육의 증가된 활동은 비효율적인 신경근 활성화 패턴으로 간주되었다. 후속 연구에서 목 통증이

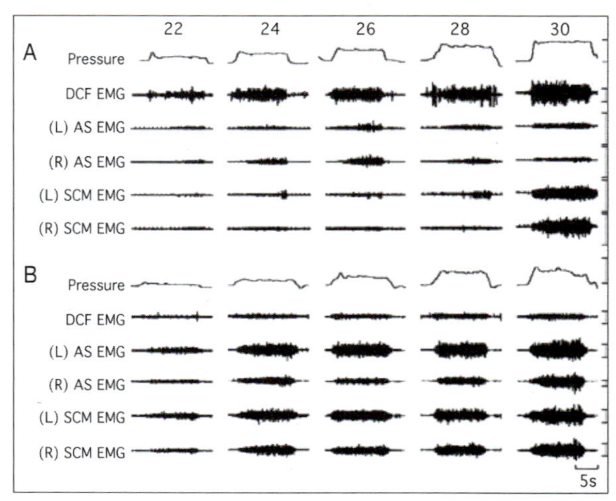

그림 13-1 ■ 각 레벨의 두개경추 굴곡 검사 시 대조군(A) 및 만성 목 통증(B) 피험자에 대한 원시 근전도(EMG) 데이터가 표시된다. 데이터는 심부 경추 굴곡근(deep cervical flexor, DCF)과 왼쪽(L) 및 오른쪽(R) 앞목갈비근(전사각근, scalenus anterior, AS) 및 목빗근(흉쇄유돌근, SCM)에 대해 표시된다. 경추 아래 커프에 기록된 압력 증가와 함께 모든 근육에 대한 EMG 활동의 점진적인 증가에 주목하지만, 목 통증 환자의 경우 심부 경추 굴곡근의 활동은 적고 표재성 근육의 활동은 커진다.(Falla 등[10]의 허가를 받아 재인쇄됨.)

있는 사람들의 낮은 하중에서 등척성 경추 굴곡 수축 동안 목빗근과 앞목갈비근에 대한 감소된 신경근 효율성이 확인되었다.[21] 그 결과는 목 통증이 있는 사람들이 대조군 피험자와 비교하여 동등한 양의 힘을 생성하기 위해 목빗근과 앞목갈비근의 더 큰 근육 전기 활동을 필요로 하거나 반대로 유사한 양의 전기 활동으로 목 통증 환자가 낮은 힘 출력을 생성할 수 있음을 보여주었다.[21] 심부 경추 굴곡근에 대한 관찰과 유사하게, 보다 최근의 연구에서는 만성 목 통증이 있는 사람들에서 심부 신근인 경추 반가시근에 대한 활성 감소가 확인되었다.[22a,22b]

목에 통증이 있는 사람들의 기능 활동 시 경추 근육의 변화된 이동이 확인되었다. 목과 팔에 통증이 있는 사람들은 컴퓨터를 장기간 사용하는 동안 경추 기립근의 활성화를 감소시켰다.[22] 감소된 경추

기립근 근전도(EMG) 진폭은 대조군에 비해 환자 그룹의 증가된 상부 등세모근(승모근, trapezius) 활성과 연관되었다. 더욱이, 상부 등세모근/경추 기립근의 진폭 비율은 작업 전반에 걸쳐 가장 높은 불편 수준을 호소하는 환자에서 확인되었다. 기능적 움직임 동안 경추 굴곡근 근육에 대해 변경된 운동 동원 패턴도 확인되었다.

반복적인 상지 활동을 포함하는 작업에서 대조군에 비해 특발성 목 통증과 편타 손상 후 목 통증이 있는 사람들에게서 양측 앞목갈비근(전사각근)과 목빗근(흉쇄유돌근)에 대한 근전도(EMG) 진폭이 증가했다.[23] 또한, 두 환자 그룹 모두 과제 완료 시 앞목갈비근과 목빗근을 이완시키는 능력이 감소한 것으로 나타났으며 이는 이전 연구와 일치하는 관찰 결과이다.[24]

자세섭동연구에서 경추의 운동 조절 장애에 대한 추가 근거가 밝혀졌다. 사지의 빠른 움직임과 같은 신체의 섭동은 움직임으로 인한 반작용력으로 인한 안정성에 대한 예측 가능한 장애에 대해 신체를 준비시키는 사지 움직임에 앞서 일련의 근육 활동과 연관있다.[25] 예를 들어, 빠른 팔 움직임이 수행되면 어깨세모근(삼각근) 활동이 시작된 후 50ms 이내에 경추 근육이 함께 활성화된다.[26-29] 어깨세모근의 50ms 이내에 목 근육의 발병은 이 근육 반응이 반사 반응에 의해 매개되기에는 너무 빠르다는 것을 나타낸다. 대신, 이러한 반응은 중추신경계에 의해 미리 계획된 것으로 간주되며 피드포워드 조정(feed-forward adjustments)이라고 한다.[25] 한 연구에 따르면, 목 통증이 있는 사람들이 빠른 상지 움직임을 수행할 때 심부 및 표재성 경추 굴곡근 모두 지연된 활성화[27]가 나타난다(그림 13-2). 특히, 깊은 경추 굴곡근의 시작이 지연되고 이러한 근육의 활성화가 움직임에 따른 피드포워드 활성화(feed-forward activation) 기준을 초과한다. 이 관찰은 경추의 자동 피드포워드 제어에 상당한 결함이 있음을 나타내며 경추가 긴장에 취약할 수 있음을 시사한다.[27] 목 통증이 있는 사람들의 추가 발견은 심부 경추 굴곡근의 활성화가 방향별 반응을 채택한다는 것이다.[27] 이것은 근육 활성화의 변화가 운동신경 흥분성 감소와 같은 요인으로 설명될 수 있는 단순히 지연이 아니라 중추신경계가 경추를 제어하는 데 사용하는 전략의 변화와 일치함을 나타낸다.

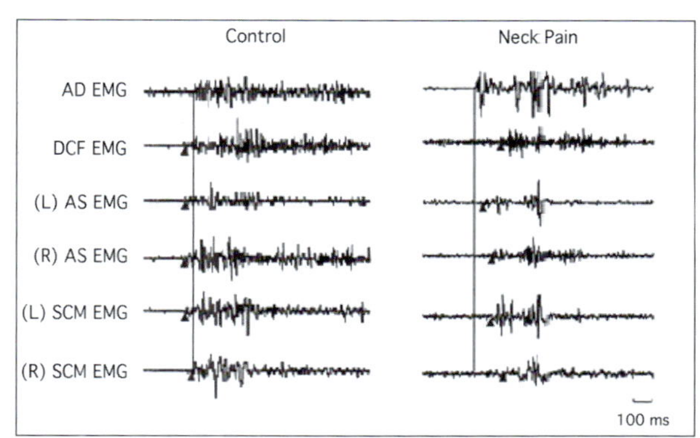

그림 13-2 ■ 원시 EMG 데이터는 빠른 상지 굴곡 시 만성 목통증 피험자와 대조군에 대한 전어깨세모근(전삼각근, anterior deltoid, AD), 심부 경추 굴곡근(deep cervical flexor, DCF), 왼쪽(L) 및 오른쪽(R) 목빗근(흉쇄유돌근, SCM) 및 앞목갈비근(전사각근, scalenus anterior, AS)에 대해 표시된다. 목 통증 환자의 목 근육 활성화 지연에 유의해야 한다.(Falla 등[27]의 허가를 받아 재인쇄됨.)

경추 근육의 피드포워드 제어 장애에 더하여 연구에서는 편타손상 및 특발성 목 통증이 있는 환자에서 자세 제어의 피드백 기전의 결함이 확인되었다. Revel 등[30]은 건강한 피험자에 비해 만성 목 통증이 있는 환자에서 경추두부 운동 감각이 현저히 감소함을 보여 목 고유감각의 결핍을 암시한다. 편타 손상 후 개인의 운동감각 감소도 입증되었으며[31-33] 주요 증상[33] 중 하나로 현기증을 보고한 사람들에게서 결핍이 더 크게 나타난다. 기립 균형 장애는 만성 목 통증[34-36]이 있는 사람들에게서도 기록되었으며 깊은 아래머리빗근(하두사근, obliquus capitis inferior)[37-39]의 지방 침윤 관찰은 기립 균형 장애와 상관 관계가 있다.[39] 게다가, 경추성 두통 환자[40]에게서 증상의 측면과 동측인 두반가시근(반극근, semispinalis)의 단면적 감소가 확인되었다. 더 표재 경추 신근인, 등세모근(승모근) 및 긴머리근(두장근, longus capitis)에 대해서는 유사한 변화가 확인되지 않았다.

근육 크기의 변화뿐만 아니라 목 통증 장애가 있는 사람들의 경추 근육 내에서 특정 조직학적 변화가 관찰되었다. 목 통증 환자의 복측(목빗근, 어깨목뿔근[견갑설골근, omohyoid muscle]) 및 긴목근(경장근, longus colli) 및 등쪽(큰뒤머리곧은근[대후두직근, rectus capitis posterior major], 아래머리빗근[후두사근, obliquus capitis inferior] 및 머리널판근[두판상근, splenius capitis]) 목 근육에 대해 수행된 근육 생검 연구는 유형 IIC 섬유의 양이 유의하게 증가한 것으로 나타났다.[41] 이 관찰은 근섬유가 지근(I형) 섬유에서 속근(IIB형) 섬유로 변형되는 존재를 의미하며 조사된 근육 유형, 환자 진단, 성별, 연령 및 신경학적 증상의 존재와는 관련이 없는 것으로 밝혀졌다.[41] 이러한 결과와 일치하여 만성 목 통증 환자[42-45]에서 경추 근육의 피로 특성의 변화가 확인되었다. 최대 자발적 수축의 25%와 50%에서 지속적인 경추 굴곡 수축 동안 목빗근과 앞목갈비근(전사각근)의 피로도를 조사한 연구에서 대조군에 비해 만성 목 통증이 있는 사람들에서 더 큰 근육 피로도가 확인되었다.[43] 이 관찰은 수축 기간 동안 표면 근전도(EMG) 평균 주파수의 현저하게 더 큰 기울기를 특징으로 한다(그림 13-3). 더욱이, 수축 시작 시 평균 빈도의 증가가 환자 그룹의 경추 근육에서 관찰되었다.[43] 경추 골관절염 환자의 중등도 및 고부하 상태에서 지속적인 등척성 경추 신전 수축 시 경추 신근에 대해서도 유사한 결과가 보고되었다.[45] 제기된 문제는 근육 구조, 구성 및 피로 특성의 이러한 변화가 통증의 결과로 발생하여 운동 조절의 변화로 이어지는지, 아니면 대안적으로 경추 운동 조절의 변화가 근육 내 구조적 변화를 초래하는지 여부이다. 목 통증이 있는 사람들에게서 확인된 경추 근육 손상 관찰 사이의 관계를 완전히 이해하려면 추가 연구가 필요하다.

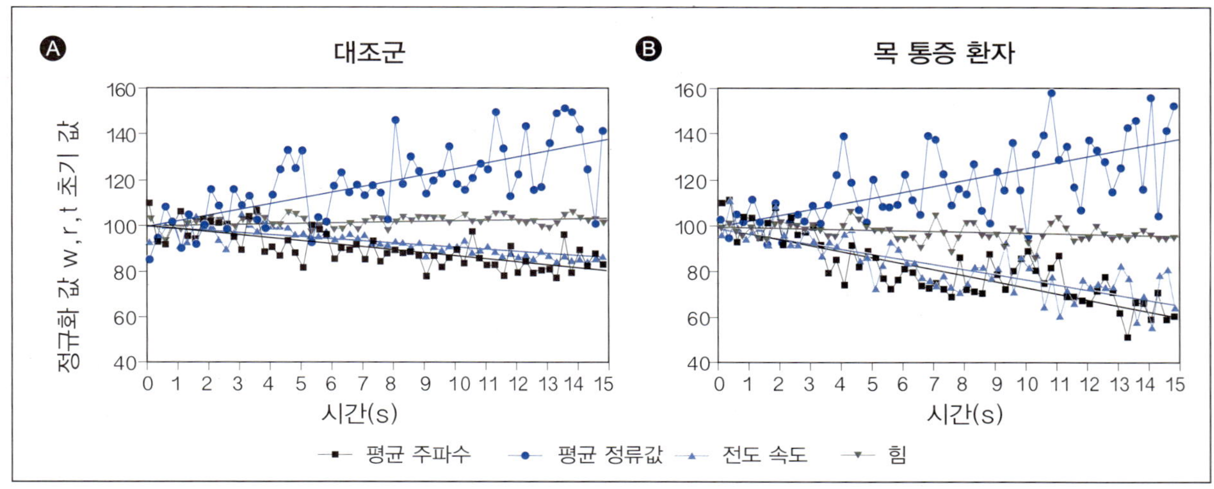

그림 13-3 ■ 목 통증 환자(B)와 대조군(A)의 목빗근에서 얻은 피로 도표의 예는 최대 자발적 수축의 50%로 15초 동안 수축한다. 평균 정류값(average rectified value, ARV), 전도 속도(conduction velocity, CV), 평균 주파수(mean frequency, MNF) 및 힘에 대한 데이터가 표시된다. 각 변수의 값은 회귀선의 절편에 대해(w.r.t) 정규화된다. 시간이 지남에 따라 MNF의 더 빠른 변화 속도에 의해 입증된 바와 같이, 목빗근의 더 큰 피로는 목 통증 환자에게 명백하다.(Falla 등[43]의 허가를 받아 재인쇄.)

경추 운동 조절 결함의 재활을 위한 치료 운동
THERAPEUTIC EXERCISE FOR THE REHABILITATION OF CERVICAL MOTOR CONTROL DEFICITS

위에서 설명한 것처럼 경추 운동 조절의 복잡한 변화는 서서히 미치는 발병 및 외상성 기원의 목 통증 장애가 있는 사람들에서 기록되었다. 또한 증거에 따르면, 이러한 경추 근육 기능의 변화는 조기에 발생하며[46] 증상이 완화되거나 해결된다고 자동으로 해결되지 않는다.[46-48] 이 지식은 근육 재활을 목 근육을 위한 다방면의 운동 프로그램으로 이끌었다(현대 운동 프로그램에 대한 자세한 내용은 참고 문헌[49] 참조). 특정 운동은 낮은 부하 수축을 사용하여 깊은 경추 굴곡근과 신근의 지구력을 활성화하고 훈련하는 데 사용된다. 또한, 경추 움직임의 재훈련 패턴을 포함하여 심부 근육층과 표재 근육층 사이의 협응을 훈련하기 위한 운동이 진행된다(그림 13-4 및 13-5).

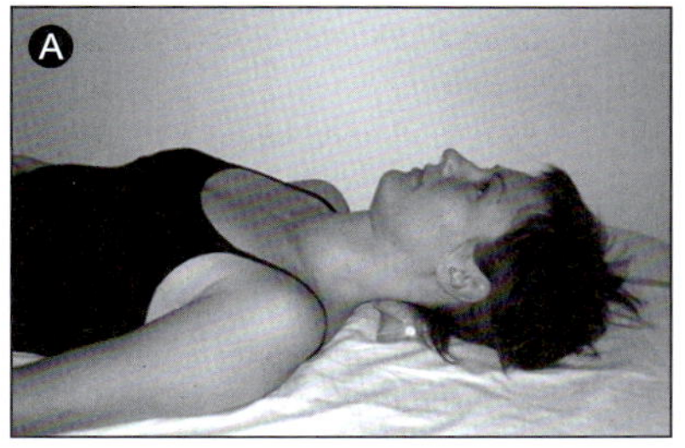
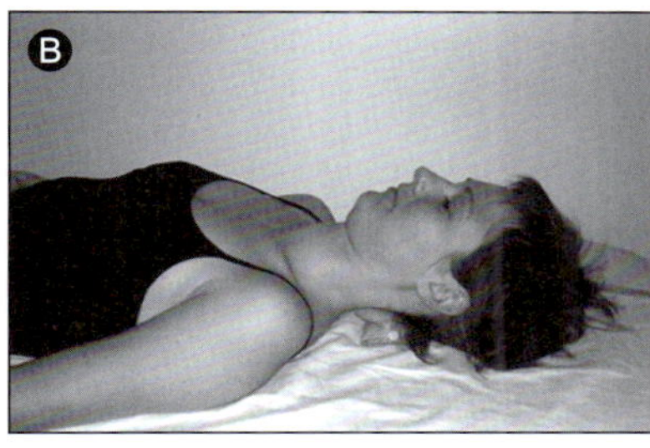
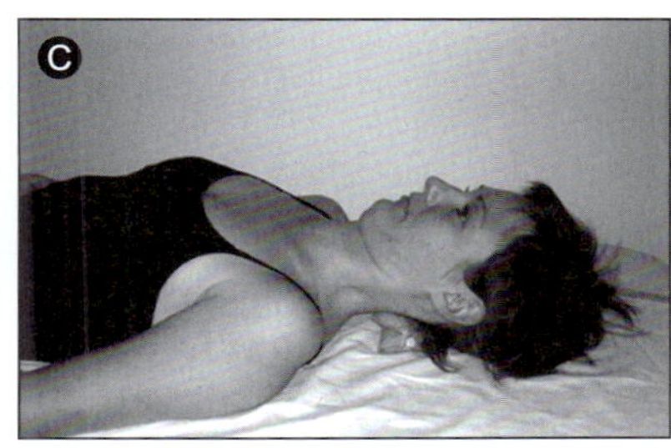

그림 13-4 ■ 두개경추 굴곡은 심부 경추 굴곡근과 표재 경부 굴곡근 사이의 조정을 재훈련하는 데 사용된다. (A) 머리와 목을 중간 범위의 중립 위치에서 두고 두개경추 굴곡 움직임을 위한 시작 위치. (B) 환자는 표재성 경추 굴곡근, 목빗근 및 앞목갈비근의 지배적인 작용 없이 두개경추 굴곡의 올바른 회전 작용을 수행해야 한다. (C) 머리와 목의 뒤당김은 두개경추 굴곡 작용을 수행하기 위해 목 통증 환자가 사용하는 가장 일반적인 대체 전략이다. 이 전략은 환자가 두개경추 굴곡의 회전 동작을 수행하도록 수정되어야 한다(B에서 설명됨).

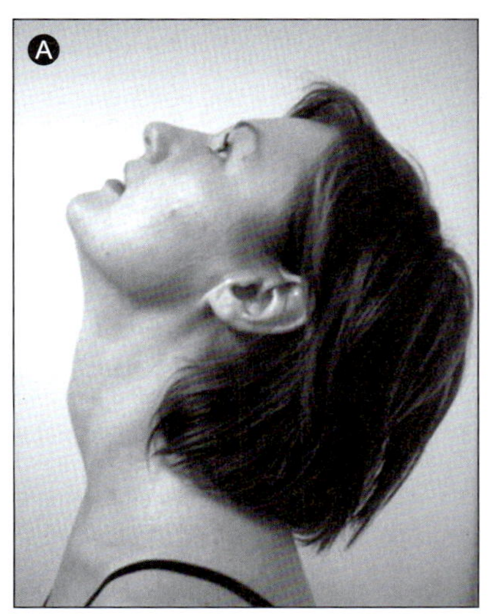
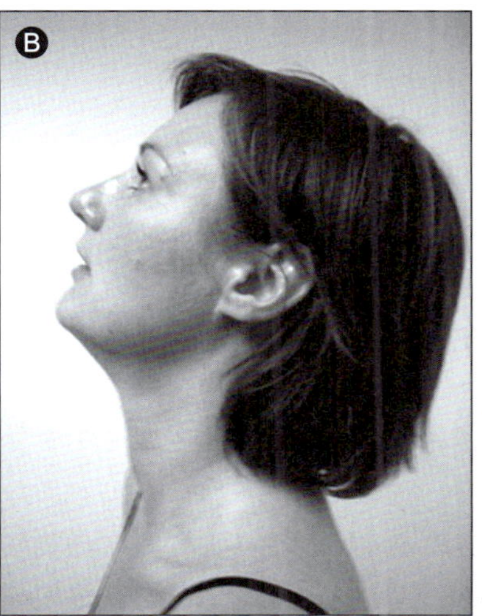
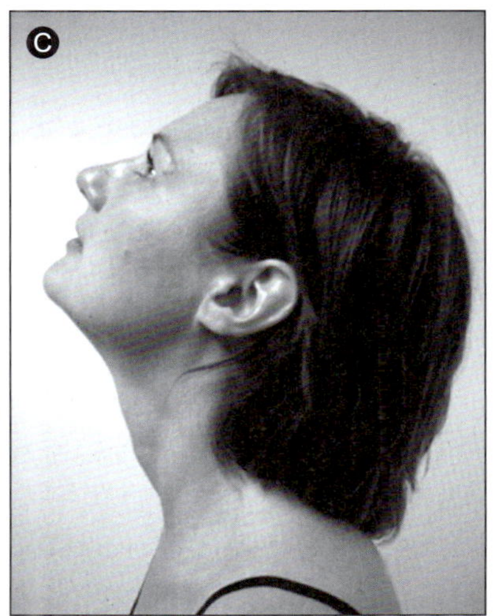

그림 13-5 ■ (A) 직립자세에서 심부 경추굴곡근과 표재성 경추굴곡근의 조정을 재훈련하는 것은 굴곡근이 경추 신전으로 편심되는 작용을 제어함으로써 달성할 수 있다. (B) 두개경추 굴곡은 머리를 중립 위치로 되돌리기 시작하는 데 사용된다. (C) 환자가 목빗근의 지배적인 작용으로 중립으로의 복귀를 시작하여 상부 경추 신전을 초래하는 경우, 중립으로의 불량한 복귀 패턴이 명백하다.

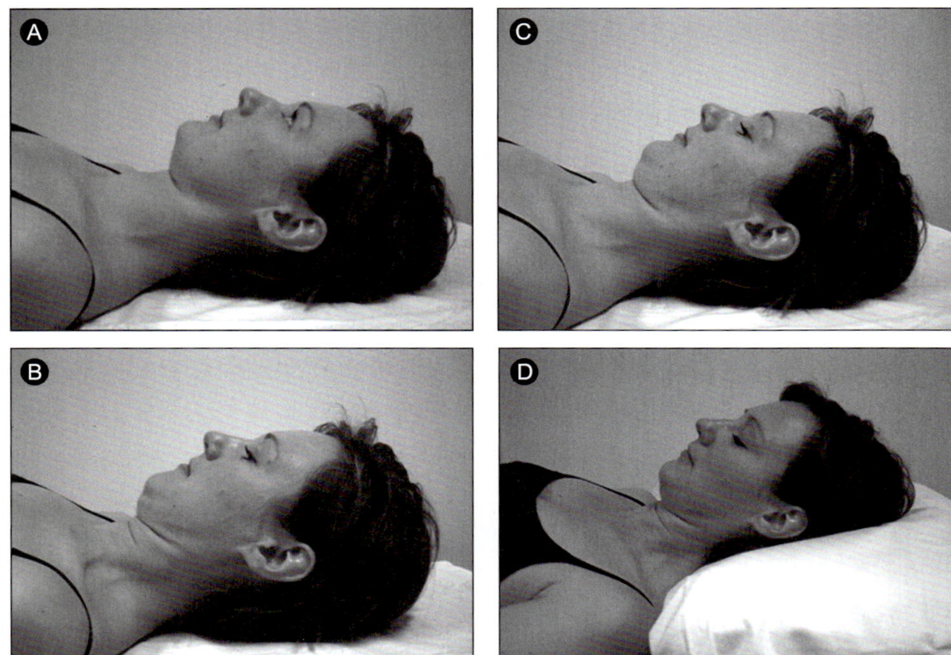

그림 13-6 ■ 운동 프로그램의 진행으로 환자는 머리 들어올리기 운동을 수행하여 표재성 및 심부 경추 굴곡근의 강도와 지구력을 재훈련할 수 있다. 운동은 두개경추굴곡(A, B)으로 시작하고, 그 다음 침대에서 머리를 들어올리기 위한 경추굴곡(C)으로 시작한다. 베개를 사용하여 운동의 부하를 줄일 수 있다(D).

운동 프로그램은 자세 및 기능적 활동 시 경추 근육의 재훈련을 통합하도록 진행되며, 추가 진행으로 더 높은 부하 지구력 및 근력 운동이 도입된다(그림 13-6). 목 통증과 두통의 증상을 감소시킬 뿐만 아니라[48] 심부 경추 근육[49]에 대한 특정 치료 운동은 두개경추 굴곡 검사를 수행하는 동안 이러한 근육의 활성화를 증가시키고 자세를 취하는 동안 이러한 근육의 활성화 속도를 향상시키는 것으로 나타났으며 컴퓨터 작업으로 인해 주의가 산만해지는 동안 척추의 수직 중립 위치를 유지하기 위해 목 통증이 있는 사람들의 능력을 향상시킨다.[50,51] 더욱이, 특정한 고부하 운동은 경추 근육의 근력을 향상시키고 피로도를 감소시키는 것으로 나타났다.[47] 종합적으로, 이러한 연구는 경추 근육의 신경근 조절을 개선하기 위한 치료적 운동의 이점을 강조한다.

이 장에서는 목 통증이 있는 사람들의 경추 신경근 조절의 변화를 검토하고 특정 치료 운동에 대한 개요와 재활에 대한 의미를 제시했다. 치료 운동은 각 환자의 상태에 따라 필요에 따라 자세 재교육, 운동 기억 재훈련 및 견갑골 근육 재훈련과 같은 훈련의 다른 측면을 통합해야 한다.

결론 CONCLUSION

목 통증이 있는 사람들은 목 근육의 신경근 조절에 변화가 나타난다. 경추 근육에 대한 특정 치료 운동은 목 통증 및 두통의 증상을 감소시키고 목 통증 환자에서 변화되는 것으로 알려진 근육 기능의 다양한 지표를 개선한다. 특정 근육 재훈련이 목 통증의 재발률에 미치는 영향을 조사하기 위해서는 향후 연구가 필요하다.

참고문헌

1. Winters JM, Peles JD. Neck muscle activity and 3D head kinematics during quasistatic and dynamic tracking movements. In: Winters JM, Woo SL-Y, editors. Multiple muscle systems: biomechanics and movement organisation. New York: SpringerVerlag; 1990. p. 461–80.
2. Andre-Deshays C, Berthoz CA, Revel M. Eye-head coupling in humans I. Simultaneous recording of isolated motor units in dorsal neck muscles and horizontal eye movements. Exp Brain Res 1988; 69:399–406.
3. Andre-Deshays C, Revel M, Berthoz A. Eye-head coupling in humans II. Phasic components. Exp Brain Res 1991;84:359–66.
4. Bexander CSM, Mellor R, Hodges PW. Effect of gaze direction on neck muscle activity during cervical rotation. Exp Brain Res 2005;167(3):422–32.
5. Dutia MB. The muscles and joints of the neck: their specialisation and role in head movement. Prog Neurobiol 1991;37(2): 165–78.
6. Keshner EA. Controlling stability of a complex movement system. Phys Ther 1990;70:844–54.
7. Bergmark A. Stability of the lumbar spine. A study in mechanical engineering. Acta Orthop Scand Suppl 1989; 60(Suppl. 230):1–54.
8. Crisco JJd, Panjabi MM. The intersegmental and multisegmental muscles of the lumbar spine. A biomechanical model comparing lateral stabilizing potential. Spine 1991;16(7):793–9.
9. Panjabi M, Abumi K, Duranceau J, et al. Spinal stability and intersegmental muscle forces. A biomechanical model. Spine 1989;14(2):194–200.
10. Falla D, Jull G, Hodges PW. Patients with neck pain demonstrate reduced electromyographic activity of the deep cervical flexor muscles during performance of the craniocervical flexion test Spine. Spine 2004;29(19):2108–14.
11. Jull G, Kristjansson E, Dall'Alba P. Impairment in the cervical flexors: a comparison of whiplash and insidious onset neck pain patients. Man Ther 2004;9(2):89–94.
12. Silverman JL, Rodriquez AA, Agre JC. Quantitative cervical flexor strength in healthy subjects and in subjects with mechanical neck pain. Arch Phys Med Rehabil 1991;72(9):679–81.
13. Vernon HT, Aker P, Aramenko M, et al. Evaluation of neck muscle strength with a modified sphygmomanometer dynamometer: reliability and validity. J Manipulative Physiol Ther 1992;15(6):343–9.
14. Falla D, Jull G, Dall'Alba P, et al. An electromyographic analysis of the deep cervical flexor muscles during craniocervical flexion. Phys Ther 2003;83:899–906.
15. Connor PM, Darden BV. Cervical discography complications and clinical efficacy. Spine 1993;18:2035–8.
16. Grubb SA, Kelly CK. Cervical discography: clinical implications from 12 years of experience. Spine 2000;25:1382–9.
17. Guyer RD, Ohnmeiss DD, Mason SL, et al. Complications of cervical discography: findings in a large series. J Spinal Disord 1997;10:95–101.
18. Laun A, Lorenz R, Agnoli AL. Complications of cervical discography. J Neurosurg Sci 1981;25: 17–20.
19. Lownie SP, Ferguson GG. Spinal subdural empyema complicating cervical discography. Spine 1989;14:1415–17.
20. Zeidman SM, Thompson K, Ducker TB. Complications of cervical discography: analysis of 4400 diagnostic disc injections. Neurosurgery 1995;37:414–17.
21. Falla D, Jull G, Edwards S, et al. Neuromuscular efficiency of the sternocleidomastoid and anterior scalene muscles in patients with neck pain. Disabil Rehabil 2004;26(12):712–17.
22. Szeto GP, Straker LM, O'Sullivan PB. A comparison of symptomatic and asymptomatic office workers performing monotonous keyboard work – 1: neck and shoulder muscle recruitment patterns. Man Ther 2005;10(4):270–80.

22a. Schomacher J, Farina D, Lindstroem R, et al. Chronic traumainduced neck pain impairs the neural control of the deep semispinalis cervicis muscle. Clin Neurophysiol 2012;123(7): 1403–8.

22b. Schomacher J, Boudreau SA, Petzke F, et al. Localized pressure pain sensitivity is associated with lower activation of the semispinalis cervicis muscle in patients with chronic neck pain. Clin J Pain 2013;29(10):898–906.

23. Falla D, Bilenkij G, Jull G. Patients with chronic neck pain demonstrate altered patterns of muscle activation during performance of a functional upper limb task. Spine 2004;29(13): 1436–40.
24. Barton PM, Hayes KC. Neck flexor muscle strength, efficiency, and relaxation times in normal subjects and subjects with unilateral neck pain and headache. Arch Phys Med Rehabil 1996;77(7): 680–7.
25. Bouisset S, Zattara M. A sequence of postural adjustments precedes voluntary movement. Neurosci Lett 1981;22:263– 70.

26. Falla D, Rainoldi A, Merletti R, et al. Spatiotemporal evaluation of neck muscle activation during postural perturbations. J Electromyogr Kinesiol 2004;14(4):463–74.
27. Falla D, Jull G, Hodges PW. Feedforward activity of the cervical flexor muscles during voluntary arm movements is delayed in chronic neck pain. Exp Brain Res 2004;157:43–8.
28. Gurfinkel VS, Lipshits MI, Lestienne FG. Anticipatory neck muscle activity associated with rapid arm movements. Neurosci Lett 1988;94(1–2):104–8.
29. van der Fits IBM, Kilp AWJ, van Eykern LA, et al. Postural adjustments accompanying fast pointing movements in standing, sitting and lying adults. Exp Brain Res 1998;120: 202–16.
30. Revel M, Andre Deshays C, Minguet M. Cervicocephalic kinesthetic sensibility in patients with cervical pain. Arch Phys Med Rehabil 1991; 72(5):288–91.
31. Heikkila H, Astrom P. Cervicocephlic kinesthetic sensibility in patients with whiplash injury. J Rehabil Med 1996;28:133–8.
32. Loudon JK, Ruhl M, Field E. Ability to reproduce head position after whiplash injury. Spine 1997;22(8):865–8.
33. Treleaven J, Jull G, Sterling M. Dizziness and unsteadiness following whiplash injury: characteristic features and relationship with cervical joint position error. J Rehabil Med 2003;35(1):36–43.
34. Kogler A, Lindfors J, Odkvist LM, et al. Postural stability using different neck positions in normal subjects and patients with neck trauma. Acta Otolaryngol 2000;120(2):151–5.
35. Michaelson P, Michaelson M, Jaric S, et al. Vertical posture and head stability in patients with chronic neck pain. J Rehabil Med 2003;35(5): 229–35.
36. Treleaven J, Jull G, Lowchoy N. Standing balance in persistent whiplash: a comparison between subjects with and without dizziness. J Rehabil Med 2005;37(4):224–9.
37. Andary MT, Hallgren RC, Greenman PE, et al. Neurogenic atrophy of suboccipital muscles after a cervical injury: a case study. Am J Phys Med Rehabil 1998;77(6):545–9.
38. Hallgren RC, Greenman PE, Rechtien JJ. Atrophy of suboccipital muscles in patients with chronic pain: a pilot study. J Am Osteopath Assoc 1994;94(12):1032–8.
39. McPartland JM, Brodeur RR, Hallgren RC. Chronic neck pain, standing balance, and suboccipital muscle atrophy – a pilot study. J Manipulative Physiol Ther 1997;20(1):24–9.
40. Amiri M. The sensitivity and specificity of a suit of musculoskeletal tests to discriminate cervicogenic headache from other headache sources. PhD thesis, Physiotherapy. Brisbane: The University of Queensland; 2004.
41. Uhlig Y, Weber BR, Grob D, et al. Fiber composition and fiber transformations in neck muscles of patients with dysfunction of the cervical spine. J Orthop Res 1995;13(2):240–9.
42. Falla D, Jull G, Rainoldi A, et al. Neck flexor muscle fatigue is side specific in patients with unilateral neck pain. Eur J Pain 2004;8(1):71–7.
43. Falla D, Rainoldi A, Merletti R, et al. Myoelectric manifestations of sternocleidomastoid and anterior scalene muscle fatigue in chronic neck pain patients. Clin Neurophysiol 2003;114(3): 488–95.
44. Falla D, Rainoldi A, Jull G, et al. Lack of correlation between sternocleidomastoid and scalene muscle fatigability and duration of symptoms in chronic neck pain patients. Neurophysiol Clin 2004;34(3–4):159–65.
45. Gogia PP, Sabbahi MA. Electromyographic analysis of neck muscle fatigue in patients with osteoarthritis of the cervical spine. Spine 1994; 19(5):502–6.
46. Sterling M, Jull G, Vicenzino B, et al. Development of motor dysfunction following whiplash injury. Pain 2003;103:65–73.
47. Falla D, Jull G, Hodges P, et al. An endurance-strength training regime is effective in reducing myoelectric manifestations of cervical flexor muscle fatigue in females with chronic neck pain. Clin Neurophysiol 2006;117(4):828–37.
48. Jull G, Trott P, Potter H, et al. A randomized controlled trial of exercise and manipulative therapy for cervicogenic headache. Spine 2002; 27(17):1835–43.
49. Jull G, Sterling M, Falla D, et al. Whiplash, Headache and Neck Pain: Research Based Directions for Physical Therapies. Edinburgh: Elsevier; 2008.
50. Falla D, Jull G, Russell T, et al. Effect of neck exercise on sitting posture in patients with chronic neck pain. Phys Ther 2007;87(4):408–17.
51. Jull GA, Falla D, Vicenzino B, et al. The effect of therapeutic exercise on activation of the deep cervical flexor muscles in people with chronic neck pain. Man Ther 2009;14(6):696–701.

경추의 근육통 증후군의 진단 및 치료

DIAGNOSIS AND TREATMENT OF MUSCULAR PAIN SYNDROMES OF THE CERVICAL SPINE

ORLANDO MAYORAL DEL MORAL ▪ ISABEL SALVAT ▪
ENRIQUE J. LLUCH GIRBÉS ▪ RAFAEL TORRES CUECO

근육은 고아 같은 기관이다. 어떤 의료전문분야에서도 자신의 것이라고 주장하지 않는다. 그래서 어떤 의료 전문분야도 통증의 근육적 원인에 관한 연구지원을 시도하지 않는다.

David G. Simons[1]

도입
INTRODUCTION

Simons가 이 장을 시작하는 것으로 인용되었으며 그의 말은 오늘날에도 여전히 유효하다. 근육은 내부에 분포된 구조[2]가 풍부하지만, 일반적으로 통증을 유발할 수 있는 것으로 간주되지 않는다. 근육은 인체에서 가장 큰 장기로서 일상생활의 남용으로 가장 고통받는 조직으로, 진료실에서 통증의 잊혀진 원인으로 남아 있다.[3]

또한 근육은 1975년에 Korr[4]가 지적한 바와 같이 근육과 관절 기능장애에 역할을 할 수 있는 기능인(신경근 방추의 감마신경 분포로 인해) 자가 조절하는 유일한 신체 구조이다:

생리학자에게, 골병성 병변을 특징짓는 관절의 움직임에 대한 제한과 저항은 일반적으로 관절 내에서 발생하지 않고 관절을 가로질러 이동하는 하나 이상의 근육에 의해 부과되는 것이 훨씬 더 합리적으로 보인다. 모든 체조직 중에서 근육이 유일하게 활동적이며, 스스로 에너지를 공급하고 독립적인 운동을 할 수 있고 크고 광범위하며 빠르게 변화하는 힘을 발달시킬 수 있는 것이다.

이 동일한 저자는 '점질화는 끈처럼 느껴질 수 있는 선택된 다발에 상응하는 근육[...]경련에서 흔히 찾을 수 있다.'고 이야기한다.

이러한 촉진 소견은 원격 통증[3,5]을 유발할 수 있는 근육내 통각과민 결절 또는 병소의 존재를 인정하면서 다른 이름으로 의학 문헌에서 발견되고 다른 성질로 식별될 수 있다(표 14-1).

Janet Travell은 이러한 결절을 근막통증유발점(myofascial trigger points, MTrP) 또는 유발(trigger) 부위라고 불렀고, 다른 사람들과 협력하여 근육통[3]의 본질에 대한 매우 견고한 이론을 개발한 일련의 연구를 수행했다.

표 14-1에서 알 수 있듯이 Travell은 처음에 근육통의 원인이 '악순환'에 기인한다고 가정했다. 근육 경련이 통증을 유발하고 통증이 반사적으로 근육 경련을 일으키면 자기영속적인 주기가 형성될 수

표 14-1

근육 통증: 용어

	저자, 년도	결절, 촉진할 수 있는 띠 및 연관통 설명
근육 또는 만성 류마티즘	Balfour, 1816	근육의 결절 및 압통의 중심(focal point)
	Valleix, 1841	통점, 신경과잉의 초점. 통증은 주변 신경을 따라 함께 전파된다.
	Froriep, 1843	근육 굳은살(Muskel schwiele). 민감한 타우트 밴드
	Mezger, 1868	결절 및 길쭉한 끈 같은 구조
	Helleday, 1876	결절(*만성골수염*)
	Strauss, 1898	결절(작고, 민감하며, 사과 크기 정도의 구조) 및 만져지는 근육대(통증성, 연필 크기에서 새끼손가락 크기의 길쭉한 구조)
	Adler, 1900	민감하고 길쭉한 침윤. 방사통
	Schmidt, 1916	수축되고 부드러운 근육다발
	Stockman, 1920	조직학적 관찰: 결절(염증성 증식), 연관통(섬유 조직에 의해 압축된 감각신경)
	Gutstein, 1938	국소 압통, 근육통, 국소 및 연관통증: 압통점에서 나오는 통증 패턴
섬유조직염[a] (Fibrositis)	Gowers, 1904	민감한 섬유질 beached chains
	Llewellyn 외, 1915	민감한 결절. 방사통
	Kelly, 1941	민감한 결절. 연관통
	Copeman 외, 1944	결절: 탈출된 지방 소엽
	Brendstrup 외, 1957	결절의 생검 및 생화학적 검사: 말초신경말단을 뒤틀린 간질성 부종 및 통증 발생 (Wegelius, Absoe-Hansen, 1956)
근육경화증 또는 근경증	Schade, 1919	결절은 깊은 무감각 및 사망 후에도 계속 만져짐: 근육 세포질의 콜로이드 상태 변화 (겔화)
	F. Lange, 1925	부드러운 경화(muskelharten)
	M. Lange, 1931	첫 번째 '유발점 매뉴얼', 언급되지 않은 연관통
	Glogowski 외, 1951	근육경화증은 반드시 광현미경의 손이 닿지 않는 근섬유 레벨에서 발생되어야 한다.
근육통	Edeiken 외, 1936	근육의 압통점에 압력을 가해 자발적으로 재생되는 통증
	Steindler, 1940	결절을 '유발점(trigger points, TrPs)'이라고 부름
	Travell 외, 1942	부분 압통, 연관통. 악순환
근막통증유발점 (Myofascial TrPs)	Travell 외, 1952	압통점, 연관통, 32가지 통증 패턴

[a]용어 변형: 결절성 섬유근염(Telling, 1911), 근막염(Albee, 1927), 근섬유염(Murray, 1929), 신경섬유염 (Clayton and Livingstone, 1930), 특발성 근육통 myalgia (Gutstein-Good, 1940), 류마티스성 근육통 (Good, 1941) 및 근육통(Gutstein, 1955).

있다'는 것이다. 이 이론이나 Johansson/Sojka 가설('감마 운동 시스템의 실증적 피드백 루프는 만성 근육통과 근긴장도 증가의 원인이 됨')은 입증되지 않았다.[6] 통증을 근육적응과 관련시키는 다양한 가설에 대한 검토는 6장을 참조한다.

근막 통증 증후군: 개요
MYOFASCIAL PAIN SYNDROME: OVERVIEW

근막 통증 증후군(MPS)은 근막통증유발점(myofascial trigger points, MTrP)에 의해 유발되는 일련의 감각, 운동 및 자율 신경계 증상 및 징후로 정의된다.[3] 차례로, 근막통증유발점은 압축시 통증이 있고 자극될 때(즉, 압박 또는 니들링에 의해) 연관통 운동 장애[7,8] 및 자율신경 장애[3]의 특징적인 패턴을 유발될 수 있는 골격근 부위의 타우트 밴드(taut band) 내의 과민성(즉, 통각과민 및/또는 이질통으로 나타남) 지점으로 임상적으로 정의된다(즉, 각 근막통증유발점에는 감각, 운동 및 자율신경 구성요소가 포함됨).[9] 근막통증유발점은 임상 활동에 따라 연관통을 자발적으로 유발하는지 여부에 따라 활동성 또는 잠복성으로 분류할 수 있다.[3]

근막 통증 증후군은 근육의 타우트 밴드 내에서 과민성 영역으로 임상적으로 정의되는 근막통증유발점에 의해 유발되는 일련의 증상 및 징후이다.

근막통증유발점의 원인은 여전히 추측의 문제이며 여러 가상 모델이 그 형성을 설명하려고 시도했다. 오늘날, 1996년 David Simons[10]에 의해 처음 기술되고 나중에 확장되고 업데이트된 통합 가설은[3,9,11-13] 근막통증유발점에 대해 가장 널리 받아들여지는 설명을 제공한다. 현재 통합 가설은 일부 근전도,[14-16] 미세 분석[17] 및 조직학[18] 발견에 의해 뒷받침되며, 실험적으로 확인해야 하지만 현재 근막통증유발점이 무엇인지, 발견되는 위치 및 최상의 관리 방법과 같은 질문에 응한다.[19,20] 그러나 중심 변조 가설,[21] 신경인성 가설,[22,23] 신경생리학적 가설[24] 및 신경근병증 가설[25]과 같은 다른 모델도 개발되었다.

통합 가설에 따르면, 근막통증유발점은 시냅스 전, 시냅스 및 시냅스 후 레벨에서 발생하는 여러 현상에 이차적으로 과도한 아세틸콜린 활성이 특징인 운동종판의 기능장애에 의해 시작된 신경근 질환의 결과이다.[13] 이 운동종판 기능장애는 운동종판에 가장 가까운 근절의 고도로 국소적인 구축을 유발한다(그림 14-1). 이 근절 구축은 국소 허혈과 저산소증을 유발한다. 조직 손상의 결과로 다양한 혈관 활성 및 통증발생 물질이 방출되어 말초 통각 수용체의 감작(말초 감작)을 일으킨다. 또한, 불량한 아세틸콜린에스테라아제 발현은 이러한 물질(예: 칼시토닌 유전자 관련 펩타이드[CGRP])[12]의 직접적인 작용 또는 활성 근막통증유발점의 입증된 산성 pH에 의해 주기를 영속화할 수 있다.[12] 아세틸코리네스테라아제 결핍은 과도한 아세틸콜린(ACh) 방출 및 아세틸콜린 수용체[13]의 수 또는 민감도와 관련된 잠재적인 시냅스 후 충돌과 결합된 시냅스 기능장애[13]를 의미한다. 이러한 모든 단계는 초기 시냅스 전 기능장애가 극복되더라도 문제를 영속시키는 기전의 관점에서 한원을 다 마치고, 근막통증유발점 자체 영속 능력을 설명한다.

또한, 영향을 받는 섬유에서 근막통증유발점에 의해 생성된 장력은 그 자체로 문제가 지속되는 또 다른 이유일 수 있고, 근육 긴장이 아세틸콜린의 방출을 증가시킬 수 있다는 것이 알려져 있기 때문에,[13,26] 근막통증유발점을 자립유지과정의 전형적인 모델로 전환할 수 있다(그림 14-2). 티틴 단백질이 선호하는 Z 밴드에 대한 미오신의 부착과 같은 또 다른 영구 요소를 고려해야 한다. 정상 상태에서 티틴은 미오신을 Z-밴드에 고정시킨 상태로 유지하지만 근막통증유발점 수축으로 인해 정상 상태를 변경하고 근절이 정상 길이를 회복하는 것을 방해하는 젤이 될 수 있다.[27,28]

통합 가설은 근막통증유발점이 어떻게 자립 유지 과정을 구성하는지 설명할 수 있다.

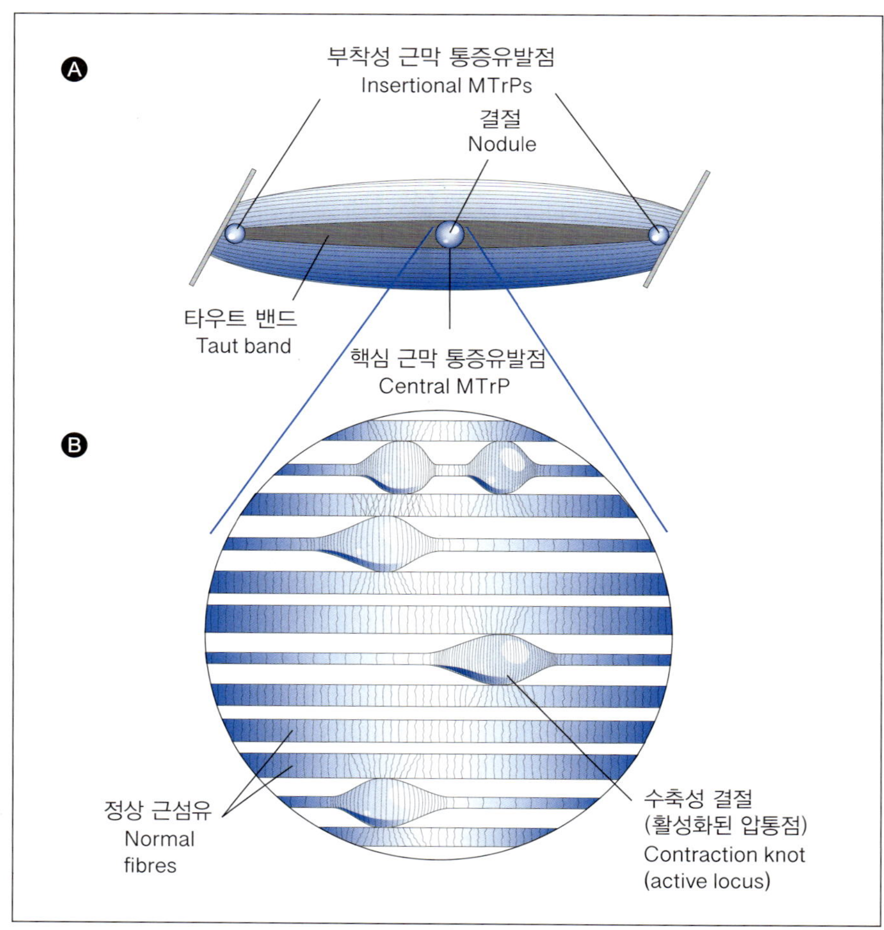

그림 14-1 ▪ 근막통증유발점(MTrP)의 구조적 모델. (출처: Simons DG, Travell JG, Simons LS. Dolor y disfunción miofascial. El manual de los puntos gatillo. Mitad Superior del cuerpo. 2.ª ed. Madrid: Editorial Médica Panamericana, 2002.)

과정을 시작하는 운동종판 기능장애는 직접 또는 간접으로 분류되는 다른 기전에 이차적일 수 있다. 전자는 직접적인 외상, 근육 과신장, 강제 수축과 같은 급성 과부하, 특히 최대 또는 최대 이하의 편심 또는 동심 수축,[12] 또는 만성 과부하[29-31]와 같이 영향을 받은 근육에 직접 작용한다. 간접적인 기전에는 영향을 받은 근육 또는 작용제/길항제 근육, 관절 기능장애,[32] 신경조직 장애(예: 신경근병증),[33,34] 내장 질환 및 정신 감정 장애에 관련된 통증을 유발할 수 있는 근육의 근막통증유발점 존재가 포함된다.[3]

제시된 근막 통증에 대한 가설 외에도 촉진 시 근육통의 존재와 근육 반응의 증가는 보통 모든 병인의 통증을 수반하는 부수 현상이라는 점에 유의해야 한다.

근육통은 종종 다른 통각수용성 근원에 이차적인 통각과민의 표현이며 많은 경우에 관련 통각수용성 근원에 이차적이지 않은 중추 감작의 징후이며, 따라서 변경된 중추 처리의 산물이다.[35-37]

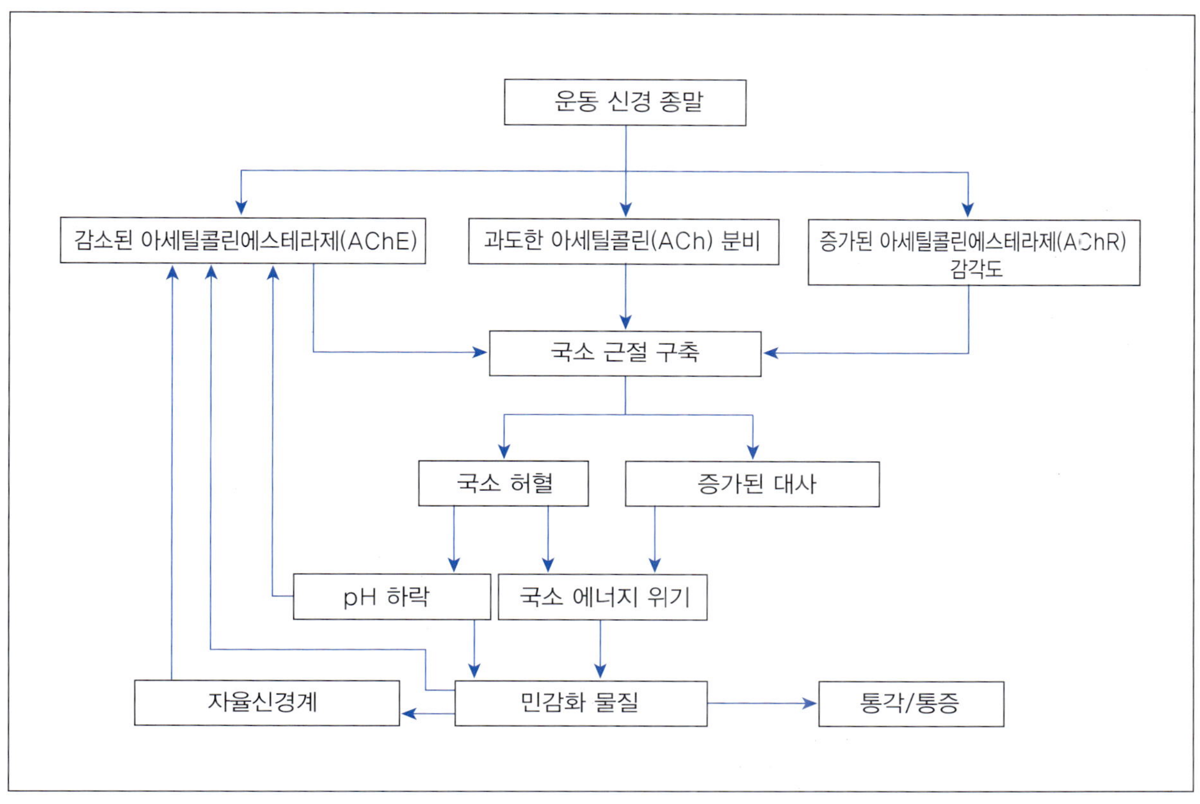

그림 14-2 ▪ 통합 통증유발점 가설. ACh 아세틸콜린, AChE 아세틸콜린에스테라제, AChR 아세틸콜린에스테라제 수용체. (Simons[11]에서 수정 및 Dommerholt J, Bron C, Franssen J. Myofascial trigger point에서 수정: 증거에 기반한 검토. J Manual Manipulative Ther 2006;14(4):203-21.)

활성화 기전이 무엇이든 근막통증유발점은 자기 영속적인 현상의 한 예가 될 수 있다.[11,13] 즉, 원래 개발에 유리했던 원인이 사라지더라도 시간이 지남에 따라 지속할 수 있다.[3]

이 자기 영속적인 과정은 근막 통증 증후군(MPS) 치료가 두 단계를 포함해야 한다는 생각을 뒷받침한다.[28,38] 첫 번째 단계는 현재 환자의 불만과 관련된 근막통증유발점을 치료하여 통증을 조절하려고 시도하는 반면, 두 번째 단계는 가능한 모든 근막통증유발점의 병인 또는 영속 요인을 조절하거나 제거하려고 시도한다.[3,39]

근막 통증 증후군(MPS) 치료에는 두 단계가 포함되어야 한다:
첫 번째 단계는 현재 환자의 불만과 관련된 근막통증유발점의 치료를 통해 통증을 조절하는 것이고, 두 번째 통증은 근막통증유발점의 가능한 모든 병인 및 영속 요인을 다룬다.

근막 통증 증후군: 치료
MYOFASCIAL PAIN SYNDROME: TREATMENT

근막 통증 증후군(MPS) 치료에 대한 중재는 보존적 또는 침습적으로 분류될 수 있다. 보존적 기술에는 마사지 동작[20](그림 14–3), 압박[40–42] 또는 스트레칭[42–44]과 같은 도수치료 기술과 충격파,[45] 레이저[46] 또는 초음파[23,47]와 같은 전기물리적 제제의 사용을 참조하는 도구 기술이 포함된다.

침습적 기술과 관련하여 드라이니들링(dry needling)[48–52]의 효과를 뒷받침하는 여러 논문이 발표되었다. 예를 들어, 최근 메타 분석에서는 상부 사분의 일에 영향을 미치는 근막 통증 증후군(MPS) 환자에게 드라이니들링의 적용을 권장하지만(근거 수준 I, 권장 사항 A 등급), 드라이니들링[49]을 사용한 품질 시험이 거의 없다는 점에 주목해야 한다.

실제로, 플라시보 바늘과 가짜 천자의 사용이 일종의 생리적 자극을 포함한다는 근거로 의문을 제기하기 때문에 드라이니들링 기법으로 이중 맹검 대조 연구를 설계하는 것은 어렵다. 피부를 조금만 건드려도 느린 전도 구심성과 결합된 기계 수용체를 자극할 수 있다는 증거가 증가하고 있으며, 이는 섬체 부위에서 활동을 일으키고 결과적으로 웰빙 감정을 증가시키고 불쾌감을 감소시킨다.[53–55]

이 문제를 피하기 위해 무작위로 무릎전치환술 후 근막 통증 예방에 대한 MTP 드라이니들링의 효과에 대한, 이중 맹검, 플라시보 대조 임상 시험이 수행되었다.[56] 이 연구에서 전문가는 관절 교체 수술 몇 시간 전에 하지 근육의 근막통증유발점에 대해 40명의 피험자를 조사했다. 그런 다음 피험자들은 실제 심부드라이니들링(deep dry needling, DDN) 그룹 또는 시뮬레이션된 심부드라이니들링(DDN) 그룹으로 정해졌다. 마취 직후와 수술 전, 실제 심부드라이니들링(DDN) 그룹에 속하는 피험자에서 이전에 진단된 모든 근막통증유발점에서 심부드라이니들링(DDN)이 수행된 반면, 가짜 심부드라이니들링(DDN) 그룹의 피험자는 치료를 받지 않았다. 흥미롭게도 이 후자 그룹에서 물리치료사는 마취 중에 수술실에 남아 심부드라이니들링(DDN) 절차를 시뮬레이션했다. 환자는 아무것도 느낄 수 없었기 때문에 완전히 아무것도 알지 못했다. 마찬가지로, 수술 후 1, 3, 6개월에 수행된 모든 수술 전 및 후속 검사에서 근막통증유발점 검사관도 맹검되었다. 실제 DDN 그룹의 피험자는 수술 후 통증이 적었고 수술 후 진통제($p = 0.02$) 요구량에 통계적으로 유의한 차이가 있었다.

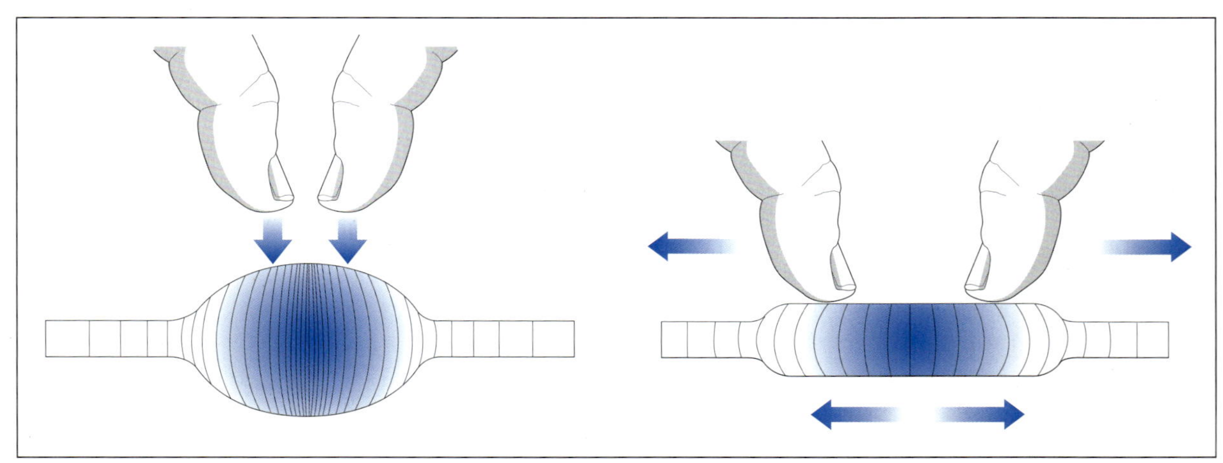

그림 14–3 ■ 국소 스트레칭 마사지. (Simons.[19]에서 발췌)

이 연구의 결과는 심부드라이니들링(DDN)에 대한 혁신적이고 흥미로운 플라시보 방법론을 제시함으로써 플라시보에 비해 심부드라이니들링(DDN)의 우수성을 입증했다.[56]

목 근육의 근막 통증 증후군 MYOFASCIAL PAIN SYNDROMES OF THE NECK MUSCLES

후경부, 머리 및 어깨 근육의 근막통증유발점은 머리와 목의 근골격 통증 증후군에서 역할을 할 수 있다. 특히, 근막통증유발점은 다양한 유형의 두통,[57] 경추 신경근병증,[34,58,59] 흉곽출구 증후군,[60] 만성 편타 관련 장애(WAD)[61–65] 또는 기계적 목 통증[66,67]과 관련하여 종종 발견된다.

경추성 현기증에서 근막통증유발점의 역할은 알려져 있지 않지만 목 근육은 관련 두부, 안면 및 팔 통증, 머리와 목의 제한된 이동성, 현기증 및 가성 현기증[3,68]을 유발할 수 있다. 특히 사각근(목갈비근육, scalene muscle)은 흉곽출구 증후군의 발병에 관여할 수 있다. 그러나 흉곽출구 증후군의 물리치료 관리에 관한 최근 지침에서는 근막통증유발점을 가능한 병인 또는 기여 요인으로 언급하지 않는다.[69,70]

경추 통증과 관련하여, 통증이 목 뒤를 덮는 근육은 상부 및 하부 등세모근(승모근, trapezius), 뭇갈래근(다열근, multifidus), 목널판근(경판상근, splenius cervicis) 및 어깨올림근[3](견갑거근, levator scapulae)이다. 기계적 목 통증이 있는 사람들에게서 근막통증유발점의 존재를 분석한 연구에 따르면 건강한 사람[71]보다 후두하부, 상부 등세모근 및 목빗근(흉쇄유돌근, SCM)에서 근막통증유발점이 더 활동적임을 발견했다. 마찬가지로 초음파탄력조영술(sonoelastrography)을 통해 목 통증이 있는 환자의 상부 등세모근 근막통증유발점의 존재를 시각화할 수 있었다.[72] 그러나 상부 등세모근 근막통증유발점의 치료가 목 통증을 완화시킬 수 있다는 명확한 증거는 없으며 보툴리눔 독소 침윤에 대한 논란의 결과가 있다.[73]

외상 후 목 통증과 관련하여 편타 관련 장애(WAD)가 목빗근(SCM), 상부 등세모근, 머리반가시근(두반극근, semispinalis capitis) 및 머리널판근(두판상근, splenius capitis)의 손상을 유발할 수 있다는 것은 널리 받아들여지고 있다.[74] 그러나, 편타 관련 장애(WAD)에서 근막통증유발점의 역할은 거의 다루어지지 않았다. 유병률 연구는 편타 관련 장애(WAD)를 머리반가시근(두반극근, semispinalis)[64] 및 상부 등세모근, 아래머리빗근(하두사근, obliquus capitis inferior), 어깨올림근, 목빗근(SCM) 및 사각근(목갈비근육)[75]에 있는 근막통증유발점의 존재와 연관시켰다. Baker의 유병률 연구에 따르면 가장 영향을 받은 근육은 머리널판근이고, 그 다음이 목빗근(SCM)이다.[76] 더욱이, 상부 등세모근 근막통증유발점으로의 리도카인 침윤은 만성 편타 관련 장애(WAD) 환자[77]에서 경추 이동성을 증가시키고 전신 통각과민을 감소시켰으며, 보툴리눔 독소를 사용한 근막통증유발점 치료는 편타 관련 장애(WAD)에 따른 이차 통증을 완화했다.[78] 편타 관련 장애(WAD) 관리에서 드라이니들링의 효과를 평가하기 위한 프로토콜 연구가 제안되었지만 그 결과는 아직 발표되지 않았다.[79]

목 증상이 있는 사람들에서 경추 근육에 위치한 근막통증유발점의 역할이 확립되었다.

근막통증유발점이 머리에 지시하는 통증은 종종 경추성 두통 또는 긴장형 두통(tension-type headache, TTH)[80]으로 진단되지만 근막통증유발점은 다른 유형의 두통에 존재할 수 있다.[3,81–85] 문헌은 근막 통증 증후군(MPS)과 일부 유형의 두통 사이의 관계에 대한 몇 가지 증거를 제공하는 반면,[80,83,84] 특정 연구에서는 등세모근,[86,87] 목빗근(SCM)[88–91]

또는 아래머리빗근(하두사근)[92]과 같은 특정 목 근육의 능력을 보여주었고, 두통을 유발, 지속 또는 악화시킨다.

긴장형 두통(TTH)과 관련하여 이 그룹의 세 가지 하위 그룹(즉, 드문 간헐성 두통, 빈번한 간헐성 두통 및 만성 두통)에서 두통이 두개주위 압통과 관련이 있는지 여부에 따라 두 가지 하위 형태가 식별될 수 있다는 점에 유의해야 한다. 이 두개주변 압통을 결정하기 위해 검사해야 하는 근육은 전두, 측두, 교근, 날개근(익상근, pterygoid), 목빗근, 널판근(판상근, splenius) 및 등세모근이다.[93] 실제로, 다양한 저자들은 목과 어깨 부위의 다른 근육에 위치한 근막통증유발점이 개발 및 영속화에 기여하는 긴장형 두통(TTH)[94]에서의 역할을 할 수 있다고 제안했다. 이에 따라, 특정 근막통증유발점 치료[90]를 포함한 프로그램에 반응할 긴장형 두통(TTH)을 가진 여성을 식별하기 위해 목빗근 및 아래머리빗근의 근막통증유발점이 임상 예측 규칙에 포함되었다. 그러나, 현재 긴장형 두통(TTH)의 통증 감소에 대한 근막통증유발점 치료의 긍정적인 효과를 뒷받침할 과학적 증거가 충분하지 않다.[95]

경추성 두통은 정의상 근막통증유발점에 의해 유발되어서는 안 된다. 국제 두통 학회의 분류에 따르면 근막통증유발점에 의한 두통은 이전 단락에서 논의된 긴장형 두통(TTH)[93]으로 분류된다. 그러나 긴장형 두통(TTH)은 일반적으로 양측성[93]이며, 근막 통증은 비대칭인 경향이 있다.[3] 이러한 특징은 경추성 두통에서도 공유되며, 일반적으로 한 부분에서 다음 부분으로 측면을 바꾸지 않고 일방적이다.[93] 더욱이, 경추성 두통은 '목 장애',[93] 특히 상부 경추 분절의 관절 기능장애에 이차적으로 간주된다(후두–경추3번). 이 기준은 경추 근육의 근막통증유발점이 관절 기능장애와 관련될 수 있기 때문에 진단에 어려움을 초래할 수 있다.[3] 또한, 근막통증유발점과 경추성 두통 진단 사이에 일부 관계가 발견되었다.[91,96]

상부 등세모근, 목빗근, 뒤통수밑근, 널판근 및 반가시근과 같은 일부 목 근육에 위치한 근막통증유발점은 긴장형 두통(TTH) 및 경추성 두통의 특징적인 통증에 기여할 수 있다.

여러 근육의 근막통증유발점은 안면 부위에 통증을 유발할 수 있다(즉, 상부 등세모근, 목빗근의 흉골 분할, 교근과 같은 두개안면 근육 등).[3] 안면 통증을 앓고 있는 환자는 종종 비정형 안면 신경통으로 진단된다. 목덜미 근육 침윤이 안면 통증 완화에 효과가 있음이 입증되었다.[97]

또한, 비정형 안면 신경통 또는 비정형 안면 통증의 진단이 불명확하여[98,99] 후자의 표현은 '지속적 특발성 안면 통증'[93]으로 개명되었다. 두 경우 모두 통증이 둔하고 지속적이거나 거의 연속적이며 국소화되어 약물 치료에 반응하지 않는다. 그들은 비정형 안면 통증과 달리 삼차 신경가지의 분포 영역을 따른다는 점에서 비정형 안면 신경통이 다르다.[99] 따라서 위에서 언급한 정보를 기반으로 환자가 이러한 진단을 받았을 때 근막통증유발점의 기여도를 조사하는 것이 유용하다.

지속적인 특발성 안면 통증이 있는 환자의 등세모근 및 목빗근(SCM)에서 근막통증유발점의 존재를 탐색하는 것이 좋다.

이명과 관련하여 Rocha와 Sanchez[100]은 근막통증유발점과의 연관성과 근막통증유발점 치료가 이명을 조절하고 흥미로운 결과를 얻는 능력을 조사했다. 이명의 시간적인 조절은 목빗근(SCM), 머리널판근(두판상근, splenius capitis), 깨물근(교근, masseter)(깊은 부분) 및 내측 날개근(익상근, pterygoid)에 위치한 근막통증유발점 압박에 의해

선택된 경우의 약 절반에서 달성되었다. 또한 근막통증유발점과 이명 사이의 공간적 연관성이 관찰되었으며, 이명에 의해 가장 영향을 받는 쪽에서 더 많은 근막통증유발점이 발생하는 것으로 나타났다. 또한 Rocha와 Sanchez[101]는 근막통증유발점 치료가 이명을 개선할 수 있음을 발견했다.

경추성 현기증이 있는 환자의 경우, 자세 조절에서의 역할에 따라 목빗근(SCM)에서 근막통증유발점, 경추 뭇갈래근(다열근, multifidus) 및 아래머리빗근(하두사근, obliquus capitis inferior)에 대한 탐색이 권장된다. 근막통증유발점에 이차적으로 이러한 근육으로부터 고유수용성 정보의 변경은 자세 조절에 영향을 미쳐서 균형 장애를 일으킬 수 있다.[102] 실제로, 목빗근(SCM), 아래머리빗근 및 뭇갈래근에 근막통증유발점이 있는 환자는 경추성 현기증의 주관적인 불안정성을 나타낼 수 있다. 어쨌든, 양성발작성두위 현기증(benign paroxysmal positional vertigo, BPPV) 또는 미로 기원의 현기증과 같은 현기증을 유발하는 다른 상태와의 감별 진단이 이루어져야 한다.

목 근육의 근막통증유발점은 경추성 현기증 환자가 경험하는 증상에 기여할 수 있다.

등세모근(Trapezius)

등세모근(승모근)의 각 세분(즉, 상부, 중부, 및 하부)에는 근막통증유발점이 있을 수 있다.[3]

상부 등세모근(*Upper trapezius*)

상부 등세모근에는 두 개의 근막통증유발점 영역이 있다. 첫 번째 영역은 근육의 앞쪽 가장자리 중앙에 위치하며 가장 수직인 섬유에서 귀 뒤, 관자놀이 및 교근 부위 뒤쪽으로 통증이 나타난다. 두 번째 영역은 상부 등세모근(승모근, trapezius)의 견봉 섬유에서 보다 후방 및 측방에 위치하며 후이개 및 목덜미 부위에 통증을 나타낸다(그림

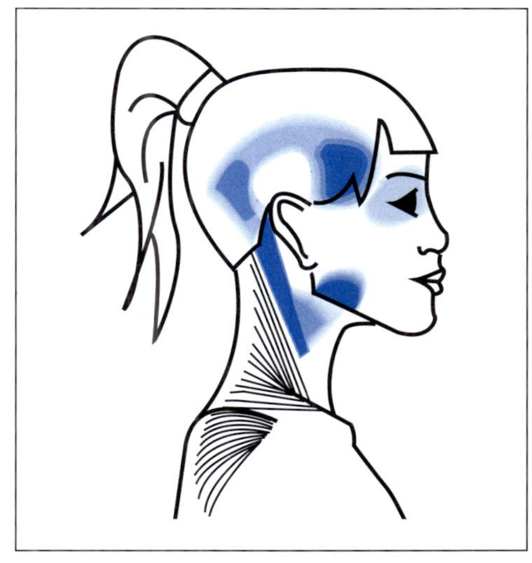

그림 14-4 ■ 상부 등세모근 전방 섬유의 관련 통증 패턴.

14-4). 상부 등세모근, 특히 전방 섬유에서 다른 근막통증유발점을 발견하고 쇄골 근처의 (정지) 근막통증유발점을 발견하여 국소 통증 패턴을 생성하는 것은 드문 일이 아니다.

상부 등세모근에 근막통증유발점이 존재하면 이 근육의 긴장과 겉보기에 두께가 증가한다. 환자는 목을 스트레칭하려는 것처럼 목을 움직이고 문지르는 뚜렷한 경향을 보일 수 있다. 그러나 상부 등세모근 근막통증유발점은 경추의 이동성을 과도하게 제한하지는 않는다. 경추의 이동성이 제한된 경우, 가장 영향을 받는 움직임은 반대쪽 측면 굽힘과 굴곡이다. 또한, 능동 동측 회전은 일반적으로 통증이 없는 반면, 반대쪽 경추 회전은 최대 근육 단축으로 인해 움직임 끝에 통증을 유발한다. 어깨 외전은 또한 90° 이상에서 고통스러울 수 있다.

상부 등세모근 근막통증유발점의 임상적 특징:

경추 반대측 측면 굽힘 및 굴곡의 적당한 제한. 특히 움직임이 끝날 때 능동적 반대측 경추 회전으로 인한 통증. 어깨 외전이 90°를 넘을 때 통증이 있다.

상부 등세모근(승모근, trapezius)의 근막통증유발점은 편타(Whiplash)[75] 또는 반복적/지속적인 움직임 및 자세(예: 전면 기기 수영, 컴퓨터 화면을 한쪽으로 놓고 일하기, 엎드린 자세에서 잠자기)와 같은 직접적인 기전에 의해 종종 활성화된다.

상부 등세모근 근막통증유발점과 컴퓨터 작업 사이의 관계는 잘 연구되었다. 장기간 컴퓨터 타이핑은 상부 등세모근의 지속적인 활성화로 이어지며, 이는 특히 열악한 인체 공학적 조건[103,104]과 관련하여 근막통증유발점이 발생하기 쉽게 만든다.

상부 등세모근의 근막통증유발점은 또한 상부 등세모근에 통증 패턴을 나타내는 다른 근막통증유발점 또는 기능 단위 내의 다른 근육의 기능장애와 같은 간접적인 기전에 의해 활성화될 수 있다.

경추 신경근병증[3] 또는 척수 신경 신경병증성[105,106]은 상부 등세모근에서 근막통증유발점의 발달을 촉진할 수 있다. 또한 척수 신경이 목빗근(SCM)을 통과할 때 협착되어 상부 등세모근에 마비와 통증을 유발할 수 있다.[107] 마지막으로, 상부 등세모근 근막통증유발점의 존재와 경추3번-경추4번 관절 기능장애 사이에 관계가 있는 것으로 보인다.[108,109]

관련 근육: 경추 뭇갈래근(다열근, multifidus),
큰가슴근(대흉근, pectoralis major)**의 쇄골 부분,**
어깨올림근(견갑거근, levator scapulae),
목빗근(흉쇄유돌근, SCM),
두갈래근(이두근, biceps),
세갈래근(삼두근, triceps),
사각근(목갈비근, scalene muscle),
횡격막 및 깨물근(교근, masseter).

중부 등세모근(*Middle trapezius*)

근막통증유발점은 거의 수평 방향인 중간 등세모근 섬유의 중간 부분에서 찾을 수 있다. 이러한 근막통증유발점은 경추7번-흉추3번의 극돌기 주변 영역에서 표재성 찔림통증의 형태로 증상을 나타낼 수 있다.

중부 등세모근(승모근, trapezius) 근막통증유발점은 과도한 흉추 후만(즉, 가슴근육의 단축과 관련됨)에 이차적으로 근육이 과신장된 후에 활성화될 수 있다. 이 활성화 기전은 특히 작은가슴근 단축에 의해 영향을 받는 하부 등세모근 근막통증유발점에 일반적이다(중부 등세모근 섬유는 큰가슴근 단축의 영향을 더 많이 받음).[110] 중부 등세모근 근막통증유발점은 종종 근육 억제 및 약화와 관련이 있다.

상부 등세모근에 대해 이미 언급된 바와 같이, 다른 간접 기전이 경추 신경근병증, 척수신경 신경병증 및 경추6번-흉추1번 관절 기능장애와 같은 중부 등세모근 근막통증유발점을 활성화할 수 있다.[3]

임상적 특징: 과도한 흉추 후만.
관련 근육: 상부 등세모근(승모근, trapezius),
가슴근(흉근, pectorals),
마름근(능형근, rhomboid) **및**
앞톱니근(전방거근, serratus anterior).

하부 등세모근(*Lower trapezius*)

하부 등세모근의 근막통증유발점은 목 부위, 유양돌기 부위, 상부 등세모근 및 견봉에 대한 통증을 나타낼 수 있다. 따라서 상부 등세모근 근막통증유발점은 하부 등세모근 근막통증유발점으로 인해 활성화될 수 있다. 하부 등세모근 근막통증유발점은 일반적으로 하부 등세모근과 견갑골 내측 경계 사이의 접합부 근처에서 발견된다. 그들은 더 심부 근육(즉, 능형근)에 위치한 근막통증유발점과의 연관성으로 인해 종종 결절성 일관성을 갖는다. 하부 등세모근 근막통증유발점은 견갑골 거상과 전방 경사로 나타나는 근육 약화로 이어질 수 있다. 그러나 경추의 이동성은 일반적으로 제한되지 않는다.

드물기는 하지만 견갑골의 척추 아래 및 견갑골 내측 가장자리에 찔림통증을 나타내는 어깨세모근(삼각근, deltoid muscle) 결절 내측에 위치하는 하부 등세모근 근막통증유발점과 관련된 유착병증 영역이 있을 수 있다.

임상적 특징: 견갑골의 전방 거상 및 기울어짐.

하부 등세모근 근막통증유발점의 활성화 기전과 영속 요인은 중부 등세모근의 기전과 유사하다. 또한, 이는 다른 근육(예: 넓은등근[광배근, latissimus dorsi], 앞톱니근[전방거근, serratus anterior])의 근막통증유발점에 대해 이차적으로 활성화될 수도 있으며, 이와 관련 통증 패턴에는 하부 등세모근 또는 경추 척수병증, 척수신경 신경병증 및 경추4번-흉추12번 관절 기능장애가 포함된다.[3]

관련 근육: 상부 등세모근(승모근, trapezius),
가슴근(흉근, pectorals),
마름근(능형근, rhomboid) **및**
앞톱니근(전방거근, serratus anterior).

목빗근(Sternocleidomastoid muscle)

목빗근(SCM)은 두 부분 중 하나에 수많은 근막통증유발점을 보유할 수 있다. 각 부분에는 고유한 연관통 패턴이 있다(그림 14-5). Dejung 등은 팔을 포함하는 연관통 패턴을 설명했지만, 증상은 종종 두개안면 영역에서 경험된다.[111]

목빗근(SCM)의 흉골 부분은 머리 꼭대기, 후두, 뺨, 눈 및 흉골 상부에 연관통을 유발할 수 있다. 눈과 안면의 통증은 과도한 눈물 흘림, 결막 발적, 명백한 안검하수, 시야 흐림, 또는 상악동 충혈과 같은 다른 증상을 동반할 수 있다. 환자는 또한 연하곤란('목구멍에 덩어리' 느낌), 발작적이고 예상치 못한 마른 기침 또는 목의 따끔거림을 호소할 수 있다. 목빗근(SCM)의 흉골 부분에 위치한 근막통증유발점을 가진 환자에게 부여되는 일부 진단 라벨은 비정형 안면 신경통, 긴장형 두통(TTH), 삼차신경통 또는 경추성 두통이다.[96,112]

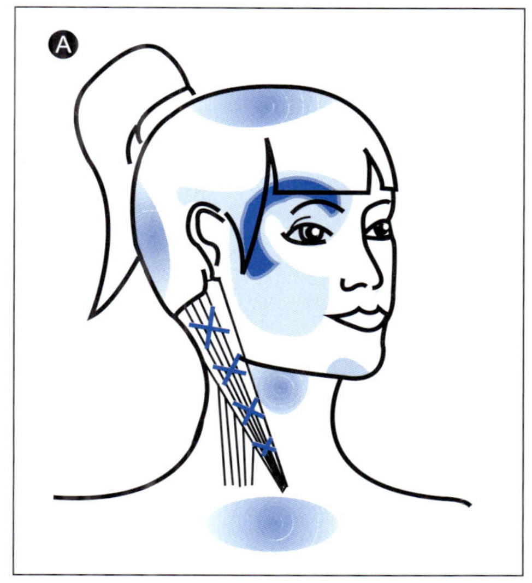

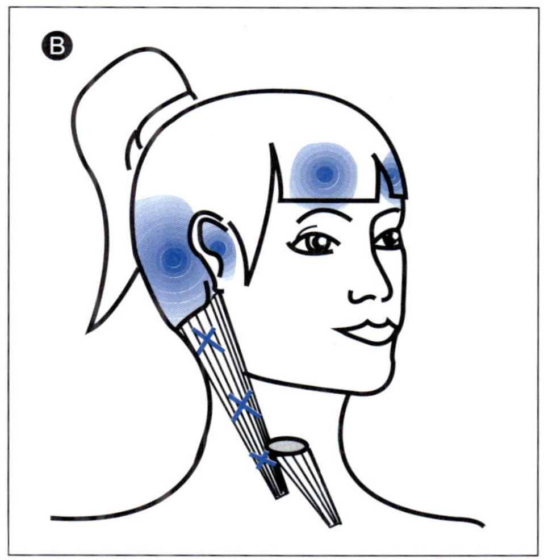

그림 14-5 ■ 목빗근(흉쇄유돌근, SCM)의 연관통 패턴: (A) 흉골 부분; (B) 쇄골 부분.

목빗근의 쇄골 부분에 위치한 근막통증유발점은 양측 전두통, 귀 통증 및 후방 귀 부위의 통증을 유발할 수 있다. 그들은 또한 현기증(dizziness), 불안정 또는 현기증(vertigo)[3,113]의 주관적인 감각과 고유감각 및 공간 지각 장애에 대한 책임이 있다. 때때로 환자는 영향을 받은 목빗근(SCM)의 측면으로 보행 편차의 형태로 약간의 보행 변화를 보인다.[3]

예상되는 것과는 달리 목빗근 근막통증유발점은 일반적으로 어깨올림근(견갑거근, levator scapulae)과 같은 다른 경추 근육과 달리 경추 운동성을 크게 제한하지 않는다. 목빗근(SCM) 근막통증유발점은 경부동맥 기능장애로 인한 증상과 유사한 증상을 나타낼 수 있으므로 감별진단이 이루어져야 한다. 경부동맥 기능부전으로 인해 목 통증, 두통, 현기증 등의 일부 증상이 나타날 수 있으므로 이는 중요하다.[115]

임상적 특징: 구강안면부에 위치한 자율신경 징후 및 증상. 경추 이동성의 약간의 제한.

목빗근(SCM) 근막통증유발점은 머리를 앞으로 향하게 하는 자세 또는 머리를 한쪽으로 돌리거나 장기간 신전 상태를 유지하는 것과 같은 자세 요인에 의해 직접적으로 활성화될 수 있다.[3] 목빗근(SCM) 근막통증유발점의 직접 활성화의 가장 일반적인 요인 중 하나는 편타(whiplash)이다.[64,79]

간접적인 활성화 요인에는 쇄골을 아래쪽 및 앞쪽으로 이끄는 큰가슴근의 쇄골 부분과 같은 다른 근육의 근막통증유발점 또는 연관통 패턴이 목빗근(SCM)에 투영되는 세갈래근의 후방 힘살과 같은 다른 근육의 존재가 포함된다. 천식과 만성 폐쇄성 폐질환은 또한 목빗근 근막통증유발점의 발달에 도움이 될 수 있는데 이 근육이 호흡 중에 과도하게 사용되기 때문이다.[3] 두 목빗근(SCM) 사이의 상승 작용–길항 작용 관계의 결과로 근막통증유발점은 양측에서 발견될 수 있다. 따라서 환자의 증상이 편측일 수 있지만 양쪽 근육을 모두 탐색하는 것이 좋다. 또한 사각근(목갈비근육, scalene muscle), 어깨올림근(견갑거근, levator scapulae) 또는 등세모근(승모근, trapezius)과 같은 다른 근육도 목빗근(SCM)과 함께 활성화될 수 있다. 목빗근 근막통증유발점은 차례로 관자근(측두근, temporal), 깨물근(교근, masseter) 또는 두힘살근(이복근, digastric)과 같은 연관통 영역에 위치한 근육의 근막통증유발점을 활성화할 수 있다.

관련 근육: 반대쪽 목빗근(SCM), 사각근(목갈비근육, scalene muscle), **어깨올림근**(견갑거근, levator scapulae) **및 상부 등세모근**(승모근, trapezius), **관자근**(측두근), **깨물근**(교근, masseter) **및 두힘살근**(이복근, digastric).

보존적 치료는 목빗근 근막통증유발점, 특히 타우트 밴드의 국소 스트레칭을 치료하는 데 매우 효과적일 수 있다. 근육의 스트레칭은 근육의 굴곡성 해부학 때문에 대부분의 경우, 불가능하거나 권장되지 않는다(필요한 위치가 척추 동맥을 손상시킬 수 있기 때문). 침습적 치료의 경우 기흉을 유발할 수 있는 외부 경정맥, 척추더부신경(부신경, accessory nerve) 및 대이개신경 및 폐의 우발적인 천자를 피하기 위해 예방 조치를 취해야 한다.

어깨올림근(Levator scapulae)

어깨올림근은 가장 흔한 두 가지 근막통증유발점 위치를 나타낸다. 하나는 상부 등세모근 바로 앞 근육의 중앙 부분에 위치하며, 다른 하나는 견갑골의 상내각(superior–internal angle)에서 어깨올림근의 삽입 부근에 위치한다. 두 근막통증유발점은 목 각도 영역, 견갑골 내측 경계 및 후방 어깨로 확장되는 연관통 패턴을 유발할 수 있다.[3]

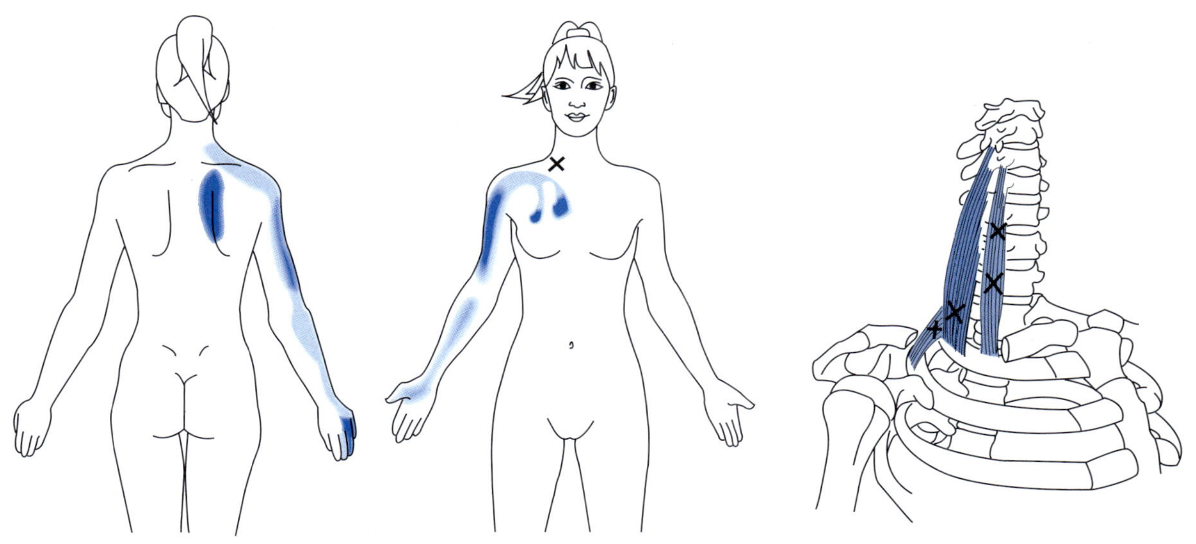

그림 14-6 ■ 목갈비근(사각근, scalene muscle)의 연관통 패턴.

또한 어깨올림근 근막통증유발점은 일반적으로 특히 회전 시 목의 이동성을 크게 제한한다.[3]

어깨올림근의 근막통증유발점은 장기간의 부적절한 자세, 전방머리 자세 또는 심리적 스트레스에 이차적으로 활성화될 수 있다. 컴퓨터 작업, 반복적인 목 움직임 또는 너무 높은 목발의 장기간 사용으로 인한 근육 과부하도 어깨올림근의 근막통증유발점 활성화를 촉진할 수 있다.[3]

어깨올림근에 대한 침습적 치료를 고려하는 경우 폐에 바늘을 삽입하는 것을 피해야 한다. 경피적 전기자극은 이 근육에 효과적인 것으로 입증되었다.[116] 보존적 치료의 경우 스위스 기법이 권장된다.[111]

사각근(Scalene Muscle)

근막통증유발점은 3개의 사각근(목갈비근육)에서 찾을 수 있다. 이들의 연관통 패턴은 경추5번-경추6번 신경근 침범을 시뮬레이트하는 전흉부 영역, 견갑골 척추 경계, 견갑간 영역 및 상지에 투영된다. 머리와 관련된 통증도 보고되었다(그림 14-6).

목갈비근(사각근) 근막통증유발점은 흉곽출구 증후군(TOS)의 발병에 기여하는 것으로 믿어진다.[3] 이 관련의 가장 가능성 있는 기전은 앞목갈비근(전사각근, scalenus anterior) 및 중간갈비근(중사각근, scalenus medius) 단축으로 인해 들어올릴 수 있는 첫 번째 늑골일 것이다. 이 들어올림은 가장 낮은 팔신경얼기 뿌리(경추7번-흉추1번)에 굽힘 및 견인력을 유발하는 동시에 쇄골하 정맥이 통과하는 늑쇄골 공간을 감소시킨다.

목갈비근 근막통증유발점이 있는 환자는 종종 경추 대측 측면 굽힘의 제한적이고 고통스러운 움직임을 보인다. 동측 경추 회전은 특히 머리와 목의 굴곡[3]과 관련된 경우 마지막 운동 각도에서 고통스러울 수 있다. 이 움직임은 단축 위치에서 목갈비근의 수축을 포함하며 국소 및 연관통을 유발할 수 있다.

목갈비근 근막통증유발점에 따른 통증은 상지의 들어올리기 움직임에 의해 악화될 수 있다. 이러한 동작 중 경추 안정화 역할 및 흡기 근육이므로 호흡 활동(예: 기침, 재채기, 심호흡 등)에 의해 통증이 악화될 수 있다.[3] 대조적으로 상지의 지속적인 수동적 거상이나 어깨를 내밀면서 거상하는 자세는 증상 완화에 도움이 될 수 있다. '목갈비근 이완 검사'는 Davidson 등이 기술한 신경근 통증 진단용 어깨외전 검사와 많은 유사점이 있다.[117]

임상적 특징: 경추 반대쪽 측면굽힘 및 동측 경추 회전의 통증 및 제한. 상지를 들어올릴 때와 기침할 때 통증이 있다.

목갈비근(사각근, scalene muscle) 근막통증유발점의 활성화 기전은 편타,[63] 무거운 물건 나르기 또는 당기기, 잦은 기침, 호흡기 질환에 따른 우세한 상부 흉부 호흡, 작업 또는 일상 활동 중 지속적인 경추의 어색한 자세 등 다양하고 다양하다.[3]

목갈비근 근막통증유발점은 일반적으로 상부 등세모근, 목빗근(SCM) 또는 머리널판근(두판상근, splenius capitis) 같은 기능적으로 관련된 다른 근육과 함께 활성화된다. 추가적으로, 목갈비근 근막통증유발점은 가슴근(흉근, pectorals), 마름근(능형근, rhomboid), 등세모근, 삼각근(어깨세모근, deltoid muscle), 세갈래근(삼두근, triceps), 두갈래근(이두근, biceps), 손목 및 손가락 신근, 엄지두덩근육과 같은 관련 통증 부위에 위치한 다른 근육들에 위치한 근막통증유발점을
2차적으로 활성화시킬 수 있다.

관련 근육: 상부 등세모근(승모근, trapezius),
목빗근(SCM),
머리널판근(두판상근, splenius capitis).

일반적으로 목갈비근의 표재성
드라이니들링으로 높은 치료 효과를 나타내므로 보존적 치료와 함께 침습적 치료로 권장된다.

전방 경추 근육(Anterior cervical muscles)

대부분의 전방 경부 근육(즉, 목뿔위근육[설상, suprahyoid], 목뿔아래근육[설하, infrahyoid], 긴목근[경장근, longus colli], 긴머리근[두장근, longus capitis], 앞머리곧은근[전두직근, rectus capitis anterior] 및 가쪽머리곧은근[외측직근, rectus capitis lateralis])의 연관통 패턴은 아직 설명되지 않았다. 사실, 근막통증유발점이 이 근육에 존재하는지 여부는 알려져 있지 않다. Simons 등[3]에 따르면, 심부 경추 굴근(즉, 긴목근 및 긴머리근)의 연관통은 후두와 목 앞쪽 부위와 입으로 확장된다. 또한, 연하 곤란을 유발할 수 있으며 근막통증유발점으로 인한 약화조차도 후방 경추 증상의 발달 및 지속에 기여할 수 있다고 추측된다.[3] 다른 저자들은 긴목근에서 경추 뒤쪽 부위,[118] 이마, 턱, 머리 뒤쪽과 뒷목[111]의 연관통 패턴을 설명했다.

건강한 사람[119]과 비교하여 편타 부상을 입은 환자에서 구강 인두의 크기와 모양에서 상당한 차이가 발견되었다. 건강한 피험자[120]와 비교할 때 만성 편타 관절염이 있는 피험자에서 경부 전방 근육, 특히 긴목근(경장근, longus colli)과 긴머리근(두장근, longus capitis)에서 지방 침윤이 더 커지고 단면적이 감소하는 것으로 나타났다. 근육 조직의 이러한 형태학적 변화와 근막통증유발점 사이의 가능한 인과 관계는 아직까지 밝혀지지 않았다.

전방 경추 근육에서 근막통증유발점의 활성화는 경추 손(편타손상) 또는 앞으로 향한 머리 자세와 같은 자세 변화로 인해 발생할 수 있다.[3] 만성 목 통증이 있는 피험자는 건강한 피험자보다 더 많이 장시간 앉아 있는 작업을 할 때 머리를 앞으로 내밀고 앉은 자세를 취하는 경향이 있다.[121] 이는 중립 경추 위치를 조절하는 역할을 가진 심부 경추 굴근의 조절 역할이 비효율적임을 반영하는 것으로 보인다. 특히 심부 경추굴근을 대상으로 하는 치료 운동 후에는 앉은 자세에서 경추의 중립 위치를 유지하는 능력이 향상된다.[121]

전방 경추 근육의 치료를 위해서는 표재성 드라이니들링과 보존적 치료를 병행하는 것이 좋고, 특히 이러한 근육을 대상으로 하는 근육 훈련 프로그램이 있다.[80]

머리널판근 및 목널판근

(Splenius capitis and Splenius cervicis)

머리널판근(두판상근) 근막통증유발점은 종종 상부 등세모근의 상단과 교차하는 근육의 중간 부분에 위치한다. Simons 등은 머리널판근에 대해 설명된 동측 두통의 연관통 패턴은 머리 꼭대기를 향하고 있으며, 저자의 임상 경험은 후두하, 후두부, 전두엽, 눈 및 귀 영역에 대한 연관통 패턴을 보여주었으며, 이는 다른 저자가 설명한 패턴과 더 일치하는 것으로 보인다.[111]

목널판근(경판상근) 근막통증유발점의 두 가지 주요 영역이 있다.[3] 첫 번째 영역은 상부 등세모근과 어깨올림근(견갑거근, levator scapulae) 사이, 대략 경추7번 극돌기 레벨(목의 각도에서)에 있는 근육의 중앙 영역이다. 이 근막통증유발점과 관련된 증상은 목의 각도와 목 경직에서 느껴지는 통증이며 일반적으로 동측 경추 회전으로 악화된다. 회전에 대한 이동성 제한은 일반적으로 어깨올림근 근막통증유발점에 의한 것보다 적다.

때때로 어깨올림근 근막통증유발점이 비활성화된 후에야 목널판근(경판상근) 근막통증유발점으로 인한 통증과 경직이 분명해진다. 목널판근에 있는 근막통증유발점의 다른 영역은 두 개 또는 세 개의 상부 경추의 후방 결절 레벨에서 정지 근처에 위치하며, 여기서 근육은 머리널판근(두판상근) 또는 상부 등세모근과 같은 다른 근육으로 덮여 있다. 이 레벨에서 심부 촉진에 대한 민감성과 후두부 및 두개골을 통해 안와 뒤쪽으로 향하는 특징적인 연관통은 삽입성 목널판근 근막통증유발점의 존재를 시사한다.[3] 그러나 이 부위에 겹쳐진 근육층을 감안할 때 촉진된 지점이 목널판근의 삽입 근막통증유발점에 해당하는지 또는 머리널판근, 머리반가시근(두반극근, semispinalis capitis) 또는 뭇갈래근(다열근, multifidus)과 같은 다른 근육에 속하는 근막통증유발점에 해당하는지 확신할 수 없다.

목널판근 및 머리널판근의 근막통증유발점은 일반적으로 수동적 굴곡 및 반대측 회전 및 능동 머리 및 목 동측 회전을 제한한다. 이들의 근막통증유발점은 종종 경추 및 상부 흉추 관절 기능장애와 연관되고 종종 동일한 연관통 패턴[122]을 공유하기 때문에 감별 진단을 내리는 것이 필수적이다. 또한, 다른 근막통증유발점도 아래머리빗근(하두사근, obliquus capitis inferior), 어깨올림근(견갑거근, levator scapulae) 또는 상부 등세모근(승모근, trapezius)과 같은 판상근의 패턴과 유사하거나 겹치는 패턴을 가지고 있다.[3]

임상적 특징: 수동적 굴곡 및 반대측 회전의 제한 및 능동 머리 및 목 동측 회전의 제한.

관련 근육: **뒤통수밑근**(후두하근, suboccipital),
어깨올림근(견갑거근, levator scapulae),
상부 등세모근(승모근, trapezius).

아마도 판상근 근막통증유발점 활성화의 두 가지 가장 일반적인 기전은 자세 스트레스와 편타성이다. 지속적이거나 반복적인 머리와 목의 신전이나 회전 또는 머리를 앞으로 숙이는 자세는 이러한 근육에 과부하를 주어 근막통증유발점의 발달을 촉진할 수 있다. 일부 저자는 머리널판근(두판상근, splenius capitis)을 편타에 의해 가장 자주 영향을 받는 근육 중 하나로 언급했다.

침습적 치료가 계획된 경우, 척추 동맥(머리널판근)과 폐(목널판근)에 구멍을 뚫지 못하도록 예방 조치를 취해야 한다.

머리반가시근(Semispinalis capitis)

머리반가시근(두반극근)은 인대 접합부의 존재로 인해 일반적으로 3개의 해부학적 영역으로 나뉜다. 이것은 근막통증유발점이 근육의 세 영역 중 어느 곳에서나 발견될 수 있음을 의미한다.

머리반가시근의 상부 ⅓에 있는 근막통증유발점은 보통 정중선에서 1~2cm 떨어진 후두하 영역에서 발견되며, 종종 후두부에서 측두엽 및 눈 영역까지 스트립과 같은 방식으로 확장되는 연관통 패턴을 유발한다. 환자는 긴장형 두통(TTH) 또는 경추성 두통[80]과 같은 이러한 근막통증유발점에 대해 다른 진단 라벨을 받을 수 있다.

머리반가시근(두반극근)의 중간 1/3에 있는 근막통증유발점은 일반적으로 운동종판이 대부분 집중되는 경추3번-경추4번 극돌기의 측면 영역에 위치한다.[3] 그들의 연관통 패턴은 동측 후두부에 투영된다.

머리반가시근의 아래쪽 1/3의 섬유는 길이가 다를 수 있기 때문에 머리반가시근의 운동 끝판은 경추7번과 흉추2번 사이에 더 광범위하게 분포될 수 있다.[3] 이러한 최하위 머리반가시근 근막통증유발점에 대해 연관통의 특정 패턴이 확인되지 않았다.

머리반가시근에 근막통증유발점이 있는 환자는 위에서 설명한 고통스러운 패턴에 따라 두통을 경험할 수 있다. 그들은 또한 뒤쪽 머리와 목에 가해지는 압력에 대한 과민 반응과 턱을 가슴 쪽으로 내리려고 할 때 나타나는 경추 이동성 제한, 특히 머리 굴곡에서 통증을 나타낼 수 있다. 상부 경추 부위(후두-경추3번) 관절 기능장애는 머리반가시근 근막통증유발점과 관련하여 발견될 수 있으며, 이 둘 사이에는 어느 정도 겹치는 연관통 패턴이 있다.

임상적 특징: 두통, 능동적 및 수동적 경추 굴곡 제한.

머리반가시근(두반극근)에서 근막통증유발점의 활성화는 급성 외상(편타손상),[63] 자세 스트레스(즉, 머리를 앞으로 또는 목을 지속적으로 구부린 상태로 오래 앉아 있는 경우) 또는 상부 등세모근(승모근, trapezius) 또는 머리널판근(두판상근, splenius capitis)과 같은 다른 근육의 근막통증유발점의 결과로 발생할 수 있다. 경추의 신경근성 병리 또는 관절 기능장애는 관련 유발 요인 및/또는 영속 요인[59]이 될 수 있다. 머리반가시근의 유병률 근막통증유발점은 편타 손상을 겪은 환자 샘플에서 더 높았고, 이는 감별 목적을 위한 결정 요인이었다. 이 그룹은 건강한 피험자 그룹과 다른 병리학의 영향을 받는 기타 그룹이다.[64]

관련 근육: 상부 등세모근(승모근, trapezius), **머리널판근**(두판상근, splenius capitis), **심부 경추 굴근. 관절 기능장애와 관련이 있다.**

근육 상부(경추2번 이상)에 있는 머리반가시근(두반극근) 근막통증유발점의 심부드라이니들링(DDN)은 우발적으로 척추 동맥에 구멍을 낼 위험이 있으므로 권장되지 않는다. 대신에, 보존적 치료와 결합된 표면 드라이니들링 기법을 사용할 수 있다.

목반가시근 및 뭇갈래근 (Semispinalis cervicis and Multifidus)

근막통증유발점은 일반적으로 경추4번-경추5번 위치에서 극돌기 선에서 1-2 cm에서 발견된다.[3] 목반가시근(경반극근)이 더 심부 레벨에 있지만 그들은 머리반가시근의 중간 1/3의 근막통증유발점과 위치를 공유한다. 후두 부위에 대한 목반가시근 근막통증유발점의 연관통 패턴은 또한 머리반가시근의 통증 패턴과 유사하다.

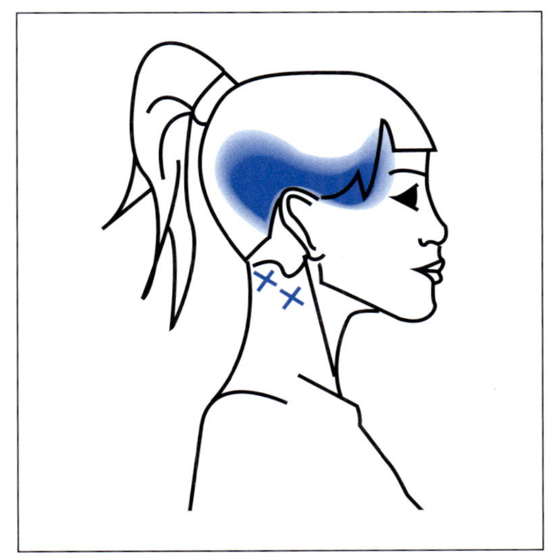

그림 14-7 ■ 뒤통수밑근(후두하)의 연관통 패턴.

경추 뭇갈래근(다열근, multifidus)의 근막통증유발점은 극돌기와 하부 분절의 횡돌기 중간 정도에서 찾을 수 있다. 경추2번 아래의 모든 분절 수준에서 다열 가락돌기가 있기 때문에 근막통증유발점은 경추3번-경추4번에서 시작하는 모든 경추 레벨에서 찾을 수 있다. 경추의 뭇갈래근으로부터의 연관통 패턴은 후두부 영역을 포함하며, 후두부 영역을 향해 위로 퍼지고 견갑골 척추 경계를 향해 아래로 퍼진다.

두 경우, 모두(목반가시근 및 뭇갈래근) 타우트 밴드를 식별할 수 없으므로 환자의 친숙한 통증의 재현 외에도 심부 촉진에 대한 민감도 및 인지된 조직 변화가 근막통증유발점의 진단에 사용된다.

경추 뭇갈래근 및 목반가시근의 근막통증유발점에 대한 통증유발 기전은 머리반가시근 및 머리가장긴근(두최장근, longissimus capitis)에 대해 설명된 것과 유사하다. 이러한 근육에 바늘을 꽂을 때 바늘이 척추관과 후관절을 관통하지 않도록 조치를 취해야 한다.

뒤통수밑근(후두하) (Suboccipital muscles)

뒤통수밑근의 깊이와 이를 덮는 근육의 두께(즉, 상부 등세모근, 머리반가시근) 때문에 직접 촉진으로 후두하근에서 근막통증유발점을 개별적으로 구별하는 것이 불가능하다.

뒤통수밑근의 근막통증유발점은 종종 측두골 및 후두골 영역에서 머리의 양쪽에 양측 연관통 패턴을 유발한다. 종종 통증은 띠 모양의 통증으로 설명되며, 머리에 '일반적인 압박감'이 느껴져 환자가 정확히 알 수 없다(그림 14-7). 실제로, 뒤통수밑근 근막통증유발점이 있는 피험자는 긴장형 두통(TTH), 경추성 두통, 후두 신경통 또는 특발성 또는 외상후 만성 목 통증[61]과 같은 다양한 진단을 받을 수 있다. 뒤통수밑근의 근막통증유발점은 후두하 부위 자체의 통증을 나타내지 않는다. 후두하 통증은 상부 등세모근(승모근, trapezius), 하부 등세모근, 경추 뭇갈래근(다열근, multifidus) 또는 목빗근(SCM)과 같은 다른 근육의 근막통증유발점과 관련될 수 있다.

뒤통수밑근의 근막통증유발점은 상부 경추(후두-경추2번), 특히 굴곡(후두-경추1번), 반대쪽 측면 굽힘(후두-경추1번) 또는 경추1번-경추2번에서 회전 이동성 제한을 일으킬 수 있다.

후두하 근막통증유발점의 활성화를 촉진할 수 있는 몇 가지 기전이 있다. 예를 들어, 머리 굴곡/신전의 지속적인 위치 또는 머리 앞쪽 위치와 같은 자세 요인들이다. 반복적인 머리 회전 또는 머리를 회전 위치에 유지하는 것도 후두하 근막통증유발점의 발달을 촉진할 수 있다. 편타성은 특히 외상 사건 후에 두통과 현기증이 자주 나타난다는 점을 고려할 때 활성화의 또 다른 중요한 기전이다.[62]

상부 경추 관절 기능장애와 후두하 근막통증유발점은 특히 만성 목 통증 환자에서 공존하고 상호 영속화될 수 있다. 마지막으로, 머리널판근(두판상근, splenius capitis), 목빗근, 경추 뭇갈래근, 가시아래근(극하근, infraspinatus), 상부 및 하부 등세모근과 같이 연관통 패턴이 후두하 영역으로 투영되는 근육에 (활성) 근막통증유발점의 존재는 후두하 근막통증유발점의 영속 요인이 될 수 있다.

관련 근육: 머리널판근(두판상근, splenius capitis), **목빗근, 상부 등세모근 및 하부 등세모근, 가시아래근 및 경추 뭇갈래근. 상부 경추 분절의 관절 기능장애와 관련이 있다.**

심부드라이니들링(DDN)으로 안전하게 치료할 수 있는 유일한 후두하근은 머리의 아래머리빗근(하두사근, inferior oblique)이다. 다른 곳에서 심부드라이니들링(DDN)은 우발적으로 척추 동맥과 대후두신경을 바늘에 찔릴 위험이 있기 때문에 금기이다.

결론
CONCLUSION

근육은 목 통증에 있어 가능성 있는 원인이다. 근육통 및 기타 동반 증상은 근막 통증 증후군으로 알려져 있으며, 언급된 바와 같이 추간판 또는 후관절과 같은 목 통증의 다른 원인과 관련될 수 있다.

근육통의 경우 임상의는 다음 질문을 해야 한다.

1. 근육통이 통증의 주요 원인입니까?
2. 다른 신경, 관절통에 의한 통각과민과 관련이 있습니까?
3. 능동적 통각수용원이 없는 중추성 과민성의 징후인 중추 반응만 있습니까?

대답은 치료 전략을 안내해야 한다. 중추 감작을 보이는 환자에서 통증을 악화시키는 중재는 피해야 한다.

참고문헌

1. Davies C, Davies A. The trigger point therapy workbook: your self-treatment guide for pain relief. 2nd ed. New Harbinger Publications Oakland; 2004.
2. Schaible HG. Basic mechanisms of deep somatic pain. In: McMahon SB, Koltzenburg M, editors. Wall and Melzack's textbook of pain. 5th ed. Edinburgh: Churchill Livingstone; 2006.
3. Simons DG, Travell JG, Simons LS. Dolor y disfunción miofascial. El manual de los puntos gatillo. Mitad superior del cuerpo. 2.a ed. Madrid: Editorial Médica Panamericana; 2002.
4. Korr IM. Proprioceptors and somatic dysfunction. J Am Osteopath Assoc 1975;74(7):638–50.
5. Baldry PE. Acupuncture, trigger points and musculoskeletal pain. 3rd ed. Philadelphia: Elsevier; 2005.
6. Knutson GA. The role of the gamma-motor system in increasing muscle tone and muscle pain syndromes: a review of the Johansson/Sojka hypothesis. J Manipulative Physiol Ther 2000; 23(8):564–72.
7. Ibarra JM, Ge HY, Wang C, et al. Latent myofascial trigger points are associated with an increased antagonistic muscle activity during agonist muscle contraction. J Pain 2011;12(12): 1282–8.
8. Lucas KR, Rich PA, Polus BI. Muscle activation patterns in the scapular positioning muscles during loaded scapular plane elevation: the effects of latent myofascial trigger points. Clin Biomech (Bristol, Avon) 2010;25(8):765–70.
9. Bron C, Dommerholt JD. Etiology of myofascial trigger points. Curr Pain Headache Rep 2012;16(5): 439–44.
10. Simons DG. Clinical and etiological update of myofascial pain from trigger points. J Musculoskelet Pain 1996;4(1/2): 93–121.
11. Simons DG. Review of enigmatic MTrPs as a common cause of enigmatic musculoskeletal pain and dysfunction. J Electromyogr Kinesiol 2004; 14(1):95–107.
12. Gerwin RD, Dommerholt J, Shah JP. An expansion of Simons' integrated hypothesis of trigger point formation. Curr Pain Headache Rep 2004;8(6):468–75.
13. McPartland JM, Simons DG. Myofascial trigger points: translating molecular theory into manual therapy. J Man Manip Ther 2006;14(4):232–9.
14. Hubbard DR, Berkoff GM. Myofascial trigger points show spontaneous needle EMG activity.

Spine 1993;18(13):1803–7.
15. Couppé C, Midttun A, Hilden J, et al. Spontaneous needle electromyographic activity in myofascial trigger points in the infraspinatus muscle: a blinded assessment. J Musculoskelet Pain 2001;9(3):7–16.
16. Simons DG, Hong CZ, Simons LS. Endplate potentials are common to midfiber myofacial trigger points. Am J Phys Med Rehabil 2002;81(3):212–22.
17. Shah JP, Phillips TM, Danoff JV, et al. An in vivo microanalytical technique for measuring the local biochemical milieu of human skeletal muscle. J Appl Physiol 2005;99(5):1977–84.
18. Simons DG, Stolov WC. Microscopic features and transient contraction of palpable bands in canine muscle. Am J Phys Med 1976;55:65–88.
19. Simons DG. Understanding effective treatments of myofascial trigger points. J Bodywork Movement Ther 2002;6(2):81–8.
20. Mayoral O. Los puntos gatillo miofasciales como diana del masaje. In: Torres M, Salvat I, editors. Guía de masoterapia para fisioterapeutas. Madrid: Editorial Médica Panamericana; 2006. p. 75–85.
21. Hocking MJ. Exploring the central modulation hypothesis: do ancient memory mechanisms underlie the pathophysiology of trigger points? Curr Pain Headache Rep 2013;17(7):347.
22. Srbely JZ, Dickey JP, Lee D, et al. Dry needle stimulation of myofascial trigger points evokes segmental anti-nociceptive effects. J Rehabil Med 2010;42(5):463–8.
23. Srbely JZ, Dickey JP, Lowerison M, et al. Stimulation of myofascial trigger points with ultrasound induces segmental antinociceptive effects: a randomized controlled study. Pain 2008;139(2):260–6.
24. Partanen JV, Ojala TA, Arokoski JP. Myofascial syndrome and pain: a neurophysiological approach. Pathophysiology 2010; 17(1):19–28.
25. Gunn CC. The Gunn approach to the treatment of chronic pain: intramuscular stimulation for myofascial pain of radiculopathic origin. Edinburgh: Churchill Livingstone; 1996.
26. Grinnell AD, Chen BM, Kashani A, et al. The role of integrins in the modulation of neurotransmitter release from motor nerve terminals by stretch and hypertonicity. J Neurocytol 2003;32(5–8):489–503.
27. Wang K. Titin/connectin and nebulin: giant protein rulers of muscle structure and function. Adv Biophys 1996;33:123–34.
28. Mayoral O, Romay H. Fisioterapia conservadora del síndrome de dolor miofascial. Revista Iberoamericana de Fisioterapia y Kinesiología 2005;8(1):11–16.
29. Treaster D, Marras WS, Burr D, et al. Myofascial trigger point development from visual and postural stressors during computer work. J Electromyogr Kinesiol 2006;16(2):115–24.
30. Hagg GM. Human muscle fibre abnormalities related to occupational load. Eur J Appl Physiol 2000;83(2–3):159–65.
31. Zennaro D, Laubli T, Krebs D, et al. Continuous, intermitted and sporadic motor unit activity in the trapezius muscle during prolonged computer work. J Electromyogr Kinesiol 2003;13(2):113–24.
32. Fernandez-de-Las-Penas C. Interaction between trigger points and joint hypomobility: a clinical perspective. J Man Manip Ther 2009;17(2):74–7.
33. Facco E, Ceccherelli F. Myofascial pain mimicking radicular syndromes. Acta Neurochir Suppl 2005;92:147–50.
34. Sari H, Akarirmak U, Uludag M. Active myofascial trigger points might be more frequent in patients with cervical radiculopathy. Eur J Phys Rehabil Med 2012;48(2):237–44.
35. Pfau DB, Rolke R, Nickel R, et al. Somatosensory profiles in subgroups of patients with myogenic temporomandibular disorders and fibromyalgia syndrome. Pain 2009;147(1–3): 72–83.
36. Quintner JL, Bove GM, Cohen ML. A critical evaluation of the trigger point phenomenon. Rheumatology (Oxford) 2015; 54(3):392–9.
37. Latremoliere A, Woolf CJ. Central sensitization: a generator of pain hypersensitivity by central neural plasticity. J Pain 2009;10(9):895–926.
38. Mayoral O. Dry needling treatments for myofascial trigger points. J Musculoskel Pain 2010; 18(4):411–16.
39. Gerwin RD. A review of myofascial pain and fibromyalgia – factors that promote their persistence. Acupunct Med 2005; 23(3):121–34.
40. Hou CR, Tsai LC, Cheng KF, et al. Immediate effects of various physical therapeutic modalities on cervical myofascial pain and trigger-point sensitivity. Arch Phys Med Rehabil 2002;83(10): 1406–14.
41. Travell JG, Simons DG. Dolor y disfunción miofascial. El manual de los puntos gatillo. Extremidades inferiores. 1st ed. Madrid: Editorial Médica Panamericana; 2004.

42. Lewit K. Manipulative therapy in rehabilitation of the locomotor system. 3rd ed. Oxford: Butterworth-Heinemann; 1999.
43. Mitchell FL, Mitchell PKG. Concepts and mechanisms. The musculoskeletal screen. Cervical region evaluation and treatment. In: Mitchell FL, Mitchell PKG. The muscle energy manual. Michigan: MET Press; 1995.
44. Voss DE, Ionta MK, Myers BJ. Facilitación neuromuscular propioceptiva. Patrones y Técnicas. 3rd ed. Madrid: Editorial Médica Panamericana; 1998.
45. Bauermeister W. The diagnosis and treatment of myofascial trigger points using shockwaves. J Musculoskelet Pain 2004; 12(Suppl. 9):13.
46. Beckerman H, de Bie RA, Bouter LM, et al. The efficacy of laser therapy for musculoskeletal and skin disorders: a criteriabased meta-analysis of randomized clinical trials. Phys Ther 1992; 72(7):483–91.
47. Draper DO, Mahaffey C, Kaiser D, et al. Thermal ultrasound decreases tissue stiffness of trigger points in upper trapezius muscles. Physiother Theory Pract 2010;26(3):167–72.
48. Diracoglu D, Vural M, Karan A, et al. Effectiveness of dry needling for the treatment of temporomandibular myofascial pain: a double-blind, randomized, placebo controlled study. J Back Musculoskelet Rehabil 2012;25(4):285–90.
49. Kietrys DM, Palombaro KM, Azzaretto E, et al. Effectiveness of dry needling for upper-quarter myofascial pain: a systematic review and meta-analysis. J Orthop Sports Phys Ther 2013; 43(9): 620–34.
50. Tekin L, Akarsu S, Durmus O, et al. The effect of dry needling in the treatment of myofascial pain syndrome: a randomized double-blinded placebo-controlled trial. Clin Rheumatol 2013;32(3):309–15.
51. Dunning J, Butts R, Mourad F, et al. Dry needling: a literature review with implications for clinical practice guidelines. Phys Ther Rev 2014;19(4): 252–65.
52. Kietrys DM, Palombaro KM, Mannheimer JS. Dry needling for management of pain in the upper quarter and craniofacial region. Curr Pain Headache Rep 2014;18(8):437.
53. Lund I, Lundeberg T. Are minimal, superficial or sham acupuncture procedures acceptable as inert placebo controls? Acupunct Med 2006;24(1):13–15.
54. Moffet HH. Sham acupuncture may be as efficacious as true acupuncture: a systematic review of clinical trials. J Altern Complement Med 2009;15(3):213–16.
55. Lundeberg T, Lund I, Sing A, et al. Is placebo acupuncture what it is intended to be? Evid Based Complement Alternat Med 2011;932407:2011.
56. Mayoral O, Salvat I, Martin MT, et al. Efficacy of myofascial trigger point dry needling in the prevention of pain after total knee arthroplasty: a randomized, double-blinded, placebocontrolled trial. Evid Based Complement Alternat Med 2013; 2013:694941.
57. Fernández-de-las-Peñas C, Arendt-Nielsen L, Simons DG. Contributions of myofascial trigger points to chronic tension type headache. J Man Manip Ther 2006;14(4):222–31.
58. Letchuman R, Gay RE, Shelerud RA, et al. Are tender points associated with cervical radiculopathy? Arch Phys Med Rehabil 2005; 86(7):1333–7.
59. Rosomoff HL, Fishbain D, Rosomoff RS. Chronic cervical pain: radiculopathy or brachialgia. Noninterventional treatment. Spine 1992;17(10 Suppl.):S362–6.
60. Crotti FM, Carai A, Carai M, et al. TOS pathophysiology and clinical features. Acta Neurochir Suppl 2005;92:7–12.
61. Dommerholt J. Persistent myalgia following whiplash. Curr Pain Headache Rep 2005;9(5): 326–30.
62. Gerwin RD, Dommerholt J. Myofascial trigger points in chronic cervical whiplash syndrome [Abstract]. J Musculoskelet Pain 1998;6:28.
63. Baker BA. The muscle trigger: evidence of overload injury. J Neurol Orthop Med Surg 1986;7:35–44.
64. Ettlin T, Schuster C, Stoffel R, et al. A distinct pattern of myofascial findings in patients after whiplash injury. Arch Phys Med Rehabil 2008;89(7):1290–3.
65. Castaldo M, Ge HY, Chiarotto A, et al. Myofascial trigger points in patients with whiplash-associated disorders and mechanical neck pain. Pain Med 2014;15(5):842–9.
66. Fernández-de-las-Peñas C, Alonso-Blanco C, Alguacil-Diego IM, et al. Myofascial trigger points and postero-anterior joint hypomobility in the mid-cervical spine in subjects presenting with mechanical neck pain: a pilot study. J Man Manip Ther 2006;14(2):88–94.
67. Mejuto-Vazquez MJ, Salom-Moreno J, Ortega-Santiago R, et al. Short-term changes in neck

pain, widespread pressure pain sensitivity, and cervical range of motion after the application of trigger point dry needling in patients with acute mechanical neck pain: a randomized clinical trial. J Orthop Sports Phys Ther 2014;44(4):252–60.

68. Baron EP, Cherian N, Tepper SJ. Role of greater occipital nerve blocks and trigger point injections for patients with dizziness and headache. Neurologist 2011;17(6):312–17.

69. Watson LA, Pizzari T, Balster S. Thoracic outlet syndrome part 1: clinical manifestations, differentiation and treatment pathways. Man Ther 2009;14(6):586–95.

70. Watson LA, Pizzari T, Balster S. Thoracic outlet syndrome part 2: conservative management of thoracic outlet. Man Ther 2010;15(4):305–14.

71. Fernandez-de-las-Penas C, Alonso-Blanco C, Miangolarra JC. Myofascial trigger points in subjects presenting with mechanical neck pain: a blinded, controlled study. Man Ther 2007; 12(1):29–33.

72. Turo D, Otto P, Shah JP, et al. Ultrasonic characterization of the upper trapezius muscle in patients with chronic neck pain. Ultrason Imaging 2013; 35(2):173–87.

73. Climent JM, Kuan TS, Fenollosa P, et al. Botulinum toxin for the treatment of myofascial pain syndromes involving the neck and back: a review from a clinical perspective. Evid Based Complement Alternat Med 2013;2013:381459.

74. Elliott JM, Noteboom JT, Flynn TW, et al. Characterization of acute and chronic whiplash-associated disorders. J Orthop Sports Phys Ther 2009;39(5):312–23.

75. Fernandez-Perez AM, Villaverde-Gutierrez C, Mora-Sanchez A, et al. Muscle trigger points, pressure pain threshold, and cervical range of motion in patients with high level of disability related to acute whiplash injury. J Orthop Sports Phys Ther 2012;42(7):634–41.

76. Baker BA. The muscle trigger: evidence for overload injury. J Neurol Orthop Med Surg 1986;7:35–43.

77. Freeman MD, Nystrom A, Centeno C. Chronic whiplash and central sensitization; an evaluation of the role of a myofascial trigger points in pain modulation. J Brachial Plex Peripher Nerve Inj 2009;4:2.

78. Carroll A, Barnes M, Comiskey C. A prospective randomized controlled study of the role of botulinum toxin in whiplashassociated disorder. Clin Rehabil 2008;22(6):513–19.

79. Tough EA, White AR, Richards SH, et al. Myofascial trigger point needling for whiplash associated pain – a feasibility study. Man Ther 2010;15(6):529–35.

80. Jull G, Sterling M, Falla D, et al. Whiplash, headache and neck pain research based directions for physical therapies. Edinburgh: Elsevier; 2008.

81. Gerwin R. Treatment of chronic migraine headache with onabotulinumtoxin A. Curr Pain Headache Rep 2011;15(5):336–8.

82. Giamberardino MA, Tafuri E, Savini A, et al. Contribution of myofascial trigger points to migraine symptoms. J Pain 2007; 8(11):869–78.

83. Graff-Radford SB. Regional myofascial pain syndrome and headache: principles of diagnosis and management. Curr Pain Headache Rep 2001;5(4):376–81.

84. Davidoff RA. Trigger points and myofascial pain: toward understanding how they affect headaches. Cephalalgia 1998; 18(7):436–48.

85. Fernandez-de-Las-Penas C, Simons D, Cuadrado ML, et al. The role of myofascial trigger points in musculoskeletal pain syndromes of the head and neck. Curr Pain Headache Rep 2007;11(5):365–72.

86. Fernandez-de-las-Penas C, Madeleine P, Caminero AB, et al. Generalized neck-shoulder hyperalgesia in chronic tensiontype headache and unilateral migraine assessed by pressure pain sensitivity topographical maps of the trapezius muscle. Cephalalgia 2010;30(1):77–86.

87. Fernandez-de-Las-Penas C, Ge HY, Arendt-Nielsen L, et al. Referred pain from trapezius muscle trigger points shares similar characteristics with chronic tension type headache. Eur J Pain 2007;11(4):475–82.

88. Missaghi B. Sternocleidomastoid syndrome: a case study. J Can Chiropr Assoc 2004;48(3):201–5.

89. Roth JK, Roth RS, Weintraub JR, et al. Cervicogenic headache caused by myofascial trigger points in the sternocleidomastoid: a case report. Cephalalgia 2007;27(4):375–80.

90. Fernandez-de-las-Penas C, Cleland JA, Palomeque-del-Cerro L, et al. Development of a clinical prediction rule for identifying women with tension-type headache who are likely to achieve short-term success with joint mobilization and muscle trigger point therapy. Headache 2011; 51(2):246–61.

91. Bodes-Pardo G, Pecos-Martin D, Gallego-Izquierdo T, et al. Manual treatment for cervicogenic headache and active trigger point in the sternocleidomastoid muscle: a pilot randomized clinical trial. J Manipulative Physiol Ther 2013;36(7):403–11.
92. Fernandez-de-las-Penas C, Alonso-Blanco C, Cuadrado ML, et al. Trigger points in the suboccipital muscles and forward head posture in tension-type headache. Headache 2006; 46(3):454–60.
93. Fonoff ET, Dias MP, Tarico MA. Myelopathic presentation of cervical juxtafacet cyst: a case report. Spine 2004;29(23): E538–41.
94. Gerwin R, Ferguson L. Clinical mastery in the treatment of myofascial pain. Philadelphia: Lippincott Williams & Wilkins; 2005.
95. Fernandez-de-Las-Penas C, Alonso-Blanco C, Cuadrado ML, et al. Are manual therapies effective in reducing pain from tension-type headache? A systematic review. Clin J Pain 2006;22(3):278–85.
96. Travell J. Identification of myofascial trigger point syndromes: a case of atypical facial neuralgia. Arch Phys Med Rehabil 1981;62(3):100–6.
97. Mellick GA, Mellick LB. Regional head and face pain relief following lower cervical intramuscular anesthetic injection. Headache 2003;43(10): 1109–11.
98. Nobrega JC, Siqueira SR, Siqueira JT, et al. Diferential diagnosis in atypical facial pain: a clinical study. Arq Neuropsiquiatr 2007;65(2A): 256–61.
99. Tyler-Kabara EC, Kassam AB, Horowitz MH, et al. Predictors of outcome in surgically managed patients with typical and atypical trigeminal neuralgia: comparison of results following microvascular decompression. J Neurosurg 2002;96(3): 527–31.
100. Rocha CA, Sanchez TG. Myofascial trigger points: another way of modulating tinnitus. Prog Brain Res 2007;166:209–14.
101. Rocha CB, Sanchez TG. Efficacy of myofascial trigger point deactivation for tinnitus control. Braz J Otorhinolaryngol 2012;78(6):21–6.
102. McPartland JM, Brodeur RR, Hallgren RC. Chronic neck pain, standing balance, and suboccipital muscle atrophy – a pilot study. J Manipulative Physiol Ther 1997;20(1):24–9.
103. Hoyle JA, Marras WS, Sheedy JE, et al. Effects of postural and visual stressors on myofascial trigger point development and motor unit rotation during computer work. J Electromyogr Kinesiol 2011;21(1):41–8.
104. Treaster D, Marras WS, Burr D, et al. Myofascial trigger point development from visual and postural stressors during computer work. J Electromyogr Kinesiol 2006;16(2):115–24.
105. Rodés J, Benhamou JP, Bircher J, et al. Tratado de hepatologia clínica. 2nd ed. Barcelona: Masson; 2001.
106. Lima LP, Amar A, Lehn CN. Spinal accessory nerve neuropathy following neck dissection. Braz J Otorhinolaryngol 2011; 77(2):259–62.
107. Motta A, Trainiti G. Paralysis of the trapezius associated with myogenic torticollis. A report of 6 cases. Ital J Orthop Traumatol 1977;3(2):207–13.
108. Fernandez J, Miangolarra JC. Musculoskeletal disorders in mechanical neck pain: myofascial trigger points versus cervical joint dysfunction – a clinical study. J Musculoskelet Pain 2005;13: 27–35.
109. Ruiz-Saez M, Fernandez-de-las-Penas C, Blanco CR, et al. Changes in pressure pain sensitivity in latent myofascial trigger points in the upper trapezius muscle after a cervical spine manipulation in pain-free subjects. J Manipulative Physiol Ther 2007;30(8):578–83.
110. Ryan EL. Pectoral girdle myalgia in women: a new function for pectoralis major? Clin J Pain 2009;25(8):734–6.
111. Dejung B, Gröbli C, Colla F, et al. Triggerpunkt-Therapie. Die Behandlung akuter und chronischer Schmerzen im Bewegungsapparat mit manueller Triggerpunkt-Therapie und Dry Needling. Bern: Verlag Hans Huber; 2003.
112. Ceneviz C, Maloney G, Mehta N. Myofascial pain may mimic trigeminal neuralgia. Cephalalgia 2006;26(7):899–901.
113. Kvale A, Wilhelmsen K, Fiske HA. Physical findings in patients with dizziness undergoing a group exercise programme. Physiother Res Int 2008;13(3):162–75.
114. Thomas LC, Rivett DA, Attia JR, et al. Risk factors and clinical features of craniocervical arterial dissection. Man Ther 2011;16(4):351–6.
115. Arnold M, Cumurciuc R, Stapf C, et al. Pain as the only symptom of cervical artery dissection. J Neurol Neurosurg Psychiatry 2006;77(9): 1021–4.
116. Lee SH, Chen CC, Lee CS, et al. Effects of needle electrical intramuscular stimulation

on shoulder and cervical myofascial pain syndrome and microcirculation. J Chin Med Assoc 2008; 71(4):200–6.
117. Davidson RI, Dunn EJ, Metzmaker JN. The shoulder abduction test in the diagnosis of radicular pain in cervical extradural compressive monoradiculopathies. Spine (Phila Pa 1976) 1981;6(5):441–6.
118. Kostopoulos D, Rizopoulos K. The manual of trigger point and myofascial therapy. Thorofare, NJ: SLACK Incorporated; 2001.
119. Elliott J, Cannata E, Christensen E, et al. MRI analysis of the size and shape of the oropharynx in chronic whiplash. Otolaryngol Head Neck Surg 2008;138(6):747–51.
120. Elliott JM, O'Leary S, Sterling M, et al. Magnetic resonance imaging findings of fatty infiltrate in the cervical flexors in chronic whiplash. Spine (Phila Pa 1976) 2010;35(9):948–54.
121. Falla D, Jull G, Russell T, et al. Effect of neck exercise on sitting posture in patients with chronic neck pain. Phys Ther 2007;87(4):408–17.
122. Dreyfuss P, Michaelsen M, Fletcher D. Atlanto-occipital and lateral atlanto-axial joint pain patterns. Spine (Phila Pa 1976) 1994;19(10):1125–31.

15 경추와 신경계의 가동

CERVICAL SPINE AND MOBILIZATION OF THE NERVOUS SYSTEM

RAFAEL TORRES CUECO ■ CARLOS LÓPEZ-CUBAS ■ EDUARDO ZAMORANO-ZÁRATE ■ DAVID S. BUTLER

도입
INTRODUCTION

***신경역학**(Neurodynamics)*은 생리적, 역학적 민감도 및 생체역학적 행동에 영향을 미치기 위해 신경계의 기계적 자극과 신경계의 직접적인 보호를 담당하는 해부학적 구조에 초점을 맞춘 진단 및 치료 방법이다. 신경조직 가동은 근골격 통증 증후군의 평가 및 관리에 흥미로운 기여로 등장했다. 신경계 가동 기술은 현재 물리치료사 및 기타 건강전문가가 통증 관리에 사용하는 일반적인 치료 전략의 일부가 되었다. 신경 기계적 기능장애의 개념은 Breig,[1,2] Elvey,[3] Maitland 등[4] Butler[5] 및 Shacklock[6]에 의해 개발되었다.

신경계는 직접 보호하는 결합조직과 함께 연속적인 단일 기계적 구조를 형성하며, 뇌강과 척수강은 신경분포된 모든 신체 조직에 연결되며, 후자는 연속성의 일부를 형성한다.[7]

신경조직 가동은 신경조직이 특정 신경 기능장애를 유발할 수 있는 기계적 특성을 가지고 있다는 가정에 기반한다. 신경조직은 신체 움직임에 의해 영향을 받고 마찬가지로 이들에 영향을 미칠 수 있는 기계적 특성을 가진 조직으로 간주되기 시작했다.

신경조직의 기계적 변화를 설명하는 데 사용된 첫 번째 용어는 1978년 Breig[1]에 의해 '역 신경 긴장(adverse neural tension)'으로 만들어졌다. 이것은 나중에 D.Butler와 L.Gifford[8]에 의해 고통스러운 현상, 제한된 능동 및 수동 움직임, 근육 반응 및 자세 적응으로 나타날 수 있는 '내적 및/또는 외적 기원의 신경계의 이동성 제한'으로 개념화되었다. 따라서 신경 긴장은 신경 유발 검사에서 감지할 수 있는 특정 신체 기능장애이며, 신경조직을 환자의 증상에 기여하는 소스로 포함한다. 이것은 '정상적인 운동 범위와 확장성을 검사했을 때 신경계 구조에서 발생하는 비정상적인 생리적, 기계적 반응'으로 정의할 수 있다.

Breig[1]에 의해 처음 도입된 개념은 신경조직이 주로 스트레칭 기술로 관리되어야 한다는 잘못된 제안을 했고, 이것이 고안되었을 때 전형적으로 기계적인 접근을 채택했다. 생리학적 보행 움직임은 신경의 탄성 변형, 인접 조직과의 슬라이딩, 신경내압의 변화, 관절, 섬유골, 근건 및 혈관 구조[9]에 의한 신경내 관개 및 압박 감소를 유발할 수 있으며, 이러한 현상은 기계적일 뿐 아니라 신경의 생리에 영향을 줄 수 있다. 현재, 기능적 관점에서 신경역학적 개념은 기계론적 모델로 축소되지 않는다. '역 신경 긴장'이라는 개념 외에도 신경조직의 역학적 민감도

장애를 설명하는 측면이 중요하게 여겨지는 전체 지식이 있는데 신경벽신경과 신경섬유의 통각수용성 수용체에 이소성 통각수용성 방출의 근원으로서 영향을 미칠 수 있는 말초현상을 통증 조절에 관련된 신경생리학적 기전과 함께 말초 입력 처리에 영향을 미치는 중추기전을 결합한다.

역 신경 긴장 및 신경역학의 개념적 프레임워크 CONCEPTUAL FRAMEWORK OF ADVERSE NEURAL TENSION AND NEURODYNAMICS

경추에 영향을 줄 수 있는 다양한 임상적 실체는 보통 다른 증상들 중에서도 통증 및 운동 기능장애를 나타낸다. 임상 평가의 목적에는 환자의 임상 증후군과 관련된 통증의 신경생리학적 기전을 확인하는 것이 포함된다. 임상적 실체 및 통증 기전과 같은 다양한 진단 가설 외에도 통각수용성 출처를 확인하는 것이 바람직할 수 있다. 신경조직은 환자의 증상에 기여하는 임상적으로 인식 가능한 구조일 수 있다. 통각 근원은 신경조직과 관련이 있는지 여부를 확인하려면 신경역학적 검사 및 신경줄기 촉진과 같은 신경 역학적 민감도 평가 기술이 매우 유용한 진단 도구가 될 수 있다.

위에서 설명한 것처럼 신경계 가동 기술의 개발 초기에 '역 기계적 장력'[1]이라는 개념이 만들어졌다. 이 개념은 신경계[10]의 기계적 능력, 특히 장력에 대한 검사를 강조하고[10] 정상으로 돌아가기 위해 어떻게든 스트레칭이 필요한 신경계의 '경직성' 존재에 문제가 있음을 시사했다. 그 당시 도수치료사들은 신경계의 가동 기술을 안내하고 지시하기 위해 신경계의 기계적 민감성을 따르기보다는 순전히 기계적 기준에 기초하여 신경계 가동을 적용하기 시작했다. 또한, 이 새로운 형태의 물리치료의 실행이 제대로 체계화되지 않았기 때문에 환자의 반응이 항상 예상과 같지 않았다.

추가 연구에서는 신경계의 다양한 부분에서 처음에는 '신경 긴장 검사'라고 하는 다양한 움직임 세트에 대한 이 장력 효과의 보다 실제적인 행동에 대한 시체 검사 및 측정을 수행했다.[11–13]

현재, 신경역학은 신경의 다양한 기계적 특성과 정상적인 생리와 관련된 측면 모두를 대상으로 한다. 신경조직은 긴장에 적응하고, 활주하며, 관련된 기계적 인터페이스에 적응하는 능력으로 표현되는 움직임에 대한 높은 적응성을 가지고 있다.[14–17] 또한 생리학 및 신경의 민감도와 관련된 다른 측면이 임상적으로 해석될 수 있다.[18,19] 이것은 긴장, 활주 및 압축 하중에 대한 반응을 평가하기 위한 방법으로 신경계의 신체 검사를 무시하려는 것이 아니다. 사실, 몇 년 후 Breig가 제공한 개념은 Robert Elvey와 같은 저자들이 신경계의 수동적 가동을 사용하는 치료 제안을 개발하도록 장려했다. 이는 사소한 예외를 제외하고 현재 상지의 신경 기능장애에 권장되는 것과 유사하다.[20] 최근에는 신경계의 역학 및 생리학 및 이들 간의 관계에 대한 연구로서 '신경 긴장'이라는 용어가 '신경역학'으로 대체되었다.[10,18]

'신경역학'이라는 용어는 기계적 접근을 신경 내 혈관, 축색질 흐름 또는 유해한 유체 분산,[21] 신경성 염증,[23] 기계적 민감성,[24,25] 근육 반응[26–28] 및 피질 체성 감각의 표현 변경[10]과 관련된 다른 기전과 결합하려고 시도한다.

신경역학 검사는 부하를 한 부분 또는 다른 부분으로 전달하여 신경계를 기계적으로 자극하는 것을 목표로 하는 움직임의 조합이다. 적절하게 관리되고 순차적인 움직임을 적용하면 다양한 신경근골격 구조, 특히 신경조직에 스트레스가 발생하거나 감소한다. 이러한 움직임은 신경조직[29]의 생리적 반응을 관찰하면서 글라이딩, 스트레칭 또는 압축 구성 요소를 유도하여 역학을 일시적으로 수정하기 위한 것이다. 따라서 신경역학적 검사 중 움직임의 조합은 기계적 능력뿐만 아니라 신경계[30] 일부의 생리학을 평가하는 것을 목표로 하며, 특히 신경 조직의 기계적 감도를 고려한다.[29,31-35] 이를 위해 주어진 신체 부위에서 신경성 증상을 재현한 후 구조적 분화를 확립하여 관련된 관절의 다양한 움직임으로 인한 변화를 평가하여 증상이 신경조직에 기인하는지 확인한다.

구조적 분화를 검사하는 근거는 신경계의 해부학적 연속성을 기반으로 하며, 이는 신경계를 제외하고 증상 영역과 직접 관련이 없는 구조를 포함함으로써 증상을 재현하는 것이 어떻게 가능한지를 설명한다.[29]

그러나 구조적 분화는 신경역학적 검사 반응과 증상의 원인인 신경계 사이의 관계를 확신하기에 충분하지 않다. 사실, 신경역학 검사에서 움직임 동안 다양한 근골격 구조가 필요하게 관련되어 있기 때문에 이 검사가 신경계의 기계적 기능을 직접 반영한다고 말하는 것은 현명하지 않다.

더욱이, 신경역학적 검사는 그로 인해 제공된 정보가 특정 증후군이나 질병을 가리키지 않는 한 본질적으로 병리학적이지 않다.[10] 이 방향에 대한 많은 연구에서 이러한 검사의 진단적 가치를 측정하려고 시도했으며, 그 중 일부는 손목굴증후군[36-38] 또는 경추 신경근병증과 관련이 있다. 신경역학 검사는 신경조직[29]의 기계적 감도를 임상적으로 평가하며, 검사 시 기계적 감도를 평가하는데 주의를 기울여야 한다.[30,40,41]

주관적 및 신체 검사에서 얻은 정보가 없으면 신경역학 검사는 특정 움직임과 관련된 민감도에 대한 정보만 제공한다.[10] 얻어진 결과는 항상 통증 기전의 맥락에서 해석되어야 합하는데 이것은 환자의 중추신경계의 민감도 상태에 따라 그 의미와 관련성이 크게 다르기 때문이다.[42] 결과는 또한 신경 조직을 포함하는 임상 개체의 존재와 관련하여 일치해야 한다.

임상 추론
CLINICAL REASONING

문헌은 신경계의 임상적 이상을 나타내는 지표로서 신경역학 검사의 양성에 대한 근사치를 허용하는 임상 추론 알고리즘을 제공한다.

Butler[10]은 증상을 신경조직과 연관시키는 임상 가설의 생성은 데이터 합산 과정을 기반으로 한다고 제안했다. 환자의 정확 또는 관련 증상의 재현, 좌우차이, 구조적 분화, 주관적인 검사, 신체검사 또는 신경원을 설명하는 국소 원인의 외부 증거. 지표를 추가하면 신경역학 검사의 양성에 대한 근사치를 얻을 수 있다.

Shacklock[30]은 증상이 있거나 또는 증상이 없는 비정상 반응을 구별할 것을 제안한다. 증상이 있는 비정상적 반응은 환자의 정확한 증상의 전부 또는 일부를 재현한다. 증상이 없는 비정상 반응은 신경역학적 이상을 나타내지만 환자의 증상을 재현하지는 않는다.

신경역학 검사는 다양한 가설 범주를 설명해야 한다. 이와 관련하여 추론의 중요한 측면은 환자의 임상 패턴 및 임상 실체에 따라 신경역학적 검사에서 발견된 결과의 관련성을 확립하는 것이다.

신경역학 검사의 과학적 근거 및 해석
(Scientific evidence and interpretation of neurodynamic tests)

신경역학 검사를 수행할 때 수집된 정보는 기계적 스트레스에 대한 신경계 일부의 민감도 증가를 나타낼 수 있다. 문헌에는 신경역학 검사 결과를 평가하기 위한 다양한 지표가 설명되어 있다.[43]

증상의 재현*(Reproduction of symptoms)*

신경역학 검사에 의해 도출된 반응을 임상적으로 관련성이 있는 것으로 간주하려면 문제의 일부로 환자가 보고한 증상을 적어도 부분적으로 재현해야 한다.[5,10] 환자의 임상 패턴과 상당한 질적 차이를 보여주는 반응, 증상의 지형적 분포가 다르기 때문에 반드시 비정상을 나타내는 것은 아니다.

그러나, 환자의 증상과 일치하지 않는 신경역학 검사에 대한 반응의 해석에 대해서는 논란이 있다. 무증상 비정상 반응의 존재는 더 정확하고 구체적인 신경역학적 검사가 필요함을 시사하며, 아마도 정상과 비정상 상태 사이의 과도기적 상황을 나타낼 수 있다고 제안되었다.[30]

어떤 경우든, 환자가 제시한 것과 일치하는 증상의 재현은 그 자체로 관련성을 신뢰할 수 있는 척도가 아니며, 특히 무증상 피험자에서 정상적인 신경 반응이 자주 발생한다는 점을 감안할 때 그렇다.[30,44–49]

중요하게도, 신경근 또는 신경줄기의 말초신경 장애로 인한 이차적 통증의 지형은 피부 지도 또는 말초신경의 신경 분포 영역과 일치하지 않다. 사실, 손목굴증후군 환자의 ⅔가 정중신경[50,51] 영역 밖의 통증을 경험하고, 경추 또는 요추 신경근병증 환자의 ⅓만이 피부지도 패턴[52]과 유사한 증상을 보인다.

통증 영역과 신경 분포의 지형 사이의 명백한 불일치는 아직 오해가 아니다. 신경근병증의 경우, 피부 신경간 신경분포 영역 또는 피부분절은 체성감각 시스템의 이러한 두 가지 유형의 병리와 관련된 감각신경 전도의 변경 진단을 위한 감각 저하의 관련 영역을 감지하는 역할을 하며 다음 영역과 일치하지 않고 보고된 통증은 일반적으로 더 광범위[53,54]하다(5장 참조).

구조적 차별화(*Structural differentiation*)

신경계[11–13]에 대한 기계적 영향이 입증된 신경역학 검사의 다양한 구성 요소는 검사 수행 중 임상 표현과 관련이 있다.[55] 이러한 구성요소는 단독으로 또는 동시에 적용될 때 신경역학 검사 시 관절 운동의 진폭과 감각 반응에 영향을 미친다.

증상 부위에서 멀리 떨어진 관절의 움직임 요소를 이용하여 증상 반응을 수정하는 능력은 신경역학 검사의 양성을 확립하는 데 도움이 되는 관련 정보를 구성한다. 구조적 분화 조작은 검사 반응에 중요한 영향을 미치며, 정상적인 무증상 개인에서도 운동범위를 수정할 수 있다.[46] 긍정적인 구조적 분화가 반드시 긍정적인 신경역학 검사를 의미하는 것은 아니지만 환자의 증상의 원인으로서 신경조직의 관련성에 대해 가장 널리 인정되는 발견 중 하나이다.[8,10,46,56–58]

과민성 움직임은 또한 구조적 분화에 사용될 수 있으며, 이는 특히 증상이 있는 영역에서 멀어지는 움직임이 선택될 때 신경계의 일부에 긴장을 더한다. 예를 들어, 견갑골의 위치는 무증상의 건강한 개인에서 상지의 신경역학 검사 결과를 크게 변화시키는 것으로 나타났다. 견갑골 내림을 추가하면 상지의 신경역학 검사가 매우 민감해지며 구조적 분화를 위해 일반적으로 사용되는 경추 움직임이 제한되거나 금기인 경우 회피가 표시될 수 있다.[58]

Boyd 등[59]은 증감제 성분을 추가하지 않고 수행한 검사와 비교하여 하지직거상 검사 중 발목 후방굽힘 조기 원위 근육 활성화를 유도하고 고관절 굴곡의 움직임을 감소시키는 것으로 나타났다. 따라서 하지직거상 신경역학 검사가 요추 증상을 유발할 때 구조적 분화의 기동으로 발목 후방굽힘을 제거하는 것이 필수적이다.

비대칭(*Asymmetry*)

유증상 쪽과 무증상 쪽(또는 덜 증상이 있는 쪽) 사이의 신경역학 검사에 대한 반응의 변화는 신경계의 침범을 확립하는 정보를 제공할 수 있다. 그러나 오른쪽과 왼쪽 사지 반응 사이의 작은 차이가 반드시 비정상으로 간주되어서는 안 된다. 또한, 손은 신경역학 검사에서 반응을 수정할 수 있다.

Lohkamp와 Small[44]은 상지 신경역학 검사 1과 2a(upper limb neurodynamic tests, ULNT1 및 ULNT2a)

동안 우세한 팔과 비우세한 팔 사이의 운동 범위 차이가 정상일 수 있다고 주장한다. 범위의 차이 외에도 정상으로 간주되는 다른 감각 반응도 관찰될 수 있다. Boyd[60] 상지 1의 신경역학 검사에서 공통 범위 비대칭을 극복하기 위해 오른쪽과 왼쪽 사지의 개인내 차이가 ≥10°여야 함을 보여주었다. Covill과 Petersen[61]은 무작위 측정 오류를 넘어 비대칭을 고려하기 위해 필요한 차이를 계산하여 상지의 각 신경역학 검사에 대해 정중신경 27°, 요골신경 20°, 그리고 척골신경 21° 의 값을 얻었다. 손은 상지 1(ULNT1)의 신경역학적 검사 동안 팔꿈치 신전에서 보다 제한된 운동 범위와 연관되어 임상적으로 감지할 수 있는 비대칭을 초래한다.[62] 이러한 결과는 신경역학 검사에서 팔다리 사이에서 관찰된 값이 낮은 상관관계를 가지며 두 팔다리 사이의 움직임 변화가 정상일 수 있음을 보여준다. 손 지배의 효과를 고려하지 않으면 신경역학 검사가 잘못된 임상 해석으로 이어질 수 있다.

규범과의 편차(*Deviations from the norm*)

무증상의 건강한 피험자를 대상으로 한 여러 연구에서 다양한 신경역학 검사에 대해 정상으로 간주되는 반응을 정의했다.

특히, 이 연구들은 ULNT1에 Boyd,[60] ULNT1 및 ULNT2a에 Lohkamp 및 Small,[44] ULNT2a에서 Petersen 등[47], ULNT3에서 Flanagan[63] 및 Martinez 등[49], 슬럼프 테스트에서 Walsh 등[48]으로부터 기여됐다. 이러한 신경인성 감각 반응은 건강한 사람에게서 흔히 볼 수 있는 소견이며, 신경역학 검사 결과를 해석할 때 이를 고려해야 한다.[64]

근육 경련(*Muscle spasm*)

신경역학적 검사의 종료를 결정하는 근육 경련의 출현은 일반적인 소견이다.[28,56,57,65] 상부 등세모근(승모근, trapezius)의 통증 시작과 과잉 활동은 ULNT 동안 정상적인 반응이며 두 반응은 일반적으로 연관되어 있다.[28] 신경역학 검사와 관련하여 나타날 수 있는 다른 비정상적인 반응은 기계적 스트레스를 받는 신경의 자발적인 방전이다.[24,33,66]

신체 검사(*Physical examination*)

신경역동(*Neurodynamics*) 검사에서 다양한 움직임 요소의 순서는 임상 반응에 따라 결과 해석이 달라질 수 있다.[30,67,68] 그러나, 움직임 순서의 변화는 하지직거상 검사[68] 및 상지 신경역학 검사 1(ULNT1)[67]의 끝 위치에서 좌골신경 또는 정중신경의 운동과 긴장을 실질적으로 변화시키지 않는 것으로 나타났다. 이 연구의 저자들은 서열분석의 변화에 대한 임상 반응의 차이가 검사의 최종 위치에서 긴장의 차이로 인한 것이 아니라고 결론지었다.[68] 이러한 변화는 신경조직의 신장에 대한 더 긴 노출, 신경 활주의 차이 또는 환자가 특정 순서로 움직임의 중심 표현을 갖고 있다는 사실과 관련이 있을 수 있으며 가치 있는 순서와 다양한 관계가 있을 수 있다.[67]

임상의 다음 측면을 고려하여 검사에 사용할 순서를 결정해야 한다:

- 근골격계와 신경계(nervous system, NS)의 해부학적 및 신경생체역학적 관계
- 이것을 유발하는 능동적인 움직임과 관련된 증상 행동(활동적인 움직임에 대한 인터뷰 및 분석).
- 검사와 관련된 신체 부위의 비신경조직의 병태생리학적 상태.
- 검사에 관련된 신체 부위의 신경조직의 병태생리학적 상태.
- 증상 과민성.

신경역학 평가 결과를 해석할 때 고려해야 할 또 다른 사항은 검사 수행 전에 수행해야 하는 검사의 유형과 평가된 운동범위에 대한 신경역학적 검사 반복의 영향이다. Vanti 등[69]은 ULNT1을 5회 반복

하면 운동 범위가 통계적으로 유의하게 증가한다는 것을 보여주었다. 적절한 언어 사용도 고려해야 할 중요한 측면이다. 임상 유발 검사 중 통증 인식은 병태생리학적 과정뿐만 아니라 환자의 믿음과 기대에도 영향을 받는다.

Coppieters 및 Hodges[70]는 검사자가 근육 검사인지 신경 검사인지 알려주는 검사 목적에 대해 검사자가 제공한 정보에 따라 환자의 진통 반응이 크게 다르다는 것을 증명했다.

외부 근거(*External evidence*)

자기공명영상(MRI) 및 초음파와 같은 영상 검사는 신경계의 해부학적 배열, 염증 과정과 관련된 소견의 존재를 관찰하는 데 사용되었으며 심지어 인접 구조에 대해 신경이 미끄러지는 방식을 분석하는 데 사용되었다.[14,35,71–82] 그러나 영상 기술은 신경 기계민감도에 대한 정보를 제공하지 않는다. 그들은 신경이 어떻게 움직이는지, 염증 상태 등에 대한 정보를 제공하지만, 촉진 및 신경역학적 검사에 의해서만 임상적으로 감지될 수 있는 기계적 자극에 대한 신경 민감성은 제공하지 않는다.

또한 신경역학 검사의 결과를 신경학적 검사와 연관시키려는 시도가 있었다.[31] 임상 신경학적 검사(민감성, 근력 및 심부 힘줄 반사 평가)와 근전도 검사와 같은 전기신경생리학적 검사 모두 구심성 또는 원심성 신경 기능[83]을 수정하는 신경 전도의 변화를 식별하는 것을 목표로 한다. 예를 들어, 신경 염증은 신경을 압박 및 스트레칭과 같은 기계적 자극[84]에 매우 민감하게 만들 수 있지만(따라서 신경역학 검사에 반응) 염증 부위를 통한 전도 속도는 실질적으로 정상일 수 있다.[34]

검사 유형마다 다른 정보를 제공하기 때문에 신경생리학 검사와 신경역학 검사를 혼동해서는 안 된다. 첫 번째는 신경의 기능적 결함을 확인하려는 시도이고 두 번째는 주로 신경 기계민감도를 확인하는 것을 목표로 한다. 신경역학 검사는 높은 신경 민감도를 시사하는 완전한 양성일 수 있는 반면, 신경학적 검사는 완전히 음성일 수 있다. 반대로 신경생리학적 검사는 심각한 신경 기능장애를 나타내는 완전한 양성일 수 있지만 신경역학 검사는 완전히 정상일 수 있다.

신경역학 검사에서 얻은 결과의 궁극적인 의미는 증상의 재현, 구조적 분화, 비대칭, 정상 반응과의 차이, 근육 경련 및 외부 증거, 그리고 환자의 주관적 및 신체 검사의 다른 소견과의 관계에서 얻어진 다양한 정보의 합이다.[43]

치료 기술로서의 신경 가동의 근거 (Evidence of neural mobilization as a treatment technique)

신경 가동의 치료적 적용은 신경조직의 상대적인 움직임과 주변 기계적 인터페이스 사이의 균형을 복원하는 것을 목표로 한다. 생물학적 타당성과 임상 근거는 이러한 기계적 효과가 혈역학적 효과 또는 염증 현상과 관련된 다른 관련 생리학적 효과 중에서 신경계의 감소된 기계적 감도와 관련이 있음을 시사한다.

특히 신경 가동의 치료적 효능 연구와 관련된 과학 문헌에는 Ellis와 Hing[22]이 수행한 체계적인 검토가 포함된다. 그들은 검토한 10건의 무작위 대조 시험(randomized controlled trials, RCT) 샘플이 다양한 질병을 탐색하고 다양한 유형의 신경 동원 기술을 포함하는 한 매우 이질적이라고 주장한다. 이것은 다른 환자에게 주어진 중재의 이점을 비교하기 어렵게 만든다. 더욱이 Ellis와 Hing은 분석 대상인 무작위 대조시험(RCT)에서 저지른 다양한 방법론적 결함, 신경 가동을 위한 다양한 적용 방법의 사용, 측정된 변수의 이질성, 표본의 무작위화 및 맹검법 문제에 주목했다.[22] 이러한 고려사항에 따라 검토에서는 상부 사분면에서 신경 가동의 치료 효능에 대한 제한된 근거가 있는 반면, 하부 사분면에서는 결과가 결정적이지 않다는 것을 보여준다.

결론은 신경 가동의 치료 효과를 뒷받침하는 증거가 있지만, 더 큰 균질성을 가진 더 많은 무작위 대조시험(RCT)이 필요하다는 것이다.[22]

본 연구에 대한 논평에 대한 후속 조치에서 Shacklock[85]는 검토에서 강조된 대부분의 포인트에 동의하지만, 본 연구를 위해 특별히 설계된 점수 시스템에 따른 평가 시스템을 비판한다. 그는 평가의 양적 측면보다 질적 측면에 더 많은 관심을 기울여야 한다고 제안한다. 그는 또한 제한된 근거의 정의가 다른 ***최적 표준***과 관련하여 아직 합의되지 않았다고 지적한다.

Bialosky 등[86]은 손목굴증후군과 관련된 통증에 대한 실제 신경역학 기술의 효과를 다른 시뮬레이션된 신경 가동 기술의 효과와 비교한다. 이 무작위 대조시험(RCT)의 결과는 실제 신경역학 가동, 특히 정중신경의 특정 가동 기술(ULNT1)이 3주 기간에 걸친 가짜 치료 기술보다 더 효과적이지 않다는 것을 시사한다. 그러나 호의적인 변화의 시간적 합산은 실제 신경역학 가동 그룹에서만 관찰되었으며,[86] 더 긴 추적 관찰 기간이 있는 연구를 장려하는 결과이다.

신경 가동 기술은 치료사가 수동으로 수행하거나 환자가 능동적으로 수행할 수 있는 안전하고 쉽고 빠른 형태의 개입[87]이다. 현재까지, 그리고 관련 연구 결과를 유지하면서, 신경 가동은 신경 증상의 치료에서 최적표준이라는 이름표를 받을 자격이 없다. 그러나 다양한 연구(특히, Ellis와 Hing[22]의 체계적인 검토)의 작지만 의미 있는 결과는 환자의 선택이 적절하다면 임상 실습에서 사용하는 것을 제안한다.

신경역학의 기초
BASIS OF NEURODYNAMICS

신경계의 연속성은 신경역학의 기초 중 하나이다. 이 연속성은 해부학적, 기계적, 화학적 및 전기적이다. 신체 전체의 경로에서 뉴런을 둘러싸고 조직하고 보호하는 결합조직의 배열은 기계적 및 해부학적 연속성을 제공한다. 전기화학적 연속성은 축삭 전기 전도 능력과 시냅스 또는 뉴런 간 관계에서 신경전달물질의 공유 사용에 반응한다.

말초신경은 '모든 표적 조직에 신경을 공급하기 위해 신경섬유 또는 축삭이 달리는 긴 관 모양의 조직 확장 그룹'으로 정의할 수 있다. 이 정의는 신경줄기의 결합 구성 요소와 모든 신경분포 조직인 목표를 달성하기 위해 신경섬유가 전달되는 물리적 매개체로서의 역할을 의도적으로 강조한다. 따라서 신경계는 단일 구조로서 전체 유기체와 물리적으로 연결되고 관련된다.

신경계를 기계적 연속체로 간주하는 것은 신경역학 검사 중에 사용되는 생체역학적 역할과 움직임 선택을 이해하는 데 유용하다. 신경계의 정상 및 병리학적 운동 범위를 정의하려는 여러 연구가 있다.[13,75,88-92] 이 접근 방식은 신경연결 시스템 전체와 내부에서 움직임 전달(글라이딩)과 긴장의 발달(신장)의 관여를 이해하는 데 도움이 된다.

신경계의 이동성은 주변 조직과의 좋은 관계에 달려 있다. 다양한 기계적 인터페이스는 신경계의 통과, 지원 및 보호를 제공하며 적절한 생체역학은 우수한 신경생체역학에 필수적이다. 지나치게 좁은 추간공, 좁아진 손목골과 같은 섬유골 터널, 공간을 차지하는 신경절, 과잉 근육, 비정상적인 장력을 받는 표재성 건막을 통한 신경 피부 조직의 출현 등이 신경 연결 사이의 나쁜 관계 및 이것의 기계적 인터페이스의 예시이다.

신경계의 역학이 좋지 않거나 과도하게 지속적인 긴장을 받거나 경계면이 신경을 통과하는 신경을 과도하게 구속하면 신경계의 다양한 기능이 손상된다. 이러한 손상된 기능에는 혈역학적 기능(신경 조직 혈관화), 축색질 수송 및 신경 전도가 포함된다. 다양한 연구에서 말초신경을 스트레칭하는 것이 신경내 혈액 순환에 미치는 영향을 보여주었다.

30분 동안 8% 스트레칭은 신경내 혈액 순환을 50% 감소시키고, 1시간 동안 8.8% 스트레칭은 70% 감소하며, 30분 동안 15% 스트레칭은 80~100% 혈액 순환을 차단한다.[21,93] 또한 1시간 동안 지속되는 말초신경의 6% 스트레칭/긴장은 활동 전위의 70% 감소를 유발하는 반면, 1시간 동안 12% 스트레칭/긴장은 완전한 전도 차단을 생성하는 것으로 나타났다.[94]

신경계의 열악한 기계적 능력의 특징적인 표현은 신경 역학적 민감도이다. 불리한 기계적 조건과 관련하여 제대로 움직이지 않는 신경은 기계적 자극에 과도하게 반응하는 경향이 있다.

신경역학 및 신경병증성 통증 NEURODYNAMICS AND NEUROPATHIC PAIN

목 통증은 신경 기원의 구성 요소와 관련될 수 있다. 경추 영역을 구성하는 구조 중 신경계 조직은 특히 임상 관련성이 두드러진다. 신경계와 관련된 통증의 기전을 이해하는 것이 중요하다. 말초신경이 통증의 원인이 될 수 있는 두 가지 주요 말초 기전이 있다. 첫 번째는 감각 이상 통증으로 인식되는 체성 감각 시스템의 병태생리학적 변화와 관련이 있는 반면, 두 번째는 몸통 통증[66]으로 저자 중 한 사람이 신경성 체성 통증[53,54]으로 정의한 신경성 체성 통증은 축삭병증 없이 신경 역학적 민감도를 유발한다.

감각이상 통증은 축색돌기 또는 후근신경절의 과민성 영역이 발달한 결과 발생한다. 축삭병증 및 분절 탈수초화와 관련된 이러한 부위는 이상 충동 생성 부위(AIGS: abnormal impulse-generating sites) 또는 이소성 신경 심박 조율기 부위(ENPS: ectopic neural pacemaker sites)로 알려져 있으며 신경의 염증 상황 또는 근처의 손상된 연조직으로부터 염증 물질의 확산으로 인한 직접적인 병변에 반응하여 나타난다. 이러한 이소성 신경 심박 조율기 부위(ENPS: ectopic neural pacemaker sites)의 발달로 인해 신경은 다양한 자극에 대해 증가된 민감성을 보인다. 이는 염증 매개체(사이토카인) 또는 노르아드레날린과 같은 신경전달물질의 존재로 인해 허혈의 결과로 압축 또는 스트레칭과 같은 기계적이거나 화학적일 수 있다.

체성 신경성 통증은 신경 결합초의 자극으로 인해 발생하므로 일종의 체성 통각수용성 통증으로 간주해야 한다(5장 참조). 체성 신경성 통증은 화학적 또는 기계적 감작[66]에 따른 신경 결합초의 신경분포를 담당하는 통각수용기 활동의 증가로 인해 발생한다. 감각 신경분포 조직[66,84,95-97]인 신경줄기는 과민한 통각 수용체처럼 행동하여 저강도 기계적 자극에 대한 반응으로 방전을 생성한다. 신경성 체성 통증에서 전형적으로 나타나는 축삭 손상이 없는 말초신경의 기계적 민감성은 신경벽신경에 의해 매개되는 이러한 신경성 염증 과정 때문일 수 있다.

신경역학 검사 관리의 중요한 측면은 신경병증성 통증과 신경성 체성 통증을 구별하는 것이다. 신경병증성 통증 진단의 첫 번째 단계는 통증의 정의와 국제 통증 연구 협회(International Association for the Study of Pain, IASP)에서 설정한 진단 기준을 기반으로 한다. 신경병증성 통증은 체성 감각 시스템에 영향을 미치는 병변 또는 질병의 직접적인 결과로 발생하는 통증으로 정의된다. 국제 통증 연구 협회(IASP)에 의해 확립된 진단 기준과 등급 체계는 신경병증성 통증을 확실한, 가능성 있는 또는 가능한(definite, probable or possible)[98]으로 분류할 수 있도록 한다.

이 등급 체계는 4가지 기준을 기반으로 한다. 기준 1은 신경 손상 또는 질병의 신경해부학적으로 그럴듯한 분포이다. 기준 2는 신경계의 관련 병변 또는 질병을 암시하는 환자의 병력이다. 기준 3은 손상된 신경 구조의 신경 분포 영역에 국한된 양성 또는 음성 감각 징후를 나타내는 신경학적 상태의 확인 검사이다. 기준 4는 신경병증성 통증의 기저에 있는 병변 또는 질병을 확인하기 위한 확증적 진단 검사다. 처음 두 가지 기준만 충족되면 통증을 (높지 않은) 가능성의 신경병증성 통증이라고 할 수 있다. 신경병증성 통증을 가능성 있는 것으로 간주하기 위해서는 세 가지 기준이 필요하고, 일정한 수준에 도달하기 위해서는 네 가지 기준이 충족되어야 한다(5장을 참조).

이 신경병증성 통증의 주요 특징은 감각이상, 작열감, 심부통증, 경련 또는 전기 충격형 통증이다. 통증은 지속적이거나 자발적이거나 유발될 수 있는데, 이것은 지각 이상, 지각 과민 및 이질통을 동반할 수 있다. 이것은 높은 과민성을 나타내며 손상된 신경 전도의 징후 및 증상과 관련될 수 있다. 단순 진통제와 비스테로이드성 항염증제(NSAIDs)에 대한 교감신경계 증상이 자주 나타나고 반응이 좋지 않다. 항경련제(gabapentinoids)와 삼환계 항우울제로 호전될 수 있으며 수동적 치료에 대한 반응은 매우 다양하다.

체성 신경성 통증은 신경 결합초의 자극의 결과인 , 감각이상 통증은 축삭의 생태병리학적 변화에 이차적이다. 체성 신경성 통증은 일종의 체성 통각수용성 통증으로 간주되어야 한다. 이러한 유형의 통증은 깊은 것으로 설명되며 움직임, 스트레칭 및 압축에 의해 악화된다.

경추는 척수, 신경근, 척수 신경, 가지, 경추 및 팔신경얼기의 형태로 관련된 신경 및 결합조직의 상당 부분을 포함하며, 뇌척수막(연질막, 지주막, 경막)과 말초신경(신경속막, 신경다발막 및 신경바깥막)의 결합조직에 의해 보호된다. 경추의 다양한 생체역학 및 병태생리학적 상황은 다른 근골격조직과 더불어 신경연결 시스템에 영향을 미칠 수 있다.

체성 신경성 통증은 주로 축삭 손상 없이 기계적 민감성을 보이는 것이 특징이다. 잠재적으로 신경계와 관련된 통증이 있는 환자를 검사하는 목적 중 하나는 이러한 기계적 민감성과 관련된 신체적 징후를 인식하는 것이다.

Hall과 Elvey[99]는 다음을 제안했다:

1. 통증 자세.
2. 능동 움직임 기능장애.
3. 능동 움직임 기능장애와 상관관계가 있는 수동 움직임 기능장애.
4. 2 및 3과 구체적이고 해부학적으로 관련이 있어야 하는 신경조직 유발 검사(신경역학 검사)에 대한 부작용.
5. 특정 신경줄기의 촉진에 대한 기계적 이질통은 2 및 4와 구체적이고 해부학적으로 관련되어야 한다.
6. 4와 5에서 반응을 보인 신경조직을 포함해야 하는 신경성 통증의 국소적 원인에 대한 신체 검사의 증거.

신경근 기원의 가능한 목 통증이 있는 환자의 신체 검사에서 아래에 설명된 상지 신경역학적 검사(ULNT1)를 다른 정형외과 검사 및 경추 압박 및 신연과 함께 사용하면 그룹화된 반응이 양성으로 나타날 때 진단 정확도[39]를 높이는 데 도움이 된다. 이것은 또한 우리가 상지의 말초신경계의 여러 장애와 신경근 통증을 구별할 수 있게 해준다.

아래에 자세히 설명된 상지의 신경역학 검사는 경완관절통의 신체 검사와 다른 말초신경병증과의 감별에 가장 자주 사용된다.

상지, 머리 및 목 신경역학 평가
UPPER LIMB, HEAD AND NECK NEURODYNAMIC ASSESSMENT

신체 검사를 통해 통증을 앓고 있는 환자의 통각 자극원이 신경조직과 관련이 있는지 확인하기 위해 신경역학 검사 또는 신경줄기 촉진 등 신경 기계민감도 변경을 식별하는데 유용한 도구와 같은 신경 정형외과적 탐색의 일부인 특정 절차를 사용할 수 있다.

상부 사분면에서 사용할 수 있는 신경역학 검사는 주로 수동적 목 굴곡 검사와 그 변형 및 상지 신경역학검사(ULNT)이다.

신경줄기의 촉진은 때때로 경완통증의 말초신경병증을 구별하는 데 도움이 될 수 있다. 촉진의 사용을 지지하는 최근 연구 논문이 많이 있다.[31,100,101]

말초신경의 촉진
(Palpation of the peripheral nerves)

신체 검사에서 신경 촉진은 신경조직에 영향을 미치는 역학적민감 장애를 식별하는 진단 도구이다. 전반적으로 신경 촉진을 통해 임상의는 다음을 수행할 수 있다:

- 통증에 기여하는 잠재적인 원인으로 신경 구조를 식별.
- 자극-반응 관계(통각과민, 이질통)에 따라 신경 역학적 민감도를 평가.
- 환자의 증상을 환기시킴.
- 국소 염증 징후를 발견.
- 신경 영양 변화 발견.
- 이동성 및 국소 조직 탄력성의 장애 증거.

명백한 축삭 손상이 없는 신경줄기의 국소 염증은 압력과 스트레칭에 대한 역학적 민감도를 증가시킨다.[84,102] 이러한 기계적 반응을 설명하는 통각 수용성 구심성은 신경의 결합 구성요소의 민감도를 담당하는 신경벽신경에 연결된 Aδ 및 C형 섬유이다.[66,96]

신경줄기의 물리적 특성은 역학적 민감도와 마찬가지로 단일 피험자 및 서로 다른 피험자[103] 사이에서 다양하다. 신경줄기의 역학적 민감도의 변화는 근골격계의 일반적인 통증 패턴의 일부인 것으로 보이며, 관련된 기전에서 가능한 신경성 구성 요소를 언급하는 일부 연구에서 나타났다.[104] '상지의 상세불명의 통증', '반복적 긴장성 손상', '손목골 증후군'으로 진단된 환자들은 종종 상지 신경줄기의 역학적 민감도 변화를 나타내며, 이는 환자의 증상[34,35]을 악화시키는 신경에 대한 손가락 압력을 통해 드러날 수 있다. 두개경추 레벨에서 신경 구조의 직접적인 물리적 침범은 경추 기원의 두통에 기여할 수 있으며, 여기서 신경은 기계적 자극으로 인해 통증을 유발할 수 있다.[105] 경추성 두통은 대후두근 및 경추2번 신경근의 이질통을 나타낼 수 있다.[106] 편두통 및 긴장성 두통에서 안와상신경은 촉진에 대한 압통이 증가하고 상지 신경의 역학적 민감도가 증가하여 중추 기전이 손상되었음을 시사한다.[107]

신경줄기에 직접 압력을 가하여 주변 조직과 명확하게 구분할 수 있고, 피부를 통한 이 압력은 신경이 놓여 있는 표면(뼈, 근육, 힘줄, 캡슐 등이 될 수 있음)에 대해 신경을 가두는 것을 가능하게 한다. 촉진을 통해 신경은 '긴장과 쿵쿵거리는' 움직임(기타 줄에서와 같이)을 통해 기계적으로 자극되거나 티넬 징후(Tinel's sign)에 설명된 대로 타격을 받을 수 있다. 신경계를 촉진할 때 고려해야 할 흥미로운 변수는 촉진 동안 견디는 기계적 부하의 정도이며, 이는 신경의 일관성에 큰 차이를 생성할 수 있으며, 때때로 주변 구조를 더 잘 구별할 수 있게 해주고, 더 중요한 것은, 더 높은 인장 하중은 신경줄기의 역학적 민감도를 수정할 수 있으며 긴장의 정도는 환자의 위치를 변경하여 물리치료사가 의도적으로 변경할 수 있다.

촉진은 신경줄기의 경로를 따라 수행되어야 하며, 자주 역학적 민감도 변화와 관련된 영역에 특히 주의해야 한다. 검사자가 가하는 압력은 항상 점진적인 진행 기준에 따라 투여되어야 하며 항상 환자의 증상이 악화되는 것을 피하면서 저부하 자극으로 시작해야 한다. 신경이 국소 통증의 원인이 될 수 있으며 연관통 및 방사통증을 유발할 수 있음을 잊지 말고 증상의 위치와 분포에 따라 안내되어야 한다.

신경 촉진에 대한 환자의 반응을 일반적으로 참고하려면 증상이 있는 부위에서 멀리 떨어진 곳의 신경을 촉진하는 것으로 시작하는 것이 좋고, 이는 증상이 있는 부위의 반응을 해석하는 데 도움이 된다.

촉진에 대한 반응은 환자의 주관적 및 객관적 검사에서 얻은 다른 임상 소견에 추가되어야 한다. 다음과 같은 측면을 정의해야 한다:

- 환자가 느끼는 감정의 특성과 환자의 증상에 대한 반응의 유사성 정도.
- 통증의 강도.
- 자극에 대한 이상감각 및/또는 감각이상의 출현.
- 통증 및/또는 감각 장애의 위치 및 분포.
- 반응 잠복기.
- 자극과 반응의 관계.
- 자극에 대한 국소 및/또는 일반 운동 반응.
- 자극과 관련된 신경영양 반응.

촉진을 통해 말초신경계를 식별하고 인식하는 능력은 다른 도수 절차와 마찬가지로 연구와 연습을 통해 향상되는 기술이다.

머리, 목 및 상지의 신경 촉진
(Neural palpation in the head, neck and upper limb)

안와상, 안와하 및 턱끝 신경, 안면 신경 가지 또는 대후두 신경과 같은 특정 표재성 신경 가지가 머리와 얼굴에서 쉽게 촉진될 수 있다. 경추 레벨에서 촉진할 수 있는 신경은 무엇보다도 척추 더부신경(부신경, accessory nerve)과 흉곽출구를 따라 있는 팔신경얼기의 일부를 포함한다.

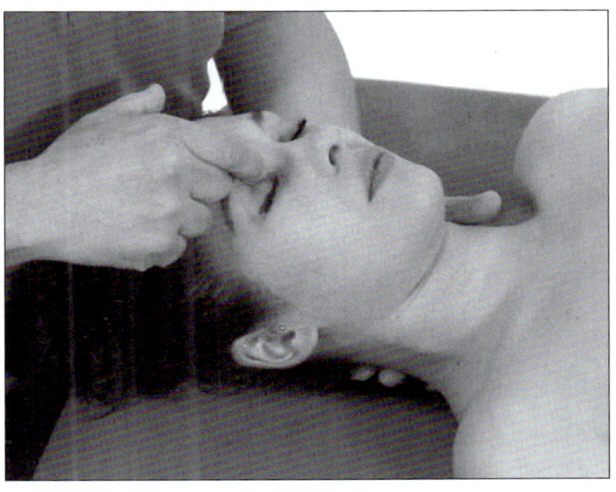

그림 15-1 ■ 삼차신경의 안분지의 촉진.

이 신경의 촉진은 두통, 구강안면 통증, 목 통증 또는 경추 기원의 상완통이 있는 환자의 신체 검사의 일부일 수 있다.

삼차신경의 안분지: 안와 상단 가장자리 주변의 이 가지에서 쉽게 촉진되는 신경은 안와상절흔을 포함하며 외측 및 내측 안와상 신경 및 활차상 신경이다(그림 15-1). 대부분 머리의 정면 영역을 둘러싸고 두개골로 돌출되어 있다.

삼차신경의 상악가지: 이 가지에서 턱의 안와하관에서 나오는 안와하신경이 만져진다(그림 15-2).

삼차신경의 하악가지: 턱의 이관 주위의 턱끝가지가 이 가지에서 표면적으로 촉진된다(그림 15-3). 구강내 촉진은 하악골의 상행가지에 대해 내측 익상근을 촉진함으로써 하치조신경을 간접적으로 촉진할 수 있을 뿐만 아니라 설하강에서 입의 바닥을 변형시켜 설신경을 촉진할 수 있다.

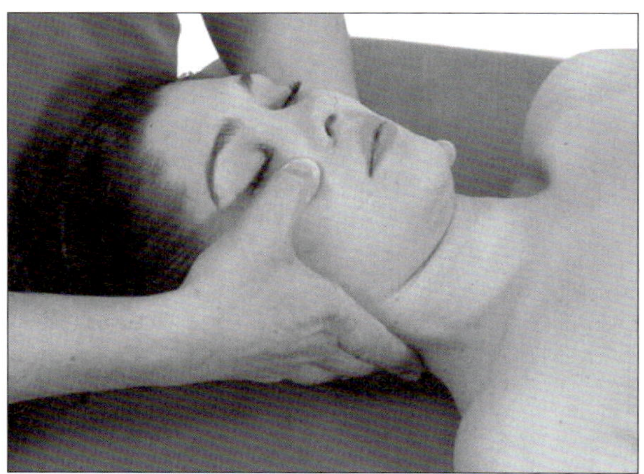

그림 15-2 ■ 턱의 안와하관에서 삼차신경의 상악가지 촉진.

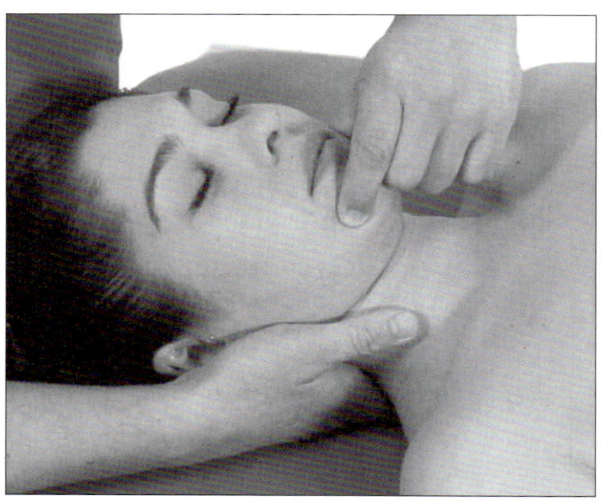

그림 15-3 ■ 이관에서 삼차신경의 하악가지 촉진.

안면신경 가지: 이 신경은 하악 목의 후외면에 압박하여 촉진할 수 있다. 안면 신경의 측두, 광대뼈, 협강, 변연 하악 및 경추는 촉진으로 구별하기 어렵지만 표적를 향한 궤적을 따라 반응을 평가하는 것이 가능하다.

대후두신경 및 소후두신경: 외측돌기(약 2 cm)에서 외측상후두만곡을 촉진함으로써 대후두신경을 촉진할 수 있고 소후두신경을 더 측면 위치에 촉진할 수 있다.

중요하게도, 대후두신경은 일단 척추관의 출구에 있는 후방환축축막(posterior atlantoaxial membrane)을 지나 아래머리빗근(후두사근, obliquus capitis inferior)을 둘러싸고, 그 다음 두반가시근(두반극근, semispinalis capitis)의 근육-힘줄 접합부를 통과하고 마지막으로 상행각에서 상부 등세모근 및 목빗근(SCM)의 두개골 삽입 부위 교차점을 초과한다.

척수 더부신경(부신경, accessory nerve): 이 신경은 상부 등세모근을 향하는 경추4번과 경추5번 사이의 목빗근(SCM) 뒷목의 후방 삼각형에서 촉진된다.

팔신경얼기(상완신경총): 팔신경얼기 촉진은 경추4번에서 쇄골상와의 바닥까지 목갈비근(사각근, scalene muscle) 간 삼각형의 내용물로 시작하여 쇄골하와 및 후흉강 공간을 따라 계속하고 마지막으로 겨드랑이의 신경총의 촉진이 흉곽 출구의 다양한 레벨에서 수행되어야 한다. 상지에서 상완 신경총에서 파생된 각 신경은 해부학적 경로, 특히 기계 민감성 변화와 가장 자주 연관되는 영역을 촉진하여 검사해야 한다.

정중신경: 상완 경로는 팔꿈치 굴곡의 접힘에 대한 내측이두고랑에서 촉진된다. 원엎침금, 손가락의 굴곡근 및 손목골 주위의 팔뚝에 압력이 가해진다. 궁극적으로 손가락가지는 첫 번째 손가락에서 네 번째 손가락까지 검사할 수 있다.

척골 신경: 내측이두고랑의 정중신경과 평행한 팔의 상부 2/3의 촉진. 원위 1/3에서는 팔의 내부 근육간 격막(Struthers 아케이드)을 초과하여 상완 후방 구획으로 전달된다. 검사는 상와-주두강 홈과 팔목 터널(Osborne's 인대)의 팔꿈치 관절 주변에서 특히 중요하다. 척측수근굴근 및 총지지굴곡근의 근육배를 통한 팔뚝의 간접 촉진, 마지막으로 네 번째

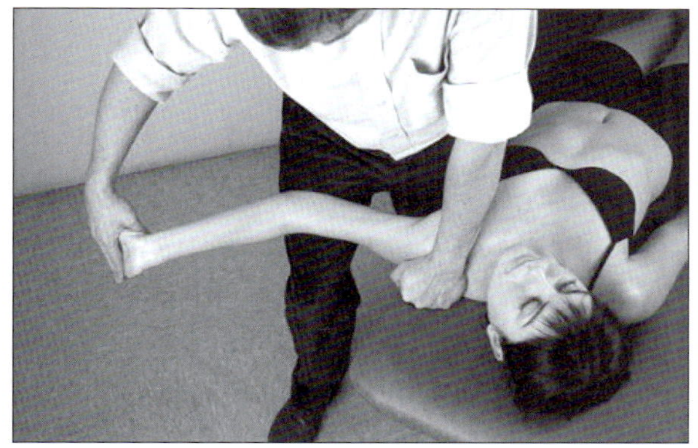

그림 15-4 ■ 상지 신경역학적 검사 1(ULNT1)

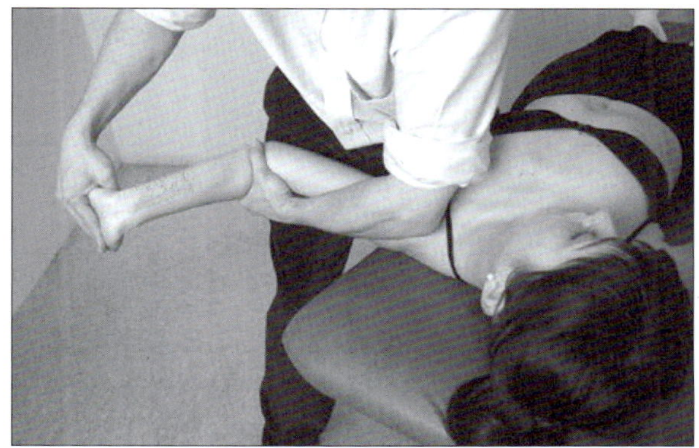

그림 15-5 ■ 상지 신경역학적 검사 1(ULNT1) 변형. 이 변형에서 치료사는 팔뚝으로 견갑대의 안정화를 수행한다.

및 다섯 번째 손가락의 손목과 디지털 가지에 있는 가이온터널증후군과 관련하여 검사한다.

요골 및 겨드랑이 신경: 상완 사각 공간의 돌출부를 눌러 겨드랑이 신경을 촉진해야 한다. 요골 신경은 삼두근 근육의 바깥 쪽 머리의 힘살(belly)을 통해 상완골의 나선형 홈의 투영을 상완 위치에서 촉진하여 검사한다. 팔의 측면에서 외부 근육간 상완 중격을 통한 신경 통로의 촉진 및 팔의 말단 ⅓에서는 측면 이두근 홈을 눌러 궤적을 따른다. 팔꿈치에서 외측상과 앞과 요골의 머리와 목의 전외측면에 압력을 가한다. 피부 가지는 중간 ⅓ 레벨에서 팔뚝의 측면과 요골 뒤쪽 말단에서 촉진될 수 있다.

신경역학 검사(Neurodynamic tests)

주관적인 검사 후 우리의 임상적 추론이 경추 신경근 또는 관련 말초 줄기 또는 말초신경과 관련된 경추 및 상지의 신경성 통증의 가설을 시사하는 경우 상지 신경역학 검사(ULNT)의 사용을 고려해야 한다. Robert Elvey[20]에 의해 처음 기술된 것에서 파생된 방법은 현재 상지 신경역학적 검사 1(ULNT1), 상지 신경역학적 검사 2a(ULNT2a), 상지 신경역학적 검사 2b(ULNT2b) 및 상지 신경역학적 검사 3으로[5,10,108] 알려진 4가지 기술로 설명된다.

상지 신경역학적 검사 1 (ULNT1)

팔신경얼기(상완신경총) 유발 검사(brachial plexus provo-cation test, BPPT)[109]라고도 하는 상지 신경역학적 검사 1(ULNT1)은 주로 어깨 외전으로 구성되며 정중신경을 선호한다(그림 15-4 및 15-5).[30,37]

상지 신경역학적 검사 1(ULNT1) 구성 요소는 견갑상완 외전, 손목 및 손가락 신전, 팔뚝 회외, 견갑상완 외회전 및 팔꿈치 신전이다. 감각 성분으로 반대쪽 경추 경사가 포함될 수 있다. 환자의 증상이 경추 레벨에서 재현되면 손목과 손가락 신전을 제거하여 구조적 분화를 수행한다. 원위부에서 증상을 유발하기 위해서는 구조적 분화가 필요하며, 견갑상완 외전을 제거하거나 반대쪽 경추 측면 굽힘을 감각 성분으로 사용한 경우에는 중립 경추 자세로 복귀해야 한다.[10]

상지 신경역학적 검사 1(ULNT1)은 경추신경근, 팔신경얼기 및 팔의 말초신경을 기계적으로 평가하기 위해 기술된 주요 신경역학적 검사임에도 불구하고 두 가지 중요한 실제적 한계가 있다. 첫째, 견갑상완 이동성이 제한된 어깨 병리를 가진 환자에서는 수행할 수 없다. 둘째, 검사의 활성 성분으로 견갑골 함몰부(상지 신경조직의 주요 긴장근 구성 요소)를 갖지 않아 구조적 분화로서 견갑골 함몰/거상을 생략하고 검사에서 파생된 신경 가동 기술 옵션을 제한하는 치료적 방법인 진단 효용성이 낮다.

상지 신경역학적 검사 1(ULNT1)은 신뢰할 수 있는 검사(신뢰성 = 0.98)[110,111]로 입증되었으며 요골 및 척골 신경에 대한 스트레스를 최소화하면서 정중신경에 장력을 가한다.[88] 또한 손목굴증후군[36-38,69,112] 및 경추 신경근병증(민감도 = 0.97, 특이도 = 0.22)[39]의 진단에서 유효성에 대해 연구되었다. 그러나 이러한 질병의 진단에 대한 이 검사의 기여는 관련된 신경 역학적 민감도에 대한 정보를 제공하는 데 국한된다는 점을 기억해야 한다.[41]

무증상 피험자에서 ULNT1에 대한 정상 반응을 평가할 때 운동 범위와 감각 반응 모두에서 큰 개인차가 발견되어 임상 환경에서 결과의 의미를 강화하기 위한 양측 비교의 필요성을 강조한다.[44] 그러나 정상일 수 있는 지배적 팔 및 비지배적 팔 사이의 운동 범위, 빈도 및 감각 반응의 특성에는 차이가 있다.

건강한 피험자의 감각 반응은 정중신경 분포 영역뿐만 아니라 팔의 다른 영역에서도 발생한다. 건강한 피험자의 반응 특성은 주로 스트레스-긴장과 통증이다.[44] 따라서 이는 주로 신경성 반응이 아니다. 이것은 특히 신경조직을 둘러싼 근골격 조직에 스트레스를 가하는 구성 요소와 함께 상지 신경역학적 검사1(ULNT1)과 관련이 있다.[10]

상지 신경역학적 검사 2a (ULNT2a)

ULNT2a는 ULNT1의 한계를 극복한 정중신경을 겨냥한 검사이기도 하다. 이것의 주요 구성 요소는 견갑골 내림이며, 탐색의 표적 신경 구조에 충분한 장력과 함께 수행을 위해 약간의 견갑상완 외전을 필요로 한다. 환자가 정중신경 경로에 증상이 있을 때, 특히 외전이 제한적이거나, 통증이 있거나, 부적절한 움직임일 때 적합하며 ULNT1이 발생할 수 없다. 견갑골 내림 움직임으로 인한 증상의 유발은 또한 ULNT2a를 나타낸다(그림 15-6).

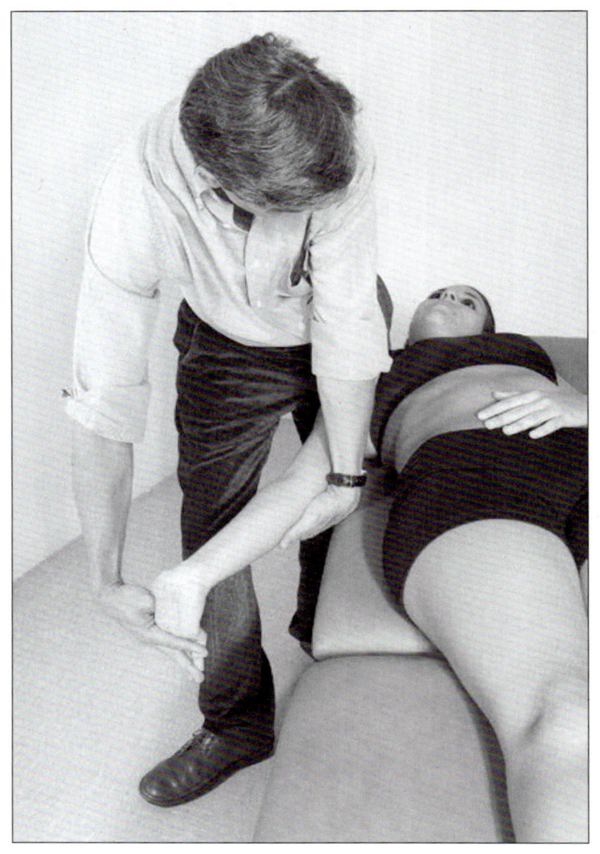

그림 15-6 ■ 상지 신경역학적 검사 2a.

ULNT2a 구성 요소는 견갑골 내림, 팔꿈치 신전, 견갑상완 외회전, 손목 및 손가락 신전 및 견갑상완 외전이다. 반대쪽 경추의 측면 굽힘은 감작 성분으로 추가될 수 있다. 환자의 증상이 경추 레벨에서 재현되면 손목과 손가락 신전을 제거하여 구조적 분화를 수행한다. 원위부에서 증상이 발생하려면 견갑골의 내림을 제거하거나 반대쪽 경추 측면 굽힘을 감작 성분으로 사용하는 경우 중립 경추 자세로 복귀함으로써 구조적 분화가 필요하다.[10]

ULNT2a는 정중신경 긴장의 신뢰할 수 있는 검사[113]로 입증되었다. 건강한 무증상 피험자(손 및 측면 팔뚝, 팔오금)에서 ULNT2a의 최종 위치에서 유발된 감각 반응은 피부분절 경추6번 및 경추7번의 피부 분포 및 정중신경과 일치하는 영역에서 나타난다. 스트레칭–장력의 느낌은 팔꿈치와 팔뚝에서 느껴지는 감각의 가장 일반적인 설명이며, 긴장, 작열감 또는 따끔거림의 조합은 손에서 더 자주 설명된다. 반대쪽 경추의 측면 굽힘 움직임도 무증상 피험자의 반응을 증가시킨다.[113] ULNT1과 마찬가지로 ULNT2a에 대한 운동 범위와 감각 반응 모두에서 큰 개인차가 발견된다.[44]

상지 신경역학적 검사 2b (ULNT2b)

ULNT2b는 ULNT2a와 대부분의 구성 요소를 공유하는 기술로, 견갑상완 내회전이 주요 차별화 요소이자 요골신경에 스트레스를 가하는 검사의 기본 구성 요소이다. 그러나 이 검사는 요골신경의 장력에 민감하지도 특이적이지도 않아 요골신경에 장력을 생성하고 정중신경[88]에 더 많은 장력을 생성하므로 다른 ULNT에서 이 검사로 얻은 정보를 결과에 추가해야 한다.

ULNT2b 구성 요소는 견갑골 내림, 팔꿈치 신전, 견갑상완 내회전, 손목과 손가락의 굴곡 및 견갑상완 외전이다. 감작 성분으로 우리는 근위 수준에서 반대쪽 경추 측면 굽힘에 추가할 수 있고 손목과 손가락의 원위 척골 측면 굽힘을 먼저 근사화할 수 있다. 환자의 증상이 경추 레벨에서 재현되면 손목과 손가락 굴곡을 제거하여 구조적 분화를 수행한다. 원위부에서 증상이 발생하려면 견갑골 내림을 제거하기 위해 구조적 분화가 필요하거나 또는 반대쪽 경추 측면 굽힘을 감작 구성 요소로 사용하는 경우 중립 경추 위치로 복귀해야 한다(그림 15–7).[10]

경추신경근병증 진단 기여도에 대한 ULNT2a 값은 신뢰도 0.83, 민감도 0.72, 특이도 0.33,[39] 손목굴증후군의 신뢰도 0.83, 민감도 0.64, 특이도 0.30.를 보였다.[114] 그러나, 이후 연구에서는 제한된 레벨의 증거로 요골신경 검사 ULNT2b가 아닌 정중신경 검사 ULNT2a가 환자에게 경추 신경근병증이 있는지 여부를 결정하는 데 도움이 된다고 제안한다.[41]

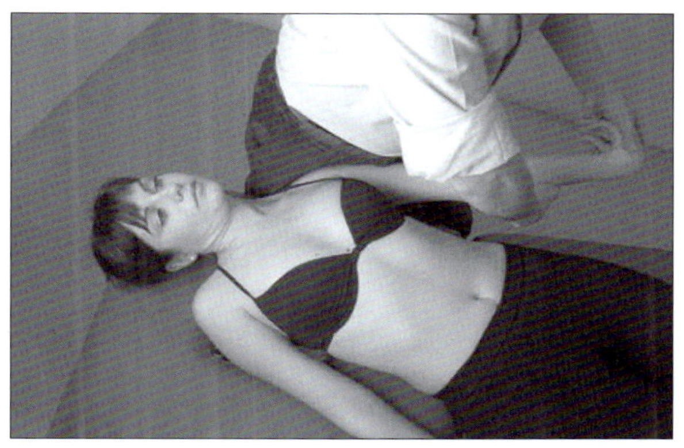

그림 15–7 ■ 상지 신경역학적 검사 2b.

상지 신경역학적 검사 3 (ULNT3)

ULNT3는 척골 신경의 신경역학 검사이다. 팔꿈치 굴곡을 주요 검사 요소로 하여 척골신경을 제외한 다른 신경줄기에 가해지는 스트레스를 극적으로 줄이는 이동으로 척골신경에 대한 민감도와 특이도가 높다. ULNT3 구성 요소는 견갑골 내림, 견갑상완 외회전, 견갑상완 외전, 팔꿈치 굴곡, 팔뚝 회내 및 손목 및 손가락 신전이다. 감작 성분으로 우리는 근위 레벨에서 반대쪽 경추 측면 굽힘과 원위 레벨에서 손목의 요골 경사 및 다섯 번째 손가락의 신전을 추가할 수 있다. 환자의 증상이 경추 레벨에서 재현되면 손목과 손가락 신전을 제거하여 구조적 분화를 수행한다. 원위부에서 증상이 발생하려면 견갑골 내림을 제거하는 것과 같은 구조적 분화가 필요하다. 또는 반대쪽 경추 측면 굽힘을 감작 성분으로 사용하는 경우 중립 경추 위치로 복귀하는 것과 같은 구조적 분화가 필요하다(그림 15–8).[10]

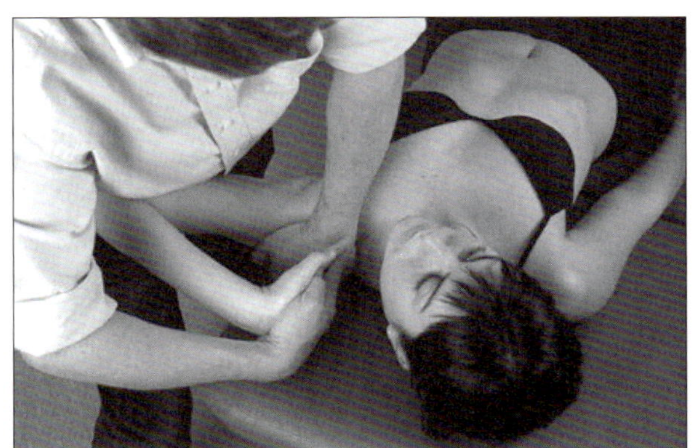

그림 15-8 ▪ 상지 신경역학적 검사 3.

무증상 피험자에서 ULNT3에 대한 정상 반응을 연구할 때,[49] 통증 강도와 어깨 외전 각도에서 통계적으로 유의한 차이가 있으며, 여성은 남성보다 통증을 더 많이 인식하고 외전 각도는 더 낮다. 또한 비우세 팔과 비교하여 우세 팔에서 더 낮은 ULNT3 동안 어깨 외전 각도에서 6.6°의 상당한 차이가 있다. ULNT3 시행 시 가장 많이 보고된 증상은 신장(stretching)(90%)이었으며, 그 다음으로 통증이었고, 가장 빈번한 증상 위치는 팔뚝의 전내측이다.[49]

ULNT3에서 파생된 신경 가동 기술은 팔목굴증후군 치료[115,116]에 효과적인 것으로 입증되었다.

근피신경의 신경역학 검사(Neurodynamic test of the musculocutaneous nerve)

이 검사는 위에서 설명한 검사를 기반으로 하지만 표준화되지 않았다. 이 스트레스를 이 신경에 집중시키기 위해서는 견갑대를 눌러야 하며, 팔을 약 60° 외전한 다음 어깨를 가용 범위 내에서 신전하고, 마지막으로 팔꿈치를 펴고 팔뚝과 손목을 중립 위치에 유지해야 한다(그림 15-9).

Butler[10]은 감각 요소로 손목의 척골 편위를 추가할 것을 제안했다. 이 신경을 평가할 때 일반적인 반응은 팔꿈치의 전방에 집중하는 경향이 있는 팔의 앞쪽에 깊은 '긴장-통증'의 감각이다.

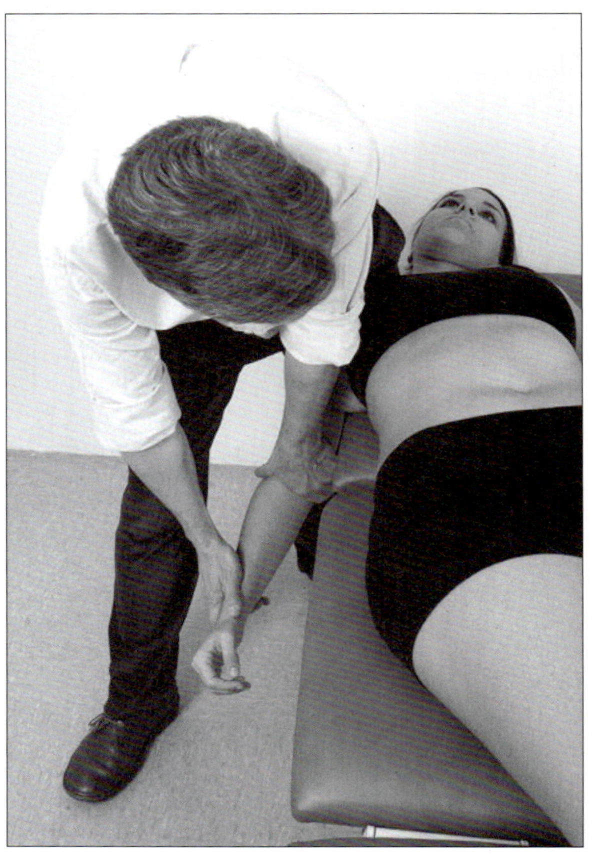

그림 15-9 ▪ 근피신경의 신경역학 검사.

견갑상신경의 신경역학 검사 (Neurodynamic test of the suprascapular nerve)

견갑상신경은 어깨에서 중요한 감각운동 기능적 역할을 한다. 이것은 극상근과 극하근의 힘줄, 견봉쇄골관절을 포함한 대부분의 관절의 감각신경 분포를 담당한다.[117,118] 견갑상신경병증의 발병률과 유병률은 아직 알려져 있지 않지만,[119] 회전근개 손상 없이도 어깨 통증에 기여하는 것으로 보인다.[120] 이 신경에서 Parsonage-Turner syndrome이 드문 것은 아니다.

견갑상신경의 유발 검사가 표준화되지는 않았지만 해부학 및 생체역학을 분석하여 이 신경에서 스트레스 상태를 유발할 수 있는 어깨 복합체의 다양한 움직임과 위치를 파악하는 것은 어렵지 않다.

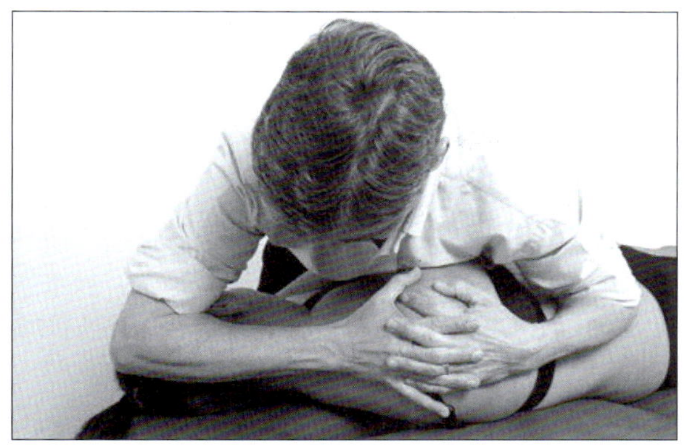

그림 15-10 ■ 견갑상신경의 신경역학 검사.

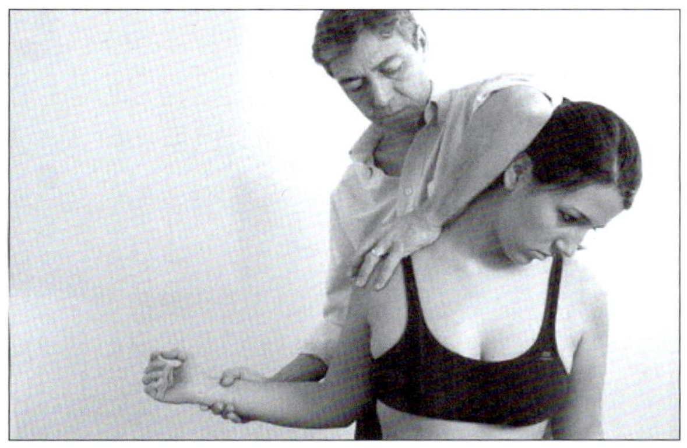

그림 15-11 ■ 견갑상신경의 신경역학 검사.

Butler[10]는 수평 어깨 내전, 경추의 반대쪽 측면 굽힘 및 견갑대 내림을 통한 평가를 제안했다. 또한 견갑대의 하강과 경추를 반대쪽으로 측면 굽힘을 하여 '뒤로 손을 뻗는(reach back)' 자세를 민감하게 하는것도 가능하다(그림 15-10). 극하근에 퍼져 있는 신경가지에 더 많은 영향을 미칠 수 있는 또 다른 옵션은 견갑대 내림, 90° 팔꿈치 굴곡 및 사용 가능한 범위까지 어깨를 능동적으로 외회전하는 것이다(그림 15-11).

저자의 경험에 따르면, 가장 흔한 반응은 어깨의 뒤쪽 측면에 깊고 광범위한 통증을 느끼는 것으로 앞쪽으로 퍼질 수 있으며 동측 경추 측면 굽힘과 같은 구조적 분화의 이동에 반응한다.

이 방법에서 극하근의 동심 수축이 극돌기관절흔에 의해 제공되는 반사 도르래에 기대어 신경분포 견갑골 신경의 가지에 긴장을 일으킬 수 있다고 추정된다. 그러나 이 검사로 유발된 어깨통증은 신경총의 뒤쪽 다발에서 발생하는 견갑하근을 자극하는 것과 같은 팔신경얼기의 다른 근위 가지에서 생성된 스트레스로 인한 것일 수 있다.

경추의 신경역학 검사
(Neurodynamic tests of the cervical spine)

수동적 경추 굴곡 검사
(Passive cervical flexion test)

이 유발검사는 경추를 굴곡 위치로 수동적으로 취하는 것으로 구성되며, 이는 해당 지역의 다양한 근골격 및 신경수막 구조에 기계적 스트레스를 생성한다. 뇌수막염이 의심되는 환자의 일상적인 신경 정형외과 검사 중 하나이다.

러미츠 징후(Lhermitte's sign)(기둥을 통해 흐르고 경추를 구부릴 때 사지에 도달할 수 있는 짧은 전기 충격)과 같은 이상 반응은 경추 또는 등쪽 척수병증[121]을 반영할 수 있는 경보 표시기(위험 신호)로 해석되어야 하고 또는 다발성 경화증[122]과 같은 탈수초성 질환은 하지 굴곡 경향으로서 과도한 운동 반응과 유사하다(커니그 징후[Kernig's sign], 브르진스키 징후[Brudzinski's sign]).

더 많은 양의 신경축 스트레스에 노출되는 형태로 슬럼프 방법을 수행하기 전에 이 검사를 적용하는 것이 좋다.

위에서 논의한 바와 같이, 경추 굴곡은 많은 경추 및 등 구조에 직접적인 기계적 스트레스를 가하고, 이들 중 어느 것도 통각수용성 입력의 생성기가 될 수 있다. 이 검사에서 통증의 원인으로 신경수막과 근골격 구조를 구별하려면 상부 및/또는 하부 사분면의 신경을 민감하게 만드는 것이 좋다. 경추 굴곡은 뇌신경 및 대후두신경과 같은 기타 신경의 신경 정형외과적 검사에도 사용된다.

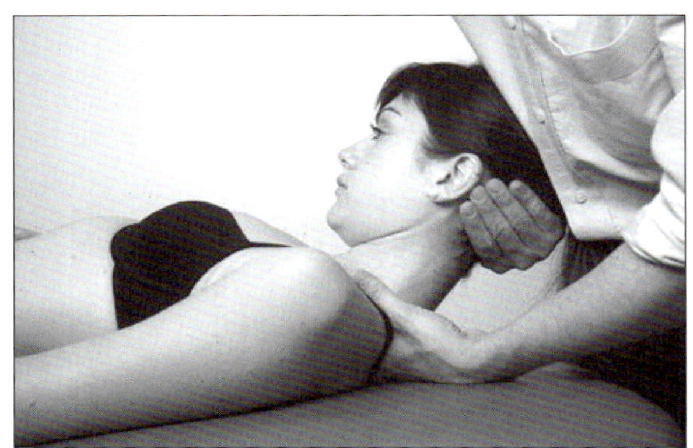

그림 15-12 ■ 수동적 경추 굴곡 검사.

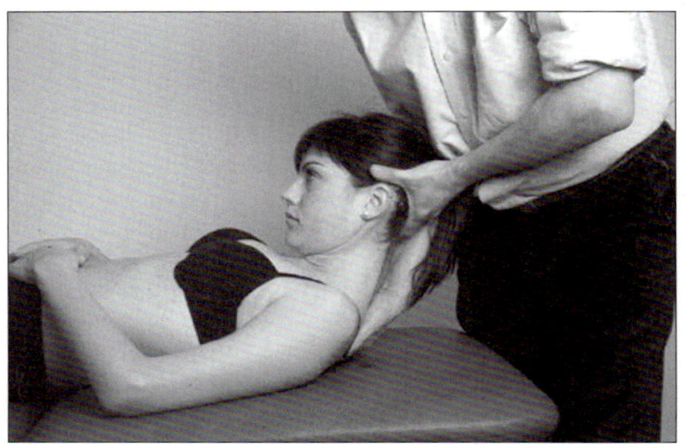

그림 15-13 ■ 수동적 경추 굴곡 검사.

시작 위치: 배에 손을 대고 누운 자세의 환자, 모든 평면에서 머리와 경추의 중립 위치, 엉덩이와 무릎 반굴곡(무릎 뒤 지지)(그림 15-12):

1. 이 검사의 첫 번째 단계는 저항의 질과 가능한 통증 반응을 평가하기 위해 이용 가능한 가동 범위 전체에 걸쳐 두개경추 영역을 굴곡된 위치로 수동적으로 취하는 것이다. 이것이 나타나면 어떤 사분면의 신경이 긴장되기 전에 기동이 반복된다. 즉 두개경추굴곡은 어깨가 내려가고 팔꿈치가 곧게 펴진 상태에서 시행할 수 있다. 환자가 처음으로 불쾌하거나 고통스러운 감각을 느꼈을 때 팔꿈치를 반굽힘 자세로 가져오도록 한다. 불편함의 감소를 언급하는 경우, 이것은 신경 기원으로 해석될 수 있다.
2. 검사의 두 번째 단계에서는 경추(cervical) 및 경추흉추 굴곡은 두개경추 굴곡에 더해진다(그림 15-13). 이 단계는 하부 사분면의 신경을 통해서만 민감해질 수 있다('중간 및

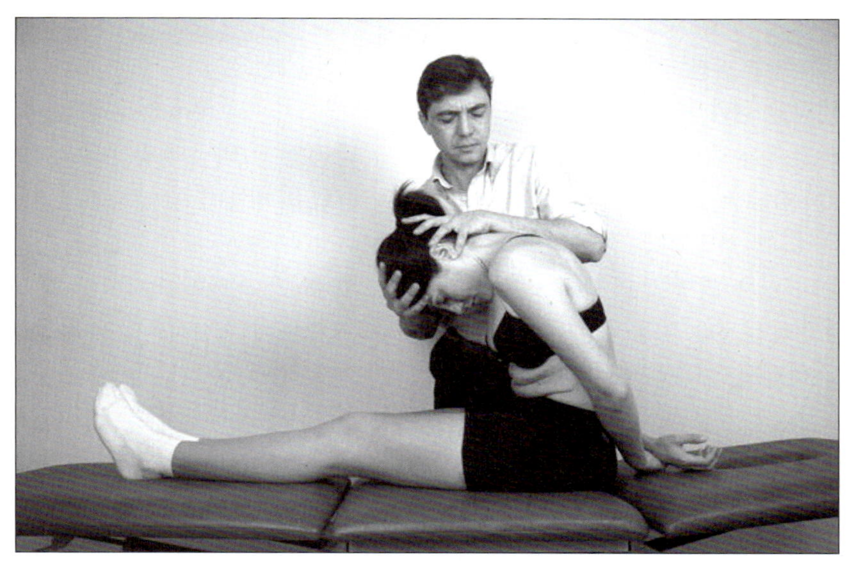

그림 15-14 ■ 장시간 앉아있는 슬럼프의 수동적 경추 굴곡 검사.

하부 경추 영역의 굴곡은 흉곽출구의 길이 방향 치수를 감소시켜 팔신경얼기의 장력을 감소시킬 수 있음'). 예: 하지직거상 검사의 약간의 변형과 함께.

장시간 앉아있는 슬럼프 자세에서 경추의 수동적 굴곡은 더 민감해질 수 있다(그림 15-14).

정상 반응: Butler[10]와 같은 전문가의 의견에 따르면, 수동 경추 굴곡 검사는 무증상 피험자에서 통증을 유발해서는 안 된다. 대조적으로, 경추성 두통 환자의 10%는 이 시험에 의해 입증된 신경조직 기계과민성 장애를 갖는 것으로 알려져 있다.[123]

이 검사의 임상적 유용성은 두경부를 침범하는 임상 양상을 갖는 환자 및 일반적으로 척추통 환자와 관련이 있을 수 있다.

두개경추의 수동 굴곡

(Passive flexion of the craniocervical spine)

이 검사는 상부 경추의 신경 역학적 민감도를 탐색하는 데 사용된다(그림 15-15).

이 검사는 하지직거상(그림 15-16) 또는 팔외전(그림 15-17)을 연관시켜 민감해질 수 있다.

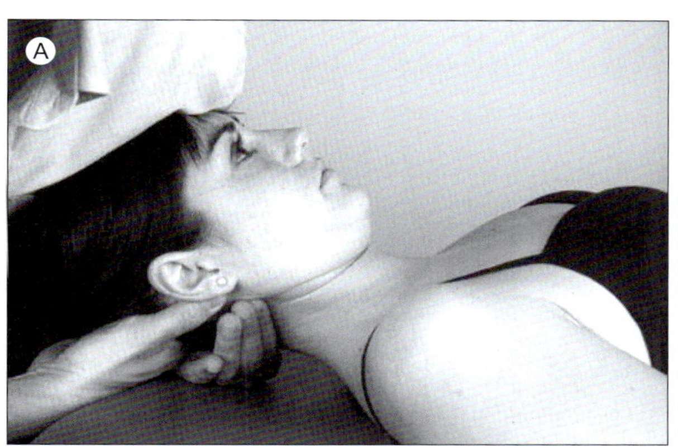

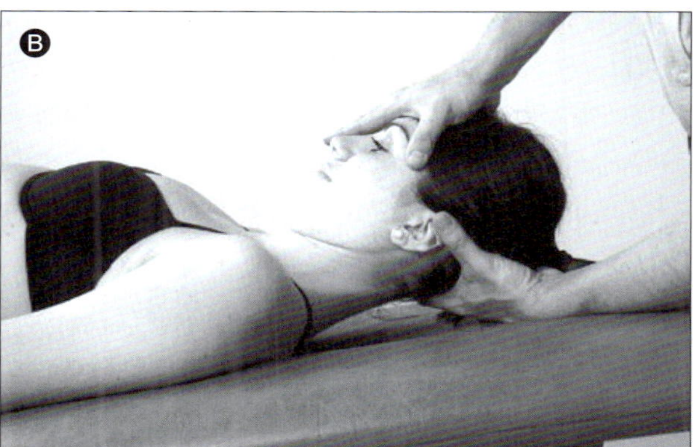

그림 15-15 ■ 두개경추 수동 굴곡 안정화 C2(A) 및 전두후두 그립(B).

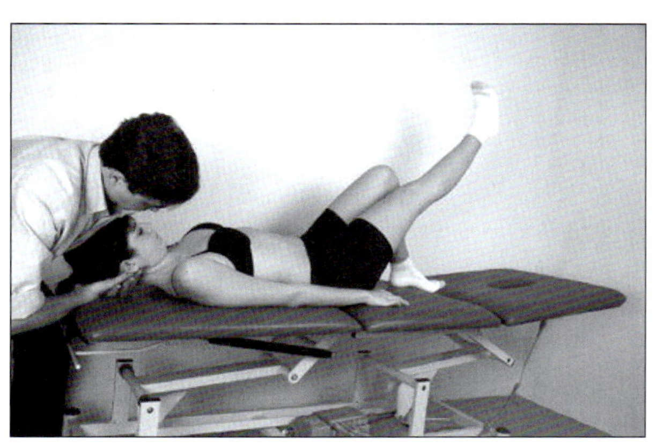

그림 15-16 ■ 두개경추 수동 굴곡 및 하지직거상.

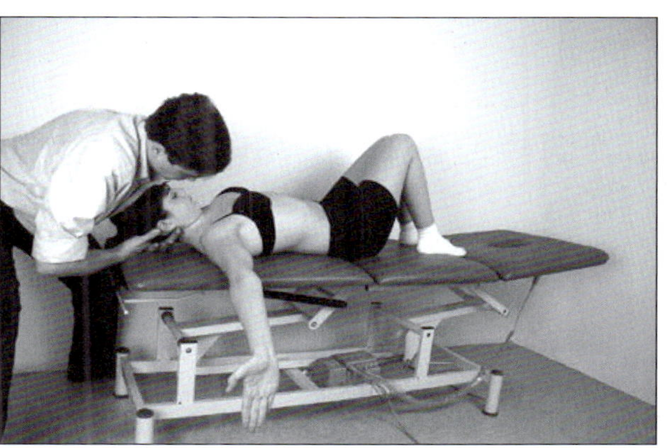

그림 15-17 ■ 두개경추 수동 굴곡 및 팔 외전.

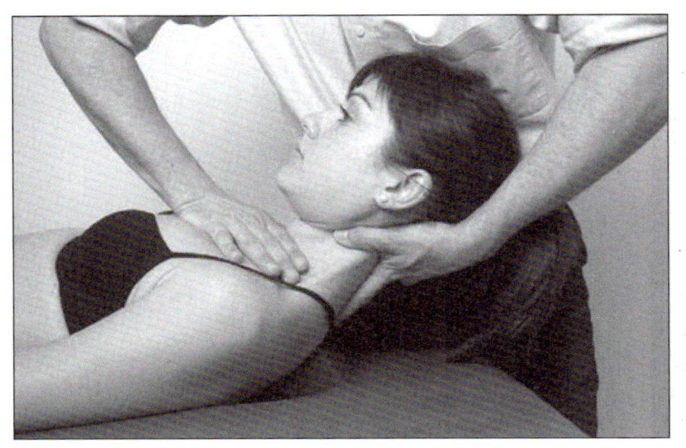

그림 15-18 ■ 경흉추 척추 수동 굴곡.

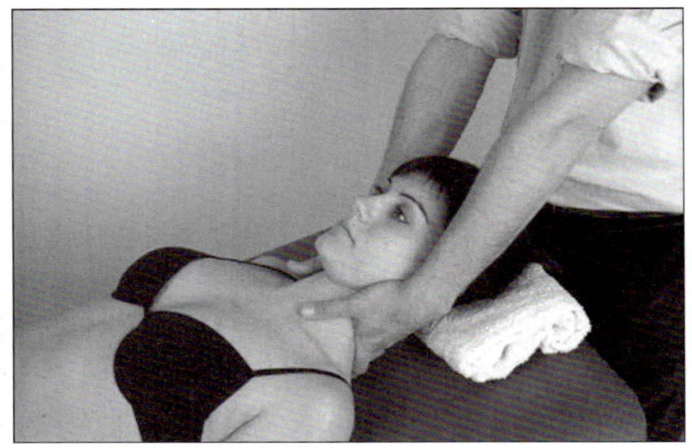

그림 15-19 ■ 수동 경추 견인.

경흉추의 수동 굴곡

(Passive flexion of the cervicothoracic spine)

이 검사는 경흉추의 굴곡에 근거한 신경 역학적 민감도를 확인하기 위한 것이다. 치료사는 한 손으로 경추의 굴곡을 수행하고 다른 한 손으로 전방 흉추에 놓고 상부 흉추를 향해 전후방 압력을 가한다(그림 15-18).

수동 경추 견인*(Manual cervical traction)*

수동 경추 견인은 또한 신경조직의 역학적 민감도를 평가하기 위한 방법으로 사용될 수 있다. 감소된 신경 역학적 민감도는 긍정적인 반응 지표일 수 있다. 견인의 효과는 다른 도수치료와 마찬가지로 통증에 대한 직접적인 신경생리학적 효과에서 파생될 수 있다. 이것은 또한 체간 공간의 거리와 추간공의 직경을 증가시키는 것으로부터 파생될 수 있다. 견인이 추간공의 직경을 크게 증가시킨다는 것이 실험적으로 입증되었다(그림 15-19).[124]

대후두신경 및 뇌신경의 신경역학 검사

(Neurodynamic tests of the greater occipital nerve and cranial nerves)

뇌신경 및 대후두신경에 적용되는 신경역학 검사는 사지의 다른 신경과 마찬가지로 표준화되지 않았다. 그러나, 이것들을 다르게 생각할 객관적인 이유는 없다. 이것들은 다른 근골격 구조도 적용하는 동안 긴장을 받음에도 불구하고, 신경 구조에 선택적 기계적 응력을 가할 수 있다는 기본 전제에 기초한다.[125] 사지와 척추의 움직임의 조합은 초점을 허용하고 뇌신경을 포함한 신경 구조[9,89,126]에 기계적 스트레스를 편향시킨다.

척추와 머리의 움직임과 관련하여 중추신경계와 결합초의 기계적 행동을 명확히 하는 데 도움이 되는 연구는 거의 없다. Yuan 등[127]은 중립 위치와 최대 굴곡 사이에서 경추 레벨에 있는 척수가 선형으로 변형된다는 것을 관찰했고(전면에서는 6%~8.7%, 후면에서는 10~13.6%) 그들은 상부 척수가 꼬리방향으로 미끄러지고 바닥 부분이 머리 방향으로 움직이는 것을 확인한다. Louis[128]은 24구의 새로운 시체에서 척추 전체를 굴곡 및 신전 측정을 수행하여서 척수가 늘어나면서 동시에 움직인다는 사실에 주목했다(경추1번은 꼬리방향으로 7mm, 흉추1번(T1)은 머리방향으로 7mm, 및 요추1번은 꼬리방향으로 10mm). Louis는 굴곡 시 척수 전체가 10% 변형되며 이 변형이 척수 전체에서 균일하지 않다고 주장한다. 최대 굽힘 응력은 대략 경추6번, 흉추6번 및 요추4번 주변과 네 번째 요추신경근 아래의 요천추 신경근에 집중된다.

두개경추 굴곡 움직임에서 발생하는 뇌간과 함께 척수를 따라 긴장과 꼬리 변위가 뇌신경으로 전달될 수 있다.[129,130] 굴곡 움직임과 함께 5번에서 8번까지의 뇌신경은 뇌간의 외적 기점과 두개골 기저부의 입구 또는 출구 구멍 사이의 거리를 증가시켜 견인을 겪는다.[129] 이러한 현상은 미세혈관압박으로 인해 이들 신경의 병변에 중요한 역할을 할 수 있다.[131–133]

두개경추의 위치에 따라 뇌간 표면에 있는 뇌신경의 외적 근원과 두개골 기저부의 구멍 사이의 거리가 증가하면 두개내 공간에서 나오거나 들어갈 수 있고, 두개경추의 위치에 따라 사지와 몸통에서 발생하는 것처럼 머리의 모든 움직이는 구조의 움직임과 관련된 이동성 및 체미학적 감각에 영향을 줄 수 있다. 경추 굴곡이 선행되는 경우 앉은 자세에서 흉추 및 요추 부위의 '슬럼프' 위치의 진폭이 더 작은 것으로 나타났고, 반대로 무릎 신전과 발목 후방굽힘, 고관절 내회전이 선행되면 더 감소한다.[134]

경추 굴곡은 뇌간, 척수 및 뇌신경에 대한 기계적 스트레스를 증가시킨다;[129] 삼차신경, 혀밑신경, 얼굴신경 및 더부신경에서 최소 5~7 mm의 편위 및 변형 운동을 생성할 수 있다.[1]

연수 및 융기와 같이 두개내 돌출이 있는 상부 경추의 꼬리 운동의 진폭은 한편으로는 적절한 굴곡 운동에 의존하고 다른 한편으로는 경추 굴곡 전 또는 굴곡 시 경추6번 아래의 신경축이 노출되는 꼬리 장력 구배에 대한 것이며 이는 척추에 대한 사지의 위치와 직접적으로 관련이 될 것이다.

전술한 내용에 기초하여, 소뇌교각 주위에서 발생하는 뇌신경에 영향을 미치는 기계적 스트레스의 증가는 경추 굴곡 및 신경축에 꼬리방향으로 인장 하중을 수반하는 사지 위치와 관련될 경우 증가될 수 있다는 결론을 내릴 수 있다.

일반적으로 뇌신경의 신경역학 검사는 슬럼프 검사 및 이것의 변형과 같은 다양한 자세[135]를 통한 신경축 장력과 함께 수행될 수 있고 두개경추 굴곡과 관련하여 두개경추 측면 굽힘의 유무와 상관없이 상부, 전하방 또는 후하방 사분면 또는 이들의 조합인 신경의 인장 하중자세와 함께 수행될 수 있다. 이상의 내용을 바탕으로 근골격계에서 사용되는 것과 유사한 방법론을 통해 신경정형외과적 탐색의 기초를 두개경추구 및 그 치료적 용도에 적용하는 것이 더 잘 이해될 수 있을 것이다.

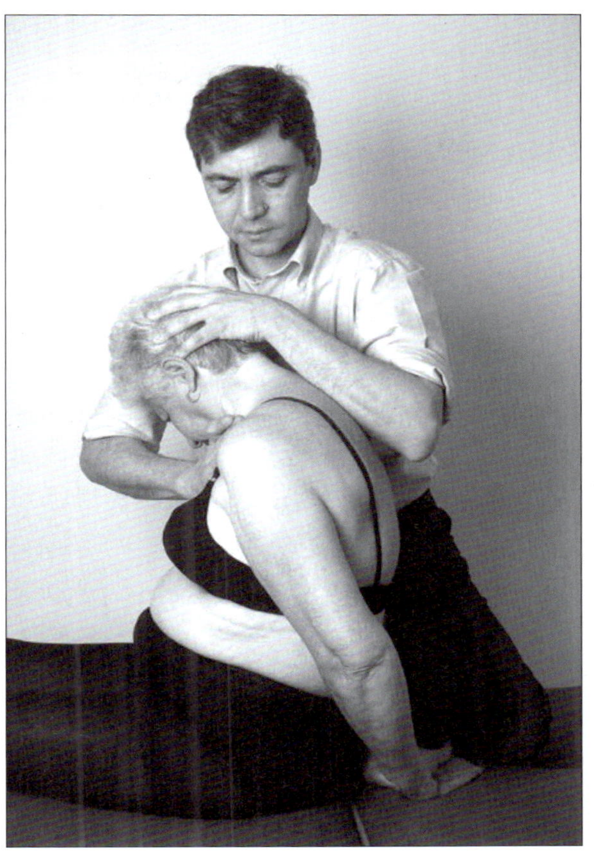

그림 15-20 ■ 대후두신경 검사.

대후두신경(*Greater occipital nerve*)

신경 정형외과적 관점에서 대후두신경을 평가하기 위해서는 장시간 앉아있는 슬럼프 자세에서 시작하는 것이 가능하다. 이 위치에서 두개경추 영역은 굴곡 및 반대쪽 측면 굽힘 및 동측 회전으로 이동한다(그림 15-20). 후두 부위의 통증 반응이나 긴장이 예상된다. 이 위치에서 구조적 분화 이동을 적용하여 무릎을 굽힐 수 있다.

삼차신경의 하악가지
(Mandibular branch of the trigeminal nerve)

두개하악복합체에서 삼차신경가지의 중요한 감각 및 운동 역할 때문에, 이의 침범은 구강안면 통증, 측두하악 장애 관련 증상, 이명, 균형 장애, 눈 및 귀 통증, 비정형 안면 통증 및 삼차 신경통을 유발할 수 있다.[136] 두개안면 통증 환자에서 약 30%의 증상이 삼차신경과 관련이 있으며 하악가지가 가장 영향을 받는 것으로 관찰되었다.[137] 이러한 상황을 설명할 수 있는 중요한 요소는 두개하악 구조와의 해부학적 관계와 높은 적응력[137]을 요구하는 하악의 높은 이동성과 관련이 있다.

하악가지에 대한 신경역학 검사는 하치조 신경에 기계적 스트레스를 집중하여 턱의 개방 운동과 신경 반대쪽으로의 측방편위를 요구할 수 있으며, 이에 앞서 두개경추 굴곡과 신경에 대한 반대측 측면 굽힘이 선행된다. 설신경이 침범되면 환자에게 혀돌출과 혀편위를 반대측으로 시행하도록 한다.

얼굴신경(Facial nerve)

얼굴신경(안면신경)은 더 많은 두개경추굴곡, 더 많은 반대쪽 측면 굽힘, 능동 또는 수동 구강안면 운동을 추가하고, 평가된 측면의 반대쪽으로 입술 교련을 전환시키는 것과 같이 구강안면 표적을 경유돌공에서 멀리 이동함으로써 변형 및 긴장 기전에 노출될 수 있다.

척수 신경(Spinal nerve)

이 신경은 처음 5개의 경추 척추 체절 레벨에서 시작된다. 이것의 기원에서 이것은 머리 방향으로 달리고 내두개 공간으로 들어가 경정맥 구멍에 도달하고 목빗근(흉쇄유돌근, SCM)과 등세모근인 표적을 향해 두개골에서 나온다. 두개경추 영역이 굴곡되고 견갑대가 눌려지면 척수 신경이 긴장에 노출된다.

기본 검사의 임상적 사용[10]
(Clinical use of basic tests)

1. 모든 환자에게 공통적인 일상적인 검사는 없다.
2. 항상 가설의 범주를 고려하여 검사를 수행한다.
3. 환자에게 수행할 검사와 해야 할 일을 알려준다.
4. 가능하면 진단검사 전에 능동검사를 실시하는 것이 좋다.
5. 움직임에 대한 장벽을 인식하는 것이 필수적이다. R1 및 R2와 증상의 발병을 관찰해라.
6. 움직임의 질은 진폭만큼 중요하다. 근육 반응을 관찰해라.
7. 통증 태도를 모니터링해라.
8. 양쪽의 대칭성을 평가해라.
9. 때때로 다른 순서로 검사를 반복해야 한다.

치료로서의 신경 가동
NEURAL MOBILIZATION AS TREATMENT

환자가 제시한 증상의 원인 또는 이와 관련된 신경 역학적 민감성 증가의 발견은 치료를 위해서 신경조직을 목표로 삼을 기회를 제공한다.

치료적 관점에서, 역학적 민감도 장애를 치료하기 위해 특별히 표적화된 신경조직의 가동으로 얻은 효과는 부분적으로 근신경 복합체와 같은 자극의 국소 초점의 가능한 말초신경계 및 중추신경계의 변화와 통증 조절 기전의 활성화로 설명되었고, 다른 기전 중에서도 후근 신경절의 위성 교세포의 행동에서 관찰되는 현상과 신경 가동을 받은 동물의

ㅌ

ㅍ

ㅎ